경실련 30년
다시 경제정의다

30th Anniversary 1989~2019
경제정의실천시민연합 30년사

경실련 30년
다시 경제정의다

경제정의실천시민연합 編

사진으로 보는 경실련 30년(1989~2019)

1989 경제정의실천시민연합
발기인대회

1989 토지공개념 도입,
주택임대차 제도개선운동

1989

1990 금융실명제 도입 운동

1990 재벌 업무용 토지 매입 특허 고발

1991 공명선거감시운동

1990　　　　　　　　　　**1991**

사 진 으 로 보 는

경 실 련 30 년

● 1991 수서비리척결운동

● 1992 군 부재자투표 부정고발

● 1992 소유와 경영 분리 등
재벌개혁 촉구

1991   1992

1992 대선후보 정책 검증

1993 공직자부패 방지를 위한 제도 개선

1993 우리쌀 지키기 국민운동 전개

1993

● 1993 한약분쟁 조정

● 1994 외국인노동자 인권보호
촉구

1993

1994

1994 지방자치 전면실시촉구   1995 부동산실명제 도입 운동   1995 한국은행 독립 촉구 운동

1995

1996 공정거래제도 개선 촉구   1996 정보공개법, 행정절차법
                              도입 촉구

1997 한보비리 진상규명과
정치자금제도 개혁촉구

1996

1997

1998 IMF 외환위기 진상규명 및
책임자처벌 촉구

1998 금융소득종합과세 실시 촉구

1998

사진으로 보는

경실련 30년

I. 경실련의
창립과 활동

II. 경실련 30년
활동의 성과

III. 지역경실련의
활동과 성과

IV. 경실련과
시민사회의 미래

1999 SOC 예산감시 및 조세개혁
　　　운동

1999 검찰개혁 및 부패방지법
　　　제정 촉구

1999

2000 16대 총선 후보자 정보공개
운동

2000 의약분업 실시 촉구

2001 건강보험 재정파탄 개선 위한
개혁 촉구

2000

2001

2001 수도권 공장총량제 완화
반대 및 국토균형발전 촉구

2002 금산분리 완화 반대와 증권
관련집단소송제도 도입 촉구

2002 덕수궁터 개발반대 운동

2001   **2002**

● 2003 대안 노벨상 Right Livelihood
    Awards 수상

● 2003 청계천복원 대응 운동

● 2003 토지공개념 개발이익환수

2003

2004 금융감독체제 개편 촉구

2004 아파트 원가공개 운동

2004

경제정의실천시민연합

2005 갑을 문제 개선운동

2005 지구촌빈곤퇴치네트워크
결성과 ODA감시 활동

2006 아파트값 거품빼기 국민행동

2005

2006

2006 출총제 등 출자규제 강화를
통한 재벌경제력집중 완화 운동

2007 NGO 사회적책임 운동

2007 의료사고피해구제법 제정
촉구

2006　　　**2007**

2008 4대강 사업 감시운동

2008 재개발·재건축 공공성 강화운동

2008

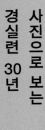

사진으로 보는

경실련 30년

I. 경실련의
경립과 활동

II. 경실련 30년
활동의 성과

III. 지역경실련의
활동과 성과

IV. 경실련과
시민사회의 미래

2009 국민건강보험 보장성 강화와
의료영리화 저지

2009 기초자치 훼손 지방행정체제
개편 반대 활동

2009

2010 중소상인 · 자영업자 살리기
운동

2009 항공마일리지 제도개선 활동

2011 상비약 약국외 판매 촉구운동

2010

2011

2011 통신이용자 권리 운동   2011 SOC민간투자사업 개혁   2012 KTX 철도민영화 반대운동

2011   **2012**

2012 미국산 쇠고기 수입 감시운동 ● 2013 GMO 표시제도 개선운동 ● 2013 학교 앞 호텔건립 반대 운동

2013

I. 경실련의
정립과 활동

II. 경실련 30년
활동의 성과

III. 지역경실련의
활동과 성과

IV. 경실련과
시민사회의 미래

2014 카드사 고객정보 대량유출에
따른 개인정보 보호활동

2014 전월세 임대료 상한제 도입
촉구

2014

● 2015 삼성그룹 편법 경영승계 문제
　대응

● 2015 공약이행 및 국정운영평가

● 2016 박근혜-최순실 국정농단 대응

2015

2016

I. 경실련의
정립과 활동

II. 경실련 30년
활동의 성과

III. 지역경실련의
활동과 성과

IV. 경실련과
시민사회의 미래

● 2016 최저임금 인상 운동   ● 2017 국민주도 헌법개정 운동   ● 2017 전경련 해체 운동

2016   **2017**

2018 가진만큼 세금
부동산 보유세 정상화

2018 공수처설치 촉구 운동

2018 공시지가 현실화

2018

발간사

경실련 창립 30주년을 맞이하여 그간의 주요활동과 자료를 정리한 30년사를 두 권의 책자로 발간하게 되었습니다. 경실련 30년의 역사는 1987년 체제 이후 대한민국의 시민사회의 역사를 구성하는 사료이고, 앞으로 전개되는 시민사회 활동의 발전방향을 제시하는 의미를 가지고 있기 때문에 경실련은 제한된 인력과 부족한 자원에도 불구하고 경실련 30년사를 정리하여 이를 시민 여러분과 국가 및 사회에 제공하기로 결정하였습니다. 경실련의 30년사는 기록과 편집과정에서 원자료를 통하여 사실을 확정하고, 관련자 면담을 통하여 당시의 사정을 종합적으로 이해한 후 언론자료를 통하여 경실련의 활동에 대한 외부의 평가를 함께 검증하여 객관성을 유지하였습니다. 따라서, 이 책자는 시각에 따라 그 내용이나 의미를 다양하게 살피는 자료로 활용할 수 있습니다.

경실련 활동은 시민사회의 성숙, 변화와 그 흐름을 같이하고 있습니다. 1987년 이후 시민의 역량이 정당정치로 집결되던 상황에서 경실련은 공정한 시장경제질서의 구축을 바라는 시민들의 비정파적 목소리를 대변하는 단체로 출발하였습니다. 이전에도 소비자단체나 인권단체 등이 시민단체로서의 역할을 수행하고 있기는 하였으나, 경실련은 각계의 전문가로 구성된 자원활동가, 캠페인 등 실무를 담당하는 전업활동가, 단체의 활동을 지지하는 회원 등이 각기 기능을 분담하고 서로의 역량을 집중하여 본격적인 제도 개선의 성과를 내기 시작하였기 때문에 시민단체로 자리잡게 되었습니다. 경실련은 정부와 국회, 언론과 적절한 관계를 유지하면서 금융, 부동산, 재벌, 중소기업, 농업, 노동자 등의 개선점을 논의하고 여론을 주도하며 시민적 이익을 합법적인 수단을 통하여 법률과 정책에 반영되도록 노력하였습니다. 경실련이 시민사회의 성숙을 전제로 비정파성의 원칙과 초(탈)법적 활동의 배제원칙을 그 근간으로 삼았던 활동의 공과가 30년사의 흐름에 그대로 드러나 있습니다.

경실련의 역량이 집중된 사업은 부동산과 금융 및 재벌정책입니다. 이 부분의 국가정책이나 시장구조가 서민으로 대표되는 시민을 제대로 배려하지 못하였을 뿐 아니라 건전한 시장질서나 소득의 구조에 부정적인 영향을 끼쳤기 때문에 경실련이 이 영역에 활동을 집중할 수 밖에 없었습니다. 경실련이 30년간 이 부분에서 활동한 내용을 정리하면 대한민국 경제의 구조적 문제점을 손쉽게 확인할 수 있습니다. 각 시기별 성명서와 활동내역을 시대 상황에 대비하면 실패한 제도를 통하여 장래의 교훈을 얻을 수 있습니다. 지난 30년간 6번의 정권이 바뀌었으나 경제와 시장질서의 본질은 변하지 아니하였고, 시장과 경제상황 및 정치지형이 크게 변모하였으나, 시민의 요구에 부응하는 경제질서의 조정이 이루어지지 아니한 상황이 이 책자에 반영되어 있습니다.

경실련의 30년사를 보면 경실련의 많은 전문가들이 정부나 정당에 들어가 활동하였음에도 경실련은 이들과 일정한 거리를 두고 그 정책이나 활동을 비판하는 비정파성을 유지한 사실을 발견할 수 있습니다. 경실련은 시민을 위한 플랫폼이기에 선배들의 다양한 활동과 무관하게 독자성을 가지고 시민의 독자적 가치를 위하여 노력하였던 것입니다. 이러한 의미에서 경실련은 사람을 중심으로 하는 조직이 아니라 시

민적 가치를 중요시 하는 가치 중심의 조직으로 인정되고 있습니다. 한편, 경실련은 시민적 가치를 실용성에 기반을 둔 공정한 경쟁 및 정당한 분배의 측면에서 파악하고 있습니다. 땀흘려 일하는 사람에 대한 노동가치와 직장을 구하지 못하는 청년에 대한 취업기회의 제공을 함께 논의하고, 합리적인 경제활동에 의한 재화의 창출을 모색하기 위하여 하청구조의 개선이나 영세자영업자를 위한 배려에 중요한 의미를 부여하고 있습니다. 이러한 경실련의 유연한 가치는 실사구시의 원칙에 입각한 실용주의입니다.

경실련의 활동은 시민활동의 불안정성으로 인하여 많은 부침을 겪었습니다. 경실련 30년사는 이러한 사항도 자료를 통하여 반영하기는 하였으나 방대한 사료를 정리해야 하는 편집방식의 한계로 충분히 반영하지 못한 점이 있습니다. 경실련 40년사에는 그 내용을 정리할 수 있을 것입니다. 경실련 30년사는 전국의 지역경실련의 활동도 자료에 포함시켜 그 의미를 살필 수 있도록 정리하였습니다. 경실련은 중앙지역의 시민뿐 아니라 전국의 지역시민, 노동시민, 소상인 및 상공업 시민, 공무원 시민, 자영업 시민, 여성시민 등 모든 시민들의 의사를 경제정의적 관점에서 망라하여 조직화된 지역의 활동자료를 의미 있게 정리하였습니다.

경실련의 활동과 역사는 미래를 위한 과제와 방향을 설정함으로써 마무리될 수 있습니다. 이러한 의미에서 수차례의 토론을 거쳐 의미 있는 경실련의 활동을 100개로 압축하여 정리하고 미래의 과제도 함께 논의하였습니다. 30년사는 미래를 향하여 개방함으로써 그 의미가 심화되도록 한 것입니다. 이러한 방대한 작업에 헌신하신 전문가 선생님들과 간사님, 편집 및 집필과정을 이끌어 주신 상임집행위원장님과 사무총장님의 노고에 다시 한 번 감사를 드립니다. 역사는 과정의 기록일 뿐 아니라 방향을 제시하는 이정표입니다. 이 30년사가 시민사회의 변화를 향도하는 중요한 자료로 활용될 것으로 생각합니다.

경제정의실천시민연합 공동대표
권영준 정미화 신철영 퇴우정념 목영주

편찬사

2019년은 경제정의실천시민연합(이하 경실련)이 창립 30주년을 맞이하는 뜻깊은 해다. 경실련은 1989년 7월 8일 발기인대회를 개최하고, 같은 해 11월 정동 문화체육회관에서 1500여명의 회원과 시민들이 참석한 가운데 창립대회를 열고 정식 출범했다.

역사는 '미래를 바라보는 거울'이라는 의미에서 '사감(史鑑)'이다. 경실련의 30년 역사는 경실련의 과거, 현재, 미래를 바라보는 거울이다. 또한 경실련은 창립 후 한국 시민운동사에 한 획을 그은 단체이기에 경실련의 역사는 한국의 시민사회를 들여다보는 거울이기도 하다. 경실련은 87년 체제 이후 불완전하기는 하지만 우리 사회가 민주화과정에 들어섰다고 판단했다. 이에 경실련은 합법적인 방식으로 경제정의의 기치 하에 경제정의, 사회정의, 정치·정부개혁, 부동산·주거안정 분야에서 꾸준하게 정책대안을 제시하며 시민운동을 전개해 왔다. 그 결과 지난 30년간 금융실명제, 부동산실명제, 재벌개혁, 부패방지법, 공직자윤리법 등 굵직한 사회 이슈에서 큰 성과를 거두기도 했다.

그러나 우리 사회는 여전히 많은 문제점을 안고 있다. 한국은 지난 세기 압축된 근대화 과정에서 경제성장과 민주화의 모범국가로 세계적인 주목을 끌기도 했지만, '성장 정체'와 '양극화'라는 현재진행형 문제를 떠안고 있다. 경제적 불평등 확대는 정치적 민주주의를 형해화(形骸化)할 수 있기에 경계해야 한다. 여전히 '경제정의'가 필요한 까닭이 여기에 있다. 창립 30년을 맞이한 경실련이 다시 경제정의를 외치며 다음 한 세대를 준비하는 이유이기도 하다.

경실련은 창립 30년을 맞아 지난해부터 30년사 발간을 기획했다. 30년사 발간은 기념행사 가운데서도 가장 중요한 사업이었다. 30년사 편찬에는 중앙, 지역 경실련 사무국에서 힘을 보탰고 편찬위원들이 지혜를 모았다.

30년사 편찬 과정에서는 다음과 같은 원칙을 지키려고 노력했다.
첫째, 술이부작(述而不作, 옛 역사를 서술하되 지어내지 않는다)의 정신으로 경실련 30년사를 편찬
했다.
둘째, 경실련의 30년 역사를 한정된 지면에 다 담아내는 것은 매우 어려운 작업이지만, '제1권(경실
련 30년, 다시 경제정의다)과 제2권(경실련 30년 자료집)으로 구분하여 집약했다.
셋째, 제1권에서는 경실련의 역사를 망라(網羅)해서 균형 있게 담아내려고 노력했다. 창립 당시의 역
사와 정신, 철학을 서술했으며, 30년 활동을 100대 의제로 집약했다. 중앙경실련과 지역경실련
의 역사에 대해서도 균형 있게 서술하려고 노력했다. '경실련과 시민사회의 미래: 전망과 과제'에
대해서도 지면을 할애하여 서술했다. 제2권 자료집에서는 경실련의 발자취를 '조직 및 운영', '활
동', '함께한 사람들'로 구분하여 정리했다.
넷째, 술이부작(述而不作)의 정신으로 서술했지만, 평가가 필요한 부분에서는 최대한 객관적인 평가
가 되도록 노력했다.

위와 같은 의도와 편찬 방향에 따라 집필된 이 책이 세상에 나오게 되어 기쁘게 생각하지만, 소기의

성과를 거두었는지 두려움이 앞선다.

경실련의 30년 역사는 수많은 사람들에게 빚을 지고 있다. 창립 초기 반석을 마련한 창립 원로, 선배, 동료, 후배들이 그들이다. 그들이 없었다면 오늘의 경실련은 존재할 수 없었을 것이다. 경실련 활동을 지탱해준 회원이나 후원자를 비롯한 시민들도 경실련의 자산이자 역사다. 이들과 함께 다시 한 세대를 준비하고자 한다. 경실련 30년사의 제명(題名)이 『경실련 30년, 다시 경제정의다』로 정한 것은 과거 역사를 성찰하고 다음 한 세대를 준비하는 우리들의 다짐이다. 아무쪼록 이 책이 다음 세대에도 우리 사회가 정의로운 사회로 나아가는 데 좋은 밑거름이 되길 기대한다.

책을 편찬하는 과정에서 수많은 사람들의 노고가 있었다. 윤순철 사무총장을 비롯하여 사무국의 상근자들은 부담이 가중되는 상황에서도 헌신적으로 편찬 작업에 힘을 보탰다. 이들에게 고마움을 전한다. 아울러 더 나은 책이 나오도록 지혜를 모아주신 편찬위원 및 자문 집필위원들에게도 사의를 표한다.

편찬위원장 채원호(경실련 상집위원장, 가톨릭대학교 법정경학부 교수)

일러두기

경제정의실천시민연합 30년사 『경실련 30년, 다시 경제정의다』는 1권과 2권으로 구성되었다. 제1권은 사진으로 보는 경실련 30년, 경실련의 창립과 정신, 경실련 30년 활동과 성과, 지역경실련의 활동과 성과, 시민운동의 미래로 구성하였다. 제2권은 경실련의 발자취, 경실련의 조직과 운영, 경실련의 활동, 함께한 사람들로 구성하였다.

제1권의 '사진으로 보는 경실련 30년'은 연혁 화보로 역사적으로 주요 활동을 선별하여 일별할 수 있도록 년도 순으로 구성하였다.

'경실련의 창립과 정신'은 창립 배경 및 초기 발전과정, 경실련의 과거와 현재, 창립과 회고, 경제정의를 향하여 등으로 구성하였다.

- 창립 배경 및 초기 발전과정은 경실련 창립의 시대적 배경과 경제정의를 위한 시민운동을 선언하며 발전해 나가는 과정을 서술하였다.
- 경실련의 과거와 현재에서, 경실련 발기선언문과 발기취지문은 창립선언문 격으로 경제정의실천시민연합의 발기의 목적과 실천 과제를 원문으로 수록하였다. 주요 연혁은 지난 30년간 조직의 주요한 변화와 법적지위, 수상내역을 수록하였다. 본부 및 기관은 창립 이후 신설되거나 해소, 통폐합된 정책기구·법인 및 특별기구·회원조직·유관기관·사업기구들의 개요와 활동 내용 그리고 활동가들을 문헌 기록을 중심으로 정리하였다. 특히 다양한 조직의 변화를 이해하기 쉽게 경실련 조직 구성 표와 각 단위의 정책기구들의 통합·변천을 표로 제시하였다. 홍보 및 출판은 경실련 본부와 각 단위들이 사용하였던 로고와 출판된 도서들을 소개하였다.
- 창립과 회고는 경실련의 창립과 활동에 공헌을 하신 8분의 원로들의 회고를 기록하였다.
- 경제정의를 향하여는 창립 당시와 현재의 경제정의의 개념과 의미를 비교, 재해석하여 향후 경실련이 추구할 경제정의 실현의 방향을 제시 하였다.

'경실련 30년 활동과 성과'는 경실련의 30년 활동은 다양한 분야와 수많은 활동 그리고 사람들이 관계되어 있다. 이 중 경실련의 정체성, 의제의 창의성, 활동의 주도성, 의미 있는 성과를 기준으로 100개의 의제를 선정하였다. 각 의제마다 해당 의제의 배경, 운동의 전개과정, 각계의 반응, 성과를 기록하였다. 그리고 100의제 중 운동 의제로서 좀 더 의미 있는 키워드를 선별하여 언론기사 검색(BIC KINDS)을 실시하였고, 추출된 53,000여건의 기사를 10년 단위로 구분하여 의제의 변화를 짚었다. 이를 다시 경제정의분야, 부동산 주거안정분야, 정치정부개혁분야, 사회정의분야로 구분하여 평가를 하였다.

'지역경실련의 활동과 성과'는 지역경실련은 최대 40여개 조직이 활동하였으나 현재는 26개 조직이 활동하고 있다. 현재 활동하는 26개 지역경실련의 창립 배경, 조직과 기구, 주요 활동 사례, 향후 과제로 소개하였다. 이미 활동이 중단되거나 해소된 지역경실련은 조직명만 기록하였고 활동 내용은 자료의 부존재로 기록하지 못하였다.

'시민운동의 미래'는 2019년 9월 현재 경실련에서 활동하는 전문가 자원봉사자와 상근활동가들을 대상으로 실시한 설문조사를 토대로 경실련의 현재 인적구성 분석, 30년 활동에 대한 인식, 중립성(비당파성)과

이념 성향, 상근활동가들의 정치참여에 대한 인식, 30년 활동에 대한 평가, 전망과 과제를 중심으로 분석하였다. 그리고 현재보다 진일보한 경실련의 조직구성과 운영을 위한 방향을 제시하였다.

제2권의 '경실련의 발자취'는 지난 1989년부터 2019년 7월까지 경실련의 활동 기록을 조사하여 약 12,000개의 연혁을 시간 순으로 기록하였다. 그리고 시민운동의 특성을 반영하여 경실련이 함께한 다른 시민단체, 지역단체들과의 연대 활동을 기록하였다. 이 기록은 창립 초기에는 기록과 문헌의 중요성을 인식하지 못하여 많은 자료들이 유실되었고 이로 인해 온전한 연혁과 연대활동의 기록에 누락이나 오기가 있을 수 있을 것이다.

'경실련의 조직과 운영'은 경실련 본부와 지역경실련의 조직운영과 활동기준이 되는 규약의 개정 역사와 현재 활용되는 각종 규약 및 규칙과 강령, 주요한 회의일지를 기록하였다.

'경실련의 활동'은 지난 30년간의 헌법소원, 입법청원, 감사청구 및 신고, 소송, 고발 및 수사의뢰 등의 목록을 정리하고 이를 일자와 주요 내용으로 요약하여 수록하였다.

'함께한 사람들'은 지난 30년간 경실련을 위해 헌신한 활동가들을 정리하여 수록하였다.

- 주요임원은 공동대표, 중앙위원회 의장단, 대의원회 의장단, 상임집행위원회·정책위원회·조직위원회·조직위원회의 장 그리고 사무총장과 협동사무총장을 기록하였다. 그리고 중앙위원회·대의원회 위원, 상임집행위원회 위원, 고문·지도위원회 위원을 각 기수별, 연도별로 정리하여 수록하였다.
- 기구 및 기관의 임원은 그동안 경실련의 각 단위에서 활동했거나 활동하고 있는 위원들의 기록을 조사하여 명단을 수록하였다.
- 회원은 경실련 활동과 발전을 위해 후원을 해주신 일반회원과 평생회원 그리고 회관 건립과 개보수를 지원해주신 회원 명단을 2019년 8월 기준으로 수록하였다.
- 상근활동가는 경실련 본부는 각 연도별로, 지역경실련은 각 지역경실련별로 기록이 있는 상근활동가들의 명단을 수록하였다.

경제정의실천시민연합 30년사는 1989년 창립 이후 처음으로 자료들을 모아 정리한 사료이다. 경실련은 그동안 10년사, 20년사를 제작하지 않았기에 축적된 자료가 매우 부족할 뿐만 아니라 이미 많은 자료들이 유실되어 사무처에 남겨진 문헌과 언론에 보도된 기록에 의존하여 30년사를 정리할 수 밖에 없었다. 이러한 환경에서 최대한 사실에 기초하여 정리하고 기록하였다.

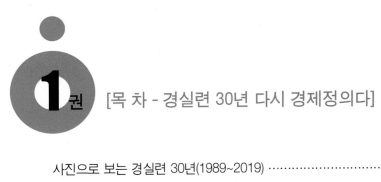

[목 차 - 경실련 30년 다시 경제정의다]

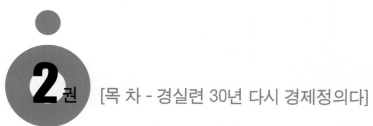 

2권 [목 차 - 경실련 30년 다시 경제정의다]

시민과 함께 한
경제정의실천시민연합 30년사

경제정의실천시민연합
CCEJ 30주년

I. 경실련의 창립과 활동

사진으로 보는
경실련 30년

Ⅰ.
경실련의
창립과 활동

Ⅱ. 경실련 30년
활동의 성과

Ⅲ. 지역경실련의
활동과 성과

Ⅳ. 경실련과
시민사회의 미래

1. 경실련 창립 및 초기 발전과정

박성수[1]

Ⅰ. 들어가며

1980년대를 전후해 세계적으로 시민사회의 역할과 중요성에 대한 재발견이 진행되었다. 이전까지 세계 또는 각국이 직면한 문제와 도전들에 대한 전통적 해결방식, 곧 국가 또는 시장에 기반한 접근방식들의 유효성과 적절성에 대한 의문들이 제기되면서, 사회를 이루는 세 섹터들, 곧 공공부문, 영리부문, 시민사회 부문의 균형 발전과 협력이 사회문제를 해결하고 건강한 사회발전을 이루는 최선의 해결책이라는 인식이 빠르게 확산되었다. 시민사회는 이러한 새로운 접근방식에 있어 핵심적인 위치를 차지했으며 시민사회의 주된 역할자인 비정부기구(NGO)들의 역할이 주목받기 시작했다. 시민사회는 한 사회가 지향해야 할 이상적인 사회의 모습으로서, 그리고 그 사회를 이룰 수 있는 집합적 역량을 형성하고 동원하는 방법으로서 받아들여졌다. 1989년 베를린 장벽 붕괴를 전후한 구소련연방의 해체와 동구 유럽의 자유화과정을 거치면서 시민사회의 중요성은 다시 확인되었고, 21세기를 여는 핵심적 키워드로 떠올랐다. 그 흐름은 한국사회에도 큰 영향을 미쳤다.

한국경제는 60년대 이래의 지속적인 성장에 더해 1986~88년에 걸쳐 저달러·저유가·저금리의 이른바 〈3저현상〉에 힘입어 유례없는 호황을 누리게 되었다. 경제의 규모가 커지고 복잡해지면서 더 이상 권위주의 정부의 계획경제의 틀 안에 가두어놓기가 어려워졌다. 경제성장은 시민들의 삶을 보다 풍요롭게 만들면서 단지 생존을 넘어선 보다 가치 있는 삶과 활동에 대한 투자와 지출을 가능하게 만들었다. 시민운동을 지지할 수 있는 물적 토대가 만들어졌다.

한국 특유의 높은 교육열과 투자로 인해 시민들은 높은 교육수준을 갖게 되었는데, 이들이 70~80년대 민주화운동, 특히 80년 광주민주화항쟁의 직간접적인 경험과 인식을 공유하면서 '민주'와 '개혁'에 우호적이고 사회에 부채의식을 갖는 시민계층으로 성장하게 되었다. 시민운동에 참여하고 지지·후원할 잠재적 주체세력이 형성되었다.

1987년 6월, 민주화대항쟁이 일어났다. 시민들의 결집된 힘이 역사상 최초로 국가권력을 상대로 한 투쟁에서 승리하면서 권위주의체제하에서 국가권력에 종속된 피동적 존재로 머물렀던 시민사회가 독립성과 자율성을 확보하게 되었고 그 지위와 역할, 의미가 급속하게 상승했다. 그동안 역사의 주변부에서 혹은 회색지대에서 서성거렸던 화이트칼라들이 역사의 전면에 등장했다. 시민운동이 형성될 수 있는 사회적 기반이 마련되었고, 시민운동의 주력으로 기능할 지식인과 중간층들이 역사의 전면에 나섰고 조직화되기 시작했다.

88년 2월, 직선제를 통해 노태우정부가 등장했다. 기존 재야·민중·학생운동은 이를 본질적으로 아무 것도 변한 것이 없는 독재정권으로 규정하고 기존의 변혁운동 방식을 경직되게 고수했다. 나아가 급진적인 통일운동이 한국사회를 휩쓸었다. 그러자 독재정부 하에서 민주화운동을 지지했던 시민들이 점차 지지를 철회하게 되었고 기존 사회운동과 시민 사이에 간극이 벌어지기 시작했다. 정부와 기득권세력이 이를 활용하여 국민들의 불신과 불안을 조성하고 운동권을 고립시키는 데 성공했고, 그 결과 87년 이래 우리사회를 이끌어 온 민주와 개혁의 분위기는 가라앉고 다시 보수와 반동의 분위기로 되돌아가기 시작했다. 시민들의 참여와 지지를 얻고 우리사회를 진보와 개혁의 방향으로 돌릴 수 있는 새로운 운동이 필요했다.

88년 이래 3년간 전국 지가상승총액이 800조원을 넘을 정도로 망국적인 부동산투기 광풍이 일어나면서 집 없는 서민들의 삶을 극심한 고통 가운데로 몰아넣었다. 90년 초, 부동산투기로 인한 지가상승이 전월

---

1) 박병옥 전 경실련 사무총장(개명)

세값 상승으로 이어지면서 오른 전월세 값을 감당하지 못한 17명의 세입자들이 스스로 목숨을 끊기에 이르렀다. 부동산투기로 인한 천문학적 규모의 불로소득은 한편으로 탐욕과 이기주의를 다른 한편으로 절망과 좌절을 확대재생산하면서 우리사회의 공동체성을 심각하게 와해시켰다. 그런데, 정부든 언론이든, 그리고 기존의 재야·민중·학생운동이든 어느 곳도 이러한 시민들의 고통에 관심을 두지 않았고, 이 문제를 이슈화하지도 않았다. 시민들이 직접 피부로 느끼는 삶의 문제들에 초점을 맞추고, 시민들이 스스로 나서서 사회의 선한 세력들과 연대하여 그 문제를 해결하는 새로운 운동이 요청되었다.

II. 경실련의 창립과 한국사회 시민운동의 탄생

경실련의 출범을 준비하였던 기간과 발기인대회 이후 1년여의 기간은 경실련의 성격과 위상, 운동목표와 전략과 방법론에 이어 조직의 형태와 운동주체의 설정에 이르기까지 새로운 사회운동으로서의 경실련운동의 모델을 모색하고 실험하는 시기였다. 이 시기에 정립된 경실련의 운동방식은 이후 활동과정을 통해 사회적으로 정당성을 획득하게 되었으며, 시민운동의 모델로 자리 잡았다.

1. 창립까지의 경과

1989년 4월 중순, 당시 서경석 목사의 집에서 서경석 목사와 신대균, 유종성, 장신규, 박병옥 등 기독학생운동 후배들 10여명이 모였다. 그 자리에서 서경석 목사는 2쪽 분량의 '부동산투기와 싸우는 시민의 모임' 제안서를 내놓았다. 이 새로운 유형의 사회운동에 대한 제안을 둘러싸고 토론이 벌어졌다. 단체의 필요성에 대한 공감대는 비교적 쉽게 형성되었으나 명칭을 둘러싼 격렬한 논쟁이 있었다. 이는 단순히 '이름'을 무엇으로 할 것인지에 관한 것이 아니라, 새로운 단체가 추구해야 하는 운동 목표와 전략, 그리고 주체를 어떻게 설정할 것인지 등과 관련된 본질적인 문제였다. 이 자리에서 경실련을 만들기로 의견이 모아졌다.

단체 이름을 둘러싼 논쟁의 초점은 두 가지였다. 하나는 운동의 목표에 관한 것이었고, 다른 하나는 운동의 주체에 관한 것이었다. 처음 제안된 단체명은 '부동산투기와 싸우는 시민의 모임'이었고 따라서 운동의 목표는 부동산투기 근절이었다. 그러나 부동산투기는 경실련이 해

결해야 할 여러 과제 중의 하나일 뿐, 새로운 운동이 추구해야 할 근본적인 목표로는 너무 협소하다고 판단되어 채택되지 않았다. 목표의 범위를 확장하여 '경제정의'로 하자는 의견과 더 나아가 사회전반의 문제를 모두 다루기 위해서는 '사회정의'로 해야 한다는 의견도 제시되었다.

토론을 통해 경제정의를 운동의 목표로 채택하기로 하였는데, 이는 시민들에게 가장 커다란 고통을 주고 있으며, 우리 사회가 안고 있는 가장 심각한 문제가 경제불의라고 판단했으며, 또한 경제 분야를 포함하여 우리 사회가 안고 있는 거의 모든 문제들을 포괄할 수 있는 확장성이 큰 개념으로 판단했기 때문이었다. 아울러 당시 주로 정치적 문제만을 다루던 다른 사회단체와의 차별성을 드러낼 수 있고, 참신성과 전문성을 담보하는 운동단체로서의 이미지 형성에 도움이 될 것으로 생각했다.

다른 하나의 논점은 새로운 사회운동의 주체를 나타내는 개념으로 '시민'이 적합한 것인가에 관한 것이었다. 우리와는 역사·사회적 맥락이 다른 서구적 개념인 시민을 굳이 한국사회에 도입할 필요가 없으며, 당시 사회운동 풍토에서 시민이라는 말은 중산층으로 오해받기 쉽다는 문제제기들이 있었다. 시민이라는 말 이외에 인민, 민중, 국민 등의 개념이 거론되었다. 분단국가의 특수한 상황에 비추어 인민이라는 말은 배제되었고, 당시 재야운동에서 가장 많이 사용되던 민중이라는 말도 본래의 의미와는 달리 너무 기층계급화, 특정집단화하여 폭넓은 대중들의 참여를 도모해야 할 사회운동의 주체를 지칭하는 용어로서는 적당하지 않다고 판단하였다. 국민이라는 말도 가치가 배제되어 있는 행정적 언어로서 적합치 않다고 보았다.

시민이라는 개념이 당시 사회운동과 관련해서는 생소한 개념이었고, 맑스주의적 관점에서 이를 유산계급이나 중산층으로 해석하는 경향도 있었으나, 실제 서구 역사의 발전과정에서 시민 개념은 참정권 및 제반 시민적 권리를 확보하기 위한 운동과 함께 형성·발전되어온 대단히 역동적이고 적극적이며, 시민권 개념과 떼려야 뗄 수 없는 관계를 갖고 있고, 따라서 권력의 횡포에 대항하여 누구에게나 동등하게 주어져 있는 보편적인 민주적 권리를 자각시키고 이를 확보하기 위해 노력해야 할 한국사회의 새로운 사회운동의 주체를 지칭하기에 적합하다고 판단하였다. 또한 시민이라는 말이 서구에서 유래된 개념이기는 하나 우리 사회에서도 이미 아무

런 거리낌 없이 사용되고 있으며 누구도 자신을 시민이라고 말하는 데 어색함이 없다고 보았다.

끝으로 단체의 성격을 '연합'으로 할 것인지, '연맹'이나 '회' 또는 '모임'으로 할 것인지에 대한 논의도 있었다. 시민들의 자발적(voluntary) 참여와 자율(self-control)에 기반한 수평적 결사체라는 성격에 비추어 연합(coalition)으로 정했다.

1989년 5월 초, 당시 서경석 목사가 원장서리로 근무하던 서대문 소재 기사연 건물에 경실련 설립을 준비하기 위한 임시사무실이 마련되었다. 5월 8일, 초기 멤버들의 첫 모임, 첫 번째 정책연구모임이 열렸다. 이 모임은 경실련의 향후 핵심 이슈인 부동산투기 근절대책을 마련하기 위한 '토지공개념 대안 모색 세미나'였다.

경실련 설립을 위한 본격적인 준비모임은 5월 24일, 기사연 건물 내 임시사무실에서 열렸고, 박세일, 이근식, 서경석, 이각범, 윤경로, 유재현, 박인제, 신대균, 이희택, 이형모, 박병옥 등이 참석했다. 2차 준비모임은 5월 30일, 방배동 한샘주거환경연구소에서 열렸으며, 강철규, 김태동, 고왕인 등이 추가로 합류했다. 3차 준비모임은 6월 9~10일, 수유리 크리스찬 아카데미에서 열렸는데, '토지·주택문제의 현황과 대안'을 주제로 한 세미나와 함께 경실련 설립에 대한 논의가 이뤄졌고, 이날 회의를 통해 7월 8일 경실련 발기인대회를 갖기로 했다.

1989년 7월 8일, 명동에 소재한 서울 YWCA 대강당에서 500여명의 발기인들이 참여한 가운데 발기인대회를 갖고 경실련창립준비위원회가 구성되었다. 서경석 목사가 상임집행위원장을 맡았다. 발기인대회를 마치고 얼마 지나지 않은 7월 22~23일, 산정호수호텔에서 100여명의 경실련 임원들과 적극적인 회원들이 참여한 가운데, 향후 경실련의 운동 방향과 전략 등에 관해 논의하는 세미나가 열렸다.

그리고 경실련 활동과 참여인사들의 급속한 확장을 뒷받침하기 위해 종로5가에 새로운 사무실을 마련하고, 8월 26일, 300여 회원들이 참여한 가운데 사무실 입주식을 가졌다.

1989년 11월 4일, 정동문화체육관에서 1500여명의 회원과 시민들이 참석한 가운데 창립대회를 갖고 경실련이 정식 출범하였다. 초대 공동대표로는 변형윤 교수, 황인철 변호사, 송월주 스님과 이효재 교수가, 그리고 정성철 변호사, 이근식 교수, 서경석 목사가 각각 초대 상임집행위원장, 정책위원장 및 사무총장을 맡았다.

경실련의 출범에 참여한 인사들은 크게 여섯 부류로 나눠진다.

첫 번째 그룹은 지식인 그룹인 '우리마당'의 멤버들이다. 박세일, 이각범, 홍용찬, 이영희, 박인제, 박재창, 여운, 류우익, 박기봉, 강원철, 김재학, 강대인, 권용우, 김규칠, 김기석, 문용린, 박명진, 박상섭 등이 그들인데, 이들은 경실련 출범 후에 주로 상임집행위원회의 주축을 이룬다.

두 번째 그룹은 새문안교회 교인 그룹이다. 윤경로, 유재현, 이형모, 서원석, 이숭리, 이숭선, 이희택 등으로 이들은 특별히 초기 경실련의 재정 확보에 크게 기여하였다.

세 번째 그룹은 서울대 상대 경제학과 출신 학자들이다. 이근식, 강철규, 김태동, 최광, 이진순, 주한광, 옥규성, 장오현, 정헌석, 이성섭 등이 적극 참여하였다. 그리고 주택과 환경문제를 전공한 양윤재, 하성규 등도 이 그룹으로 분류될 수 있는데, 이들은 모두 정책연구위원회에 참여하여 활동하였다.

네 번째 그룹은 기독학생운동 출신의 청년들인 신대균, 이원희, 유종성, 장신규, 박병옥 등으로 사무국의 상근활동가로 참여하였다.

다섯 번째는 초기 경실련에 대거 조직적으로 참여하여 경실련의 조직적 기반을 확고히 구축하는 데 기여한 개혁적 복음주의 기독인 그룹을 들 수 있다. 대표적인 인사들로는 이만열, 손봉호, 고왕인, 고직한, 박철수, 이상신, 한철호, 이문식, 양혁승 등을 꼽을 수 있다.

여섯 번째는 개별적으로 참여한 인사들인데, 이현배, 정성철, 한기찬, 인명진, 성백엽, 한상진, 심현천, 최낙용, 최승은, 황경식, 김일수, 이성렬 등이 있다.

발기인 대회 이후 경실련 활동이 언론을 통해 부각되면서 많은 시민들의 자발적이고 폭넓은 참여와 지

지가 있었고 회원 규모도 빠른 속도로 늘어났다. 당시 서경석 목사가 TV 프로그램에 출연하여 경실련을 소개하는 경우가 많았는데, 그 프로그램 방영시간에는 모든 상근자들이 퇴근도 미룬 채 시민들로부터 걸려오는 회원가입 전화를 받기 위해 대기하고는 하였다. 프로그램이 끝날 때까지 사무실의 모든 전화가 동시에 울려댔다.

2. 경실련 운동에 관한 논의와 시민운동 모델 창출

경실련은 발기선언문을 통해 첫째, 빈곤타파를 통한 인간다운 삶의 영위 둘째, 비생산적 불로소득의 척결 셋째, 경제적 기회균등 넷째, 정부에 의한 시장경제의 결함 시정 다섯째, 금권정치 및 정경유착의 척결 여섯째, 생산과 생활을 위한 토지사용을 위해 토지의 재산증식 수단화 금지 등 6가지의 실천과제를 밝혔다.

그리고 발기취지문 '우리는 왜 <경제정의실천시민연합>을 발기하는가?'를 통해 첫째, 국민적 합의에 기초한 운동 둘째, 비폭력·평화·합법적인 시민운동 셋째, 합리적인 대안 모색 넷째, 정신운동적 성격 견지 다섯째, 가진 자와 가지지 못한 자가 함께 하는 운동 여섯째, 비정치적 순수 시민운동의 방법으로 경실련운동을 전개할 것을 천명하였다.

이러한 경실련운동의 방향과 원칙은 이후 경실련운동의 성공을 설명해주는 요인이 되었으며, 한국사회에서 시민운동이 견지해야 하는 원칙이자 모델로 자리매김 되었다. 경실련 초기에는 이러한 경실련운동 방법론을 둘러싼 많은 토론과 논쟁들이 공식·비공식적 자리에서, 공개적인 토론회에서, 내부회의에서, 그리고 술자리에서 때로 절제되게 때로는 격렬하게 이루어졌다. 그러한 논의와 토론들이 축적되면서 경실련 멤버들 간에 우리사회의 현실과 새로운 사회운동으로서의 시민운동이 견지해야 할 방향과 원칙들이 다듬어졌다.

당시 사회운동의 주축이었던 재야운동과 근본적으로 구별되는 경실련의 인식은 다음 세 가지로 압축된다. 첫째는 우리사회가 불완전하고 더디기는 하지만 분명하게 민주화과정에 진입했으며, 둘째로는 한국사회가 해결해야 될 가장 심각한 문제점은 부동산투기 등으로 말미암은 불로소득의 척결이고, 셋째로는 이를 해결하기 위해서는 새로운 사회운동이 등장해야 한다는 것이었다. 그리고 이러한 인식으로부터 경실련운동의 방향과 원칙이 도출되었다.

우리사회는 불완전하지만 민주화과정으로 진입했다.

경실련은 우리 사회가 1987년 이후 불완전하기는 하지만 일단 민주화과정에 들어섰다고 판단했다. 일단 민주화과정에 들어서게 되면 국민의식에 커다란 변화가 생기게 되고 이러한 변화는 또다시 사회운동의 변화를 요구한다고 보았다. 민주화과정에 들어서면서 대부분의 사람들은 이제 더 이상 정치적 억압을 경험하지 않게 되었고 따라서 비합법투쟁이 아닌 체제 내 개혁을 선호하게 되었으며, 그래서 더 이상 합법적인 방식으로 운동을 하지 않으면 국민의 지지나 참여를 확보할 수 없게 되었다고 보았다.

민주화과정에의 진입으로 혁명에 의해서가 아니라 투표에 의해서 정권이 바뀌는 사회가 되면 비타협적 투쟁의 기수라고 할 수 있는 기층민중 운동 못지않게 인구의 70%를 차지하는 중간층의 향배가 훨씬 중요하게 된다고 보았다. 이들 중간층은 안정 속의 개혁을 원하는 계층으로, 이들의 개혁 욕구가 억압되어 기층민중 운동과의 연대가 이루어지면 진보와 개혁의 분위기가 형성되지만, 반대로 이들의 안정희구 욕구가 훼손되면 이들은 기득권층과 연대를 형성, 보수와 반동의 분위기를 되살리게 된다는 것이다. 따라서 일단 민주화 과정에 들어서게 되면 중간층을 비주체적인 기회주의적 세력으로 비하하는 종래의 민중주체론은 점차 설득력을 상실하고 사회개혁에 있어서 중간층의 적극적인 역할을 인정하는 시민운동의 논리가 설득력을 가질 수밖에 없다고 보았다.

그리고 민주화과정에서는 사회적 공공선을 추구하는 운동이 크게 주목을 받을 수밖에 없다고 판단했다. 민주화과정 이후에는 독재정권과 싸우던 모든 계급과 집단들이 자신들의 이해관계를 관철시키는 운동으로 바뀌게 되는데, 일단 이렇게 이해관계의 자유로운 각축이 일어나면 어떠한 이해관계가 사회적 공공선에 부합하는가 하는 판단이 매우 중요해지게 되고, 따라서 특정 계급이나 집단의 이해관계를 초월해서 사회적 공공선을 추구하는 시민운동이 각광을 받게 된다는 것이었다. 그리하여 사회적 공공선을 추구하는 시민운동의 지지를 획득한 주장은 사회적 공감대를 형성하게 되지만 시민운동의 지지를 얻는 데 실패하게 되면 그 운동의 성공가능성은 희박해질 것으로 보았다.

민주화과정으로 인한 또 하나의 변화로 종래의 흑백논리가 더 이상 설득력을 갖지 못하게 될 것으로 보았다. 과거와 같이 독재타도가 가장 중요한 과제였던 시절에는

사진으로 보는
경실련 30년

Ⅰ.
경실련의
창립과 활동

Ⅱ. 경실련 30년
활동의 성과

Ⅲ. 지역경실련의
활동과 성과

Ⅳ. 경실련과
시민사회의 미래

독재타도에 이로운 것은 무조건 옳고 해로운 것은 무조건 틀렸다고 하는 흑백논리가 설득력을 가질 수 있었다. 그러나 민주화가 진행되고 일정 정도 시민의 참여도 가능해지면서 국민도 야당도 책임의 일부를 짊어지지 않으면 안 되게 되었다. 그리하여 정부는 무조건 틀렸고 국민은 무조건 옳다거나, 여당은 무조건 틀렸고 야당은 무조건 옳다는 식의 흑백논리는 더 이상 존속할 수 없게 되었다. 종래의 흑백논리는 시시비비의 논리를 거부함으로써 거꾸로 사회적 진보를 가로막는 장애물로 기능하게 되었다.

끝으로 민주화과정은 의식개혁운동이 제도개혁 못지않게 중요하다는 점을 일깨워주었다고 보았다. 과거 권위주의체제 아래서는 모든 것이 독재정권의 탓으로, 독재타도 이외의 운동은 문제의 본질을 호도하는 것으로 여겨졌기 때문에 개인 윤리를 신장시킬 수 있는 계기를 찾기도 어려웠고 의식개혁운동도 존립기반을 갖기 어려웠다. 이러한 우리 국민들의 미성숙한 윤리의식은 민주화과정에서 여실히 드러나게 되면서 우리사회가 민주사회로 가기 위해서는 제도개혁 못지 않게 의식개혁도 중요하다는 점이 광범위하게 인식되기 시작했다고 보았다.

이렇듯 불완전하지만 우리사회가 일단 민주화과정에 들어섰다는 사실을 인정하고 이러한 변화에 신축성 있게 대응하여야 함에도 불구하고 당시 재야·민중운동은 본질적으로 하나도 달라진 게 없다는 인식 아래 기존의 경직된 운동방식을 전혀 수정하지 않았다. 이로 인해 운동권과 일반 국민 사이에 커다란 간극이 생기게 되었고, 정부와 기득권세력이 이를 활용하여 국민들의 불신과 불안을 조성하고 운동권을 고립시키는 데 성공했고, 그 결과 87년 이래 우리사회를 이끌어 온 민주와 개혁의 분위기는 가라앉고 다시 보수와 반동의 분위기로 되돌아가기 시작했다.

경실련은 바로 이러한 위기국면을 돌파하여 다시 진보와 개혁의 분위기를 되살리기 위한 목적으로 시작되었다. 즉 우리사회의 개혁을 가져오기 위해서는 87년 6월 민주화대항쟁의 교훈으로 되돌아가야 한다는 것이다. 보통시민들이 길거리에 나와 거대한 시민적 압력을 행사하기 전에는 기득권층은 결코 호락호락 자기 것을 양보하지 않기 때문에, 경실련은 이제까지 뒤에서 구경만 하고 있는 보통시민들을 역사의 전면으로 끌어내야 한다는 것이다. 그러면 이 운동은 비폭력, 평화, 합법운동이어야 하며, 국민적 합의에 기초해서 사회적 공공선을 추구하는 운동이 되어야 한다는 것이다.

부동산투기 등으로 인한 경제적 불의로 인해 우리사회가 위기에 처해 있다.

경실련은 우리사회의 가장 크고 중요한 문제가 전세금 상승, 땅값 상승 등 부동산 투기로 인한 엄청난 경제적 불의의 문제라고 보았다. 당시의 주류적 시각이었던 노동자와 자본가간의 모순보다 노동자와 자본가를 합한 생산자계층과 불로소득 계층 간의 모순을 더 중요하게 생각하였다.

우리사회는 부동산 투기로 인한 생산적 투자의 위축과 이로 인한 국제 경쟁력 상실로 무역 역조의 고통을 겪지 않으면 안 되었고 다른 한편으로는 졸부들에 의한 과소비 향락퇴폐, 노동자들의 내 집 마련의 꿈의 상실과 근로의욕의 감퇴, 일확천금을 노리는 한탕주의의 만연, 흉악범죄의 만연, 탐욕과 이기주의에 의한 공동체의 와해 등 이루 말할 수 없는 고통을 겪게 되었다. 따라서 토지공개념, 금융실명제, 금융자율화 등의 경제개혁이 없이는 우리 사회의 어떠한 문제도 근원적인 해결이 불가능하며 이를 위해서는 시민이 나서서 경제정의의 실현을 위해 거대한 시민적 압력을 행사하지 않으면 안된다고 보았다. 이러한 현실 속에서 종래의 민주-반민주 구도만으로는 우리 사회가 충분히 설명될 수 없으며 경제개혁을 요구하는 진보세력과 이를 거부하는 보수 세력의 대결이 더 중요한 구도라고 본 것이다. 여기에서 종래의 민주-반민주 구도와 새로운 진보-보수의 구도는 꼭 일치하지 않는다고 보았다.

새로운 시민운동이 필요하다.

경실련은 새롭게 변화된 환경에서는 점진주의적인 세계관에 입각한 사회운동을 전개해야 한다고 보았다. 80년대 중반만 하더라도 우리 사회의 진보적 지식인 집단 내부에 사회주의 혁명에 대한 동경이 광범위

하게 자리 잡고 있었지만 동구권 및 소련의 몰락, 독일의 통일을 목도하면서 사회주의에 대한 환상은 더 이상 유지하기 어렵게 되었다. 경실련은 출범 당시부터 자본주의 시장경제체제의 효율성과 역동성에 기초하되 다만 자본주의체제가 가져다주는 빈부의 양극화 현상을 정부가 개입하여 이를 시정함으로써 경제성장과 사회적 형평을 동시에 실현하는 것을 운동의 목표로 삼아왔다. 이러한 점진주의적 세계관을 갖게 되면 과격한 슬로건보다는 구체적이고 합리적인 대안을 모색하는 일이 훨씬 더 중요해지는데, 불철저한 개혁조치라도 중첩되어 나타나게 되면 한참 후에는 엄청난 사회변화를 가져올 수 있기 때문이다.

또한 경실련은 이제는 대결보다는 협력이 중심적인 사회운동의 논리가 되어야 한다고 보았는데, 이는 주요하게는 환경문제의 대두에서 볼 수 있듯이 그 문제의 해결을 위해서는 대결보다는 각계각층의 협력을 필요로 하는 새로운 사회문제들이 등장한 것과 관련된다. 일단 환경문제가 가장 중요한 문제가 되면 우리는 다 같이 한배에 타고 있는 사람들임을 깨닫게 된다. 물론 우리 사회의 빈부격차를 해소하기 위한 노력은 매우 시급하고 중요하지만, 이와 동시에 우리가 다 같이 한배에 타고 있음을 인식하는 태도도 병행되어야 한다는 것이다. 그리하여 정부와 시민이, 기업주와 노동자가, 생산자와 소비자가 함께 협력해서 배를 구할 수 있어야 한다는 인식이 형성되어야 한다고 보았다. 이러한 인식이 경실련운동의 토대를 이루고 있었다.

3. 경제정의를 위한 시민운동의 첫걸음

경실련의 발기인대회 이후 활동은 '부동산투기 근절과 토지·주택문제의 해결'에 집중되었다. 경실련은 발기선언문에서 "부동산투기, 정경유착, 불로소득과 탈세를 공인하는 금융가명제, 극심한 소득격차, 불공정한 노사관계, 농촌과 중소기업의 피폐 및 이 모든 것들의 결과인 부와 소득의 불공정한 분배, 그리고 재벌로의 경제력 집중, 사치와 향락, 공해 등 이 사회에 범람하고 있는 경제적 불의를 척결하고 경제정의를 실천"하는 것을 이 시대 우리 사회의 역사적 과제로 제시하고 있는데, 이 중에서도 부동산문제의 해결을 가장 시급한 당면과제로 제시하였다. "인위적으로 생산될 수 없는 귀중한 국토는 모든 국민들의 복지증진을 위하여 생산과 생활에만 사용되어야 함에도 불구하고 소수의 재산증식 수단으로 악용"되고 있으

며, "토지소유의 극심한 편중과 투기화, 그로 인한 지가의 폭등은 국민생활의 기반인 주택의 원활한 공급을 극도로 곤란하게 하고 있을 뿐만 아니라, 물가 앙등 및 노사분규의 격화, 거대한 투기소득의 발생 등을 초래함으로써 현재 이 사회가 당면하고 있는 대부분의 경제적·사회적 불안과 부정의의 가장 중요한 원인으로 작용"하고 있다고 보았기 때문이었다. 또한 당시 망국적인 부동산투기 광풍과 집값과 전월세값의 폭등, 이로 인한 무주택 시민들의 고통과 절망이 우리 사회를 휩쓸고 있었기 때문이었다.

부동산투기 근절과 토지·주택문제 해결을 위한 정책운동의 전개

경실련은 정책위원회를 중심으로 당시 우리 사회의 최대 현안인 토지주택문제 해결을 위한 정책대안을 개발하는 데에 정책역량을 집중했다. 1989년 8월 21일, 여의도 백인회관에서 '한국의 토지·주택정책, 어디로 가야 할 것인가?'를 주제로 경실련의 첫 번째 공청회를 열고 경실련이 마련한 정책대안에 대한 사회 각계의 의견을 수렴했다. 이후 11월 2일 경실련 강당에서 '최근 토지주택문제에 대한 우리의 견해'라는 제목의 재야원로 인사 60인 성명을 발표했다. 토지공개념의 조속한 확대 도입, 토지·주택 개발에의 주민들의 의사 반영, 부동산의 소유 및 가격사항 등에 관한 국민의 알 권리 보장, 부동산 과표의 조속한 현실화 및 형평에 맞는 부동산 보유세 부과, 국공유지 불하 즉각 중단 및 적극 확대, 그리고 저소득층을 위한 영구임대주택 확대 공급 등이 주된 내용이었다.

- 토지공개념 강화 입법 촉구 운동

경실련은 이러한 정책적 입장에 기반하여 토지공개념 입법을 촉구하는 활동을 적극 전개하였다. 당시 토지공개념위원회에서 만든 원안이 이후 당정간의 협의과정을 거치면서 점차 후퇴하면서 알맹이 없는 속빈 강정이 되고 있는 상황이었다. 경실련은 '5%의 로비에 맞서 95%의 역로비를 전개하자!'는 슬로건을 내세우고 정부·여당에 압력을 행사하기 위한 다양한 행동들을 전개하였다.

1989년 9월 9일 서강대 체육관에서 1천여명의 회원과 시민이 모여 제1차 '토지공개념입법촉구 시민대회'를 갖고 명동과 종로 일대에서 가두캠페인을 벌인 것을 시작으로, 11월 4일 정동 문화체육관과 12월 5일 여의

도 국회의사당 앞에서 2천여 명의 시민들이 참석하는 2차, 3차의 시민대회를 개최했다. 또한 토지공개념 강화 입법을 위해 각 정당과 국회의원들에게 실질적인 압력을 행사하기 위해 의정감시활동도 전개했다. 정당과 국회의원들을 방문하여 토지공개념 강화 입법의 필요성과 구체적인 정책대안을 설명하고 이에 대한 지지를 요청하는 한편, 관련 상임위원회 전체회의 및 법안소위원회 방청을 통해 의원들의 의정활동을 감시하고 시민들에게 그 실상을 알리는 국회방청활동도 벌여 나갔다.

- 세입자 보호 운동

1989년 10월, 가을 이사철을 맞이해서 부동산투기로 말미암아 전국적으로 전·월세 값이 폭등하기 시작하면서 세입자들의 주거 안정을 위한 대책 마련이 가장 절실한 과제로 대두되었다. 이에 경실련은 발기인대회 이후 토지공개념 강화 입법촉구 운동과 아울러 주택문제 해결에 운동의 역점을 두기로 결정하고 무주택자 문제를 다루는 특별기구를 설치하기로 하였다. 10월 24일, 경실련은 △공공임대주택 공급의 대폭 확대, △주택담보 융자제도 확대 도입 및 △임대료 인상률 통제, 전세금 반환 보증기금 설치, 최저 임대계약기간을 2년으로 연장하는 등의 세입자 보호 등을 포함한 10개 항에 걸친 '세입자 보호 종합대책'을 발표하였으며, 무주택자문제 대책본부'를 발족시켰다.

90년 3월 4일 여의도광장에서 시민 3천여 명이 모인 가운데 '임대료 인상 규제 촉구 시민대회'를 가졌다. 대회에서 경실련은 세입자협의회(대표: 소설가 이호철) 결성을 천명하였다. 주택문제의 해결을 위해서는 지속적인 무주택자운동이 필요하다는 판단이었다. 이날 즉석에서 많은 시민들이 회원으로 가입하였으며, 이후 회원모임을 갖고 구별 연락위원을 정하고, '세입자교실'을 개최하는 등의 활동을 통해 조직을 확대해 나갔다. 우리 사회 최초의 무주택자 운동의 시도이었다. 4월 28일에는 경실련세입자협의회 주최로 대학로 마로니에 공원에서 시민 5백여 명이 모인 가운데 '희생세입자 합동 추도식'을 거행하였다.

- 도시빈민 주거안정 대책 촉구 운동

경실련은 세입자 문제와 아울러 그동안 정부가 추진해온 일련의 주택 재개발 정책에서 소외되어온 도시빈민들의 주거 불안정이 심각한 지경에 이르렀음을 인식하고, 이들 도시빈민들 중에서 서초동 비닐하우스에 사는 10여 개의 자연부락과 1개의 재개발지구 주민 1만여명의 주거문제를 우선적으로 다루기로 하고, 주민들과 '경실련 도시빈민협의회'를 결성하였다.

경실련은 1989년 11월 22일 '도시빈민주거대책에 대한 경실련의 주장'을 발표하고, 11월 24일에는 국회 4당 대표들을 방문하여 이를 전달하는 등 국회 및 관계당국자들과의 면담을 통해 경실련의 입장을 전달하였다. 90년 2월 26일에는 명동 YWCA 강당에서 '도시빈민 주거안정 대책을 위한 공청회'를 갖는 한편 3월 16일에는 과천 종합 정부청사 앞에서 2천여 명의 도시빈민 회원이 모여 '도시빈민 주거안정 촉구를 위한 시민대회'를 갖고 도시빈민 주거안정 대책 마련을 촉구하였다.

이러한 활동의 한편으로 행정당국에 의한 강제철거를 막기 위해 경실련 회원들이 수차례 긴급하게 철거 현장에 나가 인간 사슬을 형성하여 철거를 저지하기도 하였는데, 한번은 경실련회원들이 당시 닭장차로 불리던 경찰차에 강제로 태워져 현장에서 멀리 떨어진 경기도 어느 곳에 내려진 일도 있었다. 경실련은 대책 없는 철거를 중단하고 먼저 가수용 시설을 건설을 촉구하는 등 '선대책·후철거'로의 정책전환을 위한 노력들을 기울였다.

평화적이고 합법적인 새로운 시민행동 문화 창출
- 합법·평화적 집회·시위문화의 정착

경실련이 출범한 이후 1년 여의 기간 동안 대규모 시민들이 참여하는 집회와 가두행진이 수차례 이어졌다. 1989년 9월 9일 서강대 체육관에서 1천여 명의 회원과 시민이 모여 제1차 '토지공개념 입법 촉구 시민대회'가 열렸다. 대회 후 명동과 종로 일대에서 가두캠페인이 펼쳐졌다. 경실련의 첫 집회였다. 참여한 회원

II. 경실련 30년
활동의 성과

III. 지역경실련의
활동과 성과

IV. 경실련과
시민사회의 미래

과 시민들은 피켓과 현수막 등을 들고 질서 있게 움직이며 구호를 외치거나 지나가는 시민들에게 홍보물을 나누어주었다. 아이들을 유모차에 태우거나 목말을 태우고 참여한 시민들도 적지 않게 눈에 띄었다. 당시 화염병과 최루탄이 난무하던 시위와는 너무도 다른 모습이었다. 경실련이 주창해온 합법·평화적 방식의 시민운동의 모습이 처음으로 구체화되어 시민들에게 보여진 날이었다.

11월 4일에는 정동 문화체육관에서 1천5백 명의 회원과 시민이 참가한 가운데 '창립대회 및 토지공개념 강화입법과 주택문제 해결을 위한 시민대회'가 열렸고, 12월 5일에는 여의도 국회의사당 앞에서 2천여 명의 회원과 시민이 모여 제3차 토지공개념 강화입법 및 무주택자 문제 해결 촉구 시민대회'가 개최되었다. 1990년 3월 4일 여의도광장에서는 시민 3천여 명이 모인 '임대료 인상 규제 촉구 시민대회'가 있었고, 3월 16일에는 과천 종합 정부청사 앞에서 2천여 명의 도시빈민 회원이 모여 '도시빈민 주거안정 촉구를 위한 시민대회'를 갖기도 했다. 4월 28일 경실련세입자협의회 주최로 대학로 마로니에 공원에서 시민 5백여 명이 모인 가운데 오르는 전세값을 감당하지 못해 스스로 목숨을 끊은 세입자들을 추모하는 '희생세입자 합동 추도식'이 거행되기도 하였다. 1990년 5월 19일에는 파고다 공원에서 시민 5백여 명이 모인 가운데 '재벌의 토지투기 은폐 및 이문옥 감사관 구속 규탄 시민대회'가 열렸고, 6월 2일에는 같은 장소에서 시민 1천 5백여 명이 모여 '제2차 이문옥감사관 석방과 정경유착 규명 촉구를 위한 시민대회 및 양심의 행진'을 가졌다.

시민들이 모인 이유는 오래토록 해결되지 않고 시민들의 삶을 옥죄는 심각하고 무거운 문제들 때문이었고 많은 시민들이 참여하는 집회들이었지만, 경실련과 참여한 시민들 모두 비폭력·평화적 방법이 시민들의 지지를 확보하고 그 문제들을 해결하는 데에 더욱 효과적이라는 믿음을 가지고 끝까지 평화적 방법을 고수하였다.

- 시민로비활동으로서의 경실련 의정감시단 활동

경실련이 새롭게 선보인 시민행동의 하나가, 국민의 대표인 국회의원이 실제로 국민의 편에서 경제불의를 시정하기 위한 의정활동을 성실히 수행하는지를 그들을 뽑은 유권자인 시민이 직접 관찰·평가하는 의정감시활동이었다. 경실련은 1989년 11월 4일에 열린 '경실련 창립대회'에서 '의정감시단'을 발족시켰다.

경실련은 먼저 국회의원들에게 당시로서는 생소했던 시민들의 의정감시활동에 대한 이해를 높이고 협조를 요청하는 활동을 벌였다. 그리고는 각 당의 대표들을 방문하여 경실련의 정책대안을 전달하고 설명하여 입법화에 협조할 것을 요청하였다. 89년 11월 22일에는 '경실련 민생관련 입법 촉구 국회방문단'을 구성하여 야3당 총재 및 민정당 대표위원을 방문하여 경실련의 입법촉구사항을 전달하고, 의정감시단 활동에 대한 협조를 요청하기도 하였다. 그리고 각 상임위원회 및 법안심사소위원회에 대한 방청활동도 추진하였는데, 여러 차례의 항의방문과 노력에도 불구하고 실제적인 논의가 이루어지는 소위원회에의 방청은 결국 거부되었다. 의정감시단 활동의 일환으로 토지공개념 확대 도입, 세입자 주거안정 대책, 한국은행법 개정 등에 관한 국회의원 설문조사를 실시하여 그 결과를 발표하기도 하였다.

89년의 활동을 마무리하면서 의정감시단은 법안심사소위의 공개와 속기록 작성, 그리고 법안 등 입법 관련 자료를 국민 누구나 원하면 볼 수 있도록 제도적으로 보장하기 위해 (가칭)정보공개법의 제정 등이 필요하다는 의견을 내놓았다. 그리고 △차기 임시국회에서 상임위 전체회의와 소위원회 방청을 반드시 이루어낼 것과, △의정감시단이 지역구별로 지역 국회의원과의 의정간담회를 가짐으로써 일반 시민의 목소리가 국회의원에게 직접 전달되게 하고 지역유권자로서의 압력을 행사하며, △주택임대차보호법 중 임대료 인상을 소비자 물가상승률 이내로 제한하는 것과 전세금 반환보증기금을 신설하도록 하는 등의 내용을 중심으로 입법촉구 활동을 벌이겠다고 발표하였다.

경실련은 이러한 의정감시 활동을 '5% 토지귀족의 로비에 맞서기 위한 95% 시민들의 역로비운동'으로 규정하였다. 소수 이익집단의 로비에 대항하는 시민로비운동으로 위치지운 것이다. 이러한 의정감시단 활동은 큰 사회적 관심과 반향을 불러 일으켰으며 많은 시민단체들이 이러한 활동방식을 채택하여 시민운동의 보편적인 활동모델로 자리 잡았다.

부문별 회원조직 결성을 통한 조직기반 확충

경실련의 초기 회원조직은 주로 경실련이 추진하는 운동의 필요와 결합한 부문별 조직을 만드는 방향으로 이루어졌다. 도시빈민협의회, 노점상모임, 세입자협의회, 중소상공인회 등이 이에 해당된다. 기독청년학생협의회와 목회자협의회는 경실련에 조직적으로 참여한 복음주의 기독인들을 중심으로 결성되었다. 이러한 부문별

사진으로 보는
경실련 30년

Ⅰ.
경실련의
창립과 활동

Ⅱ. 경실련 30년
활동의 성과

Ⅲ. 지역경실련의
활동과 성과

Ⅳ. 경실련과
시민사회의 미래

조직들은 경실련이 초기 토지주택문제 해결을 위한 시민행동들을 지속적으로 벌여나가는 데 큰 역할을 담당했다.

- 부문별 조직들의 결성

도시빈민들의 주거안정문제, 특히 서초동 비닐하우스에 사는 10여 개의 자연부락과 1개의 재개발지구 주민 1만여명의 주거문제를 우선적으로 다루기로 하면서, 주민들이 경실련에 조직적으로 참여하여 '경실련 도시빈민협의회'를 결성하였다. 협의회는 도시빈민 주거안정 대책 촉구 운동에 적극적으로 참여하였다.

경실련 노점상모임은 89년 7월에 정부가 석촌호수 주변의 포장마차들을 철거하자, 철거당한 노점상 30여 가구가 경실련을 찾아와 노점상 문제를 해결해달라고 요청하면서 결성되었다. 경실련은 이들과 함께 노점상 문제해결을 위한 연구세미나 등을 통해 대안을 마련하고 89년 11월 2일 '서울시 노점상 철거에 대한 경실련 입장'을 발표하고 서울시장 면담 등 다양한 활동들을 벌였다. 노점상모임의 회원들은 경실련 회원조직 및 회원활동의 활성화를 위해서도 많은 노력을 기울였다.

경실련세입자협의회는 90년 3월 4일 임대료인상 규제 촉구 시민대회에서 우리사회에서 세입자운동 또는 무주택자운동을 힘 있게 추진하기 위해 결성하기로 하였다. 이후 무주택세입자를 조직하고, 임대료 인상 규제를 위한 서명운동 등 활동을 벌이며, 세입자들의 피해구제 활동들을 추진하고자 하였다.

경실련 중소상공인회는 경실련의 취지에 공감해 참여한 중소상공인 회원들이 중심이 되어 89년 10월부터 수차례의 준비모임을 갖고 90년 2월 9일 창립되었다. 재벌 중심의 과도한 경제력 집중과 부동산 투기 등 우리사회의 경제적 불의로 인해 피해를 당하고 있는 생산적 중소기업인들의 힘과 지혜를 모아 중소기업의 건전한 육성을 통한 국민경제의 발전을 도모하고 이를 저해하고 있는 법과 제도를 개선해 나가고자 결성되었다. 이와 함께 기업인들의 사회적 책임과 윤리의식을 고양하는 한편 경실련운동을 지원하기 위한 활동도 벌였다.

그리고 경실련의 출범 과정에 조직적으로 결합하여 적극적인 활동을 벌인 경실련 기독청년학생협의회는 우리사회에 만연한 불의와 부정, 억압에 항거하고 기독교적 신앙에 기반한 실천활동과 이를 통한 신앙적 성숙을 이루기 위한 목적으로 89년 10월 30일 창립되었다. 그리고 90년 4월 26일에는 경실련에 참여한 목회자들이 중심이 되어 경실련운동을 지원하기 위한 취지로 경실련 목회자후원회를 발족하였으며, 이후 경실련운동에 보다 적극적이고 주체적으로 참여할 수 있도록 경실련 목회자협의회로 전환하였다.

- 경실련 회원조직 강화를 위한 노력

앞서 언급된 부문별 회원조직들은 강력한 동원력을 가진 그룹들이었던 반면 경실련 회원조직으로서의 정체성보다는 자신들의 문제를 해결하기 위해 경실련과 연대한 집단으로서의 정체성이 강했다. 경실련은 경실련 정체성에 기반하여 적극적으로 활동하는 회원들을 양성하고 조직화하는 일이 필요함을 알고 있었음에도 불구하고, 초기에 개인적으로 경실련회원으로 가입한 시민들을 적극적이고 체계적으로 조직하기 위한 노력은 적절히 이루어지지 않았다. 89년 7월 8일 경실련 발기인대회에 참여한 500여명과 89년 9월 9일 서강대 체육관에서 열린 경실련의 첫 시민집회였던 제1차 '토지공개념 입법 촉구 시민대회'에 참여한 1천여 명은 대부분 개인적으로 참여한 회원과 시민들이었는데, 이후 이 숫자는 빠르게 줄어들었다.

이러한 문제의식에 따라 90년 1월 '회원활동 활성화를 위한 간담회'와 2월 '회원활동 활성화를 위한 회원 수련대회'를 개최하고 그동안 경실련 활동에 적극 참여해 온 회원들을 중심으로 '구별 회원조직'을 건설하기로 하고, 이를 위해 '조직강화회의'를 구성하였다. 이후 송파구, 서대문구, 동작구, 성동구, 노원구, 광명시 등에서부터 구 조직을 만들기 위한 준비모임들이 진행되었으나, 지역공동체 의식이 낮은 척박한 현실의 벽에 부딪히면서 그 노력은 실패하게 되었다.

이후 구 조직을 결성하기 위한 여건이나 주체적인 역량이 준비되어 있지 않다고 판단하고 분산된 힘을 다시 중앙으로 모아 향후 구 조직 건설에 필요한 회원 지도력을 발굴하고 육성하는 일에 역점을 두고자 하였

다. 회원들의 참여를 활성화할 수 있는 '경실련 소식지'의 발행, '새가족 환영' 행사, '회원토론마당' 등 다양한 프로그램들을 개발하는 한편 적극적인 회원들이 참여하여 활동할 수 있는 회원조직들을 만들었다. 금요시민회, 청년회와 여성위원회가 결성되었다.

구별 조직 건설을 추진하지 않기로 결정한 후 조직강화회의를 회원들의 자발성에 기초한 조직으로 전환하기로 결정하고 91년 1월경 '금요시민회'로 명칭을 바꾸고, 운영방식도 '만나고 싶은 사람과의 대화', '나누고 싶은 이야기' 등 회원들이 관심을 가지고 쉽게 참여할 수 있는 방향으로 개편하였다. 금요시민회는 91~92년에 치러진 네 차례의 선거를 맞아 선거부정고발창구 자원봉사활동 등 공명선거캠페인에 적극적으로 참여하였다.

금요시민회가 장년층 시민들을 대상으로 한 반면, 90년 8월 출범한 경실련 청년회는 직장청년들에게 경실련운동을 전파하고 이들의 참여를 이끌어내기 위한 목적으로 결성되었다. 청년회는 청년들이 보다 용이하게 참여할 수 있는 방안의 하나로 직장지역모임을 구성하였다. 경실련 청년회원들의 직장들이 밀집해 있는 여의도와 명동지역을 중심으로 지역모임을 구성하고 그 지역에 직장을 갖고 있는 회원들 간의 친교모임을 정기적으로 개최하는 한편 선거 시기 해당 지역에서 공명선거캠페인을 벌이기도 했다. 의식개혁운동 차원에서 여의도 등에 많이 있었던 퇴폐이발소를 추방하기 위한 캠페인도 전개한 바 있다.

경실련 여성위원회는 경실련 여성회원들을 중심으로 여성 대중들에게 경실련운동을 알리고 새로운 여성운동을 창출하기 위해 결성되었다. 초기부터 환경운동에 적극 참여하였으며, 가족법 개정운동과 사치·향락·퇴폐산업 추방 활동 등을 벌였다. 이후 경실련정농생활협동조합과 상설알뜰가게 개설·운영에 중심적인 역할을 담당했다.

III. 경실련운동의 확장

경실련은 초기의 운동에 대한 사회의 폭발적인 지지와 참여를 확인한 후 경실련운동을 확장하기 시작했다. 이는 그간의 활동을 통해 정당성과 효과성이 입증된 시민운동의 모델을 다양한 차원과 영역에 확산하는 방식으로 이루어졌다.

첫째는 운동의제의 확장을 통해 이루어졌다. 초기 토지·주택문제에 집중되었던 운동의제들은 곧바로 모든 경제영역의 문제들로 확장되었고, 이후 대외적인 계기와 정치사회적 환경 변화와 맞물리면서 환경, 통일 및 나아가 시민들의 생활과 관련된 모든 영역으로 확장되었다. 특정 이슈에만 집중하는 전문운동을 넘어 모든 이슈를 포괄하는 종합적 시민운동으로 발돋움한 것이었다.

둘째는 전국 지역사회로의 확산이었다. 이는 경실련운동을 전국 각 지역으로 확장하여 전국적 규모의 운동으로 성장하고자 했던 측면과 함께, 지역사회의 운동들도 시민운동적 방식으로 바뀌어야 한다는 생각에 의한 것이었다. 국가적 차원에서 진행된 경실련운동을 지역사회에 기반한 지역운동으로 전환하려는 것이었다. 그리고 이러한 지역적 확장은 지방자치 선거를 계기로 한 지방화 시대가 열리면서 더욱 빠르게 확산되었다.

셋째는 시민사회의 다양한 사회운동 영역에 시민운동의 모델을 확산하는 것이었다. 당시 경실련은 한국사회의 개혁을 성공적으로 이끌기 위해서는 중간층이 주로 참여하는 시민운동과 노동·농민운동 등 계급운동이 연대·협력하는 것이 꼭 필요하다고 보았다. 기존 노동운동과 학생운동의 이념적 성향과 운동방식이 시민운동 방식으로 바뀌지 않으면 시민들의 지지를 상실할 수밖에 없으며, 그것은 우리사회의 개혁 동력의 약화를 가져온다고 보았다. 또한 경실련과 같은 시민운동과의 연대와 협력도 어려울 것이라고 판단했다. 따라서 노동운동과 학생운동의 방향 전환이 매우 중요하다고 생각했다. 경실련이 환경개발센터와 통일협회를 설립한 것도 단순히 환경과 통일 이슈를 정책적 차원에서 다루는 것을 넘어서서 기존 환경운동과 통일운동을 재야운동 패러다임에서 시민운동 패러다임으로 전환을 견인하기 위함이었다.

넷째는 운동의제의 확장과 이를 뒷받침할 조직규모의 확대를 뒷받침할 수 있는 재정 및 시민참여의 기반을 확장하는 것이었다. 시민들과의 접촉면을 넓혀 회원으로 참여할 수 있는 통로를 확대하고 적극적인 회원들에게 의미 있는 활동공간을 제공하는 한편 사업수익으로 경실련 재정에 도움을 주고자 하는 목적으로 생활협동조합과 재활용가게를 설립·운영하였다. 보다 광범위하게 시민들과 소통하고 지지를 이끌어내기 위해 잡지 '경제정의'를 발간하였으며 이후 주간 '시민의신문'을 창간하기에 이르렀다.

끝으로 경실련이 주창하는 시민운동의 철학과 방법론에 동의하는 시민사회단체들을 공명선거캠페인 및 다양한 연대활동들을 통해 신뢰를 구축하고 상호 연결하여

사진으로 보는
경실련 30년

Ⅰ.
경실련의
창립과 활동

Ⅱ. 경실련 30년
활동의 성과

Ⅲ. 지역경실련의
활동과 성과

Ⅳ. 경실련과
시민사회의 미래

시민운동으로서의 정체성을 공유하는 '시민운동권'을 형성하기에 이르렀다. 이로써 시민운동은 민주화운동에 이은 한국 사회운동의 주류로 등장하게 되었다.

1. 이슈의 확장

경실련의 부동산투기 근절 및 토지주택문제 해결에 초점을 두었던 설립 초기의 운동은 곧바로 지난 30여 년간의 관치경제하에서 누적되어온 모든 경제불의와 불합리한 질서를 개혁하는 데까지 나아갔다. 한국은행의 독립, 금융실명제 실시, 정경유착의 척결, 불로소득의 척결을 위한 세제개혁, 재벌로의 경제력집중 해소, 중소기업 육성을 위한 제도개혁 방안 마련, 우루과이라운드 대응 및 우리농업 살리기에 이르기까지 모든 경제 영역으로 확산되었다. 이러한 확장은 경실련이 발기선언문을 통해 빈곤 탈피, 불로소득의 척결, 경제적 기회균등의 실현, 시장경제의 결함 시정, 토지 투기의 배격 그리고 금권정치와 정경유착 척결 등 6가지 실천과제를 천명한 점을 고려할 때 필연적인 과정이었다. 이러한 이슈 영역의 확장을 뒷받침하기 위해 정책연구위원회 산하에 금융, 재정세제, 경제력집중, 중소기업, 대외경제, 노동, 농업, 토지, 국토, 주택 등 분과위원회가 구성되었으며, 이후 관심분야가 비경제분야로도 확대되면서 교통, 지방자치, 교육, 사회복지, 보건의료, 정치행정 등의 분과위원회가 만들어졌다.

91년 30여 년 만에 다시 실시되는 지방의회의원 선거와 92년 14대 총선 및 대통령선거 시기에 전개한 공명선거캠페인과 정책캠페인은 우리사회의 선거문화 개혁과 시민운동의 발전에 한 획을 그었다. 그리고 이 캠페인은 경실련이 그동안 경제문제 중심의 활동을 넘어서서 깨끗한 정치를 위한 제도개혁으로 운동영역을 확장하는 계기로 작용했다.

92년 브라질 리우에서 열린 UN 환경회의를 계기로 환경문제는 곧 경제문제이며, 경제정의 실현의 측면에서 접근하는 환경운동이 필요하다는 인식 아래 환경개발센터를 설립하고 새로운 환경운동을 선보였다. 또한 93년 남북기본합의서 발표를 계기로 그간의 관념적 통일운동을 극복할 수 있는 새로운 통일운동을 추진하기 시작했다.

93년 김영삼 정부의 출범으로 달라진 정치·사회적 환경으로 인해 경실련운동의 정당성과 효과성은 더욱 분명하게 드러났다. 경실련에 대한 사회적 인식도 바뀌었고, 시민운동의 존재와 필요성과 의의는 폭넓게 인정되었다. 이러한 우호적 환경과 아울러 정부에 의한 위로부터의 개혁에 대응하는 과정에서 경실련의 운동영역은 교통, 교육, 언론, 지방자치, 행정개혁, 정치개혁, 사법개혁, 부정부패 척결 등 경제 분야를 넘어서서 사회 전분야로 확대되었다.

이러한 운동영역의 확대는 백화점식 시민운동이라는 비판을 받기도 했으나, 경실련의 위상강화에 따른 사회적 요청의 증대와 전문성이 뒷받침되는 합리적인 시민운동의 영역 확장이 필요하다는 논리에 따라 지속적으로 이루어졌다.

한편 문민정부의 출범과 정부에 의한 위로부터의 개혁이 추진되면서 정부와의 관계를 어떻게 설정해야 할 것인지에 대한 내부 논의들이 진행되었다. 정부의 올바른 개혁정책은 적극 지지함과 동시에 잘못된 정책에 대해서는 가차 없이 비판하고 개선을 촉구함으로써 정부의 개혁이 올바른 길을 가도록 해야 한다는 것이 대체적인 중론이었다.

1) 부동산투기 근절에서 경제전반의 경제정의 이슈로

한국은행 독립

정치권력에 중앙은행이 예속됨으로써 한국경제가 만성적인 인플레이션과 고비용을 체질화하여 분배를

왜곡하고 성장 잠재력을 잠식하고 있다고 진단한 경실련은 89년 11월 8일 명동 YWCA에서 800여명의 회원과 시민이 모인 가운데 한국은행법 개정에 관한 공청회를 개최한 것을 시작으로 한국은행의 독립을 촉구하는 활동을 벌였다.

김영삼 정부 출범 이후 93년 입안된 신경제계획에 따라 경기부양조치의 일환으로 통화 공급을 확대함에 따라 물가불안이 심화되자 경실련은 중앙은행의 독립이 더욱 긴요하다고 판단, 94년 다시 본격적으로 한국은행 독립을 촉구하는 활동을 전개했다. 94년 3월 4일 '물가문제, 제도개혁이 필요하다'는 공청회를 열고 한국은행의 독립을 촉구했으며, 5월 20일 중앙은행 제도가 개편되어야 한다는 경제학자 41인의 성명을 발표하는 한편 10월 26일 한국은행법 개정 청원안을 국회에 제출했다. 95년 초 단행된 정부조직 개편에서도 한국은행의 독립문제가 해결되지 못하자, 경실련은 한국은행 독립의 필요성을 다시 한번 제기하기 위해 전국의 경제학자 1천여 명이 서명에 참여한 〈한국은행의 독립을 촉구하는 경제학자 1,054인의 성명〉을 발표하여 한국은행의 독립문제가 더 이상 미룰 수 없는 개혁과제임을 분명히 했다.

금융실명제 실시

경실련은 89년 출범한 이래 93년 금융실명제가 실시되기까지 50여 회의 성명서와 10여 회의 집회 및 캠페인을 통해 금융실명제의 실시를 촉구했으며, '금융실명제 = 경실련'이라는 등식이 성립될 정도로 금융실명제를 주요 개혁과제로 부각시켰다.

금융실명제는 일찍이 1983년에 실시하려고 시도하였으나 법률만 통과시켰을 뿐 그 시행을 늦췄고 87년에는 노태우 대통령의 공약사항으로 91년에 실시하기로 약속되어 있었다. 6공화국 초기에 금융개혁이 시도되었다. 88년에 금리자유화가 시도되었고 89년 이후 1년여 동안 금융실명제를 위한 준비가 이루어져 왔다. 그러나 91년 금융실명제의 시행을 앞두고 조직적인 반대에 부딪치게 되었고, 이를 추진하던 당시 경제기획원 장관을 90년 봄에 경질하면서 금융실명제의 실시를 사실상 포기하기에 이르렀다. 이에 경실련은 금융실명제 실시를 유보하려는 움직임에 대해 강력 비판하며 금융실명제 실시 촉구 운동에 나서게 되었다. 경실련은 이후 수서비리 사건, 정보사 땅 사기사건, 현대의 탈세 사건과 정치자금 공여 폭로 사건 등 수많은 부정 비리사건이 터져 나올 때마다 성명서, 집회 및 캠페인을 통해 금융실명제가 실시되지 않은 것을 그 원인으로 지목하며 부정비리 사건이 재발되지 않기 위해서는 금융실명제의 실시가 반드시 필요하다고 주장하는 방식으로 금융실명제 실시 촉구 운동을 지속해 나갔다.

경실련은 금융실명제에 대한 연구 성과를 종합하여 [땅]과 [재벌]에 이어 경실련 문고 제3호인 [금융실명제]를 발간하기도 했는데, 공교롭게도 이 책자가 발간된 93년 8월 12일 대통령 긴급조치로 금융실명제가 전격 실시되었다. 그래서 금융실명제에 대해 알고자하는 시민들의 수요에 부응해 초판이 사흘 만에 매진되기도 하였다.

경실련은 금융실명제 실시 이후, 실명제 실시에 따른 부작용을 최소화하고 금융실명제를 조기에 정착시킬 수 있는 후속 개혁조치를 제시하는 등의 활동도 전개해 나갔다. '금융실명제 부작용에 대한 근본대책' 세미나의 개최, '금융실명제 실시에 따른 중소기업 실태조사' 실시, '금융실명제 조기정착을 위한 금리자유화 및 세제개혁의 조속한 시행' 촉구 활동 등을 전개했다. 금융자산에 대한 실명화는 이루어졌으나, 부동산 명의신탁을 통한 재산의 은닉과 조세 회피가 가능하므로 이에 대한 대응이 필요하다는 인식에 따라 '부동산실명제 도입'운동 필요성에 대한 논의도 본격화되었다.

이문옥 감사관 석방 촉구 및 정경유착 척결

90년 5월 15일, 재벌의 비업무용 토지가 은행감독원이 발표한 1.2%와는 달리 43.3%에 달한다는 것을 언론에 폭로한 이문옥 감사관을 '공무상 기밀누설죄'를 적용하여 전격 구속한 사건은 국민들에게 커다란 충격을 안겨주었다. 〈경실련〉은 이문옥 감사관 구속사건이 국민의 알권리에 대한 명백한 침해이며 정부가 재벌의 토지투기를 은폐하려는 의도를 스스로 반증하는 것이라고 판단하여, 즉각 성명을 발표하는 한편 90년 5월 19일과 6월 2일에 각각 시민 5백여 명과 1천5백여 명이 참여한 가운데 '이문옥 감사관 석방과 정경유착 규명 촉구를 위한 시민대회 및 양심의 행진'을 개최하였고, 6월 23일에는 전국적으로 이 감사관 석방 촉구 대회를 가졌다.

이 감사관 구속사건을 계기로 경실련은 정치권력과 재벌기업 간의 불건전한 유착관계를 타파하기 위한 운동을 시작하였다. 91년 1월 수서사건이 터지면서 경실련의 정경유착 척결운동은 더욱 가속화되었다. 경실련은 정경유착 근절을 위한 제도개혁방안으로 금융실명제의 실시, 부동산투기 근절을 위한 세제개혁 단행, 정치자금

Ⅱ. 경실련 30년
활동의 성과

Ⅲ. 지역경실련의
활동과 성과

Ⅳ. 경실련과
시민사회의 미래

법과 선거법의 개정, 검찰과 경찰 및 감사원의 정치적 중립을 제시하였으며, 이를 위한 수차례의 집회와 공청회 등을 개최하였다.

불로소득 척결을 위한 세제개혁 캠페인

경실련은 90년 하반기부터 '부동산투기 근절과 공평과세 확립을 위한 세제개혁 캠페인'을 전개했다. 자산보유자 및 불로소득자를 우대하고 봉급생활자에 대해서는 과중한 부담을 지우는 불공평한 조세제도를 개혁하는 것이 경제정의를 위해서 반드시 이뤄져야 한다는 인식에서 자산소득에 대한 조세강화는 그대로 둔 채 봉급생활자 간의 조세격차를 축소하는 것과 같은 정부의 미봉적인 세제개편안의 문제점을 지적, 독자적인 안을 마련하고, 여론화를 위한 다양한 활동과 국회 입법활동 및 시민대회 개최 등 지속적인 캠페인을 벌였다.

90년 2월에 정책연구위원회 재정분과소위를 중심으로 현행 세제 및 정부개편안의 문제점에 대한 분석 및 대안마련 작업에 착수하여 7월 25일 '세제개편안에 대한 경실련의 견해'를 발표하였다. 이후 계속된 성명서 발표와 '세제개혁에 관한 정책토론회', '종합토지세 과표 현실화에 관한 내무부와의 공개토론회' 등의 개최, 그리고 '정부와 국회는 불로소득 척결을 위한 전면적 세제개혁을 단행하라'는 제하의 경제학자 110인 성명서를 발표하는 한편 세제개혁의 필요성을 시민들이 쉽게 이해할 수 있도록 '불로소득 척결을 위한 세제개혁, 이렇게 해야 한다'는 정책홍보만화 책자(국판 28면) 2만 부를 인쇄하여 각계에 배포하기도 하였다. 홍보활동과 아울러 11월 24일 대학로 마로니에공원과, 그리고 12월 1일 파고다공원에서 각각 경실련기청협과 경실련 주최의 세제개혁 촉구 시민대회를 열고 가두행진에 나섰다. 이런 시민행동과 함께 경실련 세제개혁안에 대한 입법청원활동도 활발하게 추진하였다. 관련 세법개정 청원서 제출과 함께 국회의원 전원에게 청원서 사본을 배포하고, 평민당 재무위원 및 조세특위와 간담회를 가졌으며, 12월 10일에는 평민당 김대중 총재를 면담하고 경실련안을 설명하기도 하였다.

세제개혁캠페인은 93년 8월 금융실명제 실시를 계기로 다시 적극적으로 추진되었다. 금융실명제의 실시로 사업소득자, 법인 그리고 금리생활자의 조세포착률이 높아져 세부담이 급격하게 증가하게 되어 세율인하 등 조세제도를 개혁하는 것이 금융실명제의 정착을 위해 중요한 후속조치라고 봤기 때문이다. 경실련은 '금융실명제 조기정착과 공평과세 확립을 위한 세제개혁안'을 작성하여 국회에 입법청원하고 11월 19일 이기택 민주당 대표를 면담하는 한편, 11월 24일 서울 명동과 이리 등 전국 각지에서 세제개혁 가두홍보 캠페인을 전개했다.

또한 세정개혁도 세제개혁과 함께 경실련이 관심을 기울인 주요 운동과제였다. 특히 94년 8월 인천북구청 세무비리 사건을 시발로 그동안 세무공무원들에 의한 탈세비리사건이 터져 나오자 이를 계기로 우리나라의 세무행정을 개선하고 선진화하기 위한 캠페인을 적극 전개했다. 세무비리대책위원회를 구성하고 세무비리고발창구를 개설하여 시민들의 제보를 받는 한편, 우리나라의 세무행정이 안고 있는 문제점과 개선방안을 마련하여 관계부처를 방문, 경실련 세무행정개혁안을 전달하기도 하고 공청회와 여러 차례의 집회 등을 통해 세무행정의 개혁을 지속적으로 촉구해 왔다. 납세자의 권익을 실질적으로 보호하기 위한 납세자권리장전 제정 및 조세행정절차법의 제정도 촉구했다.

재벌로의 경제력집중 억제

3당 합당 이후 들어선 경제팀이 6공화국 출범 당시부터 국민들에게 약속했던 제반 경제개혁 조치들을 전면 백지화 내지 미봉책으로 떠내려 보내고 재벌과의 유착관계를 강화하기 시작했다. 재벌 편향적 성장위주 정책으로의 방향전환과 이를 위한 후속조치로서의 금융실명제 전면백지화, 종합토지세 완화와 과표 현실화 대폭 후퇴, 규제대상여신의 축소를 통한 재벌의 실질적 여신 독점 방조, 비업무용 토지의 판정기준의 완화와 매각지연 방임 등이 진행되었다.

이러한 배경에서 경실련은 재벌에의 경제력 집중억제 운동을 전개하게 되었다. 1991년 5월 29일 반도

유스호스텔에서 '재벌의 경제력 집중, 문제점과 대책은 무엇인가?'를 주제로 전경련과 경실련 학자들 간의 공개 토론회를 가졌으며, 재벌 편향적 정부정책에 대한 감시와 비판활동을 지속적으로 벌였다. 재벌문제에 대한 체계적인 분석과 대안을 담아 경실련 문고 제2권으로 '재벌'을 발간하기도 했다. 이후 재벌개혁운동은 경실련의 가장 중요한 운동으로 자리 잡게 되었다.

부정부패 추방 운동

경실련은 90년 6월 9일, 경실련 소속 변호사들을 중심으로 <경실련 경제부정고발센터>를 설립하였다. 설립취지문은 고발센터가 "심각한 경제부정의 현실은 단지 법과 제도의 확립만으로는 시정되지 않으며 법과 제도가 바르게 운영되고 있는가를 감시할 뿐만 아니라 우리사회에 만연되어 있는 고질적인 부조리와 부정부패를 고발하는 시민운동이 함께 병행되어야 한다"는 인식에서 출범하였다고 밝히고 있다. 고발센터는 시민들로부터 각종 경제부정 사례들을 신고 받아 관계기관에 조사를 촉구하거나 고발하고 언론에 공표하여 여론화하기도 하며 피해자에 대한 법률지원 및 캠페인 그리고 제도적 개선방안을 모색하는 활동을 벌였다.

고발센터는 설립 직후부터 90년 하반기 제주도 탑동 공유수면 매립 특혜의혹에 대한 대응을 시발로, 91년 동방제약과 선경의 은행잎 엑기스 추출 특허분쟁, 인천 소래포구 공유수면 매립 특혜의혹 등에 관한 활동을 벌였으며, 93년 1월 경제불의 뿐만 아니라 우리사회의 전 분야에 만연되어 있는 부정부패를 추방하기 위한 시민운동을 효율적으로 추진하기 위해 <부정부패추방운동본부>로 확대 개편되었다. 당시 신정부 출범과 더불어 사회적으로 제기된 부패추방이라는 시대적 과제에 시민들의 광범위한 참여를 이끌어내기 위해서는 이 업무를 전담할 기구가 필요하다고 판단했기 때문이다.

부정부패추방운동본부는 93년 한해에만 6백여 건에 달하는 각 분야의 크고 작은 부패고발을 접수하여 감사원, 검찰, 금융실명제 대책위원회 등 해당 사정 감찰기구에 고발하거나 여론에 알림으로써 이를 바로잡고자 노력하였다. 특히 공직자 재산공개 시에는 은폐, 누락 및 가격 조작사례와 재산형성 과정의 탈법과 부도덕성, 사생활 문제 등에 관해 고발을 접수하여 조치하였으며, 금융실명제가 실시된 이후에는 금융실명제 탈법사례에 대한 시민제보를 받아 관계기관에 고발하여 행정적, 사법적 조치를 받게 함으로써 실명제 정착에 기여하기도 하였다.

부패추방운동본부는 법과 제도 개혁 중심으로 전개되는 경실련 운동이 자칫 소홀히 하기 쉬운 법과 제도의 운영문제와 시민들이 경제생활을 비롯하여 실생활 속에서 겪게 되는 불이익을 구제하는 역할을 수행함으로써 시민과 보다 가깝고 구체적인 도움을 줄 수 있는 경실련운동이 되는 데 기여하고자 하였다.

우리 쌀 지키기 운동: UR농산물협상에 대한 대응

경실련은 우리 농촌을 뿌리째 뒤흔들게 될 UR농산물 협상에 대해 깊은 관심과 우려를 갖고 협상력 강화를 위한 방안과 국내농업대책을 연구한 후 이를 토대로 항의대표의 미국파견, 대정부 성명서 발표 및 공청회 등 다양한 활동을 벌였다.

경실련은 90년부터 UR농산물 협상에 대해 깊은 관심을 가지고 대응방안을 모색하여 왔다. 다른 농민·시민단체들과 연대하여 '우리쌀 지키기 범국민대책회의'를 주도적으로 결성하고 활동에 참여하여 왔다. 90년 9월 UR에 대한 분야별 정책간담회를 연속으로 갖고 대응책을 마련한 후, 10월 27일 'UR농산물 협상에 대한 경실련의 입장'을 발표했다. 91년에는 이를 관철시키기 위해 성명서 발표, 정부당국자와의 토론, 공청회, 경실련 대표의 미국 파견 등의 활동을 전개하였으며, 12월 5일에는 미국대사관 앞에서 '쌀개방반대대교수단'과 함께 '쌀개방 반대 및 농업회생정책을 촉구하는 대정부 호소문'과 '미국 정부에 보내는 쌀시장 개방에 대한 우리의 입장'을 발표하기도 했다. 아울러 우리농업의 회생대책에 대한 종합적인 연구결과를 묶어 경실련 문고 '한국농업'으로 출판하기도 하였다.

그러나 이러한 활동에도 불구하고 93년, UR타결이 임박하고 정부정책이 쌀을 포기하는 쪽으로 기울어지면서 경실련은 한편으로 쌀대책위에 참여하여 쌀시장 개방을 저지하기 위한 활동에 적극 나서는 한편, 독자적으로 해외의 네트워크를 이용하여 주요 각국들의 협상전략과 취약점을 파악하고 이를 기초로 우리나라의 협상전략을 마련하고, 이를 토대로 정부의 '쌀개방 불가피론'정책기조를 비판하고 변경시키기 위한 다각적인 활동을 벌였다. UR협상이 타결된 후에는 농업분과 교수와 비농업분야 경제학 교수들이 함께 'UR농산물협상 타결에 대응한 우리 농업·농촌 회생대책'을 마련해 국무총리 및 관계부처에 전달하기도 했다.

사진으로 보는
경실련 30년

Ⅰ.
경실련의
창립과
활동

Ⅱ. 경실련 30년
활동의 성과

Ⅲ. 지역경실련의
활동과 성과

Ⅳ. 경실련과
시민사회의 미래

장기적 운동의제 및 정책 개발, 그리고 기업의 사회적 책임 촉구 운동

경제정의연구소는 단기적 현안 중심으로 진행되는 정책연구위원회 중심의 정책 활동의 한계를 극복하고 보다 장기적인 관점에서 경실련의 운동의제를 개발하고 종합적인 정책대안을 마련하기 위해 1990년에 설립되었다. 경제정의연구소는 경실련의 새로운 운동의제와 사업을 개발하고 인큐베이팅하는 역할을 수행하였는데, 환경개발센터와 통일협회도 연구소 내 조직으로 출발하였다. 이외에도 출판사업과 경실련 국제운동 등의 신규 사업과 활동들도 연구소에서 시작되었다.

그러나 연구소의 가장 대표적 활동은 경제정의지수(KEJI)에 따른 기업평가 사업이었다. 연구소는 1991년 3월부터 '경제정의의 관점에서 본 한국기업의 사회적 성과분석'사업을 추진하였으며, 그해 12월 연구결과에 대한 공개세미나를 개최하고 한국유리를 최우수기업으로 선정하여 '경제정의기업상'을 수여하였다. 이러한 기업평가 사업은 당시 기업을 적대시하던 시민사회의 분위기에서 매우 새롭고 도전적인 시도였는데, 한편에서의 비판도 제기되었으나 학계와 언론계로부터 큰 찬사를 받았다. 한국사회에서 최초로 기업의 사회적 성과를 평가하고 기업의 자발적인 사회적 책임 수행을 이끌어내기 위한 프로그램이었다.

2) 경제정의를 토대로 사회 전반의 정의 실현을 향해

공명선거캠페인

30여 년 만에 다시 실시되는 지방의회 기초의원선거를 앞둔 91년 1월, 경실련은 불법선거운동 고발창구를 개설하여 불법타락선거운동을 일삼는 후보들에 대한 시민감시운동을 전개하는 것을 시발로 한국 선거 사상 최초로 민간차원에서의 공명선거캠페인을 전개하였다.

경실련은 금권, 관권이 난무하는 불법타락선거는 돈을 가진 사람만이 정치에 진출할 수 있게 하는 진입장벽으로 기능하여, 참신하고 뜻있는 인사들이 정치에 진출하는 것을 차단할 뿐만 아니라, 심각한 대표성의 왜곡을 가져와 우리사회의 민주주의의 위기를 초래하고 있다고 판단하였다. 또한 선거에 나서기 위해서는 천문학적인 정치자금, 선거자금을 필요로 하기 때문에 이를 둘러싸고 정경유착이 심화되며, 정치인들의 부정부패와 가진 자 중심의 정책입안이 초래된다고 보았다. 따라서 경실련은 공명선거캠페인이야 말로 경실련의 목적인 경제정의의 실현과 공정한 민주주의의 확립을 위해 무엇보다 중요하다고 판단하였다.

경실련은 선거부정고발창구 개설에 이어 공명선거캠페인에 뜻을 같이하는 8개 단체와 함께 공명선거실천시민운동협의회(공선협)를 결성하여 91년 3월 기초의원 선거와 91년 6월 광역의원선거 및 92년 4월 14대 총선과 92년 12월 대통령선거 기간동안 깨끗한 선거를 위한 다양한 활동들을 전개하였다.

경실련은 공선협 참가단체들과 함께 공명선거 실현을 위한 정책마련사업, 유권자 의식각성을 위한 홍보활동, 선거부정고발창구의 운영과 시민감시운동 전개, 사법부의 공명선거 의지 촉구 운동, 관권개입 감시운동, 공명선거감시단 조직, 공정한 선거보도 촉구운동, 선거법개정운동 등 다양한 활동을 전개하였다. 이를 통해 불법선거운동을 하는 후보들에게 압력을 행사하고 정부가 적극적으로 공명선거 실현을 위해 나서도록 촉구하여, 공명선거분위기 정착과 시민들의 의식개혁에 커다란 역할을 하였다.

특히 지방의회 선거 시에는 시민들의 선거참여를 극도로 제한하는 등 잘못된 지방의회선거법을 개정하기 위해 공청회 개최, 헌법소원 제출 및 수차례의 집회를 가졌으며, 91년 4월 22일에는 선거법개정 입법청원을 제출하기도 하였다. 또한 선거부정에 대한 시민감시 및 고발캠페인을 벌여 지방의회 선거 시에만 총 333건의 제보를 접수받아 자체 조사를 벌인 다음 총 33건에 대해 증거물을 확보하여 검찰에 고발하고 45건에 대해 수사참조의뢰를 하였다. 또한 지방자치에 대한 시민들의 관심과 참여가 저조하다고 판단하고 대대적인 투표참여캠페인을 벌였다. 대표적으로 투표참여 스티커 200만 장을 제작하여 택시, 공공장소 등에 부착하는 캠페인을 성공적으로 전개함으로써 투표참여율을 높이는 데 크게 공헌하였다.

14대 총선 시에는 특히 이지문 중위의 군부재자투표부정을 폭로한 양심선언에 대해 적극적이고도 신중하게 대응함으로써 국민과 군인들의 공감을 얻었으며, 이 활동에 기반하여 92년 대선에서는 군 부재자투표

의 영외 실시 및 선관위 관리하의 투표진행 등 구체적인 제도개선을 이루어낼 수 있었다.

14대 대선 시에는 8개 단체로 시작된 공선협이 전국적으로 70여 개 지역의 600개가 넘는 시민사회단체들이 참여하는 명실상부한 전국 규모의 공명선거운동단체, 시민운동협의체로 자리 잡게 되었다.

91년 기초의원 선거에서부터 92년 대통령선거까지 전개된 공명선거캠페인은 실질적으로 선거문화를 바로잡는 데 기여했을 뿐만 아니라 국민들의 적극적인 지지와 동참을 이끌어낼 수 있었다. 또한 이후 선거법의 개정에도 큰 영향을 미쳤다.

공명선거캠페인을 추진하기 위해 결성된 공선협은 시민단체 간의 연대 측면에서도 커다란 이정표를 세웠다. 공선협은 전국 각지에 걸쳐 600여 개가 넘는 시민사회단체가 지역 간, 종교 간, 이념 간의 차이를 극복하고 공명선거 실현이라는 과제를 위해 장기간에 걸친 공동행동을 성공적으로 수행함으로써 이후 시민단체 간의 연대를 활성화하는 데 크게 기여하였다. 이러한 공선협의 연대경험은 이후 정의로운 사회를 위한 시민운동협의회, 한국시민운동협의회로 나아가는 연대의 토대를 마련하였다.

정책캠페인

경실련은 91년 12월 27일, 92년도 경실련정책협의회에서 14대 총선시 공명선거캠페인과 더불어 정책캠페인을 전개하기로 결의하였다. 깨끗한 선거풍토 조성과 함께 혈연, 지연, 학연 등에 의한 전근대적인 선거문화를 지양하고 정책을 보고 투표하는 합리적인 선거문화를 형성하는 것이 필요하다는 판단이었다.

경실련은 정책캠페인의 기본전략을 우리사회의 발전을 위해 꼭 필요한 개혁과제를 도출하여 국민들에게 널리 알리고, 이러한 정책을 공약으로 내세우는 후보를 지지하자는 캠페인을 전개하는 한편, 각 정당과 후보들에게는 경실련이 제시하는 정책을 공약으로 받아들일 것을 촉구하는 것이었다. 이를 통해 우리사회가 나아가야 할 방향과 구체적인 개혁과제에 대해 시민사회 내, 그리고 시민과 정치인 간의 합의를 형성함으로써, 선거 이후 개혁의 토대를 마련하고자 하는 것이었다.

정책캠페인의 또 하나의 방향은 정당과 후보들의 공약을 감시·평가하여 선심성 공약남발을 차단하고 유권자들의 판단능력을 높임으로써 성숙된 선거문화를 이룩하는 것이었다.

정책캠페인을 전개하기 위해 경실련은 우리사회의 개혁과제를 집대성하기 위한 연구 작업에 착수하였다. 토지, 주택, 금융, 재정, 정치제도, 지방자치 등 총 13개 분야 54개 항목별로 개혁과제를 선정하고 이에 대한 연구 활동을 진행했다. 100여 명의 교수와 전문가들이 참가한 이 연구 작업의 결과는 92년 3월 '우리사회, 이렇게 바꾸자'라는 책자로 발간되었다. 우리사회가 나아가야할 비전과 이를 실현하기 위한 종합적인 정책대안이 시민사회에서는 최초로 마련되었다.

14대 총선 시 경실련은 경제정의 실현을 위한 10대 개혁과제를 발표하고, 국회의원 입후보자 전원에 대해 기명조사방식으로 10대 개혁과제에 대한 20개의 설문을 마련하여 조사를 실시하였다. 설문조사 결과는 응답자 및 비응답자 명단, 문항별, 정당별 응답결과로 발표되었으며, 후보자별 응답은 문의에 따라 공개되었다. 이에 대해 중앙선관위는 설문조사결과 발표가 선거법 위반이라는 견해를 표명하였으나, 경실련은 이를 반박하는 성명서를 발표하고 그대로 강행하였다. 또한 각 정당의 공약에 대한 비교평가세미나를 갖고 그 결과를 책자로 만들어 시민들에게 배포하였다. 아울러 경제정의 실현을 위한 10대 개혁과제에 관한 대자보를 1만 매 제작하여 지하철역 등에 부착하였으며, 유세장과 가두에서 이를 홍보하는 캠페인을 지속적으로 벌였다.

14대 대통령선거 시에는 보다 체계적인 정책캠페인을 추진하기 위해 92년 9월 26일 '경제개혁과 민주발전을 위한 정책캠페인 운동본부'를 발족하였고, 10월에는 경실련이 제시하는 정책과제를 시민들이 보다 쉽게 이해할 수 있도록 「일한 만큼 대접받는 우리사회 만들자」는 제목의 개혁과제에 관한 팜플렛을 만들어 배포하였다.

나아가 11월 17일 김영삼 민자당 대통령 후보의 거듭된 회피로 미루어 오던 3당 대통령 후보 초청 정책토론회가 김대중, 정주영 두 후보가 참석한 가운데 열렸다. 11월 28일에는 3당 공약비교평가세미나가 열렸다. 누구도 하려 하지 않았던 각 당 공약에 대한 구체적 평가를 경실련 학자들이 최초로 이루어냈다는 점에서 큰 의의를 지니고 있다. 선관위에서는 이 세미나가 선거법 위반이라며 중단을 요청할 정도로 선거중반에 중요한 행사로 부각되었다. 경실련은 세미나를 강행하였고 정책대결의 선거문화 조성이 국민적 대의였던 만큼 선관위는 애초의 중단요청을 흐지부지하고 말았다. 이 세미나의 결과는 자료집 「현장녹음, 3당 후보와 경실련 학자들의 정책토론」 및 「3당 공약, 그 차이를 아십니까?」로 만들어 행사

사진으로 보는
경실련 30년

Ⅰ.
경실련의

창립과 활동

Ⅱ. 경실련 30년
활동의 성과

Ⅲ. 지역경실련의
활동과 성과

Ⅳ. 경실련과
시민사회의 미래

장, 가두 및 지하철에서 시민들에게 판매하기도 하였다. 그리고 3당 정책의 차별성을 유권자들이 쉽게 알 수 있도록 3당 공약 중 차별성이 큰 주요쟁점 12개를 선정하여 발표하기도 하였다.

이러한 활동과 함께 정책캠페인을 보다 광범위하게 추진하기 위해 11월 6일 '정책대결의 선거문화를 위한 시민의 밤'을 개최하는 한편 다른 시민사회단체와의 연대활동 및 노동조합과 대학생들을 대상으로 한 정책캠페인 설명회를 가져 노동계와 대학가로 정책캠페인을 확산시키고자 노력하였다. 여성단체들과 함께한 '남녀평등을 위한 여성정책 토론회', 전농·농단협과 공동으로 주최한 '농정개혁에 관한 공청회', 은행노조와 함께한 '금융개혁에 관한 공청회', 노동단체 및 노동조합들과 함께 한 '3당 노동정책 토론회' 등이 개최되었다.

경실련의 정책캠페인은 지역감정, 색깔론 등이 유권자들의 선택에 결정적인 영향을 미친 결과로 단기적으로 큰 성과를 거두지는 못하였다. 그러나 여야 3당이 경실련이 제시한 개혁과제를 구호적인 차원에서나마 상당부분 수용하였고 체계적인 정책공약을 내놓으려고 애쓴 점은 긍정적이었다. 또한 정책캠페인을 조직하는 과정에서 각종 사회단체, 노동조합, 대학생, 시민들의 호응이 높아 정책대결의 선거문화 확산에 나름대로 기여하였다. 이 시기의 정책캠페인은 향후 우리의 선거풍토가 정책대결로 이루어져야 한다는 공감대를 확산시켰으며, 이후 각 정당과 후보들이 부분적이나마 바람직한 공약을 제시하고자 노력하는 긍정적 성과를 낳았다.

경제정의 관점에서의 새로운 환경운동 전개

경실련은 점점 더 심각해져가는 환경문제가 지구의 존립 기반 자체를 위협하고 있으며, 이것은 이제까지 환경가치를 고려하지 않고 구축되어온 사회경제적인 구조 자체의 모순을 반영하는 것에 다름 아니라는 인식을 갖게 되었다. 이에 경실련이 추구하는 대안적 사회의 구성 원리에 경제성장과 사회적 형평에 덧붙여 지속가능성을 통합시키기로 하고, 보다 본격적으로 이 문제에 대응하기 위한 환경문제 전담기구로서 환경개발센터를 92년 11월 14일에 설립하였다.

환경개발센터는 날로 심각해지고 복잡해져 가는 환경문제를 해결하기 위해서는 단순히 환경파괴에 저항하는 운동을 넘어서서, 지속가능한 사회를 건설하기 위해 시민운동으로서 나아가야 할 방향을 제시하기 위해 환경문제를 올바로 인식하고 대안을 생산하는 작업에 힘써 왔다. 이를 위해 다양한 환경문제에 대해 자연과학적으로 타당하며 사회경제적으로 효율적인 대안에 관한 전문적인 연구가 필요하다고 보아 연구활동에 역점을 두어 왔다. 그리고 이에 기초하여 사회의 각계각층 및 중앙과 지역의 경실련 조직과 연대하여 실천운동으로 나아가며, 이 과정에서 정부, 기업, 시민, 언론 등 모든 분야의 협력을 이끌어 내어 반환경적인 사회경제구조를 바꾸어 나가는 운동을 전개하고자 노력하여 왔다.

환경개발센터는 설립취지문에서 다음과 같이 밝히고 있다. "환경개발센터는 지역적인 것에서 지구적인 차원에 이르는 환경문제의 근원을 인간에 의한 개발의 역사, 특히 산업혁명 이래 인간이 지녀왔던 가치관이나 문화 자체에 있다고 보아, 기본적으로는 새로운 가치관과 행동양식을 찾는 문화운동이라는 토대위에서 환경운동을 펴나가고자 합니다. 당면한 환경위기를 극복하고 이 지상에서 지속가능한 생활을 이어가기 위해 정치, 경제, 사회, 문화의 제 영역에서 포괄적인 연구를 통해 근본적인 변혁을 가능하게 할 대안을 제시하려 할 것입니다"

경실련은 출범 이후 환경운동을 전담하는 부서는 없었지만, 무농약 유기농산물 판매와 이를 통한 시민조직화를 위해 「경실련 • 정농 생활협동조합」을 결성하고, 과소비 풍조 근절과 자원재활용 사업의 일환으로 「경실련 알뜰가게」를 개설하는 등 부분적인 환경관련 운동을 해 왔다.

92년 4월에는 환경문제 전담부서인 경제정의연구소 환경연구부를 만들어 '환경과 개발에 관한 UN회의'의 준비모임과 본회의, 후속모임에 참가하여 환경문제에 대한 인식을 높이고 국제적인 연대를 구축하였으며 그밖에 국내연대, 자원재활용 사업기반 형성 및 환경개발센터의 창립을 준비하는 활동을 전개하였다.

1992년 11월 14일 환경개발센터가 창립되고 사단법인으로 등록되면서 본격적인 활동이 진행되었다. 환경개발센터는 폐기물, 에너지, 수질개선, 삼림 및 생태계 보전, 지속가능한 도시 등에 관한 연구활동을 통

해 분야별 환경문제의 현황과 해결방안을 마련하기 위해 노력하는 한편, 이와 관련된 정부정책의 개선을 위한 다양한 캠페인을 전개하였다. 쓰레기 종량제 실시도 환경개발센터의 역점사업의 하나였다. 또한 대학생 환경세미나, 노동자 환경교실, 주부환경교실, 어린이환경학교 및 경실련 환경연수프로그램을 만들어 환경문제에 대한 올바른 인식을 보급하고자 노력하였고, 이러한 환경운동을 지역차원으로 확산하기 위한 노력도 소홀히 하지 않았다. 또한 환경문제에 보다 힘 있게 대처하기 위해 국내외의 환경단체들과 연대하여 활동하였으며 국제적인 환경 현안에 대한 국제적 연대활동에도 적극 참여하였다. 93년 뉴욕 유엔본부에서 개최된 리우 환경회의의 후속작업을 주관하기 위해 유엔 경제사회이사회 산하에 설치된 유엔지속가능개발위원회 제1차 총회에는 한국에서 민간단체로는 유일하게 참석하기도 했다.

이러한 경실련의 환경운동은 환경문제 발생지역의 주민과 결합하여 전개하는 환경파괴 반대 차원에서 전개되던 환경운동을 총체적인 대안분석과 이에 기초한 정책제안 및 사회경제구조개혁의 차원으로 한 단계 끌어올렸다.

새로운 통일운동 전개

1993년 남북정부 간에 이루어진 남북기본합의서에 대한 합의는 그간 한국사회의 개혁과제만을 다루던 경실련의 관심과 시각을 한반도 전체로 확산시키는 계기가 되었다. 경실련은 더 이상 통일이 먼 미래의 일이 아니며, 한국사회 내에 통일을 대비하는 유의미한 준비들이 정부차원 뿐만 아니라 민간차원에서도 전무하다는 사실을 깨닫게 되었다. 경실련은 한국사회 만의 개혁과 분단 상태에서의 경제정의 실현은 미완성일 수밖에 없으며, 통일을 전제하지 않은 한국사회의 개혁은 통일이후에는 아무런 의미를 가질 수 없다고 판단하였다.

또한 경실련은 당시 관변단체들에 의한 남북대결적 태도와 재야운동과 학생운동에 의해 주도되어온 급진적인 통일운동은 국민적 공감을 전혀 얻지 못하고 있으며, 남북관계의 개선에 별다른 보탬이 되지 못한다고 판단하였다. 경실련은 민간차원의 통일운동은 민족통일에 대한 시민사회의 공론을 도출하여 범민족적 합의를 이루는 것을 토대로 그간의 관념적 접근방식을 지양하고 실사구시적 관점에서 전개되어야 한다는 입장을 견지하였다.

1992년 경실련정책협의회에서 경실련 방식의 합리적인 통일운동을 준비하기 위해 경제정의연구소 내에 통일부를 설치하기로 하였다. 93년 8월 경실련 상임집행위원회에서 통일문제에 대한 경실련의 기본입장을 정리할 통일문제특별위원회를 설치·운영할 것을 결의하였고, 동 위원회는 세 차례의 모임을 통해 93년 10월 23일 '민간통일운동에 대한 경실련의 기본입장'을 채택하였다. 10월 26일 상임집행위원회는 통일문제 전담기구로 경실련통일협회를 사단법인으로 설립할 것을 승인하였으며, 다음 해인 1994년 1월 18일 창립대회를 갖고 출범하였다.

통일협회는 설립취지문을 통해 민족통일에 대한 시민사회의 공론을 도출해 범민족적 합의 형성에 기여, 비관변적, 비반(非反)정부적 노선 견지, 관념적 논의 배격과 실사구시에 입각한 합리적 운동 전개, 민족 구성원 절대 다수가 동의하는 통일, 자유와 평등, 물질적 풍요와 복지가 현재의 남북한 수준보다 더 높은 차원에서 구현되는 통일을 위해 노력 경주, 남북한 간의 민간교류의 극대화, 평화통일을 준비하는 시민운동의 전개 등 6개 항목을 운동방향으로 설정하였다.

통일협회는 93년부터 매년 여름, 세계에 흩어져 있는 한민족청년들이 함께 모여 민족의 동질성을 확인하고 민족통일과 인류평화에 기여하기 위한 방안을 모색하기 위한 한민족 청년대회를 개최하였다. 93년에는 세계 7개국 120여 명의 청년이 참가한 가운데 중국 연변과 서울에서, 94년에는 9개국 100여명이 참가하여 일본과 한국에서 개최되었다. 통일협회는 한민족 청년대회를 통해 형성된 세계 각지의 한민족 청년 간의 네트워크가 앞으로 민족통일에 크게 기여할 것으로 판단하였다. 이밖에 통일협회는 향후 동북아 신경제질서 및 민족통일에 지대한 영향을 미칠 것으로 판단되는 동북아경제권과 한민족의 역할에 대한 연구작업을 진행하였고, 북핵문제로 경색된 남북관계의 개선을 위한 활동을 벌였으며, 95년에는 북한의 수재민을 돕기 위한 남북나눔운동을 전개하기도 하였다.

정치·정부 개혁을 위해: 시민입법운동

경실련은 우리나라의 입법과정은 행정부와 국회에 의해 독점되어, 시민이 입법과정에서 완전히 소외되어 있으며, 군부독재시대에 비상입법기구에 의하여 제정된 많은 법규정들이 아직까지도 남아 있어 우리사회의 민주화를 저해하고 시민들에게 불편과 불이익을 가져다주고 있다고 판단하고, 이러한 잘못된 법률의 개혁을 위한 시민운동의 필요성을 절감하게 되었다. 이에 경실련은 그

간 법제정과정에서 소외되었던 시민이 입법과정의 주체로 나서야 한다는 취지 아래 시민입법운동을 전개하기로 결의하고, 이를 지속적으로 추진하기 위해 93년 3월 시민입법위원회를 구성하였다.

시민입법위원회는 그동안 정책연구위원회에서 생산된 정책대안을 입법의 형태로 구체화하여 국회에 입법청원함으로써 경실련의 정책대안 생산능력을 한 단계 끌어 올렸다. 또한 시민입법위원회는 이에 머물지 않고 정치, 행정 등 사회 각 분야의 잘못된 법률들에 대한 조사와 연구를 통해 대안을 제시하고, 이를 개혁하기 위한 캠페인을 전개하여 상당한 성과를 거두었고, 「시민입법운동」이라는 새로운 시민운동의 장을 개척했을 뿐만 아니라 시민이 입법의 주체가 되어야 한다는 의식을 확산하는 데에 크게 기여하였다.

시민입법위원회는 93년 초, 공직자들의 재산공개가 커다란 사회적 파문을 일으키는 것을 보면서 공직자윤리를 확립해야 할 필요성을 느끼고 공직자윤리법에 대한 경실련 개정안을 작성하여 사회에 알리는 한편 국회에 입법청원하여 법안내용에 실질적으로 반영되는 성과를 남겼다.

정보화시대를 맞이하여 행정부의 정보독점을 막고 투명하고 민주적인 정보공개제도를 확립하여 시민의 알권리를 보장해야 한다는 취지에서 정보공개법 제정 캠페인을 전개하였다. 93년 4월에는 정보공개법의 취지, 내용, 절차에 대한 내용을 담은 「열린 사회, 열린 정보」 책자를 출판하여 정보공개법의 입문서로 활용되기도 하였다. 이후 정보공개법 입법청원 등 다양한 노력을 기울인 결과로 정보공개법 제정의 기틀을 마련하고 행정개혁의 한 방향을 제시하는 성과를 거두었다.

이 외에도 국회운영의 개혁을 위한 국회법 개정 캠페인, 깨끗한 정치실현을 위한 선거법, 정당법, 정치자금법의 개정, 안기부법의 개정, 행정절차의 민주화와 투명화를 위한 행정절차법 제정, 민간운동 활성화와 관변단체 지원 중단을 위한 민간운동지원에 관한 법률안 제정, 자원봉사활동 진흥에 관한 법률안 제정, 관변단체지원특별법 폐지, 기부금품모금금지법 개정 등의 활동들을 전개하여 그 내용을 법안에 일정부분 반영시켰다. 또한 94년에는 검찰의 정치적 중립성 확보와 국민의 기본권을 보호하기 위한 최후의 보루로서의 기능을 제대로 수행하지 못하고 있는 사법부의 개혁을 위한 캠페인을 전개하기도 하였다.

2. 전국 지역사회로의 확산

경실련운동에 대한 사회적 관심과 지지가 빠른 속도로 확산되면서, 전국적으로 경실련이 추구하는 새로운 운동방식, 곧 시민운동 방식에 입각한 지역사회운동을 펼쳐보려는 그룹들이 나타나기 시작했다. 다른 한편으로 경실련 또한 지역조직 결성의 필요성을 느끼고 지역조직을 만들고 운영할 수 있는 지역사회 인사들을 물색하기 시작했다.

경실련은 1991년 지방의회의원 선거를 시작으로 새롭게 열리는 지방자치 시대에 대응하기 위해서는 경실련운동 또한 지방자치시대에 맞게 지역화할 필요가 있다고 판단했다. 지방자치단체의 권력을 감시하고 지역사회의 이슈들을 발굴하고 정책대안을 개발하며, 지역주민들의 참여에 기반하여 여론을 조직할 수 있는 지역조직들이 만들어질 때 지역시민사회는 활성화될 것이며 지방자치제도도 온전히 뿌리내릴 수 있다고 생각했다.

그 지역운동은 국민적 합의, 합법·평화적 방식, 합리적 대안을 추구하는 경실련운동 방식에 기초할 때 지역주민들의 관심과 지지를 이끌어내 사회적 성과를 거둘 수 있을 것이며, 기존의 재야운동방식을 고수하는 단체들의 긍정적 변화를 견인할 수 있을 것으로 기대되었다. 전국 차원에서 성과를 거둔 시민운동을 지역사회 차원으로 확산하고 정착시키려는 것이었다. 지역조직을 구축하고 신속하게 전국적 조직으로 성장함으로써 경실련운동의 사회적·물적·공간적 토대를 튼튼히 할 필요도 있었다.

지역경실련의 설립은 대체로 지역사회 내에서 명망과 인품을 인정받고 있는 뜻있는 인사들이 모여 지역경실련을 결성하기 위해 자발적인 모임을 결성하는 것으로부터 시작되었다. 지역경실련들은 경실련본부와의 협의를 통해 준비모임을 꾸리고 발기인들을 모집하고, 향후 운동방향에 대한 토의와 합의를 거쳐 발기인

대회를 갖고 본격적인 활동에 나서게 되며, 사회적 지지와 시민들의 지지를 더 많이 확보한 후 창립에 이르는 과정을 거쳤다.

초기에 설립된 지역경실련들이 지역사회 내 뿌리를 내리는 데에는 공명선거캠페인의 성공적인 수행이 큰 역할을 담당했다. 91년 지방의회의원선거와 92년의 총선 및 대선과정에서 추진된 공명선거캠페인과 정책캠페인의 성공적인 수행은 우리사회 선거문화를 획기적으로 바꿔놓는 큰 성과를 거두었을 뿐 아니라 많은 사람들에게 시민운동을 다시 평가하게 만드는 기회를 제공했고, 각 지역에서 이를 주도적으로 수행한 지역경실련들이 활성화되고 지역적 기반을 튼튼히 하는 데 결정적으로 기여했다.

지역경실련들의 초기 활동은 대체로 본부에서 추진하는 전국적 캠페인 및 이슈들을 지역사회 차원에서 펼쳐 나가는 형태로 진행되었다. 공선협의 결성과 공명선거캠페인 및 정책캠페인을 추진한 것이 가장 대표적인 사례이다. 정책캠페인의 성과를 기반으로 지방의회감시단 운영, 지자체 시민대학 개설, 지방의정 논단 개최, 지방의회의원공약이행평가 실시 등을 통해 지방의정을 감시하고 평가하는 의정감시활동은 가장 중요하고 보편적인 지역경실련 활동의 하나로 자리 잡았다. 그리고 세제개혁캠페인이나 이문옥 감사관의 양심선언을 계기로 진행된 정경유착 근절 캠페인, 부정부패 추방 캠페인 등 전국적 이슈를 지역 차원에서 확산하는 활동들이 추진되었다.

그러나 전국적 이슈를 지역화하는 방식으로는 지역주민들의 관심과 참여에 기반한 지역운동으로 발전하는 데에 한계가 있을 수밖에 없다는 문제의식들이 형성되었고, 지역사회에 기반한 이슈를 발굴하고 지역적 특성에 맞는 방식으로 경실련운동을 전개하려는 움직임들이 일어나기 시작했다. 환경, 주택, 교통, 지역경제 활성화 등 지역사회의 주요 현안들을 발굴하고 그 문제에 대한 합리적 대안모색과 함께 문제해결을 위한 세미나, 토론마당, 공청회 개최, 성명서 발표 등 다양한 활동들을 통해 지역주민들의 관심과 참여에 기반한 지역운동으로 뿌리내리기 시작했다.

지역경실련 설립

지역경실련의 설립과 그로 인한 전국조직으로의 확장은 크게 세 단계로 진행되었다. 1989년부터 1991년까지는 5대 광역시를 중심으로 지역경실련이 설립되었다.

발기인대회를 기준으로 가장 먼저 설립된 곳은 대구경실련이었다. 대구경실련은 1989년 11월 28일 대구 YMCA강당에서 시민 300여명이 참석한 가운데 '대구지역 경실련 발기인대회'를 갖고 활동을 시작했으며, 다음해인 1990년 6월 2일 '창립대회 및 이문옥감사관 석방과 정경유착 규명 촉구 시민대회'를 갖고 출범했다. 대구경실련의 초기 활동은 91년에 실시된 지방의회의원선거 및 92년 총선에서의 공명선거캠페인과 함께 낙동강 페놀오염사태에 대한 대응 및 이를 계기로 한 환경운동에 초점이 맞춰졌다.

대전경실련이 뒤를 이어 1989년 12월 16 발기인대회와 1990년 11월 2일 창립대회를 가졌고, 부산경실련은 1990년 2월 9일 발기인대회와 91년 5월 3일 창립대회를 통해 출범했다. 광주경실련은 1990년 3월 1일 준비위원회 결성, 6월 16일 발기인대회와 6월 23일 창립대회 개최, 인천경실련은 1990년 6월 23일 발족선언 이후 2년 여의 준비기간을 거쳐 1992년 10월 10일 창립대회를 가졌다. 제주경실련은 1990년 12월 23일 발기인대회와 1991년 2월 8일 창립대회를 갖고 지역경실련의 대열에 합류했다.

모든 광역시에 지역경실련이 설립되어 본격적인 활동에 나서면서, 그리고 경실련운동에 대한 사회적 관심과 지지가 확산되면서 기초지자체 차원에서 경실련운동을 펼쳐보고자 하는 뜻있는 그룹들이 많이 나타났다. 이로 인해 지역경실련의 설립과 관련된 시스템과 절차를 마련해야 할 필요가 대두되었고, 1993년에 '지역경실련 창립절차에 관한 내규'가 마련되었다. 이 내규에 따르면 지역경실련의 창립에 필요한 최소요건으로, △(발기회원) 지역사회의 각 분야가 균형 있게 반영된 30명 이상의 회원 및 유능한 지도자들이 지역경실련 창립에 뜻을 모으고, △(지도자, 예산, 공간) 사업추진에 필요한 지도력과 자원의 효과적 동원과 그 가능성을 검토하도록 하였다.

이리경실련이 1991년 11월 4일 창립되었으며, 광명(92.9.6.), 포항(92.11.9.), 구리·미금·남양주(92.11.17.), 순천(93.4.9.), 안산(93.7.19.), 울산(93.9.16.), 춘천(93.10.28.), 안양(93.12.11.) 순으로 뒤를 이었다.

서울시 구 지부 준비모임

지역경실련의 설립과는 조금 다른 맥락에서 서울시 구 지부 설립의 필요성이 제기되었다. 구 지부를 구성하려는 시도는 1990년부터 있어 왔다. 경실련이 주장하는

사진으로 보는
경실련 30년

Ⅰ.

경실련의

창립과 활동

Ⅱ. 경실련 30년
활동의 성과

Ⅲ. 지역경실련의
활동과 성과

Ⅳ. 경실련과
시민사회의 미래

정책대안이 우리 사회의 정책으로 관철되기 위해서는 조직화된 다수의 힘이 필수적임에도 불구하고 경실련운동에 지지와 성원을 보내는 시민들을 회원으로 결집하고, 회원으로 참여한 시민들을 보다 활동적인 회원으로 묶어세우는 데 성공하지 못했다는 자체 비판이 제기되었다. 이러한 문제제기들이 1990년 1월 '회원활동 활성화를 위한 간담회'와 2월 '회원활동 활성화를 위한 회원 수련대회'에서 공유되면서 그 대안으로 구별 회원조직을 결성하기로 의견이 모아졌다. 그리고 이를 추진하기 위한 조직강화회의가 구성되었다. 이후 몇몇 구에서 구 조직을 만들기 위한 준비모임들이 진행되었으나 아직 지역공동체 의식이 척박한 현실의 벽에 부딪치면서 실패로 돌아갔다.

이후 1993년 2월 중앙위원회가 수립한 1993년도 사업계획에서 회원활동 강화를 위해 서울시에 구별 지부 결성을 다시 추진하기로 의결하였으며, 이를 위해 사무국에 시민부를 신설했다. 구 지부를 구성하려는 목적은 다음과 같았다.

첫째, 경실련운동을 지역사회로 확산하는 것이다. 경실련운동을 시민생활의 구체적 현장인 지역사회로 확산하여 보다 많은 시민들의 참여를 유도하고 지역사회에 경실련운동을 뿌리내리려는 것이었다.

둘째로는 새롭게 열리는 지방자치에 효과적으로 대응하고 건강한 지역사회를 건설하는 것이었다. 지방화시대에 맞추어 주민 참여를 통한 진정한 의미의 지방자치가 실현될 수 있도록 효과적인 대응방안을 모색하고, 새로운 공동체 형성을 통해 지역사회 발전에 기여하는 것이다.

셋째로는 지역사회의 현안을 발굴하고 해결함으로써 시민들의 생활적 욕구를 충족하는 것이었다. 지역사회에서 발생하는 교통, 환경, 주거 등 다양한 생활적 문제들을 발굴하고 해결하여 지역사회의 갈등을 조정하고 주민들의 생활 욕구를 충족시키는 것이다.

넷째로는 지역주민들에게 자율적 참여의 장을 제공하는 것이다. 지역주민들에게 자유롭고 부담 없는 참여의 기회를 제공하고 다양한 프로그램을 통한 만남 속에서 새로운 시민문화를 창출하는 것이다.

서울시 구 지부 설립은 경실련에 가입한 기존회원을 구별로 조직하여 회원활동을 활성화함으로써 조직역량을 강화하고, 지역특성에 맞는 프로그램을 통해 시민들의 참여기회를 확대하는 한편 지방화 시대에 맞는 지역사회 기반의 시민운동을 정착시키려는 차원에서 진행되었다.

구지부 결성작업은 노원·도봉구에서 가장 먼저 그리고 활발하게 진행되었다. 1993년 7월 7일 회원 14명이 참석한 가운데 열린 회원간담회에서 구 지부 준비모임을 구성하고 몇 차례의 준비모임과 함께 환경문제 등을 주제로 한 시민강좌를 개최하기도 하고 당시 지역이슈였던 소각장문제에 대한 정책간담회를 갖는 등의 활동들을 벌여 나갔다. 강남·서초구지부 결성을 위한 준비모임도 7월부터 진행되었고, 강서·양천구에서도 같은 해 11월 회원간담회를 갖고 구 지부 준비모임을 갖기 시작했다.

3. 시민사회에서의 시민운동 모델 확산

경실련운동의 확장은 '부동산투기 근절'에서 '경제정의 실현'을 넘어 '한국사회의 모든 분야에서의 정의 실현'으로의 활동영역의 확장과, 국가적 차원에서의 활동을 넘어 전국 지역사회로 확산되고 뿌리내리는 지역적 확산에 이어, 경실련이 추구하는 시민운동 모델을 시민사회 내에 확산하는 방향으로 나아갔다.

경실련의 창립과정과 초기에 기독교의 개혁적 복음주의 그룹과 합리적이고 개혁적인 불교운동을 새롭게 시작하고자 했던 그룹들이 경실련에 합류하면서 경실련기독청년학생협의회와 경제정의실천불교시민연합이 결성되었다. 이들은 경실련운동에 대한 종교계의 지지와 참여를 이끌어내는 한편 각 종교계 내에 기존 재야운동 방식의 운동을 지양하고 경실련식 시민운동 모델에 기반한 새로운 합리적 운동을 형성하고 확산시키고자 하는 이중 목적을 갖고 있었다. 경불련과 기청협은 이러한 문제의식을 가지고 불교계와 기독교계에 합리적이고 개혁적인 새로운 시민운동을 창출하려는 그룹들이 전략적인 판단을 가지고 경실련과 조직적으로 결합하는 형태로 출범된 것이다. 따라서 이들의 활동은 경실련활동에의 참여와 지지를 넘어 새로운 불

교시민운동과 기독교시민운동의 창출과 확산을 향해 나아갔다.

경실련 주체들은 경실련의 조직적 및 사회적 기반을 확장하고 견고하게 만드는 한편 기존의 사회운동들, 곧 노동운동, 도시빈민운동 등 계급운동과 환경운동, 통일운동 등 부문운동들, 그리고 학생운동들이 경실련과 같은 시민운동 모델로 전환되어야만 잃어버린 시민들의 지지를 회복하고 발전할 수 있다고 생각했다. 그런 가운데 기존 사회운동의 영역에서 활동해 오면서 경실련과 같은 생각을 갖게 된 그룹들을 만나게 되었다. 기존 노동운동과 학생운동에 적극적으로 참여해오다 변화된 환경에 맞는 새롭고 합리적인 운동의 필요성을 깨닫고 경실련운동에서 대안을 발견한 일군의 운동가들과 기존 사회운동의 변화를 희망했던 경실련이 전략적으로 연합하게 되면서 경실련노동자회와 대학생회가 출범하게 되었다.

경실련노동자회는 창립선언문에서 설립목적을 "한국 노동조합운동의 방향과 정책을 변화된 현실에 맞게 새롭게 정립…"하고 "…노동자 대중이 한국 시민운동의 강력한 사회적 기반이 되고, 나아가 주력으로서의 역할"을 할 수 있도록 하는 것이라고 밝히고 있다. 경실련대학생회 또한 창립선언문을 통해 그동안 "한국사회를 이끌어오는데 가장 주도적인 역할을 한 학생운동이 … 위기를 맞이하고 있다."고 진단하고, 변화된 상황에 맞게 "국민들의 폭 넓은 지지와 학생들의 광범위한 참여를 이룰 수 있는 학생운동의 새로운 실천방향이 정립"되어야 함을 역설하면서 시민운동 모델에 기반한 학생운동의 필요성을 주장하였다. 경실련은 노동자회와 대학생회 활동을 통해 당시 가장 강력한 사회운동이었던 노동운동과 학생운동의 패러다임 전환을 주창하고 견인하기 위한 활동들을 전개하였다.

경실련환경개발센터와 경실련통일협회는 외부세력과의 연합 없이 독자적으로 경실련운동 방식의 환경운동과 통일운동의 모형을 창출하고 확산하기 위해 설립되었다. 새로운 환경운동과 통일운동을 창출하여 사회적 지지를 확보함으로써 기존 환경운동단체들과 통일운동단체들의 변화를 이끌어낼 수 있다고 생각하였다.

경실련이 기존 사회운동 영역에 경실련이 추구하는 시민운동적 가치와 방법론에 기반한 새로운 운동조직들을 만들고 본격적인 활동에 나서면서 기존 운동단체들로부터 강력한 비판과 저항에 직면하게 되었으며 그 긴장은 상당기간 지속되었다.

기독청년학생협의회(기청협)

경실련기독청년학생협의회는 경실련 창립에 조직적으로 참여해 온 기독교내 개혁적 복음주의 그룹들이 중심이 되어 결성되었다. 1989년 10월 30일, 강남의 남서울교회에서 250여명의 기독청년학생들이 참석한 가운데 창립대회를 갖고 본격적인 활동을 시작했다. 기청협은 창립선언문을 통해 현실안주나 방관적 자세를 딛고 일어나 정의로운 사회와 바른 경제질서의 실현을 위해 성서가 가르쳐준 이웃사랑의 정신으로 모든 선한 세력과 연대하여 평화적 방법으로 사회변혁운동을 추진해 나가기로 다짐했다. 이를 위해 기청협은 부익부 빈익빈의 극심한 사회 양극화 현상을 낳고 있는 현실에 대한 분석과 이를 시정하기 위한 정책 대안을 함께 연구하는 일과 이를 실천하는 토론회, 집회 및 시위, 캠페인 등을 개최하며, 교회와 대학 등 모든 사회 현장 안에서 그리스도의 선한 세력을 확장하는 일을 벌여나가기로 하였다.

기청협은 경실련 초기 토지공개념 입법 캠페인 등에 적극적으로 참여하여 활동하였으며, 1989년 12월 24일, 서초동 꽃마을 앞 주차장에서 3천여 명의 도시빈민과 시민들이 참여하는 '도시빈민과 함께 하는 성탄절 예배'를 개최하는 등 도시빈민 관련 활동에도 참여하였다. 또한 1990년 3월 9일에는 개혁적 복음주의자로 저명한 미국의 Ronald J. Sider 목사를 초청하여 서울영동교회에서 '복음주의와 경제정의'라는 주제로 강연회를 갖는 등 기독교 내에서 경제정의를 알리기 위한 활동들을 벌였다.

경제정의실천불교시민연합(경불련)

경실련의 불교도 회원들은 경실련운동의 지지층을 보다 두텁게 하고 조직역량을 강화하기 위해서는 유일하게 대중적으로 조직되어 있는 종교인들, 특히 불교인들을 결집하는 것이 필요하다고 판단했다. 또한 불교인들이 개인적 구복과 현실도피에 안주하게 하는 신앙관을 극복하고 불타의 제자로서의 사회적 책임을 다할 수 있게 하기 위해서도 누구나 손쉽게 참여할 수 있는 시민운동의 공간을 마련하고 이에 동참케 하는 것이 필요하다고 판단했다.

1990년 5월 '경제정의 실현을 위한 불교인 대토론회'와 8월 잠롱 방콕시장의 방한을 맞아 '잠롱시장의 방한을 환영하는 불교인'모임을 구성하여 활동하는 등 경실련과 불교단체들의 연대활동이 전개되면서 위의 판단

에 입각한 시민운동 방식의 불교운동의 필요성이 폭넓게 공유되어 갔다. 그리하여 1991년 3월 29일 송월주 스님을 비롯한 범산스님, 김동흔씨 등 경실련 내 불교인들이 중심이 되어 경불련 창립준비위원회를 구성하고 월주스님을 준비위원장으로 추대하였다. 4월 23일 경실련 내에 사무실을 마련하고 창립 준비활동에 박차를 가해 6월 15일 조계사에서 발기인대회를 갖고 경불련의 위상과 방향에 대한 공감대를 형성한 후에 7월 13일 흥사단강당에서 창립총회를 갖고 본격 출범하였다.

경불련은 새로운 불교운동의 방향정립을 위한 논의들을 조직하는 한편 결식노인과 아동을 위한 상설 무료급식소인 '자비의 집' 개소, 인신매매 방지 활동, 성폭력특별법 제정활동에의 참여, 공명선거캠페인, 금융실명제 및 토지공개념 등 경제개혁 촉구 활동 등과 함께, 불교개혁운동 등을 적극 추진하여 새로운 불교운동의 방향 정립과 가능성을 열어 보였다.

경실련 노동자회

1993년 3월 13일 창립된 경실련노동자회는 창립선언문을 통해 실현하고자 하는 두 가지 목적을 다음과 같이 밝히고 있다. "첫 번째 목적은 한국 노동조합운동의 방향과 정책을 변화된 현실에 맞게 새롭게 정립하여 한국의 노사관계를 바르게 개혁하고, 이를 기반으로 한국경제의 선진화와 노동세계의 인간화를 이루어내는 것입니다. 두 번째 목적은 한국의 민주주의를 더욱 진전시키고 한국사회의 개혁과 진보를 이뤄내는 실천에 노동자 대중이 광범위하게 참여할 수 있도록 하는 것입니다. 즉, 노동자 대중이 한국 시민운동의 강력한 사회적 기반이 되고, 나아가 주력으로서의 역할을 할 수 있도록 하는 데 있습니다." 이는 변화된 현실에 부합하는 새로운 합리적 노동운동으로의 전환과 시민운동과의 연대를 통해 사회발전을 도모하는 것을 목표로 하고 있음을 보여준다. 창립선언문은 다시 "중간층 중심의 시민운동은 한국사회의 개혁과 진보를 이뤄내는 데 뚜렷한 한계를 가질 수밖에 없습니다. 노동자 대중이 시민운동에 광범위하고 강력하게 동참할 때, 비로소 엄청난 힘을 갖고 있는 기득권세력을 물리치고 한국 민주주의의 진일보를 성취할 수 있을 것입니다."라고 밝히고 있는데, 이는 경실련이 6월 민주화항쟁 과정을 거치며 사회발전의 주역으로 등장한 중간층들을 조직하는 한편 노동운동을 비롯한 기층운동의 합리적 방향 전환을 유도하여 중간층 기반의 시민운동과 기층 기반의 노동운동 간의 연대를 통해 한국사회의 지속적인 개혁을 추진하려 했음을 보여준다.

이러한 배경과 목적에 맞게 경실련 노동자회는 "사회적 공공선을 중시하는 활동기조를 견지"하고, "노동자 개인의 발전뿐만 아니라 국민경제의 발전에 참여하는 동시에 책임지는 노동운동"을 할 것이며, "노동자 계급의 이익이 사회적 공공선과 합리적으로 조화"될 수 있도록 노력하겠다고 밝혔다.

초기 경실련노동자회의 활동은 크게 두 방향에서 이루어졌다. 첫째는 새로운 노동운동론을 세우고 이를 구체화하면서 널리 전파하는 활동이었다. 이를 통해 노동조합운동 스스로 새로운 리더십을 형성할 수 있도록 하였다. 경실련 노동자회가 추구하는 새로운 노동운동의 핵심적인 방향은 △노사 간 대등한 관계를 추구해 나가는 노동운동, △참여하고 책임지는 노동운동, △노동자의 지적·도덕적·기술적 능력을 제고하는 데 역점을 두는 노동운동, 그리고 △상호 신뢰에 기반한 새로운 노사관계 형성으로 설정되었다. 두 번째로는 경영 합리화로 일컬어지는 급변하는 기업들의 '신경영전략' 및 노사관계의 변화된 현실을 정확히 이해하고 새로운 노동운동의 관점에서 현실에 맞는 임금교섭 방식과 내용, 경영참가 방식과 내용 등 노동조합의 구체적인 활동방안을 만들어 교육하고 이를 부분적으로 현실에 적용시키는 활동들을 전개했다.

경실련 대학생회

경실련대학생회는 변화된 사회현실에 조응하는 새로운 학생운동을 건설하여 일반 학생들과 국민의 신뢰와 지지를 받으며 우리 사회의 개혁과 진보를 이루겠다는 취지로 1992년 9월 19일 서울대학교에서 150여 명이 참가한 가운데 발기인대회를 갖고 준비위원회를 결성했다. 이후 대학생겨울캠프와 '전환기 한국사회와 학생운동의 새로운 전략 모색'에 관한 강좌 등을 통해 경실련대학생운동의 정체성을 정립하고 조직을 강화한 후 1993년 4월 17일 서울대학교 경영관 국제회의실에서 약 300여 명의 학생들이 참여한 가운데

'경실련대학생회 창립대회 및 경제개혁 촉구 결의대회'를 갖고 본격적인 활동에 나섰다.

경실련대학생회는 창립선언문을 통해 "학생운동이 자신들의 치열한 고민과 지난한 실천의 결과물인 오늘의 현실에 대한 정확한 인식과 창조적 대응에 실패함으로써 위기를 맞이하고 있다"고 진단하고, "87년 이후 가속화되고 있는 민주화 과정에서 형성된 일련의 정치 지형의 변화"로 인해 학생운동은 질적인 혁신을 요구받고 있으며, "국민들의 폭 넓은 지지와 학생들의 광범위한 참여를 이룰 수 있는 학생운동의 새로운 실천방향이 정립"되어야 한다고 밝혔다. 이러한 인식하에 경실련대학생회는 △점진적 구조개혁운동, △정당성에 기초한 합법운동, △합리적 대안을 제시하는 운동, △국민적 합의에 입각한 운동, △다양성과 개방성이 존중되는 운동, △시민과 학우들의 정서와 부합하는 운동을 전개하기로 하였다.

창립 이후 우선적으로 대학 내 강연회, 대자보 활동 등을 통해 경실련운동을 대학 내에 알리고 경실련대학생회가 추구하는 새로운 학생운동을 전파하는 한편 경제개혁촉구운동, 환경운동, 대학개혁운동 등과, 환경세미나, 대학별 환경캠페인 및 러시아 동해 핵폐기물 투기 항의시위 등 환경운동 등을 전개하였다. 93년 하반기에 경실련대학생회는 전국 14개교에서 결성되었고, 결성을 준비하는 학교도 11개교에 이르렀는데, 서울대학교, 서울대 농업생명과학대학, 서강대학교, 중앙대학교(안성), 이화여자대학교, 성균관대학교, 연세대학교, 성균관대학교(수원), 중앙대학교, 한국외국어대학교, 고려대학교, 한양대학교, 성신여자대학교, 숭실대학교, 한양대학교(안산), 부산대학교, 성심여자대학교, 경북대학교, 전남대학교, 아주대학교, 조선대학교, 명지대학교, 광주대학교, 전북대학교, 원광대학교 등이었다.

1993년 창립 이후 새로운 학생운동의 방향과 방법론을 전파하고 학생운동의 변화와 개혁을 유도하기 위해 노력해 온 대학생회는 1994년 대학의 총학생회선거에 출마하기로 결정했다. 선거에 출마하여 경실련 대학생회 운동의 문제의식과 추구하는 학생운동의 방향을 학생들에게 알리고 학생들의 직접적인 선택에 의해 학생운동의 방향 전환을 이루어내기 위함이었다.

경실련대학생회는 "세계에 도전하는 대학, 국민과 함께 하는 학생운동, 다원주의에 입각한 실력 있는 학생회"를 모토로 하여 '경제·사회개혁을 위한 범국민운동'을 제안하고 '대학개혁을 위한 개혁백서 발간', '환경파괴 감시운동 전개', '94 세계한민족 청년대회 참가' 등을 공약으로 제시했다. 경실련대학생회는 서울대학교, 한양대학교(안산), 조선대학교, 전남대학교 및 중앙대학교에 후보를 내세웠다. 당선된 곳은 없었지만 당시 학생운동의 중심지였던 전남대학교에서는 출마한 세 후보 중 30%를 획득하여 2위로 결선투표에 진출, 49.7%를 얻어 52표차로 석패하는 등 기대 이상의 바람을 일으켰고, 선거기간 내내 학생들과 언론의 관심의 초점이 되었다. 이는 경실련대학생회가 꾸준히 주장해온 새로운 학생운동의 방향에 대해 짧은 기간에도 불구하고 폭넓은 공감대가 형성되었음을 보여주는 것이었다.

경실련 환경개발센터와 통일협회

경실련이 환경문제와 통일·남북문제를 정책연구위원회 내 분과위원회 형식이 아닌 별도의 사단법인체인 환경개발센터와 통일협회로 두기로 한 것은 경실련이 환경과 통일 관련한 정책 제시에 머무르지 않고, 시민운동적 관점과 방법론에 근거한 새로운 환경운동과 통일운동을 전개하기로 했기 때문이다. 이는 당면한 국가적 과제로 떠오른 환경문제와 통일문제에 대해 효과적으로 대응하기 위해서는 정책 뿐 아니라 국민들의 인식 개선과 사회적 합의 도출 등을 운동 차원의 종합적인 활동들이 필요하기 때문이기도 했지만, 재야운동적 관점과 방법론에 의한 운동방식을 고수하던 기존 환경운동과 통일운동 영역에 대안적 운동 모델을 제시하고 이들의 운동을 시민운동 방식으로 견인하려는 분명한 목적이 있었기 때문이었다.

4. 시민 참여·지지 기반의 확장

경실련운동이 짧은 기간에도 불구하고 사회적으로 큰 성과를 거두고 경실련에 대한 사회적 지지도 빠른 속도로 확산되고 있었으나 내부적으로는 두 가지 문제에 직면하게 되었다. 회원들의 적극적인 활동과 참여가 점차 줄어들고, 회원 수의 증가도 점차 둔화되는 상황에 직면하게 되었다.

그동안 경실련운동이 전문가 중심의 정책생산과 언론 중심의 홍보, 그리고 대규모의 회원 동원을 필요로 하는 집회·시위 위주로 진행되면서 경실련에 참여한 일반 회원들이 적절한 역할을 찾지 못한 채 점차 회비만 내는 소극적인 회원으로 변하고 있었다. 일반 회원들이 적절

히 참여할 수 있는 의미 있는 활동공간과 프로그램이 필요했다.

그리고 회원들을 넘어 시민들이 단지 언론을 통해 보도된 기사를 접하는 것을 넘어서서 경실련과 직접 만나고 교류함으로써 경실련의 회원 및 적극적인 지지자로 참여할 수 있는 활동과 프로그램이 경실련운동의 조직적 기반을 견고하게 만들 것으로 기대했다. 시민들의 생활상의 필요를 매개로 만남과 교류와 교육이 지속적이고 체계적으로 이루어짐으로써 이들이 경실련에 대한 적극적인 지지자로, 그리고 회원으로 참여할 수 있는 시민참여 채널의 개발을 통해 경실련운동의 시민적 기반을 더욱 확장할 필요에 직면하게 되었다.

한걸음 더 나아가 경실련의 주장과 메시지를 어떻게 여과 없이 보다 많은 시민들에게 전달할 수 있을 것인가에 대한 고민이 시작되었다. 제도언론을 통해 전달되는 경실련의 주장은 부분적일 수밖에 없고, 언론의 관점과 입장에 따라 다르게 해석되어 전달되는 경우도 적지 않았다. 경실련의 주장과 메시지가 보다 많은 시민들에게 온전하게 전달된다면 경실련운동에 대한 시민들의 지지와 참여도 확장될 것이기 때문에 이를 향한 열망들이 조직 내부적으로 점점 커져 갔다.

경실련정농생활협동조합

경실련정농생활협동조합은 그 당시 무농약 유기농산물을 16년째 생산해 온 생산자조직인 정농회(正農會 : 바르게 농사짓는 모임)와 경실련이 합쳐서 만든 농민-소비자간 도농직거래를 위한 협동조합이었다. 보험대리점 사업이 재정기반 확충에 초점을 맞춘 것인데 반해 경실련정농생활협동조합은 보다 복합적인 목적을 가지고 출발하였다.

첫 번째 목적은 생활협동조합 활동을 매개로 일상생활을 통한 시민들과의 접촉면을 확대하는 한편 경실련회원들이 참여와 활동을 통해 보다 적극적인 회원으로 성장할 수 있는 공간을 마련하는 것이었다. 생활협동조합에 가입하는 조합원들이 경실련 회원으로 참여할 수 있도록 하는 한편 경실련회원들이 생활협동조합운동에 참여하여 적극적인 활동가로 성장함으로써 생협과 경실련에 모두 도움이 되게 하려는 것이었다.

둘째는 당시 갑자기 몰아닥친 우루과이라운드로 인한 농촌의 위기가 단지 농민들만의 문제가 아니라 우리 모두의 생존위기라고 판단하여 농민과 소비자가 손을 맞잡는 시민자구운동 차원에서 시작된 것이었다. 급격하게 밀어닥치는 농산물 시장개방의 파고에 맞서 소비자와 생산자들이 연대하여 추진하는 농촌 살리기 운동의 일환으로 진행되었다.

셋째는 무농약 유기농산물의 생산과 유통을 촉진하여 과도한 농약사용으로 인한 농지와 자연의 훼손을 방지하고, 생산지 견학 및 농촌 일손돕기운동 등을 통해 소비자와 생산자 간 연대의식을 고취하고, 그리고 도시에 거주하는 소비자들의 삶의 질 향상과 이웃과 더불어 나눔의 삶을 실천하는 협동조합운동의 활성화에 기여하는 것이었다. 당시 대부분의 생활협동조합이 소비자들로만 구성된 소비자생활협동조합의 형태를 띄었던 데 반해 경실련정농생활협동조합은 생산자와 소비자가 공동으로 참여하고 운영하는 방식으로 설립·운영되었다.

1990년 10월 22일 경실련 강당에서 정농회, 정농회소비자협의회, 경실련 3자가 모여서 생활협동조합을 설립하기로 뜻을 모았으며, 이후 7차례에 걸쳐 발기준비모임을 갖고, 12월 22일 경실련 강당에서 발기인대회를 가졌으며, 다음해인 1991년 6월 15일 경실련 강당에서 창립총회를 가졌다. 1992년 12월 현재 총 조합원수는 1,200여명이었다.

경실련 상설 알뜰가게

1992년 초, 과소비가 사회 전반에 심각한 문제로 부각되었고, 경실련은 생활속에서 과소비를 추방하는 일상적인 활동에 대해 고민하게 되었다. 1990년 잠롱 방콕시장을 한국에 초청했을 때 잠롱 시장의 부인이 '튼'이라는 상설 중고가게를 운영하고 있다는 사실에 힌트를 얻어 중고품만을 판매하는 상설 '알뜰가게'를 만드는 계획을 구체화하게 되었다.

알뜰가게를 추진하는 과정에서 장소와 자금문제를 비롯한 많은 문제점들이 노정되었다. 그러나 장소의 문제는 환경그룹의 곽영훈 회장의 도움으로 신당2동에 위치한 구옥을 이용할 수 있게 되었고, 광림, 대한해운, 이-랜드 등 이 운동의 필요성에 공감한 몇몇 기업들과 무명의 독지가들의 도움으로 극복할 수 있었다.

당시 경실련은 심각한 사회문제로 부각된 과소비가 경제의 흐름을 왜곡시킨다는 문제도 있지만, 장기적으로 자원의 과다한 소모로 말미암아 자원의 고갈, 쓰레기로 인한 환경오염에 이르기까지 파급효과가 상당히 크다고 보았다. 결국 과소비는 개인의 가정경제에만 악영향을 끼치는 것이 아니라 생활의 터전까지도 잠식하게 되는 것이기에 자원 재활용에 대한 노력은 우리 모두의 관심사가 되어야 한다고 보았다. 알뜰가게는 이러한 취지에서 시작되었으며, 경실련은 알뜰가게를 다음과 같은 의미를 갖는 운동으로 바라보았다. 첫째는 우리사회의 망국적인 과소비 풍조를 몰아내고 근검절약 정신을 고취시키자는 의식개혁운동이었다. 둘째는 절약해서 남은 여력을 이웃과 나누자는 나눔운동이었으며 셋째로는 자원재활용을 통한 환경보존운동이었다. 그리고 넷째로 주부들의 운동을 활성화하는 것이었다. 자원봉사자 교육 프로그램을 만들어 자원봉사를 하는 주부들이 단지 자원봉사로 끝나지 않고 보다 더 광범위하고 대중적인 여성운동의 장에 참여할 수 있도록 만드는 것이었다. 그래서 주부들로 하여금 경제정의운동에 보다 적극적으로 나설 수 있도록 하자는 것이었다.

경실련 상설 '알뜰가게'는 1991년 10월 19일 개점되었다. 기존에도 다른 기관들에서 운영하는 재활용가게들이 있었으나 상설로 운영되는 것은 없었다. 경실련 상설 '알뜰가게'가 처음이었다. 언론매체의 집중적 관심과 호의적 보도가 지속되었고, 초기 하루에 2천여 명의 시민들이 다녀갈 정도로 시민들의 관심을 모았다. 자발적인 기증자들도 늘어났고 기업이나 기관과의 협력을 통해 조직적으로 중고물품들을 수거하기도 하였다. 물품 판매 등은 자원봉사자들이 담당하는 시스템으로 운영되었고 상근인력은 최소화하였다. 알뜰가게는 물품 판매 뿐 아니라 과소비 억제, 재활용 생활습관, 환경오염 줄이기 등과 같은 시민 홍보 및 교육활동도 진행했다.

시민의신문

1992년 14대 총선과 대통령선거를 거치면서 경실련이 다른 시민단체들과 연대하여 추진한 공명선거캠페인과 정책캠페인이 커다란 성과를 거두면서 경실련운동과 시민운동에 대한 사회적 지지는 폭발적으로 확장되었고, 우리사회의 변화와 개혁을 이루는 중요한 사회세력으로 자리매김되었다. 이러한 경실련운동의 성과와 시민운동에 대한 사회적 관심의 증대를 배경으로 경실련은 시민운동의 보다 폭넓은 확산을 위해서는 시민들이 쉽게 접할 수 있는 대중매체가 필요하다는 판단을 하고 신문창간에 대한 논의를 시작하였다.

경실련에서 신문창간에 대한 논의가 시작된 것은 92년 6월로 경실련운동의 확대·강화와 시민운동간 연대를 효율적으로 하기 위한 매체를 만들자는 사무국의 제안으로부터 시작되었다. 시민운동에 대한 시민들의 늘어나는 관심과 요구를 적절히 대변할 매체가 필요하다는 점과 아울러 수많은 시민단체들의 활동상을 시민들에게 적절히 보여줌으로써 시민참여의 광장을 만들어 낼 수 있다는 점이 신문 창간 논의의 핵심적인 문제의식이었다. 논의 초기에 이 신문의 성격을 경실련운동의 기관지로 할 것인지 아니면 시민운동의 대변지로 할 것인지에 대한 토론도 있었으며, 후자로 입장이 정리되었다.

신문창간의 필요성에도 불구하고 예측되는 재정적 어려움 등을 이유로 적지 않은 반론이 제기되었다. 3개월여의 논란 끝에 92년 9월 28일 열린 상임집행위원회에서는 신문창간과 관련하여 다음과 같은 결론을 내렸다; △격주간 신문을 발간한다, △경실련 상임집행위원 전원이 모금에 동참해 설립기금 5천만 원 이상 책임진다, △별도의 법인체를 만들어 신문을 발간한다. 당초 격주간 신문으로 발간하려던 계획은 다음해 2월 창간준비위원회 제2차 회의에서 주간 8면 신문을 발간하는 것으로 바뀌었다.

이후 시민의신문 창간준비위원회를 구성하고 국민주 모금에 의한 신문사 설립을 결정하고 93년 1월부터 본격적인 설립기금 모금에 들어갔다. 국민주 모금에는 정치인, 기업인, 교수, 변호사, 학생, 일반시민 등 1천여 명이 참여해 약 1억 5천만 원이 모금되었다. 93년 4월 창립 주주총회가 열렸고 신문사 운영을 책임질 운영위원회와 편집위원회를 구성하고 대표이사 겸 신문 발행인으로 전 한국방송공사 사장을 역임한 서영훈씨를 선임했다. 93년 5월 6일 정치, 경제, 사회, 문화 등 사회 제반 현상을 제약 없이 다룰 수 있는 일반종합 주간지로 등록을 완료한 주간〈시민의신문〉은 93년 5월 29일 창간호를 발행했다. 94년 2월 현재 정기구독자수는 약 1만4천여 명에 이르렀으며, 교수, 변호사, 사무직 등 전문직 종

사자를 비롯하여, 시민운동 단체 회원과 실무자, 학생, 주부 등 폭넓은 시민들이 신문을 구독하였다.

시민운동의 대변지를 기치로 발행된 주간 〈시민의신문〉은 첫째, 시민운동의 정론지 둘째, 부정부패와 싸우는 신문 셋째, 사회개혁과 도덕성 회복 추구 넷째, 시민단체 활동 총괄 소개 다섯째, 정의로운 생활인들의 벗을 주요 편집방향으로 삼았다.

92년 11월 시민의신문 창간준비위원회에서 발표한 '(가칭)시민의신문 창간준비에 부쳐: 시민언론의 새 장을 열겠습니다'에서는 "이 노력이 기존의 수많은 언론매체들에 또 하나의 매체를 덧붙이는 것이 아니"며, "우리 사회 곳곳에서 새로이 일고 있는 다양한 형태의 운동들을 시민운동의 큰 물줄기로 모아내고, 변화와 개혁을 바라는 시민들의 열망을 대변하는 '시민언론'의 새 장을 열려는 노력"이라고 서술하고 있다. 대안적 시민언론운동으로서의 정체성을 세우고자 했음을 알 수 있다.

5. 시민운동권의 형성

1991~92년에 걸친 공선협 활동은 실로 엄청난 사회적 성과를 거두었다. 관권·금권·타락선거는 눈에 띄게 개선되었다. 시민운동에 대한 폭발적인 국민적 관심과 지지를 바탕으로 시민운동은 우리사회의 주류적인 사회운동으로 자리매김하였으며, 기존 사회운동단체들도 대거 시민운동을 표방하며 시민운동의 대열에 동참하기 시작했고, 그 결과 시민운동 영역이 빠르게 확장되었다. 이 모든 것이 공선협 활동의 결과였다.

공선협의 성과를 우리사회의 지속적인 개혁을 추구하는 시민운동의 결집된 역량으로 전환하기 위해 시민운동단체들의 상설적인 연대기구가 결성되었다. 92년 총선 및 대선 과정에서의 공선협활동을 마무리하면서 공선협 소속 단체들을 중심으로 '정의로운 사회를 위한 시민운동협의회(정사협)'가 결성되었으며, 이후 포괄 범위를 확장하여 한국 시민사회의 대표성을 지닌 '한국시민단체협의회(시민협)'를 출범시키기에 이르렀다.

경실련에서 시작된 시민운동이 공선협을 거치며 정사협과 시민협으로 나아간 이와 같은 과정을 통해 한국사회에서 시민운동이 출범하고, 범국민적인 지지와 동참을 확보하고, 시민운동이 주류적인 사회운동으로 자리매김되고, 시민운동 세력들이 형성되고 결집되어 시민운동권이 확립되기에 이르렀다. 한국사회에 시민운동의 시대가 열렸다.

공명선거실천시민운동협의회(공선협)

1991년 30여 년 만에 다시 실시되는 지방의회의원선거를 맞아 경실련은 당시 우리사회에 만연했던 관권·금권·부정선거문화를 바로잡기 위한 공명선거캠페인을 추진하기로 하고, 이를 보다 광범위하게 펼쳐 나가기 위해 뜻을 함께 하는 다른 단체들과 연대기구를 구성하고자 노력했다. 그러나 온건한 형태의 유권자 의식개혁과 선거부정 감시활동에 초점을 둔 공명선거캠페인이나 경실련식 시민운동에 대한 시민사회단체들의 지지는 그리 크지 않았고, 경실련, 흥사단, 한국노총, 공명선거실천기독교대책위원회, 공명선거실천불교도시민운동연합, 자유지성 300인회, 한국여성유권자연맹, 21세기회 등 8개 단체만으로 1991년 2월 7일 공명선거실천시민운동협의회(공선협)를 결성, 캠페인을 시작했다. 그러나 공선협 활동은 국민들로부터 엄청난 지지와 공감, 동참을 이끌어내며 선거문화 개선 뿐 아니라 시민운동의 발전에 이정표를 세웠다.

공선협은 92년 14대 총선을 앞두고 1월 25일 확대 출범하였는데, 전국 35개 지역에서 시민·직능·여성·종교·청소년 단체 등 4백여 단체가 참여하여 전국 규모의 시민운동협의체, 공명선거운동단체로 발전하게 되었다. 공선협은 14대 대통령선거를 앞두고 9월 22일 '새 출발을 위한 정책협의회'를 시작으로 활동을 전개하면서 조직 확대에 더욱 박차를 가했고, 11월 말에 이르러서는 전국 70여 개 지역으로 조직이 확대되었다. 시민단체들이 부재하던 군단위에까지 새로운 시민연대조직이 늘어나고 각 지역 내에서도 각계의 시민단체를 망라하여 활동이 전개되었다.

공선협 산하에 노동자위원회와 대학생위원회를 구성하여 활동한 결과 노동조합 및 노동자, 대학생의 참

여가 두드러졌다. 노동계의 경우 택시노동조합 등이 공명선거스티커의 택시부착운동을 전개함은 물론 한국노총 본부 및 산하 산별연맹 중심으로 공명선거운동을 전개하는 등 노동운동이 시민운동과 적극적인 연대활동을 벌여 주목을 받았다. 종교계 또한 각 종교계 지도자들이 모여 정치적 중립을 선언하는 등 참여가 두드러졌다.

91~92년에 걸친 공선협 활동은 나름의 한계와 문제점에도 불구하고 시민운동의 발전에 커다란 발자취를 남겼다. 무엇보다 먼저 합리적이고 점진적인 시민운동적 방식으로 사회문제를 해결해 나가려 했던 공선협의 활동은 실질적으로 선거문화를 바로잡는 데 기여했을 뿐만 아니라 시민운동에 대한 국민들의 적극적이고 광범위한 지지와 동참을 이끌어낼 수 있었다. 그 결과 관변 기득권세력과 재야운동세력으로 양분되어 왔던 우리 사회의 대결구도를 깨뜨리고 합리적인 대안으로 점진적인 개혁을 실질적으로 이끌어내는 시민운동의 입지를 확장하는 결과를 가져왔다.

공선협은 시민운동단체 간 연대에서도 새로운 이정표를 세웠다. 그간 시민운동단체들은 어느 특정한 사안에 대해서만 일정한 기간에 걸쳐 연대활동을 해 왔을 뿐 이처럼 전국민적인 사안에 대해 상설적인 연대기구를 형성하여 전국의 6백여 단체가 함께 활동한 것은 시민운동을 한 차원 높게 발전시킨 것이라고 볼 수 있기 때문이다.

공선협은 시민운동의 새로운 가능성도 열어놓았다. 한편으로는 선거사범 처리에 대한 후속조치, 선거법 개정을 위한 연구 작업, 이후 보궐선거시 공명선거캠페인 전개 등 공선협활동을 지속해 나가면서 다른 한편으로 공선협으로 모인 시민운동 역량을 유실시키지 않기 위해서, 또 선거부정 외에도 우리사회에 뿌리박혀 있는 여러 부정부패 문제들을 해결해 나가기 위한 시민운동단체 간 계속적인 연대의 필요성에 대한 공감대가 형성된 것이다.

초기 공선협 활동은 경실련식 시민운동에 대한 국민적 지지와 공감을 불러일으킨 한편 시민운동 방식을 통한 우리사회의 문제해결에 동의하는 다양한 시민사회단체들이 결집하는 결과를 가져 왔다. 시민운동에 대한 사회적 지지 기반이 확장되고 견고해졌으며, 시민운동의 주체세력이 형성된 것이다. 확장된 시민적 지지기반 위에서 전국적으로 결집된 시민운동의 역량을 조직화하는 과제가 제기되었다.

정의로운 사회를 위한 시민운동협의회(정사협)

93년 1월 29일 올림픽 유스호스텔에서 지난해 14대

총선과 대선시기의 공선협활동을 마무리하는 공선협 전국 평가대회가 끝난 후 '(가칭)정사협에 대한 제안과 토론회'를 개최하고 준비모임이 구성되었다. 2월 22일 한국프레스센터에서 16개 시민단체가 참여한 가운데 정사협 발족식이 열렸다. 이후 3개월간의 논의를 거쳐 4월 28일 천도교 수운회관 대교당에서 39개 시민사회단체가 참여한 가운데 창립대회를 갖고 정사협이 출범했다.

정사협은 창립선언문을 통해 자신의 정체성을 "순수 시민운동 협의체"로 규정하고, "정의로운 사회, 다함께 더불어 사는 사회, 땀 흘려 일하는 사람이 대접받는 사회, 부정부패가 척결된 도덕적인 사회, 탐욕과 이기주의가 극복된 공동체 사회, 평화적 통일을 실현하는 사회"를 실현하기 위해 노력할 것을 다짐하였다. 이를 위해 "종래의 여야개념, 관변-재야 개념, 보수-진보개념을 초월한 온 국민의 각성과 참여"를 요청하는 한편 다음과 같이 활동 원칙을 밝혔다. 첫째는 정부가 잘할 때는 지지하고 잘못할 때에는 이를 비판하는 시시비비의 입장을 충실히 견지해 갈 것이며, 둘째는 특정한 집단의 이익이 아닌 우리 모두와 우리 후손들의 공동선을 위해 발언하고 행동할 것이며, 결코 불의 앞에 타협하거나 침묵하지 않을 것이며 이해관계에 매여 정도를 그르치지도 않을 것이다. 셋째로는 타인에 대한 정죄와 처벌보다는 우리 자신에 대한 반성과 자정에 더 많은 힘을 쏟을 것이며, 넷째로는 각박한 현실 속에서도 사랑과 정의, 절제와 나눔을 실현하려는 양심운동, 도덕운동의 성격을 끝까지 고집할 것이다. 당시 정사협에 참석한 단체들이 시민운동을 어떻게 바라보고 이해했는 지를 알 수 있다.

정사협의 활동은 △부정부패 근절 활동, △각종 불합리하고 비민주적인 제도의 개혁을 위한 시민입법활동, △각계각층의 자정활동을 통해 부패로부터 우리 스스로를 정화시켜나가는 자정활동, △시민들의 의식개혁 활동, △정의와 복지가 충만한 인간다운 사회를 이루기 위해 소외된 계층에 대해 지원하는 시민권익 옹호활동 등 다섯 방향에서 이뤄졌다. 주로 토론회 및 공청회, 사회원로 연석회의, 심포지엄 등을 통해 사회적 합의를 도출하기 위한 노력들을 기울였으며 때로는 시민대회나 결의대회 등을 통해 국민들의 공분을 전달하고 제도개혁을 위한 사회적 압력을 행사하기도 하였다.

한국시민단체협의회(시민협)

한국시민단체협의회에 관한 논의는 1994년 1월

21~22일에 개최된 '94년 시민사회단체공동정책협의회'에서 시작되었다. 54개 시민사회단체가 공동으로 주최하고 정사협이 주관한 공동정책협의회에서는 한국사회의 발전과 민주개혁을 위해 시민운동이 해야 할 역할의 막중함으로 확인하고 이를 효과적으로 실현하기 위해서는 시민단체 간의 보다 활발한 교류와 협력, 연대가 필요한데, 이를 위해서는 주요 시민단체들을 망라하는 연대조직을 결성해야 한다는 결론에 도달하였다.

이러한 공동의 합의에 기초하여 정사협 회원단체인 경실련, 기독교윤리실천운동, 흥사단, 통일여성협의회와 정사협에 참여하지 않은 여성단체연합, YMCA, YWCA, 환경운동연합 등 주요 8개 단체에 이 연대조직 결성 방안을 준비하도록 하였다. 논의는 횟수를 거듭되면서 8개 단체에서 40여 개 단체로 확대되어 진행되었고, 94년 9월 12일 한국여성개발원에서 창립할 당시 35개 단체가 참여를 확정하였고, 곧 이어 3개 단체가 추가되어 38개 단체가 되었다.

당시 공선협활동을 계기로 시민운동에 대한 사회적 지지가 확산되면서 기존의 많은 단체들이 시민운동을 표방하고 나섰지만 경실련식 시민운동과는 철학과 관점 또는 활동방식이 달라 공선협과 정사협에의 참여나 연대활동에는 거리를 두고 있는 경우가 많았다. 이 단체들을 포괄하여 명실상부하게 시민운동단체들을 대표하는, 한국 시민사회의 대표성을 갖는 연대기구를 만들자는 것이 시민협 결성 논의의 핵심이었다.

시민협 회원단체들의 명단은 다음과 같다. 겨레사랑운동실천연합, 경제정의실천시민연합, 경제정의실천불교시민연합, 교육개혁과교육자치를위한 시민회의, 교통장애인협회, 교회환경연구소, 기독교윤리실천운동, 기독청년의료인회, 대한주부클럽연합회, 동학민족통일회, 바른언론을위한시민연합, 배달녹색연합, 소비자문제를연구하는시민의모임, 신사회공동선운동연합, 어린이교통안전협회, 여성의전화, 원불교중앙청년회, 우리민족하나운동, 인간교육실현학부모연대, 장애우권익문제연구소, 전문직여성클럽한국연맹, 정의로운사회를위한교육운동협의회, 조국평화통일추진불교인협의회, 지방의정연구회, 청년여성교육원, 한국가정법률상담소, 한국금연운동협의회, 한국복음주의협의회, 한국부인회, 한국불교환경교육원, 한국선명회, 한국소비자연맹, 한국여성유권자연맹, 한국여성정치연구소, 한국YMCA전국연맹, 한 살림공동체, 환경운동연합, 흥사단 (38개 단체)

시민협은 한시적이거나 사안별 연대기구가 아닌 상설연대기구이지만, 개별단체의 활동영역을 보장하고 전국민적 사안에 한해서만 공동대응하며, 단체 간 교류와 협력을 연결하는 매개자로서의 역할에 충실함을 원칙으로 했다.

시민협은 활동과제에 있어서도 진일보한 모습을 보였다. 시민협은 창립선언문을 통해 활동방향을 다음과 같이 밝히고 있다. "첫째, 우리 사회의 보편적인 사회운동인 시민운동권의 자율성을 지킴과 아울러 시민운동을 이 땅에 정착시키기 위해 공동 대응할 것이다. 두 번째로 국제화시대에 부응하여 시민운동의 국제화라는 매우 중차대한 과제를 수행할 것이다. 시민협은 시민사회의 국제화, 시민운동의 국제화를 통해 비정부조직(NGO) 간의 협력을 증진시키고 이 과정에서 민간의 자발적인 참여폭과 주체적인 역할을 키워 나갈 것이다. 세 번째로 시민단체 간의 교류와 연대를 강화하여 개별 시민단체의 활성화를 이룩할 것이다. 마지막으로 시민협은 시민운동뿐만 아니라 시민사회의 힘을 키우고, 참여민주주의를 극대화하는 촉매자로서의 역할을 성실하게 수행할 것이다."

이 창립선언문에 나타난 몇 가지 표현들을 눈여겨볼 필요가 있다. 먼저 시민운동을 우리사회의 보편적인 사회운동이라고 말하고 있다. 그동안 시민사회운동은 재야운동과 관변운동이 양분해 왔으나 새로운 사회운동인 시민운동이 출현했고 짧은 기간임에도 불구하고 보편성을 획득한 주류 사회운동으로 자리매김하였음을 선언한 것이다.

둘째로 '시민운동권'이라는 표현이 등장했다. 이는 시민운동 그룹, 달리 말해 시민운동의 주체세력이 의미 있는 수준으로 결집되고 조직되어 다른 운동영역과 구별되어지는 조직적 영역을 구성하게 되었음을 의미한다.

셋째로는 시민협이 자신들의 역할에 대한 인식이 개별 시민단체 활동의 지원이나 시민단체 간 교류·협

력 활성화 등의 차원을 넘어서서 시민단체들의 터전이자 기반인 '시민사회'와 '참여민주주의'를 활성화하고 성숙시키는 데에까지 나아갔다는 것을 볼 수 있다. 시민협은 자신들의 주된 임무로 시민운동의 자율성을 확보하고, 시민운동의 활성화를 위한 제반 법적·제도적 조건을 개선하고, 막강한 힘을 가진 정부·기업에 맞서 시민사회의 이익을 옹호하고 시민사회의 활성화를 위한 제반 환경을 조성하는 데 있다고 밝히고 있다. 이러한 과제를 원활하게 수행하기 위해서는 시민사회의 대표성을 갖는 조직이 요구되었다. 시민협은 출범 이후 시민사회의 대표성을 갖는 기관으로 자리매김 되었다.

IV. 글을 맺으며

1993년은 경실련운동에 있어 하나의 정점을 이룬 해였다고 여겨진다. 경실련이 줄기차게 주창해온 금융실명제가 실시되었고, 한약분쟁을 성공적으로 조정하면서 국민적 관심이 집중되었다. 경실련이 우리사회에서 가장 영향력있는 단체로 조사된 여론조사 결과가 발표되기도 하였다. 1989년 재야운동단체와 관변단체로 양분되어 있던 사회운동의 영역에서 시민운동의 싹을 틔운 경실련운동은 짧은 기간에도 불구하고 놀라울 정도의 성과를 거두고 발전을 거듭했다. 한국사회에서 시민운동은 70~80년대 민주화운동에 이은 사회운동의 본류로 자리매김 되었다.

그러나 어떤 측면에서 이 시기의 경실련은 너무 빨리 성장했다. 경실련운동에 대한 사회적 요구는 폭발적으로 늘어났고 경실련은 그것을 감당하고자 노력했다. 반면, 경실련운동을 장기적으로 지속가능하게 만들 내적 역량의 성장 속도는 그에 훨씬 미치지 못했다. 내부적으로 이 간극에 대한 문제의식은 분명히 존재했다. 여러 차례의 논의도 있었고, 시도도 있었다. 그러나 충분하지 않았고 거의 항상 우선순위에서 현안 대응에 뒤처졌다.

금융실명제 실시

1993년 8월 12일, 대통령 긴급명령으로 금융실명제가 전격 실시되었다. 경실련은 89년 7월 출범한 이래 50여 회의 성명서와 10여 차례가 넘는 집회 및 캠페인을 통해 금융실명제의 실시를 지속적으로 촉구해 왔다. 금융실명제는 곧 경실련을 의미하는 주제어로 여겨질마큼 금융실명제를 향한 경실련의 의지와 행동은 집요했다. 따라서 금융실명제의 실시는 경실련운동이 거둔 최고의 성과

중 하나로 여겨졌다.

한약분쟁 조정

같은 해에 일어난 한약분쟁의 조정은 우리나라 시민운동사에 한 획을 긋는 중요한 사건이었다. 한의사협회와 약사회 간의 분쟁은 한의대생들의 집단유급, 전국 약국의 휴폐업, 한의사 자격증 반납 등을 낳으면서 전례 없이 격화되었다. 보건사회부는 의료단체로부터 불신을 받고 있었으며, 국회는 민감한 문제를 떠맡는 것을 기피했다. 경실련이 한약분쟁의 중재에 나섰고, 양 단체가 경실련의 중재안에 합의하는 성과를 이루어냈다. 보사부는 경실련 중재안을 적극 반영해 약사법개정예고안을 수정했으며, 국회는 보사부 안을 거의 그대로 통과시켰다. 전국을 뒤흔든 집단분쟁을 시민단체의 힘으로 해결해 낸 것이다.

'경실련, 군보다 세다'

93년 10월, 시사저널이 실시한 여론조사에서 경실련은 우리 사회에서 가장 영향력 있는 단체로 조사되었다. 시사저널은 "경실련, 군보다 세다"를 이 여론조사를 다룬 기사의 메인 타이틀로 내걸었다. 시사저널은 "경실련은 표본 별로 20대부터 50대 이상까지 모든 세대에 걸쳐서, 그리고 행정관료, 교수, 경제인, 언론인, 정치인, 사회·시민운동가 등 6개 분야 전문가 집단 모두로부터 영향력 1위라는 고른 평가를 받았다. 경실련의 영향력을 상대적으로 높이 평가한 분야는 언론계와 사회단체 그리고 경제계였다."고 말했다. 그리고 경실련의 영향력이 이처럼 커진 배경으로 "경실련이 창립 이후 정부에 줄기차게 요구해온 금융실명제 전격 실시, 정부도 속수무책이던 한·약조제권 분쟁 조정 등이 크게 작용한 것으로 보이"지만 그럼에도 불구하고 "한낱 시민운동단체가 전경련과 노총 등 거대한 이익단체와 종교집단, 언론매체의 힘을 앞질렀다는 것은 놀라운 현상"이라고 말하고, 그 이유로 "경실련이 표방하는 '중간층의 지지를 받는 개혁적 시민운동'은 주택임대차법 개정과 토지·금융·세제 개혁에 관한 정책대안의 제시 등 국민의 피부에 닿는 쟁점 부각으로 국민의 신뢰를 얻어 왔다"는 점을 밝히고 있다.

2. 경실련의 과거와 현재

1) 발기선언문·발기취지문

경제정의실천시민연합 발기선언문[1]

우리 사회의 경제적 불의는 더 이상 방치 할 수 없는 상태에 이르렀다. 도시빈민가와 농촌에 잔존하고 있는 빈곤은 인간다운 삶의 가능성을 원천적으로 박탈하고 있으며, 경제력을 독점하고 있는 소수계층은 각계에 영향력을 행사하여 대다수 국민들의 의사에 반하는 결정들을 관철시키고 있다.

만연된 사치와 향락은 근면과 저축의욕을 감퇴시키고 손쉬운 투기와 불로소득은 기업들의 창의력과 투자의욕을 소멸시킴으로서 경제성장의 토대가 와해되고 있다. 부익부 빈익빈의 극심한 양극화는 국민 간의 균열을 심화시킴으로써 사회 안정 기반이 동요되고 있으며 공공연한 비윤리적 축적은 공동체의 기본 규범인 윤리전반을 문란케 하여 우리와 우리자손들의 소중한 삶의 터전인 이 땅을 약육강식의 살벌한 세상으로 만들고 있다.

경제적 불의의 만연으로 인하여 현재 우리의 공동체는 와해 직전의 위기에 처하여 있다. 부동산 투기, 정경유착, 불로소득과 탈세를 공인하는 금융가명제, 극심한 소득격차, 불공정한 노사관계, 농촌과 중소기업의 피폐 및 이 모든 것들의 결과인 부와 소득의 불공정한 분배, 그리고 재벌로의 경제력 집중, 사치와 향락, 공해 등 이 사회에 범람하고 있는 경제적 불의를 척결하고 경제정의를 실천함은 이 시대 우리 사회의 역사적 과제이다.

이 중에서도 부동산 문제의 해결은 가장 시급한 우리의 당면과제이다. 인위적으로 생산될 수 없는 귀중한 국토는 모든 국민들의 복지 증진을 위하여 생산과 생활에만 사용되어야 함에도 불구하고 소수의 재산증식 수단으로 악용되고 있다. 토지소유의 극심한 편중과 투기화, 그로 인한 지가의 폭등은 국민생활의 근거인 주택의 원활한 공급을 극도로 곤란하게 하고 있을 뿐만 아니라 물가폭등 및 노사분규의 격화, 거대한 투기소득의 발생 등을 초래함으로써 현재 이 사회가 당면하고 있는 대부분의 경제적 사회적 불안과 부정의 가장 중요한 원인으로 작용하고 있다.

정부정책에 대한 국민들의 자유로운 선택권이 보장되며 경제적으로 시장경제의 효율성과 역동성을 살리면서 깨끗하고 유능 적절한 개입으로 분배의 편중, 독과점 및 공해 등 시장경제의 결함을 해결하는 민주복지사회가 자유와 평등, 정의와 평화의 공동체로서 우리가 지향할 목표이다.

사회의 발전은 저절로 주어지는 것이 아니며 곤란을 극복하는 구성원들의 자주적인 노력에 의해서만 달성된다. 민주복지사회의 건설도 시민 모두의 적극적인 실천을 통해서만 달성된다. 우리는 모든 계층의 국민들의 선한 의지와 힘을 모으고 조직화하여 경제정의를 실천하기 위한 비폭력적이며 평화적인 시민운동을 힘차게 전개할 것이다. 우리는 경제정의실천을 위한 정부와 국회의 노력은 적극 지원할 것이지만 이를 방해하려는 움직임은 그 어떤 경우에도 단호히 거부하고 비판할 것이다.

탐욕을 억제하고 기쁨과 어려움을 이웃과 함께 하면서 경제정의, 나아가 민주복지 사회의 건설을 위하여 이 시대 이 땅을 살아가는 한 시민으로서 사명을 다할 것을 굳게 다짐한다. 이제 우리 모두 과거의 안일한 이기주의를 떨쳐버리고 함께 일어나 경제정의의 실천을 위하여 발언하고 행동하자.

---

1) 경실련 발기선언문과 발기취지문(우리는 왜 경제정의실천시민연합을 발기하는가?)은 1989년 7월 8일 명동 YWCA강당에서 500여 명의 회원들이 모여 개최한 '경실련 발기인대회'에서 발표한 선언문이다. 1989년 11월 4일 정동 문화체육관에서 1500여 명의 회원들이 모여 개최한 경실련 창립대회는 '토지공개념 강화 입법과 주택문제 해결을 위한 시민대회'와 함께 개최되면서 별도의 창립선언문을 발표하지 않았다.

우리의 실천과제

- 모든 국민은 빈곤에서 탈피하여 인간다운 삶을 영위할 권리가 있다.
- 비생산적인 불로소득은 소멸되어야 한다.
- 자기 인생을 자유롭게 선택할 수 있도록 경제적 기회균등이 모든 국민에게 제공되어야 한다.
- 정부는 시장경제의 결함을 시정할 의무가 있다.
- 진정한 민주주의를 왜곡시키는 금권정치와 정경유착은 철저히 척결되어야 한다.
- 토지는 생산과 생활을 위해서만 사용되어야 하며 재산증식 수단으로 보유되어서는 안 된다.

1989년 7월 8일
경제정의실천시민연합 회원일동

발기취지문

우리는 왜 경제정의실천시민연합을 발기하는가?

지금 각 분야의 사람들, 시민들, 청년들이 모여 경제정의를 이룩하기 위한 시민운동단체를 발기하기 위해 이 자리에 모였습니다. 오늘 이 자리에 모인 사람들 중에는 처음부터 이 구상을 함께 토론하고 이 구상을 현실로 만들기 위해 열심히 뛰어다닌 사람도 있지만 신문이나 라디오를 듣고 〈경실련〉의 아이디어에 크게 공감한 나머지 멀리 울산이나 대구에서부터 참석한 분도 계십니다. 오늘 이 자리에 참석한 분들이 종사하고 있는 직업 분야는 천차만별로 다양합니다. 뿐만 아니라 재산 소유 정도의 차이도 매우 큽니다.

이 자리에는 상당히 큰 기업의 대표이사도 와있지만 반면에 하루라도 일을 안 하면 당장 먹고사는 문제가 심각해지는 노점상을 하는 분도 있습니다. 이러한 모든 분들이 집에 돌아가 편히 쉬어야 할 토요일 늦은 오후에 단 한 가지 공통점을 가지고 이 자리에 모였습니다. 그것은 지금 우리 사회에 만연하고 있는 심각한 경제적 부정의가 더 이상 참을 수 없는 지경에 이르렀기 때문에 하루바삐 척결되지 않으면 안 된다는 공동인식입니다.

어떤 사람은 경제정의를 위한 시민운동을 보고 "당장의 민주주의 실천과 노동자들의 권익옹호, 그리고 통일의 과제가 있는데, 당신들이 이를 희석시키는 역할을 하는 것이 아닌가?"라고 질문할지도 모르겠습니다.

그러면 우리는 이렇게 답변할 것입니다. "아니오, 우리는 바로 이 나라의 민주화와 통일 그리고 산업평화를 위해 이 일을 하고 있습니다. 이 길이야말로 사실은 경제성장과 복지, 민주주의와 통일로 가는 지름길입니다."

실제로 요즈음 부동산 투기문제의 심각성은 이루 형언할 수 없을 정도입니다. 토지 소유자의 상위 5%가 전국 민유지의 65.2%를 가지고 있는가 하면 지난 20년간 물가는 11.5배가 뛰었는데 땅값은 170배가 뛰었으니 토지소유에 의한 불로소득의 엄청남은 짐작하기조차 힘들 정도입니다.

한편에선 부동산 투기로 생긴 졸부들이 과소비와 향락, 퇴폐를 조장하고, 다른 한편에선 천정 모르고 치솟는 전세금 때문에 서민들의 원성이 하늘을 찌르고 있습니다. 젊은이들은 내 집 마련의 꿈을 잃은 채 절망하고, 국민 도의는 땅에 떨어졌으며 한국경제는 주택·토지값 폭등으로 인한 노사분규의 격화와 국제 경쟁력 약화로 심한 몸살을 앓고 있습니다.

이제 우리 사회에는 두 개의 계급만이 존재하게 되었는데 하나는 주택소유 계급이고 다른 하나는 무주택 계급입니다. 그래서 우리는 이 땅의 진정한 민주주의와 통일을 염원하는 사람들에게 이러한 경제적 부정의와 망국적 불로소득의 척결 없이는 우리는 한 발짝도 민주주의와 통일을 향해 나아갈 수가 없다고, 또한 우리는 이 땅의 안보를 걱정하는 보수세력에게도 지금의 격심한 경제적 부정의가 척결되지 않는 한 혁명과 같은 극단적인 방법밖에는 해결의 길이 없다고 생각하는 젊은이들은 결코 줄어들지 않을 것이라고 말할 수 있습니다. 그래서 우리들은 제아무리 많은 과제가 우리 앞에 있다고 해도 경제정의를 수립하는 과제를 한시도 늦출 수 없기에 바로 이 점을 분명히 하기 위해 여기에 모였습니다.

그런데 오늘 우리들에게 또 하나의 공동인식이 있다면 바로 이러한 경제정의를 수립하는 일을 정부나 국회에만 맡겨서는 안 되며 이젠 시민들이 직접 나설 수밖에 없다고 하는 점입니다. 우리는 그 동안 정부의 부동산대책이 항상 가진 자를 더욱 살찌우고 못 가진 자들은 더욱 가난하게 해왔음을 잘 알고 있습니다. 뿐만 아니라 국회의원들도 여든 야든 가릴 것 없이 가진 자들, 권력쥔 자들의 로비엔 항상 맥을 못 추고 결과적으로 거의 항상 가진 자들의 편만 들어왔다고 해도 과언이 아니었습니다.

따라서 이제는 우리들 '보통시민'들이 나설 수밖에 없습니다. 시민들이 함께 모여 회비를 내고 단체를 꾸려갈 것입니다. 그리고 구체적인 삶의 현장에서 경제적 부정의 실상을 하나하나 파헤치고 고발할 것입니다. 뿐만 아니라 문제 하나하나에 대한 빈틈없는 대안도 학자의 머리에서보다는 시민들의 생생한 실제경험에서 더욱 확실히 찾도록 할 것입니다. 그래서 토지는 소유하면 무조건 돈 버는 것이 아니라 가지고 있어도 득이 안 되는, 그래서 꼭 필요한 면적 이외에는 가지려 하지 않도록 만들어야 할 것입니다.

이렇게 찾아진 대안을 입법화하기 위한 캠페인을 할 사람도 바로 시민입니다. 국회의원으로 하여금 꼼짝없이 입법을 하도록 만들 수 있는 힘은 할머니, 할아버지, 유모차를 끄는 아기엄마 할 것 없이 모든 시민이 쏟아져 나와 여의도 광장을 꽉 메우며 평화행진을 할 때에만 생길 것입니다.

입법이 되고 제도가 바뀌어진 이후에도 과연 운동이 잘 되는지를 감시할 사람도 바로 시민들입니다. 이러한 건전한 시민행동이 정착될 때 민주주의는 우리사회에 확고히 뿌리내릴 것입니다. 이러한 시민의 시민에 의한 시민을 위한 운동이 바로〈경제정의실천시민연합〉입니다.

어떤 사람은 왜 민중이 아니고 시민이냐고 물을지도 모르겠습니다. 그러면 우리는 이렇게 대답합니다. "우리가 힘을 모으려는 세력은 소외되고 억눌린 민중만이 아닙니다. 선한 뜻을 지닌 가진 자도 이 운동의 중요한 주체입니다. 왜냐하면 우리사회가 이래서는 안 되고 기필코 민주복지사회로 가야겠다고 하는 선한 의지를 가진 사람이면 그가 기업인이든 중산층이든 할 것 없이 이 운동의 중요한 구성원이 될 수 있기 때문입니다."

실제로 이 운동은 노동자와 기업가로 구성되는 생산자 층의 편에 서서 불로소득 층을 공격하는 운동입니다. 아니, 보다 근원적으로 이 운동은 우리의 내부에 있는 탐욕과 이기주의를 척결하고 남과 함께 사는 정신과 양보의 정신을 기리는 정신운동입니다. 바로 이 점 때문에 오히려 재산가는 자기 소유를 남과 함께 나누는 모습을 보여줌으로써 이 운동의 아름다운 본이 될 수 있습니다.

우리가 오늘 이 운동의 주체를 시민이라고 표현할 때는 단지 민중과의 차이를 보여주기 위한 것만은 아닙니다. 오히려 우리의 깊은 관심의 대상은 87년 6월 민주화 대 항쟁 때 길거리에 쏟아져 나왔던 시민들입니다. 이렇듯 우리사회에 정치적 기적을 가져다주었던 이 시민들은 87년 말 대통령 선거유세 이래로 줄곧 관망만 하고 있습니다.

우리가 소망하는 바는 바로 이 시민들이, 바로 이 보통 시민들이 다시금 경제정의를 위한 행동에 참여함으로써 이번에는 분배의 기적을 만들어내는 일입니다. 요즘 우리사회는 좌우의 양극적 대립으로 인해 표류하고 있으며 시민들은 불안을 감추지 못하고 있습니다. 재야 운동권의 문제제기를 흡수하는 완충지대가 존재하지 않음으로 해서 국민적 합의에 기초한 운동의 출현을 대망하고 있습니다.

우리는 우리 국민의 위대함을 믿습니다. 우리 국민은 5공이 철저히 청산되고 민주주의가 각 분야에서 착실히 뿌리내려질 것을 원하고 있습니다. 우리 국민은 우리 사회의 가난하고 소외된 노동자, 농민, 도시빈민들이 가난에서 벗어나 다 함께 잘살게 되는 사회가 오기를 열망하고 있습니다. 그리고 우리 국민은 비록 매우 조심스럽고 신중한 방법이기는 하지만 그러나 확고하게 우리나라가 통일을 향해 착실한 전진을 할 수 있기를 원하고 있습니다.

그렇기 때문에 국민적 합의에 기초한 운동은 느린 것 같아도 실제로는 자주 민주통일로 가는 가장 빠른 지름길입니다. 왜냐하면 이러한 운동이 나타나 국민을 안심시킬 때 비로소 국민은 움츠렸던 가슴을 펴고 다시금 진보의 대열로 되돌아 올 것이기 때문입니다.

그래서 우리〈경실련〉은 바로 이러한 국민적 공감대의 지원을 받으며 말 그대로 보통시민이 주체가 되는 운동을 전개할 것입니다. 우리가 토지 주택문제를 당면 과제로 생각하고 있는 이유도 이 문제가 일반시민의 피부에 가장 절실하게 와 닿는 문제라는 점과 무관하지 않습니다.

우리는 이 운동을 진전시킬 때 비폭력 평화운동의 방식으로, 대중적이고 합법적인 방식으로 전개하고자 하는 것도 이때에만 일반시민들이 가장 편안하게 참여할 수 있기 때문입니다. 그리고 우리가 관념적이고 원론적인 주장을 배제하고 구체적인 대안을 모색하려고 하는 것도 바로 이 시민들은 구체적이고 현실적인 대

안을 제시하였을 때에만 호응하기 때문입니다. 또한 이 운동은 철저하게 비정치적인 순수한 시민운동으로 끝까지 나아갈 것입니다. 그럴 대만인 이 운동은 시민들의 깊은 신뢰를 받을 것이기 때문입니다.

이렇듯 우리의 행동전략은 매우 온건하고 대중적입니다. 그러나 그렇다고 해서 이 운동이 현 체제를 안정화시킴으로써 결과적으로 가진 자들의 이익만을 도모하는 김 빼기 운동도 결코 아닙니다. 우리의 꿈은 우리 사회의 근본적인 개혁입니다. 서민계층의 입장에 확고히 서서 분배 5개년 계획이나 분배 10개년 계획을 통해 경제성장과 사회적 형평을 동시에 성취해 내는 것 - 이것은 온 국민의 꿈이자 이 운동의 목표입니다.

어떤 사람은 이렇게 반문합니다.

"과연 될까?"

그러면 우리는 이렇게 반문합니다.

"이 길 이외에 다른 길이 없습니다. 우리 국민에 대한 무한한 신뢰를 가지고 앞으로 매진할 따름입니다. 그렇지만 한 가지, 이미 국민들은 이 운동에 열렬한 호응을 보내기 시작했습니다."

감사합니다.

1989년 7월 8일

사진으로 보는
경실련 30년

Ⅰ.

경실련의

창립과
활동

Ⅱ. 경실련 30년
활동의 성과

Ⅲ. 지역경실련의
활동과 성과

Ⅳ. 경실련과
시민사회의 미래

1) 주요 연혁

1989 05 08	첫모임, 토지공개념 대안모색 세미나, 기독교사회문제연구원
1989 05 24	제1차 준비 모임, 기독교사회문제연구원
	사무실(1), 서울시 서대문구 충정로 2가 35 기사연빌딩 302호
1989 05 31	제2차 준비모임, 주택문제 대안모색 세미나, 한샘주거환경연구소
1989 06 09	제3차 준비모임, 토지·주택문제의 현황과 대안, 크리스챤아카데미
1989 07 08	경제정의실천시민연합 발기인대회, 대한YWCA 대강당
	경실련회보 제1호 발간
1989 08 01	노점상모임 발족
1989 08 26	사무실 이전(2), 서울시 종로구 종로5가 25-1 신탁은행 4층
1989 10 24	무주택자문제대책본부 발족
1989 10 30	기독청년학생협의회 발족
1989 11 04	경제정의실천시민연합 창립대회, 정동 문화체육관·
	經濟正義實踐市民聯合, Citizens' Coalition for Economic and Justice(CCEJ)
1989 11 04	경실련 의정감시단 발족
1989 12 01	여성위원회 발족(1999.3.25. 재창립)
1990 01 20	도시빈민협의회 발족
1990 02 09	중소상공인회 발족
1990 03 04	세입자협의회 발족
1990 04 06	경실련 목회자협의회 발족
1990 05 15	사단법인 경제정의연구소 설립(경제기획원 허가 제73호, 법인등록번호
	110121-0023996)
1990 06 02	대구경제정의실천시민연합 창립
1990 06 09	경제부정고발센터 창립
1990 06 09	분배정의실현 노동자협의회 발족
1990 06 23	광주경제정의실천시민연합 창립
1990 06 25	계간「경제정의」창간(등록 1990 05 24. 등록번호 마-1571)
1990 08 25	경실련 청년협의회 발족
1990 09 10	경실련 소비자운동본부 발족
1990 11 01	깨끗한 정치제도연구특별위원회 발족
1990 11 02	대전경제정의실천시민연합 창립
1991 02 07	공명선거시민운동협의회 발족(2007.5.28. 탈퇴)
1991 02 08	제주경제정의실천시민연합 창립
1991 05 03	부산경제정의실천시민연합 창립
1991 06 15	경실련·정농생활협동조합 창립
1991 07 13	경제정의실천불교시민연합 창립
1991 09 26	기독시민모임 발족
1991 10 19	경실련 상설 알뜰가게 개장
1991 11 04	익산경제정의실천시민연합 창립
1991 12 11	제1회 경제정의기업상 시상

1992 01 13	지방자치 선거연기 및 정치자금문제 진상규명 특별위원회 발족
1992 01 28	경실련 노동문제특별위원회 구성
1992 05 26	경제부정고발센터, 부정부패고발센터로 개명
1992 09 06	광명경제정의실천시민연합 창립
1992 09 26	경제개혁과 민주발전을 위한 정책캠페인운동본부 발족
1992 10 10	인천경제정의실천시민연합 창립
1992 11 07	포항경제정의실천시민연합 창립
1992 11 14	사단법인 환경개발센터 창립(1992.12.7 환경부 법인등록, 1999.7 독립)
1992 11 17	구리·미금·남양주경제정의실천시민연합 창립
1992 12 11	안양·의왕경제정의실천시민연합 창립
1993 01 31	깨끗한 사회를 만드는 시민회 발족
1993 02 20	정의로운 사회를 위한 시민운동협의회(정사협) 참여
1993 03 13	경실련 노동자회 창립
1993 03 29	시민입법위원회 창립
1993 03 30	경실련 실업인모임 발족
1993 04 09	순천경제정의실천시민연합 창립
1993 04 17	경실련 대학생회 창립
1993 04 24	경실련 청년회 창립
1993 05	영문 잡지 「CIVIL SOCIETY」 창간
1993 05 01	과학기술위원회 발족
1993 05 29	주간 시민의 신문 창간
1993 06 17	바른경제동인회 발족
1993 07 19	안산경제정의실천시민연합 창립
1993 09 16	울산경제정의실천시민연합 창립
1993 09 27	교통문제를 생각하는 시민의 모임(1993.12.8 교통광장)
1993 10 26	통일문제특별위원회 발족
1993 10 26	노사관계연구특별위원회 발족
1993 10 28	춘천경제정의실천시민연합 창립
1993 10 30	수원경제정의실천시민연합 창립
1993 11 23	풀뿌리시민회 발족
1994 01 18	사단법인 경실련통일협회 창립(1994.3.1 통일원 법인등록, 2017 법인 등록 최소)
1994 02 19	전주경제정의실천시민연합 창립
1994 04 16	청주경제정의실천시민연합 창립
1994 04 16	강북·노원·도봉경제정의실천시민연합 창립
1994 05 31	경실련 세제개혁추진운동본부 출범
1994 09 12	한국시민단체협의회(시민협) 참여
1994 10 29	군산경제정의실천시민연합 창립
1994 11 24	거제경제정의실천시민연합 창립
1994 11 19	부천경제정의실천시민연합 창립
1994 11 29	외국인노동자센터 설립
1995 02 11	안동경제정의실천시민연합 창립
1995 02	국제위원회 창립(2012.11.25. 국제연대)

사진으로 보는
경실련 30년

Ⅰ.
경실련의
창립과 활동

Ⅱ. 경실련 30년
활동의 성과

Ⅲ. 지역경실련의
활동과 성과

Ⅳ. 경실련과
시민사회의 미래

1995 03 12	하남경제정의실천시민연합 창립
1995 04	베트남사업위원회 발족
1995 04 04	여천경제정의실천시민연합 창립
1995 06 07	강동·송파구지부 경제정의실천시민연합 발기인대회
1995 06 23	중소기업 살리기 특별위원회 발족
1995 07 12	강릉경제정의실천시민연합 창립
1995 08 28	고성경제정의실천시민연합 발기인대회
1995 09 04	오산·화성경제정의실천시민연합 창립
1995 09 21	통영경제정의실천시민연합 발기인대회
1995 11 14	구미경제정의실천시민연합 창립
1995 11 22	경주경제정의실천시민연합 창립
1995 12 15	정읍경제정의실천시민연합 창립
1996 01 19	경실련 의견개진단 출범
1996 02 28	동해경제정의실천시민연합 발기인대회
1996 02 29	경실련 방송모니터회 창립(2000.3 경실련 MEDIA-WATCH)
1996 03 08	장흥경제정의실천시민연합 창립
1996 03 20	광양경제정의실천시민연합 창립
1996 06 18	경실련 시민공정거래위원회 출범
1996 06 22	김제경제정의실천시민연합 창립
1996 07 16	세계우리겨레공동체(Global Korean Network, GKN) 창립
1997 02 01	속초경제정의실천시민연합 창립
1997 06 21	사단법인 경실련도시개혁센터 창립(1998 04 21 건교부 법인등록)
1997 09 27	군포경제정의실천시민연합 창립
1997 11 01	정기간행물, 「월간 경실련」 창간(등록 라-18041)
1998 03 14	사무실 이전(2회), 서울시 중구 정동 15-5 정동빌딩별관 5층
1998 08 14	경실련-하이텔정보교육원 설립
1999 02 22	경제위기진상규명 특별위원회 발족
1999 03 04	여수경제정의실천시민연합 창립
1999 04 02	환경농업실천가족연대 창립
1999 04 26	경실련 사회개혁단 출범
1999 07 28	유엔 경제사회이사회 특별협의지위 획득(UNITED NATIONS, ECOSOC Special Consultative Status, NGO in Special Consultive status with the Economic and Social Council of the United Nations.)
1999 10 08	남원경제정의실천시민연합 창립
2000 01 10	유권자 알권리 충족을 위한 후보자정보공개운동
2000 03 17	목포경제정의실천시민연합 창립
2000 05 25	무주경제정의실천시민연합 창립
2000 09 30	공공사업감시단 발족
2000 11 06	영천경제정의실천시민연합 창립
2001 02 24	시민사회단체연대회의(연대회의) 참여
2001 04 05	단양경제정의실천시민연합 발기인대회
2001 06 01	진해경제정의실천시민연합 발기인대회

2002 01	사무실 이전(3), 서울시 종로구 신문로 2가 89-27 피어선빌딩 2층
2002 02 14	경실련 아카데미 창립(2014. 재창립)
2002 03 22	경실련 공적자금감시운동본부 발족
2001 06 07	목포경실련 무안군민회 발족
2001 11 21	제1회 바른외국기업상(Best Foreign Corporation Award) 시상
2002 07 27	경실련 지원재단 창립 추진
2002 08 24	이천·여주경제정의실천시민연합 창립
2002 11 25	울릉경제정의실천시민연합 창립
2003 12 01	사무실 이전(4), 서울시 종로구 동숭3길 26-9(경실련 회관)
2004 02 05	경실련 아파트값거품빼기운동본부 출범
2004 04 26	'경실련 윤리행동 강령' 제정(2017.2.13. 경실련 임원의 윤리행동강령 개정)
2004 05 11	시민권익센터 창립(1990 경제부정고발센터, 1993 부정부패추방운동본부)
2005 01 24	경실련 국책사업감시단 출범
2005 02 18	김포경제정의실천시민연합 창립
2005 02 28	사단법인 갈등해소센터 창립(2008.1.7 법인등록, 2015.6 사)한국사회갈등해소센터 독립)
2007 03 09	폐광지역경제정의실천시민연합(태백시·삼척시·정선군·영월군) 창립
2007 06 26	시민단체 사회적 책임헌장 선언
2008 12 03	천안·아산경제정의실천시민연합 창립
2008 12 27	마산·창원경제정의실천시민연합 발기인대회
2009 04 28	충주경제정의실천시민연합 창립
2011 03 28	사회적 기업 활성화 전국네트워크(민관협의체) 참여
2012 03 20	분권국가 건설을 위한 경실련 전국분권운동본부 출범
2012 11 26	경제정의기업상, 경실련좋은기업상(CCEJ Good Corporation Award)으로 개명
2012 09 03	경실련 소비자정의센터 창립
2014 03 03	경실련 소비자단체 등록
2015 02 27	경실련 OI(Organization Identity) 제작
2015 07 16	양평경제정의실천시민연합 창립
2015 12 15	제1회 경실련 좋은사회적기업상 시상
2016 02 22	서민주거안정운동본부 발족
2016 12 29	기부금대상민간단체 지정(행정자치부)
2017 06 26	사단법인 경실련통일협회, 법인 등기 취소 및 경실련 특별기구로 재편
2019 02 18	경실련 재벌개혁운동본부 출범
2019 02 18	경실련 부동산건설개혁운동본부 출범

수상

| 1996 05 17 | 제1회 한국시민운동상 수상, 사단법인 시민운동지원기금 |
| 2003 10 02 | 바른생활상(THE RIGHT LIVELIHOOD AWARDS, STOCKHOLM) 수상 |

사진으로 보는
경실련 30년

Ⅰ.
경실련의
창립과 활동

Ⅱ. 경실련 30년
활동의 성과

Ⅲ. 지역경실련의
활동과 성과

Ⅳ. 경실련과
시민사회의 미래

법적 지위

비영리민간단체 등록
- 기획재정부 / 최초등록일 2002년 3월 18일

고유번호증(수익사업 을 하지 않는 비영리법인 및 그 국가기관 등 : 본점)
- 경제정의실천시민연합 : 고유번호 208-82-05380, 종로세무서
- 사)경제정의연구소 : 고유번호 208-82-03645, 종로세무서
- 사)경실련도시개혁센터 : 고유번호 110-82-07929, 종로세무서
- 사)경실련통일협회 : 고유번호 208-82-04815, 종로세무서
- 사)갈등해소센터 : 고유번호 101-82-16475, 종로세무서

기부금대상민간단체 지정
- 경제정의실천시민연합(기획재정부 제2016-250호, 2016.12.30)

지정기부금단체 지정
- 사)경제정의연구소(기획재정부 제15192호, 1996.12.31)
- 사)경실련도시개혁센터(재정경제부 제2002-113호, 2001.11.8)

사업자등록증(법인사업자)
- 법인명 : (사)경제정의연구소(경제기획원 허가 제73호, 110121-0023996)
- 개업년월일 : 1990. 05. 15
- 허가 및 등록번호 : 서대문세무서(1990 09. 09) 등록번호 208-82-03645

소비자 단체 등록
- 경제정의실천시민연합(공정거래위원회 제2014-1호, 20104.03.03)

업무표장등록(2015.7.10.)
- 「경실련」 업무표장권자 : (사)경제정의연구소(특허청, 등록 제41-0005835호)
- 「로고」 업무표장권자 : (사)경제정의연구소(특허청, 등록 제42-0006256호)

출판등록

1990 03 20	도서출판 경실련
1990 05 06	(주)시민의 신문(등록번호 : 다-2941, 1993.8.6. 제3종 우편물(가)급인가)
1990 05 24	잡지 「경제정의」(등록번호 : 마-1571)
1990 05 24	월간 「경실련」(등록번호 : 라-08141)

3) 본부 및 기관

1. 개요

경실련의 조직은 경실련의 본부와 지역경실련으로 크게 구분된다. 경실련 본부는 경실련의 모든 조직 운영과 활동의 중심의 역할을 한다. 경실련 규약에 따르면 조직으로 공동대표, 고문 및 지도위원, 자문회의, 감사, 회원대회, 중앙위원회, 상임집행위원회, 사무국이 있다. 활동조직으로는 정책위원회, 조직위원회, 시민입법위원회, 국제위원회, 윤리위원회, 경실련아카데미, 지부조직 및 지역경실련 협의회, 회원조직이 있고, 특별기구와 부설기관으로 (사)경제정의연구소, (사)경실련 도시개혁센터, 경실련 통일협회, 시민권익센터가 있다.

공동대표는 경실련을 대표한다. 다만 공동대표는 경실련의 행정사무 및 재정회계 등 일부 권한을 사무총장에게 위임 할 수 있다. 사무총장은 공동대표로부터 위임받은 권한을 행사할 수 있다.

고문 및 지도위원은 경실련의 활동을 효과적으로 수행하기 위해 약간 명의 고문 및 지도위원을 둘 수 있다. 경실련은 주요 임원에 대해 임기제를 채택하고 있어, 임기를 마친 임원들을 고문 및 지도위원으로 모시고 있다. 자문회의는 상임집행위원회의 주요 사항에 대해 자문을 하는 역할이지만 현재 구성되어 있지 않다. 감사는 경실련의 사업 및 재정업무를 감사하는 역할로 현재 변호사, 회계사 두 분이 감사를 맡고 있다.

회원대회는 회원총회를 대신하고 있다. 창립 당시 회원총회는 최고의결기구로 9차례 총회가 개최되었다. 제9차 규약 개정(제6기 2차 대의원대회, 2002.2.23.)에서 '총회'를 '회원대회'로 명칭을 변경하고, 의결기구에서 회원 간의 친목을 주요 역할로 성격을 변경하면서 현재는 개최되지 않고 있다.

중앙위원회는 경실련의 최고 의결기관으로 년 1회(2월)에 개최된다. 중앙위원회는 150~300인 이내의 본부와 지역경실련의 주요임원 등 당연직과 상임집행위원회에서 추천하는 선출직으로 구성된다. 중앙위원은 공동대표 선출, 규약의 개정, 사업 및 예결산의 승인, 특별기구·부설기관·지부조직의 설치 및 폐지 등의 역할을 담당한다.

상임집행위원회는 경실련의 상설집행기구로서 월 1회 개최된다. 상임집행위원회는 중앙위원회와 본부 및 지역조직에서 선출되는 50~80인 이내로 구성된다. 상임집행위원회는 중앙위원회의 위임 사항의 집행과 의안의 사전 심의, 고문·지도위원 위촉, 사무총장 선출, 지역조직의 사무책임자의 임면동의, 각종 규칙의 제정 및 개정, 특별기구·부설기관·지부조직·회원조직의 사고지부 및 활동정지의 지정과 해제 등의 권한이 있다.

정책위원회는 경실련의 정책연구 및 결정에 필요한 제반활동을, 조직위원회는 지역조직 활동의 지원과 전국 공동사업 그리고 각 조직들의 통일성 및 협력관계를 높일 수 있는 활동을 담당한다. 시민입법위원회는 시민생활관련 입법활동과 경실련의 법률 활동을 지원하며, 국제위원회는 국제적 연대활동을 담당한다. 윤리위원회는 경실련의 도덕적, 운동적 관행과 품위를 유지하고 규율한다. 경실련아카데미는 경실련의 임원·상근활동가·회원 그리고 시민들에게 경제정의와 사회정의의 교육 및 훈련을 담당한다.

특별기구와 부설기관은, 우리 사회의 경제적 균형발전과 공정분배를 위한 경제정책에 대한 조사연구를 하는 (사)경제정의연구소, 시민 스스로 만들어 가는 시민중심의 도시 공동체를 추구하는 (사)경실련도시개혁센터, 평화통일을 위한 시민운동과 남북교류 및 국제 협력 운동을 하는 경실련 통일협회, 인간 존엄성에 대한 공평한 기회를 보장하기 위한 제도개선과 의식개혁운동과 사회적·경제적·문화적으로 소외되고 과소 대변되는 계층과 집단의 이익을 대변하는 시민권익센터가 있다.

지부조직은 경실련의 경제정의와 사회정의 정신과 시민주권을 전국적 차원에서 실현하기 위하여 활동하며 지역경실련 협의회는 지부조직 상호 간의 사업 및 정보교류 그리고 정책적 일관성과 조직적 통합성을 유지하기 위하여 활동한다.

사진으로 보는
경실련 30년

Ⅰ.
경실련의
창립과 활동

Ⅱ. 경실련 30년
활동의 성과

Ⅲ. 지역경실련의
활동과 성과

Ⅳ. 경실련과
시민사회의 미래

2. 조직 구성표

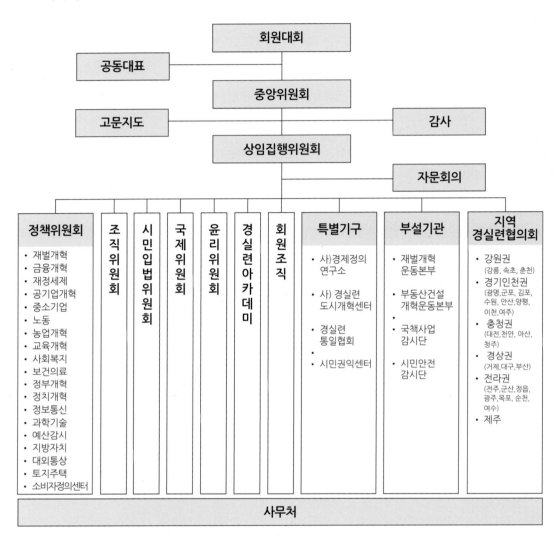

정책위원회
• 재벌개혁
• 금융개혁
• 재정세제
• 공기업개혁
• 중소기업
• 노동
• 농업개혁
• 교육개혁
• 사회복지
• 보건의료
• 정부개혁
• 정치개혁
• 정보통신
• 과학기술
• 예산감시
• 지방자치
• 대외통상
• 토지주택
• 소비자정의센터

3. 정책위원회

정책위원회는 실사구시 자세로 경실련의 창립 정신의 실현을 위한 사회적 의제의 연구와 대안을 만드는 산실이다. 창립 이후 약 38개의 정책단위들이 활동하였고 2004년부터 '위원회'로 정착되었으며 현재는 약 18개 위원회가 활동하고 있다. 정책위원회 외 정책 기능을 갖는 특별기구 및 부설기관과는 매년 1월 정책협의회를 개최하여 년간 활동방향을 조율하고, 매월 상임집행위원회에서 협의를 한다.

경실련 정책위원회 활동 현황

경실련 30년, 다시 경제정의다
경제정의실천시민연합

분야	위원회	89	90	91	92	93	94	95	96	97·8	99	00	01·2	03	04	05	06	07	08	09	10	11	12	13	14	15	16	17	18	19
재벌개혁	재벌분과																								■	■	■	■	■	■
	경제력집중연구소위	■	■	■																										
	시민공정거래위원회																													
	물가문제특별연구소위		■																											
금융개혁	금융분과연구소위					■	■	■	■	■	■															■	■	■	■	■
	금융실명제연구소위					■	■																							
재정세제	재정분과연구소위	■	■	■	■	■	■	■	■	■				■	■		■	■				■	■	■	■	■	■	■	■	■
노동개혁	노동문제연구소위	■	■	■	■	■	■	■	■	■													■	■		■				
	노사관계위원회																													
농업개혁	농촌문제연구소위	■	■	■	■	■	■																							
대외경제	대외경제연구소위	■	■	■	■	■	■	■	■	■				■	■	■	■	■	■	■	■			■	■					
토지주택	토지문제연구소위	■	■	■	■	■	■											■	■					■						
	주택문제연구소위	■	■	■	■	■	■																							
	도시빈민연구소위	■	■	■																										
정치개혁	정치행정분과							■						■	■	■	■	■	■	■	■	■	■	■	■	■	■	■	■	■
	정치자금연구소위		■																											
	부정부패척결특별소위		■																											
중소기업	중소기업연구소위													■	■									■	■	■	■	■	■	■
	E비지니스위원회															■	■													
교육개혁	교육연구소위						■	■	■	■	■	■	■	■	■	■	■	■	■	■	■	■	■	■		■	■			
사회복지	사회복지연구분과			■	■	■	■	■	■	■	■	■	■	■	■	■	■	■	■	■	■	■	■	■	■	■	■	■	■	■
	사회보장연구소위	■	■																											
지방자치	지방자치연구분과				■	■	■							■	■	■	■	■	■	■	■	■	■	■	■	■	■	■	■	■
보건의료	보건의료분과							■	■	■	■	■	■	■	■	■	■	■	■	■	■	■	■	■	■	■	■	■	■	■
과학기술	과학기술분과															■	■													
정보통신	정보통신위원회																					■	■	■	■	■				
예산감시	예산감시위원회											■	■	■																
정부개혁	정부개혁위원회											■	■	■	■	■	■	■	■											
	정부규제연구분과				■	■	■																							
	정치행정분과				■	■	■																							
	서울시민정책위원회														■	■	■													
공기업개혁	공기업개혁위원회															■	■	■	■						■	■	■	■		
소비자정의센터	소비자정의																						■	■	■	■	■	■	■	■
도시개혁센터	·국토분과					■																								
	·건설분과																													
	·교통연구소위		■	■	■	■																								
여성위원회	·여성연구분과						■	■																						
환경개발센터	·환경연구소위																													

정책위원회를 총괄하는 역대 정책위원장은 이근식(1, 2기), 강철규(3기), 윤원배(4기), 조우현(5기), 박세일(6기), 김태동(7기), 이필상(8, 9기), 이성섭(10기), 나성린(11기), 최정표(12기), 윤건영(13기), 권영준(14기), 박재완(15기), 이의영(16기), 홍종학(17기), 김상겸(18기), 양혁승(19, 20기), 이기우(21, 22기), 송병록(23기), 채원호(24, 25기), 서순탁(26, 27기), 소순창(28, 29기), 박상인(30기, 2019)이 활동하였다.

경실련 정책위원회에는 당해 연도 경실련의 집중사업 선정에 따라 변동이 있으나 평균 약 200~300여 명의 학계와 현장의 전문가들이 활동하고 있다.

경실련 정책위원회 주요 임원

위원회		주요 활동가(중복 제외)
재벌개혁	재벌분과	강철규, 최정표, 홍종학, 이봉의, 이의영, 박상인
	경제력집중연구소위	강철규, 최정표
	시민공정거래위원회	변형윤, 강철규, 최정표
	물가문제특별연구소위	강철규
금융개혁	금융분과연구소위	안국신, 이필상, 권영준, 구석모, 정미화, 남주하, 양채열
재정세제	재정분과연구소위	이진순, 나성린, 박정수, 장오현, 서희열, 안종범, 김용하, 심충진, 김유찬, 박훈
	금융실명제연구소위	-
노동개혁	노동문제연구소위	김장호, 박덕제, 이광택, 이병훈, 허식, 김재구, 김혜진, 노상헌
	노사관계위원회	김윤환, 김장호, 조우현
농업개혁	농촌문제연구소위	김성훈, 김완배, 장원석, 권광식, 윤석원, 이태호, 정명채, 김호
대외경제	대외경제연구소위	이성섭, 한홍렬, 서철원, 김재구, 김종걸
토지주택	토지문제연구소위	김태동, 전강수, 서순탁
	주택문제연구소위	하성규
	도시빈민연구소위	-
정치개혁	정치행정분과	김석준, 이정희, 송병록, 김왕식, 정진민, 임성호, 김인영, 윤종빈, 김용호, 박명호, 조진만
	정치자금연구소위	박세일
	부정부패척결특별소위	이근식
중소기업	중소기업연구소위	최정표, 한정화, 이의영, 김재구, 김광희, 최용록, 이정의, 신범철, 이현배, 박근호
	E비지니스위원회	최용록
교육개혁	교육연구소위	김기석, 김성재, 강태중, 강승규, 김재춘, 나병현
사회복지	사회복지연구분과	김상균, 최성재, 김통원, 박수경, 허준수, 김진수, 정창률, 이상은, 남현주
	사회보장연구소위	-
지방자치	지방자치연구분과	조창현, 김병준, 김익식, 임승빈, 소순창, 이기우, 손희준, 김찬동
보건의료	보건의료분과	양봉민, 김진현, 김철환, 신현호, 이인영
과학기술	과학기술분과	양지원, 이병민, 황이남, 박기영, 정범석
정보통신	정보통신위원회	문영성, 정태명, 최영식, 노규성, 방효창
예산감시	예산감시위원회	윤영진, 강인재, 황윤원, 박재완, 이원희, 옥동석, 김정완
정부개혁	정부개혁위원회	이종수, 권해수, 최영출, 채원호, 이영범, 김재일, 김찬동, 배귀희
	정부규제연구분과	김종석
	정치행정분과	-
	서울시민정책위원회	조명래
공기업개혁	공기업개혁위원회	양혁승
소비자정의센터	소비자정의	김성훈, 박성용, 장진영, 오길영
도시개혁센터	국토분과	권용우
	건설분과	김수삼
	교통연구소위	원제무
여성위원회	여성연구분과	조형, 이숭리, 최미애, 이영욱
환경개발센터	환경연구소위	김상환, 김경환

1) 재벌개혁운동본부

① 설립 취지

경실련은 발기선언문에서 "부동산투기, 정경유착, 불로소득과 탈세를 공인하는 금융가명제, 극심한 소득격차, 불공정한 노사관계, 농촌과 중소기업의 피폐 및 이 모든 것들의 결과인 부와 소득의 불공정한 분배, 그리고 재벌로의 경제력 집중, 사치와 향락, 공해 등 이 사회에 범람하고 있는 경제적 불의를 척결하고 경제정의를 실천함은 이 시대 우리 사회의 역사적 과제"라고 선언하였다. 출범 당시 재벌로의 쏠림 현상이 가속화 되면서 경제력 집중 문제가 심각히 대두되었다. 재벌개혁 운동은 창립 당시의 정책연구위원회 소속으로 재벌의 문제를 분석하였던 '경제력집중연구소위원회', 물가 폭등의원인과 대책을 연구한 '물가문제특별연구소위원회', 종합적으로 재벌문제에 대응하는 '재벌분과', '시민공정거래위원회' 등으로 이어졌다. 경실련 창립을 준비하던 때부터 '경제력집중 연구소위원회'를 설립하여 활동했다. 초기 경제력집중 연구소위원회는 재벌의 경제력 집중 문제 연구를 통해 대안을 제시하는 운동을 진행했다. 1996년는 정부 재벌개혁 사령탑인 공정거래위원회가 제 역할을 하지 못함에 따라, 6월 18일 '경실련 시민공정거래위원회'를 조직하여 재벌의 소유·지배구조 문제 개선, 불공정행위 고발창구 개설, 공정거래위원회 감시, 중소영세기업과 소비자들의 피해방지와 구제 등에 나서게 되었다. 1999년는 시민공정거래위원회를 정책위원회 산하 '재벌개혁위원회'로 전환하면서, 출자총액제한제도 강화, 순환출자 금지, 지주회사 제도 개선, 불공정행위 근절, 공정거래위원회 감시 등의 운동을 이어왔다. 문재인 정부 출범 이후 오히려 인터넷전문은행 은산분리 훼손, 차등의결권 도입 시도 등 규제 완화로 재벌개혁은 실종되었다. 이에 경실련은 30주년을 맞아 '재벌개혁' 운동을 집중적으로 추진하기 위해 재벌개혁위원회를 '재벌개혁운동본부'로 재편하였다.

② 주요 임원

재벌개혁운동본부는 정책위원회 산하 경제관련 위원회와 협력하여 활동하고 있다. 경제관련 위원회는 금융개혁위원회, 재정세제위원회, 노동위원회, 중소기업위원회, 농업개혁위원회, 정보통신위원회 등이고, 사회복지위원회와, 시민입법위원회, 정치개혁 위원회도 참여하고 있다. 2019년 재벌개혁운동본부 구성현황과 과거 재벌개혁위원회의 주요 위원장들은 다음과 같다.

○ 경제력집중연구소위원회 : 강철규, 최정표
○ 물가문제특별연구소위원회 : 강철규
○ 재벌분과 : 강철규
○ 전 위원장 : 변형윤, 강철규, 최정표, 홍종학, 이의영, 이봉의
  - 위　원 : 곽만순, 김주한, 김종석, 김형욱, 김호균, 신도철, 신민호, 신장철, 신성휘, 이재희, 유진수, 이성욱, 임향근, 전영서, 장지상, 최성용, 함시창, 황신준
○ 재벌개혁운동본부
  - 위원장 : 박상인
  - 위　원 : 김호균, 김호, 김진현, 남현주, 노상헌, 박근호, 박선아, 박훈, 방효창, 양채열, 임효창, 이의영, 조연성, 조진만

③ 주요 활동

재벌개혁운동본부는 재벌 중심의 한국경제구조를 바꾸기 위해 재벌의 경제력 집중 해소, 소유·지배구조 개선, 불공정거래행위 근절 등을 위한 제도개선 운동에 집중해 왔다. 이를 관철시키기 위해서 토론회, 공청회, 실태조사, 입법청원, 기자회견, 상시적 성명, 의견서 제출, 설문조사 등 다양한 방식으로 운동을 전개해왔다. 1990년대 초에는 재벌의 소유분산을 위한 재벌가문 주식 매각 유도, 총액출자 제한 제도 강화, 순환출자 제도 개선, 종업원주주 제도 확립, 비공개 재벌기업 상장확대를 촉구했다. 1990년대 중반부터 2011년 까지는 출자총액제한제도 강화와 재도입 운동을 집중적으로 전개했고, 이와 함께 순환출자 금지와 사외이사제도 강화 등 소유·지배구조 개선 운동도 함께 진행해왔다. 1999년 10월에는 출총제 부활 및 강화를 요구하는 의견서를 공정위에 제출하면서, 압박을 가하는 등 집중운동을 전개해 2001년 4월 출총제가 재도입 되는 계기를 만들었다. 재도입 되었던 출총제를 이명박 정부 2009년 폐지되자, 이를 재도입시키기 위해 2011년과 2013년 출총제 폐지 이후 경제력 집중 실태를 시리즈로 조사하여 발표하기도 했다. 15대 재벌의 순이익, 사내유보, 고용, 투자, 출자액, 계열사수 변동, 설비투자 추이, 자산, 사내유보, 계열사수, 신규편입업종 등의 실태자료를 분석해 보여주는 전략은 2012년 대선을 앞두고 '경제민주화' 바람을 일으켜 주요 대선주자들은 저마다 경제민주화 공약을 내세우는 성과를 가져오기도 했다. 재벌개혁 운동본부는

재벌기업의 상징인 삼성과 현대차 그룹 등에 대해서도 집중적인 감시 운동을 벌였다. 2008년 삼성 이건희 회장 특검 대응, 2014년부터 2016년 까지는 삼성물산과 제일모직 합병 등 이재용 부회장 승계에 대해 부당성을 알리는 기자회견 등을 개최하여, 사회적으로 알리는 역할도 했다. 현대차에 대해서도 지배구조 개편 이슈가 있을 때마다 입장을 내면서, 문제를 짚고, 개선방안을 제시했다. 2016년 국정농단 전후로는 전경련 해체 촉구 운동을 지속적으로 전개하여, 삼성, 현대차, LG, SK, 포스코, KT, OCI, 대림산업 등 주요 회원사들의 탈퇴를 이끌어 내기도 했다. 박근혜 정부에서는 재벌 면세사업자에게 특혜를 주도록 설계되어 있는 시내면세점 제도를 가격경쟁(경매) 방식으로 전환하는 운동을 전개하여, 일정부분 성과를 얻기도 했다. 문재인 정부가 출범하고는 인터넷전문은행 은산분리 완화와 차등의결권 도입 저지 운동을 진행하였다. 나아가 재벌의 경제력 집중억제를 위한 출자구조 개선, 지주회사 지분율 강화, 황제경영 방지, 불공정행위 근절을 위한 징벌배상제와 디스커버리 제도 도입 등의 운동을 전개하고 있다.

2) 시민공정거래위위원회

① 설립 취지

경실련은 공정한 경쟁과 경제정의가 촉진되는 시장경제 원리를 신뢰하지만 모든 경제행위를 시장에만 전적으로 맡기게 될 경우 독과점 현상과 경제력 집중, 불공정 거래행위의 위험이 있다. 이러한 시장의 실패를 시정하고 경제적 약자의 피해를 감시·개선하기 위해 공정거래제도의 확립과 공정거래 감시기구의 역할 강화가 필요하다. 우리나라는 독점규제 및 공정거래에 관한 법률이 있으나 재벌 등 기득권자들의 힘에 비해 대단히 미약하고, 조사인력의 부족, 전문성의 결여는 물론 재벌들의 로비에 취약하고 운영의 투명성도 확립되지 않아 시민들의 불신을 가중시켰다. 이에 학계, 법조계, 업계, 노동계, 시민운동 등 사회 각계의 역량을 모아 '경실련 시민공정거래위원회'를 1996년 6월 18일 출범하였다. 시민공정거래위원회는 불건전한 기업활동의 모니터 및 개선, 재벌가문에 의한 소유 집중 및 경영 세습의 감시 및 개혁, 불공정행위 고발창구 개설, 공정거래제도 개혁 및 공정거래위원회의 위상강화 촉구, 공정거래위원회의 감시, 공정거래질서 확립을 위한 의식과 관행의 개혁, 중소영세기업과 소비자들의 피해 방지와 구제, 한국경제의 건전성 제고를 위한 조사연구를 목표로 하였다.

② 주요 임원

○ 대 표 : 변형윤
○ 위원장 : 강철규, 최정표
○ 위 원 : 강병산, 고익, 김광희, 김일수, 김종걸, 김준호, 김형욱, 나성린, 노부호,
　　　　　　박창길, 신도철, 신익철, 신현윤, 연기영, 유병린, 윤원배, 이경재, 이상경, 이의영, 이종대,
　　　　　　이종웅, 이진순, 이필상, 이형모, 이해익, 임배근, 임향근, 장지상, 조영황, 조한천, 최동규,
　　　　　　최완진, 한정화, 황신준 등
○ 사무국 : 박병옥, 고계현
○ 고발창구 : 양대석
※ 위원 명단은 출범식 자료집 등을 참고하였습니다.

③ 주요 활동

시민공정거래위원회는 출범 전 공정거래위원회 독점국장의 뇌물 수수사건에 대해 내부정화와 시민감시를 통하여 경제검찰로 거듭날 것을 촉구하였다(1996.3.17) 1996년 6월 5일 시민공정거래위원회 활동에 앞서 25명의 위원들이 참석하여 간담회를 개최하여 사업계획을 확정하였고, 6월 18일 '공정거래질서 수호

를 위한 독점규제법의 과제와 개선방향'을 주제로 창립세미나를 개최하였다. 1996년 8월 25일에는 정부의 공정거래법 개정안에 대해 의견서를 발표하였다. 개정안의 보완사항으로 법적용 대상에 언론사 포함, 기업집단 계열사간 부당내부거래 금지에 부당한 인력거래 포함, 그룹지배주주(총수)와 계열사 간 부당 내부거래 금지규정 마련, 친족독립경영회사 개념도입과 계열분리조건 완화에 따른 보완장치 마련, 시장지배적 사업자 지정 요건 완화, 공정거래위원회의 전속고발제도 개선, 과징금부과제도 개선 등이었다. 그리고 '경제를 볼모로 한 재벌개혁 후퇴를 우려' 성명 발표(1996.9.1), 현 경제상황에 대한 진단과 대처방안 공청회(1996.9.12), 공정거래법 개정 청원안 제출(1996.10.15), 공정거래법 개정방향에 대한 공청회(1996.10.28), 공정거래법 개정에 대한 경제·경제법학자 120명 전문가 설문조사(1996.10.28)를 진행하였다. 1996년 10월 22일 정부와 신한국당의 계열사 채무보증제도를 2001년까지 철폐하겠다는 방침의 백지화, 친족독립경영회사 개념도입을 취소하고 현행 지분을 3% 미만인 계열분리조건을 5%~10%로 완화, 상장회사 기업결합 신고의무 비율 지분을 10% 이상에서 15%이상으로 후퇴하는 합의안에 대해 공정거래법 개정의 본래 취지를 무력화시키는 것이라며 공정거래법 후퇴 방침의 철회를 주장하였다.(1996.10.23) 그리고 공정거래법 후퇴규탄 시민대회(1996.10.28)를 신한국당사 앞에서 진행하였다. 시민공정거래위원회는 2000년까지 활동하였다.

3) 금융개혁위원회

① 설립 취지

금융개혁위원회는 금융산업이 건전하고 공정하며 독립적으로 성장할 수 있도록 금융정책과 기관 및 산업의 전반적인 감시 그리고 대안 제시를 위해 설립되었다. 경실련은 창립 당시 정책연구위원회 산하에 '금융분과연구소위원회', '금융실명제연구소위원회'를 구성하여 돈의 흐름을 바로잡기 위한 금융실명제와 금융산업 개편 방안, 관치금융의 청산과 은행경영의 자율화, 자본시장개방에 대하 대응, 한국은행독립 등의 활동을 해왔다. 금융실명제에 대한 연구를 경실련 잡지 「경제정의」(1992.11,12월호)에 특집으로 게재하고, 중앙은행인 한국은행 독립에 대한 정책대안을 제시하였다. 현재는 정부의 금융정책에 대한 감시와 개혁방향 제시, 금융산업 전반에 대한 감

시, 금융소비자 보호, 금융의 사금고화 방지, 금융시장의 공정성 확보 등의 활동을 주로 하고 있다.

② 주요 임원
○ 전 위원장 : 안국신, 윤원배, 이필상, 권영준, 구석모,
　　　　　　　정미화, 남주하
　- 위　원 : 주한광, 김관영, 진태홍, 김동원, 김충환,
　　　　　　 송병호, 김종일, 홍기택, 정지만, 현성민,
　　　　　　 김봉호, 박헌영, 김석진, 진태홍, 김세진,
　　　　　　 구석모, 박진수, 고강석, 윤석헌
○ 현 위원회
　- 위원장 : 양채열
　- 위　원 : 박래수, 김범, 이근태, 조영호, 정미화,
　　　　　　 권영준 등

③ 주요 활동

금융개혁위원회는 금융실명제 도입(1989~), 한국은행 독립촉구(1989~), 금산분리 강화(1992~), 금리자유화 대응(1993), 금융감독체계 개편(1995~), 한보사태 대응(1998), 공적자금 감시운동(1999~), 금융기관 예금약관변경 대응(2000), 신용카드 문제 및 신용불량자 대책 마련(2002), 신용카드 가맹점 수수료 대응(2004~), 키코(KIKO) 사태 대응(2008), 이자제한법 개정 운동(2010), PF 대출 부실 대응(2011), 저축은행 부실사태 대응(2011), DTI 규제완화 대응(2012), 기업구조조정 원칙 제시 및 대응(2016~), 공매도 제도개선(2018~) 등의 운동을 전개해 왔다. 경실련의 대표적인 성공사례인 금융실명제와 한국은행 독립은 이 금융개혁위원회의 소모임에서 출발하였다.

4) 재정세제위원회

① 설립 취지

재정·세제위원회는 재정의 건전성 확보와 낭비에 대한 감시, 조세정의와 형평성 제고를 위한 세제개혁을 목적으로 활동하고 있다. 창립 당시에는 '재정분과연구소위원회'에서 시작하여 1995년부터 재정·세제위원회로 변경하였다. 위원회는 초기 경실련이 주력하였던 세입자 보호 대책, 부동산 투기 근절, 자산격차 해소를 위한 세제개혁에 집중하여 경실련의 활동을 지원하였다. 외환위

기 이후에는 부동산 세제 뿐 아니라, 재정 감시와 조세제도 전반에 걸쳐 형평성 제고를 위해 활동하고 있다.

② 주요 임원
○ 전 위원장 : 이진순, 나성린, 박정수, 장오현, 서희열, 안종범, 김용하, 심충진, 김유찬
  - 위   원 : 고광복, 고지석, 김광윤, 김성순, 노형규, 박일렬, 손장엽, 원윤희, 임주영, 최명근, 조유동,
              현진권, 주만수, 이만우, 서희열, 윤건영, 이종영, 최원욱
○ 현 위원회
  - 위원장 : 박훈
  - 위   원 : 김미희, 김정기, 박용준, 유호림, 안병선

③ 주요 활동
    재정세제위원회는 조세정의와 조세형평성 제고, 재정건전성 확보, 예산 낭비 방지를 위해 다양한 활
동을 전개해왔다. 금융소득종합과세 도입 운동(1990~), 정부 세제개편안에 대한 평가 및 의견서 제출
(1990~현), 부동산 투기 근절과 공평과세 확립을 위한 세제개혁(1990~), 세무비리 척결 운동(1994), 경
실련 조세정의실현 시민운동본부 출범(1999), 납세자대회 개최(2000), 재산세 및 종합부동산세 등 보유세
강화 운동(1989~), 법인세 강화(2010~), 임대소득세 등 부동산 조세 정상화(2009~), 가업상속공제 폐지
및 정상화(2012~), 정부 예산안 평가, 소득세 인상, 종교인 과세도입 운동, 부자감세 및 서민증세 반대 운동
등을 전개해왔다.

5) 노동위원회

① 설립 취지
    한국경제의 급속한 성장으로 저임금과 장시간 노동시스템, 고용 불안정, 노동시장 양극화 등으로 노동
자들의 권익의 보호와 일자리 그리고 노동체제의 개혁이 필요하였다. 경실련은 출범과 함께 '노동문제연구
소위원회'와 '노사관계위원회'를 설립하였다. 한편 특별히 노사관계 문제에 집중하여 '노동문제특별위원회',
'노사관계위원회', '노사관계특별위원회'를 설치하여 노사관계 개선을 위한 활동을 하였다. 노동개혁위원회
는 노동의 존중받는 사회를 만들기 위하여 비정규직 차별철폐, 최저임금의 생활임금화, 노동시간 단축, 외
국인노동자인권보호, 노동관계법 개정, 바람직한 노사관계 모델 개발, 노동시장 구조개혁 등의 운동을 전개
해 왔다.

② 주요 임원
○ 노동문제특별위원회 : 박세일
○ 노사관계위원회 : 김장호, 조우현
○ 노사관계특별위원회 : 김윤환
○ 전 위원장 : 김장호, 박덕제, 이광택, 이병훈, 허식, 김재구, 김혜진
  - 위   원 : 강명세, 조준모, 김선봉, 김승욱, 윤조덕, 백삼균, 이상윤, 심상완, 어수봉, 신영수, 이경우,
              박수근, 류성민
○ 현 위원회
  - 위원장 : 노상헌
  - 위   원 : 이광택, 권순식, 김호균, 임효창, 나동만

③ 주요 활동

노동위원회는 노동조합지도자 초청 정책캠페인 (1991), 정당 노동공약 비교평가(1992~), 노사갈등조정 활동(1992. 서울택시, 서울지하철 공사 노사갈등 등), 노동자회 설립(1993), 이주노동자인권보호(1994), 프로야구 선수협의회 자문 및 후원(2000), 철도노조 사태 진상조사 및 공투본 관련자 부당징계 철회 활동(2000), 노동시간 단축 운동(2001~), 고용허가제 도입 촉구(2003), 노동관계법 재개정촉구(1997), IMF 외환이기 이후 고용안정 및 실업극복 운동(1998), 비정규노동자 차별철폐 및 기본권 보장(2000), 최저임금 강화운동(2016~) 등을 전개해 왔다.

6) 농업개혁위원회

① 설립 취지

농업개혁위원회는 1990년 정책연구위원회 '농촌문제연구소위원회'로부터 시작했다. 농업이 이윤 창출의 산업이 아니라, 다원적·공익적 기능이 존중되는 농정으로 전환하게하여, 지속가능하고 사람이 살 수 있는 농촌으로 유지 및 발전시키기 위해 활동을 해오고 있다. 아울러 UR, WTO 뉴라운드 출범에 따른 농업의 피해가 예상되는 상황에서 대내외적인 환경으로부터 농업을 보호하고, 식량안보 및 환경보전 등 농업의 다원적 기능에 대한 농업관 제고와 지속가능한 농업육성방안을 정책목표로 설정하여 운동을 해왔다. 즉 UR 협상 등 농산물 개방에 대한 대응을 시작으로, 환경농업의 실천, 농업의 경쟁력 확보를 위한 대안 모색, 농산물 수급 및 가격 정책 대응, 먹거리 안전, 직불제 개편 등 운동을 전개하고 있다.

② 주요 임원
○ 전 위원장 : 김성훈, 김완배, 장원석, 권광식, 윤석원, 이태호, 정명채
　- 위 원 : 유덕기, 조명기, 김종섭, 정성헌, 곽노성, 강국희, 김동희, 김정주, 민승규, 손상목, 이기석
○ 현 위원장 : 김호
　- 위 원 : 강마야, 양성범, 임영환, 김기흥, 이춘수, 최덕천

③ 주요 활동

UR 농산물협상에 대한 대응 (1990~)으로 쌀시장 개방반대(1991), 우리쌀 지키기 범국민대회(1994), 경자유전 확립을 위한 농지제도개선 운동(1994~), 양곡도매시장 문제 등 농수산물 도매유통 문제 개선(1994~), 환경친화적 농업과 지속가능한 소비운동(1996), 유기농산물 활성화(1998), 한·칠레 자유무역협정 대응(2000), 한중마늘협상 대응(2002), 미국산 쇠고기수입 대응(2008), 구제역 사태 진단 및 대응(2011), 농협개혁(2015), 총선 및 대선후보 농정철학 및 농정공약 평가, 원산지표시제 강화(2015), 농정개혁을 위한 5가지 정책 시리즈 토론(2017. 경자유전 원칙 확립, 식량자급률 제고, 먹거리 안전강화, 직불제, 농산물가격 안정), 농림부 장관에 바란다(2017), 국정감사 농업개혁 과제 제시(2017~), 직불제 개편을 위한 기본법 제정 운동(2018~) 등을 전개하였다.

7) 중소기업위원회

① 설립 취지

중소기업위원회는 1989년 출범 당시 정책연구위원회 산하 '중소기업연구소위'로부터 시작하여, 1990년 2월에는 중소상인들 중심의 중소상공인회도 별도로 조직하였다. 1997년 이후 정책위원회 산하 중소기업위원회로 그리고 전자상거래가 활성화되는 2005년에는 'e-비지니스위원회'를 별도로 구성하면서 활동해 왔다. 중소기업위원회는 중소기업의 경쟁력 강화와 보호, 중소상인들 살리기, 대형유통의 골목상권 진출 저지, 실효성 있는 중소기업 지원정책 제시, 불공정한 하도급 문제 등을 개선하여, 재벌 중심에서 인적자본 중심의 중소기업 중심의 경제구조로 전환시키고자 하는 활동을 하고 있다.

② 주요 임원
○ 전 위원장 : 최정표, 한정화, 이의영, 김재구, 김광희, 최용록, 이정의, 신범철
　- 위 원 : 최용록, 이춘우, 장영현, 조원길, 김태환, 문형남, 한창희, 황민호, 박정구, 박추환
○ 중소상공인회 : 이현배
○ e-비지니스위원회 : 최용록
○ 위원장 : 박근호
　- 위 원 : 김종근, 고경일, 나준희, 설원식, 원동환,

이민호, 이영주, 임효창, 조연성

③ 주요 활동

중소기업 문제점과 과제 연구(1991~), '중소기업의 경제분석' 출판(2003), 하도급거래 공정화 방안 모색(2007), 하도급 법개정 운동(2006), 중소상인 살리기 활동(2009~ . SSM 출점 저지, 유통법 개정, 중소상인살리기 전국상인대회 개최, SSM 개설허가제 도입 촉구, 의무휴업 도입 등), 중소기업 관련 개혁과제 제시(2002~), 벤처기업 확인제도 및 모태펀드 대응(2005), 납품단가 연동제 신설 촉구(2008), 중소기업 적합업종 도입 촉구(2012), 창업지원사업 정책 감시(2019~), 대선 후보 및 총선 관련 중소기업 공약 평가 등을 전개하고 있다.

8) 대외통상위원회

① 설립 취지

대외경제위원회는 분야의 특수성으로 인해 시민운동 차원의 긴급한 대책을 요하는 운동과제 선정에 어려운 점이 있다. 그러나 OECD가입, 통신시장 개방 등 시장개방에 따른 문제와 대책을 연구하였고, 2006년 노무현 정부에서 국민적 공감대 없이 추진한 한미 FTA를 대응하였다. 한미 FTA 협상과정에서 드러난 절차적 문제, 독소조항, 투명성 문제 등을 지적하였다. 초기의 '대외경제연구소위원회'는 한미 FTA를 계기로 통상문제에 대해 감시와 대응을 위해 2008년 '대외통상위원회'를 발족하였다. 대외통상위원회는 선대책 마련 없는 비준 반대를 기조로 한 대응을 지속적으로 전개하며, 농업대책, ISD, 보건의료 등에 대한 자체분석과 대안을 제시하는 활동, 통상절차법 제정을 위한 운동을 전개했다.

② 주요 임원
○ 전 위원장 : 이성섭, 한홍렬, 서철원, 김재구, 김종걸

③ 주요 활동

대외통상위원회는 한미 FTA 관련 체계로 피해가 예상되는 계층과 산업에 대한 구체적인 대책 마련 촉구, 한EU FTA 관련 문제점 해소와 국회에서 심도있는 심의 요구, 동시다발적 추진될 FTA와 관련하여, 통상절차법 제정을 위한 활동을 전개하였다.

9) 공기업개혁위원회

① 설립 취지

공기업개혁위원회는 2006년 발족하였다. 2006년 당시 김재록 게이트, 공적자금과 연계된 현대차 비자금 사건, 외환은행 매각과 관련한 비리 등 총체적인 관료주의가 드러남은 물론, 관피아 문제와 낙하산 인사 등이 사회문제가 되었다. 이에 경실련은 공기업개혁위원회를 통해 관료는 물론, 공기업들을 둘러싼 인사와 매각, 부패, 공기업 지배구조 등을 종합적으로 개혁하고자 하였다.

② 주요 임원
○ 전 위원장 : 양혁승
    - 위 원 : 신동엽, 권구혁, 문명재, 유철근

사진으로 보는
경실련 30년

Ⅰ.
경실련의

창립과 활동

Ⅱ. 경실련 30년
활동과 성과

Ⅲ. 지역경실련의
활동과 성과

Ⅳ. 경실련과
시민사회의 미래

③ 주요 활동

공기업개혁위원회는 한은총재 및 공정위장 인사에 대한 입장(2006), 김재록 사건 로비 규명 촉구(2006), 증권선물거래소 감사 외압논란에 대한 입장(2006), 김중회 금감원 부원장 기소에 대한 입장(2007), 김석동 재경부 차관임명에 대한 입장(2007), 공직자윤리위 개혁 촉구(2007), 외환은행 불법매각 관료에 대한 책임규명 촉구(2007), 공기업 및 공공기관 감사 관광성 집단 외유에 대한 입장발표(2007) 등 공기업개혁을 위한 활동을 전개하였다.

10) 과학기술위원회

① 설립 취지

과학기술위원회는 과학기술과 관련돼 있는 제반 사회적 문제들에 대해 시민운동차원에서 접근함으로써 투명하고, 효율적인 과학기술정책을 통해 경제성장으로 이어질 수 있는 틀을 만들고자 1993년 5월 1일 출범하였다.

② 주요 임원

○ 전 위원장 : 이병민, 황이남, 박기영, 정범석, 양지원
  - 위 원 : 김진옥, 노병철, 박창규, 양지원, 이병령, 이병문, 맹성렬, 이덕희, 이주연, 최덕호

③ 주요 활동

창립대회 및 기념세미나(1993. 5. 1), 엑스포 사후관리 대응(1993), 특허행정방안 개선 활동(1993), 우리나라 과학기술행정의 쇄신을 위한 연구활동(1994), 생명윤리기본법 대응(2001), 과학기술 문화운동과 이공계 대학원 공동화 해소 방안(2003) 등의 활동을 전개했다.

11) 정보통신위원회

① 설립 취지

2000년 이후 정보기술의 발달로 인해 우리사회 역시 정보통신정책 및 기업들에 대한 감시의 필요성이 심각하게 대두되었다. 경실련은 2001년부터 정보통신위원회를 설립하여 본격적인 활동을 전개하기 시작했다. 정보통신기술의 발달은 국경을 넘어, 글로벌 문제로 대두되고 있으며, 조세회피와 망 중립성, 공정성, 개인정보 등의 문제

까지 발생시키고 있다. 국내적으로도 통신 3사의 독과점 문제로 인한 부작용과 불공정한 거래행위가 발생하고 있어 중소기업과 소비자들에 대한 피해가 발생하고 있다. 이러한 시장환경 속에서 정부의 정책은 방향을 잡지 못하고, 실효성 없는 정책을 내놓고 있다. 이에 정보통신위원회는 정보통신산업 환경을 둘러싼 문제들을 개선하기 위해 다양한 활동을 전개하고 있다.

② 주요 임원

○ 전위원장 : 문영성, 정태명, 최영식, 노규성, 방효창
  - 위 원 : 채기준, 윤영민
○ 위원장 : 방효창
  - 위 원 : 김송식, 배유석, 이재용, 유동호, 김경엽, 심상오, 우상하, 최필식

③ 주요 활동

정보통신위원회는 망 접속료 공정성 강화 운동(2019) 통신3사 망접속료 불공정행위 공정위 신고, 공공와이파이 품질 및 보완 강화(2018), 글로벌 IT기업 부가가치세 개정(2018~), 다국적 유한회사 외부감사 도입 운동(2016~2018), 망 중립성 강화(2016~), 정부 정보통신정책 및 정보통신기업 감시, 정부 4차 산업혁명 정책 감시 운동 등을 전개하고 있다.

12) 예산감시위원회

① 설립 취지

경실련은 1998년 3월 3일 예산감시선언과 함께, 예산감시위원회를 발족하여, 본격적인 운동을 전개하였다. 예산은 국민들의 세금으로부터 나오는 만큼, 투명하고, 낭비가 없어야 하나, 복잡한 회계방식은 물론, 정보의 차단으로 인한 불투명성, 시민들의 입장에서 어려운 회계용어 등으로 감시가 쉽지 않았다. 이러다 보니, 예산의 책정과 집행에 있어서 편법과 불법이 이루어지고, 부패와 비효율성은 물론, 낭비까지 심각한 수준이었다. 아울러 선거를 앞두고 국회의원은 물론, 지방자치단체에서는 일명 쪽지 예산과 선심성 예산까지 집행되는 문제가 있었다. 1998년 당시 국방부 무기구입, 교육부 교단선진화 사업 예산낭비, 환경부 소각장 용량 과다책정, 서울시 버스안내시스템 방치, 3개 연금관리공단 경영손실,

사진으로 보는
경실련 30년

Ⅰ.
경
실
련
의

창
립
과

활
동

Ⅱ. 경실련 30년
활동의 성과

Ⅲ. 지역경실련의
활동과 성과

Ⅳ. 경실련과
시민사회의 미래

공기업들 혈세 나눠먹기식 퇴직금 지급, 각종 공공건설사업 등에서 많은 예산낭비 사례가 발생했다. 이렇듯 예산을 둘러싼 심각한 문제가 발생함에도 이를 감시해야 할 시민단체가 없고, 시민단체와 시민들의 전문성 등 역량 부족으로 견제가 되지 않았다. 이에 경실련은 국민들의 혈세를 제대로 쓰는지, 낭비하지는 않는지에 대해 시민이 직접 감시하는 운동을 기획하고, '예산감시위원회'를 발족하여, 운동에 나서게 되었다.

② 주요 임원
○ 전 위원장 : 윤영진, 강인재, 황윤원, 박재완, 이원희, 김정완
　　- 위　원 : 권수형, 박종구, 김선구, 김헌동, 서원교, 강제상, 김종하, 조형준, 최종일, 김재훈, 신영철,
　　　　　　　옥동석, 심충진, 정금채, 김재영, 김승욱, 문석진, 임준목, 하연섭, 곽도, 이상호 노형규,
　　　　　　　허만영, 조영준, 이창원, 박기묵, 박길용, 김성철
○ 예산감시단장 : 김재인

③ 주요 활동
　　예산감시위원회는 '시민예산감시백서'를 발간하였다. 백서는 위원회의 주요사업과 행사, 지역 예산감시 활동, 예산낭비제보 및 언론기사 모니터, 정부의 예산절감정책 등을 수록하였다. 백서는 2001년 3월에는 '2000년 시민예산감시백서', 2003년 3월에는 '2001년~2002년 시민예산감시백서'를 제작하였다. 또한 위원회는 '납세자의 권리를 찾기 위한 예산감시지침서'를 1999년에 발간하였다. 지침서는 예산감시운동을 위해 시민들이 운동차원에서 알아야 할 이론과 감시방법 등으로 예산감시 시민운동의 필요성, 예산의 이해, 낭비의 개념과 유형, 감시의 접근법, 활동의 절차, 자료확보를 위한 정보공개요청 방법 등을 수록하였다.
　　위원회의 주요한 활동은, 1998년 (조세의 날) 납세자권리운동 선언식 및 예산감시시민운동 출범 토론회, 예산낭비신고전화 개설(775-9898), 제1기 예산학교, 정부 예산운영에 대한 대국민여론조사 결과 발표(MBC, 한겨레 신문 공동), 행자부와 복식부기 토론회를 개최하였다. 1999년에는 '정부회계제도 개혁을 위한 복식부기시스템 도입 출범식 및 토론회', 조세의 날 기념 '전국 납세자 대회' 개최- 납세자친구의 상 시상, 제2기 예산학교, 4차 클린펀드 시상 및 '소각장 관련 예산낭비실태와 대안모색에 관한 토론회'를 하였다. 2000년은 시민예산감시백서 제작, 최저가낙찰제 보완 운동, 서울시 도로표지판 불법 교체로 인한 예산낭비 감사청구, 턴키제도 개선 운동을 하였다. 2002년에는 국회 예결위 126건 증액사업 분석결과 발표, 전국 248개 자치단체 홍보관련 예산현황 조사발표, 서울시 지하철 9호선 입찰담합 관련 감사원 감사청구 및 조달청장 직무유기 검찰고발, 2003년 예산 및 기금운용안 분석결과 발표, 정부발주 건설공사 입찰제도 관련 전국민 여론조사(한길리서치), 정부발주공사 입찰제도 개선에 관한 공청회, 예산낭비유형 및 10대 사례 발표를 하였다. 2003년은 2001~2002 시민예산감시 백서 제작, 7대 광역시 2002 회계연도 지방재정 결산 분석결과 발표, 2006년에는 참여정부 최종년도 예산안 평가 정책토론회 등 활동을 하였다.

13) 정치개혁위원회

① 설립 취지
　　정치개혁위원회는 창립 당시 '정치자금연구소위원회', '부정부패척결특별연구소위원회' 등으로 출발하였으며, 1995년에 '정치행정분과'로, 2002년에 경실련 시민입법위원회에서 분리되어 경실련정책협의회 산하 정치개혁위원회로 출범했다. 정치자금소위원회는 정치자금법 문제점과 개선 방안을 연구하였고 이후 '깨끗한 정치제도연구특별소위원회'로 활동하였다. 당시 경실련은 우리 사회의 경제정의 실현을 위해서는 금권정치와 정경유착의 척결이 중요하며 이를 위한 정치제도와 정치문화의 개혁이 시민운동의 중요한 과제라고 인식하였다. 1990년 11월 제5차 중앙상임위원회에서는 정치자금연구소위원회를 '경실련 깨끗한 정

치제도 연구특별위원회'로 개편하여 1991년 상반기에 지방의회 선거법의 개정을 위한 문제제기와 여론조성에 힘을 기울였다. 그리고 이 운동은 지방의회 의정감시단 활동으로, 정보의 공개를 통한 '국민의 알권리'를 위해 정보공개법 연구위원회를 구성하여 활동으로 이어졌다. 부정부패척결특별연구소위원회는 당시 수서택지 특별분양 사건으로 독버섯처럼 깊이 뿌리내린 정경유착형 부정부패의 구조가 드러나면서 정치·경제적 종합적인 처방을 모색하였다. 이후 정치개혁위원회는 다른 위원회의 개혁입법 과제들을 입법화시키는 활동을 지원하면서 시민입법위원회와 함께 정치개혁 과제인 선거법, 정당법, 정치자금법 등 정치관계법의 개정 운동을 전개했다.

② 주요 임원
○ 정치자금연구소위원회 : 박세일
○ 부정부패척결특별연구소위원회 : 이근식
○ 전 위원장 : 김석준, 이정희, 송병록, 김왕식, 정진민, 임성호, 김인영, 윤종빈, 김용호, 박명호
○ 위원장 : 조진만
　- 위　원 : 김형준, 엄기홍, 김연숙, 강주현, 박명호, 박원호, 손병권, 윤종빈, 이준한, 장승진, 정회옥

③ 주요 활동
　정치개혁위원회는 공명선거·정책선거 운동을 담당하여 활동해오고 있다. 1991년 1월 민간단체 최초로 선거부정고발창구를 개설해 공명·정책선거 운동을 이끌었다. 1992년 제14대 총선부터 정당과 후보자 공약 평가를 시작했다. 1996년에는 선거부정 척결을 위한 감시 고발 활동과 함께 선거 문화혁명을 위한 각종 캠페인을 전개했다. 이후 1998년 돈 정치 추방을 위한 시민연대를 구성해 정치관계법 개정 운동을 전개했다. 2000년 제16대 총선에서는 후보자 정보공개운동과 후보자선택도우미를 운영했다. 다른 한편, 입법감시 운동도 해오고 있다. 1996년 9월 시민입법감시단 출범 이후, 1996년 제15대 국회에서부터 입법 감시 활동과 의정활동 평가를 시작하여 현재까지 계속해오고 있다. 회기 때마다 개혁 입법과제와 국감 과제 등을 선정해 발표하며, 입법과 국정감사 등을 감시해오고 있다. 이밖에도 경실련 정치개혁위원회는 제14대 국회에서 제20대 국회에 이르기까지 정치관계법을 포함하여 정치개혁 과제를 논의하자, 이에 대응하기 위해 정치관계법 개혁운동을 전개해왔다. 1997년 돈

정치 추방을 위한 정치관계법 개정 운동, 2003~2004년 정당명부식 비례대표제 도입을 이한 정치관계법, 2015년부터 연동형 비례대표제 도입을 위한 정치관계법 개정 등을 논의해오고 있다.

14) 정부개혁위원회

① 설립 취지
　경실련의 정부관련 감시활동은 창립 당시의 정부규제연구분과, 정치행정분과, 서울시민정책위원회 등이 있었고, 시민입법위원회의 정부개혁 활동을 2002년부터 독립적으로 다루기 위하여 정부개혁위원회로 출범하였다. 정부개혁위원회는 개혁적이라던 김대중 정부에서조차 관료 출신 인사가 실무 경험만 참작하여 부처의 장으로 임명되자 고위공직자 인사검증, 관료 감시, 정부조직 개편 등의 활동을 힘 있게 주도해나가기 시작했다.

② 주요 임원
○ 전 위원장 : 이종수, 권해수, 최영출, 채원호, 이영범, 김재일, 김찬동
　- 위원장 : 배귀희
　- 위　원 : 김영미, 김대권, 유평준, 유희숙, 김정완, 남재걸, 조태준, 채원호
○ 정부규제연구분과(1992) : 김종석
○ 서울시민정책위원회(2004) : 조명래

③ 주요 활동
　정부개혁위원회는 창립 초기 정보공개법 및 행정절차법 제정을 통한 행정민주화 운동에 앞장서왔다. 1993년 정보공개청구 내용을 담고 있는 정보공개법과 국민의 행정참여 내용을 담고 있는 행정절차법 제정 운동을 전개해 1996년 이를 제정시켰다. 1998년 김대중 정부 시기 밀실담합, 나눠 먹기식 인선이 이루어지자 고위공직자 인사검증 활동을 시작했다. 이후 2000년 인사청문회법 제정 운동을 전개했으며, 2006년 국무위원 인사청문회 도입 이후 인사검증 대상자들의 도덕성과 자질, 정책검증 업무를 수행해왔다. 또한, 참여정부 이후 도입된 공공기관 임원에 대한 '임원추천위원회'가 공모제 형식을 취하고 있었지만, 형식적인 절차로 유명무실하게 운영되

고 이명박 정부 시절 공공기관의 낙하산 인사가 문제시되자 공공기관 낙하산 감시 운동 등을 전개, 낙하산 인사의 병폐를 알리고 투명한 임명절차를 위한 제도개선 활동을 전개했다.

15) 지방자치위원회

① 설립 취지

창립 당시부터 지방자치 실시에 깊은 관심을 갖고 바람직한 지방자치의 실시와 정착을 위해 노력해왔다. 법·제도 개선을 시작으로 매 지방선거에서 주민 자치가 확립될 수 있도록 다양한 캠페인 등을 전개해왔다. 특히 경실련은 전국에 산재해있는 지역경실련과 공동으로 지방자치의 발전과 지역사회의 건전한 감시자의 역할을 이어 왔다.

② 주요 임원
○ 전 위원장 : 조창현, 김병준, 김익식, 임승빈, 소순창, 이기우, 손희준, 김찬동
    - 위　원 : 신봉기
○ 위원장 : 김찬동
    - 위원 : 손희준, 허훈, 이기우, 김성호, 이상범, 소순창, 박노수, 우지영
○ 지방자치특별위원회 : 조창현

③ 주요 활동

경실련은 지방자치제도가 다시 시행된 1991년 '지방자치단체장 선거 연기 문제대책위원회'와 '지방자치특별위원회'를 구성하여 전면적인 지방자치제도 실시를 노력하였고, 이후 정책위원회에 '지방자치위원회'를 조직하였다. 경실련과 지역경실련 그리고 시민단체들이 지방자치의 중요성을 인식하고 지역운동으로 정착시키기 위한 다양한 노력으로 정부와 민자당의 선거연기 움직임을 차단하였다. 1993년 지방자치법 개정 촉구 캠페인을 시작으로, 제대로 된 지방자치가 뿌리내릴 수 있도록 운동을 시작했다. 이후 지방자치단체개혁박람회, 지방자치헌장 선포, 기초지방 선거에서의 정당공천 배제 촉구 운동, 광역자치단체장 공약이행 평가 등을 통해 지방자치의 순기능을 강화하고자 했다. 지방자치위원회는 최근에는 정부의 지방자치 강화 기조에 따른 법·제도 개선에 적극적으로 대응하고 있으며, 지방자치단체가 돈을 주고 각종 언론사·민간단체 주최 시상식에서 상을 사는 관행을 근절하고자 노력하고 있다.

16) 사회복지위원회

① 설립 취지

경제 개발과정에서 등한시했던 '인간다운 삶의 질' 향상시키고, 권리와 자유를 박탈당한 소외된 이웃과 함께 시민의 한 사람으로서 존중받는 정의로운 사회를 위해 활동을 시작했다. 경실련의 사회복지 활동은 창립 당시의 의료보험을 연구했던 '사회보장연구소위원회'로부터 출발하였다. 초기부터 사회보험 및 공적연금의 제도개선, 노인 아동 여성 장애인 등 취약계층을 위한 사회 복지 서비스 개발 등 사회안전망 구축을 위해서 꾸준히 활동해왔다. 현재는 급격한 인구 고령화에 따라 노인의 요양 보호 문제가 국민 노후의 가장 큰 불안 요소로 남아있어, 이를 보완하기 위해 도입된 장기요양보험 제도개선 활동도 진행 중이다. 사회복지 분야는 예산 부족 문제와 사회복지서비스 전달체계의 문제는 해마다 반복되고 있다. 전달체계 개선과 복지예산 확대를 위한 활동도 전개하고 있다. 1995년부터 정책위원회 산하에 보건의료위원회가 출범하면서 역

II. 경실련 30년
활동과 성과

III. 지역경실련의
활동과 성과

IV. 경실련과
시민사회의 미래

할의 조정이 있었다.

② 주요 임원
○ 전 위원장 : 김상균, 최성재, 김통원, 박수경, 허준수,
　　　　　　 김진수, 정창률, 이상은
　- 위　원 : 권진숙, 김미혜, 김진욱, 김혜련, 노혜련,
　　　　　　 오세란, 유태균, 이영분, 전광현, 전석균,
　　　　　　 정명채, 정순돌, 최균, 최재성
○ 위원장 : 남현주
　- 위　원 : 정창률, 김진수, 허준수, 권혁창, 유은주,
　　　　　　 허수연

③ 주요 활동
　　사회복지위원회는 국민기초생활보장법, 국민연금 전
국민 도입 운동 및 제도개선 운동, 공무원 연금개혁 운동,
퇴직연금 개혁 등 공적연금의 제도개선을 위해서 간담회,
토론회 등을 개최하면서 사회적 대화와 합의를 위해서 지
속적으로 활동했다. 노인요양보장제도 도입부터 현재 장
기요양보험 제도개선을 위해서 활동하고 있다. 전달체계
개선을 위해서 사회복지시설 평가, 사회서비스전달체계
개편 의견서 등을 발표했다. 또한, 국민기초생활보장법의
문제점을 드러내는 활동도 지속했다. 사회복지위원회는
사회 전반에 걸친 보편적인 사회 안전망 구축을 위한 사
회보장 제도개선을 위해서 활동했다.

17) 보건의료위원회

① 설립 취지
　　의사, 약사 등 의료공급자에 의해 주도되었던 보건의
료 사안을 수요자인 시민 중심으로 전환하여 전개했다.
국민 스스로가 건강권을 실현하고 환자 권리를 보호하기
위해서 시작되었다. 의료사고피해구제법, 연명치료 결정
법, 상비약 약국 외 판매 등은 환자 권리와 국민 스스로가
건강권을 지킬 수 있도록 하는 활동들이었다. 직역 간 첨
예한 이해관계 대립과 견제에도 불구하고 인간의 생명을
최고의 가치로 여기고 공익적 정책을 펼치도록 합리적인
비판과 대안을 제시하고 있다. 또한, 의료 양극화를 부추
기는 영리법인화, 민간의료보험 활성화 움직임 등에 대해
서 활동했으며, 국민에게 의료비 부담을 낮추고 지속가능
한 건강보험을 위해서 보장성 강화와 재정건전성을 위한
활동들을 해왔다. 국민의 관점에서 의료의 공공성 확보와

효율성 제고의 균형을 맞출 수 있도록
다양한 활동을 펼쳐왔다.

② 주요 임원
○ 전 위원장 : 양봉민, 김진현, 김철환, 신현호, 이인영
　- 위　원 : 이종찬, 김광진, 김광기, 조병희, 정기택,
　　　　　　 최병호, 임종한, 이준영
○ 위원장 : 김진현
　- 위　원 : 김철환, 신현호, 이인영, 홍승권, 송기민,
　　　　　　 정승준

③ 주요 활동
　　1993년 한약 분쟁 조정을 주도적으로 이끌었으며,
의료인 파업 등 직역 간 첨예하게 대립했던 의약분업 분
쟁도 중재하여 국민의 건강 증진에 큰 역할을 했다. 이후
에는 의료사고피해구제법 제정, 호스피스·연명의료결정
법 제정, 상비약 약국 외 판매 시행 등 환자 권리를 증진
시키는 제도 도입을 성공시켰다. 이후에는 모든 국민이
강제 가입이고 국민이 재정을 부담하는 사회보험인 건강
보험의 재정 건전성과 보장성 강화를 위해 지속적으로
활동하고 있다. 4대 중증질환 보장강화, 3대 비급여 폐
지 운동 등 건강보험의 보장성 강화를 위해서 활동했다.
건강보험의 지불제도 개선, 정확한 원가 분석에 의한 수
가 협상, 건강보험 진료비 지급 내역 정보 공개 청구 소
송, 의약품 리베이트 근절 및 실거래가제도 개혁, 약값거
품빼기 및 의약품제도 개선운동 등 재정 건전성을 위한
활동도 지속했다. 가입자별로 이원화된 건강보험 부과기
준을 '경제적 능력에 따른 부과' 원칙에 맞게 가입자 구분
없이 소득 중심의 건강보험 부과체계 개편 활동을 통해
제도개선을 이루어냈다.

18) 교육개혁위원회

① 설립 취지
　　경실련의 교육운동은 1991년에 교육개혁위원회를
구성하였으나 독자적 활동보다는 교육관련 단체들과 연
대활동을 중심으로 진행되었다. 교육개혁위원회는 각종
선거 시기 교육정책관련 공약평가 및 공약이행평가, 현
안 관련 입장 발표 등의 활동을 진행했다.

사진으로 보는
경실련 30년

Ⅰ.
경실련의
창립과 활동

Ⅱ. 경실련 30년
활동의 성과

Ⅲ. 지역경실련의
활동과 성과

Ⅳ. 경실련과
시민사회의 미래

② 주요 임원
○ 전 위원장 : 김기석, 김성재, 강태중, 강승규, 김재춘, 나병현

③ 주요 활동
　　교육개혁위원회는 1996년 취학전 1년 유치원 무상교육 실현 운동, 2008년 서울시 교육감 시민선택운동 차원의 교육감 후보 초청토론회 및 공약 평가를 진행하였다. 2011년 2월에는 '경실련 교육정책의 기본방향'을 마련하였다. 주요 내용은 아래와 같다.
　　- 교육 정책의 방향을 설정하는 데에 있어서 일반 국민의 건전한 상식을 존중한다. 국민의 건전한 상식과 일반적인 정서에 부합하지 않는 정책은 아무리 좋은 취지를 지녔다고 하더라도 수용하기 쉽지 않기 때문이다.
　　- 해당 교육 정책이 사회적, 경제적, 교육적 약자에게 미치는 영향을 분석하고, 약자의 입장에서 해당 교육 정책의 공정성을 평가한다. Rawls의 정의 원칙에 따라 교육에서 차이의 인정은 약자에게 더 많은 혜택이 돌아가는 경우로 한정한다.
　　- 동일한 조건이라면 보다 많은 사람들에게 교육적 가치 즉 배움의 가치를 증진시키는 정책을 지지한다. 교육 정책은 결과적으로 사회 정의/부정의와도 밀접히 연관되어 있지만, 교육은 본질적으로 교육/학습을 통한 성장 또는 교육/학습의 즐거움의 경험과 긴밀히 연계되어 있다. 따라서 교육 정책에 대한 평가는 사회적 공정성과 더불어 교육적 가치의 관점에서 이루어질 필요가 있다.

A. 평준화정책
　　- 무상의무교육기간인 1-9학년의 교육은 평준화를 원칙으로 한다. 여기서 평준화란 모든 학생들에게 평등한 교육 기회를, 즉 다양한 능력을 지닌 학생들이 함께 어울려서 같은 학교에서 공부할 수 있는 기회를 제공하는 것을 의미한다.
　　- 소수의 영재 학생, 귀국자 학생 등 국민 정서상 수용 가능한 수준에서 별도의 학교를 만들어서 교육하는 것에는 반대하지 않는다.
　　- 고등학교까지 평준화 교육을 실시하는 것이 원칙상 바람직하지만, 현 우리 사회의 여러 상황을 고려할 때 고등학교에서 일부 학교 선택권을 허용하는 것은 수용 가능하다. 다만 100% 경쟁 선발에 대해서는 반대하며, 일정한 조건을 갖춘 학생 중에서 또는 일정한 기준으로 일차 선발한 다음, 최종 100% 선발은 추첨으로 하는 방안을 적극 지지한다.

B. 대학기여입학제
　　- 대학기여 입학제가 돈을 주고 대학 입학 기회를 얻는 '기부금 입학제'를 의미한다면 대학기여 입학제에 반대한다.
　　- 기부금 입학제 찬성론자들의 주장도 일부 일리가 있는 것은 사실이지만, 대학 입학의 기회까지 돈으로 살 수 있다는 것은 현 우리 사회의 의식이나 국민 정서로 볼 때 수용하기 어렵다. 상급학교 진학만은 돈으로 살 수 없다는 점에서 교육은 누구에게나 평등한 것이라는 국민들의 믿음을 배반하는 것은 곤란하다.
　　- 기부금 입학제가 도입될 경우 서울의 일부 상위권 대학에만 혜택을 주는 제도로 정착될 가능성이 있으며, 이는 수도권/상위권 대학과 나머지 지방대학 간의 격차를 더 벌리는 결과를 초래할 것이다.

C. 고교 등급제
　　- 대학이 지원자의 출신 고등학교에 등급을 부여하는 이른바 '고교등급제'에 대해 원칙적으로 반대한다. 우리 사회에서 고등학교 진학 기회가 모든 학생들에게 평등하게 보장되어 있지 않기 때문이다.
　　- 특목고 등 이른바 우수고에는 경제적 그리고 지리적 이유로 진학의 기회가 공정하지 않으며, 일반고의 경우 추첨 배정되는 평준화 체제가 유지되기 때문에 학생의 고등학교 입학에는 우연적인 요소가 개입한다. 그럼에도 불구하고 선배들의 대입 실적이나 선배들의 입학 후 대학 성적으로 후배들을 평

가하는 것은 일종의 '연좌제'에 해당한다.
- 학생들의 고교 입학에 우연적인 요소가 완전히 사라지기 전에는 우리 사회에서 고교등급제를 수용하는 것은 바람직하지 않다.

D. 초과교육복지 및 무상급식
- 무상급식은 교육복지의 확대라는 차원에서 접근될 필요가 있다. 무상급식은 교육복지가 확대되면서 자연스럽게 전면적으로 도입될 필요가 있다.
- 무상교육을 실시하는 초·중학교에서는 무상급식을 실시하는 것이 바람직하다. 그러나 무상급식에는 약 2조원 정도의 예산이 필요하기 때문에 현 교육 예산으로는 전면적인 무상급식을 실시하는 것이 불가능하다. 따라서 무상급식을 예산의 범위 내에서 단계적으로 도입하는 것을 원칙으로 하되, 지자체와 공동으로 필요한 예산을 확보하는 다양한 방안을 마련하고자 노력할 필요가 있다.

E 학생인권과 체벌문제
- 일제식민체제를 경험하고 군사문화가 강력한 힘을 발휘해 온 역사를 지닌 우리 학교에서 학생의 인권은 존중받지 못했고, 체벌이 일상화 되었다. 따라서 학생의 인권을 존중하고 체벌을 금지하는 것은 적극 환영할 만한 일이다.
- 다만 학생의 인권을 존중할 경우 어느 정도로 존중할 것인지에 대해서는 좀 더 많은 검토와 협의를 통해 사회적 합의를 이룰 필요가 있다. 교육적이라는(이른바 '사랑의 매'라는) 이름으로 체벌을 허용하는 것은 적절하지 않아 보인다.

19) 소비자정의센터

① 설립 취지
우리 사회는 경제주체들이 자유롭고 창의적인 경제활동을 보장받지 못하고 강자가 더 많은 사회적 혜택과 기회를 보장받고 있다. 재벌과 대기업에 경제력이 집중되어 그들은 경제와 비경제 영역에서도 힘을 남용하고 있으며, 자신들의 이익을 위해 정보를 독점하고, 반칙과 부패, 담합 등의 불공정 행위를 주저하지 않고 있고 그 정도가 심화되고 있다. 그동안 소비자의 권익증진을 위한 법과 제도가 정비되고, 사회적 인식도 크게 향상되었지만 여전히 정부는 재벌과 대기업 등을 위한 제도를 유지하고, 대기업들은 소비자를 돈벌이를 위한 대상으로만 보는

인식으로 소비자의 권리를 철저히 무시하고 있다. 이에 맞서는 소비자운동도 주권을 침해하는 잘못된 제도와 인식을 바로잡거나 사업자의 횡포로부터 소비자를 보호하지 못하는 등 한계를 보여 왔다. 소비자정의센터는 1990년 9월 발족한 경실련 소비자운동본부의 뒤를 잇고 있다. 소비자운동본부는 모든 시민이 소비자이면서, 발생되는 소비자문제에 대해서는 모르고 지나치거나 알면서도 방법을 몰라 방치하고 있는 각종 불편 불리한 일에 맞섰다. 주택임대차보호법과 상가임대차, 노상·방문판매, 부당한 약관, 신용카드 민원, 시청료·신용카드 체납 등의 상담과 피해구제 활동을 하였다. 또한 실사구시 소비자 운동을 추구하며 소비자의 알 권리와 자기 결정권 및 선택권을 확대하기 위해 노력하였다. 이를 위해 상담 및 교육, 피해구제 및 분쟁 조정, 잘못된 제도와 관행의 연구·조사 및 개선 활동을 전개했다. 또한, 반소비자적 정부 정책과 기업의 위법행위 등에 대해서 고발, 공익소송, 소비자단체소송 등 소비자 주권을 지키기 위해 적극적으로 행동했다.

② 주요 임원
○ 대표 : 김성훈, 박성용(현)
○ 운영위원장 : 장진영, 박성용, 오길영(현)

③ 주요 활동
소비자정의센터는 GMO표시제도 개선운동, 개인정보 보호 활동, 자동차소비자 운동에 집중하였다. GMO표시제도 개선운동은, 2013년은 가공식품 GMO 표시실태 시리즈 조사, 소비자 알권리 토론회, 원료기반 GMO 완전표시제 도입 '식품위생법' 개정 국회의견서 제출, 2014년에는 GMO 표시 통합고시(안)' 입법예고에 대한 의견서 제출, 2016년은 식약처를 상대로 제기한 GMO 정보공개소송의 대법원 승소, GMO 수입현황 공개 기자회견, GMO 완전표시제 도입을 위한 '식품위생법' 및 '건강기능식품법' 입법청원, 2017년은 대선 후보들에 GMO 완전표시제 공약제안, GMO 표시 실태조사 기자회견, 국민인수위에 GMO 표시제도 개선 정책제안서 전달, 2018년은 GMO 완전표시제 및 학교 급식 퇴출 청와대 국민청원(216,886명), GMO 표시제도 국제 세미나 및 GMO 표시제도 이슈리포트 발간, 2019년에는 GMO 표시제도 개선 사회적협의회 참여, GMO 감자 수입승인 반대, GMO 수입·비의도적혼입치·과학적검

사진으로 보는
경실련 30년

Ⅰ.
경실련의

창립과 활동

Ⅱ. 경실련 30년
활동의 성과

Ⅲ. 지역경실련의
활동과 성과

Ⅳ. 경실련과
시민사회의 미래

증 한계 실태조사 등 활동을 하였다.

개인정보 보호 활동으로 2014년은 '카드사 개인정보 유출 대란의 근본해결점 모색' 긴급토론회, 금융위·금감원 관리감독 부실 공익감사청구, 카드 3사 개인정보 유출 피해자 '주민등록번호 변경' 소송 제기, 구글 고객정부 미국 정보기관 제공 정보공개소송 제기, 주민번호 변경 허용 주민등록법 개정안 발의, 주민번호 제도 개인정보보호위원회 진정서 제출, KT 개인정보 유출 공익소송 제기, 방통위 '빅데이터 개인정보보호 가이드라인' 제정에 대응하였다. 2015년은 홈플러스 개인정보 유출 긴급 기자간담회·집단분쟁조정 신청 및 손해배상청구 소송 제기·방통위 신고·검찰 수사의뢰, 구글 정보공개 소송 쟁점과 전망 기자간담회, 빅데이터 산업의 개인정보 비식별화 토론회, 2016년은 금융위의 개인정보보호 기본원칙 무시한 '신용정보법' 개정 반대 의견서 및 기자회견, 행자부의 '개인정보 비식별화 조치 가이드라인' 제정 대응, 2017년은 개인정보 열람실태 조사 및 기자회견, 주요 대선후보 개인정보 정책 제안 및 공약 분석, 2018년은 정부의 개인정보와 빅데이터 정책 대응, 정부 빅데이터 규제완화 정책 토론회, 개인정보 감독기구 일원화 대응, 2019년에는 빅데이터 개인정보 규제완화 비판 대응 및 기자회견, 금융위의 신용정보법 비판 기자회견, 신용정보법 개정안 입법평가 토론회, 개인정보침해 손해배상 토론회, 개인의료정보 상업화 반대 기자회견 등을 하였다.

자동차소비자 운동은, 2012년 현대기아차 연비 부풀리기 대응, 자동차 공인연비 제도 토론회, 2015년은 폭스바겐 배기가스 조작 대응, 자동차 교환·환불 소비자 정책토론회, 2017년은 자동차 교환 환불 제도개선 정책토론회, 자동차관리법 개정안에 대한 의견서 제출, 혼다의 녹 투성인 불량자동차 교환환불 입장, 닛산 패스파인더 국내 리콜 미시행 관련 공개질의, 2018년은 BMW차량 화재 대응, BMW사태로 본 자동차 교환·환불제도 토론회, 자동차 화재원인 분석자료 발표, 자동차 리콜제도 개선의견, 2019년은 자동차 레몬법 수용 실태조사 및 업체 항의방문, 자동차레몬법 수용 공개질의, 자동차 리콜제도 개선 세미나 등을 하였다.

기타 소비자 권리운동으로, 2012년에 모바일 앱 마켓 구매절차 실태조사 및 업체 간담회, 스마트폰 선탑재 앱 실태조사 및 업체 비공개 간담회 진행, 모바일상품권 유효기간 실태조사 결과발표, 애플 하드웨어 품질보증서 공정위 고발, 2013년은 금융위의 금융앱스토어 정책 관련 대응, 주요 앱 마켓 구매절차 실태조사 및 애플 앱 환불청구 공익소송인단 모집, 2014년은 애플 '수리약관' 공정위에 약관심사 청구, 앱 마켓 이용약관 공정위 신고, 애플 하드웨어 품질 보증서 공정위 신고, 2015년은 동서식품 대장균 시리얼 관련 손해배상청구소송 제기, 단통법 6개월 진단토론회 및 시행 1년 소비자 인식 설문조사, 이동사 결합상품 할인율 실태조사, 2016년은 홈플러스에 무죄를 선고한 1심 재판부에 1mm 항의서한 전달, 홈플러스 무죄판결 문제 제기와 롯데홈쇼핑 고발 기자간담회, 가습기 살균제 피해 관련 옥시불매 집중행동, 가습기살균제참사 피해자구제 및 진실규명 1인 시위 및 기자회견, 2017년은 집단소송법 제정안 국회 청원, 집단소송법 제정 입법공청회, 19대 대선 집단소송법 및 가계통신비 정책제안, 2018년은 혐오표현 시대의 임시조치제도 개선 토론회, 포털뉴스서비스 이용자 평가 및 과제 토론회, 보편요금제 도입촉구 기자회견 등의 활동을 하였다.

4. 조직위원회·지역경실련협의회

① 설립 취지

경실련의 조직 관리는 조직위원회와 지역경실련협의회가 분담하고 있다. 경실련 규약 제20조 '조직위원회'는 "지역조직 활동의 협의 및 지원, 전국 및 지역공동사업에 대한 협의 및 지원, 기타 전국적 통일성 및 협력관계를 높일 수 있는 사업"으로 규정하고, 동 규약 제25조 '지부조직 및 지역경실련협의회'는 "지부조직 상호 간의 사업 및 정보교류를 위해 지역경실련협의회를 두며, 지부조직은 이 연합의 정책적 일관성과 조직적 통합성을 유지해야 한다"고 규정하고 있다. 조직위원회는 지역경실련 지원, 전국공동사업, 전국 조직의 통일성 강화(조직의 창립 및 관리)가 주요 역할이다. 지역경실련 협의회는 2000년 설립 당시 지역조직 상호 간의 사업 및 정보교류를 목적으로 하였으며, 기존의 조직위원회의 기능이었던 지역경실련 활동지원 및

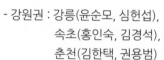

공동사업 그리고 인근지역간의 조직관리 기능을 담당하였다. 현재 조직위원회는 지역조직의 창립과 관리를, 지역경실련협의회는 사업 및 정보교류와 공동사업을 중심으로 운영되고 있다.

② 주요 임원

1) 조직위원회

○ 위원장 : 신대균, 윤경로, 김영래, 김석준, 신철영, 김동흔, 김재관, 박동철, 조근래, 조광현, 이광진

- 2005 : 박동철(위원장), 박병옥, 이대영, 김재석, 김현삼, 이광진, 김창선, 김종익, 윤순철, 박완기, 고계현
- 2006 : 박동철(위원장), 김재석, 이광진, 김종익, 김창선, 김현삼, 이대영, 박완기, 윤순철, 이강원
- 2008 : 박동철(위원장), 김재석, 조근래, 김종익, 이광진, 고계현, 위정희, 윤순철, 김한기
- 2009 : 조근래(위원장), 박동철, 김종익, 조광현, 이광진, 박완기, 고계현, 윤순철, 위정희
- 2011 : 조근래(위원장), 조광현, 차진구, 김준섭, 박완기, 이광진, 고계현, 윤순철 이두영, 김종익
- 2014 : 이광진(위원장), 조근래, 조광현, 차진구, 박완기, 고계현, 윤순철, 김기홍, 최윤정, 심헌섭, 김송원, 이훈전
- 2016 : 조광현(위원장), 고계현, 이광진, 김송원, 허정호, 최윤정, 김동헌, 이훈전, 심헌섭, 윤순철
- 2018 : 이광진(위원장), 김송원, 김창선, 윤순철, 이훈전, 조광현, 김동헌, 허정호, 최윤정, 심헌섭, 이광진, 김한기
- 조직국장 : 김인배, 장신규, 유종성, 신철영, 신남희, 고은택, 하승창, 박병옥, 이대영, 김용환, 윤순철

2) 지역경실련협의회

○ 창립(2000.1) : 공동의장(이종석·김명한·김용채), 사무처장(이상희), 간사(박완기)
○ 운영위원장 : 김재관, 김재석, 이광진, 박완기, 김송원, 최윤정, 고선영(현)
○ 지역경실련협의회 운영위원(2018, 전면개편)

- 강원권 : 강릉(윤순모, 심헌섭), 속초(홍인숙, 김경석), 춘천(김한택, 권용범)
- 경기인천권 : 인천(김태호, 김송원), 광명(김희수, 허정호), 김포(황인문, 이종준), 수원(강민철, 유병욱), 안산(조안호, 고선영), 양평(김경수, 여현정), 이천여주(김대록, 주상운)
- 경상권 : 대구(박영식, 조광현), 부산(윤재철, 이훈전), 거제(이광재, 배동주), 구미(조근래)
- 전라제주권 : 광주(안병주, 김동헌), 군산(서지만, 서재숙), 전주(최정일, 최수진), 정읍(김을수, 김은정), 목포(김광래), 순천(박철우, 이상휘), 여수(김신), 제주(한영조, 김신숙)
- 충청권 : 대전(신희권, 이광진), 천안아산(전오진, 이수희), 청주(이재덕, 최윤정)

③ 주요 활동

　조직위원회와 지역경실련협의회의 주요 역할은 지역경실련의 활성화이다. 초기 조직위원회의 역할을 담당한 곳은 경실련 조직강화회의이다. 조직강화회의는 경실련 창립을 준비하던 시기부터 1994년까지 서울 구지부 창립·관리와 부문별 조직화에 노력하였다. 조직위원회는 창립 규약에는 없었으나 2차 회원총회(1990.9.15.)의 개정된 규약에서 "조직 활동을 협의, 조정 및 지원하기위해 설치하며, 위원회는 각종 직종별, 부문별 적극회원으로 구성"한다고 역할을 명시하였다. 당시 지역경실련의 창립은 체계적이지 않았고 지원팀이 있는 것은 아니었으며 경실련 내의 명망가와 임원 그리고 지역경실련 창립을 희망하는 인사들과의 연계과정에서 추진되었다. 지역경실련은 1993년 한해에 안산경실련(준), 순천경실련 창립, 울산경실련 창립, 안양경실련(준), 춘천경실련 창립, 수원경실련 창립 등 6개 지역에서 지역조직들이 결성되면서 보다 체계적인 관리와 지위부여가 필요하였다. 제3차 회원총회에서 규약 제19조에 '지역경실련'을 별도의 기관으로 인정하고 사무국에 조직국을 설치하게 된다. 이후 경실련은 경실련 활동에 대한 시민들의 많은 지지 속에 "100개 경실련, 10만 회원"을 구호로 조직 확장에 나섰다.

　2000년 1월 경실련 강당에서는 지역경실련협의회가 창립하였다. 지역경실련협의회는 1997년부터 지속되어온 경실련의 조직운영의 개선에 관한 많은 논의가 경실련 본부와 지역의 임원, 활동가 등이 참여하여 광범

사진으로 보는
경실련 30년

Ⅰ.
경
실
련
의

창
립
과
활
동

Ⅱ. 경실련 30년
활동의 성과

Ⅲ. 지역경실련의
활동과 성과

Ⅳ. 경실련과
시민사회의 미래

위하게 논의되었다. 이 논의과정에서 지역경실련협의회의 조직이 추진되었다. 1999년 3월 13일 대전 엑스포정보관에서 개최된 지역대표자회의에서는 지역경실련협의회에 참여하기로 결정한 17개 지역(강릉, 거제, 광주, 구미, 대구, 대전, 부산, 부천, 수원, 안산, 울산, 익산, 제주, 청주, 춘천, 속초, 동해)을 중심으로 창립준비를 하기로 하였다. 당시 제기된 사업은 회원관리프로그램 제작, 총선 인터넷 홈페이지 제작, 경실련 홈페이지 개편 등이었다. 1999년 10월 30일 임시중앙위원회에서 규약을 전면 개정하면서 제24조 '지역조직 및 지역경실련협의회'를 독립된 장으로 분리하면서 그 역할을 "지역경실련 상호 간의 사업과 정보교류"를 위해 지역경실련협의회를 설치한다고 하였다. 이후 2000년 1월 22일 경실련 강당에서 지역경실련협의회가 창립되었다. 그리고 2004년 '경실련 조직발전특별위원회(위원장 이종수)'는 조직위원회의 위상과 역할의 조정을 통해 실질화하고 본부와 지역 및 지역과 지역 간 의사소통을 활성화하여 전국적인 협력관계를 강화하는 차원에서, 조직위원회의 역할을, 신규·사고 지역조직의 관리, 전국공동사업 및 지역의 공통관심사 등에 대한 사전토의 및 의견조율, 기타 전국적 협력관계를 높일 수 있는 사안들을 다루도록 제안하였다. 아울러 조직위원회의 구성에 임원들이 참여하되 지역의 사무책임자들이 다수 참여하고, 조직위원회의 업무집행에 필요한 실무역량을 두며, 조직위원회의 위상 및 역할변화에 맞게 경실련지역협의회의 역할 및 운영 방안을 조정하기로 하였다. 이에 따라 기존의 조직위원회와 지역실련협의회의 역할을 조정하였다. 지역실련협의회의는 지역 간의 사업과 정보교류 그리고 공동사업을 중심으로 활동을 하되 기존의 조직위원회의 역할이었던 지역경실련의 일상적 조직 유지지원기능을 포함하기로 하였다. 이에 조직위원회는 신규·사고 지역조직의 관리를 전담하고, 본부 사무국의 조직국을 폐지하는 대신 시민사업국을 설치하였다.

조직위원회는 일상적으로 지역경실련의 조직진단 및 창립 그리고 조직실사 등을 통해 지역경실련의 정상화를 추진한다. 2014년부터는 전국적 통합성 강화를 위한 조직진단과 쇄신TF(황도수 위원장, 고계현, 윤순철, 이광진, 박완기, 조근래, 김송원)를 구성하고 지역경실련의 통합성 향상을 위해 조직진단을 실시하였고 이를 토대로 표준규약에 맞게 지역경실련들의 규약 개정작업을 하였다. 지역경실련협의회는 2017부터 규칙을 전면 개정하여 운영위원회를 중심으로 운영하고 있다.

5. 시민입법위원회

① 설립 취지

우리나라 입법과정은 행정부와 국회에 독점되어, 시민이 입법과정에서 소외되어 있었다. 경실련은 시민입법위원회라는 특별위원회를 설치하여 시민의 입법과정을 활성화하고, 정역위원회의 연구 성과를 입법으로 구체화하기로 했다. 시민입법위원회는 1994년 3월 상임집행위원회의 결의로 경실련 산하의 여러 위원회의 법제와 공익소송을 지원하며 동시에 사법정의가 올바로 세워져야 한다는 시민들의 요구를 받아 사법개혁의 입법화를 추진하였다. 이후 법제, 공익소송, 정책지원(정치·정부·사법개혁, 지방자치) 등으로 확장되었다. 2002년 들어 시민입법위원회는 법제, 공익소송, 정책지원 활동 중 사법개혁만 남기고, 정책지원 활동이었던 정치개혁, 정부개혁, 지방자치 등은 별도의 정치개혁위원회, 정부개혁위원회, 지방자치위원회에 이관했다.

② 주요 임원
○ 설립 준비 모임 : 김일수, 안경환, 박인제, 이현배, 서경석 등 20여명
○ 전 위원장 : 김성남, 김일수, 강경근, 김상겸, 박찬운, 김성수, 김갑배, 황도수, 이헌환
　　- 위　원 : 정미화, 김삼화, 김석준, 김주원, 박은정, 박재창, 김동성, 김유환, 박상기, 손동권, 서헌제, 이기한, 이봉의, 이은기, 전삼현, 전학선, 이석연, 이상윤, 권성연, 송병록, 권해수, 장용근, 김현수

○ 위원장 : 박선아
  - 위 원 : 이주희, 전학선, 정지웅, 최덕현, 김범진,
             김은혜, 백혜원, 황도수, 황보람

③ 주요 활동

　　시민입법위원회는 공직사회 개혁과 사법개혁에 초점을 두고 정책활동을 펼쳐왔다. 1993년 5월 공직자 부패방지를 위한 공직자윤리법을 입법 청원했다. 1993년 공직자윤리법의 전면 개정 이후 공직자 재산공개제도의 내실화를 위해 1998년 4월 입법청원을 했다. 한편 1994년부터는 시민을 위한 검찰개혁방안을 모색, 1995년 특검제 도입을 위한 '특별검사의임명등에관한법률안'을 입법 청원했다. 1995년 5공 청산 논의, 1997년 한보철강 부도 사태, 1999년 한국조폐공사 노동조합파업 유도사건과 검찰총장 부인 옷 로비 사건에서 특검제도 도입을 촉구했다. 1999년 국무총리실 세계화추진위원회가 사법개혁의 추진 과정에서 전문법과전문대학원에서 전문분야에 대한 교육을 강화해 법률시장을 개방할 것을 촉구했다.

6. 국제위원회

① 설립 취지

　　국제위원회는 창립 당시 국제협력위원회로부터 출발하였다. 국제협력위원회는 해외동포들에게 경실련의 활동을 알리고 외국의 시민운동 단체와 교류하는 활동을 하였다. 그리고 이를 소개하는 영문 잡지 'Civil Society'를 발행하였다. 국제협력위원회는 태국의 잠롱시장 초청, 일본의 '토지·주택시민포럼'과 대만의 '무주택자 단결조직'과 함께 '아시아 토지·주택 시민연맹'을 결성하였다. 그리고 독일의 노사관계 시찰 및 독일 지방자치 연구를 진행하였다. 또한 경실련은 해외동포 운동 차원에서 '세계우리겨레공동체(GKN)'를 결성하여 활동하였다. 국제협력위원회는 국제위원회로 변경되었다가 다시 국제연대로 그리고 국제위원회가 되었다. 국제위원회는 1995년 베트남 북부 저소득층의 경제적 자립을 지원하고 직업교육을 통해 전문인력을 배출하여 경제발전을 지원하는 베트남 개발사업을 전개하였다. 1999년 유엔경제사회이사회 특별협의지위 획득, 국제사회복지협의회(ICSW) 회원, 유엔무역개발회의 및 Social Watch에 참여하면서 국제 활동의 범위가 넓어 졌으며, 이를 계기로 ODA 감시, SDGs,

지구촌 빈곤퇴치 활동 등을 하였다.

② 주요 임원
○ 전 위원장 : 백용호, 이성섭, 구정모, 박명광, 박영호,
               김혜경, 이태주, 오수용,
               김태균, 이주하
  - 위 원 : 구본영, 김인철, 이각범, 인명진, 김용복,
             이강현, 이문숙
○ 베트남사업위원장 : 강명득

③ 주요 활동

　　경실련은 한국의 가장 시급한 문제였던 주택·토지 및 세입자 보호 활동을 강화하기 위해 동아시아 연대를 추진하였다. 1990년 8월 2일부터 일본 동경에서 열린 '한국·일본·대만의 토지·주택운동 연대회의' 결성식 및 토론회에 참여하였다. 토론회는 한국, 일본, 대만 3개국의 토지·주택 문제의 실상과 이의 해결을 위한 운동경험 및 정보의 상호교환의 필요성을 인식하고 연대를 결성하였다. 아울러 '일본 토지·주택회의'가 주관한 심포지움(한국·대만의 주택 운동)에서 "토지·주택문제 해결을 위한 시민운동"을 소개하였다. 참여단체는 한국의 경제정의실천시민연합, 일본의 토지·주택 시민포럼, 대만의 무주택자 단결조직이다. 1991년 2월 7일에는 한국에서 '한·일 토지·주택 정책 세미나'를 개최하였다. 토론회에서 한국은 지가 폭등의 원인과 해결방안, 토지공개념 확대도입 배경과 향후발전 방향, 한국 주택정책의 당면과제, 주택임대차보호법의 문제점과 개선방향을 발표 하였고, 일본은 최근 1년의 일본 토지사정, 일본의 대도시권 주택정책의 동향과 이후의 전망, 차지차가법 개정문제를 발표하였다. 1992년 8월 24일부터 대만 타이뻬이에서 '한국·일본·대만 토지주택 시민운동연대회의'가 있었다.

　　1991년 6월 독일 쾨닉스빈터 소재 유럽연구소 초청으로 주요 임원들이 독일의 사회적 시장경제체제, 노사관계, 임금정책, 노동시장정책, 사회보장정책, 환경정책, 독과점 방지정책 등의 강의와 현장시찰 및 연방정부 주무부처 방문 등을 하였다. 특히, 독일 통일의 밑거름으로 평가받고 있는 사회적 시장경제체제와 2차 대전 이후 독일 경제부흥의 원동력이라 할 수 있는 협조적 노사관계 및 직업교육훈련제도 등에 대해 깊이 있는 관찰을 하였다. 1992년 6월에도 독일 쾨닉스빈터 소재 유럽연구소 초청으로 전문가, 노동자 등 12명이 독일의 정치·경제제도와 노사관계, 노동운동, 직업훈련을 연구하고 독일노조

사진으로 보는
경실련 30년

Ⅰ.
경실련의
창립과 활동

Ⅱ. 경실련 30년
활동의 성과

Ⅲ. 지역경실련의
활동과 성과

Ⅳ. 경실련과
시민사회의 미래

연맹, 독일상공회의소 등을 방문하였다. 이를 계기로 경실련에 노사관계특별위원회가 설치되었다. 1992년 6월에는 독일 프리드리히 나우만재단의 초청으로 임원들이 독일의 광역 및 기초자치단체 방문, 독일 연방의회 의원, 기민당 정책전문위원들과 면담을 하였다. 이를 계기로 지방자치의 본격적인 실시를 앞두고 경실련 내에 지방자치특별위원회가 설치되었다.

　　1995년 베트남 북부 저소득층의 경제적 자립을 지원하고 직업교육을 통해 전문인력을 배출하여 경제발전을 지원하는 베트남 개발사업을 전개하였다. 베트남사업은 민간운동의 주체성을 유지하는 방식이었으며, 아시아 최빈국에 대한 사회개발지원, 한국사회발전의 경험 전수, 북한의 개방개혁에 대한 경험 축적, 경실련 운동의 확산 등 다각적인 의미로 5년여 동안 지속되었다.

　　광복 50주년 기념사업으로 아시아태평양 시민사회 포럼의 사무국을 맡아 18개국이 참여하는 회의를 개최하였다. 재외국민사업으로 유럽한인 입양아 지원, 세계우리겨레공동체(GKN)를 결성하였다. 2000년 유엔의 새천년개발목표(MDGs)를 달성하기 위한 post 2015 대응, 지구촌새마을운동의 ODA 추진 감시, EDCF 유상원조 책무성 강화운동, 국제시민학교 개설, 유엔 지속가능발전목표(SDGs) 국내 적용 활동, 지구촌 빈곤퇴지 활동 등을 하였다. 그리고 경실련은 해외동포 운동 차원에서 '세계우리겨레공동체(GKN)'을 결성하여 활동하였으며, 1990년 10월 민간외교에 기여하고 정직한 공직자의 귀감으로 삼고자 태국의 잠롱 방콕 시장을 초청행사 등을 진행했다.

7. 경실련 아카데미

① 설립 취지

　　시민사회의 강화는 정부와 시장을 감시하고 또한 공론의 장을 확장하기 위해 필요하며 이는 시민교육을 통해 효과적으로 달성할 수 있다. 경실련에서는 민족화해 아카데미, 도시대학, 입법학교, 반부패학교, 시민경제강좌, 생명과 환경 아카데미 등 분야별 교육을 진행하고 있으나 체계적인 시민교육은 이루어지지 않고 있었다. 또한 자치단체, 기업, 지역조직에서도 교육의 수요가 있으나 부응하지 못했다. 경실련은 전문가 그룹들이 참여할 수 있는 아카데미를 설립해 체계적이고 효율적인 교육 시스템을 마련하여 시민사회 강화와 사회적 통합을 위한 대화의 장을 만들고자 아카데미를 설립하였다. 경실련은 법과 제도만으로는 현실 문제 해결이 불가능 하며 정신주의, 문화주의, 공동체를 강조하는 아카데미 운영 전략을 수립하였다. 아울러 경제성장 속에서 분배의 문제와 자유민주주의에 대응하는 법치주의, 환경과 문화적 이슈 등에 대한 깊이 있는 연구를 시작했다. 2014년에는 시민·사회운동의 환경의 변화에 적극적으로 조응하고 정체성을 유지·발전시키기 위해 경실련의 임원·상근활동가·회원·시민에 대한 교육·훈련을 위해 상설조직으로 아카데미를 설치하고, 기관의 권위와 집행력을 담보하기 위해 '경실련 규약의 기관으로 명시하였다.

② 주요 임원
○ 2002년 아카데미
　　- 원장 : 박세일
　　- 실무책임자 : 김동흔
○ 경실련아카데미
　　- 위원장 : 김태룡
　　- 위　원 : 사무총장 및 지역경실련협의회 기획소위 위원

③ 주요 활동
　　2002년 6월 2002년 대선 정책과제 선정을 위한 아카데미를 진행하여 4대분야 핵심과제(도시개혁, 경

제사회정책, 나눔, 부패추방)를 선정하였다. 동년 7월에는 '월드컵 이후 시민사회의 변화와 대응 과제 토론회'를 개최하였다. 2014년 3월에는 창립 25주년 기념사업으로 '경실련아카데미TF'를 구성하여 각 조직 및 상근활동가의 교육 실태를 파악하기 위해 설문을 실시하고 상근활동가 교육을 시작하였다. 2018년에는 기존 하반기(8월) 중앙위원회를 임원 및 상근활동가 아카데미로 전환하여 정기적 교육 체계를 갖추고 활동하고 있다.

8. 부설기관 및 특별기구

1) 사단법인 경제정의연구소

① 설립 취지

경제정의연구소는 '사회의 경제적 균형발전과 공정분배를 위한 경제정책에 대한 조사연구 및 홍보활동'을 목적으로 1990년 5월 15일 경실련 산하 특별기구로 설립하였다. 1989년 경실련이 부동산 투기, 재벌의 경제력 집중 심화, 형평성에 벗어난 조세제도 등 경제정의에 어긋난 부분을 개혁하기 위해 출범한 만큼, 이에 대한 심도 있는 정책대안의 수립이 절실했다. 이에 경제정의연구소를 설립하고, 출범과 함께 '조세제도 개혁에 관한 정책토론회'(1990.9.28), '한국재벌 이대로 좋은가?-경제력 집중의 현황과 해소방안 토론마당'을 개최하면서 정책대안 생성과 여론조성에 본격 나섰다. 한편 1989년 경실련이 출범과 함께 진행했던 부동산투기근절, 재벌개혁, 금융실명제 실시, 환경개선 운동 등으로 사회적인 주목을 받았지만, 경실련 운동이 반기업적인 급진세력의 운동이라는 시각이 있었다. 이에 경실련은 경제정의연구소 설립을 통해 경제정의와 사회정의를 위해 문제를 과학적으로 분석하고, 대안을 제시하는 새로운 형태의 시민운동을 하고 있음을 알려 이러한 시각을 불식시키기 위한 노력을 했다.

② 주요 활동

경제정의연구소는 정책대안 수립을 위한 중장기적 연구 활동과 이와 관련된 교육, 홍보, 출판 등의 역할을 수행해왔다. 따라서 연구소의 활동은 정책연구, 토론회, 세미나, 심포지움, 포럼, 평가 및 지표개발, 시상제도 운영, 교육, 분석보고 발표, 칼럼, 출판 등의 활동을 주요하게 해왔다. 우선 정책대안 생성을 위한 토론회 및 세미나 등의 활동으로는 출범과 함께 '조세제도 개혁에 관한 정

책토론회'(1990.6.20), '재벌의 경제력 집중에 관한 토론회'(1990.11.9), '독일의 사회적 시장경제체제 우리의 대안이 될 수 있나? 세미나'(1992.5.18), '정부 회계제도 개혁을 위한 복식부기시스템 도입 출범식 및 토론회'(1999.1.14), '공공공사 입찰제도 개선을 위한 토론회' (2000.3.30) 등을 개최하여, 대안마련을 해왔다.

한편, 기업의 사회적 책임의 중요성에 따라 이와 관련된 활동들을 하였다. 자본주의의 건전한 발전을 위해 국민으로부터 사랑받는 기업 상을 정립하고자, 기업의 사회적 책임을 평가하는 지표(경제정의지수)를 1990년에 개발하고, 지표에 따른 평가결과 우수기업들에 대해 시상을 하는 '경제정의기업상'을 1991년부터 시행하였다. 1991년 1회를 시작으로, 2019년 제28회 시상을 앞두고 있으며, 20회에서 부터는 상 명칭을 '좋은기업상'으로 변경하였다. 아울러 외환위기 이후 외자유치와 함께, 다국적기업의 국내 진출이 가속화됨에 따라, 다국적기업에 대한 사회적 책임 평가의 필요를 느끼고, 2001년부터 '바른외국기업상'을 제정하여, 2010년 10회까지 진행하였다. 사회적 경제의 중요성이 부각됨에 따라 사회적 기업의 윤리에 대해서도 평가를 통해 이를 격려하고자, 평가지표 개발과 함께, 2015년부터 '경실련 좋은사회적기업상'을 시상하기 시작하여, 2019년 제5회를 앞두고 있다. 기업의 사회적 책임을 유도하기 위해 시상제도 운영뿐 아니라, 1992년에는 '건전기업 연구포럼'을 발족해, 기업활동의 건전성과 관련된 정책대안들을 수립했으며, 2007년부터는 '기업의 사회적 책임 포럼(CSR)'을 출범시켜, 독일 콘라드 아데나워 재단과 공동으로 진행했다. 2007년 '기업의 사회적 책임의 국내외 동향과 시민사회단체의 역할'이란 주제를 시작으로 관련된 다양한 주제의 세미나와 토론회를 진행하면서 사회적으로 환기를 시켜왔다.

또한, 칼럼과 브리프스를 통해 주요 이슈에 대해 사회적으로 알리는 작업도 진행했다. 2002년부터는 '칼럼 경제정의'라는 이름으로 10차례에 걸쳐 칼럼을 보도했다. 아울러 2015년에는 '경제정의브리프스'도 가업상속공제, 다국적기업 사회적 책임, 주식시장 상하한 제도 등의 주제로 몇 차례 발행하기도 했다.

기업의 사회적 책임 포럼과 별도로, 경제정의, 시대적 이슈와 관련된 다양한 정책대안을 수립하고자, 여러 포럼을 운영했다. 경제정의와 관련된 이슈와 대안수립을 위해 2006년부터 '경제정의포럼'을 구성하여, 양극화,

출총제, 금산분리, 가계부채, 하도급, 시민사회의 지향가치, 국민연금 운용, 유럽재정 위기 등 다양한 이슈에 대해 토론을 하고, 대안을 수립해왔다. 아울러 2018년부터는 '4차 산업혁명'이 시대적 화두로 떠오르면서, 이에 대한 대응방안을 강구하기 위해 '4차 산업혁명 시민포럼'을 조직하여, 4차 산업혁명과 사회보장, 고용, 조세제도 등 미래에 대한 예측과 대응방안을 강구했다.

그리고 시민들과 회원들을 대상으로 한 이슈에 대한 교육과 홍보의 목적으로 아카데미도 진행하였다. 1998년 9월에는 제1기 '예산학교'를 개최하여, 이후 여러 차례 교육을 진행했다. 2015년에는 재벌개혁의 필요성을 시민들에게 알리고자, '경제민주화 아카데미'를 개설하여, 1기(주제 : 경제민주화, 정치인에게 맡길 수 있을까?, 총 5강, 강연자 : 최정표), 2016년에는 2기 (주제 : 삼성전자가 몰락해도 한국이 사는 길, 총 4강, 강연자 : 박상인), 2017년에는 3기 (주제 : 대한민국 재벌이 사는 법, 총 5강, 강연자 : 최정표, 박상인, 조연성, 최경영, 김종보)를 진행했다.

연구소는 실태분석발표를 통해 사회적으로 문제점을 드러내는 운동도 진행했다. 1994년 '30대 재벌의 공익법인을 통한 사회지원금액 조사발표', '30대 그룹 공정거래법 위반 실적 분석발표', '30대 그룹 남녀고용평등법 위반실적 분석 발표', 1996년 '장애인고용촉진 분석발표' 등이 있었다. 이상의 활동 외에도 독일의 사회적 시장경제와 관련 된 국제심포지움(2013)은 물론, 기업환경개선위원회를 주축으로 대형유통점 셔틀버스운행을 방지하기 위한 활동도 진행했다.

③ 주요 임원

사단법인 경제정의연구소는 총회와 이사회, 감사, 사무국 등과 정책위원회로 구성되어 있다. 초기에는 정책대안 생성의 폭을 넓히기 위해 환경연구부(1992년 사단법인 환경개발센터로 독립), 통일부(1993년 사단법인 통일협회로 독립), 바른기업시민운동본부(2001)를 두기도 했다. 정책위원회는 1991년에는 경제정의지수를 개발하기 위한 KEJI모형발전 소위원회를 두었고, 이후 재벌연구위원회(1993), 기업평가위원회(1993), 예산감시위원회(1998), 기업환경개선위원회(1999), 다국적기업평가위원회(2000) 등을 발족하여, 활동을 전개해왔다. 현재는 연구소 산하 기구들의 독립에 따라 기업평가위원회만 운영되고 있다.

○ 이사장 : 변형윤, 김윤환, 이종훈, 강철규, 이근식, 박세일, 정재영, 권영준, 이광택, 김호균(현)
○ 소　장 : 이진순, 이필상, 나성린, 함시창, 정재영, 권영준, 이의영, 홍종학, 김호균, 임효창, 원동환, 김종근(현)
○ 기업평가위원회
　- 위원장 : 곽수근, 김종근, 박병일, 백삼균, 설원식, 원동환, 원종근, 임효창, 이해익, 이혜영, 함시창,
　　　　　　황호찬, 고경일(현)
○ 다국적기업평가위원회
　- 전 위원장 : 김광윤, 김용덕, 박의범, 표정호
○ 전현직 이사 및 정책위원
　강명헌, 고윤배, 구연관, 고계현, 곽수근, 곽지웅, 구석모, 구종권, 권순원, 권오영, 권혁중, 김국주, 김경철, 김기홍, 김광한, 김길생, 김만환, 김미형, 김선구, 김수진, 김숭환, 김완희, 김용환, 김재진, 김지환, 김태동, 김현두, 김현철, 김형진, 김홍권, 김　헌, 김정인, 나준희, 남상만, 노부호, 노영록, 노태우, 류용규, 류원우, 문국현, 박구진, 박건영, 박승준, 박인제, 박형래, 박종오, 박원희, 박창길, 배성길, 백윤정, 서헌제, 서순탁, 송운학, 송정훈, 신대균, 신범철, 심현천, 안동규, 양유석, 양영철, 양혁승, 오일석, 유연상, 유재현, 윤민상, 윤태화, 염지환, 안병선, 이승창, 이성섭, 이성주, 이순재, 이용철, 이영철, 이일수, 이재용, 이재윤, 이종영, 이한구, 이해익, 이현구, 이현식, 이영희, 임건우, 임세은, 장민석, 장민수, 장오현, 전희준, 정건해, 정상욱, 정성철, 정길채, 정덕주, 정윤선, 정영기, 정해봉, 조성도, 조용희, 조연성, 조창현, 조희욱, 채규대, 최무열, 최병규, 최종태, 최재윤, 최정철, 한기수, 한상덕, 한상진, 한정화, 한홍렬, 홍길표, 홍순영, 홍용찬, 황인철

④ 출판

1990년 6월 20일 격월간지『경제정의』창간을 시작으로, 1993년에는 기업의 사회적 성과 평가에 대한 이론과 (구)경제정의기업상 평가 결과가 담긴『경제정의지수로 본 한국기업의 사회적 성과평가』발간(1993.9.15), 2002년에는 경제정의기업상 10년 평가 및 경영모범 사례집 출판『새로운 경쟁력, 기업의 사회적성과』,『윤리경영이 경쟁력이다』발간(2002.9.18. 예영커뮤니케이션), 2004년에는『천년기업과 국가경영을 위한 제언』을 출간했다. 아울러 2001년 3월 기업환경개선위원회에서는 '법정관리 비리실태'를 출간했고, 2001년 4월 경실련 비전21포럼과 공동으로 '한국사회의 비전21'을 출판하기도 했다. 2005년부터 기업지배구조연구 결과를 2차례에 걸쳐 출판했다. 2007년에는『기업의 사회적 책임 중시경영』,『기업지배구조개편을 위한 주요국의 증권집단 소송제비교』,『산업자본과 금융자본관계의 국제비교』,『출자총액제한제도의 이론과 실상』, 2008년에는『기업의 지배구조 개선제도』,『은행지배구조에 따른 효율성 분석에 관한 국제비교』,『정권별 재벌정책과 그에대한 평가』,『경제정의지수를 통해 살펴본 기업의 사회적 성과와 경제적 성과 간의 관계』,『미국과 영국의 기업집단 개혁과 시사점』이란 제목으로 각각 출판했다.

『경제정의지수로 본 한국기업의 사회적 성과평가』(1993.9.15.)

『천년기업과 국가경영을 위한 제언』(2004.11.20)

경제정의기업상 10년 평가 및 경영모범 사례집

『새로운 경쟁력, 기업의 사회적성과』, 「윤리경영이 경쟁력이다」 문화관광부지정 우수도서 선정(예영커뮤니케이션, 2002.9.18.)

2) 사단법인 경실련도시개혁센터

① 설립 취지

성장과 개발의 논리에 따른 졸속개발의 폐해로 안정성과 건강성이 훼손된 국토와 도시환경, 도시민의 삶을 회복하기 위해 지속가능한 도시, 시민중심의 도시, 살기 좋고 살맛나는 도시를 만들기 위해 (사)경실련도시개혁센터는 창립되었다. 1997년 출범 당시 국내외에 많은 도시문제가 대두되었다. 1995년 500여명의 인명피해를 기록한 삼풍백화점 붕괴사고, 1994년 성수대교 붕괴와 대구지하철 가스폭발 등 부실시공과 안전관리 소홀로 발생한 사고는 성장논리에 따라 무분별하게 추진되었던 개발정책들에 대한 반성과 함께 시민의 안전을 보장하는 패러다임으로 전환할 것을 요구하는 계기가 되었다. 대외적으로 유엔의 주관으로 1996년 5월 터키 이스탄불에서 개최된 HABITAT II(도시정상회의)의 주거권 보장 선언은 경실련의 도시개혁 시민운동을 추동하는 동력이 되었다. 도시정상회의는 평등, 빈곤퇴치, 지속가능한 개발, 적정 주거환경, 시민참여 등 아홉 가지의 범지구적 실천계획의 원칙을 천명하였는데, 경실련은 도시정상회의에 참여해 세계적으로 진행되는 도시 및 주거운동의 흐름을 확인하였다.

1996년 6월 경실련은 '경실련도시개혁센터'를 설립하기로 결의하고, 삼풍백화점 붕괴사고 1주년을 맞이하여 전문가 100인 이름으로 '경실련도시개혁 시민운동'을 선언하였다. 센터는 안전한 도시, 쾌적한 도시(푸른 도시, 깨끗한 도시) 시민이 주인인 도시(시민참여, 인간적 도시), 더불어 사는 도시(주거권 보장, 국토균형발전), 문화 도시, 편리한 도시(보행자 중심의 녹색교통도시, 정보안내체계 개선) 등 6대 방향과 10대 과제를 제시하였는데, 이는 도시운동의 요구를 담아내는 지표가 되었다.

② 주요 활동

도시개혁센터는 정책 및 제도개선운동, 도서발간,

시민교육, 시민행동 및 연대활동, 상담센터 운영 등의 활동을 하였다. 정부 정책에 대한 대응활동으로 신도시건설 반대와 수도권 집중에 따른 국토불균형 완화운동, 행정수도 이전 문제, 그린벨트 해제 반대활동, 올바른 청계천 복원사업과 지속가능한 도심재개발 운동, 뉴타운 건설에 따른 원주민대책과 고분양가 문제개선을 위한 활동을 하였다. 수도권 집중억제를 위한 수도권 공장총량제 완화 반대와 부동산 투기 억제를 위한 철저한 개발이익 환수를 촉구하고 주택가격 안정을 위한 아파트 후분양제 도입운동을 하였다.

시민행동의 일환으로 전문가와 회원으로 구성된 '시민안전감시단'이 현장중심의 도시운동을 진행하였는데, 각종 구조물의 안전진단과 예방활동, 수해조사 방문조사 활동, 제도개선 활동, 시민의식 조사 등을 진행하여 시민의 안전을 지키는 파수꾼 역할을 하였다. 대구지하철 화재사고 이후 지하철 안전실태 조사 및 다중이용시설 안전실태를 조사하고 화재예방을 위한 제도개선 활동을 전개하였다.

시민 공간권리를 찾기 위한 활동인 최저주거기준법제화는 인간다운 삶을 영위하기 위한 최소한의 주거기준을 법에 명시하여 주거권을 보장하고, 정부 정책의 지표로 삼도록 하였다. 시민이 이용할 수 있는 공간임에도 홍보 부족과 건축주의 소극적 행위로 알려지지 않았던 공개공지를 시민에게 돌려주는 시민공간권리찾기 운동도 진행하였다. 아울러 도시의 주요 공간에 대한 의미와 문제인식을 일깨우기 위해 도시탐방을 도시대학과 연계하여 진행하였다.

시민들에게 도시개혁의 모티브를 제시하고 운동의 필요성을 공유하고 교육하는 도시대학을 22회 운영하였고, 약 700명의 수강생을 배출하였다. 수강생을 중심으로 '도시대학동우회'를 구성하여 지속적인 시민 네트워크 활동을 진행하였다. 재개발·재건축 시민학교는 정비사업 추진과정에서 쫓겨나는 조합원의 권리를 찾고 주민이 주체가 되는 정비사업으로 정상화하기 위해 주민들을 대상으로 실시하였고, 주민 피해 예방 및 구제활동을 위한 재개발·재건축 신고센터를 운영하였다. 도시공간에 벌어지는 문제를 실천적으로 진단하고 해결하기 위한 토론으로 진행되는 〈도시이야기마당〉과 〈도시 릴레이 세미나〉는 도시운동의 인큐베이터 역할을 하였다.

③ 주요 임원
○ 이사장 : 이명호, 홍철, 김수삼, 하성규, 이정식, 황희연, 류중석, 최봉문(현)
○ 운영위원장 : 하성규, 권용우, 황희연, 류중석, 이재준, 김세용, 최봉문, 이제선, 백인길(현)
○ 도시대학장 : 최병선, 김수삼, 이경희, 조명래, 이창수, 류중석, 백인길, 김세용, 배웅규(현)
○ 전현직 이사 : 김형욱, 나경준, 배웅규, 백인길, 윤순철, 이제선, 홍경구, 권용우, 고계현, 구용현, 구자훈, 김기선, 김기철, 김경민, 김세용, 김승렬, 김영모, 김영수, 김익희, 김재익, 김찬경, 김현선, 민경렬, 박병옥, 박연심, 박찬환, 서경석, 서순탁, 신철영, 유종성, 이경희, 이기우, 이금숙, 이대영, 이석연, 이세훈, 이양재, 이창수, 임경수, 임길진, 임진택, 조명래, 최승호, 최병선, 최원태, 최재순, 홍성표
○ 정책위원 : (재생위원회)구자훈, 권일, 김경배, 김근영, 김세용, 김영환, 김용석, 김형욱, 류중석, 박영민, 반영운, 변병설, 배웅규, 백인길, 엄수원, 유상오, 이민화, 이재준, 이제선, 이창수, 이현주, 서순탁, 최정우, 최봉문, 현경학, (안전위원회) 김수삼, 이송, 홍갑표, 김태환, 나경준, 한상천, 오종우, 류병선, 이종필, 김동식, 하상우, 이창주, 함승희, (주거위원회) 권오정, 강순주, 곽인숙, 박경난, 이경희, 이유미, 진미윤, 최재순, 최정민, 한상삼, 홍형옥 (문화위원회) 권용우, 조명래 김세용, 민범기, 박찬우 (교통위원회) 김익기, 오영태, 배기목, 하동익, (아파트공동체) 곽도

④ 출판
도시개혁센터는 도시운동의 홍보를 위해 꾸준히 출간활동을 전개 하였다. 『도시계획의 위기와 새로운 도전』(보성각, 2015), 『알기쉬운 도시이야기』(한울, 2006), 『도시계획의 새로운 패러다임』(보성각, 2001),

사진으로 보는
경실련 30년

Ⅱ. 경실련 30년
활동의 성과

Ⅲ. 지역경실련의
활동과 성과

Ⅳ. 경실련과
시민사회의 미래

『더불어사는 주거만들기』(보성각, 2000), 『시민의 도시』(한울, 1997) 등 5권의 단행본과 소식지인 <월간 도시개혁>을 21호 발행하였다.

3) 경실련 통일협회

① 설립 취지

민주화 이후 수십 년간 이어진 잘못된 민족사를 바로잡아야 한다는 요구가 이어졌다. 당시 세계의 마지막 남은 분단국가 대한민국과 조선민주주의인민공화국을 하나로 만들어내는 통일이야말로 민족번영과 세계평화를 위한 민족 최대의 과제였다. 경실련은 1989년부터 4년간 경제개혁과 사회정의를 위해 노력해 왔고, 그 성과물을 통일로 가는 밑거름으로 삼고자 했다. 그동안 축적된 모든 지혜와 역량을 모아 통일운동에 나설 것을 공식 선언하며 1994년 1월 (사)경실련통일협회를 창립했다. 시민이 주체가 되어 실사구시적 통일운동을 전개해 민족통일에 대한 민족적 합의를 도출하는 것을 주된 원칙으로 삼았다. 통일협회는 창립과 함께 다음 6가지를 주창했다. ① 우리는 민족에 대한 시민사회의 공론을 도출하여 범민족적 합의형성에 기여할 것이다. ②우리는 비관변적, 비반정부적 노선을 견지할 것이다. ③ 우리는 모든 관념적 논의를 배격하고 실사구시에 입각한 합리적 운동을 전개해 나갈 것이다. ④ 우리는 민족구성원 절대다수가 동의하는 통일, 자유와 평등, 물질적 풍요와 복지가 현재의 남북한 수준보다 더 높은 차원에서 구현된 그런 통일을 위해 노력할 것이다. ⑤ 우리는 남북한 간의 민간교류를 극대화하기 위해 최선을 다할 것이다. ⑥ 평화통일을 준비하는 시민운동을 전개해 나갈 것이다.

1992년 3월 경실련 중앙위원회는 경실련이 통일문제와 환경문제를 중요한 과제로 다룰 것을 결의했다. 1993년 경제정의연구소 내에 '통일부'를 설치하고, 8월 상임집행위원회에서는 통일문제에 대한 경실련의 기본입장을 정리할 '통일문제특별위원회'를 설치·운영할 것을 결의하였다. 10월에는 '통일운동에 대한 경실련의 기본입장'을 채택하고 전담기구로 '경실련통일협회'를 사단법인으로 설립할 것을 승인했다.

② 주요 활동

경실련통일협회는 북한동포돕기 운동을 추진했다. 경실련을 중심으로 종교 및 민간단체들은 북한동포돕기 모금운동을 전개했으며, 정부가 북한동포돕기를 위해 적

극 나설 것을 촉구하는 100만인 서명운동에 나섰다. 남북관계를 정치적 논리로만 접근했던 상황에서 인도적 차원에서 지원을 이야기하며 국민들의 호응을 이끌어 냈다.

불평등한 주한미군지위협정(SOFA) 개정 운동에도 나섰다. 일반적으로 국제법상 외국군대는 주둔하는 나라의 법률질서를 따라야 하지만 특수한 임무의 효율적 수행을 위해 쌍방 법률의 범위 내에서 일정한 편의와 배려를 제공하게 된다. 주한미군지위협정(SOFA)은 이러한 내용을 담고 있는 협정으로 다른 나라 협정에 비해 지나치게 불평등하다는 지적이 있었다. 특히 1992년 윤금이 씨의 살해, 95년 시민 집단폭행 사건이 발생하며 불평등한 SOFA개정운동이 촉발됐다. 이에 2000년 4차례의 지난한 협상 끝에 개정 협상이 타결되었다. 그러나 부분 개정으로 인해 여전히 불평등한 요소가 있으며, 재개정의 필요성이 요구되고 있다. 2002년 미군 장갑차에 의한 여중생 압사 사건으로 인해 국민들의 분노는 극에 달하기도 했다.

경실련통일협회는 이라크전쟁 반대 운동을 전개하였다. 미국은 2003년 3월 20일 이라크 수도인 바그다드를 폭격하며 전쟁을 일으켰다. 경실련은 이라크전쟁을 미국이 UN의 승인 없이 일으킨 것으로, 명백한 침략전쟁이라고 규정했다. 이어 아무런 명분이 없고 세계의 평화를 위협하는 침략전쟁에 우리 군대를 파병하는 것에 대해 반대하며 평화 운동을 전개했다.

경실련통일협회는 남북경협 활성화와 5·24조치 해제 운동을 지속적으로 전개하였다. 창립과 함께 11개 통일단체를 결집해 '남북교역은 민족내부거래이며 정부는 이를 국제적으로 인정받기 위해 노력할 것'을 촉구하는 공동기자회견을 개최하는 것을 시작으로 1995년에는 '남북경제교류협력의 실제와 전망'이라는 과제로 연구프로젝트를 진행해 이듬해 『남북경협의 현장』이라는 도서를 출간했다. 이후 '남북경협SYMPOSIUM', 각종 토론회 등을 개최하며 남북경협 확대를 위해 적극 노력했다. 아울러 2010년 천안함 사건으로 인해 단행된 5·24조치 해제를 위해 토론회, 1인 시위, 서명 운동, 전문가·기업 설문 조사 등에 나섰다.

민족화해아카데미를 통한 민간통일교육 운동에 적극 나섰다. 1996년 평화공존, 화해협력, 민족통일의 주제로 '제1기 민족화해아카데미'라는 시민교양강좌를 개설한다. 민족화해아카데미는 정치, 경제, 사회, 문화 각

영역의 전문가들을 강사로 초빙, 통일문제에 대한 총론적 인식, 북한에 대한 이해, 민족의 화해와 협력을 위한 구체적 과제 등에 대해 함께 공부하고 토론하는 자리를 만들었다. 다양한 세대와 계층이 강좌에 참여하며 대표적인 통일교육으로 자리 잡았다. '1기 민족화해아카데미'를 시작으로 30기 민족화해아카데미에 이르기까지 20년이 넘게 시민을 대상으로 통일교육을 진행하고 있다. 시민통일교육의 선두주자로서 합리적인 대북·통일관의 정립을 통한 통일담론의 공론화, 국민적 합의기반의 형성에 이바지 하고 있다.

③ 주요 임원
○ 이사장 : 조요한, 강만길, 한완상, 김성훈, 송월주, 윤경로, 박경서, 선월 몽산, 이종수, 최완규(현)
○ 운영위원장 : 김성훈, 강만길, 서경석, 유재현, 이장희, 이근식, 윤경로, 심의섭, 김갑배, 최완규, 김영수, 홍용표, 전현준, 김근식, 정동욱
○ 정책위원장 : 이장희, 이철기, 서동만, 최완규, 이우영, 김근식, 전영선, 임을출, 서보혁, 양문수(현)

4) 사단법인 환경개발센터

① 설립 취지

1991년 낙동강 페놀 유출 사태를 계기로 환경문제의 심각성에 대한 인식을 높여가던 경실련은 환경문제 전담기구의 필요성을 인식하였다. 경실련 제3기 7차 상임집행위원회(1992.5.26)는 환경개발센터의 설립을 결의하고, 경실련 사)경제정의연구소 산하에 환경연구부를 설치하였다. 1992년 6월 브라질 리우에서 열린 환경과 개발에 관한 유엔회의(UNCED) 및 1992 글로벌 포럼 참가를 계기로 본격적으로 설립을 추진하였고, 1992년 11월 14일 창립했다. 환경개발센터는 환경에 관한 국제적 논의를 국내 환경운동진영에 소개하고 국토·물·에너지·대기·폐기물·해양 등 다수의 전문가들이 참여하여 전문적 정책 대안을 제시하는 활동을 활발히 전개했다. 특히 이전의 환경운동은 환경문제를 고발하는 방식이었으나 환경개발센터는 제도를 모니터하고 개선하는 운동을 진행하였다.

그러나 1990년대 말 환경개발센터의 주요 임원과 사무국에서 경실련 운동구조 아래서 환경운동의 독자성과 전문성을 발휘하기 어렵다는 논의가 전개되었다. 당시 환경운동의 큰 맹점인 이념성 부재를 독립을 통해 해결할 수 있다는 장점에 대해서도 검증과 총의를 모으는 과정이 진행되었다. 1998년 환경개발센터는 환경정의시민연대로 명칭을 변경하였고 이후 임시총회에서 경실련으로부터 독립을 의결하고 경실련에 알려왔다. 경실련 제10기 5차 상임집행위원회(1999.5.31.)는 "경실련 환경정의시민연대가 환경운동의 전문성과 다양성을 강화시키기 위하여 사)환경정의시민연대로 분화·발전"을 요구하여 독립을 승인하였다. 현재는 사)환경정의로 활동하고 있다.

② 주요 활동

경실련 환경개발센터는 환경분야 전문성을 확보하기 위해 진행된 에너지수요관리정책 연구, 폐기물 연구 등은 물론 지역경실련의 환경 현장이었던 인제 내린천 댐 반대운동, 덕유산 유니버시아드 슬로프 반대운동, 여수 씨프린스 호 사건 등에 참여하여 현장조사를 하고 대안을 찾는 데 함께 했다. 특히, 여천공단 공해문제에 직접 대응하여 특별대책지역 지정을 이끌어 내기도 했다. 환경개발센터는 지역경실련의 요청으로 지원하면서 지부를 설립하였다. 1997년 환경개발센터의 지부설립은 지역경실련 내에 설치하였는데 지부설립을 추진한 지역경실련은 강릉·거제·경주·구미·대구·부천·순천·울산·양평·제주·청주·춘천·포항 등이었다.

1993년 1월 19일 대학생 환경세미나를 개최하면서 본격적으로 시작하였다. 대학생환경조직 '녹색연대' 발대(3월), 자원재활용 활성화를 위한 민간단체의 역할 연구' 보고서 발간(4월), 환경을 지키는 한국의 민간단체' 발간(6월), 1993 대전엑스포 민간환경제 실무주관(9월), 12월에는 식품포장용 플라스틱 폐기

물 감량화 및 재활용 방안에 관한 연구 '보고서를 발간하였다. 1994년에는 산림보전 및 그린라운드 대책을 위한 아시아·태평양지역 환경운동가워크숍 개최(2월), 변호사 환경모임 조직(5월), 영국 맨체스터 글로벌 포럼 참석(6월), Local Agenda 21과 지방정부의 대응에 관한 워크숍 공동개최(9월), 영광원전 3호기 안전성에 관한 공개 토론회(9월), 11월에는 종량제 실시방향을 위한 시민 토론회를 주관하였다. 1995년에는 굴업도 핵폐기장 지정·고시 철회 촉구대회 공동주최(3월), 하천오염원지도 제작-9개 지역경실련(4월), '환경영향평가법을 평가한다' 토론회 개최(5월), 태백 폐광지역 답사 및 폐광지역특별법에 대한 의견서 제출(8월), 동아시아 대기행동 네트워크(AANEA) 결성(8월), 12월에는 국제경기대회지원특별법 제정 철회를 위한 집회를 하였다. 1996년에는 수도권 쓰레기 문제 해결을 위한 시민 연대회의 참가(1월), 녹색가정만들기 사업 진행(6월), 수계별, 샛강별 생태지도 발표회(4월), '효율적 DSM을 위한 제반 INFRA 개발' 연구사업 완료(4월), 여천공단 환경오염 문제에 대한 대응(7월), '접경지역지원특별법' 제정 반대 운동(10월), 지하수법개정안에 관한 공개 토론회(10월), 그린벨트 문제 해결을 위한 시민연대 참가(12월), 12월에는 '반환경적 규제완화 반대 대학교수 1백인 서명' 기자회견을 하였다. 1997년에는 습지보전법 제정에 관한 워크숍(1월), 한강의 효율적인 수계 수질관리를 위한 지자체 간 비용분담에 관한 심포지엄 개최(3월), 15개 광역자치단체의 종량제 추진에 대한 평가' 종량제 발전을 위한 심포지엄 개최(3월), 남산생태답사(5월), 대만핵폐기물 북한 반입 반대 운동(5월), 21세기 물환경 정책-친환경적인 수자원 개발과 수요관리정책의 도입 심포지엄 개최(10월), 접경지역 지원법안에 관한 토론회 및 반대입법 청원(10월), '자연의 보전과 효율적인 국토이용을 위한 제도개선에 관한 연구' 최종보고회(11월), 내린천댐 건설예정지 공동 생태조사(11월), 11월에는 '기후변화협약의 협상동향과 우리의 대응' 토론회를 다른 시민단체들과 함께 개최하였다. 1998년에는 대형국책사업의 문제점과 바람직한 국토이용 방안에 관한 토론회(3월), 생명의 숲 가꾸기 국민운동 창립 공동추진(3월), 경부고속철도 총체적 부실에 대한 환경 사회단체 연대집회-동아매립지 용도변경 반대활동(4월), 그린벨트 살리기 국민행동 창립대회(11월), 그린벨트 조정에 대한 국민여론 조사, 발표(11월), 사)환경정의시민연대로 명칭변경 및 제2기 출범(11월), 그린벨트 살리기 1000인 선언(12월) 그리고 1999년에는 내셔널

트러스트운동 소개 및 한국사회 적용을 위한 워크숍(4월), 생명의 물 살리기 운동본부 출범식(6월)을 하였고, 7월에 '환경정의시민연대'로 경실련으로부터 발전적으로 독립하였다.

③ 주요 임원
○ 이사회
 - 이사장 : 원경선
 - 이 사 : 강철규, 김명자, 문국현, 유재현, 이정전, 권태준, 남승우, 신의순, 이경재, 정상묵
○ 운영위원회
 - 위원장 : 이정전
 - 위 원 : 문국현, 정회성, 서왕진, 이경재, 유종성
○ 정책위원장 : 이경재
 - 활동위원 : 김찬호, 김창섭, 박종관, 윤여창, 이광준, 이민부, 한인섭, 황명찬, 김정욱, 김일태,
※ 자료는 '환경정의 20년사(2012)' 및 '경실련 환경정의 RIO+5 그 반성과 희망(1997)' 등에서 발취하였음

5) 사단법인 갈등해소센터

① 설립 취지

우리사회에 법과 사회적 규범을 벗어난 자기중심적인 주장이 만연하고, 이분법적 사고에 갇혀 합리적 대안을 찾으려는 노력을 경시하고 있다. 지역, 세대, 이념, 계층, 직업, 문화적 차이를 극복하고 상생적 노력을 경주하기보다 상대의 존재를 무시하고 내 주장만을 내세우는 이기적 행태가 사회갈등을 증폭시키고 있다. 또한 우리 사회문화에 뿌리 깊게 자리 잡은 상대의 존재에 대한 부정과 투쟁의 관행은 법치주의를 위험하게 하고, 사회적 규범을 혼란스럽게 하며, 정의와 질서에 대한 개인의 윤리와 가치체계를 뒤흔들고, 청소년들의 기성사회 경시와 불신을 초래하고 있다.

경실련은 우리사회가 직면한 제 갈등들을 효과적으로 해소할 수 있는 시스템과 역량을 구축하지 않고는 도약과 발전은 불가능하다고 판단하여 '갈등예방과 해소'를 위한 시민운동을 전개함으로써 우리사회를 성숙한 민주사회, 갈등해소 지향적 사회로 만드는 데 기여하고자 하였다. 경실련은 1989년 창립 이래 추구해온 '공공선', '다양성에 기초한 대화와 타협', '합리적 대안의 추구', '합

의의 존중', '이해관계로부터의 독립', '합법·평화적 방식'의 가치에 뿌리를 두고 이 운동을 전개할 것을 다짐하였다. 그리고 우리 사회가 집단적 이기주의와 자폐적 공동체주의를 극복하고 건전한 갈등해소문화가 정착될 수 있도록 최선을 다하여 지원하고 사회정의가 회복될 수 있도록 사회 구성원의 일원으로 주어진 책임과 소명을 다하기로 하였다.

경실련 갈등해소센터는 2004년 4월 23일 경실련의 뜻있는 임원과 활동가들이 '갈등해소 및 연구센터'의 설립을 위한 첫 논의를 하였다. 논의에서는 갈등예방과 해소를 위한 기술 교육의 필요, 갈등해소를 위한 전문가 육성, 사회 및 개인 갈등해소를 위한 전문가와 장소 제공으로 우리나라의 화합문화의 진원지로 발전시키는 의미가 있을 것을 확인하였다. 2004년 8월 1일 '사회갈등 예방과 해소'를 위한 경실련 본부 및 지역경실련 차원의 역할과 가능성을 논의하고, 2004년 제1차 전국 경실련 정책협의회(2004.8.16)에서 '갈등예방 및 해소'운동을 경실련의 새로운 운동영역으로 확정하였다. 경실련 제8기 3차 중앙위원대회(2005.01.28)는 시민사회의 갈등해소와 역량을 강화하고 통합 지향적 의식과 문화를 확산하기 위한 '경실련 갈등해소센터' 추진을 승인하였고, 경실련 제16기 1차 상임집행위원회(2005.2.28)는 '경실련 갈등해소센터'의 발기인대회를 승인하였다. 2005년 3월 16일 '우리사회의 갈등은 어떻게 해소되어야 하는가-시민운동적 접근과 방향'을 주제로 발기인대회를 진행하였다. 발기인 대회에서는 기본 사업 방향으로 갈등의 조정·중재 및 협상, 갈등해소 위한 사회제도의 개선을 위한 정책사업, 갈등해소 전문가 양성 교육훈련, 갈등해소 지향적 문화 및 시민의식의 고취를 위한 시민교육사업으로 확정하고 활동을 시작하였다. 2008년 2월 28일 국민고충처리위원회에 사단법인 등록을 완료하며 창립하였다.

경실련 제25기 3차 상임집행위원회(2014.3.31)는 사)경실련갈등해소센터의 활동 성과와 한계 등을 종합적으로 검토한 후 경실련의 정신을 더 넓은 차원에서 실현하기 위해 사)갈등해소센터의 독립 요청을 수용하였다. 그 이유는 경실련 갈등해소센터는 시민사회성숙과 갈등해소 지향의 시민운동 그리고 경실련 활동의 외연 확대 및 시너지를 도모하고자 2005년 3월 설립하였고, 2001년 1월 법인화를 하였다. 이후 국립 서울병원이전 갈등조정, 갈등해소 성공사례집 "현장리포트: 한국사회공공갈등 이렇게 풀자" 도서 발간 등 의미 있는 활동을 하였다. 그러나 경실련의 활동과 사)갈등해소센터의 시너지효과의 미흡, 사회현안에 대한 문제해결의 다른 접근방식 등으로 인해 사)갈등해소센터는 발전방향을 고민하게 되었다. 2014년 사)경실련갈등해소센터의 정기총회에서 "사업 확대 어려움 해소 및 갈등해소를 위한 중립적인 공론화 활동"을 강화하기 위해 경실련으로 부터 발전적 독립을 의결하고, 상임집행위원회에 분리·독립을 요청하였다. 이에 경실련 제13기 2차 중앙위원회(2014.8.22)는 상임집행위원회의 독립 승인 제안을 수용하였다. 현재는 사)한국사회갈등해소센터로 공론화, 갈등조정, 리스크 소통 및 전문가 교육, 공공과 민간의 자문 등으로 활발히 활동하고 있다.

② 주요 활동

2005년 갈등해소센터 발기인대회에서 '우리사회의 갈등은 어떻게 해소되어야 하는가-시민운동적 접근과 방향'의 토론회를 갖고 출범하였다. 이후 갈등해소센터 전문가 양성 교육(2005), 2007년 경기도 하남시 광역화장장 건설관련 갈등조정, KTX 여성승무원 분쟁 갈등조정 시도, 국민고충처리위원회 조사관 대상 1, 2차 조정, 합의 특화교육을 진행하였다. 2008년에는 용인시 장례문화시설건립 갈등 조정, 광주전남지역 갈등아카데미(1차, 2차)를 진행하였고, 2009년에는 국립 서울병원관련 갈등 조정을 하였다. 이 사례는 민관협력우수사례 공모대회 최우수상을 수상하였다. 2010년은 밀양765kV송전선로 건설관련 갈등조정위원회 운영, 온실가스 감축과 친환경 에너지 세제개편을 위한 공공토론 개최를 하였으며, 2011년은 국립공원 내 백두대간 보전과 이용에 관한 갈등조정위원회 운영하였다. 2012년은 학교 폭력예방을 위한 교육부 또래조정(Peer Mediation) 시범사업, 2013년 한국인의 공공갈등 의식조사, 송전선로 전자파 인체유해성관련 위험소통(Risk Communication)워크숍, 갈등해소센터 현장리포트 「한국사회 공공갈등 이렇게 풀자」를 발간하였다.

③ 주요 임원
○ 창립준비위원회
  - 위원장 : 이선우 (한국방송대학교 행정학과)
  - 운영위원 : 권해수(한성대학교 행정학과), 김상겸(동
            국대 법학과), 김재구(명지대 경영학과),
            문병기(한국방송통신대학교 행정학과),
            박병옥(경실련 사무총장), 오성호(상명대
            학교 행정학과), 원창희(노동교육원),
            윤순철(경실련 정책실장), 정인수(한국노
            동연구원), 주재복(한국지방행정연구원)
○ 사단법인 경실련갈등해소센터(창립당시)
  - 이사장 : 이선우
  - 이   사 : 주재복, 오성호, 문병기, 윤성복, 박병옥

6) 시민권익센터

① 설립 취지

시민의 힘으로 경제정의 실현하자라는 슬로건을 내
걸고 창립한 경실련은 활동과정에서 시민들부터 경제부
정 및 기타 고발 사안들이 접수되었으며 그로 인해 경실
련 내에서 이 문제를 전담하여 처리하고 이와 관련한 사
업을 진행할 새로운 부서가 필요했다. 이 같은 배경에서
설립된 부서가 경제부정고발센터이다.

1990년 6월 9일 설립된 경제부정고발센터는 시민들
로부터 경제부정 사례들을 접수받아 관계기관에 조사를
촉구하고 언론을 통해 여론화했으며, 사회적 약자에 대한
법률지원 및 제도적 개선방안을 모색하는 활동을 펼쳐왔
다. 그 후 경제부정고발센터는 본격적인 부정부패추방운
동을 전개하기 위해 1993년 3월 현재의 명칭인 부정부패
추방운동본부로 개칭하면서 새롭게 활동을 시작했다. 부
정부패추방운동본부는 사회 각 분야의 부정부패를 추방
하는 운동을 전개하는 동시에, 정부와 기업에 의해 침해받
고 있는 시민의 권리를 확보하기 위한 운동을 전개하여 궁
극적으로 경제정의와 사회정의 실현을 위해 활동했다.

2000년 이후 우리 사회의 부정부패와 비리 근절을
위한 부패방지위원회 등 정부 부처 설치와 언론의 감시활
동이 강화되면서, 실생활에서 느끼는 부당하고 불편, 불
합리한 제보가 늘어나게 되었다. 이에 사회적·경제적· 문
화적 소외되고 과소 대변되는 계층과 집단의 이익을 대변
하고 서민적 삶과 직결된 실질적 생활개선 운동을 전개하
기 위하여 부정부패추방운동본부를 2005년 5월부터 시

민권익센터로 탈바꿈하게 된다.

② 주요 활동

경제부정고발센터는 이문옥 전 감사관의 군부재자
투표 비리, 제주도의 탑동과 인천의 소래포구 지역에 공
유수면매립 특혜의혹, 동방제약과 선경제약의 은행잎 엑
기스 축출 동등성 특허 분쟁, 국방부·재무부·감사원 비리
등 고발 활동을 펼쳤다.

부정부패추방운동본부는 법조비리 대응, 고속도로
순찰대 상납비리 폭로, 공인회계사 시험 출제오류 및 증
권감독원의 은폐 기도 사건, 경실련 법률소비자학교 개
설, 경실련 부패지수 개발 및 조사결과 발표, 부패방지법
제정 운동, 반부패실천학교 개설, 부패방지위원회의 전·
현직 검찰 간부 고발 건에 대한 검찰의 불기소 처분과 관
련 신고인의 기자회견 등 부정부패추방 운동을 전개했
다. 나아가 국회의원 세비 가압류 및 손해배상청구소송,
침수피해차량 보험금 집단청구, 선납 중도금 보증책임
승소, 로이타 오보 피해자 집단소송을 추진하는 등 시민
권리 찾기운동을 벌였다.

시민권익센터는 삶과 직결된 민생해결을 위한 피해
구제와 제도개선 활동에 앞장섰다. 조산아(미숙아) 실태
고발과 제도개선, 편의점 불공정거래 개선, 불투명한 도
시가스 요금산정체계 개선, 공공부문 연체제도 개선, 개
인정보보호 활동, 불공정약관 개선, 항공마일리지 개선,
경인고속도로 통행료 폐지, 소비자 친화형 망 중립성 대
응, 무점포창업 등 영세자영업자 피해구제, 업무용 차량
세제 개선, 상품권법 제정, 집단소송법 제정, 자동차 교
환·환불법 제정 등의 활동을 펼쳤다.

③ 주요 임원
○ 경제부정고발센터
  - 대표 : 황인철
  - 운영위원장 : 박인제
  - 운영위원 : 심재두, 양승찬, 오창수, 우수영, 이영우,
            이문성
○ 부정부패추방운동본부
  - 본부장 : 손봉호, 조영황, 정성철, 김태룡, 박헌권,
          신대균, 이석형, 이종수, 인명진
  - 위   원 : 김종성, 김종호, 나완수, 나태균, 민병기,
          박병식, 유병린, 이각범, 이규태, 이대순,
          이세동, 장영, 장인태, 황영호
○ 시민권익센터

- 대표 : 이종수, 조현, 최정표, 김태룡, 황이남 김태룡, 황이남, 이대순(현)
- 운영위원장 : 이대순, 황도수, 권해수, 박경준, 조순열, 김숙희(현)
- 운영위원 : 김석기, 김영미, 김현아, 나태균, 박경준, 박성아, 변재근, 심제원, 염규석, 이지연, 임웅찬, 장영, 장윤정, 장철원, 조순열, 하성용, 홍미미

7) 부동산건설개혁운동본부

① 설립 취지

　　부동산 개혁은 경실련이 출발하는 동기였다. 창립을 준비하던 당시 경실련은 도시빈민연구소위원회, 주택문제연구소위원회, 토지문제연구소위원회를 구성하여 부동산 문제의 근원을 진단하고 그 해법으로 토지공개념, 부동산실명제, 세입자 보호대책, 주택임대차보호법 개정 등 세입자 보호대책 등을 주장하여 제도화시켰다. 그럼에도 정부가 경기부양으로 부동산정책을 수단으로 활용하면서 일관성을 상실하고 시장은 왜곡되었다.

　　촛불정부를 자처한 문재인 정부가 집권 이후 50조원 도시재생 뉴딜, 다주택자 세제 및 자금지원 확대 등의 규제완화를 추진하며 서울 아파트값이 집권 이후 2년만에 한 채당 2억 원씩 상승하였다. 또한 건설업계의 요구에 밀려 가뜩이나 거품이 존재하는 공공공사비를 더 높여주려는 법 개정까지 추진하고, 50조 원 국책사업에 대한 예비타당성 조사까지 면제하는 등 문재인 정부 스스로 토건정부임을 자처하였다. 토지공개념 도입을 추진했지만 야당의 반발에 밀려 실패했고, 집값상승을 해결하겠다며 보유세 인상, 공시가격 개선 등을 추진했지만 생색내기식 인상에 그쳤다. 정권 내 집값이 떨어지지 않을 것이라는 강한 메시지가 부동산부자와 투기세력에게 전달된 꼴이다.

　　문재인 정부 이후 집값상승으로 주거불안에 시달리는 서민들의 고통과 양극화에 따른 상대적 박탈감이 더욱 커지고 있고 스스로 주거비를 감당치 못하는 주거빈곤층은 생존권을 위협받고 있는 실정이다. 이에 경실련도 창립 초기 정신으로 돌아가 토지공개념과 주택 공개념을 강화하고 건설사업 부패 척결과 예산낭비 방지를 위해 2018년 2월 부동산건설 개혁본부를 출범시키고 더 적극적이고 집중적인 운동을 전개하고 있다.

② 주요 활동

　　운동본부는 출범이후 첫 과제로 불공정한 부동산 공시가격 개선을 촉구하였다. 지역경실련과 함께 재벌건설사들이 보유한 사옥, 상위 고가 단독주택 및 아파트 등의 공시가격을 조사한 결과 공시가격의 시세반영률이 매우 낮고 형평성에 어긋나서 매우 불공정함을 알리고 개선을 촉구하였다.

　　또한 2기 신도시 진단 및 3기 신도시 전면중단을 촉구하였다. 성남판교 사업의 개발이익을 추정발표하고 부당하게 발생한 개발이익의 국고환수와 개발이익을 감춘 관계자의 처벌을 촉구하였다. 분양원가 62개 확대 공개가 처음으로 적용된 위례신도시 아파트의 분양원가를 분석하여 개발이익을 추정발표하고, 엉터리 원가공개를 승인한 하남시와 분양가심사위원회의 문제를 지적하였다. 그리고 과천지식정보타운 공동사업자인 민간사업자 특혜고발, 경기도경실련과 함께 광교신도시 개발이익 추정발표 및 3기 신도시 전면재검토를 촉구하였다.

　　본부는 10년 임대주택 불공정 약관의 무효화를 촉구하였다. 무주택서민의 내집마련 기회로 참여정부에서 도입된 10년 주택의 건설원가의 3배 수준으로 분양전환하겠다는 정부 방침에 대해 문제제기하고 공정거래위원회에 불공정약관심사를 청구하였다. 문재인정권이후 역대 최고로 집값이 상승한 문제를 지적하고 분양가상한제 민간택지 전면 확대를 촉구하였다. 2014년 말 폐지된 민간택지 분양가상한제를 정부가 투기과열지구 등 일부에 대해 핀셋적용하겠다고 밝혀 이를 문제삼고 분양가상한제 전면 확대를 촉구하였다. 서울 아파트값 변화추이를 통해 분양가상한제가 시행됐을 때 집값이 안정됐음을 알리고 기본형건축비 인하,

분양원가 공개 등 구멍뚫린 분양가상한제의 제도개선 선행을 촉구하였다.

고위공직자들의 부동산 재산을 검증하였다. 국토부, 인사혁신처, 국회의원 등 재산공개가 의무화되어 있는 고위공직자의 재산공개현황을 분석발표하고 시세를 반영 못하는 공시가격 기준이 아닌 실거래가에 근거한 신고의무화를 촉구하였다.

③ 주요 임원
○ 주택문제연구소위원회 : 하성규
○ 토지주택위원회 : 김태동, 전강수, 서순탁
○ 부동산건설개혁운동본부
  - 본부장 : 김헌동
  - TF : 박경준, 박선아, 백혜원, 정희창, 조정흔

8) 아파트값거품빼기운동본부

① 설립 취지

1999년 분양가자율화 이후 지속적으로 아파트 분양가가 상승하면서 주변 집값을 끌어올리고 집값 상승이 다시 분양가를 높이는 악순환이 반복되며 무주택서민들의 내집마련이 더욱 어려워졌다. 여기에 서민주거안정을 위해 설립된 서울도시개발공사(현 SH공사)조차 상암지구 아파트 원가공개로 드러난 분양수익률이 40%나 되는 것으로 나타나 국민의 분노와 주택정책 전면 재검토에 대한 요구가 커졌다.

경실련은 1989년 17명의 세입자들을 자살로 내몬 살인적인 주택가격 상승에 맞서 토지공개념을 내걸고 출범하였다. 하지만 이후에도 치솟는 집값으로 서민들의 주거불안과 절망이 커지고 있어 '제2의 토지공개념운동'을 시작한다는 비장한 각오로 아파트값 거품빼기 운동본부를 출범시키고 분양원가 공개, 공공주택 확충 등을 위한 본격적인 시민운동을 전개해왔다.

② 주요 활동

운동본부의 활동은 아파트 분양원가 분석 및 개발이익을 추정발표에서 시작되었다. 용인죽전, 성남판교 등 2기 신도시 아파트의 분양원가를 분석하고 개발이익 추정발표를 통해 LH공사 등 공기업의 땅장사·집장사 중단, 분양원가 공개를 촉구하였다. 선거 시기에는 정책제언 및 공약화를 촉구하였다. 총선과 지방선거를 앞두고 각 정당

대표, 지자체장 후보들을 면담하고 분양원가 공개 및 후분양 등 아파트값 거품빼기 운동을 위한 정책을 제언하고 공약화를 촉구하였다. 그리고 건교부장관, 공정위원장, 기재부장관, 주택공사 사장 등 주택정책 관련 고위공무원들을 면담하고 정책을 제안하였다.

감사청구 및 고발도 하였다. 화성동탄 분양원가 분석을 토대로 화성시장과 롯데건설 등 24개 건설사 검찰 고발, 수도권 공공택지 민간아파트의 택지비 허위신고로 인한 탈세의혹에 대한 국세청 세무조사를 의뢰하였다.

분양가의 거품 실태를 알리기 위해 '아파트값 거품빼기 연속기획'을 발표하였다. 대통령은 모르지만 국민들은 알고있는 부동산 진실(2006, 총 7회), 아파트 반값의 진실(2006년 총 7회 발표), 부동산정책 진단(2010, 총 5회)을 발표하였다. 이어서 아파트값거품빼기 10만 서포터즈 운동에 돌입하였다. 2006년 11월 부동산폭등 사태에 대한 경실련 〈시국선언문〉을 발표하고 아파트값 거품빼기 국민행동을 위한 10만 서포터즈 운동 전개를 선포하였다. 이후 다양한 온라인 시위를 추진하였고 11월에는 시청앞 광장에서 텐트집회를 추진하였다. 이후에도 광화문에서 촛불집회 등을 추진하며 주택정책 전면개혁을 촉구하였다. 그리고 집값안정과 부동산투기근절을 촉구하는 전문가 선언을 발표(2006.12)하였다.

언론과 공동기획은 경향신문 공동기획 "부동산 거품을 빼자"(2006.1), 시민의신문 공동기획 "개발공화국, 서민의 희망은 없다"(2006.7), 오마이뉴스 공동기획 "부동산개발정책 진단"(2010.1)을 진행하였다. 그리고 2007년에는 아파트값 거품빼기 운동 발표문 Ⅰ, Ⅱ권을 발간 하였다,.

③ 주요 임원
○ 본부장 : 김헌동
○ TF : 권영준, 류중석, 박훈, 백인길, 서순탁, 신영철, 이원희, 전강수, 조명래, 홍종학, 황도수

9) 국책사업감시단

① 설립 취지

대한민국 예산에서 도로, 철도, 공항, 댐 등 사회간접자본시설 건설비용이 많은 비중을 차지하며 연간70조원 규모의 공공사업이 진행되고 있다. 그러나 경쟁없는

입낙찰제도, 민자사업 특혜 등의 후진국형 건설제도로 입찰담합과 건설부패가 만연하며 매년 수십조 원의 혈세가 낭비되고 있다. 1998년 국민의 정부 초기에는 건설업계의 오랜 관행이었던 입찰담합 사실이 밝혀졌고, 정부는 '공공사업 효율화 정책'을 발표하고 국제표준인 최저가낙찰제를 도입하여 2002년까지 10조 원의 예산을 절감하겠다고 발표하였다. 하지만 제도시행 1년만에 관료들은 최저가낙찰제를 후퇴시키는 조치를 추진하며 재벌건설사를 대변하려고 했다.

경실련은 1999년 예산감시위원회 소속으로 국책사업감시단을 신설하여 공공사업 최저가낙찰제 확대, 지하철9호선 담합고발 등 공공사업 예산감시운동을 진행해왔다. 2005년 이후에는 국책사업감시단을 특별기구로 독립시키고 국책사업 예산감시 이외에도 민자특혜 근절 및 정보공개, 정치인·고위관료·건설업계 등의 건설부패 청산 등 건설업 개혁을 위한 다양한 운동을 전개하고 있다.

② 주요 활동

감시단은 공공건설 입낙찰제도 개선 등 예산 낭비 방지를 위한 다양한 활동을 전개 하였다. 입낙찰 제도 개선운동은 최저가낙찰제 미이행으로 인한 예상낭비 규모 추정, 턴키입찰 등 특혜입찰제도로 인한 문제점 부각, 법률개정 의견서 제출 등 크게 세 가지 축으로 진행하였다. 최저가낙찰제 실시 이후 낙찰률이 예정가격의 60% 전후에서 결정되자 건설교통부는 부실공사 및 과당경쟁으로 인한 건설업계의 경영난이 우려된다며, 제도후퇴를 추진했고, 이에 경실련은 건설교통부장관을 직권남용 혐의로 고발하고, 건설공제조합을 공정거래위원회에 제소하였다. 공사비 부풀림을 원인을 표준 품셈 폐지 운동도 전개하였다. 2019년에는 한국은행통합별관 건축공사 관련 조달청이 예정가격을 초과한 입찰자를 낙찰자로 결정하여 수백억 원의 혈세를 낭비한 것에 대해 조달청 관계자를 검찰고발하였다.

민자사업 특혜 청산 및 정보공개 운동도 촉구하였다. 지하철9호선 입찰담합 비리의혹에 대한 공정위 조사의뢰, 대구-부산, 서울-춘천 민자고속도로 사업비 분석을 통해 공사비 거품과 재벌건설사 컨소시움의 부당이득을 추정 발표하였다. 2조 원 규모의 거가대교 민자사업은 사기, 업무상 배임, 조세포탈, 직무유기, 허위공문서 작성, 공무집행방해 등 각종 의혹이 발견되어, 지역경실련과 함께 민간사업자, 부산시, 경상남도 등을 고발하였다. 2015년 BTO-a, BTO-rs 등 변형된 최소운영수입보장제도를 도입한 최경환 기획재정부장관 겸 부총리를 업무상 배임 및 직무유기 혐의로 검찰 고발하였다. 그리고 인천공항고속도로, 서울춘천고속도로 등 민자사업 실시협약서, 공사비내역서 등 자료공개를 위한 정보공개소송을 진행하였다.

이외에도 고속도로(도로공사)와 국도(건교부)의 건설비용 분석을 통한 예산낭비 실태 고발, 건설업계의 공공사업 공사비인상 요구를 받아들여 법안을 발의한 의원들에게 공개질의 및 법안 철회 등을 촉구하였다. 언론과의 공동기획도 진행하였다. 2005년에는 경향신문과 공동기획으로 '건설비리 대해부'를 진행하며, 1993년 이후 각종 뇌물사건을 분석한 결과를 발표하고, 부정부폐근절위한 대책마련을 촉구하였다. 2013년에도 내일신문 공동기획으로 '부실투성이 대형 국책사업'을 진행하여 10개 대형국책사업에 대한 문제점을 발표하고 대안을 제시했다.

이명박 정부에서는 4대강 사업비를 검증하였다. 2010년에 강기갑 의원, 건설노조와 함께 10회에 걸친 4대강 자료분석 기자회견을 진행하며 4대강 사업이 재벌건설사들을 위한 특혜사업이었음을 지적하였다. 작업일보 분석을 통해 인력, 장비 중 상당부분이 계약과 달이 투입되지 않았음을 밝혀냈으며, 비자금 조성, 선급금 유용, 체불, 재벌몰아주기, 담합 등의 문제를 제기하였다.

문재인 정부의 경기부양을 위한 대대적인 예비타당성 조사면제에 대해서도 대응하였다. 국가균형발전을 빙자한 정부의 100조 원 규모(50조 원 도시재생뉴딜 포함) 국책사업의 예비타당성조사를 면제시키는 것은 토건재벌을 배불리는 나눠 먹기식 예타면제에 불과함을 지적하였다. 이외에도 안전감시활동으로 제천 화재등 반복되는 화재사고와 관련해서 정부 승인 건축자재에 대한 유독가스 규정 강화를 촉구하였다.

③ 주요 임원
○ 예산감시위원회
  - 위원장 : 박재완, 이원희
○ 국책사업감시단
  - 단장 : 김헌동, 신영철(현)
  - 위원 : 정희창, 함형욱, 오희택

10) 서민주거안정운동본부

① 설립 취지

이명박 정부 이후 주택가격 하락과 거래 침체로 많은 실수요자들이 매매에 나서지 않고 임대시장에 머물면서 전세가격이 급등하였다. 또한 저금리 기조로 인해 급격한 월세전환이 진행되며, 무주택서민보호 안정대책의 법제화가 시민사회에서 지속적으로 요구되었다. 그러나 당시 박근혜 정부와 새누리당이 임대시장 부작용을 우려해 지속적으로 법제화를 거부하며 전월세가격 상승을 방치했다. 그간 경실련은 아파트값운동본부를 중심으로 분양제도 개선, 분양가 정상화, 집값 하락 등 무주택 서민들의 내집마련을 위한 제도개선 운동을 펼쳐 왔으나, 상대적으로 세입자 보호와 임대차안정을 위한 운동은 부족했다.

이에 경실련 각 위원회의 위원장들을 중심으로 분야별 전문가들을 선별해 임대차 시장 제도 개선을 위한 TF를 운영했으며, 좀더 안정적인 위원회 운영과 정책 대응을 위해 정책위원회 단위로 구성돼 있는 '토지주택위원회'와 특별위원회인 '아파트값거품빼기운동본부'를 통합해 2016년 서민주거안정 운동본부를 구성하고 전월세상한제 도입, 계약갱신청구권 보장, 임대사업자 등록 의무화 등 세입자 보호와 불로소득 근절을 위한 정책도입을 주장해왔다.

② 주요 활동

운동본부는 전월세인상률상한제 및 계약갱신청구권 도입 운동을 적극 추진하였다. 전세가격 급등과 급격한 월세전환에서 서민주거안정을 위해 전월세가격 인상률을 2년 5%로 제한하고, 2년씩 2번의 재계약 청구권을 부여하도록 입법화를 추진하였다. 경실련 안을 입법청원하고, 국회 법제화를 위해 국토위, 법사위 의원면담을 추진하였다. 국토교통위원회에서 전월세인상률상한제 등 세입자보호대책 법안 처리를 거부하고 있는 새누리당 의원들의 지역구 사무실 앞에서 지역경실련과 함께 1인 시

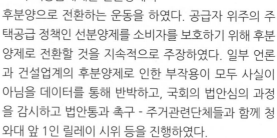

위를 진행하며 입장 변화 및 법안 처리를 촉구하였다.

주택공급체계를 선분양에서 후분양으로 전환하는 운동을 하였다. 공급자 위주의 주택공급 정책인 선분양제를 소비자를 보호하기 위해 후분양제로 전환할 것을 지속적으로 주장하였다. 일부 언론과 건설업계의 후분양제로 인한 부작용이 모두 사실이 아님을 데이터를 통해 반박하고, 국회의 법안심의 과정을 감시하고 법안통과 촉구 - 주거관련단체들과 함께 청와대 앞 1인 릴레이 시위 등을 진행하였다.

전월세인상률상한제와 후분양제 이외에도 경실련 10대 서민주거안정 의제를 선정해 국회의원 면담과 입법화를 촉구하였다. 서민주거안정 10대 의제는, 계약갱신청구권 보장, 인상률 상한제, 전월세전환율 하향 조정, 임대차등록의무제, 임대차분쟁조정위원회 설치, 임대소득 과세 정상화, 주거보조비 확대, 주거기본법 제정, 공공임대주택 확대, 후분양제 도입이었다. 아울러 언론에 서민주거안정을 위한 시리즈(10회)를 기고하였다.

③ 주요 임원
○ 위원장 : 서순탁
 - 위   원 : 김유찬, 박경준, 정미화, 황도수

11) 노사관계특별위원회

① 설립 취지

정책연구위원회 산하 노동연구소위원회는 정부의 노동운동 탄압 상황, 바람직한 노사관계의 모델과 전제조건, 자율적 노사관계의 정착과 경실련의 역할, 정부의 임금가이드라인 정책과 적정 임금 인상율 등 노동관련 주제들을 포괄적으로 검토해 왔으나, 대외적으로 발표할 경실련의 입장은 정리되지 못했다. 1987년 이래 노사 간 전환기적 진통을 겪어온 이후 국민경제적 차원에서 노사관계가 바람직한 방향으로 정착되어야 한다는 국민적 공감대가 형성되면서, 시민운동의 일정한 역할이 필요함을 인식하였다. 경실련은 노사문제를 논의할 별도의 기구가 필요하다는 인식에 따라 정책연구위원회 산하 노동연구소위원회의 확대 간담회를 통해 경실련노사관계연구특별위원회 설치를 확정하였다. 1992년 1월 28일 상임집행위원회는 시민운동차원에서 노사관계의 발전을 위해 적극적 역할을 하기 위해 노동문제특별위원회를 '바른 노사관계정립을 위한 연구특별위원회'로 개편

사진으로 보는
경실련 30년

Ⅰ.
경실련의
창립과 활동

Ⅱ. 경실련 30년
활동의 성과

Ⅲ. 지역경실련의
활동과 성과

Ⅳ. 경실련과
시민사회의 미래

하였다. 연구특별위원회는 정책원회 노동분과, 경실련 노동자회, 지역경실련(산업지역), 바른경제동인회 등으로 구성하고, 필요시 노·사·정을 초청하도록 하였다. 대표간사는 박세일 교수가 맡았다.

② 주요 활동

특별위원회는 구체적인 사업을 통해 국제화, 개방화 시대의 바람직한 노사 관계상을 정립하고 이를 세미나, 토론회, 순회강연 등을 열어 노·사·정에게 확산시키려 하였다. 전국적 차원의 노사관계뿐만 아니라 개별 기업 차원의 노사 관계에도 주목하였다. 특히 개별 기업 차원에서 실사구시의 자세로 현재의 수준에서 바람직한 노사관계를 유지하고 있는 사례를 발굴하여 이를 보다 발전시키는 데 노력하기로 하였다. 구체적인 활동 방안은 공개적인 심포지움 개최, 개별 사업장 수준의 기업 연구로 바람직한 노사관계 모델 발굴 및 확산이었다.

1994년 초부터 정보를 수집하고 사업장의 실사를 통해 몇 개의 사업장을 선정하고, 노사 양측이 참여하는 프로그램을 개발하여 진행하였다. 1차 회의(1993.12.6.)는 노사관계 개혁위원회의 구성 및 활동 방향을 논의하고, 2차 회의(1993.12.23)는 '국제화와 우리의 노사 관계의 방향'을 토론하였다. 그리고 신노동정책의 진단과 향후 노사관계 개혁의 방향 공청회(1996.5.21), 노사관계 개혁방향에 대한 경실련 워크숍(1996.8.8), 노동법개정에 대한 경실련 입장 전달(국무총리, 노동부 장관, 1996.11.27), 노동법 개정에 대한 시민단체의 입장 기자회견(1996.12.10, 경실련 강당)을 전개하였다. 한편 1996년 12월 26일 신한국당이 노동법을 날치기 처리하여 안기부법·노동법 날치기 통과 규탄 시민집회(1996.12.18, 신한국당사), 안기부법·노동법 재개정 촉구 경실련공동대표단 성명(1996.1.6), 안기부법·노동법 재개정 촉구 경실련 교수·변호사단 529명 성명(1996.1.13), 노동관계법 재개정 시민사회연석회의 대표자 간담회 및 기자회견(1997.1.8, YMCA지란방), 노동관계법 재개정 촉구 시민집회(1997.1.13, 탑골공원) 등을 전개하였다.

③ 주요 임원
○ 바른 노사관계정립을 위한 연구특별위원회
  - 대표간사 : 박세일
  - 위   원 : (정책위원회 노동분과) 이영희, 박세일, 조우현, 김장호, 이각범, 박덕제, 이원희, 인명진, 이광택, (바른경제동인회) 박종규, 김종수, 이상천, (경실련 노동자회) 최낙용, 김현삼, 김종관, (노동계) 김문수, 신철영, (지역경실련) 이재기
  - 사무처장 : 신철영
○ 노사관계개혁위원회(1994.11)
  - 대표간사 : 김장호
  - 위   원 : 박세일, 박남수, 김문수
○ 노사관계특별위원회(1996.7)
  - 대   표 : 김윤환
  - 위원장 : 조우현(1996.2)
  - 위   원 : 김장호, 박남수

12) 무주택자문제대책본부

① 설립 취지

1989년 가을 이사철을 맞아 전·월세 값이 폭등하여 세입자들의 주거 안정 대책 마련이 절실한 현안으로 대두되었다. 경실련은 발기인대회 후 토지공개념 강화 입법촉구 운동과 아울러 주택문제 해결에 역점을 두기로

결정하고 무주택자 문제를 다루는 특별기구의 설치를 결정하였다. 1989년 10월 24일 '세입자 보호 종합대책'을 발표하면서 '무주택문제대책본부'를 발족하였다. 경실련은 세입자보호 입법 촉구 등 무주택자 문제에 대한 특별대책 수립을 정부와 국회에 요구하는 한편 전국 무주택자의 조직화, 입법청원, 100만인 서명운동과 시위 등을 전개하였다.

② 주요 활동
○ 무주택문제대책본부 : 이호철(대표, 소설가)

③ 주요 임원
   토지·주택문제의 해결이 경제정의 실천의 가장 시급하고 중대한 과제로 인식한 경실련은 임대료의 폭등과 빈번한 이사, 그리고 전세금 떼이기로 고통받는 2천만 세입자를 보호하는 것이 국가 주택정책의 최우선 과제이어야 함을 천명하면서 무주택자대책본부 발족과 함께 '세입자 주거안정 종합대책'을 발표하였다. 그 기본 방향은 공공임대주택 공급의 대폭 확대, 주택담보 융자제도 확대도입, 세입자 보호(임대료 인상률 통제, 전세금 반환 보증기금 설치, 최저 임대계약기간을 2년으로 연장)이었다. 공공임대주택 공급의 대폭 확대는 정부의 주택정책 제1의 대책은 무주택 서민들의 주거안정으로 추진 중인 200만 호 건설 중 지방자치단체와 주택공사의 85만 호를 확대하되 모두 공공임대주택으로 짓고, 민간 임대주택 건설을 유도한다. 주택담보 융자제도를 확대하여 내 집 마련을 지원하고 자가 소유 거주율을 20~30%까지 향상한다. 세입자보호는 지방자치단체 내에 임대료 통제위원회를 설치하여 매년 적정인상률을 통제(한시법)하고 이는 세입자가 바뀌어도 적용, 임대료 인상률은 소비자물가 상승률 이하, 임대차계약 등록제 실시, 임대료 인상률 분쟁을 조정할 주택법원 설치, 전세금을 권리설정 순위에 따라 전액 보전 및 전세금 반환 보증기금 설치, 최소 임대계약기간을 2년으로 연장, 특별한 사유가 없는 한 임대차 계약의 자동 연장 등이다. 이 방안은 경실련의 정부 및 국회 로비, 경실련 내의 주택정책 연구 그리고 회원조직인 도시빈민회, 세입자협의, 노점상모임 등의 활동으로 이어졌다.

13) 깨끗한 정치제도 연구 특별위원회

① 설립 취지
   경실련은 우리 사회의 경제정의 실현을 위해서는 금

권정치와 정경유착의 척결이 중요하고 이를 위한 정치제도와 정치문화의 개혁을 시민운동의 중요한 과제로 인식하였다. 1990년 11월 제5차 중앙상임위원회에서는 정책연구위원회 산하의 정치자금연구소위원회를 '경실련 깨끗한 정치제도 연구특별위원회'로 개편하였고, 1991년 상반기에는 지방의회 선거법의 개정을 위한 문제제기와 여론조성에 힘을 기울였다. 이 운동은 지방의회 의정감시단 활동으로, 정보의 공개를 통한 '국민의 알권리'를 위해 정보공개법 연구위원회를 구성으로 이어지며 활동하였다.

② 주요 활동
   1991년 1월 경실련은 자체적으로 선거법 연구 세미나를 진행하고, 1월 23일에는 한국노총과 "국회는 지방의회 의원 선거법을 개정하라"는 공동성명을 발표하였다. 1991년 2월 4일에는 경실련 대표단이 지방의회 선거법 개정관련 하여 여·야 정당대표를 면담하고 '지방의회 선거법 개정에 관해 여·야 정당에 드리는 경실련의 주장'을 전달하였다. 경실련 대표단은 양건, 정성철, 서경석, 유종성이었으며, 평민당은 김대중 총재, 최락도 의원, 이원배 의원을, 민주당은 김영삼 대표, 강우혁 의원을 만났다. 이후 경실련은 정치자금법연구세미나(1991.7.16.)를 진행하였다. 1992년 1월 정주영씨가 정기적으로 청와대에 정치자금을 헌납했다고 밝힘에 따라 이는 정경유착이 현실로 입증된 실례라고 보고 '불법적 정치자금 수수를 매개로 한 정경유착을 근절해야 한다'는 성명(1992.1.9.)을 발표함과 아울러 기자회견을 통해 대통령에게 드리는 공개질의서(1992.1.27)를 발표했다. 1992년 6월 민주당 초선의원들이 국회의원 자정선언을 하자 경실련은 초선의원들을 지지, 격려하고 향후 의원들의 자정노력을 지원할 '깨끗한 정치를 위한 시민의 모임'을 결성하였다. 1992년 6월 18일 각계인사들이 참석한 가운데 진행된 '깨끗한 정치를 지지하는 시민의 밤'을 한국종합전시장에서 개최하고, '깨끗한 정치를 위한 공개 세미나(1992.7.29, 송현클럽)'와 '유권자 대상 추석 선물 돌리기 자제 요청' 공문을 대통령을 비롯한 고위 공무원, 국회의원들에게 발송하는 한편 고발창구를 운영하였다.

   한편 정치제도 개혁은 물론 투명하고 깨끗한 정부를 위해 정보의 공개를 통한 '국민의 알권리'의 보장이 필요하다고 인식하여 경실련 내에 정보공개법 연구위원회를

사진으로 보는
경실련 30년

I .
경실련의
창립과
활동

II . 경실련 30년
활동의 성과

III . 지역경실련의
활동과 성과

IV . 경실련과
시민사회의 미래

구성하였다. 연구위원회는 '정보공개법(안)'을 입안하고 행정정보공개법 제정에 관한 공청회(1992.8.2, 경실련 강당)를 개최하였다. 이 운동은 1993년부터 경실련 시민입법위원회로 이어지면서 '깨끗한 정치를 위한 제도개혁운동'의 선거법, 정치자금법 개정운동으로 계속된다. 그리고 행정민주화의 실현과 행정비밀주의 타파를 위한 제도개혁운동으로 '정보공개법' 제정운동과 '행정절차법' 제정운동으로 계속되었고 1996년에 법제화 되었다.

③ 주요 임원
○ 정치자금연구소위원회 : 박세일 위원장
○ 깨끗한 정치제도 연구특별위원회 : 이수성 위원장
○ 시민입법위원회 : 김일수 위원장, 강경근·이석연 부위원장

14) 여성위원회

① 설립 취지

여성위원회는 경실련의 운동을 널리 알리고 여성운동의 독자성과 이념을 개발하여 새로운 여성 운동을 창출하려는 열성회원 20여 명이 중심이 되어 활동을 시작하였다. 경실련은 출범 초기부터 배우자의 자동가입을 원칙으로 하여 여성위원회는 500여 명의 회원이 가입하였다. 주로 30대 후반과 40대를 주축으로 초기부터 진지한 방향모색을 꾸준히 해오다가 1990년 6월 '이문옥 감사관 가족 돕기 음식장터'를 계기로 회원들 간의 유대관계를 깊게 할 수 있었다.

② 주요 활동

1989년 당시 경실련 여성위원회에는 500여 명의 회원이 활동하였다. 초창기 모임에서는 "살림하는 여성과 경제정의란 어떠한 관련이 있는가?" "가족법이란 무엇인가?" "경제정의와 종합토지세 문제" 등을 주제로 월례세미나를 해왔다. 1989년 12월에는 가족법 개정을 위한 여성단체의 국회 청원에 참여하였다. 주부아카데미와 공동으로 "과소비 향락 퇴폐산업 추방" 성명을 발표(1990.1.17)하였다. 1990년 6월 9일에는 재벌의 비업무용 토지를 언론에 공개했다는 이유로 구속된 이문옥 감사관 가족 돕기 위한 "음식장터"를 진행하여 수익금 중 당일 경비와 석방운동에 사용된 경비를 제외한 수익금을 이문옥 감사와 가족에게 전달하였다. 1990년 9월부터 수돗물 살리기 위한 연합 모임으로 공해추방운동연합 여성위원회, 한국여성민우회, 주부아카데미협의회, 환경과 공해연구회, 정농소비자협의회 등 5개 단체와 연대활동을 시작했다. 이 모임은 한강오염의 주범이 된 팔당호 골재채취와 상수원 상류지역의 축산물 폐우사, 가두리 양식장의 현장을 조사해 환경처의 안이한 태도에 항의하기 위해 주부 40여 명이 환경처 앞에서 농성한 결과 골재채취를 보류한다는 결정을 받아내기도 하였다. 또한 여성위원회는 많은 활동적인 주부들이 경실련 정농생협의 발기 및 창립을 계기로 운영위원 및 이사로 참여하여 지역공동체 활동을 하였다. 1990년 12월 22일 정농생협 발기인 대회 이후 유기농산물을 소개하는 공동체교육을 시발로 8차례 교육을 마친 정농생협은 초기 조합원이 400가구에서 1천여 가구로 확대되었다. 1990년 6월 4일 정동 프란체스코 회관에서는 가족법 개정 이후 주부의 재산분할 청구권에 대한 공청회를 여성민우회, 여성의 전화 등과 개최하여 재산분할 청구권의 문제점과 의의를 검토하는 자리를 마련했으며 여성변호사를 주축으로 공동변호인단을 구성하여 공동대처하였다. 그리고 1991년 7월 9일 정기모임에는 기초의회 당선자, 인간교육실현 학부모연대 등 주부활동가 22명이 함께 모여 지난 광역의회 선거를 평가하면서 의정감시에도 적극 참여하기로 하는 등 활동영역을 주택문제, 환경문제, 학부모문제, 무농약 유기농법 농산물의 보급 확대 등으로 확장하였다. 1992년부터는 일반 주부들을 대상으로 하는 모니터 교육, 알뜰가게 자원봉사자들을 대상으로 한 자원봉사자 교육, 성폭력 대

책위 활동, 환경 보존캠페인 및 교육, 환경한마당에 참여하였다.

여성위원회는 1992년 5월 UNCED 한국위원회 지구의 날 행사, 수돗물 살리기 운동, 팔당댐 골재채취 반대운동, 페놀대책위 연대활동, 북한산 살리기 운동, 페낭회의 참석, Sustainable Development 국제회의, UNCED 한국위원회 참여, 여성 지도자 환경교육 등에 참여하였다. 그리고 여성위원회 내 TV 모니터 분과에서는 6회의 교육을 실시하였고, 대선시기에는 여성정책토론회(1992.10.28)를 개최하였다. 토론회 주제는 여성정책의 기본방향과 정책목표(조형), 여성노동자의 차별해소(조우현), 여성의 정치참여 활성화(손봉숙), 성폭력 근절을 위한 대책의 수립(신혜수), 사회공동 육아제도의 수립(정병호), 상속세 등 세제 평등화(김삼화)이었다. 여성위원회는 1999년 3월 25일 재창립을 하여 '생명 살리기 운동'을 펼치며 환경문제와 소비자 운동 그리고 여성의 사회적·법적 지위 향상에 노력하였다.

③ 주요 임원
○ 위원장 : 조형, 이숙리, 조미애, 이영욱
○ 위원 : 이계경, 이숙리, 이숙선, 성백엽, 신선, 나영희,
　　　　박혜경, 이현주, 한인규, 권수옥, 이영욱, 김은희,
　　　　허경식, 이경진, 최성숙, 민영미, 김순실, 이순자,
　　　　이순영, 박기영, 임소애, 김태의, 최숙경, 이경희,
　　　　이영미, 이영주, 심상원, 김봉선, 윤수경, 전상금,
　　　　정　은, 최경혜, 임희경, 윤복경, 이은주, 김수임,
　　　　나운경, 박은주, 강명자, 기소영, 김복순, 김영순,
　　　　김은나, 김태자, 김현양, 민기남, 박혜경, 유승희,
　　　　이구인, 이순례, 이효재, 장동인, 장혜숙, 정명자,
　　　　정순자, 정효진, 최중숙, 허명화, 이정자, 하경석,
　　　　조미애, 이영욱

9. 회원조직 및 유관기관

1) 경제정의실천불교시민연합(경불련)

① 설립 취지

경제정의실천불교시민연합(경불련)은 경실련의 회원들이 중심이 되어 불자들이 개인적 구복과 현실도피에 안주하게 하는 신앙관을 극복하고 불타의 제자로서의 사회적 책임을 다할 수 있게 하기 위한 시민운동의 공간을 마

련하고자 조직되었다. 1990년 5월0 '경제정의 실현을 위한 불교인 대토론회'와 8월 잠롱 방콕시장 방한을 맞아 '잠롱 시장의 방한을 환영하는 불교인 모임'을 구성하는 등 경실련과 한국교수불자연합회를 비롯한 불교단체들의 연대활동이 전개되면서 시민운동 차원의 불교운동의 필요성이 공유되었다. 1991년 3월 29일 경실련의 공동대표이신 송월주 스님을 비롯한 범산스님, 김동흔 등 경실련 내 불교인들이 중심이 되어 경불련 창립준비위원회를 구성하고 월주스님을 준비위원장으로 모시게 되었다.1991년 6월 15일 조계사에서 발기인대회를 갖고, 7월 13일 홍사단 강당에서 200여 명의 불교인들이 참석한 가운데 경불련 창립총회를 갖고 활동을 시작하였다. 경불련은 불교의 평등사상에 입각하여 왜곡된 경제 질서를 바로 잡고 생산과 분배의 불평등을 해소하여 만인공존의 정토구현, 개발 제일주의 정책으로 초래된 정신문화의 황폐화와 무자비한 환경파괴를 거부하며 만물공생의 세상 건설, 경제문제와 환경문제는 생존의 차원을 넘어선 본질적인 인권문제임을 직시하고 이의 개선, 정의롭지 못하고 인간적이지 못한 과소비, 향락, 사치풍조의 추방을 위하여 '나부터 우리부터' 앞장선다고 결의하였다.

② 주요 활동

경불련은 창립 당시부터 불교시민운동과 사회·경제적 부정 타파운동을 전개했다. 세제개혁, 금융실명제, 정경유착, 토지공개념 등을 촉구하고 부와 소득의 불공정한 분배, 경제력 집중의 심화 등으로 인한 사치와 향락의 만연, 이로 인한 환경파괴와 공해 등에 대한 사회적 인식의 확산을 위한 시민교육을 전개했다. 또한 '우리 환경 우리 손으로'라는 기치로 사찰 생활 주변에서의 에너지절약, 쓰레기 줄이기 캠페인 전개, 재활용품 사용, 무공해 세제 사용을 생활화하였다.

'자비의집'은 불자 시민의 자발적이고 선한 뜻을 모아 만든 결식노인과 아동을 위한 상설 무료급식소이다. 매일 2백여 명의 끼니를 거르는 무의탁 노인들에게 무료급식을 제공하고, 소년 소녀가장 및 불우이웃들의 자립을 돕는 사업이다. 주요 사업은 무료급식, 불우이웃 결연, 벽지 불우어린이 초청 서울견학, 의료봉사, 생활보조, 이·미용 무료봉사, 노인잔치, 노인과 장애인을 위한 설맞이 먹거리 나누기, 문화교육, 사찰순례 등을 1,600여 명의 후원회원과 250여 자원봉사자의 참여로 운영하였다.

'외국인 노동자마을'은 불교의 근본인 모든 생명을 차별 없이 다 같이 존중하는 생명경외와 국가 인종, 신분, 계급의 차이를 인정하지 않는 만인 평등사상에 따라 낯선 한국에서 많은 어려움에 처한 중국교포와 외국인노동자들을 돕고 그들의 인권신장과 한국문화의 이해 증진을 위해 열었다. 주요 사업은 산업재해, 임금체불, 강제노동, 부당해고, 폭행, 사망과 같은 노동문제 해결, 의료기관 알선, 인권보호 및 법률상담, 한국 이해를 위한 교육 및 문화 활동, 포교법회, 쉼터제공, 외국인 노동자보호법 제정운동 등이다.

'이웃을 돕는 사람들'은 1998년 IMF 외환위기 당시 도시노숙자 긴급구호사업으로 200여 명의 자원봉사자와 함께 운영하였다. 도시 실직노숙자 무료급식, 도시실직노숙자 사회복지시설 유료봉사자 파견제도 시행, 도시실직노숙자 종교계 미인가사회복지시설 유료봉사자 파견제도 상담진행, 노숙자 쉼터 '아침을 여는 집' 운영(숙식제공, 공공근로사업, 자활프로그램개발), 실직가정 어린이 '희망 만들기 열린 학교'를 운영하였다.

국제적으로는 네팔에 '아침을 여는 작은 마을-Bihani Basti' 지역공동체개발사업을 진행하였다. 이 사업은 1993년 말 인권의 사각지대에서 종사하는 외국인 노동자들의 농성을 계기로 네팔 노동자들과 교류하면서 임금체불, 산재사고 등의 문제를 해결해나가면서 2천여 명의 네팔 젊은이들이 타국에 취업할 수밖에 없는 근본적인 원인을 고민하였다. 결국 생산기반시설과 일자리가 없기 때문임을 알게 되면서 수도인 카트만두 근처에 직업교육학교를 계획하였다. 네팔 현지의 대학교수, 국정자문위원, 변호사 등과 접촉하여 자국민의 빈민 구호와 직업훈련에 참여하도록 유도하여 'NEPAL BUDDHA SEWA KENDRA'를 결성하였고 1997년 1월 네팔정부에 법인등록을 하고, 7월에 카트만두 바라주지역에 4 ROPANI(약 600평)의 부지를 매입하였고, 1999년 5월 10일 직업훈련원을 개소하여 운영하였다. 이 사업의 수혜자는 네팔 카트만두의 청소년 및 저소득 여성층과 빈곤이며, 직업훈련학교, 메디컬 센터, 순회 보건 위생 교육, 네팔어 및 기초 산수 교육, 한글 및 한국 문화 교육, 지역발전협의회 구성, 불우 아동 및 극빈자에 대한 실태와 지원, 지역 주민을 위한 도서관 운영 등을 하였다.

또한 경불련은 변화하는 사회상황에 능동적으로 대처하고 불교대중의 개혁요구를 폭넓게 수용하기 위하여 경불련, 통불협, 실천승가회 등 기존 사회운동단체들과 다른 노선과 이념의 편차를 극복하고 민족민주운동과 시민운동을 포괄하는 전국불교운동연합을 창립하여 활동하였다. 시민운동단체가 불교운동에 결합하면서 불교운동의 지평을 크게 확장하는 계기가 되었다.

이밖에 경불련은 불교개혁과 자주화를 위한 연대활동, 삼풍백화점 붕괴 현장에서 자원봉사 활동, 쌀 수입 개방 저지운동, 공명선거운동, 조계종 종단개혁 활동, 날치기 통과된 노동법·안기부법 대응 불교시국회의 활동, 지방자치제 실시 이후 증가하는 환경파괴에 대한 환경감시활동, 가정폭력방지법 제정운동, 북한동포돕기운동, 조선족 한국초청 사기 피해 대응, 불교방송 정상화 운동, 종단 자정운동, 외국인 노동자보호법 제정운동, 지리산 살리기 댐 백지화 운동, 환경과 생명을 살리는 알뜰가게-내 친구 초록이 등 수많은 활동을 하였다.

③ 주요 임원
○ 경제정의실천불교시민연합
 - 고문 : 송월주, 이설조, 주종환, 한상범
 - 지도법사 : 법타, 범산, 현응, 정덕, 원종, 정산, 법륜
 - 지도위원 : 강인성, 김규범, 김정호, 김철수, 박세일, 연기영, 이경용, 이상번, 최일산
 - 부회장 : 종후, 이금현
 - 운영위원 : 김동흔(위원장), 김광하, 김정자, 노귀남, 노부호, 박재방, 신응균, 이금 현, 이명규, 임영래, 임효정, 위정희, 장순자, 정혜옥
 - 정책위원 : 노부호(위원장), 노귀남, 박경준, 연기영, 유승무, 이희태, 전재성
 - 위   원 : 임영래, 김정자, 노귀남, 정혜옥, 임효정, 신응균, 위정희

○ 자비의 집
- 고문 : 범주, 동광
- 지도법사 : 도안, 법수, 지홍, 원적, 승오
- 지도위원 : 김영민, 박종환, 박찬수, 이용청
- 회장 : 광복 / 부회장 : 호명
- 운영위원장 : 신응균
- 주요 임원 : 봉사단장 장순자, 재가복지위원장 이문희, 간사 이일형
○ 외국인 노동자 인권문화센터
- 회장 : 정영도
- 운영위원 : 김광하(상임), 김상익, 김강태, 임영래, 신응균
- 자문위원 : (정책) 전재성, 유승무, (법률) 이은기, 박구진, 이범래
- 지도법사 : 정산, 법현, 동출
- 간사 : 정진우
○ (사) 이웃을 돕는 사람들
- 고문 : 임송산
- 지도법사 : 묘순, 일진, 초격, 유수, 원명
- 지도위원 : 김인기
- 회장 : 종후
- 이사 : 김동흔(이사장), 대휴, 법현, 노귀남, 박재방, 임영래
- 감사 : 강경식, 이범래
- 내친구 초록이 : 부장 서현철
- 아침을 여는집 : 간사 이주원
- 희망학교 : (미아) 정희수 실장, (용두) 김혜영 실장
○ Nepal Buddha Service Center
- 고문 : 김인기, 앙도르지 세르파, 걀날 수레스타, 샤키야
- 지도법사 : 금정, 제즈쿠제즈 린포체, 칼상 라마
- 지도위원 : 건비르 구룽
- 회장 : 티르만 샤캬
- 사무총장 : 모나 구룽
- 이사 : 닐 구룽, 먼주 타파, 모노즈 쿠마르 쉬레스타, 커먼싱 라이, 타네소르 반자데, 프로비나 구룽
* 위 임원명단은 '경실련 창립 11주년 자료집'(2000.11)을 참고하였습니다.

2) 바른경제동인회

① 설립 취지

우리 사회와 경제의 다음 단계 도약을 위해서는 투명

경제와 부정부패의 척결이 필수이다. 이를 달성하기 위한 취지에 공감하고 정책입안에 실물경제의 경험을 제공하는 등 같은 뜻을 가진 기업인들이 모여 체계적이고 지속적으로 의미 있는 활동을 해 나가자는 공감대가 형성되었다. 우리 경제를 살리기 위한 방안 검토, 부정부패 척결방안의 모색, 기업윤리 확립운동, 공정한 경제 질서 수립운동, 절약 및 나눔 운동, 각종 불합리한 규제의 철폐를 위한 노력 등 뜻 있고 양심적 기업인들이 해야 할 일이 한 두 가지가 아니라는 사회적인 책임감이 모임을 만들게 한 동력이었다.

'바른경제동인회'는 '경제정의실천시민연합'(경실련)의 상공인 모임으로부터 출발했다. 보다 많은 기업인들이 동참할 수 있도록 1993년 3월 29일 '재정경제부' 산하 사단법인으로 등록한 뒤, 동년 3월 30일에 30명의 회원으로 창립되었다. 활동의 목적은 정의로운 사회건설을 위하여 바르게 경영하려는 기업인과 경영인의 모임으로서 올바른 기업윤리의 확립, 건전한 노사관계의 확립, 공정한 경제 질서 수립 등의 과제실현을 위하여 신기업운동을 전개하고 필요한 정책을 개발하여 바른경제 실현에 기여하는 것이다. 바른경제동인회의 창립의 산파와 활동에는 박종규 회장(현 KSS해운 고문)이 많은 기여를 하였으며, 경실련 중앙위원회 의장(1993.7-1997.7)을 역임하였다.

② 주요 활동

바른경제동인회는 창립 이후 1993년 10월 '기업인 신생활운동'을 선언하고 '기업인 신생활운동 동참 호소문'을 전 상장사 대표 1,000여 명에게 발송하였으며, 1994년 5월 '돈 봉투' 거래 실태조사를 위해 1,520여 상장사 대표와 경리(자금)부장에게 발송하고 조사결과를 발표하였다. 1994년 7월에 '세제개혁안'(근로소득 공제제도 개혁안 및 법인 및 사업소득자 세액공제제도 개정안)을, 1995년부터 탈세 방지를 위해 '소득세법개정안'(일명 '카드거래감세제도')을 정부와 국회에 청원하여 1999년 9월부터 시행되기에 이르렀다. 또한 창립 후 모든 뒷거래를 배격하는 '신기업운동'을 전개하였으며, 1998년부터는 '경영투명성운동'을 추진하고, 1999년 3월에는 '민간부패방지를 위한 시스템 개발'의 공개토론회를 개최하였다. 2007년에는 경실련과 공동으로 "세금낭비 시민감시운동"을 추진하였고 이 결과를 토대로 2008년 2월에 경실련, 경향신문과 공동으로 '역대정부

사진으로 보는
경실련 30년

I.
경실련의
창립과 활동

II. 경실련 30년
활동의 성과

III. 지역경실련의
활동과 성과

IV. 경실련과
시민사회의 미래

및 이명박 정부의 예산낭비근절 정책 평가 토론회'를 개최하였다.

③ 주요 임원
○ 간사 : 박종규(1993-1997)
○ 회장 : 조순, 김진현, 한승헌, 전철환, 박종규
○ 이사장 : 이우영(1대), 박종규(2대), 김동수(3대)
　- 위　원 : 김영호, 김종수, 이갑산, 이동환 등

3) 도시대학 동우회

① 설립 취지
　　1997년 11월 28일 도시대학 동우회는 경실련도시개혁센터에서 주최한 시민교육 프로그램인 도시대학의 수료생을 중심으로 조직되었다. 도시대학은 도시운동이 시민 속에 자리 잡을 수 있도록 하기 위해 매년 한 차례 이상 개최되었다. 1997년을 시작으로 2014년 1월까지 총 20기의 일반과정과 2차례의 도시재생대학 특별과정 등 총 22차례 진행되어 725명의 수강생을 배출하였다. 도시대학 동우회는 기수별 회장을 선출하여 친목을 도모하였고 도시개혁센터 회원으로 활동하였으며, 일반시민과 지방의원, 공무원과 학계 등 다양한 분야의 시민네트워크를 형성하였다. 총 동우회 회장은 회원조직으로 경실련도시개혁센터 이사회에 참여하였다.

② 주요 활동
　　도시대학 동우회는 매년 개최되는 시민강좌와 도시체험, 시민정책이야기마당 프로그램에 참여하였다. 특히 11기 동우회는 <청계천 보행접근성의 문제와 개선방안>이라는 청계천복원사업의 실태보고서를 발표하여 문제점을 고발하는 등 시민참여 도시운동을 실천하였다. 도시대학에 참여한 지방의원들은 경실련과의 네트워크를 바탕으로 지역의 현안문제에 대해 전문가와 일반시민이 함께 대안을 마련하는 활동을 전개하기도 하였다.

③ 주요 임원
　　총 동우회 회장은 1기 수료생인 최병환 의원(전 서울시 중구의회)이 맡았고, 도시개혁센터 회원을 대표해 센터 이사로 활동하였다.

<도시대학 수료생 현황>

기수	1기	2기	3기	4기	5기	6기	7기	8기	9기	10기	11기	12기	13기
명	42	33	25	49	22	51	39	45	15	24	19	14	49

기수	14기	15기	16기	17기	18기	19기	20기	도시재생대학		합계	
명	25	22	25	43	28	25	25	40	40	725	

4) 민족화해아카데미 총동창회

① 설립 취지
　　1996년 6월 22일 민족화해아카데미 총동창회는 경실련통일협회에서 주최한 통일교육 프로그램인 민족화해아카데미의 졸업생을 중심으로 결속됐다. 그동안 29차례의 민족화해아카데미를 통해 통일의 일꾼

을 배출하였으며, 졸업생들 간의 친목을 도모했다. 또한, 민족의 화해와 협력을 통한 한반도의 평화적 통일을 정착시키기 위해 노력했다. 이를 위해 각종 북한 돕기 운동 전개, 민족화해를 위한 시민캠페인운동 등을 전개했다.

② 주요 활동

경실련통일협회의 정책 사업과 별개로 민화회는 회원들을 중심으로 자발적인 활동에 나섰다. 백두산 통일순례, 북한동포돕기 성금 모금 캠페인, 북한동포 겨울나기 옷 보내기 운동, 산악회 등 친목 모임, '민족화해' 회보 발간 등의 활동을 펼쳐나갔다. 특히 96년 민화회는 북한 동포의 심각한 식량난을 시민들에게 홍보하며 실상을 알렸으며, 기금 마련을 위해 주점도 여는 등 민족화해의 계기를 마련하는 데 노력했다.

③ 주요 임원
○ 회장단 : 이규동, 박동일, 이준행, 조태욱, 여익구,
　　　　　 리향우, 김찬호, 조유동, 조용길, 윤영전,
　　　　　 박용현, 이웅립, 박순장

5) 경실련 청년회

① 설립 취지

경실련 청년회는 청년들에게 경실련 운동을 전파하고 이들의 참여를 이끌어 내려면 청년 회원들의 독자적인 모임과 활동이 필요하다는 데 인식을 같이하여 1990년 8월 '경실련 청년협의회'라는 작은 모임으로 출발했다. 청년협의회는 경실련 운동에 뜻을 모은 청년회원들이 자발적으로 참여하여, 친교와 교류를 바탕으로 공동의 관심사와 우리 사회의 변화에 대한 전망을 모색하고자 했다.

경실련 청년회는 1993년 4월 24일 시민운동의 지도력과 건강한 청년상을 제시하기 위하여 경실련 회원 중 20대와 30대를 중심으로 만들어졌다. 시사경제분과, 사회문화분과로 나누어 소모임체제를 유지하며 취미모임으로 산악반과 환경사진반을 두었다.
경실련 청년회는 한일청년포럼, 북한동포돕기운동, 의료봉사 활동 등을 참여했다. 정기모임과 매월 1회 청년 소식지를 발행하고 기획토론회, 소모임 활동, 연대 활동 등을 진행했다.

② 주요 활동

90년 8월 도봉산 청소년 수련원에서 여름 수련대회

개최, 1991년 9월과 10월 청년강좌 및 수련대회 진행했다. 1992년 14대 총선 기간에는 여의도 회원들이 점심시간과 출퇴근 시간을 이용해 정책캠페인 및 공명선거운동을 전가하며 시민참여운동의 새로운 모델을 만들었다. 94년 청년들의 국토사랑 일환으로 인천에서 통일전망대까지 국토횡단 사업을 하고, 12·12군사반란과 5·18내란 책임자 재판회부를 위한 1,000인 선언에 참여했다. 또한, 청년단체인 '젊은 이웃'과 함께 20대, 30대 직장 청년설문 조사를 시행하였다.

1995년에는 다양한 청년들의 문화적 요구를 충족하고 일반 청년들의 참여를 유도하고자 '경실련 청년문화강좌'를 8회에 걸쳐 실시했다. 주한 미군 범죄 규탄 집회와 일본 망언 규탄 집회 등 연대사업에도 활발히 참여했다. 1996년에는 통일협회 산하 민족화해아카데미와 공동으로 북한동포돕기 모금 활동, 노동부 안기부법 날치기 통과에 대해 성명을 발표하며 무효화 활동을 전개하였다. 1995년도에 이어 재일한국청년연합과 만남과 교류의 장을 열었다. 98년에는 정동 청년 포럼을 개최하고, 경실련 청년 경제강좌를 개설하는 등 꾸준히 활동했다.

③ 주요 임원
○ 회장단 : 공창배, 김병욱, 이정원, 윤여진, 장미경,
　　　　　 정세홍
○ 회원 : 강원철, 곽영훈, 권황복, 김대선, 김병욱, 김영호,
　　　　 김재학, 김종수, 김태호, 김태현, 도재영, 두만석,
　　　　 문하연, 민선정, 박기봉, 박병호, 박성애, 박성현,
　　　　 박영복, 배유현, 배현수, 송창석, 성상건, 심현천,
　　　　 안희숙, 여성훈, 오수관, 오의교, 이갑산, 이경남,
　　　　 이영우, 이은상, 이형모, 이충직, 이훈민, 이희택,
　　　　 인창혁, 임　석, 임용호, 장미경, 정경아, 정상용,
　　　　 정세홍, 정일용, 최병춘, 최정명, 한두성, 한보찬,
　　　　 홍용찬, 황철민

6) 경실련 대학생회

① 설립 취지

경실련대학생회는 변화된 사회현실에 조응하는 새로운 학생운동을 건설하여 일반 학생들과 국민의 신뢰와 지지를 받으며 우리 사회의 개혁과 진보를 이루겠다는 취지로 만들어졌다. 경실련대학생회는 창립 선언문을 통해 "학생운동이 자신들의 치열한 고민과 지난한 실천의

결과물인 오늘의 현실에 대한 정확한 인식과 창조적 대응에 실패함으로써 위기를 맞이하고 있다"고 진단하고, "87년 이후 가속화되고 있는 민주화 과정에서 형성된 일련의 정치 지형의 변화"로 인해 학생운동은 질적인 혁신을 요구받고 있으며, "국민들의 폭 넓은 지지와 학생들의 광범위한 참여를 이룰 수 있는 학생운동의 새로운 실천방향이 정립"되어야 한다고 밝혔다. 이러한 인식하에 경실련대학생회는 △점진적 구조개혁운동, △정당성에 기초한 합법운동, △합리적 대안을 제시하는 운동, △국민적 합의에 입각한 운동, △다양성과 개방성이 존중되는 운동, △시민과 학우들의 정서와 부합하는 운동을 전개하기로 했다. 창립 이후 우선적으로 대학 내 강연회, 대자보 활동 등을 통해 경실련운동을 대학 내에 알리고 경실련대학생회가 추구하는 새로운 학생운동을 전파하는 한편 경제개혁촉구운동, 환경운동, 대학개혁운동 등과, 환경세미나, 대학별 환경캠페인 및 러시아 동해 핵폐기물 투기 항의시위 등 환경운동 등을 전개했다.

② 주요 활동

1992년 9월 발기인대회를 갖고 준비위원회를 결성(서울대학교, 150여 명 참가)하고, 1993년 4월 '경실련대학생회 창립대회 및 경제개혁 촉구 결의대회' 개최(서울대 경영관 국제회의실, 약 300여 명의 학생 참여) 및 대학생겨울캠프 및 '전환기 한국사회와 학생운동의 새로운 전략 모색'에 관한 강좌를 하였다.

1993년 경실련대학생회를 전국 14개교에서 결성하였고 11개 대학은 준비모임으로 진행하였다. 당시 대학생회가 활동한 대학은 서울대학교, 서울대 농업생명과학대학, 서강대학교, 중앙대학교(안성), 이화여자대학교, 성균관대학교, 연세대학교, 성균관대학교(수원), 중앙대학교, 한국외국어대학교, 고려대학교, 한양대학교, 성신여자대학교, 숭실대학교, 한양대학교(안산), 부산대학교, 성심여자대학교, 경북대학교, 전남대학교, 아주대학교, 조선대학교, 명지대학교, 광주대학교, 전북대학교, 원광대학교 등이었다.

1994년에는 경실련 대학생회 사회개혁단, 입법감시단, 환경감시단 등을 운영하였다. 그리고 서울대·중앙대·한양대·전남대·조선대 등 5개 대학 총학생회선거에서 후보자 출마를 하였다. 당선된 곳은 없었지만 당시 학생운동의 중심지였던 전남대학교에서는 출마한 세 후보 중 30%를 획득해 2위로 결선투표에 진출, 49.7%를 얻어 52표차로 석패하는 등 기대 이상의 바람을 일으켰다.

③ 주요 임원

○ 회장단 : 이정수, 고상진, 곽현
○ 회원 : 강준호, 고상진, 고재열, 고재영, 김민정, 김영덕, 김용태, 김우남, 김원주, 김준영, 김지훈, 김진경, 김현철, 류홍채, 박용운, 박정열, 박종하, 백준현, 배유현, 신 호, 신국균, 신의섭, 신현영, 원석준, 양윤철, 오창수, 유승원, 유재현, 유지호, 이대규, 이병진, 이수현, 이지현, 이화영, 임기헌, 전재헌, 정진원, 정효명, 조순진, 최철규, 한건웅, 한건희, 황인석, 황현부

7) 경실련 노동자회

① 설립 취지

1993년 3월 13일 창립된 경실련노동자회는 창립 선언문을 통해 실현하고자 하는 두 가지 목적을 다음과 같이 밝히고 있다. "첫 번째 목적은 한국 노동조합운동의 방향과 정책을 변화된 현실에 맞게 새롭게 정립하여 한국의 노사관계를 바르게 개혁하고, 이를 기반으로 한국경제의 선진화와 노동세계의 인간화를 이루어내는 것입니다.… 두 번째 목적은 한국의 민주주의를 더욱 진전시키고 한국사회의 개혁과 진보를 이뤄내는 실천에 노동자 대중이 광범위하게 참여할 수 있도록 하는 것입니다. 즉, 노동자 대중이 한국 시민운동의 강력한 사회적 기반이 되고, 나아가 주력으로서의 역할을 할 수 있도록 하는 데 있습니다." 이는 변화된 현실에 부합하는 새로운 합리적 노동운동으로의 전환과 시민운동과의 연대를 통해 사회발전을 도모하는 것을

목표로 하고 있음을 보여준다. 그리고 "중간층 중심의 시민운동은 한국사회의 개혁과 진보를 이뤄내는 데 뚜렷한 한계를 가질 수밖에 없습니다. 노동자 대중이 시민운동에 광범위하고 강력하게 동참할 때, 비로소 엄청난 힘을 갖고 있는 기득권세력을 물리치고 한국 민주주의의 진일보를 성취할 수 있을 것입니다."라고 밝히고 있는데, 이는 경실련이 6월 민주화항쟁 과정을 거치며 사회발전의 주역으로 등장한 중간층들을 조직하는 한편 노동운동을 비롯한 기층운동의 합리적 방향 전환을 유도하여 중간층 기반의 시민운동과 기층 기반의 노동운동 간의 연대를 통해 한국사회의 지속적인 개혁을 추진하려 했음을 보여준다. 이러한 인식에 따라 경실련 노동자회는 "사회적 공공선을 중시하는 활동기조를 견지"하고, "노동자 개인의 발전뿐만 아니라 국민경제의 발전에 참여하는 동시에 책임지는 노동운동"을 할 것이며, "노동자계급의 이익이 사회적 공공선과 합리적으로 조화"될 수 있도록 노력하겠다고 밝혔다. 1993년 3월 13일 경실련노동자회가 창립되고, 이후 안산과 수원에 지부가 설립되었다.

② 주요 활동

초기 경실련노동자회의 활동은 크게 두 방향에서 이루어졌다. 첫째는 새로운 노동운동론을 세우고 이를 구체화하면서 널리 전파하는 활동이었다. 이를 통해 노동조합운동 스스로 새로운 리더십을 형성할 수 있도록 하였다. 경실련 노동자회가 추구하는 새로운 노동운동의 핵심적인 방향은 △노사 간 대등한 관계를 추구해 나가는 노동운동, △참여하고 책임지는 노동운동, △노동자의 지적·도덕적·기술적 능력을 제고하는 데 역점을 두는 노동운동, 그리고 △상호 신뢰에 기반한 새로운 노사관계 형성으로 설정되었다. 두 번째로는 경영 합리화로 일컬어지는 급변하는 기업들의 '신경영전략' 및 노사관계의 변화된 현실을 정확히 이해하고 새로운 노동운동의 관점에서 현실에 맞는 임금교섭 방식과 내용, 경영참가 방식과 내용 등 노동조합의 구체적인 활동방안을 만들어 교육하고 이를 부분적으로 현실에 적용시키는 활동들을 전개했다.

③ 주요 임원

○ 회장 : 최낙용
○ 부회장 : 김현삼
○ 회원 : 김종관, 김현동, 노기수, 유승호, 이태영, 전대석, 박남수, 모현중, 이광열, 박완기, 전 성, 조복현, 김호중, 김희수, 정상택

8) 경실련 미디어워치

① 설립 취지

1996년 2월 방송의 질을 높이고 건강한 방송문화 정착을 위한 시청자 운동을 전개하고 미디어에 대한 올바른 시각 정립과 시청자 주권확립을 위한 법·제도 개선 활동에 주력하고자 경실련 조직위원회 산하 회원조직인 방송모니터회를 창립하였다. 시청자운동은 미디어에 대한 비판적 인식에서 출발하였다. 방송이 시민들의 일상적 삶에 직접적인 영향을 미치는 등 미디어의 기능과 사회적 역할이 증가하면서 사회를 좀 더 긍정적으로 이끌어 가는 데 도움을 주기 위한 목적으로 결성되었다. 2000년 3월 방송모니터회는 미디어워치(MEDIA-WATCH)로 명칭을 변경하였다. 미디어워치(MEDIA-WATCH)는 서구 시민사회 NGO의 가장 기초적인 활동인 'watch-dog'(감시, 모니터 의미)에서 착안한 이름이다. 미디어워치 회원들은 스스로 방송의 소비 및 수용의 주체로서 인식을 같이 하고 직접 감시하고, 방송에 대한 욕구와 불만을 적극적 행동으로 반영 발전시키고자 하였다. 이를 위해 프로그램 모니터팀을 중심으로 언론비평작업을 위주로 진행하였고 방송에 대한 일반인의 의식을 키우는 교육활동, 언론 시민단체와의 연대활동을 진행하였다.

② 주요 활동

1996년 1월 1기 회원을 모집하고 경실련 방송모니터회를 창립하였다. 회원 모니터 팀을 대상으로 한 모니터 강좌를 진행하고 정기적으로 〈시청자가 뽑은 좋은 프로그램〉을 선정하는 등 방송비평작업을 중심으로 활동하였다. 방송모니터회는 매월 정기적으로 TV 프로그램을 모니터하고 보고서를 발간하였다. 코미디와 오락, 대중음악과 영화에서 시사, 보도 프로그램의 문제점까지 다양한 장르와 어린이와 부부 등 특정계층 대상 프로그램까지 폭넓게 다루었다.

시민교육으로 '98년부터는 중학교 CA(특별활동)과정에 '미디어/방송 바로보기'반을 개설 운영하는 등 중등 미디어 시범 교실을 운영하였고, '99년부터는 매년 일반인, 주부, 대학생을 위한 교육 프로그램으로 미디어 교실을 실시하는 등 시청자 교육의 장을 확대하였다. 교육 지원을 위해 강사교육도 함께 실시하였다.

미디어워치는 매년 〈시청자가 뽑은 좋은 프로그램〉을 선정하고 연말에 시상하였다. 프로그램 선정을 위해 시민대상으로 설문조사를 실시하였고, 좋은 프로그램 10

선을 발표하였다. KBS "시청자 의견을 듣습니다"에 제작 참여하였으며, 언론개혁시민연대 산하 〈언론정보공개시민운동본부〉에 참여해 방송사와 언론사의 정보공개청구 및 분석 발표를 통해 정책개혁방안을 제시하는 등 관련 시민단체와의 연대활동도 진행하였다. 아울러 방송환경의 변화와 제작 시스템, 시청자 주권, 언론 정보공개운동, 대중문화의 영향에 대한 진단 등에 관한 세미나 및 토론회를 개최하여 방송문화 개선 및 제도개선을 위한 여론형성 활동도 전개하였다. 그리고 모니터보고서 모음집과 매년 교육 및 활동자료집을 발간하였다.

③ 주요 임원
○ 회   장 : 최은주, 최성주
○ 부회장 : 최성주, 김태현

9) 경실련 환경농업실천가족연대

① 설립 취지

환경농업실천가족연대는 1999년 4월 2일 친환경농산물을 생산하는 농업인과 소비자 간의 신뢰와 가족애를 바탕으로 죽어가는 흙과 물을 되살려 우리의 생명과 환경을 지켜나감과 동시에 안전하고 품질 좋은 먹을거리를 지키는 일을 실천하기 위해 설립되었다. 환경농업실천가족연대는 환경농산물 생산자·소비자 연대사업, 친환경농업 시민강좌 운영, 환경농업실천 국민교재 개발보급사업, 환경농업 주말농장 운영사업, 환경농산물 예산·유통감시사업, 친환경농업 분쟁 소송센터 및 불량 친환경농산물 고발센터 운영, 생명·환경·농업을 위한 '땅울림' 발간사업, 농정 감시 활동 등을 전개했다.

② 주요 활동

1999년 4월 2일 경실련 환경농업실천가족연대 창립총회를 시작으로 친환경농업 주말농장 개장, 6월 환경농업 시민강좌 개설, 7월 환경농산물 정보센터 개설, 10월 땅울림 창간호 발간 및 친환경농업 국제 심포지엄을 개최했다. 2000년 7월부터 어린이 땅물지킴이 체험교실을 운영하고 12월 서울특별시교육청 특별직무 연수기관으로 지정받았다. 2001년 6월 청소년 친환경농업 농장을 개장하고 어린이 농촌체험 캠프, 10월 친환경농업 시민체험 행사를 개최했다. 그 외 어린이 감자캐기 행사, 고구마심기 행사, 어린이 농촌체험 캠프, 친환경농업 시민체험 등 다양한 활동을 이어갔다.

③ 주요 임원

○ 권광식, 고진광, 김연화, 김이현, 민승규, 박영수, 송한철, 신철영, 왕진무, 윤석원, 정진영, 이재우, 임성실, 조명제, 조한규, 최덕천, 황용철, 홍쌍리

10) 서울 구 지부

① 설립 취지

경실련의 서울시 구 지부 결성은 1990년 조직강화회의가 중심이 되어 구별 조직결성을 위한 준비모임을 5~6개 구에서 가진 바 있으나 여건의 미성숙으로 중단했다. 그 후 1993년 2월 중앙위원회가 수립한 1993 사업계획에서 회원활동 강화를 위해 서울시에 구별 지부 결성을 추진하기로 결의하고, 이를 추진하기 위해 경실련 사무국 내에 시민부를 신설하여 지원체계를 갖췄다. 구 지부 결성은 경실련에 가입한 기존 회원을 구

별로 조직하여 회원활동을 활성화하고, 지역특성에 맞는 프로그램을 통해 회원과 시민들의 참여기회를 확대시키고 지역사회 속에 시민운동을 뿌리내리는 데 있었다. 특히 경실련은 경실련운동의 지역사회로 확산, 지방자치의 효과적 대응 및 건강한 지역사회 건설, 지역사회 현안 발굴 및 해결을 통한 생활욕구 충족, 지역주민들에게 자율적 참여의 장 제공을 위해 적극적으로 노력하였다.

② 주요 활동

서울 구 지부의 조직은 경실련 시민분과의 조직강화회의가 회원활동 활성화를 위한 간담회(1990.1.8.)를 열어 기본 방향을 정하고 구별 회원조직 준비모임(동작구, 서대문구, 송파구, 성동구, 노원구, 광명시 등)을 추진하였다. 이후 조직강화회의는 금요시민회로 명칭을 변경하고 구별 모임을 지원하였는데 '만나고 싶은 사람과의 대화' '나누고 싶은 이야기' '시사토론회' '경실련 정책설명회' 그리고 등 현행 세제의 문제점과 세제개혁의 방향(1990.9), UR농산물 협상의 방향과 대응책(1990.10)과 같은 회원 토론마당을 진행하였다. 특히 송파구 지방의회가 해외연수를 명분으로 한 호화외유를 계획하는 것을 인지하고 조사활동과 항의방문 그리고 지방의원 해외연구 공청회 등을 통해 백지화시키는 독자적 활동도 하였다. 경실련은 매월 신규 회원과 함께 하는 새가족 행사를 개최하면서 노원·도봉, 강동·송파, 강남·서초, 강서·양천 등에서 구 지부 조직을 추진하였다.

노원·도봉 구 지부는 나중에 강북·노원·도동 경실련으로 활동하였다. 1993년 7월 노원·도봉구 거주 회원들에게 안내서신 발송하고 회원 간담회를 진행 한 후 임시 사무실을 개설하였다. 회원들을 대상으로 월례시민강좌를 개설하여 금융실명제, 실명제시대의 주택시장 등을 토론하였고 여성환경교실을 개최하였다. 특히 지역의 현안이었던 '소각장 문제에 관한 정책간담회'(1993.7)를 개최하면서 저변을 확대하였으며, 살기 좋은 아파트 마을 만들기' 출판기념 세미나를 하였다. 1994년 4월 16일 구 지부에서는 처음으로 창립하였으나 크게 활성화되지 못하였고, 이후 정치적 중립성의 문제가 제기되어 2008년 사고지부로 지정되어 정상화 노력을 하였으나 대법원까지 진행된 소송의 결과로 폐쇄되었다.

강동·송파 구지부는 1995년 5월에 지부창립을 위한 설명회를 개최하고 6월 7일 창립발기인 대회를 하였다. 창립 준비위원회는 지방자치 선거 시기 강동구청장 후보 초청 토론회가 무산된 이후 자치참여시민모임을 조직하고 지방자치 시민강좌 개설, 강동·송파발전을 위한 주민참여토론회 개최, 송파구의회 방청 그리고 환경등반대회를 추진하면서 창립을 준비하였다. 창립 준비위원장은 문정희, 주성수, 준비위원은 김기성, 김동선, 박헌권, 오명균, 이기우, 정명채, 홍흥섭이었으며 간사는 임복희씨가 맡았다. 강동·송파 구지부는 창립을 하지 못하고 자체 해산되었다.

강남·서초 구지부는 1993년 7월 지역 회원들에게 안내서신 발송한 후 회원간담회, 회원 수련회, '행정쇄신과 시민생활의 변화(1993.11)' 등 월례강좌를 하였다. 그러나 강남·서초 구지부는 창립을 하지 못하고 자체 해산되었다.

강서·양천 구지부는 1993년 11월 회원간담회를 개최하는 등 노력을 하였으나 창립을 하지 못하였다.

③ 주요 임원
○ 강북·노원·도봉 구지부
  - 김기윤, 김용은, 김자현, 김주문, 민병록, 박준범, 이대희, 최경주, 최상일, 황옥분, 우승수, 이기태, 강희성, 노철환, 김영민, 박진선, 최재만, 박지영, 배재환, 임국환, 조영환, 김동흔
○ 강동·송파 구지부
  - 문정희, 주성수, 김기성, 오명균

11) 경실련 중소상공인회

① 설립 취지

60년대 이후 우리경제가 특정상업과 소수 기업을 집중적으로 육성하는 과정에서 중소기업은 상대적으로 취약했다. 80년대 들어 경기가 침체된 가운데 중소기업의 경우는 생산, 조업, 자금, 설비투자, 수출 등 전반적으로 부진한 상태에 있었다. 경실련은 중소기업의 육성 및 보호가 절대적으로 필요하였다. 그 이유는 재벌의 과도한 경제력 집중과 부동산 투기 등 우리사회의 경제적 부정의로 인해 피해를 당하고 있는 생산적 중소기업인들의 힘과 지혜를 모으고 건전한 육성을 통한 국민경제의 발전을 도모하는 것이었다. 그리고 이를 저해하고 있는 법과 제도들을 적극적으로 개선해야 했다. 중소상공인회는 1989년 10월 26일부터 준비모임을 시작했고 1990년 2월 9일 경실련 중소상공인회를 결성하였다

② 주요 활동

경실련 중소상공인회는 초창기 경실련 활동에 참여하고 있던 중소상공인 회원들이 참여하여 정기 조찬모임(격월)을 통해 중소기업과 관련된 연구 발표회를 하면서 '우리사회의 경제정의 실현과 중소기업의 발전방안'을 논의 하였다.

경실련 중소상공인회의 조찬세미나는 중소기업의 당면과제와 정책방향(1990.3, 한덕수 상공부 중소기업국장), 중소기업에 대한 금융지원 제도 그 운영 실태 및 개선방향(1990.5, 중소기업은행장(안승철 박사), 정부의 세제개혁안과 중소기업에 미치는 영향 및 대안 제시(1990.9, 유철근 공인회계사, 최명근 서울시립대 교수), UR 협상과 정보통신분야의 개방(1990.10, 이인표 체신부 통신개방연구단장, 진용옥 경희대 교수)를 진행하였다. 1991년 4월 정기총회에서 중소기업 육성발전 연구소위원회 추진을 결의하고, 1991년 5월 11일 '우리나라 중소기업의 문제와 과제'의 세미나를 개최하면서 중소기업연구소위원회를 발족하였다. 중소상공인회의는 1993년 3월 29일 창립된 '바른경제동인회'의 모태가 되었다.

③ 주요 임원
○ 회장 : 이현배(1990)
○ 위원 : 강원철, 곽영훈, 권황복, 김영호, 김재학, 김종수, 도재영, 두만석, 문하연, 박기봉, 박성현, 박영복, 배현수, 성상건, 여성훈, 오수관, 오의교, 이갑산, 이경남, 이영우, 이형모, 이훈민, 이희택, 임 석, 임용호, 정일용, 최병춘, 최정명, 한두성, 한보찬, 홍용찬, 황철민,

12) 경실련 사회개혁단 및 의견개진단

① 설립 취지

경실련이 창립 10주년을 맞아 경실련이 회원들과 함께 적극적으로 사회개혁 운동에 조직적으로 나서고자 1999년부터 사회개혁단을 추진하였다. 사회개혁단은 경실련 대학생회가 1994년 사회개혁을 촉구하고 쓰레기 종량제 실태조사, 유기농업봉사활동, 수입농산물 실태조사, 관변단체 조사 등을 실시하였는데 1999년 사회개혁단은 이를 전국적 차원에서 확대 추진한 것이었다. 그리고 회원과의 소통을 위해 경실련의 활동을 모니터하거나 활동 의제를 제안할 수 있는 의견개진단을 운영하였다.

② 주요 활동

1999년 4월 26일 경실련의 개혁정책을 실현하기 위해 적극적으로 행동하는 시민들을 전국적인 사회개혁단원으로 조직하였다. 사회개혁단은 1998년 명동에서 경실련이 전개했던 '개혁촉구 시민행동'과정에서 길거리에서 시민들이 직접 정치인과 정부에 팩스보내기 및 전화걸기를 통해 압력을 행사했던 사례를 참고로 일상생활에서 직접 행동할 수 있도록 하였다. 이를 통해 명망가 중심의 운동 및 시민 없는 시민운동의 극복, 전국차원의 시민감시와 시민행동의 조직화, 시민생활 운동의 활성화를 기대하였다. 활동방향은 시민감시·시민제안·시민행동으로, 자체의 규칙을 제정하고 설명회를 개최하였다. 회원 간의 소통을 위해 개혁통신망 구축, 소식지 발간, 사회개혁대학 개설 등을 진행하였다. 사회개혁단은 지역경실련과 별개였으며, 34개 시·군단위(경기에서는 양평·남양주·평택·과천·시흥·의정부·성남·포천, 강원과 충정에서는 삼척·원주·양양·단양, 경상남북에서는 하동·밀양·창원·삼천포·사천·울릉도·상주·울진·영주·영천, 전라남북에서는 고흥·장흥·화순·나주·구례·남원·무주·장수, 서울에서는 금천·영등포·분당·송파 등)에서 약 2천여 명이 활동하였다. 구체적으로 지역현안에 대해 국회의원 및 시장에게 전화하기, 지방의회에 지역모임에 참석하기, 이웃과 현안에 적극 토론하기, 투표하기, 자원봉사하기 등을 실천했으며, 자체적으로 관변단체 실태조사를 실시하였다. 그리고 회원들을 위한 소식지를 3회까지 발행하였다. 의견개진단은 주로 경실련의 회원들을 대상으로 경실련 활동을 평가

하고 의제를 제안하였고, 당시 사회 현안에 대한 시민들의 의견을 조사하여 발표도 하였는데 약 200여 명이 활동하였다. 사회개혁단과 의견개진단은 대표자 없이 자원봉사 체제로 운영되었으며, 경실련 사무국의 조직국에서 기획, 관리, 운영을 담당하였다.

13) 경실련 의정감시단

① 설립 취지

경실련이 창립 준비과정에서부터 우리사회에 내놓은 정책들은 토지와 주택문제, 한국은행 독립, 금융실명제, 재벌개혁, 세제개혁 등 대부분이 국회의 입법에 관한 사항이었다. 국민의 대표인 국회의원이 실제로 국민의 편에서 경제적 불의를 시정하기 위한 의정활동을 성실히 수행하는지를 그들을 뽑은 유권자인 시민이 직접 관찰·평가하기 위해 경실련은 의정감시단을 1989년 11월 4일 경실련 창립대회에서 발족하였다.

② 주요 활동

의정감시단은 1989년 11월 7일 국회 방청을 요청하는 협조공문을 국회 각 상임위원장에게 전달하고, 11월 22일 '경실련 민생관련 입법 촉구 국회방문단' 이름으로 야 3당 총재 및 민정당 대표를 방문하여 경실련 입법촉구사항 전달, 의정감시단 활동에 대한 협조요청, 국회의원들에게 설문지(토지공개념 도입, 한국은행독립, 세입자 주거안정대책)를 배부했다. 특히 11월 23일에 건설위원회 법안심사 소위원장과 위원들에게 방청을 요청했으나 거부당했다. 이에 국회의 모든 입법심의과정 등 입법활동은 국민에게 공개되어야 하며 정당한 절차에 따른 방청이 부당하게 제한되어서는 안된다는 성명을 강력하게 발표하고 항의하였다(1989.11.25.) 결국 논란 끝에 의정감시단이 아닌 개인으로 허가를 받아 12월 12일에 건설위 4차 전체회의를 방청하여 토지공개념 관련 택지소유상한제와 개발이익환수법안의 통과를 확인하였다. 다음날 13일에는 국회의 주택임대차 보호법개정안 재심의를 촉구하기 위하여 국회법제사법위원회를 방문하여 경실련의 세입자대책의 입법화를 촉구하였고 오후에는 법사위 전체회의를 공식적으로 방청하였다. 12월 15일에 의정감시단이 법사위 전체회의를 방청하는 가운데 주택임대 계약기간을 1년에서 2년으로 연장하는 주택임대차보호법 개정안을 통과되었다. 한편 당시 국회의원 298명 중 101명이 응답한 설문조사 결과는 토지공개념 도입과 세입자 주거안정 대책에 적극적이었음에도 통과된 법안은 국회의원들의 의사가 거의 반영하지 못하고 있었다. 전체 응답자 2/3 이상의 의사가 집약된 사안이면서도 실행되지 않았거나 금번 정기국회에서 통과된 관련 법안에 반영되지 않은 내용들은 토지공개념 확대도입 중 민생법안 처리 시 의원점호투표제 실시, 개발이익환수에 관한 법률 중 개발이익의 산정공식 강화, 종합토지세 및 양도소득세 강화였다. 세입자 주거안정대책 중 주택임대료 통제, 전세금 반환보증기금 설치, 임대차계약 등록제 도입이었고, 한국은행법 개정을 통한 중앙은행의 중립성 보장이 금번 회기 중에 이루어져야 한다고 중론이 모아졌으나 심의조차 이뤄지지 못했다. 의정감시단은 1989년 활동을 끝내면서 법안심사소위에 대한 방청 허용 및 속기록 작성과 공개가 반드시 실현되어야 하며, 국민의 알 권리를 위해 의정자료들을 국민이 자유롭게 볼 수 있도록 하는 제도적 개선을 요구하였다.

경실련의 의정감시단은 국회의원의 의정활동에 대해 시민단체와 국회가 처음으로 법안 처리 과정을 놓고 공방을 벌이며 쟁점화된 사건이었다. 이후 국회 의정감시는 영역을 확대하여 국회의원 개인의 의정활동 평가 및 국정감사 평가 등으로 이어졌다. 감시 및 평가의 주체도 시민단체의 개별 또는 연대(NGO국정감사모니터시민연대, 2000)로 또는 회원과 시민들에서 상근활동가들로 변화되고 있다. 1999년 시민단체들은 국정감사 방청 불허에 대해 헌법소원을 청구하기도 하였다.

1996년 9월 11일에는 '경실련 국회 시민입법감시단'을 조직하여 국회에서 입법과정을 감시하는 조직을 40여 명으로 구성하였다. 시민입법감시단은 헌법에 명시된 국회의 기능과 역할 그리고 국회의원이 제대로 의원활동을 수행하고 있는지 국민적 권리로 감시하고, 시민차원의 지원활동까지 포괄하는 시민참여 입법감시운동이었다. 그리고 매회 2500여 부의 소식지 '시민입법감시'를 발간하였다.

③ 주요 임원

○ 의정감시단 : 황인철
○ 시민입법감시단
  - 단　장 : 김일수
  - 소식지 편집장 : 김유환

14) 깨끗한 사회를 만드는 시민회

① 설립 취지

'깨끗한 사회를 만드는 시민회'는 1990년 2월 일산 YMCA캠프장에서 열린 '회원활동 활성화를 위한 회원수련대회'를 통해 구성된 조직강화회의가 금요시민회로 명칭을 변경하고 맥을 잇고 있는 회원활동 조직이다.

② 주요 활동

1990년도 조직강화회의는 서울시에 구별 회원조직을 만든다는 목표로 결성됐으나 별다른 성과를 얻지 못했다. 하지만 조직강화회의는 경실련이 추진하는 행사와 캠페인에 가장 적극적으로 참여하고 조직적으로 자원봉사 활동을 전개했다.

1991년 1월 그 명칭을 '금요시민회'로 바꾸고 '만나고 싶은 사람과의 대화' '시사토론회' '나누고 싶은 이야기' 등 회원들의 자발성과 참여의식을 더욱 고취시킬 수 있는 다채로운 운영으로 내실을 다져 왔다. 금요시민회는 조직의 내실을 기하는 한편 91년부터 92년까지 네 차례에 걸쳐 실시된 선거 시기에 '선거부정고발창구' 자원봉사활동 등 공명선거 캠페인에 큰 역할을 했다. 선거가 끝난 이후에는 우리 사회의 부정부패를 시민의 힘으로 개선한다는 목표 하에 지방의회 의원들의 호화외유에 대한 문제제기 등을 통해 커다란 사회적 호응을 불러 일으켰다.

93년 1월 회원총회에서 금요시민회는 문민시대를 맞아 새로이 전개될 사회변화에 보다 능동적으로 대처하고자 '깨끗한 사회를 만드는 시민회'로 명칭을 변경하였다. 시민회는 금융실명제 실시, 세제개혁, 부패공직자 추방 등 다양한 캠페인을 전개하는 한편 금융실명제가 실시된 1993년 하반기에는 실명제의 조기 정착을 위한 지역단위의 강연회를 주관하는 등 활발한 활동을 전개했고 지방자치 선거를 앞두고 올바른 지방자치 정착을 위한 시민감시활동, 정책 캠페인 등을 통해 지방화 시대를 예비하는 선도적 역할을 하였다.

시민회는 정기 금요모임을 통해 회원 상호간의 친목도모와 시사토론 등의 회원 활동을 벌여 왔으며 1993년도부터는 토론의 내실화를 위해 격주(매월 1, 3주 금요일)로 모임을 갖고 저명인사 초청토론, 주요 시사문제에 대한 자체토론 등을 벌이고 있다. '만나고 싶은 사람과의 대화' 시간을 통해 김홍신, 손봉호, 이문옥, 장기표, 유인태 등의 인사와 서경석, 윤원배, 이현배, 강철규, 유재현 등 경실련 임원들을 초청해 우리 사회의 현안과 개인적인 삶의 철학 등에 대해 폭넓은 의견을 교환했다. 금융실명제 실시 이후에는 실명제에 대한 회원들의 올바른 인식을 위해 서울시립대 최명근 교수, 이화여대 백용호 교수 등을 초청하여 세제개혁, 금융개혁 등에 대한 강의를 듣고 토론했다. 또한 민족문제연구소 김봉우 소장을 초청하여 일제 잔재 청산방안을 토론하고 한국기자협회 김주언 회장과 한국 언론의 현 주소와 개혁방안을 토론하는 등 다양한 주제토론을 통해 회원역량을 강화하고 토론문화를 성숙시키는 데 중요한 역할을 담당했다.

한편 1993년 8월 금융실명제 실시가 전격적으로 발표된 뒤에 사회의 충격과 혼란을 덜어주고 시민들의 이해를 돕기 위해 노량진 수산시장에서 상인들을 대상으로 금융실명제 특별 강좌(1993.10.8.)를 실시했다. 이 강좌는 금융실명제와 경실련운동(서경석), 실명제 부작용 논리와 보완대책(백용호), 금융실명제와 중소업체의 세금(송쌍종) 등으로 진행되었다.

③ 주요 임원

○ 회장 : 김종배
○ 부회장 : 박병만, 한상석
○ 운영위원 : 김경환, 박세영, 황희남
○ 감사 : 백종환
○ 총무 : 심유종
○ 위원 : 김종덕, 김화수, 송일섭, 신성일, 원궁재, 이재식, 이희헌, 송일섭

15) 풀뿌리 시민회

① 설립 취지

경실련은 창립 4주년이 지났으나 30대, 40대 회원들의 활동을 활성화하기 위해 '풀뿌리 시민회' 창립을 준비하였다. 시민회는 새 가족 환영회에 참석한 회원과 시민강좌 수강생 등과 친교를 나누며 시민사회의 제반 문제를 함께 토론하며 창립을 준비하였다. 시민회의 활동 목표는 시민사회 제반 및 시민운동 과제연구, 시민운동(경실련운동)에 대한 회원 지도력 개발, 시민의식 개혁 및 제반 실천운동이었다. 십여 차례의 준비회의 끝에 1993년 11월 23일 창립하였으며 1999년까지 활동하였다.

② 주요 활동

1994년부터 매월 모임을 정례화하고 토론모임을 가졌는데 협동조합운동, UR협상의 평가와 대책, 쓰레기 매립실태 현장답사, 지방의회 3년 평가와 과제, 경실련과 민간통일운동 등 시기별 주요 현안을 중심으로 진행되었다.

③ 주요 임원
○ 운영위원장 : 이유재
○ 운영위원 : 정수복, 차명제, 서승완, 서원석, 정노숙, 김용수
○ 감사 : 최원준

16) 경실련 교통광장

① 설립 취지

경실련 교통광장은 1993년 12월 8일 '교통문화정착을 위한 시민운동의 과제'라는 창립토론회를 통해 발족하였다. 창립토론회에 앞서 10월 28일에 '국가교통안전대책 공청회'를 개최하고 페리호 침몰과 비행기 추락, 열차 탈선 및 지하철 안전사고가 사회적 문제로 대두되는 상황에서 육상·해상·항공교통의 안전문제의 원인을 진단하고 해결방법을 모색하기 위한 공청회를 개최하였다. 당시 교통광장은 우리사회에서 교통문제로 겪고 있는 고통은 더 이상 방치할 수 없는 형편에 이르고, 교통혼잡에 의한 손실액이 한 해 5조 원에 이르고 물류비용이 매출액의 17%에 달하는 등 교통문제는 산업 발전을 근본적으로 위협하고 있다고 진단했다. 또한 높은 사고율은 하루아침에 가정을 파탄시키고 바른 교통문화가 정착되지 못함으로써 늘 짜증나는 교통에 시달리고 있음에도 정부는 뚜렷한 해결책을 제시하고 있지 못하며 정책결정과 정에서도 많은 문제를 야기시키고 있다. 특히 교통행정이 일원화되지 못해 주요정책이 부처 간 이기주의에 의해 좌절되는 것이 다반사로 도대체 어떻게 풀어가야 할 지 답답한 상태로 규정하였다. 경실련은 이 같은 교통문제의 해결을 위해서 시민들의 참여가 필수적이라는 판단 하에 교통광장을 발족했다. 교통광장은 일반시민, 전문가, 업계 종사자들로 구성되어 있으며 정식 발족에 앞서 공청회, 대화모임 등을 통해 지하철의 현황, 국가 교통체계의 개선방안 등 경실련의 입장정리를 모색했고 12월 8일 정식 발족 이후 바른 교통문화 정착을 위한 활동을 전개했다.

② 주요 활동

경실련 교통광장은 1993년 9월 15일 '서울시 지하철 현황 및 개선방안에 대한 공청회'를 시작으로 서울시 지하철 개선방안 대화모임(1993.10.15.), 국가교통안전대책 토론회(1993.10.28.), 시민을 위한 지하철 만들기 시민연대회의 출범(1993.11.11.) 그리고 1993년 12월 8일 '교통문화정착을 위한 시민운동의 과제' 토론회를 개최하였다.

1994년에는 자동차 번호판 개선을 위한 세미나(1994.3.16.), 자동차ABS성능테스트 및 결과발표(1994.4.8.), 교통모니터 발대식(1994.6.23.)을 하였다. 1995년에는 지방화시대 버스정책 방향 공청회(1995.3.9.), 보행권 확보를 위한 공청회 및 공대위 구성(1995.3.21.), KBS와 공동으로 그린스피드캠페인(1995.5.6.), 교통모니터요원 교육(1995.5.25.), 교통방송 발전에 관한 토론회(1995.5.30.), 교통신호 체계의 문제점과 개선방인 토론회(1995.7.4.), 작은 차타기 정책 토론회 및 캠페인(1995.9.21.), 주행세에 대한 입장 발표(1995.7.20.), 지방자치시대의 교통정책의 방향 토론회(1995.11.30.) 등을 진행하였다.

③ 주요 임원
○ 대표 : 유재건(1993)
○ 임원(1994)
- 운영위원 : 김경환, 박세영, 황의남
- 감사 : 백종환
- 총무 : 심유중
○ 임원(1995-1997)
- 권영선, 김세영, 박용훈, 유재건, 임통일, 진삼현, 한충희

- 교통모니터 : 양해일, 안태희, 고경복, 이관영

17) 세입자협의회·도시빈민협의회·노점상 모임

① 설립 취지

토지와 주택문제를 경제적 불의의 구조에서 파생되어 서민들에게 고통을 안겨주는 것으로 여겨 이를 해결하는 데 토지공개념 등으로 맞서 온 경실련에는 주택관련 회원모임들인 세입자협의회, 도시빈민협의회 및 상조회, 노점상모임이 있었다.

세입자협의회는 임대료 폭등으로 인하여 생존 그 자체를 위협당하고 있는 현실에 대처하기 위한 시민 자구 행동의 일환으로 1990년 3월 4일 여의도 광장에서 '임대료 인상규제 촉구 시민대회' 당시 세입자협의회 결성을 천명하였다. 이후 3월 13일 제1차 세입자협의회 회원모임을 갖고 각 구별 연락위원을 정하고 적극적인 회원확대를 통해 4월 10일 제1차 세입자협의회 준비위원회 모임을 가졌다.

도시빈민협의회는 그동안 정부의 주택 재개발정책의 시행과정에서 소외된 도시빈민들의 주거문제의 심각성을 인식하고 서초동 비닐하우스에 사는 10여 개 자연부락과 1개의 재개발지구 주민들과 1990년 1월 20일 "경실련 도시빈민 협의회"를 조직하게 되었다.

노점상모임은 1989년 7월 정부의 노점상 대철거 이후 석촌호수 주변에서 포장마차를 운영하다 철거당한 노점상 30여 가구가 중심이 되어 대책을 논의해 왔다. 경실련은 생존권의 터전을 잃어버리고 고통에 시달리고 있는 노점상인들의 생존권문제를 합리적으로 해결하기 위해 "서울시 노점상 철거에 대한 경실련의 입장" 등의 자료집을 내고 이들의 생계 안정을 위해 노력하였다.

② 주요 활동

세입자협의회는 우리 사회에 최초의 조직적인 무주택자 운동의 출현이었다. 이에 자연스럽게 시민의 관심이 높아졌고 TV·신문 등 언론도 높은 관심을 보였다. 1990년 4월 14일 세입자협의회 실행위원장과 회원 3명이 MBC '여론광장'에 출연하였는데 이 날 전화로 회원가입 신청이 쇄도해 당일 신규 회원 가입자가 150명에 달해 사무국 업무가 거의 마비되었다. 이후 세입자협의회는 1990년 4월 28일 대학로 마로니에공원에서 임대료 폭등으로 스스로 생을 정리한 17명의 세입자를 위한 '희생세입자 합동추도식'을 500여 명이 참석한 가운데 거행하고 종로 3가 파고다공원까지 가두행진을 했다. 5월 26일에는 KBS '생방송 여성'에 간사, 회원들이 출연하여 세입자 문제를 알리고 정부의 대책을 호소하였다. 1990년 6월 1일에는 제1기 세입자 교실을 개최하였다. 세입자협의회는 경실련 창립부터 1990년대 초반까지 세입자호보관련 각종 시민대회를 적극 주도하였다.

도시빈민협의회의 구성은 정부의 주택정책의 시행과정에서 소외되어 서초동 비닐하우스에 사는 10여개 자연부락과 1개의 재개발지구 주민들이었다. 이들은 합리적인 주거문제의 해결 대안을 모색하고 국민대다수의 공감과 지원을 획득할 때에만 자신들의 문제가 해결될 수 있다고 하는 확신을 가지고 있었으며, 경실련에서 자신들의 주택문제 해결만이 아니라 우리사회 전체의 경제정의를 위해 행동해야 한다는 자각을 하고 있었다. 도시빈민협의회는 영구임대주택 사업의 확대실시를 촉구하는 시민대회와 공청회 그리고 수차례에 걸친 관계당국자와의 면담 등을 통해 그 뜻을 밝혔으며, 특히 행정당국의 파행적 주택정책 및 무관심 속에서 파생된 주거용 비닐하우스 문제에 대해 "선 대책, 후 철거"라는 입장을 견지해 왔으며, 그 대책의 일환으로 "가수용 시설" 건설을 촉구하였다. 도시빈민협의회는 1990년 3월 16일 과천정부청사 앞에서 2천여 명의 시민들이 모여 도시빈민 주거안정 촉구 시민대회, 강제철거 규탄 및 철거민 이주대책 촉구대회(1991.9.1), 서초동 비닐하우스 지주의 불법철거와 비호 경찰 규탄대회(1991.11.2) 등 많은 활동을 하였다. 한편 1990년 2월 8일에는 YMCA강당에서 회원 400여 명이 참여하여 "제1기 도시빈민 회원 교육대회"를 개최하였고, 이어 2월 15일에

는 서초동 사랑의 교회 교육관에서 10개 부락 주민 220여 명이 모여 "제2기 회원 교육대회"를 가졌다.

노점상모임은 노점상의 무원칙한 원상복구가 아닌 생존권 보호 및 시민의 기본적 생활공간 확보와 거리질서 확립 등 문제의 양면성을 모두 인정하고 합리적인 대안 창출을 위하여 노점상 시범운영을 제안하는 등 다방면의 대안을 제시하면서 노점상의 양성화를 위한 활동을 하였으며, 이후 상조회를 구성하였다.

③ 주요 임원
○ 세입자협의회
 - 대표 : 이호철, 신대균(실행위원장)
○ 도시빈민협의회
 - 한인선, 박창숙, 신태상, 장형욱, 박동규, 김인배, 정순자, 조용만, 전길자, 곽영화, 김종덕, 정길안, 안대식, 김양전, 이영순, 유영식

18) 경실련 기독청년학생협의회

① 설립 취지

우리 사회의 온갖 불의와 부정, 억압에 항거하고 이 나라와 이 역사가 하나님의 공의 가운데 바로 설 수 있도록 함께 기도하고 연구하여 그리스도의 참 제자됨을 신앙적 실천 활동을 통해 고백함으로써 온전한 신앙적 성숙을 이루기 위해 1989년 10월 30일 '경실련 기독청년학생협의회'를 창립하였다. 기독청년협의회는 경실련의 선한 의지에 동의하는 기독 청년학생들이 모여 예배와 각종 교육 및 사회 선교적 실천 활동 등으로 복음을 전하려는 기독교 청년학생 단체. 그동안의 현실 안주나 방관적 자세를 딛고 일어나 정의로운 사회와 바른 경제질서의 실현을 위해 성서가 가르쳐 준 이웃사랑의 정신을 모든 선한 세력과 연대하여 평화적 방법으로 사회 변화를 추진해 갈 것을 다짐했다. 기독청년협의회는 사회개혁운동으로 경제개혁운동, 기독교 사회참여 약속운동, 공명선거운동, 도시 빈민과 함께 하는 성탄예배 등을 진행했으며, 다른 단체와의 연대하여 깨끗한 총회운동, 음란스포츠신문 추방운동 그리고 강연회 및 세미나를 통한 의식개혁운동으로 청지기 학교, 기독교 세계관학교, 여름대회 등을 전개하였다.

② 주요 활동

'경실련 기독청년학생협의회'는 1989년 10월 30일 남서울 교회당에서 250여 명이 모여 창립했다. 고문은

손봉호 교수와 이만열 교수님이 맡으셨다. 1989년 12월 5일 여의도국회의사당 앞에서 경실련 주최의 "토지공개념강화입법 및 무주택자 문제 해결 촉구 시민대회"전에 기청협회원 100여 명이 모여 호소대회를 가졌다. 그리고 12월 24일에는 서초동 꽃마을 앞 주차장에서 기청협의 주관으로 도시 빈민과 시민 등 3000여 명이 "도시 빈민과 함께 하는 성탄절 예배"를 가짐으로써 예수 그리스도가 이 땅에 오신 의미를 생각하게 하는 시간을 가졌다. 1990년 2월에는 한국기독교수 양관에서 120여 명의 회원이 참석하여 "기독청년학생 겨울대회"를, 3월에는 Ronald J. Sider 초청 강연회를 기독교윤리실천운동본부, IVF와 공동주최로 '복음주의와 경제정의' 강연회를 가졌다.

1990년 7월 7일에는 스포츠신문들이 경쟁적으로 음란, 저질만화를 게재하고 있는데 대해 국민적 분노를 분명히 하고 기독교윤리실천운동본부와 YMCA후원으로 "스포츠신문의 선정주의 추방 촉구대회"를 갖고 시정을 촉구했다. 1990년 12월 22일에는 개선의 여지가 없는 신문사를 선정해 그 신문의 불매운동은 물론 광고를 싣는 업체에 대해 불매운동을 전개할 것을 결의하여 우리사회의 향락퇴폐문화에 대해 경종을 울렸다. 그리고 1990년 12월 24일 서초동 꽃마을에서 기청협 주최의 "도시빈민과 함께하는 성탄예배"를 1989년에 이어 두 번째 행사를 진행하였다. 또한 현행세제 및 정부의 개편안이 안고 있는 불공정을 시정하고 토지투기를 근본적으로 근절할 수 있는 내용으로 기독청년협의회는 독자적으로 세제개혁 촉구대회를 갖기도 했다.

1991년 7월에는 새터 수련장에서 여름 캠프를 가졌다. 주제는 하나님나라 운동과 한국교회의 현실(이신건), 하나님나라 운동과 동구라파의 현실(이신건), 복음주의 청년운동으로서 기청협(서경석)이었다. 1991년 10월에는 특별활동으로 '청지기 학교'를 열었다. '한국경제현실과 기독청년학생의 역할'을 주제로 열린 청지기 학교는 한국경제현실의 불합리성을 밝혀내고 성서적 경제관에 입각한 개혁방안을 모색하였다. 강좌는 한국경제의 현황과 과제(김태동), 하나님 나라 운동과 기독청년의 과제(서경석), 한국경제의 모순구조와 극복대안(이근식), 성서에 나타난 경제윤리와 그리스도인의 현실(박철수)이었으며 150여 명이 수료하였다. 청지기 학교는 1994년에 한 번 더 개최되었다. 1991년 11월 6일에는 '경제개혁 기독인 촉구대회'를 탑골공원에서 진행하였으

며, 12월에는 수서·일원동에 위치한 비닐하우스 주민들과 함께 성탄의 의미를 되새기고 주민들이 안고 있는 문제를 교회와 기독청년학생이 함께 고민하고 해결하고자 '도시빈민과 함께 하는 성탄예배'를 1천여 명이 모여 진행하였다.

1992년 3월에는 성서의 세계관을 조망하고 진보와 보수의 성서관과 현실에 산재해 있는 문제의 해결과 올바른 사회개혁 실천방법을 모색하기 위해 교수, 목회자, 기독청년학생이 함께하는 '기독교 세계관 학교'를 진행하였다. 주제는 '기독교세계관의 흐름과 전망'이었으며, 한국의 인권상황과 내가 보는 기독교(서준식), 구약성경에 나타난 세계관과 적용(임태수), 신약성격에 나타난 세계관과 적용(최인식), 소위 세계관 운동에 대한 비판적 고찰(김헌수), 한국 상황에서 기독청년학생의 역할(서경석) 그리고 종합토론으로 기독청년학생의 세계관과 적용과 갈등(양혁승, 임태수, 양성만, 김세준)을 진행하였다. 1992년 6월에는 총선을 통해 공명선거운동을 전개한 기독청년학생들과 함께 사회개혁에 대한 참여를 약속하는 '기독교 사회참여를 위한 약속의 밤'을 진행하였다. 1992년 6월 24일부터 '기독청년협의회 여름대회'를 충북 보은군 속리산 유스타운에서 100여 명이 모여 진행하였다. 토론은 경실련운동과 젊은이의 역할(서경석), 존속가능한 발정의 전망과 대안(유재현), 한국경제현실과 경제민주화를 위한 제도개혁(강철규), 성서에 나타난 창조질서와 희년사상(임태수), 성서에 나타난 역사의식과 민족문제(이문식), 기독역사에 나타난 정치와 현실참여(이신건), 기독젊은이의 새로운 비전(박철수), 한국현실에서의 선교와 전략(김세준), 성혜전 인도(최일도), 특별공연(하덕규, 이무하)으로 진행하였다. 8월에는 '기독청년협의회 리더쉽 교육'을 실시하였다. 강좌는 새로운 기독학생운동의 실천과제(신대균), 경제문제 현안과 해결방안(강철규), 한국정치질서의 제문제와 개혁방안(박재창), 환경문제와 개혁방안(유재현), 기독학생운동에 대한 검토와 실천전략(박병옥)이었다. 그리고 1992년 10월부터는 기독학생들에게 기독청년협의회 운동의 성서적 의의와 실천방법 등을 소개하는 '대학순회 강연회'를 하였다. 대상 학교는 연세대(신대균), 고려대(박철수), 이화여대(이문식), 서울대(이문식), 외국어대(이문식) 5개 대학이었으며 1993년 4월에도 진행하였다. 12월에는 영구임대주택에 살고 있는 소년소녀가장, 지체 부자유자, 도시서민 등과 함께 성탄의 의미를 새기는 '우리의 이웃과 함께 하는 성탄예배'를 진행하였다. 6월에는 '1993 기독청년협의회 여름대학'을 그리스도 신학대학에서 진행하였다. 강좌는 달라진 세계와 신세대 문화(김경재), 예언자적 시대증인으로서의 사명(박종화), 함께하는 삶의 기독생활문화 운동(박청수), 기독학생운동사(이종철) 등이었다.

1993년 8·15에는 '남북 인간 띠 잇기 대회'에 참가하였다. 1995년을 통일희년의 해로 정하고 민간통일운동의 가능성을 모색해 온 기독교교회협의회(KNCC)가 통일에 대한 국민과 교회의 열망을 결집하고자 서울 독립문에서 판문점까지의 61Km 구간의 손을 맞잡고 이어보자고는 제의를 수용하여 신촌 진입로에서부터 내유국민학교까지의 1.5Km의 인원동원과 행사진행을 맡았다. 그리고 12월 24일에는 인권의 사각지대로 그 폐해의 심각성이 더해가는 외국인 노동자들의 아픔을 위로하고 교회와 사회의 관심을 호소하고자 제3세계 외국인 노동자들과 성탄의 의미를 함께 나눴다.

③ 주요 임원
○ 고문 : 손봉호, 이만열
○ 지도위원장 : 서경석
　- 지도위원 : 박철수, 박은조, 이문식, 최일도
○ 위원 : 김세준, 박수경, 이문식, 조현일, 이응찬, 한승호, 이종림, 안신길

19) 경실련 목회자협의회와 기독시민모임

① 설립 취지
　경실련 창립 당시 주요한 인적 구성의 한 축은 기독교·불교 등 종교인이었다. 경실련의 초기 활동에 기

독인들의 지원이 많았는데 평신도들이 주축인 기독시민회, 청년들의 모임인 기독청년협의회, 목회자들의 모임인 경실련목회자후원회가 있었다. 경실련에 참여한 목회자들이 경실련을 지원하기 위하여 경실련목회자후원회를 결성하였고 이후 경실련목회자협의회로 개명하였다. 경실련목회자협의회는 교회 및 교계에서 우리사회의 경제적 불평등과 불의를 시정하는 과제에 대해 교인들이 관심을 갖도록 하며 경실련 운동을 지원하기 위해 1990년 4월 26일 발족하였다.

기독시민회는 경실련의 창립 정신에 공감하는 기독교 평신도 회원들의 자발적인 모임으로 1991년 9월 26일 발족하였다. 기독시민회는 기독인의 올바른 신앙 실천을 위하여 경실련 운동의 필요성을 강조하였으며, 보다 근원적으로는 기독인의 눈을 교회에서 사회로 넓히는 '하나님 나라 운동의 전개'와 '가난한 자와의 연대운동' 그리고 '평신도가 앞장서는 기독인의 일치와 연대사업'을 위한 활동을 한다.

② 주요 활동

경실련에 참여한 목회자들이 중심이 되어 1990년 4월 26일 기독교 100주년기념관에서 조찬 모임을 갖고 경실련 운동을 지원하는 취지로 경실련목회자후원회를 발족하였다. 그 이후 목회자후원회는 오늘날 한국교회가 '우리사회의 경제정의를 실현하는 데 어떠한 역할을 할 것인가'라는 과제를 다루기 위해 "경제정의실현을 위한 목회자 세미나"를 1990년 6월 14일 온누리교회에서 가졌다. 이 세미나에서 참석자들은 경실련 운동에 보다 적극적이고 주체적으로 참여할 수 있는 조직구성이 필요하다는 데 의견을 같이하고 경실련 목회자후원회를 경실련 목회자협의회로 전환하였다. 그리고 기독교 목회자들이 시민운동을 위해 큰 기여를 할 수 있도록 노력하며, 기독인들이 우리사회의 경제적 불평등과 불의를 시정하는 일에 앞장서 행동하도록 하였다. 경실련 토지공개념 및 세입자 관련 수천 명 단위의 시민대회에 적극 참여하였다.

평신도 모임이었던 기독시민회는 1991년 9월 발족대회 후 강좌와 기도회, 소식지 발간 등의 활동을 하였다. 기독시민강좌는 한국기독교와 시민운동의 나아갈 길(서경석, 1991.10.22), 세계사의 조류와 한국경제의 변화(박세일, 1991.11.5), 한국경제의 현실과 개선 방안(이근식, 1991.11.19)이었다. 그리고 '성서와 경제' 학습모임을 1993년 1월 25일부터 학습모임 지속적으로 개최하였다. 자체 소식 「기독시민」을 발간하였다. 소식지 「기독시민」은 1992년 8월 15일 1호 발간을 시작으로 5호까지 발간하였다. 한편 경실련기독교청년협의회와 공동으로 1992년 12월 23일 수서지구 일원동 영구임대 아파트 광장에서 '가난한 이웃과 함께 하는 성탄예배'를 하며 힘겹게 겨울을 지내야하는 세입자들과 함께 하였다.

③ 주요 임원
○ 경실련목회자협의회 : 오병수(회장)
○ 기독시민회 : 우상두(회장), 백종국

10. 사업기구

1) 경실련 정농생협

① 설립 취지

경실련 정농생협은 1991년 6월 15일 시민단체인 경실련과 농민단체 정농회가 합쳐서 만든 농민-소비자 간의 도농 직거래 협동조합이다. 정농생협은 단지 먹거리 운동에만 그치는 것이 아니라 과소비 척결과 자원 재활용 운동을 진행했으며, 소비자 교육을 위해 생산지견학 및 농촌일손돕기 운동도 벌였다. 정농생협은 현재 송파본점을 비롯하여 6개의 점포를 개장하였으며 도농 교류의 한 축을 담당했다. 경실련 정농생협은 현재 경실련과 분리되어 정농소비자생활협동조합으로 변경해 활동 중이다.

② 주요 활동

1990년 10월 22일 경실련, 정농회, 정농회소비자협의회가 모여 생활협동조합 설립의 뜻을 모았고, 12월 12일 경실련 강당에서 경실련 정농생활협동조합 발기인 대회를 개최했다. 그리고 1991년 6월 15일 경실련 강당에서 창립총회를 개최했다.

정농생협은 정농회 농민들이 생산한 농산물을 엄격한 심사를 거쳐 소비자에게 공급하고, 식품첨가물과 방부제가 사용되지 않은 가공식품을 개발하여 공급했다. 나아가 생활에 필요한 제반 교육과 생산지견학 등 활동을 진행했으며, 땅과 하천을 오염시키면서 그 피해가 결국 우리 자신에게 되돌아오고 있는 비닐과 합성 세제를 사용하지 않고 재생휴지와 비누, 천연세제를 사용하는 생활 속의 환경운동을 전개했다.

③ 주요 임원
○ 오재길, 이숭선, 강대인, 백한기, 정종인, 이구인,
　이애숙, 이영욱, 장신규, 정혜숙, 허경식 등

2) 경실련 알뜰가게

① 설립 취지

　　과소비가 사회 전반에 심각한 문제로 부각되던 92년 초 경실련에서는 과소비를 생활 속에서 추방하는 일상적인 활동에 대해 고민하였다. 1990년 잠롱 방콕시장을 한국에 초청했을 때 잠롱 시장의 부인이 '튼'이라는 상설 중고가게를 운영하고 있다는 사실에 힌트를 얻어 중고품만을 판매하는 상설 '알뜰가게'를 개설하는 계획을 구체화시키게 되었다. 알뜰가게의 취지는 첫째로 우리 사회의 망국적인 과소비 풍조를 몰아내고 근검절약 정신을 고취시키자는 의식개혁운동이다. 둘째는 절약해서 남은 여력을 이웃과 나누자는 것이다. 셋째는 자원 재활용을 통한 환경보존 운동을 하자는 것이다. 이 운동은 단지 알뜰가게를 운영하는 것으로 끝나서는 안 되고 앞으로 재생종이 생산 공장 등 각종 재활용 사업, 중고품 교환운동으로 발전하여 지방으로까지 이 운동이 확산되도록 해야 한다. 넷째는 주부들의 운동을 활성화시키는 것이다. 자원봉사자 교육 프로그램을 만들어 자원봉사를 하는 주부들이 단지 자원봉사로 끝나지 않고 보다 더 광범위하고 대중적인 여성운동의 장에 참여할 수 있도록 만드는 것이다. 그래서 주부들로 하여금 경제정의운동에 적극 나설 수 있도록 하자는 것이다. '알뜰가게'를 추진하는 과정에서 장소와 자금문제를 비롯한 많은 문제점들이 노정되었으나 장소는 환경그룹의 곽영훈 회장의 도움으로 신당 2동에 위치한 구옥을 이용할 수 있게 되었고, 광림, 대한해운, 이랜드 등 운동의 필요성에 공감한 몇몇 기업과 무명의 독지가의 도움으로 개설할 수 있게 되었다.

　　* 경실련 알뜰가게는 깨끗한 정치와 민주화를 앞장서서 실천하며 팔랑탐당을 이끄는 청백리 잠롱 스리무앙 전 방콕시장 부부와 현 방콕 부시장인 분남 탄삼릿 여사가 알뜰가게를 방문하였는데 이는 태국의 민주화투쟁 때 '잠롱의 신변을 걱정하는 시민모임'을 결성하여 잠롱씨에 대한 지지와 연대를 보낸 경실련에 대한 답례였다. 경실련 알뜰가게와 잠롱씨 부부가 운영하는 알뜰가게 '튼'은 자매결연 하였다.

② 주요 활동

　　알뜰가게는 1991년 10월 19일 개장하였다. 하루에 2천여 명이 다녀갈 정도로 과소비 문제의 심각성을 해결해 줄 실험장으로 매스컴과 일반 시민의 관심을 모았다. 1992년 5월 21일-22일까지 KBS와 공동으로 '농촌 농기계 보내기 운동' 바자회를 개최하여 수입금을 전달하였다. 1992년 10월 7일 잠롱 전 방콕 시장이 알뜰가게를 방문하여 1일 자원봉사를 하였다. 알뜰가게는 개장 2년 만에 경실련과 사회복지기관에 2천8백만 원을 기부하였고, 중고의류 2만 벌을 판매하였다. 그러나 1996년 7월 20일 장소 문제로 임시 휴업을 하였다. 그동안 알뜰가게는 물품재사용센터의 시초로 재사용에 대한 사회적 분위기를 확산시켰으며 이후 구청별, 지역별 재활용센터의 모델이 되었다. 그리고 경실련 여성위원회, 회원 등 활발한 자원봉사자운동을 확산시켰으며, 시민을 대상으로 재활용 중심의 환경교육 및 환경진화적인 물품보급을 진행하였다. TV와 라디오 등 방송을 이용한 알뜰바자회 등을 공동으로 홍보하면서 주부들이 주체가 되는 운동을 이끌었고 환경운동의 실천조직으로 활동하였다. 1998년 5월부터 서울시교육청-경실련 알뜰가게로 동대문구 신설동 공용청사를 무료로 사용하면서 개장하였으나 임대 기간의 만료되어 10여 년만인 2002년에 폐점하였다.

③ 주요 임원
○ 이사회
　- 이사장 : 김홍신(1993), 이재우(1995)
　- 이　사 : 이영희, 이현배, 이근식, 서경석, 유재현, 이순자, 이경진, 박문숙, 허경식, 이영욱, 곽영훈,

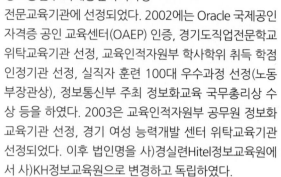

유재현, 유종성, 이숭리, 이형모, 송향섭
○ 운영위원회
- 위원장 : 이숭리(1994), 이영욱(1999)
- 위   원 : 조혜자, 허경식, 조미애, 오정숙, 성백엽,
황은주, 최정숙, 송명진, 진위향, 최은숙,
백풍혜, 황수자, 김춘호
- 지원봉사 : 김애화, 배길선, 송숙자, 김소연, 왕세경,
한성숙, 이영화, 이영자, 박정재, 한경실,
장명엽
- 사무국장 : 박문숙(1992), 이경한(1996)

3) 사단법인 경실련·HITEL 정보교육원

① 설립 취지

사단법인 경실련·HITEL정보교육원은 1998년 IMF 외환위기 당시 많은 실직자가 발생하여 정부, 시민단체, 기업의 참여와 협력을 통해 실업극복과 경제 활성화를 위한 영상전문교육의 새로운 협력 모델로 설립하였다. 정보교육원은 노동부소관 비영리 사단법인 설립허가를 받았으며, 신용보증기금·조흥은행과 창업자금 지원협정 체결하고 개원하였다. 정보교육원은 전문적인 기술훈련을 통하여 국가영상사업 발전, 직업자의 자아실현, 국제와 정보화 시대에 맞춰 근로자 실직자들의 직업능력을 개발교육 및 취업알선으로 지식산업사회에 대응, 사회소외 계층을 위한 무료 교육 등 공익사업을 통한 정보격차 해소 등 실업 극복을 위한 다양한 사업을 전개하였다. 이후 서울과 수도권 그리고 울산에 4개의 지부를 설립하였다. 사업이 안정되어 가는 2003년에 정보교육원은 사명을 사단법인 KH정보교육원으로 개명하였고, 경실련으로부터 독립하였다.

② 주요 활동

사단법인 경실련·HITEL정보교육원은 1998년 정보통신부 대졸미취업자 전문교육기관으로 지정되었고, 시민사회단체 상근자 기술교육, 가장 실직가정 자녀대상 무료교육 등을 실시하였다. 1999에는 새터민 정착 지원을 위한 무료 교육, Y2K 시민센터 설치 운영, 시민사회단체 대상 교육관 대장 등을 진행하였다. 2000에는 메아리학교 장애인 무료 인터넷 교육지원, 경제실천시민연합 정보화 교육지원, 주부 인터넷 무료 교육지원, 한국인터넷기업협회 제휴협약 체결 등을 하였다. 2001에는 노동부 IT분야 전문 훈련기관 지정, 한국 Sun Micro Systems 기술교육

협력 협약체결, Sun Micro Systems 社 DHK 기술교육 협약을 맺었으며, 정보통신부 국제공인자격과정 전문교육기관에 선정되었다. 2002에는 Oracle 국제공인자격증 공인 교육센터(OAEP) 인증, 경기도직업전문학교 위탁교육기관 선정, 교육인적자원부 학사학위 취득 학점인정기관 선정, 실직자 훈련 100대 우수과정 선정(노동부장관상), 정보통신부 주최 정보화교육 국무총리상 수상 등을 하였다. 2003은 교육인적자원부 공무원 정보화교육기관 선정, 경기 여성 능력개발 센터 위탁교육기관 선정되었다. 이후 법인명을 사)경실련Hitel정보교육원에서 사)KH정보교육원으로 변경하고 독립하였다.

③ 주요 임원
○ 이사장 : 김윤환(1998),
김국주(1999)
○ 원   장 : 김용석, 이승룡

4) 주간 시민의 신문

① 설립 취지

경실련은 1992년 14대 총선과 대선을 맞아 정책캠페인과 공명선거캠페인으로 많은 시민들의 지지와 참여를 이끌어냈다. 경실련의 운동성과를 보다 효과적으로 시민들에게 알리기 위한 방안이 고민되기 시작했고, 시민운동의 보다 폭넓은 확산을 위해서는 시민들이 쉽게 접할 수 있는 시민운동 전문 대중매체가 필요하다는 공감대가 형성됐다. 1992년 6월 경 사무국이 경실련 신문 창간을 처음으로 제안했다. 신문창간이 제안되자 일각에서는 재정적 어려움을 이유로 우려하는 목소리도 제기됐다. 그럼에도 경실련을 비롯한 시민운동을 시민들에게 선전하고, 회원참여구조의 확대와 회원 상호 간의 교류를 촉진하며, 수많은 시민운동 단체 간의 연대를 강화할 수 있다는 점에서 신문창간이 필요하다는 주장이 많은 설득력을 얻었다. 논의 초기에 이 신문의 성격을 경실련운동의 기관지로 할 것인지 아니면 시민운동의 대변지로 할 것인지에 대한 토론도 있었으며, 후자로 입장이 정리됐다.

신문창간 첫 제의 후 약 3개월이 지난 9월 28일, 경실련 상임집행위원회는 신문창간과 관련 다음과 같은 결론을 내렸다. △첫째, 격주 간 신문을 발간한다 △둘째, 신문 발간이 중요한 사업인 만큼 경실련 상집위원 전원이 모금에 동참해 설립기금 모금을 5천만 원 이상 책임

진다 △셋째, 별도의 법인체를 만들어 신문을 발간한다. 당초 격주간 신문으로 발간하려던 계획은 1993년 2월 창간준비위원회 제2차 회의에서 주간 8면 신문을 발간하는 것으로 바뀌었다. 시민운동의 대변지를 기치로 발행된 주간 〈시민의신문〉은 첫째, 시민운동의 정론지 둘째, 부정부패와 싸우는 신문 셋째, 사회개혁과 도덕성 회복 추구 넷째, 시민단체 활동 총괄 소개 다섯째, 정의로운 생활인들의 벗을 주요 편집방향으로 삼았다.

② 주요 활동

1992년 9월 상임집행위원회는 격주간 신문 발간을 승인하고, 그해 11월에 시민의신문 창간준비위원회를 발족하였다. 당시 '(가칭)시민의신문 창간준비에 부쳐: 시민언론의 새 장을 열겠습니다' 발표문에는 "이 노력이 기존의 수많은 언론매체들에 또 하나의 매체를 덧붙이는 것이 아니"며, "우리 사회 곳곳에서 새로이 일고 있는 다양한 형태의 운동들을 시민운동의 큰 물줄기로 모아내고, 변화와 개혁을 바라는 시민들의 열망을 대변하는 '시민언론'의 새 장을 열려는 노력"이라고 서술하고 있다.

1993년 시민의신문 설립기금 모금 시작(주주 1천여 명, 1억 5천여 만원 모금)하면서 주간신문으로 계획하고, 1993년 4월 주주총회에서 대표이사 겸 신문 발행인으로 서영훈(전 한국방송공사 사장)을 선임하였다. 1993년 5월에 주간 '시민의 신문'을 일반종합 주간지로 등록하였고, 16면의 창간호를 발행하였다. 1996년에는 '한국민간단체총람'을 발간하였고 이후 매 3년마다 발간하고 있다. 1997년 3월 경실련은 '시민의신문' 독립을 확정하면서 전국 70여 시민사회단체 공동신문으로 출발하였다.

③ 주요 임원
○ 대표 : 서영훈
○ 이사회 : 곽영훈, 권황복, 김완수, 남상만, 서경석, 유종성, 이영우, 이종훈, 이현배, 박종규, 서석민,
　　　　　 류준걸, 홍용찬, 이형모
○ 운영위원장(1993) : 이수성

4) 홍보·출판

1. 로고

- 1989년~

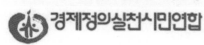

- 시기: 1993년~

- 시기: 1997년~

- 시기: 2006년~

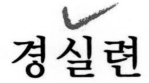

- 의미: 정치, 경제는 물론 한 국민의 작은 문제에 이르기까지 하나하나 정성으로 체크하는 단체가 바로 '경실련'이라는 의미를 표현했다. 승리의 V자를 의미하기도 함.

- 시기: 2015년~

경실련 30년, 다시 경제정의다

- 의미 : 땀흘려 일하는 사람이 대접받는 사회, 시민이 주인이 되는 사회, 더불어 함께 사는 사회 등 경실련이 지향하는 사회의 모습을 담았다. 시민들이 함께 만들어가는 정의로운 사회를 가장 정직한 형태인 원 만으로 이루어진 사람의 형태가 서로 감싸안고 협력하는 모습으로 표현했다. 3가지 색상과 3가지 원은 모든 분야, 모든 사람을 상징한다. (디자인: 김현 디자인파크 대표 재능기부)

※ 기구·기관 로고

- 지역경실련

- 경제정의연구소

- 의미 : KOREA ECONOMIC JUSTICE INSTITUTE(경제정의연구소)의 약자로 1993년에 제작됐다. justice(정의)의 j위의 점을 사선 물결로 표시했는데, 정의가 경제(Economic)를 덮는다는 것으로, 정의의 물결이 넘친다는 것을 의미한다.

- 통일협회

- 의미 : 가운데 청색의 한반도는 하나된 한반도를 상징하고, 3명의 사람은 남과 북, 해외의 우리 겨레로 통일의 주체를 의미한다. 3명의 사람이 가지고 있는 3색 중 주황색은 자주를, 흰색은 평화를, 녹색은 민족대단결을 의미하는 것으로, 7·4남북공동성명에서 온 겨레가 합의한 통일의 3대원칙을 표현하고 있다.

• 경제정의(잡지)

• 국제위원회(영문로고)

2. 잡지

1. 잡지명 : 경제정의
2. 창간호 발행일 : 1990년 6월 15일(7~8월호)
 - 격월간 형태로 발행하다 1993년 가을호(통권 제19호) 부터 계간지로 바뀜.
3. 마지막 발행일 : 1997년 3월 15일(봄호) - 통권 제33호
4. 발행 취지 :『경제정의』는 우리 사회의 잘못된 현상을 시정하는데 보탬이 되고자 창간됐다.『경제정의』는 우리 사회가 나아갈 방향과 정의의 실현방법을 어느 특정한 개인이나 집단의 이해관계를 떠나서 공정한 입장에서 모색함으로써, 누구나 공감할 수 있는 해답을 찾는 데 기여하고자 했다. 또한 우리 국민 모두가 편협한 이기주의에서 벗어나 주인의식을 가지고 이웃의 고통을 덜어주며 사회의 불의를 시정하는 데 적극적으로 참여토록 하는 주체적인 시민운동에 도움이 되고자 했다.

1. 잡지명 : 월간경실련
2. 창간호 발행일 : 1997년 11월 1일(11월호)
 - 현재까지 통권 제171호(2019년 9·10월호)가 제작됨
3. 발행 취지 : 경실련 창립 8년을 맞은 1997년 11월 폐간된 〈경제정의〉를 이어『월간 경실련』을 발행했다. 당시 경실련은 선명한 비판과 합리적 대안 제시를 통해 적극적인 활동을 전개했으나, 시민운동의 큰 물줄기를 모아내는 데 한계를 보였고, 시민들의 삶과 구체적으로 결합하는 데도 실패했다.『월간 경실련』은 이러한 비판을 수용해 '시민과 함께하는 시민운동'을 내걸고, 전국 2만5천여 명의 회원을 포함한 시민들과 소통하는 데 주력하고자 했다.

1. 도 서 명 : [경실련문고1] 땅-투기의 대상인가 삶의 터전인가
     - 한국 토지문제의 실상과 해결방안 -
2. 저 자 : 김태동 · 이근식 공저
3. 출 판 사 : 비봉출판사
4. 발행연도 : 1990.05.
5. ISBN 2002801000553
6. 주요내용 : 자본주의 경제에서 땅을 비롯한 부동산은 세 가지 얼굴을 하고 있다. 첫째, 주거생활의 터전이자 공간이란 얼굴이다. 둘째, 기업의 생산 활동에 필요 불가결한 생산요소라는 얼굴이다. 셋째, 자산가치의 보존과 수단이란 투기의 얼굴이다. 성실하게 일하는 사람들이 잘 살지 못하는 최대의 걸림돌이 바로 땅 문제라는 것, 땅이 투기의 대상이 되어 가진 자들의 축재수단이 되어서는 안 된

다는 것, 삶의 터전으로서 땅값은 반드시 안정돼야 한다는 것 등에 대해 공감대를 형성하고자 했다. 아울러 토지의 경제 정의는 ▲누구나 주거생활에 필요한 토지를 보유할 권리가 있다. ▲재산증식의 수단이 아닌 생활과 생산을 위한 수단으로 쓰여야 한다. ▲정부는 투기를 척결하고 땅값을 안정시켜야 한다. ▲불로소득은 반드시 사회로 환원돼야 한다. ▲토지는 실명으로 거래돼야 하고 등록돼야 한다는 것을 주장했다.

7. 목차

1. 도 서 명 : [경실련문고2] 재벌 - 성장의 주역인가, 탐욕의 화신인가
2. 저   자 : 강철규 · 최정표 · 장지상 공저
3. 출 판 사 : 비봉출판사
4. 발행연도 : 1991.02.
5. ISBN : 8937600358
6. 주요내용 : 만약 어떤 시장에 규모가 크고 자금력이 우수한 기업이 존재하면서 이 기업이 시장을 주도해 간다면 시장을 통한 이해관계의 조정은 일방적으로 그 기업에게 유리하도록 만들어질 수밖에 없다. 이런 현상이 시장에서만 일어나는 것은 아니며 경제활동 전반에서도 마찬가지이다. 어떤 힘 있는 세력이 경제전반을 지배하면 경제정책을 포함한 경제운영 자체가 이들의 이해관계에 의해 좌우되기 마련이다. 재벌들은 그 규모가 엄청나게 크기 때문에 자기가 참여하고 있는 개별시장에서뿐만 아니라 국가의 경제활동 전반에 걸쳐 막강한 영향력을 행사한다. 우리나라 국가경제 내에서 차지하는 재벌의 비중은 매우 높다. 재벌들은 여러 가지 수단을 동원해 경제활동의 전 분야에 걸쳐 많은 영향력을 행사하고 있다. 이러한 영향력이 바로 경제지배력이며, 이러한 영향력이 소수의 재벌에게 집중되어 있는 현상을 경제력집중이라고 한다.
7. 목차 :

1. 도 서 명 : [경실련문고3] 한국농업 - 이 길로 가야 한다
2. 저   자 : 김성훈 외 한국농업의 장래를 연구하는 모임
3. 출 판 사 : 비봉출판사
4. 발행연도 : 1991.05.
5. ISBN : 8937600293
6. 주요내용 : 농업경제학을 연구하는 경제학도들이 모여 결성한 '한국의 농업의(한국 농업의) 장래를 연구하는 모임'에서 위기에 처한 한국 농업이 나아가야 할 방향을 주제

138 139   Ⅰ. 경실련의 창립과 활동

사진으로 보는
경실련 30년

Ⅰ.
창립과 활동

경실련의

Ⅱ. 경실련 30년
활동의 성과

Ⅲ. 지역경실련의
활동과 성과

Ⅳ. 경실련과
시민사회의 미래

로 공동으로 펼친 연구 결과를 묶었다. 일차적으로 농업문제에 대한 근본적인 인식의 틀을 바로잡고 정책 제시의 합리적인 논리체계를 세우는 것을 목표로 하고 있다.

7. 목차
 001. 한국농업, 왜 지켜야 하는가
 002. 한국농업, 어디에 와 있나
 003. 국제농업환경은 어떠한가
 004. 한국농정, 무엇이 문제인가
 005. 한국농정, 어떻게 해야 하는가
 006. 외국농정의 교훈
 007. 한국 농업의 나아갈 길

1. 도 서 명 : [경실련문고4] 집 - 기쁨과 고통의 뿌리
2. 저   자 : 하성규
3. 출 판 사 : 비봉출판사
4. 발행연도 : 1993. 10.
5. ISBN : 8937601338
6. 주요내용 : 우리나라 주거 빈곤의 실체와 주택문제를 낱낱이 파헤쳤다. 땅 문제, 집 문제의 해결 없이는 경제정의의 실현이 불가능하다고 전제하고 우리나라의 주택문제 전반을 진단 고찰했다.

7. 목차
 001. 무주택자는 누구인가?
 002. 주택은 몇 채이고, 얼마나 부족한가?
 003. 기다리면 내 집 마련이 가능한가?
 004. 더 낼래 나갈래, 서러운 셋방살이
 005. 주거수준은 어느 정도가 적당한가?
 006. 투기는 높은 자리의 공직자들이 먼저
 007. 달동네 꽃동네, 가난이 죄인가?
 008. 영구임대주택의 허와 실
 009. 땀 흘려 번 돈과 부모가 준 돈
 010. 집 지을 땅은 어디에
 011. 너도 나도 도시로
 012. 근로자주택은 노사화합의 길인가?
 013. 조합주택, 이대로 좋은가?
 014. 신도시는 모두 잠자리인가?
 015. 주택가격의 통제는 누구를 위해
 016. 우리 문제의 해결은 우리의 힘으로
 017. 경제정의 실현을 위한 주택정책 방향

1. 도 서 명 : [경실련총서1] 우리사회 이렇게 바꾸자
2. 저   자 : 경실련 정책연구위원회(정책협의회·정책위원회)
3. 출 판 사 : 비봉출판사

4. 발행연도 : 1992.03.(초판 및 제1증보판), 1996.03.(제2증보판),
   2000.03.(제3증보판), 2009.11.(제4증보판)

5. ISBN : 8937602601

6. 주요내용 : 〈경실련〉은 실사구시(實事求是)의 정신으로 특정한 이해관계를 떠나서 공정하고 객관적인 입장에서 현실을 비판해 왔다. 또한 중요 현안문제들에 대해 건설적인 대안을 제시하고 평화적인 시민운동을 통해 이를 실천해 왔다. 지난 20여 년 사이에 우리 경제사회를 규율해가는 제도적 틀에 있어서 많은 변화들이 있었고, 굵직굵직한 제도들의 변화 한가운데 〈경실련〉이 있었다. 토지공개념 제도, 금융실명제, 한국은행 독립, 가공자본(架空資本)을 활용한 재벌들의 문어발식 확장을 억제하기 위한 제반 제도들(총액출자제한제도 등), 의약분업, 종합부동산세제, 아파트원가공개, 부패방지제도, 정부정보공개제도 등은 〈경실련〉이 제도도입을 선도했거나 크게 기여했던 대표적인 제도들이다. 이러한 제도들에 대한 〈경실련〉의 정책 대안 제시에 중심역할을 하여 온 것이『우리사회 이렇게 바꾸자』다.

『우리사회 이렇게 바꾸자』는 발간 당시 시점에서 우리사회의 10년 후 미래상이 어떠해야 할지를 그려보며 그것을 달성하는 데 필요하다고 판단되는 정책 및 제도개혁 의제들을 담고 있다. 〈경실련〉 정책위원회에 참여하고 있는 각 분야 전문가들이 그 동안 많은 연구와 토론을 통해 우리사회의 경제정의가 아름답게 구현된 고품격 사회로 발전하기 위해 현 시점에서 어떠한 개혁과제들을 어떠한 방향으로 해결해야 하는지 고민해왔으며, 이 책은 그러한 고민의 결과들을 일목요연하게 정리한 책이다.

7. 목차(제4증보판)

〈총론〉 "경실련 운동과 한국 사회의 발전 방향"

001. 우리 사회의 변화와 경실련

002. 경제정의실천을 통한 우리 사회의 발전 방향

〈1〉 균형성장과 활기찬 경제를 위해

001. 재정세제

002. 금융

003. 재벌

004. 중소기업

005. 농업

006. 대외통상

007. 소비자

〈2〉 따뜻한 사회 공동체를 위해

008. 사회복지

009. 보건의료

010. 노동

011. 교육

012. 공공갈등 예방 및 해소

〈3〉 국민을 위한 선진 정치를 위해

013. 정치제도

014. 정부

015. 지방자치

016. 사법

017. 반부패

018. 통일

〈4〉 주거안정과 국토의 균형발전을 위해

019. 주택

020. 국토·도시

021. 건설

〈5〉 과학기술 강국을 위해

022. 과학기술

023. 정보통신

사진으로 보는
경실련 30년

Ⅰ.
경실련의
창립과 활동

Ⅱ. 경실련 30년
활동의 성과

Ⅲ. 지역경실련의
활동과 성과

Ⅳ. 경실련과
시민사회의 미래

1. 도 서 명 : [경실련총서2] 열린사회 열린정보
2. 저　자 : 김석준 · 강경근 · 홍준형
3. 출 판 사 : 비봉출판사
4. 발행연도 : 1993. 04.
5. ISBN : 8937601257
6. 주요내용 : 문민정부 출범으로 진정한 의미의 민주화 개혁에 들어선 한국사회의 정보공개 문제를 법적 사회적 측면에서 종합적으로 다뤘다. 정보공개가 갖는 정치, 사회적 의미에서부터 관련 현행 제도의 실상을 분석한 다음 공개돼야 할 정보들이 제대로 공개되고 있는지와 비공개로 묶은 정보들이 과연 비공개할만한 타당한 이유가 있는지의 여부를 민주화라는 측면에서 따져봤다. 이와 함께 선진국의 사례를 중심으로 정보공개의 바람직한 모습 및 청구 절차, 정보 이용방법, 공개 거부시의 구제제도 등을 일목요연하게 정리, 앞으로 정보공개에 대한 제도정비 때 참고할 수 있도록 했다. 특히 시민생활에 중요한 의미를 갖는 공적 정보가 행정비밀주의의 장막을 걷고 사회 안에서 자유로이 유통될 수 있도록 법적, 제도적 장치를 어떻게 정비해야 하는 지를 심도 있게 분석했다. 마지막 부분에는 이 같은 분석을 바탕으로 경제정의실천시민연합이 제시한 정보공개 법안을 소개하고 있다.
7. 목차
　001. 정보공개, 왜 필요한가
　002. 정보공개제도란 무엇인가
　003. 정보공개, 누가 어떻게 청구할 수 있나
　004. 무엇을 공개할 것인가
　005. 정보공개가 거부되면 어떻게 다투나

1. 도 서 명 : [경실련총서3] 금융실명제
2. 저　자 : 백용호 · 안철원 · 윤원배 · 이만우 · 이진순 · 이필상 · 최명근
3. 출 판 사 : 비봉출판사
4. 발행연도 : 1993. 07.
5. ISBN : 8937601303
6. 주요내용 : 1993년 정부의 금융실명제 실시에 때맞춰 금융실명제의 구체적인 내용과 문제점 등을 파헤친 연구서다. 금융실명제의 조기 실시를 꾸준히 주장해온 경실련의 산하 정책연구위원회 위원들의 논문과 관련 자료들을 한데 모아 펴낸 것이다. 총 2부로 구성됐으며, 금융실명제란 무엇이고, 왜 실시돼야 하며 10년 이상 계속돼온 찬반 논쟁의 의미는 무엇인가를 상세히 다루고 있다. 또 금융실명제가 실시되지 않아 나타나는 문제점은 무엇이고 실시를 통해 얻을 수 있는 이점과 현실경제에 미치는 영향은 어떤 것인가를 분석하고 있다. 특히 금융실명제 실시로 발생할 수 있는 문제점의 허상과 실상을 분석하고, 부작용을 최소화할 수 있는 방안도 함께 제시하고 있다.
7. 목차
　001. 금융실명제란 무엇인가
　002. 금융실명제 논의의 등장 배경
　003. 금융실명제 실시 연기의 부당성

1. 도 서 명 : 다시 출발하는 학생운동 - 전환기 한국사회와 학생운동의 새로운 방향

2. 저　　자 : 경실련대학생회

3. 출 판 사 : 비봉출판사

4. 발행연도 : 1993.06.

5. ISBN : 893760128103300

6. 주요내용 : 전환기 한국사회에서 혼란에 빠진 학생운동의 새로운 대안을 모색했다. 단순한 경실련 조직의 확대가 아니라 기존 재야 운동권의 운동방식에 대한 비판의식을 바탕으로 운동판도의 변화까지 시도했다.

7. 목차 :

〈1〉 전환기 한국사회와 새로운 운동 전략의 모색

001. 한국사회의 문화적 변동과 사회운동의 새로운 방향 /김찬호

002. 인간 중심의 한국경제를 향한 개혁방안 /양혁승

003. 새로운 민주화운동을 위한 기존 인식의 재검토 /김구현

004. 전환기 한국사회와 사회운동의 새 지평: 시민운동 /박병옥

005. 전환기 노동운동의 신노선 /신지호

006. 새로운 학생운동을 위한 제안 /경실련 대학생회

〈2〉 경실련과 경실련운동

007. 경실련운동, 무엇이 문제인가 /최장집, 서경석 대담

008. 경실련운동의 평가와 전망 /서경석

009. 경실련 대학생회 발기선언문

1. 도 서 명 : 통일을 준비하는 한국의 민간단체 - 통일의 현주소

2. 저　　자 : 경실련통일협회, 동아일보사

3. 출 판 사 : 겨레기획

4. 발행연도 : 1994

5. ISBN :

6. 주요내용 : 한국의 수많은 통일 관련 민간단체들의 내용을 하나로 묶어내 통일운동의 현주소를 파악할 수 있도록 했다.

1. 도 서 명 : 통일, 그 바램에서 현실로
2. 저   자 : 강만길, 유재현
3. 출 판 사 : 비봉출판사
4. 발행연도 : 1995.01.15
5. ISBN : 8937601559
6. 주요내용 : 남쪽의 통일문제 전문가들의 남북관계 및 통일문제를 보는 시각을
   살펴보기 위해 나눴던 대담을 모아 정리한 책
7. 목차

사진으로 보는
경실련 30년

Ⅰ.
경실련의
창립과 활동

Ⅱ. 경실련의
활동의 성과

Ⅲ. 지역경실련의
활동과 성과

Ⅳ. 경실련과
시민사회의 미래

1. 도 서 명 : 우리서울 이렇게 바꾸자: 지방자치 시대의 서울시정 개혁 청사진
2. 저　　자 : 경제정의실천시민연합
3. 출 판 사 : 비봉출판사
4. 발행연도 : 1995.04.
5. ISBN : 8937601605
6. 주요내용 : 경실련은 지방자치 정착을 위한 사업의 일환으로 지역사회의 문제점과 개혁방향을 연구해 '우리 지역, 이렇게 바꾸자'라는 제목의 단행본 책자를 발간하기로 하고 연구 활동을 전개해 왔다. 『우리서울 이렇게 바꾸자』는 경실련 정책연구위원회의 첫 성과물로 100여 명의 교수 및 전문가들로 팀을 구성, 1년 여에 걸쳐 연구한 결과를 집대성한 것으로 집필자만 50여 명에 이른다.

　　서울시정을 행정. 재정. 사회복지. 교육. 도시계획. 주택. 교통. 도시기반시설. 환경 등 총 9개 분야로 나눠 현재 서울시가 안고 있는 문제점과 이를 해결하기 위한 방향 및 구체적인 정책프로그램을 제시하고 있다. 민선 서울시장이 해야 할 가장 큰 일은 중앙정부 위주의 시정을 바로잡아 자치권을 확보하고, 시민참여를 확대하는 일이라고 봤다.

　　이를 위한 구체적 대안으로 ▲ 서울특별시와 중앙정부와의 관계는 감독상 특례보다는 수행하는 업무와 권한배분에서의 특례가 필요한 만큼 다른 지방자치단체와 마찬가지로 내무부의 감독을 받되 국무총리 관여권은 인정치 말 것 ▲ 서울시의 행정능력과 재정능력이 다른 지방자치단체에 비해 월등하게 뛰어난 만큼 국가사무의 상당부분을 서울시 자치사무로 이양할 것 ▲ 서울시장이 종합행정을 명실상부하게 수행할 수 있도록 서울시에 있는 국가의 특별지방행정청은 폐지하고 서울시장에 위임할 것 등을 제시하고 있다.
7. 목차 :

<table>
<tr><td><1> 행정일반 및 사회정책</td><td><2> 도시계획과 관리</td></tr>
<tr><td>001. 일반행정</td><td>005. 도시계획</td></tr>
<tr><td>002. 재정</td><td>006. 주거</td></tr>
<tr><td>003. 사회복지</td><td>007. 교통</td></tr>
<tr><td>004. 교육</td><td>008. 도시기반시설의 안전확보</td></tr>
<tr><td></td><td>009. 환경</td></tr>
</table>

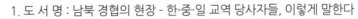

1. 도 서 명 : 남북 경협의 현장 - 한·중·일 교역 당사자들, 이렇게 말한다
2. 저　　자 : 김성훈, 장원석, 유재현
3. 출 판 사 : 시민의 신문사
4. 발행연도 : 1996.05.13
5. ISBN :
6. 주요내용 : 경제교류 · 협력은 남북 간의 대립·대결을 종식하고 막혔던 민족의 혈맥을 뚫는 가장 유력한 수단이 될 수 있음을 밝히며, 남북 간 화해 협력의 돌파구로 삼아야 함을 밝히고 있다.
7. 목차

　001. 조사 · 연구의 동기와 목적
　002. 조사 · 연구의 방법과 대상
　003. 경제교류 · 협력의 개요

1. 도 서 명 : 민족의 화해와 통일을 위하여
2. 저　　자 : 강만길 외 26인
3. 출 판 사 : 도서출판 심지
4. 발행연도 : 1997.04.05.
5. ISBN : 8976143515
6. 주요내용 : 우리 민족의 화해와 통일을 위한 각계 인사들의 글을 모았다. 강만길 교수의 〈통일의 역사적 당위성〉, 김남식 통일문제 연구원의 〈남북관계의 전망과 과제〉 등 관련 글 28편을 엮었다.
7. 목차

사진으로 보는
경실련 30년

Ⅰ.
경실련의
창립과 활동

Ⅱ. 경실련 30년
활동의 성과

Ⅲ. 지역경실련의
활동과 성과

Ⅳ. 경실련과
시민사회의 미래

026. 민족 화해를 위한 새로운 정책적 발상
027. 대한민국은 섬이었다
028. 97년 정세와 통일운동의 방향

1. 도 서 명 : 시민의 도시
2. 저　　자 : 하성규 외 공저
3. 출 판 사 : 한울
4. 발행연도 : 1997
5. ISBN : 9788946024779
6. 주요내용 : 바람직한 도시사회의 건설을 위한 선도적 방안 제시와 친환경적이
　　　며 시민의 삶의 우선시되는 안전하고 편리한 도시를 만들기 위한 정책방향 및
　　　실천방안을 제시한다.
7. 목차
〈1〉 시민의 도시
001. 도시의 생성구조와 매래
002. 도시성장과 균형개발
003. 도시란 우리에게 무엇인가
〈2〉 안전한 도시
004. 위기에 처한 도시안전
005. 도시기반시설의 부실요인과 대책
006. 안전과 재난관리에 대한 법률해석
〈3〉 편리한 도시
007. 정부와 시민이 함께 하는 교통환경개선
008. 대중교통 - 무엇이 문제인가
009. 걷고 싶은 도시만들기 - 자동차 교통체계에서 녹색교통체계로
〈4〉 더불어 사는 도시
010. 서민주거안정과 주거권 보장
011. 도시공간의 변화와 도시저소득층의 주거불안
012. 노인의 주거문제
013. 여성과 거주환경
〈5〉 여유 있는 도시
014. 전통이 살아 있는 도시문화
015. 도시문화, 그리고 문화도시 -도시환경의 공동체적 가치구현
〈6〉 쾌적한 도시
016. 시민과 함께 만드는 녹색도시
017. 위기에 처한 그린벨트의 진단과 대안
〈7〉 거듭나는 도시
018. 도시재생의 논리
019. 고밀도 개발의 두 얼굴
020. 고밀도 재건축, 그 사례와 문제
021. 합동재개발의 현황과 과제
〈8〉 참여하는 도시

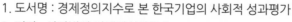

1. 도서명 : 경제정의지수로 본 한국기업의 사회적 성과평가
2. 저자 : 사단법인 경제정의연구소
3. 출판사 : 사단법인 경제정의연구소
4. 발행연도 : 1998. 9. 25
5. ISBN : 8988480007
6. 주요내용 : 경제정의지수에 의한 기업의 사회적 평가 결과에 대한 분석과 이론, 경제정의
   기업상(좋은기업상) 평가결과 등을 수록
7. 목차

1. 도 서 명 : 더불어 사는 주거만들기
2. 저   자 : 이경희 외 공저
3. 출 판 사 : 보성각
4. 발행연도 : 2000
5. ISBN : 9788978395588
6. 주요내용 : 더불어 사는 주거환경을 만들고자 하는 사람들의 이해를 돕는 입문서로, 시민
   운동을 통해 공동체적 마을을 실현시키고자 하는 사람들의 참고서로, 아파트공동체를 실
   제로 만들려고 하는 주민들을 위한 교과서로 기획되었다.
7. 목차

사진으로 보는
경실련 30년

Ⅰ.
경실련의
창립과 활동

Ⅱ. 경실련 30년
활동의 성과

Ⅲ. 지역경실련의
활동과 성과

Ⅳ. 경실련과
시민사회의 미래

1. 도 서 명 : 도시계획의 새로운 패러다임(증보)
2. 저   자 : 권용우 외 공저
3. 출 판 사 : 보성각
4. 발행연도 : 2001
5. ISBN : 9788946049789
6. 주요내용 : 개발의 광풍으로부터 우리 국토를 지키기 위한 도시개혁센터의 도
   시운동의 이론적 틀과 실천적 검증을 소개한다.
7. 목차

019. 세계화에 대비한 경쟁력과 균형을 갖춘 도시로
020. 전문가가 만드는 도시에서 시민이 함께 만드는 도시로
021. 21세기 도시의 비전

1. 도 서 명 : 21세기 한국 지방자치의 비전을 말한다
2. 저   자 : 경제정의실천시민연합 편
3. 출 판 사 : 시민의 신문사
4. 발행연도 : 2002.04.169.
5. ISBN : 6000051005
6. 주요내용 : 2002년 6월 13일 지방선거를 맞아 지방자치 및 도시계획 전문가, 시민운동가
가 참여하여 만든 지방선거 정책제언집이다. 정책제언집에서는 법·제도상의 개혁과제를
지방분권, 계층구조 및 행정 구역, 자치행정, 지방재정, 지방의회, 주민참여, 도시계획, 정
당 및 선거 등 모두 8가지 분야로 나누어 제시하고, 4개 영역 36가지의 지역 공통 개혁과
제를 사례와 함께 제안하고 있다.
7. 목차
〈1〉 총론 "21세기, 한국 지방자치의 비전을 말한다!"
〈2〉 지방자치 정착을 위한 법·제도 개혁과제
〈3〉 지방자치 정착을 위한 지역공통 개혁과제
001. 자치행정의 효율화, 투명성 제고를 위한 과제
002. 주민참여를 통한 지역활성화 과제
003. 지속 가능한 도시구축을 위한 과제
004. 미래지향적 지역공동체를 위한 과제

1. 도 서 명 : 새로운 경쟁력 기업의 사회적 성과
2. 저   자 : 경실련경제정의연구소
3. 출 판 사 : 예영커뮤니케이션
4. 발행연도 : 2002.09.18
5. ISBN : 9788983506573
6. 주요내용 : 사회는 기업 활동의 사회적 영향에 대해 많은 관심을 갖고 있다. 이런 관심은
기업의 사회적 활동에 대한 정보를 사회가 필요로 하고 있음을 의미한다. 기업의 가치 창
출 활동이 사회 구성원의 지지 없이는 원활하게 이루어질 수 없기 때문이다. 이 책은 한국
의 경제 · 경영학자들이 새로운 경쟁력의 원천이자 브랜드 이미지 이상으로 중요해진 기
업의 사회적 성과 평가 제도의 의미와 국내외 동향, 기업의 사회적 성과 향상을 통한 기
업 가치의 증진, 사회적 성과와 재무적 성과와의 관계성을 조명하고 있다. 특히 실제로
1991년부터 기업 윤리와 사회적 책임을 장려하기 위해 경제정의실천시민연합에서 시상
하고 있는 경제정의기업상을 수상한 기업들을 분석하여 기업의 사회적 성과 평가가 한국
에서 정착되어 가고 있는 현주소를 보여 주고 있다.
7. 목차
〈1〉사회적 성과 평가의 틀과 목적
001. 기업 활동과 규제
002. 기업의 사회적 정보 공시와 사회적 성과 평가 제도의 의미
003. 기업의 사회적 성과와 경쟁력 강화

1. 도 서 명 : 윤리 경영이 경쟁력이다
2. 저　　자 : 경실련경제정의연구소
3. 출 판 사 : 예영커뮤니케이션
4. 발행연도 : 2002.09.18
5. ISBN : 9788983506580
6. 주요내용 : 이 책에서는 투명 경영과 윤리 경영을 통해 기업 경쟁력을 강화시켜
　　나가고 있는 기업들의 성공 사례를 담고 있다. 정도 경영을 하면 손해를 본다고
　　생각하는 일부 기업인들에게 따끔한 한 마디를 던지는 책이다.
7. 목차 :
　　001. 동화약품공업(주)
　　002. (주)유한양행　　　　　　006. (주)웅진닷컴
　　003. 대덕전자(주)　　　　　　007. (주)동원F&B
　　004. (주)태평양　　　　　　　008. (주)퍼시스
　　005. (주)풀무원　　　　　　　009. (주)경동보일러
　　　　　　　　　　　　　　　　010. 삼성전자(주)

1. 도 서 명 : 천년기업과 국가경영을 위한 제언
2. 저　　자 :　김성훈, 위평량 공저
3. 출판사 : 경제정의연구소
4. 발행연도 :　2004.11.20
5. ISBN : 8988480007
6. 주요내용 : 경실련은 1989년 시민운동의 새 장을 연 이후 1991년부터 경제정
　　의 관점(=지속가능성)에서 국내기업들에 대한 평가를 해왔다. 이후 국내에 진
　　출한 외국기업들의 투명성, 윤리성, 사회적 공헌도, 그리고 환경지속성에의 기
　　여도에 대해서도 평가·시상했다. 아울러 경제정의, 사회정의를 구현하고자 설
　　립된 경실련 본래 목적의 일환으로 정부와 기업의 경영성과를 다각도에서 평
　　가해 왔다. 이 같은 경험과 노하우를 바탕으로 국제 표준규범에 맞는 기업지속
　　가능성 평가 가이드라인을 정비, 확충할 필요성이 제기됐고 그 시작으로 책자
　　를 발간하게 된다. 21세기 국가와 기업의 새 경영 패러다임, 천년기업을 위한
　　첫걸음 등 기업의 사회적 책임의 중요성을 사례와 함께 제시하고 있다.

7. 목차

〈1〉 21세기 국가와 기업의 새 경영 패러다임

〈2〉 천년기업을 위한 첫걸음

〈3〉 한국의 대표사례

001. 포스코(POSCO)

002. 삼성SDI

003. 현대자동차

〈4〉 부록 : GRI 가이드라인, KEJI 인덱스 및 평가지표

1. 도 서 명 : 알기 쉬운 도시이야기

2. 저　자 : 서순탁 외 공저

3. 출 판 사 : 한울

4. 발행연도 : 2006

5. ISBN : 9788978395823

6. 주요내용 : 시민들이 도시문제의 본질을 이해하고 생활 속에서 도시문제 해결의 실천적 방안을 이끌어낼 수 있는 도시문제 입문서.

7. 목차

001. 도시란

002. 도시공간의 구조와 형태

003. 도시의 공공 공간

004. 도시의 외부 공간

005. 도시의 재개발과 재건축

006. 도시의 공원과 녹지

007. 도시의 그린벨트

008. 도시의 경관

009. 도시의 기후

010. 도시와 물

011. 도시의 안전

012. 도시의 교통

013. 도시의 정보화

014. 지역개발과 국토종합계획

015. 수도권 집중과 균형개발

016. 주민참여와 마을 만들기

017. 생태도시 만들기

018. 도시의 탐방

1. 도 서 명 : 기업지배구조개편을 위한 주요국의 증권집단 소송제 비교

2. 저　자 : 이의영, 김재구, 이봉의, 양덕순 외

3. 출 판 사 : 한국학술정보

4. 발행연도 : 2007.06.30

5. ISBN : 9788953469570

6. 주요내용 : 증권집단 소송제와 관련된 제도 및 주요국의 집단소송을 분석한 연구보고서다. 미국, 독일, 우리나라의 증권집단소송제도에 관해 제정과 절차, 역사와 현황 등을 자세히 정리했다. 아울러 우리나라 기업집단의 지배구조상의 문제점을 살펴보고, 증권관련 집단소송제와 기업의 지배구조 개선과의 관련성을 구체적으로 살펴봤다.

7. 목차

001. 서론

001. 미국의 집단소송제도

001. 우리나라의 증권집단소송제도

001. 관련제도 및 주요국의 집단소송

001. 독일의 집단소송제도

001. 결론 및 논의

1. 도 서 명 : 산업자본과 금융자본 관계의 국제비교
2. 저　자 : 권영준, 이혜란, 하능식 공저
3. 출 판 사 : 한국학술정보(주)
4. 발행연도 : 2007.06.30
5. ISBN : 9788953469693
6. 주요내용 : 산업자본과 금융자본 관계를 국제적으로 비교한 연구보고서다. 미국, 일본, 유럽연합 등 주요 선진국들의 산업자본과 금융자본 간의 관계를 자세히 비교·정리했다. 산업-금융 관계를 규율하는 제도, 주요 은행의 대주주 구성, 대주주의 유형 등을 분석함으로써 종합적이고 체계적인 국제비교가 가능하도록 했다.
7. 목차
　001. 검토배경
　002. 산업자본과 금융자본의 분리 논의
　003. 주요국의 산업-금융관계에 관한 제도비교
　004. 우리나라의 산업자본과 금융자본 분리관련제도
　005. 정책적 시사점

1. 도 서 명 : 기업의 사회적 책임 중시경영
2. 저　자 : 박상안, 김헌, 임효창, 홍길표 공저
3. 출 판 사 : 한국학술정보(주)
4. 발행연도 : 2007.08.30.
5. ISBN : 9788953469495
6. 주요내용 : 기업의 사회적 책임의 역사적 변천과정과 현황, 본질과 의의, 기업의 사회공헌활동의 의의와 내용 등을 수록했다. 먼저 기업의 사회적 책임과 관련된 내용들을 간략히 소개한 다음, 기업의 윤리경영, 환경문제와 관련된 기업의 사회적 책임, 기업의 지속적인 성장과 발전을 위한 지속가능경영의 개념과 이를 구체화한 실천방안을 차례대로 설명했다.
7. 목차
　〈1〉 기업의 사회적 책임
　001. 기업의 사회적 책임의 본질과 의의
　002. 기업의 사회적 책임의 역사적 변천과정 및 현황
　003. 기업의 사회공헌활동의 의의와 내용
　〈2〉 기업윤리와 사회적 책임
　004. 변화하는 기업환경과 기업윤리
　005. 기업윤리의 형성과 발전과정
　006. 기업윤리강령
　007. 기업윤리수준의 발전과 전망
　〈3〉 환경문제와 기업의 사회적 책임
　008. 환경경영에 대한 이해
　009. 환경경영전략
　〈4〉 지속가능경영과 기업의 사회적 책임
　010. 지속가능경영의 개념에 대한 이해

1. 도 서 명 : 경제정의지수를 통해 살펴본 기업의 사회적 성과와
　　　　　　 경제적 성과 간의 관계
2. 저　　자 : 박상인, 김헌, 임효창, 홍길표 공저
3. 출 판 사 : 한국학술정보(주)
4. 발행연도 : 2008.08.10.
5. ISBN : 9788953499027
6. 주요내용 : 기업의 사회적 책임 정의와 특징, 인식, 역사적 변천과정, 경제정의지수를 통해
　　 본 기업의 사회적 책임 활동과 경제적(재무적) 성과 간의 관계를 규명했다.
7. 목차
　001. 서론
　002. 기업의 사회적 책임활동
　003. 경제정의지수
　004. 기존문헌 연구
　005. 연구자료, 연구방법론 및 연구가설
　006. 기초통계분석 결과
　007. 실증분석 결과
　008. 요약 및 결론

1. 도 서 명 : 정권별 재벌정책과 그에 대한 평가
2. 저　　자 : 문인철, 함시창, 서은숙, 김희수 공저
3. 출 판 사 : 한국학술정보(주)
4. 발행연도 : 2008.08.10.
5. ISBN : 9788953499041
6. 주요내용 : 정권별 재벌정책의 변화, 재벌정책의 주요제도, 정권별 재벌정책에 대한 평가
　　 를 수록했다.
7. 목차
　001. 재벌정책에 대한 평가를 시작하며 / 7
　002. 정권별 재벌정책의 변화 / 13
　003. 재벌정책의 주요 제도 / 129
　004. 재벌정책에 대한 평가 / 237
　005. 요약 및 정책적 시사점 / 257

1. 도 서 명 : 기업의 지배구조 개선제도
2. 저　　자 : 최정표, 이의영, 김재구, 이봉의, 양덕순 공저
3. 출 판 사 : 한국학술정보(주)
4. 발행연도 : 2008.08.10.
5. ISBN : 9788953498808
6. 주요내용 : 내부통제 시스템 관련제도, 외부통제 시스템 관련 제도, 기업지배구조 개편제
　　 도에 대한 전문가 인식 및 평가 조사연구 등 기업지배구조와 개선방향에 대한 전반적인
　　 내용을 수록
7. 목차
　<1> 서론

사진으로 보는
경실련 30년

Ⅰ.
경실련의
창립과
활동

Ⅱ. 경실련 30년
활동의 성과

Ⅲ. 지역경실련의
활동과 성과

Ⅳ. 경실련과
시민사회의 미래

〈2〉 내부통제 시스템 관련제도
001. 지배주주 및 경영진의 책임추궁
002. 이사회 운영 및 구성
003. 감사 및 감사위원회제도
〈3〉 외부통제 시스템 관련제도
004. M&A 관련제도
005. 증권관련 집단소송제도
〈4〉 기업지배구조 개편제도에 대한 전문가 인식 및 평가 조사연구
006. 조사연구의 목적
007. 관련 선행연구의 고찰
008. 연구의 내용, 범위 및 방법
009. 연구결과 및 해석
〈5〉 결론

1. 도 서 명 : 은행지배구조에 따른 효율성 분석에 관한 국제비교
2. 저   자 : 권영준, 이혜란 공저
3. 출 판 사 : 한국학술정보(주)
4. 발행연도 : 2008.08.14.
5. ISBN : 9788953498846
6. 주요내용 : 사외이사제도의 이론적 고찰, 주요국의 은행 경영지배구조, 은행지
　　　　　배구조에 따른 효율성 부석, 사외이사제도의 이론적 고찰, 정책적 시사점을 수
　　　　　록했다.
7. 목차
001. 검토배경
002. 사외이사제도의 이론적 고찰
003. 주요국의 은행 경영지배구조
004. 은행지배구조에 따른 효율성 분석
005. 사외이사제도의 이론적 고찰
006. 정책적 시사점

1. 도 서 명 : 김정은 체제의 미래를 묻다
2. 저   자 : 임을출 지음
3. 출 판 사 : 한울아카데미
4. 발행연도 : 2012.09.05
5. ISBN : 9788946054714
6. 주요내용 : 한반도 전문가 30인에게 『김정은 체제의 미래를 묻다』. 김정은 시대
　　　　　의 핵심 쟁점과 과제를 경제, 정치 · 군사, 북 · 중관계, 북 · 미관계, 남북관계,
　　　　　새로운 대북정책 구상 등의 분야에서 심층적으로 분석한 책이다. 대한민국 최
　　　　　고의 북한 전문가 30명의 목소리를 담은 것으로, 좌우의 목소리를 모두 반영하
　　　　　였고 어렵고 골치 아픈 북한 문제를 일반 독자들도 쉽게 이해할 수 있는 대화체
　　　　　로 담아냈다.
7. 목차

001. 경제　　　　　　　　　002. 정치·군사
003. 북중관계　　　　　　　004. 북미관계
005. 남북관계　　　　　　　006. 새로운 대북정책의 구상

1. 도 서 명 : 망중립성을 말하다.
2. 저　　자 : 경실련 등 망중립성이용자포럼
3. 출 판 사 : 블로터앤미디어
4. 발행연도 : 2013.01.30.
5. ISBN : 9788996592976
6. 주요내용 : 『망중립성을 말하다』는 망중립성 원칙이라는 것이 무엇이고, 이 원칙이 현재 대한민국 사회에서 왜 중요한지, 그럼에도 왜 우리는 이 문제에 대해 이렇듯 관심 없이 지내고 있는지를 분석했다. 책이 제시한 가장 큰 문제이자 해결의 열쇠는 '이용자'다. 망을 만들고 운영하는 주체가 아니라, 가장 큰 주체이자 거대 다수인 최종 사용자의 관심과 의식을 촉구한다. 망중립성이용자포럼은 경실련 등 10개 시민단체가 모여 통신사가 마음대로 특정 서비스만 제한하는 잘못된 정책을 따져 묻기 위해 2011년 구성되어 토론회를 열고, 성명을 내고, 법적 대응을 하는 것에 멈추지 않고 강좌나 오픈세미나를 통해 끊임없이 '이용자들이 마땅히 알아야 할 내용'을 나누고 연구했다. 강장묵, 강정수, 김보라미, 민노씨, 박리세윤, 써머즈, 오길영, 장혜영, 전응휘가 저자로 참여했다.
7. 목차
　001. 통신사와 그 친구들
　002. 우리는 이용자다
　003. 무선인터넷 망 시장의 가격구조와 투명성
　004. 국내 망중립성 정책의 문제점
　005. 인터넷 생태계의 진화와 국내 인터넷 상호접속의 문제
　006. 망중립성의 기술원리와 DPI
　007. 망중립성 논의에서의 DPI와 그 위법성

1. 도 서 명 : 지방자치의 생각과 현장
2. 저　　자 : 경제정의실천시민연합 편
3. 출 판 사 : 도서출판 조명문화사
4. 발행연도 : 2014.04.09.
5. ISBN : 9788972574194
6. 주요내용 : 지방자치에 대한 이론 부분과 지방자치의 현장을 연계하였다. 제1편의 지방자치에 관한 생각은 지방자치의 방향 제시를 위한 것이고, 제2편의 지방자치의 현장은 실천을 위한 것이다. 지방자치에 관한 큰 그림과 구체적인 실천과제를 제시함으로써 시민과 정치인들이 지방자치를 정립하는 데 도움을 줄 것이다.
7. 목차
　<1> 지방자치의 생각(철학)
　001. 지방자치·분권의 철학과 비전
　002. 지방정부 작동 메커니즘
　003. 미래 지방분권 국가
　<2> 지방자치의 현장

사진으로 보는
경실련 30년

Ⅰ.
경실련의
창립과 활동

Ⅱ. 경실련 30년
활동의 성과

Ⅲ. 지역경실련의
활동과 성과

Ⅳ. 경실련과
시민사회의 미래

1. 도 서 명 : 도시계획의 위기와 새로운 도전
2. 저　　자 : 류중석 외 공저
3. 출 판 사 : 보성각
4. 발행연도 : 2015
5. ISBN : 9788978397063
6. 주요내용 : 1999년에 출간된 「도시계획의 새로운 패러다임」에서 제기된 패러
　　다임보다 한층 더 진화된 담론을 열어가고자 한다. 이 시대의 새로운 화두가 된
　　도시재생, 아파트 공동체, 저탄소 녹색도시, 신재생 에너지 활용, 스마트 도시
　　등 미래도시의 비전과 실천방안을 제시한다.
7. 목차
<1> 계획의 위기와 극복방안
001. 도시계획은 위기인가
002. 도시개혁운동의 전개과정
003. 도시계획가의 역할과 미래
004. 도시계획 환경의 변화양상과 대응방안
<2> 재생과 주민참여
005. 정주가치 실천으로서 도시재생
006. 한국의 도시재생 정책 방향에 대한 모색
007. 도시발전과 도시재생 주거지 재생의 사례와 과제
008. 중심지재생의 과제와 사례
009. 주민참여에서 마을만들기까지
010. 한국형 마을만들기의 전개
011. 주민의 삶의 질을 높이는 아파트 공동체 운동
<3> 새로운 변화와 도시계획
012. 지속가능한 도시를 위한 환경문제와 재생에너지
013. 저탄소 녹색도시계획의 도래
014. 기후변화 대응을 위한 도시공간에서의 신재생 및 미이용 에너지 활용 방안
015. 정보화의 새로운 진화 U-City : 도시의 미래, 미래의 도시
016. 스마트 시티? 스마트 라이프?
<4> 변화에 대비하는 도시계획 자세
017. 변화에 대비하는 도시계획 자세
018. 통일 : 국토관리 및 교통인프라 구축의 새로운 기회
019. 산업의 미래와 도시
020. 새로운 도시의 비전과 희망

1. 도 서 명 : 통일 논의의 쟁점과 통일운동의 과제
2. 저   자 : 경실련통일협회
3. 출 판 사 : 도서출판 선인
4. 발행연도 : 2015.08.14
5. ISBN : 9788959339129
6. 주요내용 : 경실련통일협회는 지난 1여 년 동안 기존의 통일방안과 통일운동을 되돌아보고 새로운 통일 비전을 모색하는 논의를 전개해왔다. 통일이념, 원칙, 방안, 그리고 통일운동에 걸쳐 성찰에 바탕을 둔 대안을 탐색해왔다. 경제와 변경의 시선으로 통일문제를 사고하는 다른 창도 열어보았다. 이 책은 그런 집단 토의의 결과를 묶어낸 것이다.
7. 목차

사진으로 보는
경실련 30년

Ⅰ.
경실련의
창립과
활동

Ⅱ. 경실련 30년
활동의 성과

Ⅲ. 지역경실련의
활동과 성과

Ⅳ. 경실련과
시민사회의 미래

3. 창립과 회고

경실련 30년의 역사가 곧 한국 시민운동의 역사라 해도 과언이 아니다. 지난 30년간 기록으로 남겨진 역사도 있고, 기록되지 않은 역사도 있다. 이제 두 역사를 함께 살펴보고, 한국사회 '정의'를 다시 말하고자 한다. 경실련과 함께 '시민운동의 초심과 원칙'을 지켜 온 창립 멤버들을 중심으로 지난 역사에 대한 소회와 우리 사회의 과제, 경실련의 발전 방향을 허심탄회하게 들었다.

1) 변형윤 서울대 명예교수
(1·2대 공동대표 1989.07.~1993.07.)

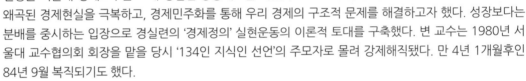

변형윤 대표님의 인터뷰 진행이 어려워 저서인 『삶의 발자취』 (지식산업사, 2012)와 『월간경실련 : 경실련 창립 20주년 특별호』(2009.11.03.) 기고문을 참고하여 인터뷰 형식으로 재정리하였습니다.

변형윤 서울대 명예교수는 초대 경실련 공동대표를 지냈다. 왜곡된 경제현실을 극복하고, 경제민주화를 통해 우리 경제의 구조적 문제를 해결하고자 했다. 성장보다는 분배를 중시하는 입장으로 경실련의 '경제정의' 실현운동의 이론적 토대를 구축했다. 변 교수는 1980년 서울대 교수협의회 회장을 맡을 당시 '134인 지식인 선언'의 주모자로 몰려 강제해직됐다. 만 4년 1개월후인 84년 9월 복직되기도 했다.

Q. 경실련의 초대 공동대표를 맡게 된 경위는?
- 서경석 목사, 정성철 변호사, 그리고 40대 중반의 제자들인 강철규·이근식 교수 등의 권유를 받고 12주일 동안 망설이다 경실련 운동의 방향에 공감하고 또 이 시점에서 꼭 필요한 운동이라고 생각했기 때문에 그들의 제안을 수락했다.
▪ "경제는 약자 편에 서야 한다" 〈시사저널〉(1989.12.17.) 인터뷰 중

Q. 경실련이 창립되게 된 계기는 무엇인가?
- 창립 당시 우리 경제는 양적 팽창에도 불구하고 빈부의 격차는 오히려 심화되고 있었다. 이를 시정하지 않고서는 지속적인 발전이 어렵다. 특히 당시 만연된 부동산 투기는 저소득층의 상대적 빈곤감을 더욱 부채질하고 있었다. 당시 부동산 투기 문제가 모든 경제적 불의의 원천이라고 봤다. 토지 보유자의 5%가 전국 민유지의 65%를 소유하고 있었고, 부의 편중, 한국경제의 왜곡화, 국민적 위화감까지 조성되고 있었다. 이에 대한 대안으로 경실련은 토지공개념의 확대 도입에 힘을 썼다. 토지는 한 개인의 점유물이 아니라 모든 사람이 공유하는 국민의 재산이다. 경실련은 이외에도 임금격차 해소, 복지제도 확충, 중소기업 육성, 소비자 보호, 공정한 교육제도 확립, 농촌문제의 해결 등 여러 가지 목표를 잡았다.
▪ "이제부터의 과제는 경제정의 실현" 〈현대경영〉(1989.08) 인터뷰 중

평화적이고 합법적이며 대중적인 방식의 시민운동이 나와 탐욕을 억제하며 자기 것을 남과 나누어 가짐으로써 다함께 잘 사는 사회를 이룩하려는 시민운동이 전개될 때만이 진정한 민주복지사회는 실현될 수 있다. 이것이 경실련이 만들어지게 된 이유다.

• "고르게 잘 사는 경제를 실천할 때" 〈일요신문〉
(1989.07.23.) 인터뷰 중

Q. 경실련이 '경제정의' 실천을 내세웠는데, 우리나라에 서 경제적 부정의라 했을 때, 그것은 구체적으로 무엇 이고, 어떻게 풀어가야 하는가?

- 성실하게 일하고 있는 사람들이 경제적으로 불이익 을 당한다면 그것이 곧 경제부정의다. 어떤 사람이 어 느 날 갑자기 정치권력과 결탁해 졸부가 된다거나, 부 동산 투기를 해서 큰 이득을 보는 따위도 경제 부정의 다. 성실하게 노력해서 저축을 하고 오랜 시간에 걸쳐 재산을 모으는 사람들이 많으면 '경제 부정의'라는 이 야기는 나오지 않는다. 정당하게 노력하는 사람들이 우리 사회의 주류를 이뤄나가야 한다. 그런데 지금은 그 반대가 되고 있어 경제 부정의를 외치는 목소리가 생겨나게 됐다.

성실하게 노력하고 일하며 살아가는 사람들이 편안하 고 자유롭게 살아가는 세상을 기대하고 있다. 사회제 도도 그런 사람들에게 유리하도록 고쳐져야 한다. 정 당한 방법에 의하지 않는 사람은 죄악시하고, 그들에 게 응분의 응징이 따르도록 해야 한다. 성실하게 사는 사람들이 소리내지 못하는 사회가 된다면 이 사회는 잘못된 사회이고, 사회가 그리된 것은 진정한 비판세 력이 없었기 때문이다. 권력으로부터 직간접으로 혜택 을 받은 사람들은 정권에 대해 비판의 소리를 못낸다. 정권들이 경제개발을 앞세워 개발독재를 한 것은 분배 문제를 지나치게 소홀히 본 것이었다. 사회분위기가 한때 그 편으로 쏠리곤 했던 것은 진정한 비판세력이 그것을 적절히 견제해내지 못했기 때문이다. 경실련을 중심으로 견제세력을 강화해 나가겠다는 생각이었다.
• "성실하게 사는 사람이 대접받아야" 〈세계와 나〉
(1989.11.) 인터뷰 중

경제적 부정의로 피해를 보는 층은 불특정다수로서 조 직화되어 있지 못한 데 비하여 이득을 보는 층은 상당 한 힘으로 조직화되어 있기 때문에 정부와 국회에만 맡겨서는 경제정의가 실현될 수 없다. 따라서 모든 양 심적 시민들이 힘을 모아 국민적 압력을 통해 법적, 제 도적 장치를 마련하고자 경실련을 만든 것이다.
• "고르게 잘 사는 경제를 실천할 때" 〈일요신문〉(1989.
07.23.) 인터뷰 중

Q. 경실련 운동이 경제정의 구현과 근본적인 사회변혁운동으로 가기 위한 방안은?

- 창립 당시 경실련 운동은 지식인들이 주도하고 있으 나, 아픔을 겪고 있는 많은 사람들, 사회적으로나 경 제적으로 약한 처지에 있는 사람들이 관심 갖고 많이 참여했다. 경실련은 사회적 약자들의 간절한 요구들 을 파악해 그것을 대변하는 방향으로 나가야 한다. 그 래야만 많은 호응도 얻고 생동하는 단체가 된다. 보통 사람들이 겪고 있는 답답함이 무엇인지 현장답사를 통해 생생히 알아내서 사회에 널리 알리고 고발하고 감시하는 길로 걸어가야 한다.

경제문제가 우리들에게는 가장 기본을 이루는 것이 므로 우선 경제문제 해결에 진력해야 한다. 경제는 이 념을 초월해 있는 기본적인 삶의 문제다. 그런데 경제 문제를 해결하려면 다른 문제들도 연관적으로 해결 돼야 한다. 장기적으로 경제문제로 끝날 것이 아니라 근본적인 사회변혁까지도 지향해야 할 것이다.
• "성실하게 사는 사람이 대접받아야" 〈세계와 나〉
(1989.11.) 인터뷰 중

첫째는 분배정의의 실현으로 있는 자와 없는 자, 불로 소득자와 성실하게 노동하는 자, 도시와 농촌, 공업과 농업 중 약한 쪽에 유리하도록 분배가 이루어져야 한 다. 둘째는 앞에서 말한 부조리를 척결해야 한다.
• "경제는 약자 편에 서야 한다" 〈시사저널〉 (1989.
12.17.) 인터뷰 중

Q. 국민들이 자유롭게 그들의 권리와 이익을 확보해 갈 수 있는 방안은?

- 노동자, 농민, 시민들 모두가 진정한 자기 몫을 찾아 야 할 것이다. 기득권을 가지고 있는 사람들이 지배의 속성을 버리지 못한다면 사회변혁이 이루어지기 어 려울 것이다. 사회적 강자들인 기득권층이 뒷전으로 밀려나 그들의 힘이 덜 발휘돼야 바람직한 사회다. 지 금은 사회적 약자들이 힘을 합쳐서 자기들 몫을 찾아 내고 이런 분위기를 연장시켜 사회개혁의 바람을 일 으켜야 할 때다. 그들이 자체적 노력도 하고, 여론도 그런 사회적 분위기로 이끌어가며, 정부 차원에서도 정책적 방향을 잡아 실천해 가면, 우리 사회는 나아질 수 있다고 생각한다. 우리가 사회정의라 했을 때, 그 것은 약자를 보호하고 약자 편에 서서 그들의 권리를

사진으로 보는
경실련 30년

Ⅰ.
경실련의
창립과
활동

Ⅱ. 경실련 30년
활동의 성과

Ⅲ. 지역경실련의
활동과 성과

Ⅳ. 경실련과
시민사회의 미래

찾아주는 것으로부터 시작된다.

▪ "성실하게 사는 사람이 대접받아야" 〈세계와 나〉　(1989.11.) 인터뷰 중

Q. 일반 시민에게 최대의 관심사는 토지와 주택문제, 쉽게 말해서 '내 집 마련의 꿈'을 실현시키는 것이 최대의 목표다. 그러나 그 꿈은 자꾸만 멀어지고 있다.

- 정부는 중대형 아파트 건설은 업자에게 맡기고 임대 아파트 건설에 온 힘을 기울여야 한다. 주택공사와 서울시, 건교부 등이 합심해 (공공)임대아파트를 대량 건설하는 것이 지금의 부작용을 막는 최선의 방법이다. 그리고 도시재개발지역에 중대형 아파트를 짓곤 하는데 이건 잘못돼도 한참 잘못된 것이다. 도심지에 서민들이 살고, 외곽지역에 중산층들이 살아야 하는데, 우리의 경우는 거꾸로 돼 버렸다. 서울 변두리로 밀려난 서민들은 집이 없는 것도 서러운데 아침·저녁으로 출퇴근 전쟁에 시달려야 한다. 이래가지곤 어떻게 정서적인 안정을 찾으며, 일에 몰두할 수 있겠는가?

▪ "빈익빈 부익부의 세태, 시민들의 손으로 바로잡자" 〈주부생활〉(1989.08.) 인터뷰 중

Q. 우리사회의 분배문제, 어떻게 접근해야 하나?

- 바로 그것이 문제다. 관리들이 관변 경제학자들의 주장을 그대로 받아들여 자기 입장을 합리화시키고 있다. 분배문제가 심각하다는 것은 모두가 공감하고 있는 부분인데 심각한 문제는 일단 다루어야 한다. 분배를 내세운다고 성장하지 말자는 이야기가 아니다. 분배에 신경 쓰면서 성장하자는 것이다. 성장률은 조금 낮게 잡더라도 분배문제에 많은 관심을 쏟아야 할 때다.

▪ "경제는 약자 편에 서야 한다" 〈시사저널〉(1989.12.17.) 인터뷰 중

그동안 정부는 경제성장만을 추진하면 모든 문제가 모두 풀리는 줄만 알고 정책을 펴온 반면, 소득의 분배문제는 소홀히 다뤄왔다. 아직도 분배문제를 대수롭지 않게 생각하는 사람들이 많은데, 정말 답답할 뿐이다. 예를 들어 농업부문을 보면 농민들의 절대소득은 높아졌지만 다른 부문에 비해 상대적으로 소득이 낮아졌다. 중소기업들도 대기업만 중시하다 보니 상대적으로 불리해졌다. 이렇게 되면 비록 절대소득이 높아진다 하더라도 상대적으로 없는 사람들이 많아지게 마련이다. 집값·땅값이 마구 뛰면 알뜰하게 저축해서 내 집을 마련하겠다는 소박한 서민층은 허탈감에 빠지게 된다. 이렇게 분배문제가 심각해지니까 잘못되어 가고 있는 것에 대한 개선의 소리가 높아지고 있는 것이다.

▪ "'땅의 편재' 이대로 방치해선 안 된다" 〈서울신문〉(1989.08.25.) 인터뷰 중

사회 안전망 구축 역시 '분배정의'의 가치를 중요시 여기는 데서 온다고 생각한다. 경실련이 다른 단체에 비해 사회안전망 구축에 대해 확실하게 주장할 수 있는 근거도 단체의 목적이 '경제정의' 즉, '분배정의'에 있기 때문이 아닌가? '분배정의'를 가치로 걸고 활동을 시작한 단체는 경실련이 한국에서 최초다. 없는 사람(경제적 약자, 관심과 배려의 소외된 이웃)에게 도움을 주자는 정신이다. 당시 그러한 사업을 중점으로 했던 경실련은 대중으로부터 엄청난 관심과 기대를 받을 수 있었다.

▪ 〈경실련 창립 20주년 기념자료집〉(2009.11.03.) 기고문 중

Q. 경실련 창립 30년, 남아있는 과제는?

- 30년을 견뎌온 것은 앞으로도 흔들림 없이 갈 수 있는 세월이다. 하지만 가장 중요한 것은 늘 창립당시 초심을 잃지 않는 것이다. 그런데 어려운 사람들을 위해 일한다고 하는데, 그 일을 하는 주체가 경제적으로 어려운 것은 안타깝다. 원래 남의 주머니에 있는 돈을 달라고 하기가 참 어려운 것이다. 경실련의 안정된 재정구조를 위해선 회원확대가 최우선 과제다.

이제 초창기 회원의 개념은 바뀌어야 한다. 당시 제도적 관심과 배려에 소외된 시민들과 경제적 약자들

을 경실련 회원으로 가입시켜서 시민조직으로 조직화하고자 했었다. 그리고 자신들의 문제를 자발적으로 해결할 수 있도록 하기 위해 회원 모임, 시민모임이 경실련 초창기 주요한 조직사업이었다. 그러나 지금은 사회가 많이 변했고, 시민들의 권리와 권익도 30년 전보다 향상됐다. 그때처럼 시민들을 조직화 할 경실련의 역할은 줄어든 듯하다. 지금은 경실련 사업의 지지자이자 후원자로서의 역할을 바란다.

또 지금 경실련은 30년 전으로 돌아가는 자세가 필요하다. 경실련만의 장기를 살려야 할 때다. 더불어 경실련의 목표는 경제정의(분배정의)를 실현하는 것이란 걸 잊지 말아야 한다. 이를 유지하고 강화하기 위해선 이 분야에 선두주자가 돼야 한다. 물론 사업추진과정에서 다른 단체와의 연대도 필요할 것이다. 그러나 여러 연대만 하다보면 경실련이 독자성을 잃게 될 수도 있다. 필요한 연대활동은 적극적으로 하되, 늘 경실련의 순수성과 독자성을 잃지 않도록 연대의 원칙이 중요하다. 아무쪼록 우리사회에서 그래도 필요한 역할을 해왔던 우리 조직이 앞으로 30년 동안 또 다른 세대들이 만드는 '정의로운 사회'를 맞이하도록 초석이 돼야 한다.

- 〈경실련 창립 20주년 기념자료집〉(2009.11.03.) 기고문 중

2) 송월주 지구촌공생회 이사장
(1·2·3·4대 공동대표 1989.07.~1997.07.)

월주 스님은 1989년 7월 경실련 초대 공동대표를 시작으로 1997년 7월까지 1·2·3·4대 공동대표를 역임했다. 또한 2002년 3월부터 2004년 4월까지는 경실련통일협회 5대 이사장을 맡기도 했다. 총무원장을 두

차례나 지낸 조계종단의 큰 어른이면서, 시민사회·남북관계·국제구호를 위한 활동에 일생을 바쳤다.

Q. 경실련 활동에 함께 하신 이유는?

- 박세일 서울대 교수, 김규칠 사장, 이각범 교수, 지환스님 조계종기본선원장, 박인제 변호사 등 경실련 중앙위원 불교신자들이 합의해서 나를 추천했고, 서경석 목사, 이형모 대표가 찾아와서 함께 하자고 했다. 나는 일언지하에 좋다고 했고, 경실련 초대 공동대표를 맡았다.

경실련은 정치투쟁하는 단체가 아니다. 반독재 투쟁 이후 민주화가 되고, 몇몇 교수들이 모여 몇 달 동안 치열하게 토론을 했다. 우리 삶의 질을 높이기 위해 경실련을 조직하되, 운동 방법은 비폭력적이고 평화적인 방법으로 해야 하고, 대안을 제시해야 한다는 데 합의해 만들어졌다. 나도 그런 취지에 동의해 참여했다. 거리에서 돌팔매질을 하고, 최루탄을 쏘고, 그것을 뒤집어쓰는 것은 종교인의 심성에 맞지 않는다.

당시 변형윤(前,서울대교수), 故황인철(변호사), 이효재(이화여대 명예교수) 초대 공동대표와 함께 했는데, 故황인철 변호사, 이효재 교수는 1년 정도 하다 그만뒀다. 당시 경실련이 다섯 번 모임을 하면 나는 세 번 이상을 참석하려고 노력했다. 내로라하는 경제학자, 사회학자들과 함께 하다 보니 세상을 보는 안목을 넓히는 데 상당한 도움이 됐기 때문이다. NGO활동, 복지사업 등 불교계에서 선도적인 역할을 하게 된 계기도 됐다. 1991년에는 경실련 등 9개 시민단체로 구성된 공명선거실천시민운동협의회(공선협) 상임대표도 했고, 1994년 발행된 시민의신문 첫 번째 발행인이기도 했다. 1994년에는 다시 조계종 총무원장을 맡았는데, 교계에서 내부 일에 전념해 달라는 정식 요청으로 1997년 초에 활동을 그만뒀다. 그래도 애정이 많다.

Q. 창립 초기 경실련의 활동은 어땠나?

- 경실련이 창립되고 일부 보수인사나 정치인들은 경실련 활동이 진보적으로 치우치지 않을까 우려하기도 했다. 그러나 내가 참여하는 동안 모든 사회 의제에 대안을 제시하고, 긍지를 느끼기에 충분했다. 빈부격차를 해소하고, 상대적 박탈감을 없애고 노력한 만큼 대가를 받고, 부정부패를 척결하고, 공명선거를 실

천하고, 한국은행이 독립해야 하고, 주택임대차 문제를 해결하고, 공정한 사회질서를 확립해야 한다 등 다방면에서 활동을 했다.

경제정의·사회정의를 하려다 보니 손대야 할 곳이 너무 많았다. 경실련이 많은 의제들에 대응하다보니 백화점식이라는 비판에 직면했다. 최열 사무총장이 환경운동연합을 만들고, 박원순 사무처장이 참여연대를 만들어 박상증 목사 등과 함께 특정 분야를 맡아 적극적이고 강경하게 활동을 전개하다보니 경실련의 백화점식 운동에 대한 비판이 커졌다. 경실련이 시민운동의 효시적 역할을 했지만, 5~6년 후에 생겨난 환경운동연합이나 참여연대처럼 진보적인 성향을 가진 운동단체들과 경쟁관계가 형성됐다. 당시 실사구시에 따른 합리적 운동을 하는 경실련보다 좀 더 적극적이고 투쟁적으로 하는 이들 후발 단체들의 영향력이 커졌다. 다른 단체들을 규합하는 역할에도 한계에 직면했다. 2000년 총선 때 총선연대를 만들어 낙천낙선운동이 이루어질 때, 경실련의 후보자정보공개운동은 힘을 받지 못했다. 낙천낙선 분위기가 뜰 때, 나는 후보자들의 과거 잘잘못을 드러내어 유권자가 판단하게 하고, 공정선거가 되도록 해야 하지, 누구를 낙선시키기 위해 거리로 나가면 안 된다고 했다. 그러나 헌법의 하위법인 선거법이 잘못된 것이다. 표현의 자유, 언론의 자유, 결사의 자유를 규정한 헌법에 어긋나기 때문에 하위법인 선거법을 지킬 필요가 없다는 논리가 강했다. 공선협도 그렇고, 많은 단체들이 낙천낙선운동에 나섰다. 결국 선거 이후 선거법 위반으로 고발되고, 실형을 선고받기도 했다. 지금 생각해도 후보자정보공개운동 등 경실련의 주장이 옳고, 당시 낙천낙선운동에 앞장서지 않은 것은 잘한 것이다.

또 다른 문제는 경실련 주요 임원들이 정부에 입각하거나 정당에 붙어 국회의원에 출마하면서 선명성이 훼손됐다. 시민운동·NGO활동을 하는 사람들이 전문성을 익히고 대안도 제시해야 되는데 정치입문을 위한 발판으로 이용했다. 그런 상황에서 경실련이 정책을 발굴하고 대안을 제시하는 데 한계를 보였다. 정치권에 나가는 것도 시민운동·NGO활동을 한 사람은 일정 기간 후에 정치권에 나가야 한다. 정당에서는 전문가들, 대안을 제시하는 사람들이 필요하니까 모두 끌어들이는 상황이었다. 당시 정치권에 발을 들인 사람들이 찾아왔을 때도 이런 얘기를 했더니 시민운동을 한 사람들, 유권자 운동을 한 사람들이 정치권에 당연히 가야 한다고 말했다. 시민운동을 하려는 사람들도 다 그런 사람들인 것 같다. 경실련이 초기에 선도적이고, 선각적인 활동으로 십수 년 동안 큰 역할을 했다. 합법적이고 합리적이고 선명한 운동을 했지만, 많이 변한 것 같다.

Q. 경실련통일협회 이사장도 하시고, 통일운동에 나선 계기는?

- 김성훈(중앙대 교수) 이사장 후임으로 내가 2002년 초부터 했다. 초대 조요한(미술평론가) 이사장은 상당히 부드러운 스타일이었고, 강만길·한완상 이사장은 진보적인 입장이 강했고, 김성훈 이사장은 중도적이었다. 제가 이사장이 되었을 때, 맥아더 장군의 인천상륙작전으로 통일이 안 됐다는 동국대 강정구 교수의 편향된 주장으로 조금 어수선했다. 당시 강 교수를 동국대 동창들까지도 비판했었다. 좌우를 아우르는 중도적 입장을 견지해야 하는데, 많은 분들이 걱정했다. 이사장으로 있을 때 편향되고, 비합리적인 주장들을 정리하려고 노력했었다.

Q. 경불련(경제정의불교시민연합)도 창립하셨는데?

- 경불련을 만들었는데, 나중에 단체가 유야무야 됐다. 경불련이 네팔 사업을 하면서 어려움에 직면했다. 경불련이 지금 근근이 유지는 되고 있지만, 활동은 거의 없는 걸로 안다. 창립 초기만 해도 경실련과 경쟁관계가 형성될 정도로 바른 말도 하고, 대안도 제시하고 했다. 많이 아쉽다.

Q. 요즘 정치권, 국회상황은 어떤가? 30년 전과 비교해볼 때 한국사회가 변했나?

- 최근 국회의원들이 여야를 막론하고, 막말을 하고 악담을 하고, 조롱을 하고, 하후하박도 넘친다. 이렇게 해서 유권자들의 감성을 끌어낼 수 있을지 의문이다. 예전보다 많이 심해진 것 같다. 유권자의 표를 얻

기 위한 전략은 발전한 것 같은데, 도덕적인 면은 오히려 퇴보했다. 도덕적으로 문제가 있고, 당선을 위해서는 수단과 방법을 가리지 않는 정치인에게는 표를 주지 않는 유권자들의 자세가 필요하다. 정책을 제시하고, 정책으로 대결하고, 국민들을 설득하고 마음을 사도록 해야 한다.

Q. 남북관계, 한반도 정세는 어떤가?

- 남북문제는 경실련통일협회에도 관여했고, 우리민족서로돕기운동도 했다. 북한을 10여 번 다녀온 것 같다. 2000년 김대중 대통령의 6·15선언 후에 이산가족이 8월에 최초로 만났다. 11월에 2차 상봉을 하고, 2001년에는 2월에 한번 밖에 못 만났다. 북한을 방문했을 때 이산가족이 천 만 명이라는데, 다들 연로해서 몇 년 지나면 다 돌아가시니 계속 만나게 했으면 좋겠다고 하니, 북측에서 자꾸 그런 말 하면 스님은 내일 여기 못 있는다고 했다. 북한의 10만 명이 동원된 카드섹션 아리랑 공연도 마찬가지였다. 공연 자체가 체제선전이다. 체제에 익숙한 사람은 모르지만 그렇지 않은 사람들은 거부감을 느끼기에 충분하다. 처음 공연보다 많이 달라졌다지만 여전하다고 말했더니 북측에서 뭐라고는 안했지만 서로 자유롭게 말할 수 있는 상황이 아니었다.

경실련통일협회 이사장 할 때부터 우리가 온건하게 접근해야 하고, 북쪽에만 치우쳐도 안 된다고 말했다. 그렇다고 우리가 폐쇄적이거나 갈등을 부추겨서도 안 된다. 대화와 교류협력을 통해서 평화통일 기반을 구축해야 한다. 교류를 통해서 언어의 동질성을 찾고, 이질화된 문화의 동질성을 회복해 평화정착에 나서자는 것이다. 6·15선언도 하고, 평화번영정책도 하고 그랬지만, 핵과 미사일 실험을 계속하고 있다. 봄바람에 외투를 벗을 거라고 했지만, 오히려 갑옷을 입었다. 일부에서는 자기 방어용일뿐 남한을 공격하려는 게 아니라고 하지만, 대북지원에 대한 여론이 좋지 않다. 내가 북한의 선군정치를 비판하고 북한에게 속았다는 말을 몇 번 했더니, 남한 내부에서도 비난하고, 북한에서는 방북초청장도 안 나온다. 김대중 정부는 6·15선언 이후 전쟁은 없다고 했지만, 2002년 월드컵 때 연평해전이 벌어졌다. 김정일 위원장의 답방 약속도 지켜지지 않았다. 노무현 정부 때는 평화정착에 기여한다고 임기를 불과 1년도 채 남겨놓지 않은 상황에서 10·4선언을 했지만 임기말에 북한을 많이 돕겠다는 것은 남한이 북한보다는 잘 살고 있어서 남한의 경제 사정을 살피지 않은 과대한 북한과의 약속이었다.

그리고 노무현 정권에서는 북한에서 핵확산방지조약(NPT) 탈퇴(1993, 5, 11)와 잠수함 동해 침투 그리고 핵무기 보유 선언(2005, 2, 10)과 장거리 대포동 미사일 시험 발사(2006, 7, 5)와 1차 핵실험(2006, 10, 9)과 서해에서 북한 경비정 NLL 월선으로 인하여 국지전도 있었다. 이명박 정권 당시 북으로부터 천안함 폭침 사건과 금강산 박왕자 씨 피살 사건이 일어났는데 민간인 사망 사건이기에 미사일 발사와 핵 실험보다도 훨씬 큰 충격이었다. 민간인 피살 사건 이후 남북관계가 완전히 경색돼 버렸다.

그래도 대북 인도적 지원은 해야 한다. 북을 도와주되 투명하게 도와줘야 한다. 국제기아대책기구 등 국제 구호단체를 이용하는 것도 방법이다. 북한의 경우, 산모들이 영양섭취를 못하니까 젖이 마르고, 어린아이들의 영양결핍도 심각하다. 건강하게 발육할 수 있도록 도와줘야 한다. 고통 받는 사람들을 투명하게 도와줘야 한다. 대북지원이 무기화되거나 독재 유지를 위한 수단으로 전용된다는 우려를 불식시켜야 한다. 지금 남북문제도 잘 풀어가야 한다. 대화를 통해서, 교류협력을 통해서 평화정착을 해야 한다. 북한은 이중적 성격을 갖고 있다. 두 눈으로 봐야 한다. 하나는 적대적 대결관계이고, 또 하나는 포용하고 교류해야 할 민족이라는 것이다. 때문에 대화와 교류를 중단해서는 안 되고, 북한을 견제만 한다거나, 북한에게 무조건 끌려가서도 안 된다.

Q. 경실련도 그렇고 불교계에서 시민운동에 많이 활동하신다?

- 제가 불교계 대표로 경실련에 참여했다가 조계종 종단일로 물러난 후 몇 년 후에 이어서 정련, 법등, 보선, 몽산, 최근 월정사 정념 스님까지 공동대표를 했다. 자랑할 일은 아니지만 선도적인 인물이 돼버린 것 같다. 나도 처음에는 시민운동에 간섭도 안하고 관계도 안하려고 했다. 경실련 공동대표 할 때도 각 지역마다 목사, 신부, 교수 등이 대표로 많이 나왔다. 나에게 지역 불교계에 연락해서 많이 동참하게 해달라고 부탁했다. 나도 내 생각이 있고, 내 신념이 있어서 동참한 건데, 내가 하라고 해서 되는 게 아니다. 지역 사람들이 필요하다고 생각하면 관계를 만들어 활동하도록 해야

시작으로 보는
경실련 30년

Ⅰ.
경실련의
창립과
활동

Ⅱ. 경실련 30년
활동의 성과

Ⅲ. 지역경실련의
활동과 성과

Ⅳ. 경실련과
시민사회의 미래

한다. 그 분들도 다 자기 생각이 있고 하고 싶은 것이 있다. 내가 하라고 해서 될 것도 아니고, 하라고 해서 한다면 따라하는 것 밖에 안 된다. 지금 참여하신 분들도 다 본인의 신념에 따라 참여하는 거다.

Q. 시민운동 활동가에게 하고 싶은 말은?

- 불경에 나오는 석가족 학살 사건을 보면, 가비라성의 이웃나라인 꼬살라국의 파세나디왕은 석가족 공주와 혼인하기를 원했다. 석가족은 파세나디왕을 노하게 하고 싶지 않아 마지못해 청혼을 받아들였지만, 공주를 보내는 대신 마하나마왕과 노예 사이에서 태어난 아이를 공주로 속여 보낸다. 파세나디왕은 그 아이를 왕비로 삼았고 비타투바라는 아들을 얻었다. 비타투바가 16살이 되던 해 마하나마왕과 석가족 공주를 만나기 위해 가비라성에 방문했다가 노예 계집의 아들이란 소리를 듣게 된다. 이에 분노하여 석가족의 씨족을 모두 말살했다. 야사이기는 하지만, 수만 명의 비타투바 군대가 가비라성을 점령했을 때, 마하나마왕은 자신이 연못에 들어가서 떠오를 때까지만 도살을 멈춰달라고 했고, 비타투바는 이를 받아들인다. 연못에 들어간 마하나마왕은 자신의 상투 머리를 큰 나무에 묶어 떠오르지 못하게 했다. 왕의 시체가 떠오르지 않는 동안 석가족 사람들이 많이 도망가 목숨을 구할 수 있었다. 지금도 인도북부에 수십만 명이 넘는 석가족이 살고 있고 불교를 믿고 있다고 한다.
나는 별로 북쪽에게 믿음이 안 간다. 계속 언급하지만 북에 퍼주거나 하자는 대로 따라간 것도 문제지만, 그렇다고 대화를 단절하고 대결하는 것도 문제다. 석가족 일화처럼 자기가 죽으면서 다른 사람을 살려내듯이 그런 심정으로 남북관계도 다가가야 한다. 사회정의·분배정의를 위해 노력하는 시민운동·NGO활동도 마찬가지다. 애쓰는 많은 분들을 계속 도와주지 못해 미안하다.

Q. 경실련이 한국사회 가장 크게 기여한 부분은 무엇이라고 평가하십니까?

- 경실련이 창립되기 전에 여, 야 간 정권교체 또는 정권계승을 위해 살벌한 정치투쟁이 많았다. 그러나 경실련 출범 이후 분배정의, 사회정의 실현과 절차적 민주주의 실현을 창립취지로 내세워 조직화하고 정치, 경제, 사회, 문화, 교육 등의 여러 분야에 정책 대안을 제시하고 비폭력 평화적으로 운동을 실천한 바 시민운동의 효시가 되어 최초로 한국사회의 비정부 민간 기구를 만들어 시민운동에 전범을 만든 것을 높이 평가한다.

Q. 젊은 세대들에게 경실련이 어떤 미래비전을 제시해야 할까요?

- 경실련을 이끌고 있는 지도자와 간부들이 정치와 관계에 진출을 자제하고 도덕성을 지키고 모든 분야에 건전한 대안을 제시하고 시민운동가로서 모범을 보일 때 많은 젊은 사람들이 경실련단체 운동과 모든 분야에 많은 사람들이 늘어나고 동참하리라 믿는다.

3. 손봉호 나눔국민운동본부 대표

(3·4대 공동대표 1993.07.~1997.07.)

손 대표는 3대, 4대 공동대표와 초대 상임위원회 의장을 역임하고 공명선거실천시민운동, 부정부패추방운동 등을 주도하며 경실련 뿐만 아니라 시민사회에 큰 역할을 해왔다. 시민사회 원로로 우리사회 도덕과 청렴, 약자를 위한 윤리를 위해 일평생 노력해온 손 대표를 나눔국민운동본부 사무실에서 만났다.

Q. 경실련 창립 당시를 회고하시며 인상 깊었던 기억들 있으면 나눠주세요.

- 경실련 창립 당시 우리나라는 독재정권에 대한 비판이 핵심을 이뤘다. 당시에는 안창호 선생님이 세우신 흥사단이나 YMCA·YWCA 같은 기독교단체들이 비정부단체 활동을 해왔다. 그러나 시민의 힘으로 정치적인 방법을 통해 사회를 바꿔보겠다고 나선 것은 경실련이 처음이다. 우리나라 본격적인 시민운동의 시작이 경실련이다. 나는 사실 경실련보다 2년 전 기독교윤리실천운동(기윤실)이라는 것을 시작했지만, 기독교계에 국한돼 있었고, 윤리적인 면에만 초점을 맞춰 사회제도를 바꾸는 데는 관심을 두지 못했다. 경실련은 경제정의를 포함해 여러 가지 사회문제를 다루면서 우리나라 NGO활동에 큰 역할을 했다. 경실련이 주도한 토지공개념, 금융실명제 도입, 공명선거실천운동 등은 우리나라 민주화에 큰 공헌을 했다.

Q. 공선협 활동하실 때 낙천낙선운동의 방식을 두고 다른 시민사회 지형과 경실련의 입장이 달랐는데, 당시 상황을 좀 설명해주세요.

- 내가 공선협 대표를 맡고 있을 때였는데, 진보적인 단체들이 낙천낙선운동을 시작했다. 나는 굉장히 신중하고 조심했다. 우리는 합법적 테두리 안에서 후보자의 정보를 공개하는 선거운동으로 가는 게 맞다고 생각하면서도 한편, 시민운동 진영이 갈라지면 안 된다는 생각이 많았다. 그래서 적대적 태도를 취하기보다는 우리의 운동방식이 다르다는 입장을 밝히고, 우리 스스로의 원칙은 지키되 다른 단체들과도 함께 가는 방향을 모색했다.

Q. 4차 산업이 이슈화되면서 윤리, 도덕의 문제가 다시 화두로 떠오르고 있습니다. 우리사회 청렴, 도덕성에 대해 어떻게 생각하시나요?

- 경제적으로 세계 최빈국이었던 나라가 이 정도 됐다는 건 엄청난 발전이다. BTS같은 연예계, 스포츠, 과학기술은 전 세계에서 그렇게 많이 뒤지지 않는다. 그런데 국제투명성기구가 발표한 2019년 우리나라 투명성 지수는 세계 45위다. 우리나라가 45위하는 분야가 많지 않다. 대부분 10위 전후인데, 다른 사람을 배려하고 다른 사람과 조화롭게 지내는 데는 점수가 다 뒤떨어져 있다. 내가 윤리운동을 하는 이유도 우리가 윤리에 너무 뒤떨어져서다. 윤리라는 게 별게 아니다. 간단하게 정의하면 다른 사람에게 해롭게 행동하지 않는 것이다. 다른 사람에게 덕을 베풀고, 다른 사람을 행복하게 하는 것은 윤리의 목적이 아니다. 윤리의 목적은 소극적이다. 다른 사람에게 해를 끼치지 않는 것, 도둑질 하지 않는 것, 거짓말 하지 않는 것 같은 것들이다. 다른 사람 속이고 사기치고 뇌물주고 하면 정의가 깨진다. 이걸 바꾸자는 게 나의 윤리 운동인데 별로 성공하지 못했다.

Q. 특히 모범을 보여야 할 정치인들의 윤리의식도 매우 낮은 수준입니다. 정치개혁에 대한 견해가 있으시다면?

- 국회의원의 질을 높여야 된다. 이런 수준의 국회의원을 두고는 발전하기 어렵다. 경실련이 합리적인 국회 개혁안을 만들고 국회개혁에 앞장서야 한다. 먼저 국회의원 특혜를 다 없애야 한다. 세비를 절반 이하로 깎고 특혜를 없애야 진짜 애국자가 국회에 들어온다. 지금은 공익에 관심 있거나 나라를 사랑해서 국회에 들어오는 게 아니라 혜택이 너무 많아 그것을 누리려는 사람이 다수다.

모든 관심이 집권이다. 권력유지, 권력을 잡는 것만 추구하고 있다. 먹을 게 있으니까 찾아오는 것이다. 비행기 일등석을 공짜로 타고, 외국 돌아다니며 비싼 밥 대접받으면서 부끄러움도 모르는 후안무치가 많다. 스웨덴 국회의원들이 우리나라 와서 국회의장한테 점심 대접 받고는 그만큼 자기 점심값을 반환했다고 한다. 적어도 이 정도 양심은 있는 사람이 국회에 들어와야 한다. 그러려면 혜택을 일단 줄여야 한다.

Q. 최근 남북관계나 한반도 정세를 어떻게 보고 계시고, 우리 정부는 어떤 역할을 해야 할까요?

- 남북관계와 관련해서는 전문가가 아니다. 다만 크리스천으로서 두 가지 원칙을 가지고 있다. 하나는 굶는 사람은 먹여야 한다는 것과 또 하나는 인권은 비판해야 된다는 것이다. 옛날부터 남는 쌀을 북한에 보내자고 해왔고, 기아대책 기구를 통해 꾸준히 북한에 식량을 보냈다. 그러면서 정치와 별개로 지적할 건 지적해야 한다. 북한이 제일 민감해 하는 인권문제를 건드리면 협상이 안 되니까 정부가 가진 어려움도 이해하지만, 원칙은 가지고 있어야 한다. 북한 주민들이 인간답게 살 수 있게 해주는 게 궁극적 목표가 돼야 하고, 이것이 대북정책의 밑바탕에 깔려 있어야 한다.

사진으로 보는
경실련 30년

I.
경실련의
창립과
활동

II. 경실련 30년
활동의 성과

III. 지역경실련의
활동과 성과

IV. 경실련과
시민사회의 미래

정부가 최근 이룩한 성과는 상당한 것이다. 비무장지대 초소를 제거한 것만 해도 남북간 긴장을 많이 줄였다. 그런 점에서 잘했다고 생각하고, 정부가 취하는 외교적 방법에 대해서도 다른 방법을 찾기 쉽지 않다. 외교는 어쩔 수 없이 줄다리기다. 완전히 중국 편을 들 수도 없고, 미국 편을 들 수 없다.

Q. 한일관계는 어떻게 대응하면 좋을까요?

- 나쁘게만 보지 않는다. 우리가 발전할 수 있는 좋은 기회. 그동안 너무 당연하게 일본 부품에 의존했던 상황에서 스스로 개발하지 않으면 안 되는 계기가 생긴 것이다. 어떤 점에서는 아베가 우리에게 큰 도움을 준 것이다. 조심해야 할 것은 감정적인 반응이다. 실리를 추구하고 감정은 극복해야 한다. 아베는 일본 극우세력의 감정을 이용해 전형적인 포퓰리즘으로 정치적 입지를 유지하려고 하는 것이다. 우리가 똑같은 방식으로 대응해서는 일본을 못 이긴다. 실리를 챙길 좋은 기회로 생각하고, 이를 악물고 우리 힘을 키우면 된다. 일본에 대한 원한 감정으로 서로 자극하지 말고 선을 넘지만 않으면 된다. 독도는 우리 땅이라고 고함치는 것보다 실력을 쌓고 합리적으로 나라의 힘을 키우는 계기로 삼아야 한다.

Q. 30주년을 맞은 경실련에게 또는 시민사회에게 한 말씀 부탁드립니다

- 시민단체든 언론이든 정치든 궁극적으로 건전한 시민들의 진정한 지지와 신임을 받아야 성공한다. 포퓰리즘은 반짝 승리하는 것처럼 보여도 망하는 길이다. 트럼프도 지금 미국을 형편없는 나라로 만들고 있고, 베네수엘라와 아르헨티나도 포퓰리즘으로 망했다. 전 세계 민주주의가 위기를 맞고 있다. 국민들의 옳지 못한 정서에 호소하는 정치나 시민운동은 멀리 내다보면 망국적인 행동이다. 차분하고 냉정하게 우리 사회에 이익이 되는지를 따져보고 목소리를 낼 건 내야 한다. 인기에 영합해서 주장하는 것은 오래 가지 못한다. 수적 다수가 아니라 계몽된 다수의 지지를 받아야 오래 간다.

4. 이종훈 한성대 이사장

(6·7대 공동대표 1999.07.~2003.12.)

이종훈 이사장은 6대, 7대 경실련 공동대표와 경제정의연구소 초대 이사장을 역임했다. 오랫동안 대학에서 학생들에게 경제학을 가르치다가 지금은 한성학원 이사장으로 재직 중이다.

Q. 경실련과는 어떻게 인연을 맺게 되셨나요?

- 원래 시민운동과 전혀 관계가 없었는데, 서울대학 박사 과정 강의를 할 때 변형윤 교수를 만나게 됐다. 그때 변 교수께서 시민단체 경실련을 만들겠다고 하시며 같이 하자고 했다. 대학에 있었을 때라 잘 알지도 못하고 관심도 없어서 선뜻 대답을 못하다 1년 후에 경제정의연구소를 만든다고 해서 그건 하겠다고 했다. 그렇게 경제정의연구소에서 활동을 시작하면서 인연을 맺었다. 변 교수님뿐만 아니라 그 때 당시 대학교수들 중에 시민운동에 관심이 많았고, 그런 운동의 필요성을 느끼는 사람도 많았다. 나도 같이 하면서 연구하는 데 보탬이 되곤 했다.

Q. 활동하시면서 에피소드나 기억에 남는 일 있으시면 나눠주세요.

- 그때만 해도 경실련에 시민들이 많은 박수를 보냈다. 우리처럼 정부에 대해서 비판도 하고 쓴 소리도

하고 격려도 하는 단체가 없었다. 한국 시민단체의 효시로서 시민단체도 정부 못지않게 역할을 할 수 있다는 걸 보여줬다. 많은 활동을 했지만 경제적으로 지원받는 곳이 없어 상당히 어려웠다. 시민운동을 해야 하는데 사무실도 없었다. 시민운동 하려면 서울 시내 도심에 위치해야 할 것 같은데 돈이 문제였다. 여러 고민 끝에 모금운동에 나서게 됐고, 현재 사무실을 갖게 됐다. 시내 대로에 구하면 좋았겠지만 경제적 여건상 어쩔 수 없었다. 일부에서는 우리가 정부로부터 돈을 받고 하는 줄 아는데 전혀 그런 게 없었다. 그게 우리의 자부심이다.

Q. '경제정의' 운동에 대해서 어떻게 생각하시나요? 30년 전의 경제정의가 아직도 유효하다고 보시는지요?

- 그때만 해도 경제정의라는 말 자체가 없었다. 정부의 간섭이 심하고 특히 재벌들 횡포가 심했을 때, 우리가 '경제정의'라는 문구를 내세워 그야 말로 정의활동을 하자고 하면서 경제활동에 대한 새로운 이정표를 세웠다. 재벌의 횡포가 심했지만 그것을 견제할 만한 게 없었다. 정부도 대항할 힘이 없었는데, 시민들이 경실련을 통해 경제정의 활동을 함으로써 정부나 재벌에 대해 방향을 제시하고 큰 역할을 했다. 지금은 전에 비해 좀 부족하다고 느끼지만 그래도 많은 활동을 하고 있다. 자본주의 경제가 발전하면 할수록 소득은 높아지는데 소득 불평등이 생긴다. 소득 불균형 해소를 위한 시민운동은 앞으로도 계속 필요하다.

Q. 최근 일본 아베정부와 경제적 문제로 갈등을 빚고 있는데, 이 문제는 어떻게 보시는지요?

- 필연적 과정이다. 예전에는 일본과 우리의 경제적 격차가 많이 났다. 그래서 일본이 우리에 대해 그렇게 직간접적으로 대결적인 정책을 펴지 않았다. 그런데 한국경제가 커져 일본과 대립되는 관계가 되니까 앞으로 사사건건 일본과의 대립은 더 심화될 것이다. 우리가 그만큼 커졌기 때문에 어쩔 수 없는 과정이라고 본다. 대승적인 자세로 대한민국이라는 긍지로 대응을 해야지 옛날 감정만 가지고 대응할 필요는 없다.

과거 미·일 관계 속에서 한국을 포함한 한·미·일 삼국이 중국과 러시아에 대항했지만, 지금은 중국과도 국교정상화가 이뤄졌고, 러시아와도 국교정상화가 됐기 때문에 미·일만 생각할 게 아니라 중국과 러시아와의 관계도 고려해 대한민국의 좌표를 새롭게 설정하고 우리의 위상을 어떻게 가져갈지 고민해야 할 중요한 시점이다.

Q. 최근 정치인들, 특히 국회의원들 보시면서는 어떤 말씀을 해주고 싶으신가요?

- 정치를 내가 잘은 모르지만 현재 우리의 입장은 옛날과 다르다. 약소국이 아니다. 세계에서 한국의 위상을 생각해서 여야 간의 지엽적인 당리당략보다는 한 차원 높은 정치활동, 정당활동을 해야 한다. 앞서 얘기했듯이 미국이나 일본 뿐 아니라 중국이나 러시아에 대해서도 상당한 위상이 있는데, 우리 위상에 맞는 외교와 정당의 역할이 필요하다.

Q. 소득불평등, 빈부격차 확대로 양극화·불평등이 심화되고 있습니다. 이를 해소하기 위한 방안은 무엇인지요? 특히 젊은 세대들에게 경실련이 어떤 미래비전을 제시해야 할까요?

- 소득격차를 해소할 수 있는 세제를 확대하는 방법이 가장 좋다. 정부가 철저하게 소득불평등 심화를 막는 정책을 쓰는 거다. 강제로 할 수는 없는 거니까 세금으로 해결하는 조세정의밖에 없다고 생각한다. 그리고 젊은이들이 소득불평등을 피부로 가장 크게 느끼고 있을 텐데 그래도 50~60년 전 내가 젊었을 때는 사회정의라는 게 없었다. 지금은 옛날같이 정부가 마음대로 하지 못하는 민주정부이고, 또 여론이 있어서 여론에 따라 국민들이 희망을 가질 수 있는 시대라고 본다. 젊은 청년들에게 희망을 가지고 좌절하지 말고 열심히 노력하는 자세를 가지라고 말하고 싶다. 나도 지금 아흔 가까이 된 나이지만 대학의 이사장을 맡아 젊은이들의 교육에 조금이라도 기여를 하려고 한다. 앞으로 젊은이들이 희망을 찾을 수 있게 나이든 사람들이나 사회가 더 많은 노력을 해야 한다.

Q. 마지막으로 경실련에 하고 싶은 말씀은?

- 시민단체의 효시로 시민들에게 많은 박수를 받았던 역사를 잘 계승해야 한다. 정부의 경제정책이나 독재와 싸웠던 것처럼 열심히 싸우는 것뿐만 아니라 민주정부의 새로운 경제 비전을 제시하는 역할도 해야 한다. 경제정의를 앞장서서 실천하기 위한 연구와 민주사회 발전을 위해 연구하는 시민단체로 새롭게 거듭나길 바란다.

사진으로 보는
경실련 30년

I.
경실련의
창립과 활동

II. 경실련 30년
활동의 성과

III. 지역경실련의
활동과 성과

IV. 경실련과
시민사회의 미래

5. 김성훈 환경정의 이사장

(8·9대 공동대표 2004.01.~2007.12.)

김성훈 대표는 경실련 8대, 9대 공동대표, 통일협회 이사장, 소비자정의센터 대표, 농업개혁위원장 등을 두루 역임하며 초창기부터 최근까지 농업개혁과 통일운동을 이끌며 꾸준하게 왕성한 활동을 펼쳤다. 만 여든이 된 지금도 생태운동의 일환으로 자택 옥상에서 유기농법으로 직접 농사지은 먹거리로 밥상을 차리신다.

Q. 경실련에는 어떻게 참여하게 되셨나요?

- 1989년 7월 경실련 발기인대회를 할 때 나는 그 자리에 없었다. 중국에 출장을 다녀오니 후배인 서울대 김완배 교수가 내 손을 잡고 꼭 가서 할 일이 있다고 경실련에 데려갔다. 나는 '우리농촌·우리쌀살리기 운동'을 하고 있었는데, 그것을 경실련에서 하면 된다고 했다. 그래서 농업개혁위원회를 만들고 그 해 11월쯤 서너 달 늦게 참여했다.

우리나라에 경실련 이전까지는 다 이념단체, 이데올로기 단체였다. 그런데 경실련은 비정치·비이념·비정파를 캐치프레이즈로 내걸고, 오로지 경제정의, 사회정의를 이 땅 위에 세우려 했다. 가장 취약한 계층은 지원하고 과도하게 팽창돼 있는 것은 억제한다는 역사적인 사명감에 불타올라 있었다. 경실련으로 인해 이념단체들이 다 빛을 잃어버렸고, 우리는 경제정의, 사회정의를 실현시키는 활동을 한다고 사회로부터 존경과 선망을 많이 받았다.

Q. 활동하시면서 에피소드나 아쉬웠던 점, 기억나는 성과 등이 있으시다면?

- 경실련 내부에서 토지공개념을 두고 갈등이 있었다. 적극적으로 해야 한다는 입장과 잘못 건드리면 사회에 더 큰 부작용이 발생할 수 있어 안 된다는 입장이 나뉘어 추진력이 떨어졌다. 경실련 운동은 시민들의 적극적인 호응을 이끌어 내고, 그 힘으로 밀어붙쳐야 하는데, 당시 소극적인 사람들이 많아서 나 혼자 토지공개념을 해야 한다고 주장하기에는 역부족이었다. 아쉬움이 많았다. 그래도 임대차계약을 최소 2년으로 늘려 한번 계약하면 못 쫓아내도록 만든 것은 경실련의 업적이다. 2년 후에 10배를 올리건 20배를 올리건 2년 동안에는 1년에 5% 내에서만 올리고 2년간 못 쫓아내도록 만든 법인데 당시에는 혁명적이었다. 하지만 결국 토지공개념은 임대차보호법 정도에서 만족하고 미완의 개혁으로 남게 됐다.

농민이 경제정의를 실현하는 데 있어서 가장 중요한 것은 농지개혁이다. 헌법에도 경자유전 원칙이 명문화돼 있다. 제일 안타까운 것은 1987년 헌법 개정할 때보다 구체적으로 반영시키지 못한 것이다. 지금도 전국적으로 경자유전 원칙을 지키고 있는 비율이 50%도 안 된다. 농업 문제의 가장 핵심은 농지부터 시작해야 한다. 농산물 가격만 갖고는 해결이 안 된다.

Q. 창립 초기 우루과이라운드 반대 운동부터 시작해서 최근에 GMO반대운동까지 일생을 바쳐 농업개혁과 건강한 먹거리를 위해 활동해오시며 느낀 점들을 나눠주세요.

- 우루과이라운드는 농업부문의 강점을 가진 미국이 농산물 수출 판매처 확보가 어려워지자 우루과이라운드라는 것을 세계적인 이슈로 만들어서 미국산 농산물의 자유로운 판매처를 확보하기 위한 수단이었다. 문제는 최근이다. 지금은 어떻게 됐나? 우리나라 농산물은 국내 자급용이 아닌 상업용, 가공용은 완전히 미국과 미국의 자회사인 브라질농장, 아르헨티나 농장에서 나오는 것을 수입하게 됐다. 몬산토라는 회사가 유전자를 조작해 글리포세이트가 주성분인 제초제를 만들었다. 아무리 뿌려도 농작물은 피해가 없고 잡초들만 죽인다. 그런데 이 성분이 사람 신장을 녹이고 간을 녹이고 유방암, 신장염에 걸리게 하

고 자폐증, 치매까지 걸리게 한다. 이게 바로 세계시장의 80%를 장악하는 라운드업이라는 제초제의 주성분이다. 글리포세이트가 들어있는 옥수수가 흔히 말하는 GMO다. 유전자를 조작했기 때문에 제초제를 아무리 뿌려도 잡초만 죽고 옥수수, 콩은 끄떡없다. 우리가 지금 글리포세이트가 들어있는 콩과 옥수수를 먹고 있다. 우리 몸 가운데 그대로 다 들어가 있다.

경실련이 먹는 것만은 제대로 안전한 것을 먹자는 캐치프레이즈를 내걸고, GMO 반대운동을 더 강력히 해야 한다. 우리나라의 곡물자급률은 24%밖에 안 된다. 나머지 76%를 수입하고 있는데, 대부분이 유전자 조작 글리포세이트가 들어간 GMO 음식이다. 문재인 대통령도 학교 급식에 GMO를 완전히 차단하고, GMO 완전표시제를 시행하겠다고 공약했지만 하나도 안 지키고 있다. 통상마찰이 일어나고 물가가 오른다는 말도 안 되는 변명을 하면서 약속을 안 지킨다. 뿐만 아니라 몬산토 장학생, GMO 장학생들이 교수, 언론, 기업 등에 다 포진해 있어 국민의 건강을 해치는 GMO를 옹호하고 있다. 심각한 상황이다.

Q. 작년 남북정상회담 이후 남북관계가 많이 진전되었지만 앞으로도 갈 길은 멀어 보입니다. 남북관계는 어떤 전망을 가지고 교류와 협력을 해야 할까요?

- 북한도 우리랑 똑같은 사람이다. 같은 역사, 같은 문화, 같은 언어를 가지고 있다. 나라마다 자기나라 체제가 있다. 체제의 다름만 인정하고 서로 교류와 협력을 하면 된다. 우리에게 이익이 되고, 북에도 이익이 되는 일부터 하면 된다. 예를 들어 예전에 북한동포돕기 차원에서 우리나라 퇴비를 발효시켜서 유기농 비료로 만들어 북한에 퇴비보내기 운동을 통일협회에서 했었다. 메아리 없이 끝나서 아쉽긴 했지만 우리 환경도 좋아지고 북한에도 도움이 된다. 남북 간 협력할 일은 아주 많다. 그러려면 자주 가야 한다. 나도 지난 11월에 북한을 방문했다. 9년 만에 방문한 것인데 많이 달라졌다. 자력갱생을 외치고 피나는 노력을 하면서 한껏 좋아진 것 같다. 안내하는 사람들 분위기도 활발해졌고, 평양시내도 눈부시게 변화했다. 북한 역시 우리와 같은 조선민족이다. 조선민족이란 게 보통 사람들이 아니다. 머리도 좋고, 열심히만 단결하면 뭐든 해낼 수 있다.

Q. 경실련 30주년을 맞아 한 말씀 부탁드립니다.

- 30년 전 경실련이 출범할 때와 지금의 사회, 경제, 정치 상황을 볼 때, 결코 약자들의 입장에서, 정의의 입장에서 나아졌다고 할 수 없다. 더 악화됐고, 교묘해졌다. 소금의 역할을 해야 할 언론, 종교, 학계 등이 신자유주의를 등에 업고 대기업 자본과 돈, 권력에 다 오염됐다. 지금이야말로 경실련이 다시 초심으로 돌아가 바른 소리를 내야 할 때다. 아직 전혀 손도 못 대고 있는 토지공개념, 재벌개혁 그리고 먹거리를 추가해 안전한 밥상운동 등 세 가지만큼은 시민, 소비자, 여성 단체들과 연대하고 협력해 가열차게 해야 한다.

경실련이 경제정의로 시작해서 사회정의를 추가했는데, 이제 30주년을 맞아 생태정의를 하나 더 추가했으면 좋겠다. 경제정의가 환경정의, 생태정의를 아우르지 못하면 진정한 정의를 구현할 수 없다. 지속가능한 문명을 위해 어떤 운동을 하든지 생명과 생태를 전면에 내세워야 한다. 끝으로 남북관계도 서로의 이익이 되는 것, 우리에게 손해가 없고 북쪽에 도움이 되는 것은 서슴치 말고 교류와 협력을 증진해 나가야 한다.

6. 강철규 전 공정거래위원장
(10·11대 공동대표 2008.01.~2011.12.)

강철규 대표는 경실련 10대, 11대 공동대표와 1기 상임집행위원장을 비롯해 중앙위 의장, 정책위원장, 경제정의연구소 초대 소장 등을 역임하며 초창기 활동에 큰 기여를 했다. 경제학자로 공직자이자 시민운동가로 재벌개혁과 공정경제를 위해 힘써 왔다.

사진으로 보는
경실련 30년

Ⅰ.
경실련의
창립과 활동

Ⅱ. 경실련 30년
활동의 성과

Ⅲ. 지역경실련의
활동과 성과

Ⅳ. 경실련과
시민사회의 미래

Q. 창립 당시 사회·경제적 상황과 경실련이 창립된 배경 등에 대해 설명해주세요

- 1985년 이후, 소위 3저(저금리, 저유가, 저환율) 호황 이후 정부의 서해안 도로 건설과 신도시 건설 공약 등을 계기로 전국이 부동산 투기장이 되고, 전 국민이 투기꾼이 되는 상황이었다. 이대로 가면 나라가 망하겠다는 위기감이 들었다. 생산적 투자는 뒷전이고, 불로소득과 투기가 판치자 경제정의 실현이 사회의 중요한 이슈가 됐다. 그래서 1989년 경실련이 출범하게 되었다. 서경석 목사와 함께 변형윤 서울대 교수를 찾아가 공동대표를 맡아 달라고 부탁하고 허락을 받았다. 1989년 7월 YWCA회관에서 발기인대회를 개최했다. 부동산 투기 근절을 비롯한 경제정의 실현에 동참하는 학계, 언론계, 국회의원, 문화인, 종교인 등이 대거 참여했다.

바로 부동산 투기 근절대책 준비 TF팀을 구성해 행동에 들어갔다. 이근식, 김태동, 유재현 등을 비롯한 부동산 전문가 7~8명과 함께 이진순 교수 연구실에서 매주 세미나를 열고 토론을 했다. 그 결과를 종합하여 8월에 부동산투기 근절과 토지공개념을 주제로 여의도 백인회관에서 경실련 주최 공개 세미나를 개최 했다. 주제발표는 내가 하였는데 모든 언론에서 대서특필을 하며 주목을 받았다.

Q. 출범 이후 비약적인 성장을 하며 시민들의 지지를 받을 수 있었던 이유와 90년대 중후반부터 쇠퇴의 시기를 맞는데 그 이유는 무엇이었을까요?

- 경실련이 급속도로 성장할 수 있었던 것은 그만큼 당시 민주화 열기와 경제정의에 대한 지지가 강했기 때문이다. 경실련이 시의 적절하게 출범을 했고, 현안문제와 이슈를 잘 잡았다. 그리고 무엇보다 방법론이 좋았다. 대안을 제시하고 합법적인 테두리 안에서 시민들이 많이 참여하는 방식이었다. 국민들의 요구를 담아내는 노력들을 계속 했다. 부동산 투기와 싸우며 토지공개념 3법을 실현하고, 재벌의 경제력 집중을 개혁하기 위한 대안 등을 포함한 책을 발간하고, 전경련과 공개토론을 벌이며 관심을 이끌었다. 꾸준히 주장하던 금융실명제가 1993년에 시행됐고(정부가 한 것이지만 우리 역할이 컸다), 거기에 덧붙여 부동산실명제도 우리가 주장했고, 한국은행 독립 등 실현 가능한 정책 대안을 계속 제시했다.

반면 1996년 이후 쇠퇴한 데는 여러 가지 이유가 있다. 먼저 토지공개념 3법에 대한 반격이 있었다. 사유재산제도를 침범하는 것이라고 해서 1995년 이후 토지공개념 3법 중 2가지가 위헌판결을 받았다. 동시에 경실련 보도에 대한 언론반응이 소극적으로 바뀌었다. 그 다음에 중요한 것은 서경석 사무총장이 정치권에 출마한 것이다. 서 총장이 초창기에는 훌륭하게 경실련을 이끌었다. 시민운동에서의 평판이 정치권서도 통할 거라 오판했던 거 아닌가 생각된다. 거기에 조직 내부의 권력기관 유착 문제 등이 불거지면서 시민들로부터 신뢰를 잃게 됐다고 본다.

Q. 문재인 정부 경제 정책에 대해서는 어떻게 평가하시나요?

- 소득주도, 혁신성장 등 정책의 목표와 방향은 옳다. 그러나 구체적인 대응책이 약하다. 현실을 보는 날카로운 인식이 필요한데 그것이 부족하다. 단순히 최저임금만 올린다고 소득주도 성장이 될 수 있는 게 아니다. 산업구조조정을 통해서 새로운 산업, 우리 능력에 맞는 혁신기술 산업이 계속 생겨나야 일자리도 늘고 소득도 증가하게 된다. 그러기 위해서는 공정경제가 기반이 돼야 한다. 현재와 같은 재벌체제에서는 중소기업이 성장하지 못하고, 새로운 혁신 기업도 성장할 수가 없다. 누구나 아이디어와 창의력이 있으면 활발히 벤처나 중소기업을 만들어 성장할 수 있어야 혁신경제가 이루어지는데 재벌체제에서는 그것이 어렵다.

Q. 최근 한일문제에 대해서는 어떻게 대응하는 게 좋을까요?

- 한일문제는 정치·외교적으로 아직 해결되지 않은 부분이 있다. 나도 1965년 한일협정 조인 당시 대학생이어서 한일협정 반대 투쟁을 했었다. 비밀리에 졸속·굴욕적으로 하지 말고 조금 늦더라도 제대로 하라고 주장했는데 결국 계엄령을 선포하고 휴교령 내린 가운데 협정이 체결됐다. 그 협정으로 과거 잘못

에 대한 국가의 보상은 이루어졌을지 모르지만 강제징용으로 억울한 개인들에 대한 배상은 남게 된 것이다. 이는 민사소송으로 해결해줘야 하는데 아베는 이를 무시하고 한국 대법원의 강제징용공 판결에 대해 오히려 수출규제 등의 경제보복 조치로 대응하고 있는데 이는 아주 잘 못된 것이다. 전 세계적인 자유무역 트렌드에도 반한다. 보호무역조치 중에서도 관세장벽보다 훨씬 나쁜 자의적 비관세 장벽을 택하고 있다. 누가 손해냐? 아베의 규제는 일본도 손해고, 우리도 손해고 세계가 다 손해인 어리석은 정책이다. 당장은 기업들이 손해지만 결국은 소비자가 손해다. 세계의 소비자들이 그 부담을 모두 지게 되는 것이다. 양국의 기업과 시민들은 아무 잘못이 없다. 빨리 되돌려야 한다. 이것을 해결하기 위해서는 정경분리로 접근해야 한다. 정치외교는 정치외교대로 싸우든 티격태격하든 알아서 하더라도 경제는 경제논리로 시장원리에 따라 풀어야 한다.

Q. 여전히 올해도 경실련은 재벌개혁, 부동산 개혁이 이슈인데 30년 전과 비교해서 앞으로 어떤 방향으로 운동을 펼쳐야 할까요?

- 개선은 됐지만 부동산 투기에 의한 빈부격차와 경제력 집중 문제는 여전히 해결돼야 할 과제다. 1950년 농지개혁으로 신분제가 풀리면서 우리가 산업화에 성공했다. 해방 전까지 지속되던 지주 소작 관계가 해체되어 신분상 평등이 실현되면서 산업화와 민주화가 가능해졌다. 그러나 이제 다시 자산이 있느냐 없느냐에 따라 빈부격차가 심화됐다. 이것과 무관하지 않은 것이 부동산 투기와 재벌의 경제력 집중이다. 재벌도 부동산으로 돈을 벌었다. 이런 부분이 30년 전이나 지금이나 여전히 해결돼야 할 과제로 남아 있기 때문에 경실련의 존재 의의가 크다. 향후 30년을 내다봐도 일한만큼 대접받는 사회를 만들자는 우리 슬로건은 계속 유효하다. 누구든지 열심히 일하고 아이디어 내고 하면 그만큼 대접받는 사회가 좋은 사회, 경제정의가 실현된 사회다. 그게 안 되면 부동산이든 재벌이든 정치든 그 장벽을 헐고 넘어가야 하는 데, 경실련이 앞으로도 할 일이 많다.

7. 이근식 서울시립대 명예교수
(10·11대 공동대표 2008.01. ~2011.12.)

이근식 교수는 경실련 초대 정책위원장, 공동대표, 중앙위 의장, 상임집행위원장 등을 두루 거치며 경실련에서 많은 활동을 펼쳤다. 우리나라를 대표하는 경제학자로 대학에서 후학들을 가르치다 퇴임했다.

Q. 경실련이 창립과 함께 시민들의 뜨거운 지지와 호응을 얻은 이유는 무엇이었을까요?

- 노태우 정부 시절, 땅값·집값이 막 오르던 때다. 경제가 많이 발전했는데 빈부격차는 심해져 사람들이 답답해 할 때, 경실련이 생겼다. 그 동안 경험했던 운동권은 아니고, 참신하니까 국민들의 많은 지지를 얻었다. 모인 사람들이 정치꾼이나 운동권이 아니고, 건전한 보통 시민이다 보니 국민들의 기대를 한 몸에 받았던 것 같다. 당시 부동산 문제를 잡으려는 노태우 대통령의 의지가 있었기 때문에 정부와의 관계도 원만했다. 정부도 뒤에서 안 보이게 경실련 운동을 도와주고, 언론도 많이 보도해주고 그랬던 것 같다.

우리나라에서 조직을 평가할 때는 제일 중요한 게 정책적인 것보다 사람이다. 어떤 사람들이 모여서 하느냐가 중요하다. 경실련은 아주 건전하고 다소 알려진 믿을 수 있는 사람들이 모여서 활동을 하다 보니 시민들의 호응을 얻었던 것 같다. 더불어 실사구시에 입각한 정책대안을 제시하다 보니 일반 국민들이 호감을 갖고 지지했다. 우리나라에서 경실련과 같은 시민운동은 처음이었고, 당시의 시대정신에도 잘 부합했던 것 같다.

Q. 창립 당시 이야기를 조금 들려주신다면?

- '경제정의'란 말을 누가 처음 거론했는지 기억이 잘

사진으로 보는
경실련 30년

Ⅰ.
경실련의
창립과 활동

Ⅱ. 경실련 30년
활동의 성과

Ⅲ. 지역경실련의
활동과 성과

Ⅳ. 경실련과
시민사회의 미래

나지 않지만, 아마 경제학 교수들이 모였을 때 나온 것 같다. '실천시민연합'이란 말은 서경석 목사가 제안했다. 정책연구위원들이 모여서 부동산 투기를 잡자, 합법적인 운동을 하자, 실사구시를 하자 이런 얘기들을 나눴고, 공식화했다.

초창기 경실련을 이끌어 간 건 두 그룹이다. 하나는 서경석 목사를 비롯한 새문안교회를 중심으로 한 기독교 청년그룹, 또 하나는 교수들과 변호사들을 중심으로 한 자원봉사자 그룹이었다. 기독교 청년 그룹이 사무국을 맡고, 교수와 변호사 등 자원봉사자들이 정책위원회를 맡았다.

당시 정책위원회가 열리면 교수들, 변호사들이 많이 왔다. 정책위 산하에 분과도 여러 개 있었다. 경실련이 만들어지기를 기다렸다는 듯이 많은 분들이 구름처럼 모여들었다. 현실에는 참여하고 싶으나, 정부·여당이나 야당 등 정치권에는 참여하기 부담스러웠던 사람들에게 활동영역이 하나 새로 생겼던 것이다. 노래방이 생긴 거다. 자기 돈 내고 노래 부르러 많이 왔다.

Q. '경실련이 군보다 세다'고 할 정도로 90년대 초중반 경실련의 영향력은 막강했습니다. 당시 경실련의 인기스타라고 하면 누가 있었을까요?

- 서경석 목사와 내가 언론에 제일 많이 나갔다. 소위 전성기였다. 특히 금융실명제 운동이 한창일 때 심야토론회에 나갔는데, 전국의 시청률이 20~30%로 전무후무한 기록이 나왔다. 방송토론 이후 안식년을 맞아 미국에 갔더니 미국 한인교회 교인들도 토론회 잘 보았다고 인사할 정도였다. 당시 서경석 사무총장이 한 달에 얼마 주면 되겠냐고 물어서 안 받겠다고 했다. 안 받길 잘한 것 같다. 그 덕분에 경실련에서 자원봉사자들이 무보수로 봉사하는 전통이 생겼고, 이 전통이 그 후에 생긴 다른 대부분의 시민단체에도 퍼져서 관행으로 정착됐다고 생각한다.

Q. 금융실명제, 토지공개념 등 경실련이 한국사회에 기여를 많이 했습니다. 경실련의 성과들을 어떻게 평가하시는지요?

- 토지공개념은 후에 약화됐지만, 도입이 됐다. 또 우리가 주장한 것은 토지거래실명제였는데 반영이 됐다. 토지공개념 못지 않게 사실 부동산실명제가 중요하다. 부동산을 등기할 때 거래금액이 적히고, 그 거래금액을 기본으로 양도소득세가 책정돼 정직하게 거래를 하게 됐다. 이 때문에 다운계약서가 거의 사라졌다. 또 하나는 전세계약기간을 2년으로 늘린 것이다. 그 전에는 전세계약기간이 법으로 6개월로 정해져 있었다. 나도 결혼하고 자그마한 삼륜오토바이트럭에 보따리 짐 싣고 6개월마다 셋방을 옮겨 다녔었다. 헌데 일본에 가서 봤더니 일본은 세입자가 쫓겨나는 일 없이 자기가 살고 싶은 만큼 살고 있었다. 법으로 정해져 있는 것은 아니지만, 우리나라처럼 세입자를 강제로 내보내면 사회적 지탄을 받기 때문에 세입자가 내쫓기는 일이 없다고 했다. 그 후 정부당국자를 만날 기회가 있어서, 전세계약기간 6개월을 대폭 늘리자고 했더니 돈 안 드는 좋은 아이디어라고 즉각 받아들여서 임대차보호법에 정해진 전세계약기간을 6개월에서 2년으로 바꿨다. 당시 경실련이 비난을 엄청 받았다. 전세계약이 2년으로 늘어나자 집주인들이 네 번에 올릴 것을 한 번에 너무 높게 올렸기 때문이다. 그래도 한 1~2년 지나서 전세값이 안정되고 6개월마다 이사 다니다가 2년마다 이사 다니게 되니까 다들 좋아하게 됐다.

경실련이 시민단체로 성공한 것은 시대정신에 잘 부합한 덕분에 자원봉사자들도 끊임없이 모여 들고, 유능하고 희생적인 상근 활동가들도 끊임없이 보충됐기 때문이다. 경실련 출신 중에 정부나 정계에 진출하여 출세한 사람들도 상당히 많다. 그 사람들도 우리나라 발전에 나름대로 기여했다고 본다.

Q. 경실련이 시작할 때 한국경제와 지금의 한국경제가 많이 바뀌었다고 보시는지요?

- 부분적으로는 개선됐다. 금융실명제나 부동산실명제, 임대차보호법도 개선됐고, 건강보험, 고용보험 등 사회보험도 많이 개선됐다. 대표적인 게 의료보험인데 의료보험 도입에도 경실련이 크게 기여했다. 이처럼 부분적으로는 많이 개선됐는데, 근본적인 문제는 여전하다. 빈부격차 확대, 재벌로의 경제력 집중, 정

경유착 등은 별로 개선된 게 없다. 오히려 더 악화됐다. 특히 신자유주의가 세계를 지배하면서 더 나빠지고 있다. 전 세계적으로 신자유주의 때문에 무역전쟁도 격화되고, 자본시장투기도 심해지고, 재벌 집중도 악화되고, 빈부격차도 확대되고 있다. 그런데 사람들이 신자유주의가 이 모든 문제들의 밑에 깔린 근본문제라는 것을 잘 모른다. 겉으로 드러나는 재벌만 얘기하는데, 글로벌한 재벌은 모른다. 우리나라 IMF 환란도 실은 미국 월 스트리트의 장난이라는 것을 아직도 잘 모른다. 우리나라 경제가 취약한 것을 이용해서 미국 월가 금융자본이 기획하고 미국재무부가 연출하고 IMF가 실행한 것이 우리나라 IMF 환란이다. 신자유주의하에서 세계 독점자본에 의해 전 세계 경제, 정치, 사회가 계속 악화되고 고통 받고 있는데 그 끝이 안 보인다.

Q. 소득불평등, 빈부격차 확대로 양극화·불평등이 심화되고 있습니다. 이를 해소하기 위한 방안은 무엇인지요? 특히 젊은 세대들에게 경실련이 어떤 미래비전을 제시해야 할까요?

- 우리나라는 지금 경제적으로는 돈이 지배하는 자본주의이지만, 정치적으로는 일인일표로 행사되는 투표가 정권을 결정하는 민주주의이다. 현재의 독점자본주의를 막는 유일한 방법은 돈 없는 절대다수의 유권자들이 투표권을 이용하여 정치적 지배력을 장악해서 정부가 절대다수인 민중을 위해 일하도록 만드는 것이다. 이를 위해서는 현재 우리나라 정부를 장악하고 있는 부패하고 무능한 정치인, 관료, 법관들을 추방하고 진정으로 국민을 위해 일하는 정부를 만들어야 한다. 즉 정치혁명이 일어나야 한다. 우리나라에서는 지금까지 촛불혁명, 4·19, 5·18 등 여러 번의 시민혁명이 있었으나 정권만 바꾸었을 뿐이고 진정한 정치혁명은 아직도 일어난 적이 없다. 사회의 발전수준을 결정하는 것은 대중의 의식수준이라는 밀(John Stuart Mill)의 말이 맞는 것 같다. 대중들의 의식수준을 높이는 데는 경실련과 같은 시민운동이 중요하지만 언론도 매우 중요한데 요즘 많은 언론이 오히려 거꾸로 가는 것 같다. 결국 우리가 지향해야 할 사회는 합리적인 복지국가이다. 이는 정치적으로는 민주주의, 경제적으로는 합리적 복지국가이다. 합리적 복지국가란 시장경제를 기본으로 하되 공공복지제도로 시장의 결함(빈부격차, 독과점 횡포, 환경파괴 등)이 시정되고, 동시에 시민사회와 언론의 감시로 정부의 실패(정부의 무능과 부패)

가 방지되는 경제이다. 사실 신자유주의가 나오기 이전 1970년대까지 정부는 무사공평하다는 케인지안들의 순진한 생각들에 젖어서 정부의 실패에 대한 인식이 없었다. 신자유주의의 최대의 공헌이자 유일한 공헌은 정부의 실패를 지적한 것이다. 이제는 정부도 고약하다는 신자유주의자들의 지적을 받아들여야 한다. 우리나라만 보아도 정부의 실패, 구체적으로는 정치인과 관료들의 부패와 무능이 얼마나 심한가? 정부의 실패만 줄여도 우리나라는 정말 살기 좋은 나라가 될 것이다.

Q. 문재인 정부의 경제 정책에 대해서는 어떻게 평가하고 계시나요?

- 정부 만능주의에 빠져 있는 것이 과거 정권과 같다. 정부가 할 수 있는 것과 할 수 없는 것을 잘 판단하여야 하는데 의욕만 앞서서 부작용이 순작용보다 큰 정책들을 억지로 시행하고 있다. 시장의 힘은 신비로운 힘이 아니라 시장 참여자인 절대 다수의 수요자와 공급자의 힘이다. 아무리 목적이 좋더라도 이들의 이익을 무시하는 정책은 성공할 수 없다.

Q. 앞으로 30년을 향해 경실련이 어떤 방향으로 운동을 펼쳐가야 할지?

- 지금까지와 같이 실사구시의 입장에서 구체적이고 건설적인 정책 비판과 대안 제시를 중심으로 해야 하겠지만 두 가지를 덧붙이고 싶다.
하나는 안목을 넓혀서 현 세계경제의 근본문제가 신자유주의 하에서의 세계독점자본의 횡포라는 것을 인식해야 한다. 그래야 숲은 보지 못하고 나무만 보는 어리석음을 면할 수 있다.
또 하나는 이런 입장에서 세계적 차원에서 외국의 시민운동들과 연대 협력해서 세계독점자본의 횡포에 맞서 투쟁해야 할 것이다. 외국 시민운동과의 연대를 강화할 필요가 있다.

8. 박종규 KSS해운 고문
(3·4기 중앙위원회 의장 1993.07.~1997.07.)

박종규 고문은 3기, 4기 중앙위 의장과 상임집행위원 등을 역임했고, KSS해운 회사를 창립·운영한 기업인

으로 경실련 창립 초기 바른경제동인회라는 상공인 모임을 주도하기도 했다. 비자금, 뒷돈이 아닌 실력과 투명경영으로 회사를 운영하며 세습이 아닌 전문 경영인체제와 이익공유제 등을 도입해 건강한 기업문화를 정립해왔다.

Q. 경실련과는 어떻게 인연을 맺게 되셨나요?

- 경실련이 출범해 신문에 나고 얼마 안 되었을 때였다. 데모를 하더라도 합법적으로 허가를 받아 하겠다는 것만 해도 아주 참신하게 느꼈다. 법을 지키면서 하겠다는 걸 보고 괜찮은 단체라고 생각을 했다. 한 번은 교수들 모임에 참석한 적이 있었는데, 경실련이라는 단체가 괜찮은 거 같다는 얘기를 했더니 교수 중 한 분이 자기가 서경석 경실련 사무총장을 잘 안다고 소개를 시켜준다고 했다. 그렇게 만나게 됐고, 처음 만나 얘기하다보니 서경석 목사, 박세일 교수가 학창시절 우리 집에 자주 왔었던 내 동생 친구였다는 것을 알게 됐다. 그 때부터 후원도 하고, 개인적인 인연도 얽히면서 활동을 하게 됐다. 서경석 목사가 내가 승낙도 안 했는데 중앙위 의장이라고 발표해서 꼼짝없이 묶여 들어갔다. 책임감이 막중했다. 나는 어디든 후원을 한다든지 활동을 하면 적극적으로 임한다. 공부하는 자세로 회의에도 꼭 참석한다. 회의에 참석해 듣기만 해도 공부가 된다. 듣다가 현실에 안 맞는 얘기를 하는 학자들에게는 사업을 하는 내 경험에 비춰 이야기를 해주기도 했다. 토지공개념 하면서 토지의 사유재산권을 제한할 수 없으니까 세법으로 억제시키는 방법을 쓰는구나 이런 것도 배웠다. 사회정의를 위해 국가 전체적인 것도 보게 되고, 그 전에는 장사만 하다가 눈을 뜬 거다. 내가 경실련에 관여하면서 손해본 것은 하나도 없다. 경실련에서 많이 배웠다.

Q. 바른경제동인회 설립 배경과 주요 활동은 무엇이었나요?

- 바른경제동인회를 만든 동기는 90년대 노동조합 운동이 한창 심하게 일어날 때였다. 사장을 불법폭행, 린치하는 사건들이 여기저기 일어났고, 이러다가는 사업을 못 하겠다는 위기감이 들었다. 가만히 생각하니 일본은 해방 후에 이미 그런 일을 겪었다. 생산의 자율화, 생산설비의 자율관리 등의 이름으로 투자와 설비를 근로자들이 쥐려고 했다. 일본 노동조합은 '총평'하고 '동맹' 두 개가 있는데, '동맹'은 한국노총 같은 데고, '총평'은 민주노총 같은 데다. 해방 후 한 5년 간 6·25전쟁이 있기 전까지 노동조합의 공격이 심했다. 그때 기업인들이 위기를 느끼고 이러다가는 산업 전체가 무너지겠다며 노동조합하고 새로운 관계를 맺어야겠다고 생각했다. 노동조합과 소위 같은 배를 탔다고 생각하고 접촉을 하고 서로 도와줄 수 있는 길을 찾았다. 이런 생각으로 소위 경제동우회를 만들었고 그런 과정을 통해 위기를 극복해냈다. 우리도 그렇게 극복해야겠다고 생각했다. 노동조합을 적으로만 돌려서는 안 된다, 노사 파트너쉽을 갖자고 부르짖었다. 공동운명이다. 그래야 소위 산업평화가 이뤄지고 생산력이 올라간다고 주장했다.

우리도 일본처럼 새로운 경영방법, 조금 깨인 사람들의 모임인 경제동우회와 같은 단체를 만들어야 하겠다고 생각했다. 그런데 많은 사람들이 노동조합과 파트너쉽을 맺는다는 생각 자체를 부정적으로 봤다. 그래서 무슨 사업이 되겠느냐고 해서 사람을 모을 수가 없었다. 그러다 서경석 목사를 붙잡고 얘기를 했더니 경실련에 후원하는 사업자들이 30명이 있는데, 그들은 아마 동의할 테니 얘기해보라고 해서 30명으로 시작됐다. 조금씩 늘어 80명이 됐을 때 발기인대회를 했다. 우리 활동 중에 유일한 성공담은 신용카드 활성화 방안이다. 아무리 기업인들이 바르게 하려고 해도 지하자금이 너무 많아 부패를 근절시킬 수 없었다. 그래서 기업과 기업의 거래에 있어서 탈세를 안 하고 전부 신고가 되도록 제도를 바꿀 방법을 고민하다가

신용카드 활성화 방안이 나오게 됐다. 1993년 바른경제동인회 창립 이후 여섯 번이나 세제실장이 바뀔 때마다 쫓아가서 해달라고 했다. 국가 세수도 늘고 신용사회가 되고 지하자금이 준다고 설득했지만 통하지 않았고 반발만 생겼다. 거의 포기해야 하나 싶었을 때 당시 세제실장이던 김진표 국회의원이 결국 이 안을 통과시켰다.

Q. 그 당시 '경제정의'를 얘기하는 분위기는 어땠나요? 30년 전의 경제정의와 지금의 경제정의를 비교하면 어떻습니까?

- 경제정의하면 다들 좀 철없고, 정신 나간 소리라는 인식이 있었다. 나보고 빨갱이 사장이라고도 했다. 자본주의 사회는 돈 놓고 돈 먹기라는 게 머리에 박혀 있었다. 로비 잘 하는 게 뭐가 나쁘냐는 인식, 돈 대주고 이권 챙기는 게 상식으로 돼 있었다. 정도경영? 그건 사업가가 아니라고 아주 괄시를 받았다. 사업을 하려면 소방서, 위생검사, 은행 등 어디든 리베이트를 줘야 했다. 경제정의는 그때나 지금이나 똑같다. 변한 건 하나도 없다. 지금은 말뿐이다. 행동은 아무도 안 한다. 당시는 말도 안 하는 시대였는데, 지금은 경제정의, 정도경영이라는 말을 많이 한다는 정도가 차이라면 차이이다.

Q. 기업인은 어떤 사람이라고 생각하시는지, 비자금 없이 투명하게 회사를 운영하시면서 겪으신 경험담도 나눠주세요.

- 소위 사회적 부가가치를 높이는 게 기업인이다. 다른 게 없다. 기업인은 생산성을 높이고 부가가치를 높여야 한다. 남이 안 하는 새로운 것을 만들어주고 그런 창조적인 일을 하는 게 기업인이다. 돈 버는 것은 부수적인 것이다. 돈은 그냥 따라오는 거다. 하다보니까 돈이 벌리는 것이지 돈을 벌기 위해서 하면 돈을 못 번다. 오히려 망한다. 돈 버는 것과 관계없이 어떻게 하면 이 사회에 부가가치를 높일 수 있을지, 무언가 새로운 창의적인 것을 만들어 주자는 생각으로 일해야 한다. 소위 정당하게 하려고 하니까 안 걸리는 게 없었다. 세무서뿐 아니라 소방서, 위생검사 등부터 심지어 교통순경까지 애를 먹인다. 리베이트 없이 아무 것도 할 수 없다. 그래도 끝까지 리베이트 안 줬다. 한번 주면 계속 온다. 기업 상장을 하니까 상장기자들이 쫓아왔다. 매달 자기한테 100만 원씩만 주면 좋은 기사를 많이 써서 내겠다고 하더라. 그러면 주가가 올라갈 테니 이익이 아니냐고 했다.

우리 직원들이 우리 회사는 비자금이 없어서 안 된다고 하니까 비자금 없이 무슨 사업을 하냐며 욕을 하고 가더라. 비자금을 안 쓰고 견디며 소신을 지킬 수 있었다. 우리한테 제일 중요한 건 하주들이다. 고객에게 전부 리베이트를 줬다. 리베이트 안 주려니 고객을 많이 놓쳤다. 그러나 장기적으로 오래 가다보니 우리 회사는 리베이트를 요구하는 사람이 망신당한다고 다들 인정하게 됐다. 그래서 석유화학 업계에서 우리 회사에 손 벌리는 사람이 없어졌다. 우리 직원들도 리베이트라는 말 자체를 잊어 버렸다. 그게 50년 동안 우리의 실적이다. 일관되게 이렇게 끌고 나가는 게 어려운 일이다. 일관성을 유지한다는 것처럼 힘든 게 없다. 결국 자기와의 싸움이다. 자기와의 약속을 지킬 줄 알아야 한다. 그걸 안 하면 다 무너져 버린다.

Q. 남북경협 참여하시다 중단하셨는데, 남북경협에 대한 견해도 말씀 해주세요.

- 중국 길림성과 연결하는 중간 매개지로 북한 나진항을 거치는 해상 운송로를 15년 했다. 2010년 그만두고 철수하고 다 물러났다. 경협은 필요하지만 우리나라 경협의 방법이 잘못됐다고 느꼈다. 개성공단, 금강산관광, 동해선 철도연결 등이 다 대기업 위주다. 개성공단 같은 걸 안하고, 오히려 구석구석으로 중소기업이 들어가서 일하도록 해야 그 사람들이 경영을 배운다. 서로 협력해서 돈 벌자는 마인드가 생긴다. 그런데 개성공단 만들고 일하는 사람들만 들어와서 일하고 월급주고 이렇게 하면 북에서 배우는 게 하나도 없다. 진짜 경협이 되지 않는다. 달러를 갖다 주는 게 낫다.

Q. 30주년 맞는 경실련에게 한 말씀 해주신다면?

- 경실련이 정부 보조를 안 받겠다고 한 건 아주 잘했다고 본다. 그게 시민단체의 핵심이다. 정부를 비판하기 위해서는 받으면 안 된다. 어떤 정부든 시시비비를 그대로 유지하길 바란다. 그걸 유지하지 않으면 시민단체로서의 자격이 없다. 또한 가끔 현실성 없는 얘기를 할 때가 있다. 연구가 부족한 얘기를 한다고 느낄 때도 있는데 보완하면 좋겠다.

사진으로 보는
경실련 30년

I .

경실련의
창립과 활동

II . 경실련 30년
활동의 성과

III . 지역경실련의
활동과 성과

IV . 경실련과
시민사회의 미래

4. 경제 정의를 향하여

김호균(경제정의연구소 이사장)

I. 왜 경제정의인가?

경제정의를 구현하기 위하여 경제정의실천시민연합이 출범한지 30년이 지난 지금, 한국의 경제정의에 대해 다시 한 번 생각해본다. 경실련이 창립된 이후 한국경제는 적어도 세 차례의 정치경제적 격변을 경험했다. 1997년의 외환위기와 2008년의 글로벌 금융위기, 그리고 2016년의 촛불혁명이 그것이다. 두 차례의 경제위기는 경제적 불평등과 경제정의의 결손을 더욱 심화시키는 계기로 작용한 반면에 촛불혁명은 경제정의의 구현에 대한 희망을 불러일으켰다. 경제정의는 먼저 경제활동의 기회가 균등하게 보장되고 경제활동이 자유롭고 공정한 조건 하에서 수행될 수 있으며 경제활동의 성과가 비교적 평등하게 분배될 뿐만 아니라 인간다운 생활에 필요한 최소한의 물질적인 조건이 충족되는 상태를 가리키는 것으로 정의될 수 있을 것이다.

나아가 경제정의는 5가지 세부목표로 구분될 수 있을 것이다. 먼저 소득과 자산에 접근할 기회가 모든 경제주체에게 균등하게 주어져야 한다는 요구이다. 출발정의로도 불리는 이 기회균등이 한국 사회에서 심각하게 훼손되고 있음은 주지의 사실이다. 사교육의 범람, 입시전형 기회의 불평등, 높은 등록금 등은 교육이 이미 계층이동의 사다리가 아니라 계층 고착화의 기재로 작동하고 있고, 각종 채용 비리는 취업기회가 공정하게 배분되지 않는 요인으로 작용하고 있다. 개발정보의 사전 유출이나 정책당국자의 사익 추구, '빈익빈 부익부' 등으로 인한 자산불평등의 심화는 더욱 심각하다. 다음으로 가치창출과정에서 기여한 정도에 따라 결과물을 분배받는다면 실적정의가 구현된다고 말할 수 있다. 이에 필요한 가장 기본적인 원칙이 '동일노동 동일임금의 원칙'이다. 노동시장이 정규직과 비정규직으로 분단되었을지라도 이 원칙을 관철시키려는 제도적 정비와 정책적 노력이 절실하다. 나아가 시장과정에서 불가피하게 나타나는 경제적 불평등(격차)을 완화시키는 분배정의가 구현되어야 한다. 한국은 갈수록 악화되는 시장소득과 자산의 불평등이 정부의 재분배정책을 통해 개선되는 정도가 세계에서 가장 낮은 나라에 속한다. 아울러 모든 국민의 인간다운 생활에 필요한 소득을 보장해주는 '필요정의'가 구현되어야 한다. 1인당 국민소득이 3만 달러를 넘은 나라에서 생활고를 비관해서 자살하거나 굶어죽는 사람이 끊이지 않는다는 현실은 어떤 이유로도 정당화될 수 없다. 끝으로 세대정의가 구현되어야 한다. 다음 세대의 삶의 질이 현재 세대의 삶의 질보다 악화되어서는 안 된다는 지속가능성이 생태적 차원에서 뿐만 아니라 국가재정 차원에서도 보장되어야 한다.

경실련 창립 후 지난 30년 동안 한국 사회에서 경제정의의 구현에서 진전을 확인하기 어려울 뿐만 아니라 경제정의의 훼손과 결손이 누적되면서 사람의 생명과 건강은 물론 생태계 보존에도 위협이 되고 있는 저변에는 성장지상주의와 그에 따른 물질만능주의가 있다. 한국의 성장지상주의는 경제위기와 시민혁명에도 불구하고 성찰의 대상이 되지 못하고 오히려 더욱 공고해지면서 결국 경제정의를 지속적으로 훼손하고 있다. 경제성장을 위해 육성된 재벌들은 이제 한국의 경제뿐만 아니라 사회를 지배하는 세력으로 확고한 자리를 잡았다. 이들과 이들을 옹호하는 집단의 기득권과 특권은 갈수록 고착될 뿐만 아니라 확장되고 있다. 뿐만 아니라 물질적 차원에서 경제정의의 장기적인 훼손은 이제 인격적인 차원에서까지 불평등한 관계를 확산시키고 있다('갑질').

경실련 창립 당시 한국 사회에서 생소했던 '경제정의' 개념은 지금도 실생활에서뿐만 아니라 정부정책에서도 생소함을 벗어나지 못하고 있다. 더욱 심각한 문제는 모든 정의의 최후의 보루인 사법부마저 '무전유죄 유전무죄'의 적폐를 청산하지 못하고 오히려 '사법농단'으로 국민의 불신을 받고 있다는 사실이다. 촛불정부 하에서도 이러한 상황은 개선될지 의문이 커지고 있다. 하지만 현실의 생소함은 억압된 생소함일 뿐 국민 대

다수의 내면에는 경제정의에 대한 갈망이 강하게 자리 잡고 있다. 2014년 한국 사회에 불어 닥쳤던 마이클 샌들의 '정의란 무엇인가'와 토마 피케티의 '21세기 자본론'에 대한 폭발적인 관심은 한국사회가 얼마나 정의에 목말라 있는지를 여실히 보여주었다. 경제정의의 구현이 없이 이제 한국 사회는 지속가능성이 크게 위협받고 있다.

경제정의는 시대정신

경제정의에 대한 갈망은 한국에만 국한된 현상이 아니다. 2008년 미국에서 출발한 글로벌 금융위기는 신자유주의 성장패러다임의 한계를 알리는 경고였다. 이 위기는 경제적 불평등이 심각한 상태에서 부채주도 성장은 지속가능하지 못함을 확인한 것이다. 2011년 미국 뉴욕에서 시작되어 전 세계 1500개 도시로 확산된 '월가를 점령하라' 또한 경제정의를 요구하는 시위였다. 1980년대에 논란이 되었던 '20:80 사회'의 심각한 양극화가 불과 20여년 만에 '1:99 사회'로 악화되었다. 2010년대 초반부터 OECD, ILO, IMF 등 국제기구들은 마치 약속이나 한 듯이 경제적 불평등의 심화를 경고하는 메시지를 보내기 시작했다. 마침내 2015년에는 앵거스 디턴이 경제성장과 불평등의 관계를 다룬 '위대한 탈출'로 노벨경제학상을 수상했다.

신자유주의 30년이 가져다준 전 세계적인 경제적 불평등의 심화는 이제 그 한계에 이르러 해결을 기다리고 있다. '포용적 성장'은 이러한 시대적 요구에 대한 신자유주의 방식의 대안이다. 그동안 성장의 결실에서 배제되었던 생산계층에게도 이제는 결실이 분배되도록 해야 지속가능한 성장이 가능하다는 호소이다. '포용' 개념이 경제성장과 관련하여 최초로 언급된 것은 '사회민주주의의 현대화' 또는 '제3의 길'을 표방했던 1999년 당시 독일 총리 게르하르트 슈뢰더와 영국 총리 토니 블레어가 채택한 '선언문'이었다. 이들은 당시 20년 가까이 힘을 발휘하고 있던 신자유주의 공급경제학으로 사회민주주의를 보완, 또는 '현대화'하는 차원에서 수용하면서 동시에 수요를 성장전략 및 고용전략에 고려할 것을 주장했다. 당시 '포용' 개념 자체는 주목받지 못했지만 이 선언문에 담겨 있던 문제의식은 2003년 독일에서 사회민주당 슈뢰더 총리가 주도하여 실시한 '아젠다 2010'으로 이어지게 되었다. 노동시장의 유연화(저임금 비정규직의 도입)와 복지국가의 축소로 요약되는 이 개혁의 성과에 관한 논란은 아직도 끝나지 않았지만 시기적으로 독일에서 공식 실업자는 줄어든 반면에 경제적 불평등은 악화되는 결과가 초래된 것은 객관적인 사실이다.

이에 따라 정의에 대한 요구가 분출하기 시작했다. 미국이나 영국에 비해 늦게 시작된 '독일식 신자유주의' 10년이 지난 2014년에 보수적인 기독교민주당의 메르켈 후보는 당의 정체성에 어긋난다는 비판을 감수하면서 '사회정의'의 기치를 전면에 내세움으로써 4선에 성공했다. 이 듬해 한국에서는 박근혜후보가 '경제민주화와 복지국가' 이슈를 선점하면서 집권에 성공했다. 하지만 진정성 없는 선거용 사회적 가치가 실천력을 담보할 수는 없었다. 경제민주화는 논의도 제대로 되지 않은 채 1년도 안 되어 성과 없이 폐기되었고 복지국가는 '증세 없는 복지'라는 허구를 좇다가 유야무야되었다. 오히려 국민의 가슴에 대못을 박은 '국정농단'에 저항하는 '촛불혁명'으로 탄핵에 몰리고 말았다.

촛불정부를 자임하는 문재인 정부의 '적폐청산'은 실종되었던 경제정의를 회복하는 노력이기도 하다. 새로운 성장패러다임으로 야심차게 추진된 '소득주도성장'은 최저임금 인상, 노동시간 단축, 정규직의 비정규직화, 직장 갑질 해소 등 다양 측면에서 대한민국에 경제정의를 복원하려는 방향이었다. 또한 2018년부터 정부가 표방하고 있는 '포용국가'와 '포용적 성장'도 이 땅에서 경제정의를 구현할 수 있는 기회를 더 많이 제공하겠다는 선언이었다. 이 전략은 경제적 불평등의 완화를 통한 성장 및 고용 증대 전략으로 이해될 수 있을 것이다. 그렇지만 경실련 창립 30주년을 맞은 해에 '포용적 성장'의 실상은 바람직한 모습과는 거리가 멀다. 경제성장률의 하락을 저지하기 위한 응급처방만 있을 뿐 보다 장기적인 '전략'도 찾을 수 없을 뿐만 아니라 '포용성'을 강화하기 위한 불평등 완화 대책은 언급조차 되고 있지 않다.

경제정의는 이제 한국뿐만 아니라 전 세계에서 시대정신으로 자리 잡았다고 해도 과언이 아니다. 한국의 경우에는 한 걸음 더 나아가 경제정의에 대한 요구가 지난 30년 동안 지속적으로 강화되어 왔다는 평가가 더 정확할 것이다. 경실련이 출범 당시 표방했던 '일한 만큼 대접받는 사회'를 넘어서서 소득은 물론 자산과 관련하여 다양한 차원에서 경제정의에 대한 요구가 제기되고 있는 것이다.

재벌의 경제력 집중과 시장지배력의 남용

한국 사회에서 경제정의의 결손이 심각한 근저에는

재벌에 집중된 경제권력과 시장지배력이 남용될 뿐만 아니라 이 남용으로 인해 다시 집중과 남용이 갈수록 심화되고 있는 현실이 자리 잡고 있다. 재벌들은 매우 다양한 차원에서 경제정의를 훼손하고 있다. 흔히 '총수'로 불리는 대주주는 한 자릿수의 지분율에도 불구하고 특수관계인과 계열사의 지분을 바탕으로 '경영권'을 확보하여 경영에서 아무런 견제도 받지 않고 '전횡'을 일삼고 있다. 이로 인해 기업가치가 떨어지는 '오너 리스크'가 증가하면서 급기야 현재화하고 있다. '소유한 만큼 지배한다'는 자본주의 시장경제의 기본원칙마저 지켜지지 않고 있다.

이러한 기형적인 '경영권'의 세대에 걸친 승계 작업도 그동안 비정상적으로 이루어졌다. 처음에는 비자금은 물론 차명계좌, 차명주식, 차명부동산과 같은 불법, 편법 수단이 동원되었다. 김영삼 정부의 금융실명제 도입으로 차명계좌는 차단되는 듯했으나 '차명도 실명이다'는 금융위원회의 기상천외한 유권해석으로 인해 재벌의 경제력 집중을 제어하기 위한 유력한 수단으로서 금융실명제는 사실상 유명무실해졌다. 이로 인해 예금주와 실소유주의 일치를 의도했던 금융실명제는 경제정의를 구현하는 데 재벌들에게서는 실패하고 말았다. 여기에 재벌들은 전환사채를 승계 작업에 추가로 동원했다. 전환사채에 대한 사회적 지탄은 물론 당사자들이 법적 처벌을 받으면서 이 수단은 이제 더 이상 승계 수단으로 활용되지 못하게 되었다. '황제경영'에 대한 시장의 거부반응은 기업가치를 떨어뜨리고 있고 재벌가 3세, 4세의 각종 일탈행위(폭력, 마약, 갑질 등)는 세습경영에 대한 사회적 수용도를 크게 약화시키고 있다.

뿐만 아니라 재벌기업들의 경영에서는 불법과 편법은 일상화되어 있다. 중소하청업체와의 '거래'에서는 법적으로 금지되어 있는 '납품단가 후려치기', '전속거래'는 물론 '특허 탈취'도 거의 관행이 되어 있다. 중소기업이 기술개발과 생산성 향상을 통해 성장할 수 있는 기회가 현저하게 박탈당하고 있는 것이다. 지난 정부까지는 형식적으로나마 화두가 되었던 '대·중소기업 동반성장'이 '촛불정부'에서는 완전히 사라졌다. 이러한 불공정한 거래관계는 2차, 3차, 4차 벤더로 이어지면서 한국 경제에서 기생성과 불평등을 심화시키고 있다. 반면에 (위장)계열사에 대해서는 특혜적인 '일감 몰아주기', 이전가격, '통행세' 등을 통해 사익편취를 극대화하고 있을 뿐만 아니라 총수 일가는 여러 계열사에 이사로 등재되어 거액의 급여를 중복 지급받고 있다. 경제성장의 결실이 모든 경제주체들에게 골고루 확산되는 '낙수효과'는 실종되었고 반대로 모든 경제주체들의 경제활동의 결실이 재벌들에게 집중되는 '분수효과'가 지배적으로 나타나고 있다.

경제정의를 심각하게 훼손하는 요인으로 지적되는 부동산 투기에서 재벌들이 차지하는 비중은 잦은 물의를 빚지 않으면서도 압도적이다. 기업 경영을 통한 이익 창출보다 부동산 시세 차익에서 얻은 이익이 더 클 정도로 재벌기업들의 사업영역에서는 부동산 투기가 중요하다. 그래서 비업무용부동산을 대량으로 보유하고 있고 수도권에 공장을 지으려 '수도권 규제완화'를 꾸준히 요구하고 있다. 그러나 개별기업에게는 부동산 투기가 매우 유용한 이윤창출 수단이 되지만 국민경제 차원에서는 이미 창출되었거나 앞으로 창출될 (부가)가치가 재분배되는 과정에 지나지 않는다. 그렇기 때문에 부동산 투기는 일찍부터 '망국병'으로 규정되어 척결되어야 할 것으로 선언되었다. 부동산투기가 심해질수록 일반 국민의 노동의욕은 저하되고 부동산에 묶여 생산활동에 투입되지 못하는 자본의 비중이 높아지기 때문에 경제성장에도 걸림돌이 되고 있음에도 불구하고 부동산 투기를 통해 얻어지는 불로소득을 환수하려는 정부의 의지는 미약하여 '부동산 불패'의 신화를 오히려 부추기고 있다.

비자금 조성, 회사운영비 횡령, 안전사고, 폭력행위, 마약과 같은 명백한 범죄행위에 대해서도 '유전무죄 무전유죄'의 오랜 관행이 노골적으로 적용되고 있다. 재벌들은 박근혜 정부 국정농단의 두 축의 하나였음에도 불구하고 재판과정을 통해서 경미한 처벌을 받고 온전하게 생환했을 뿐만 아니라 '촛불정부'에 의해서는 경기침체와 일자리 부족의 '해결사'로 등극되고 있다. 경제정의의 결손이 사법정의의 훼손과 연결되고 있다.

정경유착은 불의의 온상

한국의 경제성장을 특징짓는 정부주도 전략은 민간기업과 정부의 관계를 밀접하게 만들 수밖에 없었다. 정

경제를 구조적으로 왜곡시킨다.

만연한 불로소득

부가 집중 육성할 산업을 선정하고 그 산업에 진입할 기업을 선정할 뿐만 아니라 창업에 필요한 자금의 배정까지 권한을 행사하는 상황에서 기업의 입장에서는 정부기관과 좋은 관계를 유지하는 것이 기업 발전에 결정적인 도움이 되었다. 이 과정에서 정경유착은 자연스럽게 깊어졌다. 당초 경제성장 초기의 이 정경유착은 정부주도, 정부 우위의 정경유착이었다. 정부는 경제정책의 이름으로 재벌을 육성했으며 경우에 따라 개별 재벌에 대해서 생사여탈권도 가졌다. 그러나 1990년대를 지나면서 경제의 주도권이 점차 재벌들에게 넘어가면서 정경유착의 양상도 달라졌다. 재벌들에게 주어지는 각종 특혜에 대한 대가가 음성적인 정치자금과 뇌물에서 '전관예우'와 '관피아'에 대한 사례(수임료, 급여) 형태로 공식화되었다. '관피아'는 퇴직 후 유관기관에 재취업하는 데 성공한 고위공직자로서 자신이 재직했던 기관을 상대로 새로 취업한 유관기관의 이익을 대변하는 고위공직자를 가리킨다. 당초 사법부에 국한되었던 전관예우가 행정부로 확산되면서 '관피아'를 구성하게 되었다. 새로 취업하는 기관은 전직 기관의 감독을 받는 산하기관이거나 전직기관에 밀접한 이해관계를 가지는 민간기업이나 민간단체들이다. 당초 퇴직 관료가 가지는 '경험과 전문지식'을 활용한다는 취지에서 재취업이 허용되었지만 지금은 민간기업과 기관이 정부를 '포섭'하는 연결고리가 되고 있다. 이해충돌을 방지하기 위해서「공직자윤리법」이 시행되고 있지만 갈수록 재취업 제한이 완화되어 재취업 성공률이 90%를 넘고 있다. 정부부처에는 직위와 부서에 따라 퇴직 후 재취업하는 경로가 예정되어 있는 경우가 적지 않다. 그래서 퇴직 후 원활한 재취업을 위해 현직에 있으면서 재취업기관의 이해관계를 수용하는 사례가 빈번해지고 있다. 공직자로서 담보해야 하는 현재의 공익이 미래의 사익을 위해 희생당하는 사례가 발생하는 것이다. 이와 함께 정부부처가 특히 재벌기업의 민원창구처럼 작동하기도 하고 이들에 대한 규제와 처벌을 앞장서서 차단하는 방패막이 역할을 한다. 감독기관이 지원기관이 되면서 대한민국에서 공익이 실종되는 상황이 발생하고 있다. 이 '관피아'는 재취업 영역을 넓히기 위해서 공공기관의 계열사(산하기관)를 늘리고 자신들의 업무를 '외주화'한다. 이로써 정부와 공공기관에서 근무하는 공직자의 수는 늘지 않지만 '관피아'의 재취업 일자리는 늘어난다.

정경유착은 그 자체만으로도 국가의 고유한 기능을 잠식하면서 동시에 경제정의의 심각한 훼손을 초래한다. 정경유착은 부정부패와 일란성 쌍둥이이고 불로소득을 가져다주는 투기를 조장하여 경제정의를 훼손하고 시장

경실련은 '땀 흘려 일하는 모두가 함께 잘 사는 정의로운 민주공동체'를 지향하고 있다. 경실련이 출범하면서 가장 전면에 내세웠던 경제정의의 구체적인 목표로서는 '일하는 사람들이 대접받는 사회'로 나아가기 위해서 물가안정, 투기 근절, 자유롭고 공정한 경쟁질서가 설정되었다. 사실 한국경제의 역사에서 물가안정은 경제성장 목표에 밀려서 경제정책이론에서만큼 대우를 받지 못했다. 1960/70년대에는 두 자리 수의 물가상승이 일상적이었지만 경제성장 목표를 달성하기 위해 불가피한 희생으로 간주되는 분위기가 강했다. 또한 1986~1988년의 소위 '3저(저유가, 저금리, 저달러) 호황' 국면에서는 물가상승률이 4%대로 안정되어 물가안정이 정책목표에 오르지도 않았다. 그럼에도 불구하고 경실련은 1970년대까지의 높은 물가상승률과 1980년대의 부동산 투기 광풍 등을 우려하면서 화폐소득을 수취하는 대다수의 '땀 흘린 사람들'의 생활안정에 절실한 물가 안정을 경제정의의 구현으로 인식하였다. 최근에는 물가상승률이 1%대에 머물러 있으면서 정부와 대통령의 관심에서 물가안정 목표는 완전히 사라졌다. 통화정책도 물가안정보다는 경제성장과 고용증진, 금융시장 안정에 중점을 두고 있다. 하지만 여기에는 중대한 착시현상이 숨어 있다. 한국은 물가상승률은 안정적이지만 물가 수준은 서울이 세계에서 6번째로 고물가 수도라는 사실에서 나타나듯이 결코 낮지 않다. 생활필수품은 물론 특히 부동산가격은 세계에서 손꼽을 정도로 높은 수준이다. 독과점적 시장구조와 기업들의 담합 관행에 기인하는 높은 생활필수품 가격은 소비자후생을 심각하게 잠식하고 있다. 이를 규제해야 할 공정거래위원회는 솜방망이 처벌로 일관하고 이마저 독과점기업들은 '영업활동의 위축'을 이유로 반발하고 있는 실정이다.

부동산투기의 근절은 경실련이 지난 30년 동안 일관성 있게 주장하면서 대안을 제시한 경제정의 과제이다. 부동산투기로 대표되는 불로소득은 한국경제에서 노동의욕을 감퇴시켜 생산성 향상을 저해하고 주거비 상승으로 압도적 대다수 국민의 삶의 질을 떨어뜨릴 뿐만 아니라 자원배분을 왜곡하여 경제성장에도 걸림돌이 되는 해악이다. 한국의 주택보급률은 이미 오래전에 100%를 넘었지만 자가보유율은 60% 수준에 머물러 있다. 정

부는 그동안 주택공급을 늘리고 대출규제를 통해 수요를 억제하는 대책을 반복했지만 효과를 보지 못하고 오히려 부동산투기만 더욱 과열시키는 결과를 가져왔다. 부동산 담보대출이 주를 이루고 있는 가계대출은 GDP에 맞먹는 규모로 증가하면서 해외투자기관들에 의해서 한국경제의 '뇌관'으로 지적되고 있다. 그나마 2018년 부동산 광풍이 진정 기미를 보인 것은 보유세 인상 덕분이었다. 그렇지만 부동산 투기가 잡혔다고 보기에는 아직도 어려운 상황이다.

상실된 기회균등

앞서 서술한 바와 같이 경실련이 출범하면서 구현하고자 했던 경제정의의 세부목표는 지금까지도 크게 미진할 뿐만 아니라 부분적으로는 악화된 측면도 없지 않다. 여기에 덧붙여서 경실련이 출범하면서 구체적으로 적시하지 않은 부문까지 포함한다면 경제정의의 훼손 범위는 갈수록 넓어지는 경향마저 보이고 있다. 현재 한국에서는 시장에서 경제적 가치창출을 위해 땀 흘리는 노력을 시작하기 전부터, 즉 시장에 진입하는 길목에서부터 불공정이 자행되고 있는 것이다. 학교와 기업에서 '예비 노동자'를 둘러싸고 자행되고 있는 학사비리와 채용비리가 그것이다.

학사비리는 출발정의를 훼손하는 행위로서 청소년의 의욕을 떨어뜨리고 잠재적인 사회불안 요인이 되고 있다. 한국 사회에서 가정형편은 대학생활에서의 경쟁력을 좌우하는 결정적인 요인이다. 사교육은 물론 등록금과 생활비를 부모로부터 지원받을 수 있는 학생과 그럴 수 없는 학생 사이의 격차는 결코 적지 않다. 부모의 지원을 받지 못하는 학생은 '알바'와 학업의 병행으로 장학금으로부터 멀어지거나 학자금대출로 인해 빚을 안고 인생을 시작하는 불운을 겪게 된다. 기회평등에 한 걸음 가까이 갈 수 있게 해줄 '반값 등록금'의 실현은 아직 요원한 실정이다. 채용비리는 부모의 영향력(권력)이 자녀의 취업에서 성패를 결정하는 요인으로 작용하는 사례이다. 응시자 자신의 역량에 기초한 결정이 아니라는 점에서 기회평등과 실적정의의 심각한 훼손이 아닐 수 없다, 더욱이 '범죄 수익'에 해당하는 자녀의 취업 일자리는 채용비리가 탄로 난 다음에도 유지되기 때문에 채용비리는 끊이지 않고 있다.

여기에 한국사회의 망국병으로 일컬어지는 사교육까지 가세하면 한국사회에서 출발정의, 기회균등의 목표는 더욱 멀리 있다. 모두가 '수월성 교육'의 우리 안에서 한 발이라도 앞서려고 이기적인 전략을 선택하고 있을 뿐이다. 대학졸업이 평생의 진로를 결정하는 구조이기 때문에 정부의 교육개혁이 대학입시제도 개혁으로 축소되고 이는 다시 사교육이 입시에 미치는 영향을 최소화하려는 목표를 지향하지만 실효성은 별로 없었다. 사교육을 무력화시키려는 입시제도가 새로운 사교육을 낳는 악순환의 고리는 끊어지지 않고 있다. 기회균등을 확대하려던 입시제도가 오히려 부모의 사회경제적 지위의 격차가 입시에 미치는 영향을 강화하는 부작용이 나타나고 있다. 계층 상승의 사다리가 되었던 교육이 이제는 계층구조를 고착시키는 기재로 작용하고 있다. 생애주기별로 본다면 청소년기부터 이미 경제정의는 심각한 결손을 보임으로써 결국 성년기는 물론 노년기의 경제정의에까지 지속적인 영향을 미치고 있는 셈이다.

한국 사회에서는 일각에서 나타나고 있는 신분제적 지향이 출발정의를 훼손하는 계기로 작용하고 있다. 2016년 교육부 고위 공직자의 '국민은 개, 돼지' 발언과 '신분제 강화 필요성' 발언은 이미 대한민국에서 재벌기업의 '경영권' 승계 이외에 일각에서 나타나고 있는 부모 지위를 자녀가 대물림하는 신분제 조짐이 나타나고 있기 때문이다. 국회의원이 중심이 된 채용비리 사건, 로스쿨에서 나타나고 있는 현직 고위 법조인 자녀 우대, 대기업 구조조정에서 임원 자녀 구제, 일부 대기업에서 자행되고 있는 정규직 일자리 대물림 등은 부모의 지위가 대물림되는 현상으로 자본주의와는 양립할 수 없다.

불공정한 경쟁질서

경실련이 설립 당시부터 추구했던 경제정의의 세부목표로서 자유롭고 공정한 경쟁질서의 현황은 어떠

한가? 헌법 제119조 ②항에 규정된 '시장지배력의 남용을 방지하기 위한 규제와 조정'을 위해 제정된 「공정거래법」을 집행해야 하는 공정거래위원회는 정부 부처 중에서도 재벌과의 유착관계가 가장 심한 부처에 속한다. 퇴직 후 로펌 등에 재취업한 관료('관피아')를 매개로 한 정경유착은 중소기업을 파멸시키고 소비자를 죽음에 이르게 하고 있다. 급기야 현직 공정거래위원장이 '가습기 살균제' 조사에서 재벌기업을 봐주었다는 직무유기 혐의로 검찰에 고발된 상태이다. '전속거래', '재판매가격 유지', '납품단가 후려치기', '기술 탈취' 등 법에 의해 금지된 불공정거래의 관행은 계속되고 있다. 한 걸음 더 나아가 계열사에 대한 '일감 몰아주기'가 새로운 '사익편취' 수법으로 확산되고 있다. 2014년부터 별도로 규제되고 있지만 법으로 제한된 한도를 피하면서 계속되고 있다. 공정거래위원회의 '전속고발권' 폐지는 문재인 정부도 공약은 했지만 이를 지키지 않음으로써 피해자의 직접적인 구제노력을 차단하고 있다. 뿐만 아니라 공정거래위원회에 의한 피해자 구제과정조차 피해자에게는 상세한 정보가 제공되지 않는 등 불공정한 관행이 계속되고 있다. 피해자 구제를 위한 법원의 최종 결정이 내려지는 경우에도 너무 오랜 시간이 걸려 피해기업은 이미 파산하는 경우도 있다. 공정거래위원회가 제 구실을 못하는 사이에 '시장지배력'의 남용은 관행이 되었고 그 피해는 고스란히 중소기업, 소상공인, 소비자의 몫이 되고 있다.

한국 경제에서 공정한 경쟁의 실현이 부진한 한 가지 이유는 내부고발자가 보호받기는커녕 '처벌'받는 관행이 불식되지 않기 때문이다. 1990년 이문옥 감사관의 권력형 비리 내부고발 이후 지난 30년 동안 공익제보자에 대한 보호가 한국 사회에서 얼마나 개선되었는지 의문이 들지 않을 수 없다. 내부고발자를 지키고 범죄행위를 조사, 수사하여 처벌할 국가기관은 내부고발자 신상정보를 범법자에게 전해주거나 고발된 범죄행위에 대한 조사, 수사에 소극적인 경우가 대부분이다. 반면에 내부고발자에 의해 탄로 난 범법자에 대한 처벌은 시간이 지나면서 유야무야되거나 경미한 수준에 그치기 일쑤이다.

비정규직 차별은 경제정의의 실종

'일하는 사람이 대접받는 사회'는 먼저 '일한 만큼 대가를 받는 사회'일 것이다. 그것은 '불로소득의 근절'과 한 동전의 양면을 이룰 뿐만 아니라 동시에 차별을 금지하는 경제정의의 기본이다. '동일노동 동일임금'의 원칙이 시장

경제의 기본원칙으로서 관철될 때 경제정의의 세부범주로서 공정한 보상체계가 실현될 수 있다. 한국 노동시장에서 정규직과 비정규직의 분단은 경제정의가 가장 심각하게 훼손되는 영역에 속한다. 같은 생산공정에서 나란히 일하면서 처우는 2배가량 차이가 나고 해고의 위험에 노출된 정도가 극단적으로 엇갈리면서 이들 사이에서는 동료관계가 아니라 권력관계마저 형성되고 있다. 당초 비정규직을 처음 도입할 당시 명분으로 내세워졌던 '경영 상태에 따른 유연한 인력조정'은 사실상 빌미에 지나지 않았고 저임금 노동력의 확대가 주된 목적이었음이 드러났다. 정규직 일자리에서 비정규직 노동자가 낮은 임금을 받으면서 일하는 셈이다. 또한 비정규직은 정규직으로 가는 발판이 아니라 '한번 비정규직은 영원한 비정규직'이 되어 빠져나올 수 없는 함정인 것으로 드러났다. 그리하여 이러한 정규직과 비정규직의 분단 및 차별이 오늘날 한국 사회에서 경제적 불평등을 심화시키는 핵심요인으로 작용하고 있다.

비정규직에 대한 차별은 보수와 일자리 안정에 그치지 않는다. 생산현장의 안전에서도 비정규직은 차별을 받는다. 노동조건에서의 명백한 차별이다. 지하철 구의역 스크린도어 청년노동자 사망사건, 태안발전소 김용균 군 사망 사건, 특성화고 실습생 사망사건 등 이루 셀 수 없는 사건들에서 보듯이 위험한 일자리들은 모두 비정규직노동자의 몫이다. 그래서 산재 사망자의 대부분이 비정규직 노동자이다. 안전시설의 미비가 '경영상의 이유'로 허용되고 있는 현실이 빚은 참상이다.

'공공기관 비정규직의 정규직 전환' 공약을 내걸고 출범한 문재인 정부는 대통령이 인천공항을 직접 방문하여 정규직화를 재차 약속했음에도 불구하고 '중규직'이라는 신조어를 만들어내면서 용두사미가 되어버렸다. 계열사를 새로 만들어 정규직으로 채용하는 실질적인 차별은 유지하면서 명칭만 바꾼 '꼼수'에 지나지 않는다. 소방관의 국가직화와 집배원 증원 약속도 예산이 확보되지 않았다는 핑계로 실행이 늦어졌다. 그 사이 2019년 상반기에만도 집배원 11명이 과로로 사망했다. 이러한 비극적인 상황은 정부가 공공기관 평가에서 공공성의 강화를 가장 중점적으로 살펴본다는 원칙에도 부합되지 않는다.

노동시장에서 경제정의가 실종되는 사례는 이밖에도 많다. 임금체불, 최저임금 위반은 물론 포괄임금제도도 사실상 잔업수당의 폐지에 해당하기 때문에 경제정의에 반하는 노동착취이다. 기업경영의 애로사항의 해결을

경제정책의 중심에 놓고 있는 성장지상주의 관행이 '땀 흘려 일하는 모두가 함께 잘사는 공동체'와 한국사회 현실의 간극을 넓히고 있다.

사유재산권의 과잉보호

한국사회에서 경제정의가 훼손되는 데는 사유재산권의 과잉보호도 원인이 되고 있다. 한국유치원총연합회가 국가 지원금을 부정하게 사용한 사례가 적발되었음에도 불구하고 교육부 회계시스템 '에듀파인'의 도입을 거부하는 이유도 '사유재산'인 학교시설에 대한 수익을 요구하기 때문이다. '궁중족발' 사건으로 알려진 집주인에 대한 세입자의 폭행도 출발점은 집주인의 일방적인 사유재산권 행사였다. 하지만 이들 재산권자들은 이 재산권이 '법률이 정하는 바에 따라서' 보호의 범위가 정해진다는 헌법 조문은 물론 '재산권의 행사는 공공복리에 부합되어야 한다'는 조항도 간과하고 있다. 사유재산권은 인간의 존엄처럼 무제한적으로 보호받는 '불가침의 천부인권'이 아니라 처분과 사용에서 충분히 제한될 수 있고 당연히 제한되어야 하는 권리라는 인식이 한국 사회에서는 갈수록 희미해지고 있다.

갈등적 노사관계

노사관계도 한국에서는 경제정의가 훼손되고 있는 중요한 영역이다. 기업 내에서 노조가 아예 조직되어 있지 않거나 조직되어 있다고 할지라도 대부분 협상의 파트너로서 인정되지 않고 있다. 뿐만 아니라 노조에 적대적이거나 비판적인 여론이 상당히 강하다. 특히 언론에서는 노조에 비판적인 목소리가 압도적이다. 무엇보다도 대기업 정규직 노조는 '귀족노조'로 불리면서 집단이기주의 세력으로 내몰리기 일쑤다. 헌법에는 노동3권이 보장되어 있을 뿐만 아니라 헌법상의 경제질서인 사회적 시장경제에서는 노사의 사회적 동반자관계, 협력적 노사관계가 경제 운용의 핵심원리로 간주되고 있음에도 불구하고 현실에서는 60년에 걸친 한국 경제성장의 역사에서 노조를 걸림돌로 간주하던 관행이 아직도 해소되지 않고 있다. '촛불혁명' 이후 분위기가 '노동 존중'의 기치 하에 노조에게 유리하게 정상화되는 듯했지만 경기회복이 지연되자 '경제 활력의 회복'이 다시 경제정책의 중심에 자리를 잡으면서 과거로 되돌아가고 있다. 노사관계를 중재하는 경제사회노동위원회의 운영은 '최저임금 속도조절'과 '52시간 탄력근로제 적용기간 연장'에서 보듯이 협상의 기본원칙은 '주고받기'라는 사실조차 무시한 채 결국 사용자의 이해관계가 관철되는 방향으로 흐르고 있다.

노사관계가 정상화되지 못하고 있는 현실은 국제노동기구(ILO) 핵심협약의 비준을 둘러싼 경제사회노동위원회 내에서의 논란에서도 확인되고 있다. 이들 조항은 현재 한국의 '근로기준법'에 비해 노동자와 노조의 지위를 강화하는 내용을 담고 있다. 이 조항이 비준되지 않고 있다는 사실이 한국 노사관계가 후진적이라는 비판을 받아온 근본 이유이기도 했다. 이 문제가 현안이 된 이유는 EU가 2011년 체결된 자유무역협정에 의거하여 협약을 조속히 비준하도록 촉구하고 있기 때문이다. 스스로를 평화, 인권, 민주, 자유와 같은 '가치'를 지향하는 공동체로 정의하는 EU의 관점에서는 무역을 통해 단순히 상호 경제적 이익을 공유하는 것뿐만 아니라 이들 '가치'도 실현해야 하기 때문에 국제노동기구의 핵심협약을 노동자 인권 증진 차원에서 자유무역협정에 포함시켰던 것이다. 이 협약의 비준을 둘러싼 논란에서 사용자측은 '경영상의 어려움'을 이유로 습관적으로 반대하고 있다. 결국 국회에서 처리될 터인데 이 협약의 비준 여부는 향후 한국 노사관계에서 경제정의가 개선될지를 판단하는 중요한 기준점이 될 수 있을 것이다.

기울어진 운동장으로 분류될 수 있는 한국 노사관계는 사용자에 의한 노동자의 부당한 처우가 확산되는 배경으로 작용하고 있다. 심각한 취업난을 무기로 하는 직장 내 성희롱은 물론 폭언, 폭행이 끊이지 않고 있다. 더욱 놀라운 사실은 폭행의 가해자가 아니라 피해자가 숨고 도망 다니는 현실이다. 마침내 2018년 12월 '직장 내 괴롭힘'을 금지하는 조항이 「근로기준법」과 「산업재해보상법」에 신설되었다. 사용자뿐만 아니라 상급자의 '갑질'도 처벌대상에 포함되었다는 점에서는 의의가 있지만 벌칙규정이 부족하기 때문에 실효성이

떨어진다는 비판을 받고 있다.

사실 직장 내 갑질은 사용자와 상급자에 의해서만 자행되는 것이 아니다. 동료이면서도 정규직 노동자가 비정규직 노동자에 대해 자행하는 갑질 또한 경제정의가 훼손당하는 부분이다. 생산현장에서는 정규직의 지시에 따라 위험한 일은 도맡아서 해야 하고 물질적, 인격적 차별을 감수해야 한다. 비정규직으로 차별받고 갑질 당하는 노동자로부터 생산성 향상과 창의력 발휘를 기대할 수는 없을 것이다. 4차 산업혁명의 시대에 필수불가결한 생산현장에서의 혁신이 한국 노동시장구조에서는 불가능할 수밖에 없다.

조세정의의 결손

경제정의의 기본이자 출발점은 조세정의이다. 조세정의 없이는 경제정의를 말할 수 없다. 사유재산에 대한 과도한 보호는 조세정의의 결손으로 이어지고 있다. 주거용 건물에 대해서는 재산세와 종합부동산세가 부과되는 반면에 재벌들과 부동산 부자들이 많이 보유하고 있는 비주거용 건물에 대해서는 재산세만 부과되는 현실은 분명 조세정의에 반하는 제도적 결함이다.

나아가 상습적인 고액체납, 해외 자산 도피, 경영권 승계를 위한 공익법인의 오남용 등은 조세정의를 침해하는 대표적인 사례들이다. 시민단체와 전문가들은 조세정의 실현을 위한 국세청의 노력이 부족하다는 점뿐만 아니라 국세청도 '관피아' 논란에서 자유롭지 못하다는 사실을 지적하고 있다. 국세행정 개혁과 관련하여 끊임없이 제기되는 정치적 세무조사는 정권 교체 이후 사라진 것으로 보인다. 그렇지만 여전히 세무조사권을 남용한 사례가 발생하고 있는 것도 사실이다. 하지만 직권 남용에 대한 비난을 의식한 듯 국세청이 매년 약속하는 세무조사의 축소가 국세청 본연의 사명인 조세정의의 구현과 반드시 부합되는 것인지에 대해서는 면밀한 검토가 있어야 할 것이다. 성실 납세에 대한 고액납세자들의 의식이 정상화되지 않는 한 세무조사를 줄이는 것은 자칫 조세정의를 훼손할 수 있다.

경제 활성화를 위한 세제 개혁으로 재벌 측에서는 언제나 감세를 요구하고 있다. 그러나 이명박 정부에서 법인세 인하는 기업의 수익증대에는 기여했지만 투자 증가나 고용 증대에는 효과가 없는 것으로 드러났다. 다른 한편으로 부유층에서는 상속증여세의 인하도 요구하고 있다. 그러나 경제력 집중을 완화할 뿐만 아니라 경제력 분

산을 지향하고 경제정의 일반을 구현하기 위해서는 적어도 상속증여세를 유지할 필요가 있다.

II. 어떻게 실천할 것인가?

한국은 정의의 가치가 취약한 나라이다. 일상생활에서는 물론 정계나 학계에서도 정의에 관한 담론을 찾아보기 어렵다. 정의가 최종적이고 유일한 가치라 할 수 있는 사법부에서조차 재판이 정치적 거래의 대상이 되고 책임자에 대한 처벌은 '제 식구 감싸기'가 일상화되어 있으니 '유전무죄 무전유죄'의 관행은 획기적인 결단이 없는 한 불식될 수 없는 상황이 되었다.

경제 분야에서도 정의의 가치는 갈수록 희미해지는 양상이다. 경제성장이 지고의 가치처럼 자리 잡은 지 반세기가 넘었고 생산성과 효율성이 생활 전반을 규정하는 사회가 되었다. 모든 것은 '값싸게 빨리' 성취되어야 했고 그것을 세계를 향해 자랑해왔다. 경제성장이 반공의 뒤를 이어 마치 국시처럼 보다 근본적인 모든 가치들을 빨아들였다. 그 결과 물질만능주의, 배금주의가 한국인의 공식 가치관처럼 자리 잡았고 인간의 존엄 또는 행복을 구성하는 인류 보편적 가치는 설 자리를 잃게 되었다. 경제정의도 그 중 하나였다. '땀을 흘려도' 인간다운 삶에 다가가기 어려운 사람들이 많아졌다. 자살률, 노인빈곤율, 출산율 등 온갖 지표는 대한민국이 사람살기 어려워지는 나라가 되고 있음을 보여주고 있다. 그러나 대한민국이 물질, 돈이 사는 나라가 아니라 사람이 사는 나라가 되려면 경제정의의 구현이 필수불가결하다. 경실련은 일찍이 창립 당시부터 경제성장이 인간적 삶을 보장하기 위한 수단적 의미를 가진다는 점을 인식하고 경제정의를 구현하는 경제성장을 촉구해왔다.

사람중심의 경제

경제는 인간의 행복을 달성하기 위한 수단이다. 경제성장을 위해서 국민의 건강과 생명이 희생되어서는 안 된다. 그래서 정부의 경제정책은 언제나 사람 중심이어야 하고 목적과 수단의 관계가 명확해야 한다. 경제에 '활력'을 불어 넣기 위해서 최저임금 인상 속도가 조절되어야 하고 다시 장시간 노동으로 돌아가야 한다면 그것은 경제정책을 지배하는 가치관이 전도되었음을 의미한다.

인간이 경제에 복무하는 것이 아니라 경제가 인간에게 복무해야 한다. 저출산 문제에 이은 인구 감소는 사람살기 힘든 현실에 대한 사람들의 소극적인 저항이다. 경제정의의 구현은 이제 한국사회 존속의 문제가 되었다. 대한민국의 경제구조와 경제정책이 사람 중심으로 거듭나야 한다. 기회균등, 공정한 보상, 분배정의, 세대 간 정의를 구현하여 인간의 생명과 건강을 보장하는 경제구조가 구축되어야 하고 인간다운 생활을 뒷받침해주는 경제정책이 되어야 한다.

사람 중심의 경제를 구축하는데 가장 포괄적이면서 시급한 전략이 재벌개혁이다. 재벌기업을 위한 과도한 경영권 보호에 기반한 '황제경영'이 초래하는 '오너 리스크', 갈등적 노사관계, 비정규직 차별, 중소기업과 소상공인의 침체, 소비자 건강 및 생명의 위협 등 한국 경제에서 경제정의의 결손이 시정되어야 할 부문에는 어디에나 재벌들이 있다.

대한민국에서 경제정의가 융성하려면 국가의 공공성이 회복되고 강화되어야 한다. 경제정의는 사회적 가치로서 개인들 사이의 자발적인 협상과 조율에 의해 달성될 수 있는 가치가 아니다. 더욱이 권력자원의 집중과 편중이 심각한 사회에서는 정의를 훼손하는 방향으로 권력자원이 활용되지 않도록 국가의 적극적이고 균형 잡힌 개입과 교정이 필수적이다. 경제(권)력의 집중을 방지할 뿐만 아니라 가능한 한 분산될 수 있도록 정책역량을 동원할 필요가 있다. 특히 공급이 제한되어 있는 토지를 포함하는 부동산 소유가 집중되어 투기 목적으로 이용되는 것은 엄격하게 차단되어야 한다. 혁신보다 불로소득이 발생하는 쪽으로 자원이 배분되면 경제정의는 훼손되고 결국 경제성장에도 걸림돌이 된다.

권한과 책임의 균형

국가가 공공성을 강화하는 다른 한 측면은 국가 스스로 자신에게 부여된 민주적 권한을 충분히 행사하고 마땅한 책임을 감당하여 '나라다운 나라'를 세우기 위한 기본을 다하는 것이다. 그 동안 한국에서는 신자유주의의 '작은 정부론'에 편승하여 정부와 공공기관의 기능을 민간에 위탁하거나 아예 민영화(사유화)하는 사례가 지속적으로 증가해왔다. 당연히 이 과정에서 국가가 담보해야 하는 '공익'은 시장의 '이윤동기'에 의해 대체될 수밖에 없었다. 정부기관은 예산을 지원하는 권한을 가질 뿐 사고 발생이나 성과 미비에 따른 책임은 민간기업이 지는 구조이다. 2019년 '인보사' 사태는 정부의 '책임 회피'가 불러온 전형적인 참사이다. 그것은 구조적 비리이지 개인적 일탈이 아니다. 특허 출원된 약품에 대한 검사를 식약처가 직접 실시하지 않고 특허출원 기업의 자체검사에 맡겼다는 사실 자체가 언어도단이다. 그럼에도 불구하고 식약처는 한 걸음 더 나아가 유전자의약품 개발에 대한 규제완화를 추진하고 있다. 하지만 인허가절차의 간소화와 심사기간의 단축은 별개의 사안으로 접근되어야 한다. 소비자의 건강 및 생명과 연관된 인허가 절차는 오히려 더욱 엄격하게 구성되어야 한다. 다만 인허가에 소요되는 기간은 '관피아'의 개입 여지를 차단하는 차원에서도 과학적 검증이 허용하는 한 최대한 단축할 필요가 있다. 과학적 검증을 간소화하는 것은 국민의 생명을 위협해서라도 기업의 이윤을 극대화하려는 본말전도의 착상이다.

지하철 구의역 스크린도어에서 청년노동자가 사망했을 때 '2인1조 작업원칙'의 위반에 대한 책임은 도시철도공사가 아니라 하청기업이 졌다. 하청기업은 사업예산을 지원받으면서 스크린도어 관리를 공사로부터 위탁받아 수행하고 있었기 때문이다. 그래서 노동과정의 측면에서 '위험의 외주화'라 불린다. 그러나 의사결정과정의 측면에서 본다면 그것은 책임 떠넘기기, '책임의 외부화'이다. 이러한 '외부화'는 경제적 타당성과는 무관하게 시장이 정부보다 효율적이라는 막연한 신자유주의 이데올로기에 사로잡힌 맹목적 행동일 뿐이다. '시장을 통한 공공성의 확보'는 허구일 뿐이다. 이는 소비자후생을 감소시킬 뿐만 아니라 경제정의를 심각하게 훼손한다.

국가에 의한 공공성의 구현은 결국 국가기관을 구성하는 관료에 의해 이루어질 수밖에 없기 때문에 이들의 재취업에 대한 엄격한 규제가 필요하다. 재취업 제한이 이들의 '직업선택의 자유'를 침해한다는 반론은 근거가 취약하다. 이미 민간기업들에서 특히 특허기술 관련 퇴직자의 재취업을 제한하는 것이 허용되고 있

다. 뿐만 아니라 '관피아'로 인해 침해받는 공익이 재취업을 통해 실현되는 사익에 비해 비교할 수 없을 정도로 크다. 경제정의가 살아 숨 쉬는 대한민국을 건설하려면 '관피아'를 차단할 수 있도록 「공직자윤리법」의 대폭 개정이 절실하다.

국민경제를 위한 경제정책

경제정의를 회복하려면 정부의 경제정책이 시장, 특히 기업 중심에서 벗어나야 한다. 그동안 수출주도 성장전략에서는 전략산업의 육성이나 수출경쟁력의 강화처럼 기업의 수출을 뒷받침하고 경영상의 문제를 해결하는데 경제정책의 중심이 놓여 있었지만 이제는 경제정책이 문자 그대로 국민경제를 대상으로 삼아야 한다. 그리고 이 국민경제에는 기업만이 아니라 가계도 있고 노동도 있고 정부 자신도 있다. 정부는 국민경제의 발전을 위하여 필요에 따라서는 시장경제의 원리에 반하는 행위를 할 수 있다. 정부가 지향하는 가치는 효율성보다 공공성이 우선해야 하기 때문이다. 지역균형발전의 의무가 그러하고 농림축산업과 중소기업의 보호육성 의무가 그러하다. 정부는 당연히 정치 논리에 따라야 하며 이것이 공공성의 논리이다. 또한 공공성의 논리는 당연히 정부의 다양한 시장참여행위에도 그대로 적용된다. 정부는 효용의 극대화나 이윤극대화를 목표로 경제활동을 하지 않으므로 공기업의 경영성과를 평가하면서 효율성이나 수익성 지표는 부차적인 의미를 가질 뿐이다. 한 걸음 더 나아가 인프라, 교육, 국방, 치안 등의 공공재를 시장을 통해 공급하려는 발상도 전면 재검토되어야 한다. '시장실패'를 보완하기 위한 공공재의 공급은 시장(기업)에 지원금을 지불함으로써가 아니라 정부가 직접 재정으로 추진하는 것이 현재와 같은 경제여건에서는 오히려 더 효율적이다. 신자유주의의 민영화 논리에 현혹되는 것은 경제정의에 위배되는 오류이다.

한국의 수출주도성장이 낳은 또 하나의 혼란은 기업과 기업가를 동일시하는 관행이다. 그래서 비자금 조성과 같은 기업가의 범법행위에 대한 법적인 제재에 기업의 경영이 곤란해진다는 이유로 '선처'가 내려진다. 수감 중인 기업가는 '경제성장에 기여한 공로'를 인정받아 일찌감치 출소한다. 횡령을 저지른 기업가도 그 손실을 되돌려놓으면 처벌받지 아니한다. 기업가에 대한 이러한 특혜는 결국 한국경제의 '오너 리스크'로 귀결되었고 결국 기업가치의 훼손을 낳고 있다. 기업가치를 훼손하는 기업가는 당

연히 제재를 받고 경우에 따라서는 시장에서 퇴출되어야 한다. 그것이 기업 차원에서의 경제정의를 회복하는 길이다.

아울러 정부는 소비자 주권의 확립에 노력해야 한다. 모든 경제활동의 최종목표가 소비이며, 모든 국민이 생산자에는 해당되지 않을지라도 소비자이기 때문이다. 가습기 살균제 사건, 디젤엔진 연비조작 사건이 발생했을 때 외국기업이 한국 소비자를 차별한다는 불만이 종종 제기되고 있지만 이 또한 기업에게 강한 책임을 묻지 않는 국내 제도적 관행 때문임이 드러났다. 생산자 중심에서 소비자 중심으로의 경제정책의 전환이 시급하다.

차별 철폐와 불평등 완화

경제정의를 회복하는 출발점은 경제 분야에서 차별을 철폐하는 것부터 시작되어야 한다. 먼저 노동시장에서는 엄정한 처벌에 뒷받침되어 채용비리가 근절되어야 하고 '범죄수익'의 환수가 보다 철저하게 이루어져 재발 가능성이 차단되어야 한다. 아울러 노동시장에 진입하는 기회의 평등을 보장한다는 의미에서 대학 등록금을 대폭 삭감하는 방안이 진지하게 검토되어야 한다.

비정규직 문제에 대해서는 더 이상 기업경영의 부담을 덜어주는 차원이 아니라 경제정의의 관점에서 종합적인 접근이 필요하다. 비정규직의 정규직화를 일관되게 추진하여 생산성이 일자리 안정을 가져다준다('열심히 일하면 정규직 시켜준다')는 기존의 강압적 프레임에서 벗어나 안정이 생산성을 향상시킨다는 자발적 프레임으로 옮겨가야 한다. 더욱이 4차 산업혁명 시대의 경쟁력은 저임금과 장시간노동에 있는 것이 아니라 경제정의에 기초한 자발적인 생산성과 창의력에 있음을 직시할 필요가 있다. 4차 산업혁명 시대에 노동은 자본과 함께 '공동 혁신자'이다.

'동일노동 동일임금 원칙'을 실현하여 비정규직에 대한 차별도 철폐되어야 한다. 이 원칙은 시장경제의 기본 원칙인 '일물일가의 법칙'이 노동시장에서 적용되는 것이다. 또한 이 원칙은 '동일한 것은 동일하게, 다른 것은 다르게 대우하는' 평등의 원칙에 부합되기 때문에 경제정의를 구현하는 길이다. 결국 비정규직 문제의 핵심은 자유로운 해고를 배제하는 일자리 안정과 함께 보수에서 '동일노동 동일임금의 원칙'을 적용하여 차별을 철폐하는 데 있다.

시민으로 보는
경실련 30년

I.
경실련의
창립과 활동

II. 경실련 30년
활동의 성과

III. 지역경실련의
활동과 성과

IV. 경실련과
시민사회의 미래

비정규직에 대한 차별을 철폐하는 것이 불평등을 완화하는 출발점은 되겠지만 그것만으로 결코 충분하지는 않다. 한국은 재산불평등을 감안하면 경제적 불평등이 더욱 심각한 상황이다. 그러므로 부동산투기에 대한 보다 강력한 억제가 필요하고 다가구 주택보유자뿐만 아니라 특히 재벌기업들의 비업무용 부동산에 대해 보유세 강화 등 적극적인 대응이 절실하다. '경제 활력'은 추가경정을 비롯한 재정지출의 확대나 환경, 안전 부문에서의 규제완화를 통해서가 아니라 불로소득을 차단하여 자원 흐름이 생산적 활동으로 유도되고 혁신이 활성화될 때 지속가능하게 확충될 수 있을 것이다.

시장소득분배를 교정하기 위한 정부의 재분배 정책수단으로서 소득세, 법인세에 대한 누진과세와 이에 기초한 재정확충이 시행되어야 할 것이다. 이를 통해 가계의 소득능력을 확대하는 것은 경제정의의 증진에 기여할 뿐만 아니라 내수를 증대시켜 결국 경제성장에도 도움이 될 것이다.

조세정의 차원에서는 무엇보다도 불로소득에 대한 세부담을 강화해야 한다. 특히 투기억제에 효과가 있는 것으로 판명된 부동산 보유세를 강화할 필요가 있다. 아울러 기업의 비업무용 부동산 보유에 대한 규제를 강화해야 한다. 나아가 향후 복지국가의 점진적인 확충은 물론 '한반도 통일경제' 구축에 필요한 재원을 조달하기 위해서는 결국 증세가 필요할 것이다. 이에 대비하여 재벌 등 부유층은 부가가치세 인상을 선제적으로 제안하고 있지만 경제정의를 한반도 전체에서 구현하기 위해서는 조세정의에 부합되는 '응능부담의 원칙'이 폭넓게 적용되어야 할 것이다.

자유롭고 공정한 경쟁

자유롭고 공정한 경쟁은 시장경제에서 실적정의를 구현하기 위한 필수조건이다. 시장지배력의 남용을 방지하고 경제(권)력의 집중을 억지하기 위해서는 일차적으로 현행 '공정거래법'의 철저한 이행이 담보되어야 한다. 아울러 공정위 '관피아'에게 먹이사슬을 연결해주는 '전속고발권'은 마땅히 폐지되어야 하고 피해자의 개인정보는 철저히 보호되어 가해자의 보복을 막을 수 있어야 한다. 그럼으로써 피해자에 의한 직접 구제가 가능해져야 한다. 이것이 경제정의이다. 아울러 공정거래법 위반행위에 대한 처벌이 재발을 방지할 수 있도록 강화되어야 한다. 지금처럼 반복되고 있는 '솜방망이 처벌'은 사실상 '재범 권고'이기 때문이다.

시장에서는 시장지배력에 기초한 불공정이 아니라 실적 경쟁, 생산성 경쟁, 혁신 경쟁이 이루어져야 한다. 시장지배적 사업자에 의한 불공정거래행위가 차단되는 것이 중소기업 보호·지원대책의 출발점이다. 정부가 경쟁질서를 회복하고 경제정의를 회복하기 위해서는 정부정책의 중심을 재정 지원 중심에서 법과 제도의 개선 중심으로 전환할 필요가 있다. 헌법에 규정된 중소기업의 "보호와 육성"이 단지 자금 지원이 아니라 대기업과 공정한 거래가 이루어질 수 있도록 「공정거래법」을 엄정하게 집행함은 물론 중소기업 스스로 피해구제를 할 수 있도록 하고 구제도 중소기업이 파산하기 전에 신속하게 이루어질 수 있도록 제도 개선이 이루어져야 할 것이다. 그렇게 되면 중소기업은 자기실적에 따라 보상받을 수 있는 기회를 갖게 된다. 이처럼 자기 실적과 자기 혁신에 대한 공정한 보상만으로 부족할 때 비로소 연구개발, 해외마케팅, 인력 양성처럼 중소기업이 자력으로 수행하기 어려운 과업을 국가가 옆에서 지원해주는 것이 순리일 것이다.

금융시장에서는 '공매도'가 공정한 경쟁을 저해하는 투기수단이다. 개인투자자는 사실상 활용할 수 없고 대부분 외국인투자자들이 이용하면서 이들의 시장지배력을 강화시켜 주기 때문에 경제정의에 역행하는 수단이다. 시장활성화 여부는 거래규모가 아니라 거래 참가자 수를 기준으로 판단하는 것이 시장경제의 역동성을 보장하는 길이다. 1997년 외환위기 이후 자본시장 개방 20년을 결산해보면 개미투자자들의 손실 규모가 외국인 투자자의 이익 규모와 비슷하고 국내 기관투자자들은 대체로 손익분기점에 머물고 있는 상황이다. 개인투자자와 외국인투자자 및 기관투자자 사이의 정보의 비대칭에 더하여 개인투자자에게 불리한 게임규칙이 이러한 일방적인 결과를 초래했을 가능성이 크다. 자본시장질서의 정상화는 '공매도' 금지에서 시작할 필요가 있다.

한국에서 과점적 시장구조를 가지는 산업에서 흔히 자행되고 있는 공동행위(담합)에 대한 근본적인 대

책이 마련될 필요가 있다. 일반적으로 자본주의 경제에서는 경제범죄에 대한 처벌이 상대적으로 온건한 편이지만 그래도 처벌을 선진국 수준으로 강화할 필요가 있다. 선진국에서 탈세, 회계부정, 담합, 횡령과 같이 경제정의에 위배되는 범죄에 대한 처벌은 기업의 존립을 좌우할 정도로 엄격하다. 2001년 회계부정으로 결국 파산한 미국 7대기업 엔론의 사례가 대표적이다. 반면에 한국에서는 위법행위에 대한 처벌이 경미하여 경제정의는 물론 사법정의마저 심각하게 훼손당하고 있다. 징벌적 손해배상제도의 도입을 확대할 뿐만 아니라 법 집행을 엄정하게 하고 피해자에 의한 신속한 자력구제가 가능할 수 있어야 한다.

공정한 경쟁의 핵심은 실적경쟁, 생산성 경쟁, 혁신경쟁이다. 실적정의가 구현된다는 것은 시장에서의 경쟁도 실적경쟁이 이루어지고 시장지배력이 남용되는 사태가 사라짐을 의미한다. 이는 혁신을 촉진하고 결국 경제성장을 촉진하게 된다. 생산성과 효율성에 기초한 시장경쟁이 벌어질 때 비로소 기업의 이윤증대와 소비자의 후생증대가 양립할 수 있고, 나아가 국민경제의 지속가능한 발전도 보장될 것이다. 대한민국 경제의 미래가 경제정의의 구현에 달려 있다.

시민과 함께 한
경제정의실천시민연합 30년사

경제정의실천시민연합
CCEJ 30주년

II. 경실련 30년 활동의 성과

1. 경실련 30년 활동의 의의

1989년 7월 8일 서울 명동 한국YWCA 강당에서 500여명의 회원이 참석한 가운데 발기인 대회를 개최함으로서, 한국의 시민운동의 닻을 올린 경제정의실천시민연합(경실련)이 30주년을 맞았다. 경실련은 초기 시민사회의 형성에 대한 가능성을 찾고 시민사회에 걸 맞는 운동의 방향을 참여민주주의와 복지사회건설을 지향하였다. 그리고 정치과정에 참여를 통한 권리 찾기와 민주적인 절차와 질서를 지켜가면서 경제와 사회 부문의 불평등과 부정의 한 구조를 개혁하기 위해 경제정의의 실현을 목표로 하였다.

"과연 될까?"
처음 경제정의를 위한 시민운동을 보고 어떤 사람들은 이렇게 반문했다.
그럴 때 경실련은 이렇게 답을 했다.
"이 길 이외에 다른 길이 없습니다. 우리는 시민들에 대한 무한한 신뢰를 가지고 앞으로 매진할 따름입니다."

시민 누구나 참여하여 함께 만들어 가면서도 현실 비판에만 그치지 않고 합리적인 대안을 제시하고 모두가 함께 잘사는 정의로운 민주공동체를 만들기 위하여 경실련은 온건하고도 대중적인 시민운동을 통하여 사회개혁을 달성하고자 하였다. 경실련의 2만여 명의 회원, 전문가 집단, 열악한 근무환경을 견디며 헌신해온 상근활동가들의 열정 그리고 시민사회의 자원을 바탕으로 지금까지 이어져 왔다.

지난 30여 년간 경실련이 펼친 재벌의 경제력 집중 해소, 금융실명제 실시, 토지공개념 도입, 한국은행 독립, 부동산실명제, 서민주거 안정, 자산 불평등 해소, 중소상인 살리기, 가진 만큼 세금내기, 공직부패 개혁, 중소혁신기업을 위한 생태계 구축 등으로 우리 사회 발전에 기여를 하였다고 평가되고 있다.

한국의 사회운동에서 '시민운동', '경제정의'라는 흐름을 전국적 차원에서 만들고, 정부와 시장과 함께 시민운동이 사회를 이끌어 가는 새로운 거버넌스 체제를 구축한 경실련이 창립 30년을 맞아 100개의 활동의제를 정리하였다. 경실련의 100대 활동의제를 선정하는 데는 우리의 활동이 매우 광범위하고 어느 것 하나 소중하지 않은 것이 없지만 자체적으로 몇 가지 기준을 설정하고 선별하였다. 100대 의제는 경실련의 정체성에 부합하고, 경실련이 제기하는 의제가 다른 시민단체들이 제기하지 않았거나 상대적으로 창의성을 가지며, 경실련이 주도적인 역할을 하면서도 일정한 성과를 내었는가를 지표로 하여 4개 영역, 21개 분야에서 선정하였다. 아울러 이러한 성과는 경실련 단독으로 또는 여타의 시민사회단체들과 연대로 함께 일궈 온 과제들이었음을 밝힌다.

사진으로 보는
경실련 30년

I. 경실련의
창립과 활동

II.
경실련 30년
활동의 성과

III. 지역경실련의
활동과 성과

IV. 경실련과
시민사회의 미래

분류		100대 의제
경제 정의 (31)	재벌 (6)	1. 재벌의 소유지배구조 개선 운동 2. 순환출자금지·출자총액제한 강화를 통한 재벌의 경제력집중 완화 운동 3. 한보비리 진상규명과 정경유착 근절 운동 4. 시민공정거래위원회와 공정거래감시 운동 5. 경제정의지수에 의한 기업평가와 사회적 책임 강화 운동 6. 전경련 해체 촉구 운동
	금융 (7)	7. 금융실명제 도입 운동 8. 한국은행독립 촉구와 관치금융 척결 운동 9. 금융소득종합과세 강화 운동 10. 금산분리 강화 운동 11. 증권관련 집단소송제 도입 운동 12. 금융감독체계 개편 운동 13. 공적자금 투입 감시 운동
	재정세제 (4)	14. 보유세 강화 등 조세정의 운동 15. 부자감세 반대 및 법인세 강화 운동 16. 예산감시 운동 17. 글로벌 IT 조세부과 운동
	중소기업 (2)	18. 중소상인·자영업자 살리기 운동 19. 갑을문제 해결을 위한 가맹사업법 개선 운동
	소비자 (7)	20. GMO 표시제도 개선 운동 21. 개인정보보호 강화 운동 22. 항공 마일리지 개선 운동 23. 소비자 약관 개선 운동 24. 공공부문 연체제도 개선 운동 25. 통신요금 개선 운동 26. 철도민영화 저지와 공공성 강화 운동
	농업 (2)	27. WTO와 UR협상 대응과 농업시장개방 대응 운동 28. 농업직불금제도 개선 운동
	통상 (3)	29. OECD가입 반대 운동 30. FTA협상 감시 운동 31. 미국산 쇠고기 수입 감시 운동
부동산 · 주거안정 (20)	부동산 (6)	32. 시민의 힘으로 도입한 토지공개념과 개발이익환수제도 33. 이문옥 감사관 양심선언과 재벌의 비업무용 토지 투기고발 운동 34. 부동산실명제 도입 운동 35. 아파트값 거품빼기와 후분양제 주택공급 운동 36. 공시지가 가격 정상화 운동 37. 무주택 세입자 주거권 보장 운동
	건설 (6)	38. 인천공항 부실공사 고발 39. SOC 민간투자사업 개혁 40. 4대강 사업 특혜 고발 41. 공공입찰 최저가 낙찰제도 도입 42. 건설 직접시공제 확대 및 적정임금제 도입 43. 건설 감리제도 개선 운동
	국토도시 (8)	44. 재개발·재건축 공공성 및 투명성 강화 운동 45. 그린벨트 해제 철회 운동 46. 공공주택 확충 및 주택공기업 개혁 운동 47. 미 대사관 숙소부지 학교앞 호텔건립 반대 운동 48. 덕수궁터 개발반대 운동 49. 청계천 복원 대응 50. 시민안전 감시 운동 51. 둥지 내몰림(Gentrification) 방지 운동

분류		100대 의제
정치 정부 개혁 (28)	정치제도 (6)	52. 국회 입법감시단과 의정평가 활동 53. 공선협과 공명선거 감시 운동 54. 정치자금실명제 도입과 투명성강화 운동 55. 정당·후보자 공약비교평가 및 공약이행평가 56. 정치개혁을 위한 국회, 선거, 정당제도 개혁 운동 57. 후보자 정보공개운동과 후보선택도우미(Wahl-o-mat)
	정부개혁 (5)	58. 정보공개법 및 행정절차법 제정을 통한 행정민주화 운동 59. 각 정부 국정운영 평가 60. 재산공개제도 도입을 위한 공직자윤리법 개정 운동 61. 5 · 18특별법 제정 운동 62. 청렴하고 책임있는 공직사회 만들기 운동
	사법개혁 (3)	63. 검찰개혁과 특별검사제 도입 운동 64. 법조비리근절과 사법농단 진상규명 등 사법개혁 운동 65. 로스쿨 도입 운동
	자치분권 (4)	66. 지방자치 전면 실시 운동과 지방자치헌장 선포 67. 지방자치단체개혁박람회 68. 기초지방선거 정당공천배제 촉구 운동 69. 지방의제21 도입 운동
	반부패 (3)	70. 부패방지법, 돈세탁방지법 제정 운동 71. 군부재자투표부정 고발 및 개선 운동 72. 반부패총괄기구 강화 운동
	통일국제 (7)	73. 불평등한 SOFA 개정 운동 74. 북한동포돕기 운동 75. 재외동포 운동과 세계우리겨레공동체(GKN) 76. 5 · 24조치 해제 촉구 운동 77. 지구촌빈곤퇴치네트워크(GCAP) 구성과 ODA감시 운동 78. UN사회경제이사회 활동 79. 이라크전쟁 반대 운동
사회 정의 (21)	보건복지 (9)	80. 한약분쟁 조정 81. 의약분업 실시 운동 82. 국민건강보험 보장성 강화와 의료영리화 저지 운동 83. 호스피스·연명의료 결정법 제정 운동 84. 상비약(OTC) 약국 외 판매 실시 촉구 운동 85. 의료사고피해구제법 제정 운동 86. 장기요양보험제도 개선 운동 87. 건강보험료 부과체계 개편 대응 운동 88. 메르스 피해구제 활동
	환경 (3)	89. 폐기물 에너지화사업 정상화 운동 90. 쓰레기종량제 시행 촉구 운동 91. 환경개발센터 설립 및 환경정의 운동 추진
	시민사회 (3)	92. 경제정의실현을 위한 개혁과제-우리사회 이렇게 바꾸자 93. NGO 사회적 책임 운동 94. 시민이 주인 되는 시민교육
	언론 (2)	95. 시민이 만드는 시민의 신문 창간 96. 언론감시(언론모니터회)
	노동 (4)	97. 이주노동자 인권 보호활동 98. 비정규직 차별철폐와 격차해소 운동 99. 최저임금의 실질적 보장 운동 100. 노동정의 실천 운동 경실련 노동자회

2. 경실련 30년 활동 100대 의제

1. 재벌의 소유지배구조 개선 운동

1) 배경 및 취지

우리나라 재벌그룹은 소유와 경영이 분리되어 있지 않고, 지배구조에 있어서도 소수 지분을 가진 재벌이 이사회 등을 장악하여 그룹의 의사결정을 독점해 사실상 황제경영을 하고 있다. 경실련이 출범하던 1989년 당시에도 우리사회는 재벌의 경제력 집중이 심화되고 있었고, 경제력 집중의 혜택은 그룹을 지배하고 있는 총수일가에게 귀속되었다. 그리고 부와 경영권은 세습이 되고 있었다. 특히 재벌그룹의 주식이 재벌총수일가에 집중되어 그룹과 사회에 대한 지배력이 막강했다. 총수일가들은 계열사 지분까지 합쳐져 황제적인 권력을 누리고 있었다. 1991년 4월 1일 기준 재벌그룹의 '동일인 및 특수관계인 지분'을 보면, 현대 27.5%, 대우 9.8%, 삼성 8.5%, 계열회사 지분은 현대 40.3%, 대우 40.6%, 삼성 44.7%로 합칠 경우, 50%에서 67.8%까지 소유하고 있었다. 형식적으로는 계열사 사장과 이사회가 있었으나, 총수일가가 최고결정권을 가지고, 그룹회장은 물론, 계열사들의 중요 임원직에 앉아 전근대적인 가족기업처럼 그룹을 운영하고 있었다. 재벌 총수일가들은 이러한 소유·지배구조를 유지하고 만들기 위해 정경유착을 통해 공정거래법 등을 무력화시켰고, 경제력과 지배력을 더욱 심화시켜 나갔다. 그리고 경영권과 부를 세습해 나가기 시작했다. 하지만 이를 견제할 수 있는 소유·지배구조 관련 제도는

사실상 전무했다. 이러한 소유·지배구조 문제는 재벌그룹의 리스크뿐만 아니라, 기업과 산업의 국제경쟁력 약화, 경제양극화 등 많은 부작용을 불러 왔다. 이에 경실련은 출범과 함께, 재벌의 소유·지배구조를 개선하기 위한 운동에 나서게 되었다.

2) 활동 내용 및 경과

경실련 활동은 정책대안 제시, 실태조사, 개별 재벌그룹 감시, 입법활동, 정부정책 감시 등으로 법제도 개선을 위해 노력해왔다. 소유·지배구조 문제의 해결을 위해서는 종합적인 대책이 필요한 만큼, 어느 한 이슈에 집중하는 것이 아닌 경영권 세습 감시, 출자규제, 금산분리 강화 등을 포함해 다양한 활동을 전개했다. 1990년대 초에는 재벌의 소유분산을 위한 정책대안으로 재벌가문 주식 매각 유도, 총액출자 제한제도 강화, 순환출자 제도 개선, 종업원주주 제도 확립, 비공개 재벌기업 상장확대를 주장했다. 소유와 경영의 분리 방안으로는 그룹집중 경영체제의 폐지, 계열사 간 수평적 연대관계 차단, 가족중심 경영지배 체제 타파, 공익법인의 의결권 행사 금지, 노조대표의 이사회 참석 등을 제안했다. 이러한 정책대안이 받아들여지지 않자, 1994년 5월 2일 '정부의 친재벌정책 이대로 좋은가' 토론회를 개최하여, 재벌의 소유 집중 문제를 제기하였다. 1995년에 와서는 '소유 및 경영구조의 개혁'으로 투명한 경영을 보장하기 위한 회계제도 확립도 촉구했다. 1996년 2월에는 김영삼 정부의 공정거래위원회 격상에 대해 입장을 표명하면서, '재벌가족에 집중된 소유를 분산시키고, 개별 기업별로 전문경영인 체제를 확립하는 등 소유와 경영을 분리' 할 것을 촉구했다. 하지만 재벌들의 저항과 정부의 재벌개혁 의지 실종으로 인해 이후 김대중 정부와 노무현 정부에서도 재벌의 소유·지배구조 개선은 이루어지지 않았다. 경실련은 이후 재벌개혁 대토론회(1999. 5. 27), 상법상 '집중투표제 강제 조항화'를 위한 개정청원(2000. 2. 24), 소유 및 경영지배구조에 대한 강력한 개혁이 이뤄질 수 있도록 촉구하는 성명발표(2000. 3. 27), 한국기업의 지배구조 개선 심포지움(2005. 5. 27) 등을 진행하며, 강력한 개혁을 요구했으나, 국회에서 관련 법률만 일부 발의되는 정도였다. 2008년 4월 경실련은 경제개

사진으로 보는
경실련 30년

I. 경실련의
창립과 활동

II.
경실련 30년
활동의 성과

III. 지역경실련의
활동과 성과

IV. 경실련과
시민사회의 미래

혁연대와 참여연대와 함께, 당시 통합민주당 김효석 원내대표를 면담하여, ▲ 이중대표소송제 및 이중 장부 열람권 도입, ▲ 의결권 배제·제한주식 도입 및 포이즌 필, 차등의결권 등 경영권 방어수단 도입을 강력하게 반대하는 의견을 전달하기도 했다.

이후 2009년에 와서는 이명박 정부의 출자총액제한 폐지와 금산분리 완화에 따라 소유·지배구조 문제를 해결하기 위한 종합적 활동을 전개해 나갔다. 순환출자금지, 출자총액제한제도 재도입, 지주회사 및 그 소속회사에 대한 행위제한 강화, 금산분리 강화, 경영의 투명성과 책임성 제고 등이 그 예이다. 이후 2010년 이후 부터는 단독주주권제 도입, 소수주주권의 행사요건 완화, 집중투표제 의무화, 다중대표소송제도 도입, 회사 기회유인 금지 조항 상법 상 도입, 기관투자자 의결권 행사 강화(스튜어드십코드) 등을 제시하며, 제도개선을 촉구하는 운동을 전개해 왔다. 2010년 이명박 정부에서 총수일가의 경영참호구축 노릇을 하는 포이즌 필 도입 시도가 있자, 이를 저지하기 위해 나서기도 했다. 2012년에 와서 경실련은 '경실련의 재벌개혁방안 브로슈어'를 제작하여, 이를 정치권, 정부, 시민사회에 널리 배포하는 운동도 전개했다. 4월 11일 19대 총선을 앞두고, '경실련 재벌개혁 방안 발표 기자회견'을 개최하여, 지주회사 규정 강화, 금산분리 강화, 출자총액제한제도 재도입, 순환출자 금지, 집단소송제 도입, 공정거래법 재벌조항 전면 재정비 등 종합적인 개혁방안을 제시하였다. 문재인 정부에서도 2019년 차등의결권제도 도입 움직임이 있자, 시민사회와 반대하는 국회의원들을 결집시켜, 저지하기 위한 활동을 전개했다.

경실련은 재벌의 소유·지배구조 관련 주요 의제였던 유명무실한 사외이사제도를 개선하는 데도 주력해왔다. 1998년부터 도입된 사외이사제도는 사실상 재벌총수일가의 거수기 노릇을 함으로써 지배주주 견제와 경영투명성의 효과가 거의 전무했다. 이에 경실련은 사외이사제도의 실태를 알려 제도개선에 나서는 운동을 집중적으로 진행하기도 했다. 2003년 9월 2일에는 '6대 그룹 사외이사제도 운영현황 조사연구 결과 발표'를 통해 사외이사의 독립성 부재, 거수기 문제 등을 날카롭게 지적했다. 이후에 동양그룹 사태 발생시 2013년 동양그룹 사외이사와 감사위원 실태조사를 발표, 2018년에 와서는 무력화된 사외이사제도를 개선하기 위해서는 감사위원의 분리선출, 사외이사 및 감사위원의 선임과 추천 등에 '지배주주의 통제 하에 있는 지분을 제외한 주주들의 다수결로 의결해야 하는 사항을 정한 Majority Of Minority(MOM) Rule'을 적용하는 것을 제도화하기 위해 노력하고 있다.

한편 개별 재벌그룹의 소유·지배구조 감시를 통해 그 문제점을 알림으로써 제도개선의 발판을 마련하는 운동도 추진해 왔다. 삼성그룹과 현대차 그룹에 대한 감시운동이 대표적이었다. 2000년에는 현대그룹의 경영권 분쟁(왕자의 난), 그룹 분리 등의 문제로 이슈가 불거져 있었다. 당시 경실련은 '현대차 계열분리 등 재벌 구조조정에 대한 공정위의 적극적 정책 촉구'(2000. 8. 4), '현대그룹 유동성위기에 대한 입장', '현대그룹 자구계획안 발표에 대한 입장'(2000. 8. 14) 등 감시활동을 펼쳤다. 아울러 2018년에도 현대차의 지배구조개편 계획이 발표되자 '현대차그룹의 출자구조 재편은 경제력 집중억제와는 무관하다'는 논평을 발표하기도 했다.

대표적으로 삼성그룹은 재벌의 소유 및 지배구조 문제를 안고 있던 만큼, 지속적인 감시 활동을 전개하였다. 본격적인 감시활동은 2008년 삼성특검이 있을 때부터였다. 삼성특검 결과 당시 '삼성특검, 법과 원칙을 저버린 면죄부 수사'(2008. 4. 17), '문제의 핵심을 비껴간 삼성의 경영쇄신'(2008. 4. 22) 등 강력한 규탄 입장을 발표였다. 이후에는 '삼성그룹 경영권 승계와 지배구조개편 관련 경실련 입장 및 전문가설문조사 결과 발표 기자회견'(2014. 11. 13)을 통해 소유·지배구조 관련 삼성의 문제와 가야할 방향을 제시하기도 했다. 2015년 삼성 제일모직과 삼성물산 합병 사건이 발생했을 때, 7월 13일 긴급기자회견을 개최하여, 합병의 반대와 부당성을 알렸으며, 2016년 5월 19일 부터는 삼성 문제에 특화된 경제민주화 강좌 '삼성전자가 몰락해도 한국이 사는 길'을 통해 시민들에게 알리는 운동도 진행했다.

3. 각계 반응과 성과

소유 · 지배구조 문제는 재벌개혁의 중요한 의제인 만큼, 재벌들과 유착관계가 심각한 정치권과 정부, 재벌, 언론들의 견제가 많았다. 재벌들의 로비와 정경유착 등으로 국회에서 개혁법안 통과가 번번이 가로막히고, 오히려 후퇴하는 제도도 많았다. 출자총액제한제도의 폐지, 금산분리의 완화, 사외이사제도 및 감사위원회 제도의 무력화 등이 대표적인 사례이다. 재벌들의 언론 장악 문제는 보도까지 가로막히면서 운동의 한계를 가져왔다. 이건희 회장이 쓰러진 이후 그룹 승계 문제가 이슈화 되자, 경실련이 진행했던 '삼성그룹 경영권 승계 및 소유 · 지배구조 문제 진단과 개선방안 토론회' (2014. 11. 27.)는 상당히 많은 언론들의 취재가 있었음에도 기사보도는 다수의 언론은 외면하고, 인터넷 언론 한 두 곳만 보도되었다.

재벌개혁 운동은 경실련의 강점인 운동 중 하나였던 만큼, 소유 · 지배구조 개선을 위한 실태조사 발표, 기자회견, 토론회, 성명발표에 대한 언론의 적극적인 취재와 보도가 뒤따랐다. 국회에서도 법안 공동작업 요청, 공동토론회 개최 등 입법활동으로 이어졌다. 특히 2012년 경실련이 제작한 '재벌개혁 방안 브로슈어'를 통해, 19대 총선을 앞두고, 정치권과 정부, 유권자인 시민사회에 널리 알린 결과, 정치권에서 경제민주화 바람과 함께, 공약으로 채택되는 성과도 있었다.

재벌의 경제력 집중과 정경유착 문제로 인해 소유 · 지배구조 개선과 관련하여 소유와 경영의 분리, 이사회 제도 개선, 총수일가를 견제할 수 있는 투표제도 개선 등 해결해야 할 과제가 산적해있다. 문재인 정부에 들어와서도 차등의결권 도입 시도가 이루어지고 있는 만큼, 개혁은 둘째 치고, 규제완화를 저지해야 하는 어려운 환경에 봉착해 있기도 하다.

2. 순환출자금지·출자총액제한 강화를 통한 재벌의 경제력집중 완화 운동

1. 배경 및 취지

초창기였던 1980년 후반과 1990년에 경실련은 재벌들의 부동산투기 문제를 근절시키는 운동에 주력했지만 경제활동에 필요한 자원이나 수단을 소수 재벌에 의해 소유되고 통제되는 경제력집중 문제도 주목했다. 당시 경실련이 본 1987년 기준 재벌들의 경제력 집중 실태를 보면, 출하액 기준 상위 30대 재벌이 광공업에서 차지하는 비중이 36.8%에 달했으며, 상위 5대 재벌은 21.8%를 차지했다. 아울러 독점기업 대부분은 재벌의 계열사들로 1988년에 지정한 132개 품목 317개의 1989년도 시장지배적 사업자 중 30대 재벌의 계열사가 178개사로 57.2%에 달했다. 지분율에 있어 총수일가와 계열회사가 주식의 평균 65.8%를 소유하고 있었다. 당시 재벌들은 집중된 경제력을 바탕으로 정부, 정치권 등 우리사회 곳곳을 지배하고 있었고, 정경유착으로 탄생한 전경련을 내세워 세를 확장하고 있었다. 전경련 내에 광고주협회까지 설립하여 언론까지 통제하였다. 당시 사회에서는 재벌을 '현대판 귀족집단'으로 표현까지 할 정도로 재벌의 사돈 중 3분의 1이 정계와 관계하는 고위 인사(1989년 기준)였다.

이에 경실련은 재벌의 경제력 집중 문제를 해소하기 위해 목표를 "기업의 효율성을 높이고, 분배정의를 실현하며, 국제경쟁력을 향상시키고, 성장잠재력을 높이는 데 있다"라고 설정하여 본격적 운동을 전개하게 되었다. 그리고 30년이 지난 지금까지도 당시의 목표는 유효한 채 여전히 총력을 기울이고 있다.

2. 활동 내용 및 경과

설립 초창기인 1990년 초에는 정기적인 연구모임을 통해 재벌의 경제력집중 현황과 문제점, 대책을 중심으로 심층적인 분석을 한 후 연구결과를 발표하는 방식으로 운동을 진행했다. 근거자료를 통해 정책대안을 제시하는 단체답게 실태분석으로 재벌 문제를 드러내고, 이를 해결할 정책목표와 대안을 수립해 제도화시키기 위한 활동을 전개했다. 즉 공청회, 토론회, 입법청원, 기자회견, 분석 보도자료 발표 등 경실련의 정책대안을 관철

사진으로 보는
경실련 30년

I. 경실련의
창립과 활동

II.
경실련
30년
활동의
성과

III. 지역경실련의
활동과 성과

IV. 경실련과
시민사회의 미래

시키기 위해 다양한 전략을 구사해 나갔다. 초창기의 대안은 1991년 '우리사회 이렇게 바꾸자 1판'의 재벌 문제 해결을 위한 5대 정책목표에 잘 나타나 있다. 첫째, 계열기업들에 대한 재벌가족의 지분을 대폭 낮추는 소유분산, 둘째, 완전한 전문경영인 지배체제 확립시키기 위한 소유와 경영의 분리, 셋째, 재벌의 금융지배 방지, 넷째, 재벌의 세습화 방지, 다섯째, 재벌정책을 일관성 있게 추진할 공정거래위원회의 위상 강화였다. 5대 정책목표 중 재벌의 소유분산을 위한 정책대안으로 출자총액제한제도(출총제)의 강화(순자산 20% 내)와 순환출자의 금지를 주장하였다. 이상과 같이 경제력 집중억제를 위한 다양한 정책대안이 있었지만, 경실련은 출총제 강화와 순환출자 금지와 같은 출자제한과 소유·지배구조 개선 등 구조개혁 정책을 핵심으로 내세웠다. 두 정책 모두 초창기부터 주장해왔지만, 실제적으로 직접적으로 출자를 제한하는 출총제 강화 운동에 중점을 두었다.

출총제가 최초 도입 된 1987년(순자산의 40% 이하)부터 기준이 강화된 1995년(순자산의 25% 이하)까지는 출총제를 강화시키기 위한 운동을 진행하였다. 이후 IMF 외환위기 시절이었던 1998년 2월 비상경제대책위원회에서 외국인에 대한 적대적 M&A의 전면 허용에 따른 경영권 방어와 국내기업 역차별 문제 해소 차원에서 동 제도를 폐지시키자 재도입 촉구로 선회했다. 경실련은 출총제를 재도입하기 위해 1999년 6월 18일 공정위 자료를 인용하면서 '30대 그룹 전체의 출자총액이 17조 7천억 원에서 29조 9천억 원으로 68.9%가 증가' 한 것을 예로 들며, 즉각 재도입 할 것을 요구했다. 1999년 10월에는 출총제 부활 및 강화를 요구하는 의견서를 공정위에 제출하면서, 압박을 가했다. 이러한 경실련의 활동은 2001년 4월 출총제가 재도입 되는 계기를 만들었다. 2001년 4월 출총제가 재도입 된 후 부터는 동 제도를 완화시키려는 움직임에 대한 저지와 함께, 강화를 촉구하였다. 운동의 가장 큰 위기는 출총제의 강화를 강력히 촉구했음에도 오히려 제도의 무력화와 폐지로 이어지던 때였다. 2007년 노무현 정권 말에는 재벌들의 로비로 인해 각종 예외조항과 기준 완화로 거의 폐지 수준으로 무력화 되었고, 이명박 정권 초인 2008년에는 폐지 법안이 통과되었다. 당시 폐지를 주장하는 전경련 등 재계와 이를 옹호하는 학자, 정치권에서는 한결같이 투자활성화를 내세웠다. 경실련은 이러한 논리를 실증적으로 잘못되었음을 지적하여, 재도입 발판을 마련하기 위해 2010년부터 15대 재벌을 대상으로 한 시리즈 실태조사 발표를 진행했다. 당시 경실련 분석 자료에 따르면 출총제가 폐지되기 전인 2007년 15대 재벌의 출자총액이 503조 원에서 2010년 92.8조원으로 42.6조원이 급증한 반면, 설비투자는 2007년 40.3조 원에서 2010년 55.4조 원으로 15.1조원 정도만 증가한 것으로 드러났다. 즉 출총제와 투자와의 상관관계가 없음이 드러난 것이다. 아울러 15대 재벌의 신규편입 계열사 수 또한 동기간 488개가 급증한 것으로 드러났고, 도매 및 소매 등 골목상권까지 진출이 급증하는 것으로 드러나, 당시 재벌의 빵집 진출 등 '골목상권' 이슈가 경실련에 의해 부각되었다. 이러한 경제력 집중 실태의 시리즈 분석발표, 설문조사 등을 통해 여론을 만들고, 공청회와 의견서 제출을 통해 정치권을 압박하는 방식으로 재도입 운동을 진행했지만, 재벌 규제완화 정책을 펼치던 이명박과 박근혜 정부에서 재도입은 어려웠고, 출총제는 사회적으로 잊혀져 갔다. 이후 문재인 정부가 출범한 지금까지 출총제는 아니지만, 더 실효적이고 강력한 출자구조를 이중으로 제한하는 출자구조 개선 운동을 진행해오고 있다. 이명박 정부에서 출총제 폐지 이후 재도입을 위해 집중적으로 진행했던 운동은 다음과 같다.

> 15대 재벌 순이익, 사내유보, 고용, 투자 분석발표(2010. 10. 13)
> 15대 재벌 출자액, 계열사수 변동 분석결과 발표(2010. 10. 28)
> 15대 재벌의 설비투자 추이 분석결과 발표(2011. 4. 27)
> 15대 재벌 자산, 사내유보, 설비투자 추이 분석결과 발표(2011. 5. 12)
> 15대 재벌 4년간 계열사 수, 신규편입업종 분석결과 발표(2011. 7. 5)
> 출자총액제한제도 재도입에 관한 공청회 개최(2011. 10. 21)
> 출총제 재도입 전문가 설문조사결과 "찬성 71%"(2011. 11. 8)
> 출총제 재도입과 순환출자 금지를 위한 국회 의견서 제출(2012. 2. 14)
> 10대 재벌 신규계열사 분석결과 발표(2013. 10. 24)

순환출자 금지는 출총제 강화와 함께 경제력 집중 억제를 위한 패키지(package) 정책수단으로 지속적으로 운동을 펼쳐왔다. 1998년 김대중 정권에서는 '순환식 상호출자 금지'라는 용어를 쓰면서 도입을 적극 추진했다. 1998년 11월 26일 공정위에 순환식 상호출자 금지를 골자로 한 입법청원을 냄에 따라 공정위에서는 이를 검토한다고 밝히기도 했다. 하지만 검토에서만 그치고 제도화되지는 못했다. 이후 2011년 까지 재벌들과 정치권에 의해 가로막히다가 경제민주화 이슈를 선점하여 공약을 내세웠던 박근혜 정부에서 신규순환출자를 금지하는 공정거래법이 통과되면서 한걸음 나갔다.

3. 각계 반응과 성과

출총제 최초 도입(1987년) 후 출자한도를 강화하기 위한 경실련의 근거자료 제시를 통한 지속적인 주장에 대해 1995년 김영삼 정부에서는 이를 수용하여, 순자산의 25%까지만 출자할 수 있도록 제도가 강화되었다. 하지만 예외조항이 같이 도입됨에 따라 실효성은 약했다. 문제는 전경련을 앞세운 재벌들의 저항이었다. 김대중 정부에서 폐지되었던 출총제가 2001년 4월 다시 부활하자 '기업투자의 걸림돌'이라는 논리로 끊임없는 로비와 언론플레이를 통해 폐지를 요구했으며, 2004년에 와서는 위헌소지가 있다는 논리까지 내세웠다. 결국 1997년 외환위기와 2008년 금융위기를 거치면서 재벌들의 논리와 정경유착에 따라 정부의 규제완화 정책으로 제도가 폐지되었지만, 당시 이를 저지하려던 경실련의 실태를 기반으로 한 운동방식은 언론을 통해 사회적으로 많이 알려졌었다.

2010년부터 2012년까지 15대 재벌을 대상으로 한 시리즈 조사발표는 당시 시민사회에 재벌의 실태는 물론, 출자규제의 중요성과 필요성을 알리는 계기가 되었다.

15대재벌 설비투자, 출자총액 증가의 절반

연합뉴스 기사입력: 2011 04-27 11:14

최근 3년간 설비투자증가 37.5%, 출자총액 증가 84.7%

경실련 '설비투자 증대보다 계열사 확장에 주력'

(서울=연합뉴스) 김병수 기자 = 최근 3년간 15대 재벌의 출자총액은 80%이상 늘어난 반면에 설비투자액 증가는 그 절반에도 미치지 못했다는 주장이 27일 제기됐다.

경실련은 이날 '15대 재벌의 설비투자액 추이 분석 결과 발표'를 통해 15대 재벌의 출자총액은 2007년 50조3천억원에서 2010년 92조8천억원으로 84.7%(42조6천억원) 급증했으나 같은 기간 설비투자액은 37.5%(40조3천억원→55조4천억원) 증가에 그쳤다고 밝혔다.

15대 재벌 순이익, 사내유보, 고용, 투자, 출자액, 계열사수 변동, 설비투자, 신규편입업종 등에 대한 분석결과 발표는 2012년 대선을 앞두고 '경제민주화' 바람을 일으켜 주요 대선주자들 마다 경제민주화 공약을 내세우는 성과를 가져왔다. 아울러 재벌 계열사들의 신규편입업종 분석발표는 자본을 무분별한 골목상권 진출 문제가 드러나, 당시 '골목상권 보호' 이슈를 이끌어내기도 했다. 이로 인해 2012년 박근혜 대통령의 공약에 순환출자 금지, 재벌의 사익편취 규제, 총수 사면 제한 등 다양한 공약이 포함되어, 2013년 12월 '신규 순환출자를 금지'하는 「공정거래법 일부개정안」이 국회를 통과하는 성과를 가져왔다. 하지만 30년이 지난 지금도 재벌의 경제력 집중은 심화되고 있어, 더욱 적극적인 운동이 요구되는 상황이다. 경제력 집중을 억제할 수 있도록 출자규제, 기존 순환출자, 황제경영 근절 등 재벌 중심의 경제구조를 개혁하기 위해서는 많은 과제들이 남아있다.

3. 한보비리 진상규명과 정경유착 근절 운동

1. 배경 및 취지

1997년 1월 23일 당시 재계 서열 14위이던 한보그룹 한보철강이 5조 원에 이르는 막대한 금융부채를 안고 부도가 나는 사태가 발생했다. 이 사건은 대출과정에서 정경유착을 넘어, 정·관·경의 유착으로 이뤄졌다는 것이고, 김영삼 대통령의 차남까지 연루되었다는 점에서 우리사회 부패 고리의 진면목을 여실히 보여줬다는 것이

다. 정태수 한보그룹 회장은 1991년 수서비리로 낙인된 문제가 있는 기업인이었다. 그럼에도 불구하고 검증되지 않은 공법을 허가하고, 부지매립의 허가 또한 9개월 만에 해줬으며, 5조원 이상이라는 천문학적 자금까지 대출이 이루어졌다. 정·관·경의 끈끈한 유착이 있었기에 가능했던 것이다.

경실련은 한보사태가 사회에 알려진 직후 사태의 심각성을 파악하고 "한보철강의 설립허가와 대출특혜에 대한 철저한 진상규명을 위해 특별검사제의 도입을 촉구한다."는 성명을 발표(1997. 1. 28)하고, 진상규명과 정경유착 근절 운동에 본격적으로 나서게 되었다. 이 성명에서도 언급되었지만 경실련은 한보 부도사태의 근본적 원인을 "한국경제의 커다란 병폐인 정·관·경의 불건전한 유착과 부정부패, 과도한 정부규제와 관치금융, 재벌로의 과도한 경제력 집중과 재벌의 방만한 경영 및 총수 1인에게 모든 의사결정권이 주어져 있는 지배체제"로 보았다. 그리고 한보사태를 통해 드러난 고질적 유착에 의한 병폐들을 해결하지 않고서는 부패사건이 재발할 수밖에 없기에 철저한 진상규명과 책임자들에 대한 강력한 처벌, 제도개선을 촉구하며, 운동을 이어나가게 되었다.

2. 활동 내용 및 경과

정경유착 근절 운동은 한보사태 이후에 집중적으로 진행하였지만, 사실 경실련 출범부터 시작되었다. 군사정권 이후 재벌들과의 유착 문제가 심각했기 때문이다. 발기선언문에서도 정경유착 문제는 경제적 불의로 언급하며, 시급한 개혁이 필요함을 강조하고 있고, 1995년 노태우 비자금 사건이후에는 '정경유착 근절을 위한 개혁과제'를 제시하며, 근절운동을 전개했다. 당시 주장한 정경유착 근절 대안은 재벌의 경제력 집중 해소, 정치제도 개선(선거법, 정치자금법, 정당법), 권력부패 방지를 위한 법제도 개선(정보공개법, 공직자윤리법, 내부고발자보호법, 상훈법, 전직 대통령예우법), 검찰독립과 특별검사제 도입 등 이었다. 경실련의 정경유착 근절 운동은 군사정권에서의 정경유착으로 탄생 한 전경련의 해체 운동과 궤를 같이 한 특징도 있다. 한보사태 이전 대응한 사례를 보면, 1991년 '선경인더스트리 은행잎 엑스 특허분쟁과 관련한 특허청, 보사부, 선경의 유착 사건', 1992년 '현대 정주영 회장 정치자금 헌납 사건'과 '건영 사건', 1995년 '노태우 전 대통령 비자금 사건' 등 굵직한 사건에 대해서는 입장과 대안을 제시해 왔다. 그러다가 한보 최종부도가 결정된 1997년 1월 23일 이후, 사안의 심각성을 고려해 조직적 차원에서 집중 운동을 전개했다. 1월 28일 진상규명을 위한 특검도입과 책임자 처벌을 촉구하는 성명 발표 후, 한보사태의 발생원인과 대책에 대한 토론회와 거리토론회를 통해 여론을 환기시킨 후, 발 빠르게 정경유착 근절 대안제시, 거리 집회와 시민여론조사, 거리캠페인 등으로 검찰이 성역 없는 수사를 통해 철저한 진상규명과 이에 따른 책임자 처벌이 이루어지도록 국민여론을 조성하는 집중 전략을 구사했다. 아울러 한보사태와 같은 정경유착 부패가 재발하지 않도록 근본적 대안을 제시했다. 한보사태에 대한 대응은 이후 외환위기 발생으로 인해 지속적으로 이어가지 못한 부분은 있었다. 30년이 지난 지금의 정경유착 근절 운동은 전경련 해체, 권력기관 개혁, 재벌개혁 이라는 3대 축으로 진행되고 있다. 한보사태에 대한 진상규명과 책임자 처벌을 위한 집중 운동 주요 경과를 보면 아래와 같다.

> 한보사태에 대한 철저한 진상규명을 위한 특검도입과 책임자 처벌 촉구(1997. 1. 28.)
> 한보사태의 근본원인과 대책 토론회 개최(1997. 1. 31.)
> 한보사건에 대한 거리토론회(97. 2. 13. 명동)
> 한보사건 의혹에 대한 검찰의 축소수사 규탄 집회(1997. 2. 17. 검찰청사앞)
> 한보사태 및 검찰수사 관련 시민여론조사 결과 발표(1997. 2. 18.)
> 한보사건 재수사를 위한 특별검사제 도입 촉구 성명발표(1997. 2. 19.)
> 검찰의 한보사건 축소 수사 규탄 2차 집회(1997. 2. 20.)
> 한보 축소수사 규탄, 항의엽서 보내기 거리캠페인(97. 2. 21. 명동)

3. 각계 반응과 성과

경실련의 정경유착 근절 운동은 한보사태 이전에도 언론을 비롯한 정치권과 정부, 사회적으로 주목을 했다. 언론은 경실련이 발표한 성명에 대해서는 비중 있게 보도했고, 특히 한보사태가 터졌을 때는 진행한 운동에 대해 대다수 언론도 크게 다루었다. 당시 보도된 언론의 헤드라인을 보면, "경실련도 특검제 촉구"(1997. 1. 29. 한겨레), "31일 경실련 강당에서 열린 한보사태 관련 정책토론회"(1997. 2. 1. 경향신문), "경실련, 한보 철저수사를"(1997. 2. 18. 한겨레), "한보 무담보 1백67억 대출 외부압력·개입 규명촉구, 경실련"(1997. 7. 13.) 등을 보면 반응을 알 수 있다. 당시 경실련과 시민사회의 활동은 검찰 수사에도 영향을 주었다. 아울러 경실련의 한보사태 관련 정책토론회에 국회의원들까지 참석하여 토론할 만큼, 정치권에 대한 영향도 있었다. 운동에 대한 정부의 반응과 관련해서는 경실련의 주요활동과 한보사태 일지를 비교해 보면, 짐작을 할 수 있다.

〈한보사태 주요일지〉
◇ 1997년
▲ 1.23 한보철강 최종부도
▲ 1.24 한보 특혜대출 비리사건 검찰 내사 착수
▲ 1.27 대검 중수부, 한보의혹사건 본격 수사
▲ 1.28 한보그룹 16개 계열사, 정태수 씨 일가 자택 5곳 압수수색 정일기·홍태선 전한보철강 사장, 김종국 전한보재정본부장 소환조사
▲ 1.31 정태수 총회장 구속수감
▲ 2.1 이철수씨 소환 등 금융권 수사착수
▲ 2.4 이형구·신광식·우찬목 등 전·현직 은행장 3명 소환조사 한보그룹및 하청업체 명의 42개 예금계좌 압수수색
▲ 2.5 신광식·우찬목 씨 구속수감
▲ 2.11 홍인길·정재철 의원 구속수감
▲ 2.13 김우석 전내무, 황병태·권노갑 의원, 김종국 씨 구속수감
▲ 2.19 정태수 총회장, 홍인길 의원 등 10명 기소
▲ 2.20 김현철 씨 소환
▲ 3.17 한보사건 첫공판
▲ 3.21 한보사건 관련, 대검 중수부장 전격 경질 김현철씨 개입의혹 재수사착수
▲ 3.28 정보근 회장 구속수감
▲ 4.7 정태수 총회장 상대 국회 한보 청문회
▲ 4.16 정보근 회장 기소
▲ 4.28 4차공판. 정태수·보근 부자 법정출정

▲ 5.15 김현철 씨 구속
▲ 5.19 결심공판. 정태수총 회장 등 11명 검찰 구형
*자료 : 1999년 1월 21일자 연합뉴스

정경유착을 근절한다는 것은 재벌로의 경제력 집중이 심화된 한국경제 구조에서 매우 어려운 과제이다. 사건이 발생할 때마다 정경유착 근절 이슈가 잠시 떠오르고, 정부와 정치권, 재벌을 비롯한 연루된 기업들은 자성하는 척하지만, 계속해서 재발해왔다. 한보사태의 경우 경실련 등 시민사회의 여론조성을 통한 활약으로 정태수 총회장과 김현철 씨, 정치와 정부, 금융권 관련자들이 구속과 실형을 받는 성과는 있었지만, 일부 의혹만 밝혀졌을 뿐, 묻혀버린 의혹들도 많다. 1997년 외환위기 발생으로 상대적으로 묻힌 점도 있었다. 설립 초부터 정경유착 부패를 방지하기 위해 구체적 대안까지 제시하며, 정부와 정치권을 압박했지만, 한보사태가 발생했고, 이후 김대중 정권부터 현재의 문재인 정부까지 정경유착 비리는 지속적으로 발생해 왔다. 그럼에도 불구하고 사건이 발생할 때 마다 경실련의 대응과 상시적 감시가 있었기에 책임자 처벌과 정책대안들이 조금이라도 수용되었다고 볼 수 있다.

4. 시민공정거래위원회와 공정거래 감시 운동

1. 배경 및 취지

1993년 출범한 문민정부에 대해 경실련을 비롯한

시민사회에서는 재벌개혁에 대해 기대가 컸다. 김영삼 정부는 출범 후 1년 동안 '신경제 5개년 계획'을 발표하고, 금융실명제 실시, 공직자 재산공개, 비리척결 등에 나서는 개혁적 움직임을 보여줬다. 하지만 경제분야의 개혁은 불완전한 금융실명제 실시 외에 특별한 움직임이 없었다. 특히 재벌개혁과 관련해서는 출범 초기 강도 높은 정책을 추진하는 것처럼 보였으나, 이내 출총제의 예외인정 범위 및 기간 확대 등 친재벌 정책으로 선회했다. 당시 재벌들은 문어발식 확장, 지대추구 행위, 소유 집중으로 경제력을 더욱 키워나갔다. 재벌정책의 수장격인 공정거래위원회 역시 경제검찰로서 제 기능을 다하지 못했다. 1996년 3월과 4월, 공정위 전 독점국장과 정책국장이 수뢰혐의로 연이어 구속되면서 공정위에 대한 개혁과 감시기능의 필요성이 제기됐다. 당시 경실련도 논평을 통해 공정위의 개혁과 이에 대한 범시민적 감시기능이 확대돼야 함을 강력히 피력했다.

결국 문민정부의 재벌개혁에 대한 후퇴와 공정위의 부패는 학계, 언론계, 법조계, 업계, 노동계, 시민운동계, 시민 등 민간 각계각층이 참여하는 〈경실련 '시민공정거래위원회'〉가 설립되는 계기가 됐다. 몇 차례의 설립 준비회의 후 1996년 6월 18일 〈경실련 '시민공정거래위원회'〉 출범식을 갖고, 초대 대표에 변형윤 서울대 교수, 집행위원장에 강철규 서울시립대 교수를 선임해 활동을 개시했다.

2. 활동 내용 및 경과

1996년 6월 18일 출범한 〈경실련 '시민공정거래위원회'〉는 향후 활동계획으로 불건전한 기업 활동의 모니터 및 개선, 재벌가문에 의한 소유집중 및 경영세습의 감시와 개혁, 불공정행위 고발창구 개설, 공정거래제도 개혁 및 공정위 위상강화, 공정위 감시, 공정거래질서 확립을 위한 의식과 관행의 개혁, 중소영세기업과 소비자들의 피해 방지와 구제, 한국경제의 건전성 제고를 위한 조사연구 활동 등을 제시했다. 주요 운동방식은 공정거래법 개정청원안 제출 등 입법운동(1996. 10. 15), 공정거래법 개정을 위한 전문가 설문조사(1996. 10. 28), 공정거래법 후퇴에 대한 규탄시민대회(1996. 10. 28), 상시적 성명 및 공정위 감시, 정보공개청구(5대 재벌 부당내부거래 등, 1998. 5), 입법청원 및 의견청원(지주회사 설립금지, 은행법 주식소유제한제 현행 유지, 공정거래법 개정), 재벌총수감시운동(1999) 등으로 진행됐다. 이후 1999년에는 시민공정거래위원회가 재벌개혁위원회로 바뀌면서 지금까지 이어져 오고 있다.

활동기간 다뤘던 주요 이슈들과 내용을 보면 다음과 같다. 뇌물공여 재벌기업에 대한 특별세무조사 실시 촉구(1996. 9. 1), 경제상황 진단과 대처방안을 마련 촉구(1996. 9. 12), 정부와 신한국당 공정거래법 후퇴 방침 철회 촉구(1996. 10. 23), 경제력 집중을 억제하는 공정거래법 개정 촉구(1996. 10. 28), 10대 재벌 총액대출한도 폐지 방안 철회(1997. 2. 3), 대기업그룹 재무구조개선 방안 철회 요구(1997. 7. 9), 지주회사 설립허용 방침 철회 촉구(1998. 4. 28), 공정위의 실질적인 재벌개혁 단행 촉구(1998.7. 30), 재벌문제 해결을 위한 재벌해체 주장(1998. 8. 1), 5대 재벌 부당내부거래 및 내부지분현황 조사발표(1998. 12) 등 시민공정거래위원회로서의 역할을 충실히 했다.

3. 각계 반응과 성과

시민공정거래위원회의 출범은 당시 언론에도 주목을 받았다. 동아일보(1996년 6월 19일자), 경향신문(1996년 6월 19일자), 한겨레(1996년 6월 18일자)에서 '경실련 시민공정거래위원회 출범'과 관련한 상세한 기사가 보도됐다. 출범이후 주장한 내용들이 정부 공정거래법 개정안에 일부 담겨 통과를 위한 운동을 진행하자 재벌들은 전경련을 앞세워 견제하는 움직임을 보였다. 당시 한겨레신문(1996. 8. 17.)에는 "재벌규제 논쟁 가열, 공정거래법 개정안 공방, 전경련-경실련 정면충돌"이라는 헤드라인으로 기사가 나기도 했다.

당시 정부의 공정거래법 개정안 쟁점은 친족독립경영회사 제도 도입, 채무보증 해소, 긴급중지명령 제도도입, 내부거래 규제 강화였다. 경실련은 정부의 안이 부족하나 통과를 촉구했고, 전경련은 경제활동 및 거래의

위축을 초래할 소지가 크다며 격렬하게 반대를 했다. 재벌개혁에 특화된 시민공정거래위원회의 활약은 당시 정부와 정치권, 언론, 재계에서 상당부분 주목을 했다.

시민공정거래위원회는 법제도 개혁운동에 중점을 뒀다. 정부의 잘못된 경제정책 비판과 대안제시에 주력하던 이전의 활동방식을 넘어, 시민들의 눈으로 기업들을 직접 감시한다는 점에서는 상당한 의의가 있었다. 각계각층으로 구성된 위원회의 전문성과 사무국의 활동성을 바탕으로 재벌기업들을 직접 감시했다. 주요 활동으로 SK그룹 편법 증여 감시, 5대 재벌(현대, 삼성, LG, 대우, SK) 부당내부거래 감시 및 조사촉구, 5대 그룹 이업종 채무보증 맞교환 허용, 구조조정 대응 등이 있다. 출범 초기 계획했던 '불공정행위 고발센터'는 기업을 직접 감시한다는 점에서 참신한 전략이었으나, 추진되지는 못했다. 이후 성명서 발표, 토론회 및 기자회견, 정보공개청구, 국회 입법청원 및 의견청원 등 기존의 운동방식으로 회귀한 점은 아쉬운 부분이다.

1996년부터 1999년까지의 활동기간 동안은 IMF 외환위기 전후로 국내 경제의 침체와 정부의 기업규제 완화 기조 때문에 적극적인 기업 감시활동을 펼치기 어려웠다. 또한 당시에는 지금과 같은 공시제도가 없어 기업들에 대한 정보를 얻을 수 있는 방법이 불완전한 정보공개 자료와 제보로 들어온 자료가 대부분이었다. 따라서 감시망의 한계가 있었다.

특별위원회였던 시민공정거래위원회는 경실련 설립 30년이 된 지금, 재벌개혁본부로 탈바꿈해 여전히 재벌기업들과 정부의 재벌정책 감시, 제도개선 운동 등을 전개하고 있다.

5. 경제정의지수에 의한 기업평가와 사회적 책임 강화 운동

1. 배경 및 취지

경실련은 경제정의 실현을 위한 구체적인 대안 모색과 내실 있는 연구 활동 수행을 위해 정책연구위원회의 기능을 보다 강화하고자 했다. 이에 1990년 당시 경제기획원에 사단법인 등록을 신청하고, 독립된 특별기구인 '경제정의연구소'를 설립했다. 연구소는 첫 사업으로 〈경제정의의 관점으로 본 한국기업의 사회적 성과분석〉을 채택하고 본격적인 활동을 전개하였다.

당시 기업윤리를 저버리고 이익 추구에만 매몰된 기업들이 등장하면서 기업에 대한 소비자의 인식이 악화되고 있었다. 기업의 방향성도 분명치 않아 각 부문에 걸친 경제성의 문제가 크게 제기되는 상황이었다. 세계적으로도 기업의 사회적 책임과 관련한 지수와 가이드라인을 제정하는 움직임도 일어나고 있었다. 하지만 정부 및 민간단체 등에서 종합적이고 객관적으로 기업을 평가하는 제도는 존재하지 않았다. 이에 '경제정의연구소'는 개별 기업에 대한 재무 중심의 평가방법에서 경제정의의 방향으로 평가모델을 발전시키고자 했다.

한국 실정에 맞는 종합적인 기업 평가 모델을 개발하고, 소비자들에게 기업평가 정보를 제시하는 운동을 시작했다. 국내 상장기업을 대상으로 기업 활동의 적법성 및 윤리적 태도를 포함한 기업의 사회적 성과를 종합적으로 분석하고자 했다. 이러한 시도의 목적은 경제정의를 위한 방향으로 기업 활동을 유도하고, 기업의 이윤추구 및 발전이 소비자의 이익에도 공헌할 수 있도록 하는 것이다. 또한 정성적이고 계량적인 비교척도를 기업과 소비자에게 제시하였다. 이는 사회적 책임을 다하는 기업들을 소비자들에게 가시적으로 보여주는 효과를 가지고 있다.

2. 활동 내용 및 경과

1991년 경제정의연구소는 국민으로부터 존경받는 기업을 선정하고자 상장 제조업체를 대상으로 기업 활동의 건전성, 공정성, 사회봉사기여도, 환경보호만족도, 고객만족도, 종업원만족도, 경제발전기여도 등 7대 항목을 평가하는 경제정의평가지수(KEJI)를 만들었다. 기술혁신기여도와 자원효율기여도, 사회기여도 등 경제정의

사진으로 보는
경실련 30년

I. 경실련의
창립과 활동

II.
경실련
30년
활동의 성과

III. 지역경실련의
활동과 성과

IV. 경실련과
시민사회의 미래

의 정성적인 부분을 대분류로 하고, 그 밑에 중간분류·세분류를 두어 가중치를 배분했다. 여기에 현안 이슈인 환경오염이나 산업재해 등의 참고 항목들을 배열해 기본점수에서 가감할 수 있도록 신축성을 부여한 모델이다. 즉 기업의 사회적 책임(CSR)을 단순히 사회공헌과 준법 차원을 넘어, 경제적 성과와 공정성, 건전성, 환경보호, 소비자 및 직원들의 만족까지 고려한 종합적인 모델이었다. 이러한 지표를 활용한 평가결과를 토대로 1991년부터 '경제정의기업상'을 시상했다. 1992년도에는 평가항목 지표를 70여 개로 늘리는 등 KEJI 지수의 모형을 재창출해 평가 작업을 진행했다. 1994년 제3회 경제정의기업상 시상식부터는 대·중·소규모별 시상과 함께 주요 업종별 수상 기업을 병행해 시상했다. 무엇보다 평가항목별로 성과가 우수한 기업을 보여 줘 좋은 기업에 대한 홍보적 인센티브를 확대하고자 했다. 기업의 사회적 성과를 실증적으로 측정하기 위해 대학, 언론, 관·민연구소, 기업단체, 소비자단체, 기업, 정부 등 각계의 의견을 수렴해 평가를 실시하였다.

　경제정의지수에 의한 평가 작업과 시상식을 진행해오던 중 평가를 받는 기업들에게 결과에 대해 알려줄 필요성이 제기되었다. 이에 2005년 8월에 제14회 경제정의기업상 평가결과를 해당 기업별로 공문을 통해 알리는 작업도 진행했다. 기업들 스스로 사회적 책임의 수준을 파악하게 하여, 이를 이행하도록 유도하기 위함이었다.

　경제정의기업상은 1991년 제1회부터 2회까지는 대상, 중형규모, 소형규모, 이상 3개 부분을 시상했고, 이후 3회에서 9회까지는 대상과 대형규모, 중형규모, 소형규모 외에 제약, 음식료, 섬유의복, 전기전자, 종이제지, 1차 금속 및 비금속광물, 조립금속 및 기계장비, 자동차 및 기타제조업 등 13개 부분에 걸쳐 평가와 시상을 했다. 이후 제10회에서는 규모별 수상부문을 제외하고, 10개 부문으로 축소되었고, 2002년 11회부터 13회까지는 평가대상기업 외에 여러 단체들에 대해 추천을 받아 시상하는 추천부문특별상을 도입하여 운영하기도 했다. 한편 경제정의기업상의 평가방법과 지표가 제조업 중심으로 고안되어, 시상제도의 위상제고, 확장성 문제와 평가 및 시상 업종과 지표 또한 시대상황에 맞게 개선되어야 한다는 의견이 기업평가위원회 내에서 제기되어, 2004년부터 시상제도 개선에 나섰다. 이로 인해 2005년 제15회 시상에서 부터는 업종을 축소하여, 대상, 식약·섬유·종이, 금속·비금속·화학, 전기전자·기계, 비제조·서비스업 등 5개 부분에 대해 평가와 시상을 하도록 개선하고, 비제조·서비스업이 추가되었으며, 지표 또한 개선되었다.

　20여 년 간의 경제정의기업상을 시상했지만, 시민들에게 여전히 낯설고, 기업들에 대해서도 시상에 대한 확실한 개념과 이미지를 부여하는데 한계가 있었다. 아울러 경제정의라는 의미에 비추어 과연 정의로운 기업들이 존재하는가라는 질문과 상을 받는 기업들 스스로 부담을 가지게 되는 문제도 있었다. 이에 경제정의연구소는 다양한 논의 끝에 2012년부터 경제정의기업상의 명칭을 '경실련 좋은 기업상'으로 변경하고, 평가방법과 절차 등도 변경해 4개 업종별 최우수기업을 선정하기 시작했다. 아울러 금융업의 중요성이 부각됨에 따라 금융업 또한 새로운 업종으로 추가되었다. 평가항목 또한 6개 평가항목(건전성, 공정성, 사회공헌도, 소비자보호, 환경경영, 직원만족)으로 조정하고, 평가 지표 또한 금융업을 반영하여 개선하였다. 이후에도 일부 평가지표와 가중치를 개선하여, 2019년 현재 제28회 시상식을 예정하고 있다.

　한편 2014년 국회에서 사회적경제기본법이 발의되면서 사회적 기업이 더욱 활성화될 것으로 전망되었다. 이에 경제정의연구소는 사회적 기업이 지속가능성을 담보하고, 자율경영공시 등을 통해 투명성을 확립할 수 있도록 사회적기업진흥원에 자율 공시를 하는 사회적 기업들을 대상으로 평가 작업을 계획하고, 평가방식과 평가지표를 개발하였다. 평가항목을 공익적 가치(45점), 윤리적 가치(35점), 경제적 가치(20점)로 구분하고, 지표 또한 개발하여 평가 작업과 함께 2015년에 제1회 좋은사회적기업상 시상식을 개최했다. 그리고 2019년 현재 제5회 좋은사회적기업상을 예정하고 있다.

　평가 작업을 통해 기업의 사회적 책임의 중요성과 필요성을 사회적으로 널리 알리기 위해 평가결과를 책으로 발간하는 작업도 진행했다. 1993년에는 '경제정의지수로 본 한국기업의 사회적 성과평가'를 발간했고, 2002년에는 경제정의기업상 10년 평가 및 경영모범 사례집인 '새로운 경쟁력, 기업의 사회적 성과', '윤리경영이 경쟁력이다' 2권을 발간하여, 문화관광부지정 우수도서에 선정되기도 했다.

3. 각계 반응과 성과

1991년 처음으로 경제정의 평가모형에 기반한 경제정의기업상 수상 기업을 발표한 후 많은 언론에 관련 기사가 실렸다. 시민단체에서 받은 상을 홍보하기 위해 수상기업 자체적으로도 언론 광고를 통해 수상에 대한 홍보가 많이 이어졌다. 경제정의지수에 의한 평가모델 및 경제정의기업상은 정부와 국회, 증권거래소 등의 공적 자료를 바탕으로 점수가 부여된다는 특징을 보였는데, 이는 설문조사에 전적으로 의존하는 미국과 일본의 경우와 비교·평가되기도 했다. 제7회부터 12회 시상식까지 한겨레신문사와 공동으로 주최하면서, 한겨레신문사에서는 지면을 상당부분 할애해 대상 및 상위 30위, 50위 기업 목록과 결과 분석 내용을 실었다. 또 당해 수상 기업들의 소개 및 사업내용, 수상기업의 임원 인터뷰 등에 대해서도 상세히 게재하여 일반 시민들의 전반적인 이해에 도움을 줬다.

경제정의기업 평가 이후에 수차례 실시한 상장기업들의 설문조사 결과, 기업들도 경제정의지수에 의한 기업 평가에 상당한 관심을 보인 것으로 나타났다. 기업의 사회적 책임에 대한 중요성이 새롭게 대두되는 상황에서 이를 보여줄 수 있는 대표적인 지표로써 평가받아 왔다. 아울러 28년 동안 축적되어 온 경제정의지수는 기업의 사회적 책임과 관련한 국내에 가장 오래된 일관성 있고, 종합적인 지표로서 연구에 많이 활용되었다. 박사학위와 석사학위 논문, 학술논문, 민간 연구기관의 연구보고서, 공기업 윤리경영모델 지표, 국내 민간 평가기관 지표 등에 많이 활용되어지는 등 기업의 사회적 책임 연구 분야에 커다란 학술적 기여를 하였다.

기업평가 및 시상 활동은 기업들로 하여금 건전하고 정의로운 활동에 관심을 가지도록 유도하는 역할을 해 왔다. 객관적이고 종합적인 지표를 통해서 각 기업의 사회적 책임 수준을 알림으로써 기업입장에서는 부족한 점을 보완하여 경쟁력을 키우는 한편, 건전하고 공정한 기업경영의 책임과 의무를 다하도록 하는데 일조했다. 아울러 우수기업에 대한 시상을 통해 정의로운 기업을 홍보함으로써 사회문제와 관련해 일반 시민들이 가지는 부정적 인식을 고쳐나가도록 하는 데 기여했다.

28년에 걸쳐 좋은기업상 평가와 시상을 해오면서 기업들의 사회적 책임 실천을 유도하고 있지만, 여전히 지배구조, 불공정거래, 오너의 비윤리적 경영 등 많은 문제가 발생하고 있다. 그리고 상을 받은 기업들 또한 이후에

물의를 일으킨 경우도 나타났다. 최근에는 타 기관에서도 사회적 책임과 관련하여 다양한 시상제도가 생김으로써 차별성과 함께, 상의 위상을 높일 수 있는 새로운 전략을 구상해야 하는 과제가 남아 있다.

6 .전경련 해체 촉구 운동

1. 배경 및 취지

전경련의 탄생은 1960년대 초 박정희 정권에서 '경제재건축진회'로 출발하였다. 당시 박정희 정권은 기업인들을 경제건설에 참여시켜 줄 것을 요구했고, 박정희 정권은 공장을 건립해 부정축재를 속죄하고 단체를 만들어 협력할 것을 요구하였다. 아울러 기업들에게 세금과 금융특혜, 시장 독점권을 보장하면서 재벌로 성장시키는 대가로 정치자금의 조달 창구 또는 정권 운영에 필요한 자금을 수금하고 집행하는 역할을 맡겼다. 설립 때부터 정경유착으로 시작된 전경련은 이후 정부의 정책의 결정 과정에 참여하고, 규제개혁이라는 이름으로 재벌들의 이익을 위해 법과 제도를 만들어 왔다. 이렇듯 전경련은 전두환 정권 일해재단 설립자금 모금과 노태우 전 대통령 비자금 제공, 국세청 차장이 개입한 세풍사건, 2002년 대선 시기 한나라당의 차떼기 사건 등 우리사회의 정경유착 부패의 중심에 항상 있었다. 경실련은 1990년 초까지는 전경련의 규제개혁 건의 등의 문제를 비판하다가, 1995년 노태우 전 대통령의 비자금 사건이 대두되면서 전경련이 자진해산할 것을 주장하면서, 전경련 해

사진으로 보는
경실련 30년

Ⅰ. 경실련의
참여와 활동

Ⅱ.
경실련 30년
활동의 성과

Ⅲ. 지역경실련의
활동과 성과

Ⅳ. 경실련과
시민사회의 미래

체 촉구 운동에 나서게 되었다. 하지만 전경련은 자발적 해산 없이, 사건이 터질 때 마다 거짓 쇄신으로 상황을 모면했다. 그러다가 박근혜 정권에서의 재벌들의 국정농단 사건 즉, 미르·K스포츠 재단 불법 모금 관련 사건에 연루되면서, 경실련의 전경련 해체 운동은 극에 달하게 된다.

2. 활동 내용 및 경과

전경련이 재벌과 대기업의 이익을 대변하는 단체인 만큼, 경제정의, 재벌개혁을 주장하는 경실련과 출범이후 경제정책 전반에 걸쳐 부딪혀왔다. 전경련의 정경유착 부패가 본격 드러난 시점은 1995년 노태우 전 대통령 비자금 문제였다. 이는 재벌기업들이 비자금 조성과 정경유착비리의 여건을 조성해왔음이 여실히 드러난 사건이었다. 경실련은 1995년 11월 정책위원회와 상임집행위원회에서 전경련 해산을 실현하기 위한 프로그램을 논의했다. 이후 12월 26일 정책연구위원회에서는 경제개혁 촉구활동 및 재벌개혁을 위한 활동의 일환으로 전경련 해산 운동을 포함시켰다. 이후 1996년 8월 26일 전두환·노태우 전직 대통령 비자금 사건에 대한 1심판결 결과 노태우 전 대통령은 징역 22년 6월이라는 실형을 선고 받자, 경실련은 2일 후인 8월 28일 성명을 발표했다. 즉 "정부는 뇌물공여 재벌기업에 대한 특별세무조사를 실시하고, 전경련은 자진 해산하거나 문화재단으로 전환하라!"는 입장을 발표하며, 자진해산 촉구를 했다. 이후에도 1997년 국세청 차장이 개입한 세풍사건이 터지자 경실련은 김대중 정부 초기에 전경련 해산 촉구 의견을 제시했고, 이후 2002년 대선 시기 한나라당의 차떼기 사건, 2012년 국회의원 자녀캠프 사건 등이 발생할 때 마다 전경련에 대한 비판과, 해산의 필요성을 제기했었다. 전경련은 사건이 터질 때 마다 대국민 사과와 쇄신안, 사회적 책임 실천 계획 등을 발표했지만, 계속해서 재발되었고, 박근혜 정권에서는 국정농단 사건, 보수 시민단체를 통한 간접적 정치개입 등으로 또 다시 도마에 올랐다. 이로 인해 2016년 박근혜 정권에서의 전경련 해체 운동을 집중적으로 전개하게 되었다. 당시 국정농단 사태에 K스포츠재단과 미르재단 불법 모금과 관련이 된 만큼, 전경련 해체 촉구와 두 재단의 설립허가 취소 운동을 동시에 진행하였다.

집중 운동 시작은 2016년 4월 21일 '전경련의 금융실명제 위반 및 조세포탈, 업무상 배임혐의'에 대한 검찰 수사의뢰로 시작되었다. 전경련이 어버이연합에 억대 자금을 지원했다는 의혹이 제기되었기 때문이다. 이후 에는 전경련 해체 촉구 전문가 312명 공동 기자회견(10. 19), 6개 재벌그룹(삼성, 현대차, LG, SK, 롯데, 한화) 대상 전경련 해체 공개질의(10. 26), 전경련 30대 재벌 회원사 회원탈퇴 및 탈퇴시점 공개질의(2017. 1. 11), 2월 임시국회에서 반드시 처리할 18개 개혁입법과제에 전경련 해산 촉구 결의안 제시(2017. 2. 1), 전경련 해산촉구결의안 처리에 대한 국회의원 300인 대상 의견서 발송(2017. 2. 2), 산자부의 전경련 설립허가 취소 촉구 기자회견(2017. 2. 7), 해체를 묻는 원내 5개 정당 공개질의(2017. 2. 8), 대선 후보자 8인에 대한 해체 관련 공개질의(2017. 2. 16), 전경련 및 산하기관의 정부 위원회 참여 실태조사 발표(2017. 4. 7), 지역 경실련 소재 전경련 회원사들의 회원탈퇴 촉구 운동 등 다양한 프로그램을 전략적으로 진행하였다. 이러한 전경련 해체 촉구 운동이 사회적으로 이슈가 되어, 해체 위기를 맞자 전경련은 이후 쇄신안을 발표하고, 사명까지 바꾸기 위한 시도까지 하였다. 하지만 박근혜 전 대통령 탄핵이후 새 정부가 들어서자 다시 한 번 기지개를 켜고 있다. 아울러 해체를 주장했던 문재인 정부 역시 전경련과의 만남을 이어가려는 시도를 하고 있다.

한편 경실련은 2017년 1월 12일 경실련회관에서 <권력형 부패의 산물, 미르·K스포츠재단 해산 촉구 기자회견>을 열어 미르재단과 K스포츠재단을 해산시키고 재산을 국고로 환수하라는 의견을 밝혔다. 또한 여러 차례의 성명을 통해 전경련이 정권의 요구에 따라 재단 설립을 위해 모금 역할을 했다고 보고, 권력과 유착하며 본래 창립 목적을 수행하지 않는 전경련은 더 이상 공익법인으로 유지될 필요가 없으니 스스로 해체할 것을 주장했다. 나아가 두 재단에 대한 청산계획 등을 묻는 공개질의(2017. 2.9)를 주무관청인 문체부에 진행했으며, 지속적으로 청산을 촉구하는 성명서를 통해 문체부를 압박했다.

3. 각계 반응과 성과

해체 운동을 최초 시작했던 1995년 경실련에서 전경련의 해산을 공식적으로 요구하면서, 한겨레신문은 11월 11일 지면 기사에서 "시민운동단체가 전경련 해산운동에 나서는 것은 전례가 없는 일"이라며 노태우 전 대통령 비자금 사건과 전경련에 대한 경실련의 입장을 상세히 설명했다. 동아일보는 11월 29일 지면 기사를 통해 전날 종로성당 강당에서 개최된 〈정경유착 근절을 위한 경제개혁과제 토론회〉 개최 소식을 알리며, 토론회 발제자들의 공정거래위원회 권한 강화 및 전경련 해산 의견을 보도하였다.

2016년 전경련 해체 촉구 집중운동을 전개했을 때는 경실련의 다양한 운동 전략을 통해 정치권과 정부, 시민사회의 이슈화가 되었다. 이로 인해 20대 국회에서는 전경련해산촉구결의안이 발의되어, 논의가 이루어졌다. 아울러 원내정당들과 대선후보자들에 대한 공개질의를 통한 압박으로 전경련 해체에 찬성한다는 답변을 얻어내기도 했다. 정부에서는 전경련 해체에 대한 권한을 가진 산업통상자원부에 대한 해체 촉구 압박과 전경련 및 산하기관이 정부위원회에 얼마나 참여하고 있는지를 드러냄으로써 정부 위원회에서 전경련 패싱(passing)이 이루어지기도 했다. 언론 또한 전경련이 이슈인 만큼, 경실련의 운동 프로그램에 대해 지속적으로 관심을 가지고, 보도를 했다.

전경련 해체 촉구 운동의 성과는 2016년 국정농단 사태와 맞물려, 집중 운동 시기에 주로 나타났다. 특히 삼성, 현대차, SK, LG 등을 포함한 주요 재벌 회원사를 대상으로 한 회원탈퇴 압박으로 인해 삼성, 현대차, LG, SK, 포스코, KT, OCI, 대림산업 등 주요 회원사들의 탈퇴를 이끌어 냈다. 아울러 지역경실련과의 협력으로 인해 지역 경실련 소재 일부 전경련 회원사들의 탈퇴도 이끌어낸 성과가 있었다. 이로 인해 전경련 예산이 40%까지 축소되는 등 전경련 운영에 심대한 타격을 줬다. 경실련의 해체 촉구 운동으로 위기에 몰린 전경련은 2017년 3월 7일 '전경련 역할 재정립과 혁신방향 토론회'를 개최하면서, 시민단체 유일하게 경실련을 패널로 참석을 요청했다. 이날 경실련 권영준 중앙위의장과 박상인 재벌개혁위원장이 참석하여, '거짓 쇄신 작업을 중단하고, 스스로 해체 할 것'을 강력히 요구하면서, 당시 전경련 관련자들이 긴장감을 더하게 만들었다. 정치권과 정부를 대상으로 한 전경련 해체 촉구 프로그램은 원내 5개 정당의 후보자로부터 전경련 해체에 찬성한다는 답변을 얻어 냈으며, 주요 대선 후보자 8인에 대해서도 전경련 해체를 찬성한다는 의견을 회신 받았다. 한편 전경련 해체 촉구와 함께 진행했던 미르 · K스포츠재단은 사실상 해산시키는 성과를 얻기도 했다. 정부와 전경련의 고리를 차단하기 위한 전경련의 정부위원 배제 촉구는 2017년 3월 기준 12개 위원회 12명 참여에서 2019년 4월 기준 2개 위원회 3명이 참여하는 수준으로 낮추는 성과도 있었다. 그럼에도 불구하고 전경련을 해체시키지는 못한 한계가 있었다. 아울러 전경련 해체에 찬성했던 문재인 정부 출범 이후에도 점차 전경련과 만남을 이어가려는 시도가 있어, 지속적인 모니터링이 필요한 상황이다.

7. 금융실명제 도입 운동

1. 배경 및 취지

금융실명제는 은행의 예금 · 주식거래 등 금융거래를 할 때 거래자 본인의 이름으로 하도록 하는 제도다. 금융실명제는 김영삼 정부 시절인 1993년 8월 12일, '금융실명거래 및 비밀보장에 관한 긴급명령'에 따라 최초로 도입됐다.

금융실명제에 대비되는 개념은 금융비실명제다. 금융자산의 거래에 가명 또는 무기명 거래를 함으로써 돈세탁, 비자금, 상속 및 증여 탈세, 부동산 투기, 뇌물 등의 불법과 부정부패가 가능해진다. 우리나라는 군사정부 시절인 1961년 7월, 국민저축을 늘린다는 명분으로 「예금

사진으로 보는
경실련 30년

I. 경실련의
창립과 활동

II.
경실련
30년
활동의 성과

III. 지역경실련의
활동과 성과

IV. 경실련과
시민사회의 미래

적금 등 비밀보장에 관한 법률」이 제정돼 비실명·무기명·가명 거래를 허용했다. 예금과 적금, 유가증권과 채권 등 모든 금융자산의 거래를 실명이 아닌 차명으로 가능하게 한 것이다. 이에 따른 부작용으로 우리사회에는 자금세탁을 비롯해 비실명 금융거래를 통한 정치자금조성 및 뇌물수수, 부외거래, 재벌의 경제 집중 등 온갖 부정과 부패 및 부조리가 만연해지게 됐다.

전두환 정권시절인 1980년에 들어와서는 대형금융사고가 연이어 터진다. 1982년 5월 대검찰청 중앙수사부가 외국환관리법 위반혐의로 구속한 '이철희·장영자 사건'은 금융사기 사건이자, 정치자금조달 의혹까지 받았던 대표적인 금융가명 부패사례다. 당시 장영자는 전두환의 처삼촌 이규광의 처제였고, 남편 이철희는 중앙정보부 차장을 지낸 경력이 있었다. 이러한 권력을 이용해 공영토건 등의 업체로부터 편취 또는 차용형식으로 7,111억 원에 달하는 어음을 받아 사채 시장에서 할인을 해, 총 6,406억 원에 달하는 거액의 자금을 조성했다. 이 사건으로 국민들의 분노가 극에 달하자 전두환 정권은 금융실명제 실시를 언급하고, 1982년 7월 3일 '사채 양성화와 관련한 실명거래제 실시와 종합소득세제 개편방안'을 발표 하면서 부칙에 그 시행시기를 1983년 1월 1일로 명시했다. 하지만 1982년 11월 22일 민정당의 금융실명제 수정안으로 실명제의 전면시행 시기를 1986년 1월 1일 이후 전산화 등 행정준비와 경제여건을 감안하여 대통령령으로 정하도록 위임함으로써 그 시행이 무기한 유보되었다.

금융실명제 논의가 다시 등장한 것은 1987년 대선을 앞둔 시점이다. 당시 노태우 후보가 대선공약으로 '경제의 도덕성 회복 및 부의 공정배분의 경제윤리'를 내세우며 금융실명제 실시를 공언했다. 1988년 10월 경제기획원은 '경제의 안정성과 선진화합경제 추진대책'을 통해 토지기록전산화와 종합토지세제 도입을 정착시킨 후 1991년부터 금융실명제와 금융소득종합과세제를 실시하겠다고 공표했다. 그리고 같은 해 12월 5일 개각으로 조순 경제팀이 등장하면서 금융실명제를 1991년부터 전면 실시할 것을 천명하였다.

1989년 4월 금융실명제와 금융자산소득 종합과세 실시준비를 위한 대책기구로 재무부 산하 '금융실명거래실시준비단'이 발족되었다. 같은 해 7월, 민정당 이종찬 총장은 9월 시작하는 정기국회에서 금융실명제 실시를 위한 법적 보완장치를 마련하겠다고 밝히기도 하였으나 고소득층, 정치권, 기업인, 금융기관 등 기득권의 반대에 따라 노태우 정권은 1990년 4월 5일 '경제활성화종합대책'을 통하여 금융실명제의 전면적 시행을 무기한 연기했다. 1989년 출범한 경실련은 1991년부터 실시가 예상되었던 금융실명제가 또 다시 좌절되는 것을 보며, 완전한 금융실명제의 도입과 시행을 반드시 이루어내겠다는 신념하에 본격적인 운동을 전개하게 되었다.

2. 활동 내용 및 경과

금융실명제 도입운동은 크게 도입촉구와 도입이후 수정 및 보완, 폐기에 대한 저지운동으로 나눌 수 있다.

1) 도입촉구기

금융실명제 도입에 관한 시민사회의 운동은 경실련의 출범과 함께 시작됐다. 경실련은 1989년 7월 8일 발기선언문에서 "경제적 불의의 만연으로 인하여 현재 우리의 공동체는 와해직전의 위기에 처하여 있다. 부동산투기, 정경유착, 불로소득과 탈세를 공인하는 금융가명제, 극심한 소득격차, 불공정한 노사관계, 농촌과 중소기업의 피폐 및 이 모든 것들의 결과인 부와 소득의 불공정한 분배, 그리고 재벌로의 경제력 집중, 사치와 향락, 공해 등 이 사회에 범람하고 있는 경제적 불의를 척결하고 경제정의를 실천함은 이 시대 우리 사회의 역사적 과제"라고 선언하고 정부 금융실명거래실시준비단과 한국은행 등을 주축으로 한 은행단 금융실명준비위원회 등의 움직임을 면밀하게 모니터링 하고 금융실명제 도입의 파급영향 분석, 정부 개각에 따른 실명제 후퇴 저지 운동 등을 전개하였다. 그리고 1990년 4월 5일 노태우 정권의 금융실명제 무기한 연기 발표 이후에는 이 제도의 본격적인 도입을 촉구하는 운동을 전개하였다.

무기한 연기된 금융실명제 도입을 위해 1990년 4월 25일 '금융실명제를 전면 실시하라'는 주제로 대국

민 공청회를 개최하고 금융실명제의 사회경제적 의의, 도입의 정치경제학, 실명제 찬반논의의 핵심, 금융실명제 실시의 기본전제, 추진방법, 조속한 실시촉구의 이유, 부작용 방지대책 등을 상세히 제시하였다. 1991년 5월 17일에는 경실련이 정부와 정치권에 제시한 '경제제도개혁방안'의 핵심과제에 금융실명제의 조속한 실시를 포함시켰다. 정부가 각종 이유를 붙여 금융실명제 실시를 계속 유보시키는 것은 국민을 속이는 것이라는 시민의 여론을 주도하고 이 제도의 강력한 실시운동을 전개하였다.

경실련은 금융실명제 도입을 위해 당시 발표하는 성명과 캠페인 등 모든 분야에 '금융실명제의 조속한 도입', '금융실명제의 조속한 시행'이라는 내용을 핵심으로 부각시켰다. 1991년에는 수서지구 택지 특혜 분양 사건(수서사건)에 대한 재수사 촉구와 함께 정경유착 부패척결을 위한 금융실명제 도입 시민대회를 개최하고 1992년에는 총선과 대선을 앞두고 발표한 '우리사회 이렇게 바꾸자'라는 정책자료집에서도 각 후보들에게 금융실명제 도입을 강력히 촉구하였다. 또한 각 당의 경제정책과 금융실명제 도입에 대한 입장을 비교·평가 한 자료를 발간하여 이를 정책에 반영해 줄 것을 압박하였다. 경실련의 끊임없는 성명발표와 대시민 캠페인, 연대 활동은 금융실명제 도입의 물꼬를 트게 되었다. 당시 대부분의 언론과 정치인들은 경실련이 공론화시킨 금융실명제를 심도있게 다루었다. 경실련은 그 간의 논의를 '금융실명제'라는 단행본으로 정리하여 시민사회에 제공하였다.

경실련 출범 후 4년에 걸친 집중적이고 끈질긴 운동 끝에 김영삼 정권은 1993년 8월 12일, '금융실명거래 및 비밀보장에 관한 긴급명령'을 발표하였다. 이에 경실련은 "금융실명제 실시를 적극 환영한다."(1993. 8. 12.)는 성명을 발표하고 "(금융)실명제실시 발표는 기득권층에 대한 온 국민의 승리로서 우리는 이 감격을 전체 국민과 함께 한다"는 뜻을 표명하였다.

2) 도입 후 보완운동기

경실련은 금융실명제 도입 당시 금융실명제의 전면적 실시에 따른 일시적 부작용에 관한 우려가 제기되자 이를 해소하기 위한 방안을 마련하였다. △소득세·법인세·부가가치세 등 전반적인 세율의 대폭인하, △상속세 기초공제액 대폭 인상, △부동산투기를 막기 위한 토지세제 대폭 강화, △부동산실명제 실시, △종합토지세의 과표 공시지가로 현실화, △양도소득세의 비과세감면규정 폐지, △농지임야 전용시 개발이익을 환수하는 장치마련 등이 그것이다. 1993년 11월 19일에는 금융실명제 정착과 공평과세 확립을 위한 세법개정청원을 통해 금융실명제를 정착시키고자 했다. 세법개정안에는 소득세 기본세율 인하조정, 부가가치세율 인하, 특별소비세 부과대상에서 소형냉장고, 세탁기, 컬러텔레비전 등 제외, 조세감면규제법 폐지, 법인세율 인하(중소기업 15%, 대기업 25% 수준), 토지에 대한 자산재평가 금지, 상속세기초공제 3억 원 등으로 개정하는 내용이 담겼다. 이후 경실련은 실명제에 대한 평가와 과제를 통하여 이 제도의 시행과 관련하여 논의되는 우려를 해소하기 위하여 노력하였다. 정부는 경실련의 제안사항을 반영하여 부동산에 대한 실물투기를 억제하고 자금의 해외유출을 방지하며 중소기업에 대한 특별자금을 제공하는 등의 보완대책과 금융자산에 관한 누진세율과 공제제도의 도입 등 종합과세대책을 수립하여 시행하였다.

3) 대체 입법으로 유명무실해진 금융실명 살리기 운동기

김영삼 대통령 긴급명령에 의해 시행돼 오던 금융실명제는 1997년 12월, 대선직후 당시 여야 3당이 무기명 장기채 발행, 금융소득 종합과세 무기한 유보, 금융거래 비밀 철저 보장 등을 포함한 대체 입법의 형태로 처리되었다. 이로써 '금융실명거래 및 비밀보장에 관한 법률'이 제정됐지만, 내용에 있어 차명거래가 제도적으로 허용되고 비실명거래의 영역이 확대되는 등으로 무기력하게 되었으므로 이후 경실련은 실명제 도입의 취지를 살리기 위한 운동을 지속적으로 전개하였다. 경실련은 차명거래를 악용한 각종의 정치적 비자금 사건과 재벌의 재산 은닉 등의 사태가 지속적으로 발생하는 것을 크게 우려하고 금융거래의 가명, 차명 및 도명거래를 방지하기 위한 제도개선 방안을 제시하고 2010년 10월 29일 입법청원을 통해 금융거래자에 대한 실명제시 의무, 차명거래 계좌의 금융자산 가액에 대한 과징금 부과, 차명계좌에 대한 명의 대여자의 명의를 대여 받아 이용한자 및 금융실명거래 위반 금융기관 임직원 등에 강도 높은 처벌 마련 조항을 넣기 위해 노력하였다. 경실련의 노력은 그 일부가 2014년의 법률개정에 반영되었으나 불법목적이 아닌 일반차명거래자를 처벌에서 제외하고 비분쟁차명거래에 대한 효과적인 근절책이 제시되지 않았기 때문에 시민사회와 함께 계속하여 감시의 눈을 떼지 않고 있다.

3. 각계 반응과 성과

　　금융실명제 도입촉구 집중운동을 벌였던 1990년에서 1993년까지 언론은 물론, 정치권, 정부, 국민 등 사회전반이 경실련의 활동에 주목했다. 3년 간 발표했던 수십 건의 성명과 캠페인 등에 대해서도 언론에서는 비중 있게 보도했다. 노태우 정부가 끝나고, 김영삼 정부가 들어서기 전후의 집중 활동은 당시 정부와 정치권을 움직이게 만들었다.

　　긴급명령으로 도입된 금융실명제는 1997년 대체입법이 제정되면서 제도가 일부 무력화 된 측면은 있지만, 가명과 무기명 거래의 방지를 통해 금융거래의 투명성을 정착시킨 것은 대표적인 경실련 운동의 성과로 볼 수 있다. 경실련이 주도해 진행한 금융실명제도입 운동은 당시 기득권층(고소득층, 정치권, 금융기관, 재벌기업)의 거센 반발을 뚫고도 성공시켰다는 점에서 시민운동의 대표적인 사례로 자리매김했다. 1993년 8월 12일의 도입발표 다음 날 언론에서는 "금융실명제 발표에 경실련 쟁취 자축연"(매일경제, 1993. 8. 13)을 보도한 기사를 보면, 이 제도의 도입이 경실련의 운동성과로 광범위하게 인정되고 있었던 사정을 알 수 있다.

　　경실련은 금융실명제가 도입된 지 20년이 지난 시점인 2013년 8월 12일 성명을 통해 "반쪽자리 금융실명제, 금융실명제 도입 목적에 맞게 차명거래 전면 금지해야"라는 제목의 성명을 발표했다. 2014년도의 법률개정으로도 여전히 남아 있는 숙제이다. 따라서 향후에 차명거래와 관련한 금융 및 통화제도 전반을 점검하고 악용이나 남용이 가능한 제도적 공백을 정비해야 하는 과제가 남아있다.

8. 한국은행 독립 촉구와 관치금융 척결 운동

1. 배경 및 취지

　　한국은행의 독립성 문제는 「한국은행법」 제정된(1950년 5월 5일) 이후 1962년 한은법의 1차 개정 무렵부터 시작된 것으로 본다. 당시 한은법 개정으로 인해 독립성이 보장되었던 한국은행이 당시 재무부에 예속된 산하기관으로 전락하였고, 이후 1987년 까지도 여러 차례 개정이 있었으나, 더욱 독립성은 결여되어지고 말았다. 한국은행의 독립성 문제는 제6공화국이었던 노태우 정부가 출범하면서 한국은행은 물론, 학계와 경제계 등 사회적으로 독립성 촉구가 이어졌다. 당시 "한은독립성, 경제민주화 버팀목"(1987. 8. 5. 매일경제)이란 제목의 언론보도를 보면 당시의 상황이 잘 나타나있다. 이 기사보도에는 한은직원들이 '한은 본래의 기능회복을 위한 독립성 및 중립성 보장이 경제민주화의 첩경'이라며, 개정헌법에 명시해 주도록 촉구하는 내용도 나온다. 오죽했으면 그 전까지 한은독립성 약화로 이익을 봤던 재벌연합체인 전경련까지 한은독립성을 요구했다. 그만큼 발권력을 가지고 통화정책을 수행하는 한국은

행을 재무부가 관치를 통해 통제함으로써 금융자율성이 보장되지 않았고, 정부정책이나 정치적 이해에 따라 한국은행이 악용되어, 우리 금융시장의 리스크가 커졌기 때문이다. 당시 재무부 장관은 금융통화운영위원회 의장을 겸직하였고, 한국은행의 감사 임명권도 가지고 있었다. 노태우 정부는 이러한 독립성 문제를 개선하려는 사회적 요구에도 한국은행에 있던 은행감독원만 재무부로 이관시키고, 한국은행의 실질적 독립은 회피하려 하였다. 이러한 사회적인 문제제기에 따라, 1987년 8월 헌법개정특별위에서 한국은행법을 개정하여, 독립성을 보장하기로 합의하였지만, 시간이 지남에 따라 정부와 여당은 중앙은행을 통제하려는 입장을 취했고, 결국 재무부는 1989년 11월 금융통화운영위의 건의를 받아들이는 형태로 한국은행 독립논의 자체를 무산시켰다. 이후 경실련은 출범과 함께 행정부의 한국은행을 통한 관치금융의 문제점을 심각히 보아 한은법 개정을 통해 한국은행의 독립성을 우선적으로 확보하고, 관치금융을 청산하고자 설립과 동시에 본격 운동을 추진하게 되었다.

2. 활동 내용 및 경과

경실련은 출범과 동시에 1989년 11월 8일 공청회를 개최하여, 한은법 개정방향을 제시하였다. 하지만 한은법 개정에 대한 의지가 없는 노태우 정권에서는 독립성 확보를 위한 법 개정은 쉽지 않았다. 이후 경실련은 김영삼 정권이 출범한 후, 독립성 확보를 위해 전문가들의 성명을 시작으로, 법 개정 운동에 재차 집중적으로 나섰다. 당시 중앙은행인 한국은행이 관치의 문제가 가장 심각했던 만큼, 한국은행 독립촉구와 관치금융 척결 운동은 같은 맥락에서 진행되었다. 이는 경실련 운동사 중 1990년대의 주요 활동 중 하나였다.

1994년 물가불안정 문제가 발생하는 등 독립성의 결여로 인한 통화신용정책의 문제가 발생하자 당시 경실련 소속 학자를 포함한 경제학자 41인은 5월 20일 중앙은행 독립을 촉구하는 성명을 발표했다. 한 걸음 더 나아가 1994년 10월에는 중앙은행 독립을 위한'한국은행법 개정청원'을 하여, 제도개선을 위한 국회와 사회적 논의의 장을 만들었다. 당시 법률안의 골자는 독립성 확보를 위해 재무부장관이 맡는 금융통화운영위원회 의장을 한국은행 총재가 맡도록 하고, 자율성 확보를 위해 재무부장관의 재의요구권, 업무검사권, 정관변경승인권 등은 폐지하며, 한국은행 예산권은 현행대로 금융통화 운영위가 보

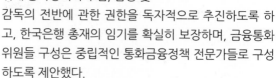

경실련 30년, 다시 경제정의다

유하도록 제안했다. 또한 통화가치 안정을 최우선 목적으로 하기 위해 통화정책의 수립, 집행 및 감독의 전반에 관한 권한을 독자적으로 추진하도록 하고, 한국은행 총재의 임기를 확실히 보장하며, 금융통화위원들 구성은 중립적인 통화금융정책 전문가들로 구성하도록 제안했다.

이후 1995년 초 정부조직개편이 있었으나, 한국은행의 독립은 배제되고, 오히려 경제기획원과 재무부를 수평으로 통합하여 출범한 재정경제원이 금융정책운영의 전권을 가지는 문제가 발생했다. 이에 경실련 주도하에 시민사회 및 노동계와 함께 동년 3월에 열린 임시국회를 겨냥하여 1000명이나 되는 경제학자를 동참시켜, 소위 '한국은행 독립촉구 경제학자 1천인 성명'을 발표했다. 이렇듯 사회적인 개정 촉구 움직임이 뜨겁게 일자 정부는 국회에 마지못해 「한국은행법 개정안」을 제출했지만, 이는 오히려 중앙은행을 공중분해 시키는 안이었다. 이에 경실련 주도하에 1995년 4월 17일 '한국은행독립 대토론회'를 개최하게 되었다. 이날 토론회에서는 "정부안은 재정경제원장관의 제청에 의해 임명된 금융통화운영위원회 의장이 한은총재를 맡게 한 것이다. 이는 한국은행을 재정경제원 산하의 일개 집행부서로 격하시키고, 한은총재를 이 부서의 장으로 전락시키는 것이다."며 비판의 목소리가 이어졌다. 이 외에도 당시 정부안은 한국은행에서 은행감독원을 분리시키고, 금통위가 중요한 통화신용정책에 대해 재정경제원과 반드시 사전에 협의해야 하는 의무조항 신설, 재정경제원 장관의 금통위 결정에 대한 재의요구권 보유 등 사실상 한국은행의 정부예속을 강화시켜 버린 것이다. 한국은행의 독립 문제는 1997년 1월 대통령 직속 금융개혁위원회가 출범하여, 한은법 개정 등 금융개혁안을 수립하면서 절정으로 치달았다. 1997년 경실련은 성과를 위해 더욱 집중적으로 운동을 전개하였다. 당시 주요 운동 내용은 다음과 같다.

한국은행 독립과 금융감독체계 개편 방향에 관한 공개토론회 (1997. 5. 29.)
한국은행법 개정 청원(1997. 6. 12.)
관치금융 청산과 중앙은행 독립을 위한 금융전문가 공동성명 (317명, 1997. 7. 3.)
정부 한국은행 개정법률안 원점에서 제고 촉구(1997. 8. 7.)
정치권의 관치금융 강화하는 한은법 및 금융감독통합기구 설치법안 강행처리 중단촉구 성명(1997. 11. 13.)

사진으로 보는
경실련 30년

I. 경실련의
정립과 활동

II.
경실련 30년
활동의 성과

III. 지역경실련의
활동과 성과

IV. 경실련과
시민사회의 미래

1997년 12월 정부의 한국은행법 개정안이 여야 합의로 국회를 통과하면서, 한국은행 독립촉구 운동은 소강기를 맞이한다. 당시 통과한 법안에 대해 경실련은 은행, 보험, 증권감독원 등 3개 금융감독기관을 통합한 금융감독위원회를 재경원 산하로 두는 것에 대한 문제를 지적했다. 아울러 금통위 위원장직을 한은총재가 맡게 됨에 따라 독립성이 강화된 듯 보이나, 외환시장 및 제2금융권에 대한 통제력이 부여되지 않았고, 금융시장의 감시와 감독권마저 상실하게 되는 것에 대한 문제를 제기하며, 실효성 있는 법안을 요구했다. 이후에도 경실련은 한국은행 독립을 위해 정권의 조직개편과 법개정 논의가 있을 경우, 지속적으로 의견을 개진하고, 국민여론을 힘입어 국회와 정부를 압박했다.

> 한국은행법 시행령 개정에 대한 경실련 의견(1998. 3. 7.)
> 금통위원 인선에 대한 경실련 입장(1998. 3. 23.)
> 한국은행 총재 및 금통위원 인사에 관한 경제전문가 대상 여론조사(2002. 3. 4.)
> 한은법 개정안에 대한 경실련 의견(2003. 7. 22)
> 한은총재 선임에 관한 전문가 설문조사(2010. 3. 14)
> 한은 및 김중수 총재 역할에 대한 전문가 설문조사(2011. 10. 14)
> 재경부 남대문 출장소를 스스로 자초한 한국은행 규탄 성명(2011. 2. 14)

경실련은 한은독립촉구와 함께 관치금융 척결을 위해서는 지속적인 운동을 전개해 왔다. 이는 2000년 2월 28일 금감위가 "공적자금을 투입한 은행장의 선임에 대하여 대주주로서의 의견개진을 할 수 있다"라고 언급한 것에 대해 경실련은 "관치금융의 근절은 금융개혁의 제1원칙이 되어야 한다." 며 강력한 입장을 밝혔다. 2016년에 와서는 산업은행 등 국책은행을 동원한 기업구조조정 문제, 관치를 가능케 하는 기업구조조정촉진법 폐지 등의 운동을 전개하기도 했다.

3. 각계 반응과 성과

한국은행법은 법이 제정된 1950년 5월 5일 이후, 1962년 5월 24일 첫 개정이후, 2018년 3월 까지 총 11차례 개정이 되었다. 1997년 6월 13일 경실련은 동년 6월 12일 재정경제원 장관이 맡고 있는 금통위 의장을 한은총재가 겸임, 한은총재의 임명은 국회 동의를 통한 대통령이 임명, 통화신용정책 대상 제2금융까지 확대 등을 골자로 하는 「한국은행법 개정청원」을 진행하였다. 이에 대해 당시 언론은 "경실련, 한은법 개정안 입법청원"(1997. 6. 13 매일경제), "경실련이 금융개혁위원회 안 보다도 한은 독립성을 한층 강화한 내용을 한은법 개정안을 입법청원, 시선을 끌었다."(1997. 6. 13. 경향신문) 등으로 비중 있게 조명했다.

경실련을 비롯한 시민사회단체가 특히 집중했던 1997년 말에는 정부와 여야국회가 움직여 한국은행법이 전부개정 되는 성과도 있었다. 1997년 12월 경제학자 1000명 성명 등 각계각층의 여론을 모으는 집중적인 활약이 있었기에 가능했던 것이다. 정부개정을 이끌어 내는 데는 경실련의 기여가 컸음을 당시 언론을 보면 나타나있다. 당시 전부개정안은 은행감독기능 분리, 금통위의장을 기존 재정경제원장 겸임에서 한은총재 겸임으로 변경, 금통위원 9인에서 7인으로 축소, 통화신용정책의 중립적

수립 및 자율적 집행 명시, 한은총재 임명방식을 국회 동의를 얻어 대통령이 임명하도록 개정되는 등 미흡하지만 독립성 확보에 상당한 진척이 있었다.

이후에도 몇 차례의 한은법 개정이 있었으나, 물가안정을 정부와 협의토록 하는 등 여전히 관치적 요소가 남아 있다. 아울러 산업은행 등 국책은행을 통한 기업구조조정에 있어서의 관치금융의 폐단을 일삼고 있다. 즉 형식적으로 독립되어 있는 것처럼 보이지만, 금리정책, 물가안정정책, 통화정책, 구조조정 정책 등에서 정부의 입김에서 자유롭지 못한 상황이다. 이는 실질적인 독립을 위해 경실련이 향후에도 해결해야 할 과제로 남아 있다.

9. 금융소득종합과세 강화 운동

1. 배경 및 취지

금융소득종합과세 강화운동은 '금융실명제 도입' 운동과 궤를 같이 한다. 1990년 초에는 금융자산에 대해 종합합산을 통한 누진세율을 적용하지 않고, 일률적으로 비례세율인 16.5%의 세율을 적용해 금융자산의 액수가 많을수록 소득 대비 상대적으로 적은 비율의 세금을 내는 상황이었다. 결국 금융실명제를 하지 않을 경우 종합합산 자체가 불가능해져 이러한 불공평한 조세체계를 개선키가 어려웠다. 때문에 1989년 출범 초기부터 경실련은 '금융실명제'를 실시하고, 이에 따라 종합과세를 해야 한다는 정책방안을 제시했다.

경실련은 1993년 8월 12일 금융실명제가 도입될 때만 해도 금융소득종합과세 또한 멀지 않아 실시될 것이라고 생각했다. 당시 김영삼 정부도 금융실명제 도입을 발표하면서 금융소득에 대한 종합과세는 1996년부터 단계적으로 실시하고, 주식양도차익 과세는 임기 중 실시하지 않는다고 공언했기 때문이다. 김영삼 정부는 "금융실명제가 뿌리내리기 위해서는 금융자율화와 금리자유화, 그리고 한국은행의 독립 등의 실질적인 금융개혁, 금융자산소득에 대한 종합과세 및 토지세제의 강화 등의 근본적인 세제개혁을 시급히 단행해야 한다."고 피력했었다. 1996년 약속대로 금융실명제의 후속조치로 도입했지만, 1997년 말 발생한 외환위기로 전면 유보되면서 재도입을 위한 운동이 전개되었다.

2. 활동 내용 및 경과

금융소득종합과세 강화운동은 금융실명제를 강화하는 기본조건이었던 만큼, 실명제 도입이 되기 전까지는 정책패키지로 묶어서 함께 운동을 진행했다. 1993년 8월 12일 금융실명제가 도입된 후 정부의 도입약속도 있었지만, 경실련은 실효성 있는 대안으로 확실한 도입을 촉구하며 지속적인 활동을 전개했다.

1993년 금융실명제가 도입되던 해에는 정착을 위해 종합과세로의 이행을 위한 '선택과세제도' 도입을 주장했다. 1993년 11월 당시 이자 및 배당소득에 대한 분리과세 세율이 21.5%였는데, 고소득자에게는 과도하게 낮은 세율이었다. 따라서 종합과세의 복잡성과 행정의 변화가 필요한 점을 인정하고, 1996년 전면과세가 되기 전까지 부분적 종합과세를 잠정적으로 미리 실시하자는 안이었다.

1997년 2월 19일 신한국당 이홍구 대표는 저축을 늘리기 위해서는 금융종합소득과세 실시에 따른 적극적 보완조치들이 필요하다고 밝혔다. 이에 따라 실시 시기도 연기하고, 과세기준금액을 4천만 원에서 5천만 원 이상으로 상향조정하는 안을 제시했다. 이에 경실련은 즉각 '신한국당은 금융소득종합과세 무력화 시도를 즉각 중단하라'는 입장을 발표하고, 금융종합소득과세 무력화 및 유보 저지 운동에 나섰다.

하지만 1997년 말 외환위기가 발생하자, 12월 29일 「금융실명거래 및 비밀보장에 관한 법률」이 제정되면서 「금융실명거래 및 비밀보장에 관한 긴급명령」의 내용이 무력화됐다. 사실상 금융실명제가 폐지된 수준에 이르렀다. 이 대체입법으로 인해 금융소득종합과세 또한

전면 유보되었다.

이후 경실련은 1998년 3월 금융실명제 살리기 내부 대책회의를 통해, 금융실명제와 함께 금융종합소득과세를 재실시하기 위해 다양한 운동을 기획했다. 이후 4월에 금융소득종합과세에 대한 경실련안을 재경부에 제출하고, 금융실명제 살리기 집회를 지속적으로 개최해 정부를 압박했다. 하지만 김대중 정부는 1998년 9월 4일 세제개편안에서 금융소득종합과세를 여전히 배제하게 된다. 경실련은 금융소득종합과세 시행 없는 세제개편은 무의미하다는 논평을 내면서 즉각 재실시를 촉구했다. 이후 1998년 11월 6일 정부는 금융소득종합과세를 재실시 할 것을 검토하고 있다고 밝혔지만 아무런 진척이 없었다. 이에 경실련은 즉각 '금융소득종합과세 실시를 촉구하는 국회의원 팩스보내기 운동'으로 정치권을 강력하게 압박하였다. 그럼에도 정부와 정치권은 수개월의 시간을 끌며 소극적 자세로 일관했다.

1999년 7월 22일 당시 강봉균 재정경제부 장관이 또 다시 금융소득종합과세의 재실시 여부에 대한 조속한 판단과 관련법안 국회 제출 가능성을 시사했다. 하지만 정부는 같은 해 8월, 정기국회를 앞두고 금융소득종합과세 실시를 위한 소득세법을 개정하되, 실시시기는 2001년으로 정하는 방안을 검토하고 있다고 밝혔다. 경실련은 즉각 성명을 통해 '국회 및 정부는 금융소득종합과세 재실시 연기 음모를 중단'할 것을 촉구했다. 1999년 12월 28일 금융소득종합과세 재실시를 위한 소득세법개정안이 통과됐지만, 시행시기는 2001년 1월로 늦춰졌다.

금융소득종합과세 재실시가 이루어지고 20년 가까이 지났지만, 경실련은 여전히 금융소득에 대한 완전종합과세를 주장하고 있다. 금융소득종합과세는 2013년 분리과세 기준금액이 4,000만원에서 2,000만원으로 낮아져 지금까지 이어져 오고 있다. 2,000만원이란 금액은 일반 근로소득에 비해서는 상당한 금액이다. 이에 경실련은 2000만원에 대한 분리과세를 없애고, 완전종합과세로 가도록 세법개정안 건의, 의견서 제출 등을 적극 전개하고 있다.

3. 각계 반응과 성과

경실련이 출범 초부터 금융실명제와 함께 지속적으로 강화 운동을 진행함에 따라 김영삼 정부에서 금융실명제 후속조치에 담기는 성과가 있었다. 이후에 대체입법으로 인해 무기한 연기되는 등 아쉬움이 있었지만, 재도입 촉구 운동으로 2001년 1월부터 다시 시행되는 성과도 있었다. 당시 경실련의 활동으로 금융소득종합과세에 대해 정부와 정치권, 언론들의 관심도 높았다. 1994년 12월 경실련의 세제개혁안 제시나 1998년 금융소득종합과세 재실시를 촉구하는 경실련의 주장은 언론에 비중 있게 보도되었다. 1998년 11월에 진행했던 국회의원 대상 금융소득종합과세 촉구 팩스보내기 운동은 당시 큰 반향을 불러왔다. 정부와 국회의원을 대상으로 한 다양하고 적극적인 운동이 금융소득종합과세를 실시하도록 정치권과 정부를 움직인 것이라고 볼 수 있다.

경실련은 2013년 이후로는 금융소득에 대한 분리과세 제도를 없애고, 완전종합과세로 개선 할 것을 주장하고 있다. 하지만 금융소득과세 기준금액 2,000만원이 그대로 남아 있어, 조세의 형평성 제고 차원에서 완전종합과세로 개선해야 하는 큰 과제를 안고 있다. 조세제도는 직접적으로 돈과 관련된 만큼, 고소득층, 기득권층의 저항을 넘어서야 하는 문제도 있다.

10. 금산분리 강화 운동

1. 배경 및 취지

금산분리 강화는 금융을 이용한 재벌의 경제력 집중과 이에 따른 금융건전성의 악화를 방지하기 위하여

문재인 정부 은산분리 완화정책 철회 촉구 기자회견
대통령과 정부는 혁신성장을 가장한 은산분리 완화정책 즉각 철회하라!
일시: 2018년 8월 9일 (목) 오전 11시 30분   장소: 청와대 앞 분수광장   주최: 경제정의실천시민연합

필요한 조치이다. 경실련은 1991년 5월 29일 '재벌의 경제력 집중, 문제점과 대책에 관한 공청회'를 통하여 경제력 집중 억제를 위한 대책으로 금산분리 강화를 제시하였다. 당시 산업자본인 재벌의 금융자본 소유가 심각했다. 재벌의 은행·주식 소유 현황을 보면, 1988년 말 기준 삼성은 제일은행 5.3%, 한일은행 6.3%, 상업은행 11%, 조흥은행 7.4%, 서울신탁 2.7%, 한미은행 0.7%, 대구은행 11%를 보유하고 있었다. 현대는 제일은행 2.2%, 한일은행 1.9%, 서울신탁 4.5%, 강원은행 23.6% 등이었다. 그리고 1990년 9월 말 기준 30대 재벌의 여신총액은 42조 803억 원으로 총여신액 109조 5,622억 원의 39.9%나 됐다. 은행을 제외하고도 금융보험회사를 계열회사로 거느리며, 지배하고 있는 재벌이 대다수였다. 결국 재벌의 금융소유는 '재벌의 사금고화', '산업자본 부실의 전가' 등으로 이어질 개연성이 컸다. 이러한 문제에 대해 경실련은 출범 때부터 인식하고 있었다.

금산분리 혹은 은산분리 원칙은 금융시스템의 건전성을 유지하고 공정한 자금의 흐름을 보장하기 위한 자본주의 시장경제의 근간을 이루는 기본적 원칙이다. 박정희 정권은 1954년 이후 은행 민영화 정책으로 조흥, 한국상업, 한국저축(제일은행), 한국흥업기업(한일은행) 등을 소유하게 된 소수 기업인들의 의결권을 1961년의 「금융기관임시조치법」을 통하여 10%로 제한 한 다음 이를 부정축재자처리의 일환으로 전부 환수함으로써 은산분리를 강제적으로 진행함으로써 개발독재를 위한 관치금융을 본격화시켰다. 전두환 정부는 시중은행의 민영화를 '금융자율화'의 명목으로 허용하면서 1982년 개정 은행법을 통하여 동일인 소유한도를 8%까지 허용하고 지방은행과 제2금융권의 소유지배는 아무런 제한을 두지 않았다. 경실련은 금융자본이 산업자본의 사금고로 전락하는 것을 방지하고 금융의 건전성을 제고하고자 금산분리

경실련 30년, 다시 경제정의다
경제정의실천시민연합

강화운동을 진행하게 되었다.

2. 활동 내용 및 경과

금산분리 강화운동은 당시 산업자본의 대다수가 재벌로 집중이 된 상황이어서, 재벌개혁 운동의 한 축으로 진행됐다. 1992년 2월 20일 정책대안집 '우리사회 이렇게 바꾸자(1판)에 재벌개혁 분야의 정책대안 중 하나로 '은행법상 동일인의 소유한도 현행 8%에서 5%로 축소', '지방은행 및 제2금융권 소유지배 억제'를 통해 재벌의 사금고화를 방지할 것을 제안했다. 이에 따라 1994년 동일인 소유상한이 4%로 낮아지기는 하였으나 순환적 계열사 구조에 의한 차입경영의 혼란과 건전성이 결여된 금융관행 및 방만한 외화관리가 결합된 초유의 금융시스템의 붕괴에 의하여 시중은행의 통폐합이 발생하면서 관치금융의 폐해와 카드대란 및 저축은행 사태에 의한 금융피해가 잇따랐다. 경실련은 금산분리제도의 본질에 반하는 관치금융의 실태에 관하여 우려를 표하고 관치금융의 해소와 재벌이나 대기업이 금융업을 사금고로 이용할 수 없도록 금융감독을 강화할 것을 끊임없이 요구하였다.

이명박 정부가 들어선 2008년 3월 31일, 금융위원회는 업무보고를 통해 금산분리 제도를 완화하기 위해 1단계로 산업자본이 출자한 사모펀드나 연기금이 은행을 소유할 수 있도록 하고, 2단계로 산업자본이 은행지분을 직접 소유할 수 있는 한도를 4%에서 10%로 늘리려고 했다. 이에 경실련은 산업자본이 금융자본을 위배하는 모순으로 인해 경제전반에 치명적 위험이 닥칠 것을 경고하며 이를 적극 반대하였다.

이명박 정부에서 산업자본의 은행지분 보유한도를 10%까지 늘려주는 완화법안을 강행 처리하려 하자, 경실련은 당시 경제개혁연대, 참여연대와 함께 국회 본청에서 졸속 강행처리 반대 기자회견을 개최하고, 국회 정무위원회 회의장에서 대기 중인 야당의원들에게 시민사회 입장을 전달했다.

2008년 12월 금산분리 완화 법안이 가로막히자 김형오 국회의장은 2009년 2월 27일 '경제살리기 법안'이라는 미명 아래 국회 본회의에 직권 상정해 처리 할 것이라고 밝혔다. 경실련은 금산분리 완화 법안은 '경제살리기'가 아닌 '경제죽이기 법안'이라고 강력하게 규탄한다. 하지만 2009년 3월 3일 금산분리 원칙 폐기를 주 내용으로 하는 은행법 개정안과 출총제 폐지를 담은 공정거

사진으로 보는
경실련 30년

I. 경실련의
창립과 활동

II.
경실련 30년
활동의 성과

III. 지역경실련의
활동과 성과

IV. 경실련과
시민사회의 미래

래법 개정안을 한나라당이 단독 강행처리했다. 그러자 경실련은 재벌에게 경제의 모든 것을 넘기겠다는 비극적인 결정을 내린 정부와 한나라당을 비판했다. 재벌의 경제력 집중을 억제하는 중요한 수단인 금산분리 원칙의 훼손과 출자총액제한제도가 폐기됨에 따라 2009년 3월은 경실련 재벌개혁 운동에 있어 잔인한 달로 회자된다. 이명박 정부는 2009년 4월 13일에도 금산분리 원칙 폐기를 주된 내용으로 하는 공정거래법 개정안을 국무회의에서 의결해 국회에 제출하였다.

이명박 정부는 그것도 모자라 한나라당과 함께 대기업(산업자본)의 은행소유를 사실상 허용하고(은행법 개정안), 금융지주회사에 비금융회사(일반회사)를 자회사로 둘 수 있도록 하면서(금융지주회사법 개정안) 각종 규제를 대폭 완화했다. 실질적으로 금산분리 원칙을 폐기하는 관련 법안을 통과시키기 위해 주력했다. 이에 경실련은 2009년 4월 20일 '경제경영학자 76%가 재벌의 은행소유를 반대'하는 전문가 설문조사결과를 발표하고, 국민여론을 형성해 이를 저지하기 위해 나섰다. 경실련 등 시민사회의 움직임으로 법안처리가 지연됐지만, 산업자본의 금융기관 소유를 허용하는 금융지주회사법 개정안을 2009년 7월 22일 국회의장 직권상정으로 강행처리하게 된다.

이후 경실련은 19대 총선과 18대 대선을 앞두고, 재벌의 경제력 집중 실태 시리즈를 통해 경제민주화 바람을 일으키는 운동에 매진하게 되었다. 2012년 7월 11일에는 '경실련 재벌개혁방안 브로슈어'을 제작해 금산분리를 강화하는 방안을 핵심과제로 담아 정치권과 시민사회에 널리 전파했다. 당시 재벌 경제력 집중 실태를 기반으로 한 경실련의 재벌개혁운동은 18대 대선에서 여당과 야당 후보들이 경제민주화 실현 공약으로 채택하게 했다. 당시 박근혜 후보의 경우, 금융 및 보험회사 보유 비금융계열사 주식에 대한 의결권 상한을 향후 5년간 단계적으로 5%까지 강화, 대주주 적격성 심사의 모든 금융권 확대를 약속했다. 하지만 완화됐던 산업자본의 은행자본 보유 한도(10%)는 공약에 없었다. 그러다가 동양사태와 효성사태를 통해 산업자본의 금융자본 보유의 위험성이 드러나면서, 2013년 7월 2일 국회 본회의에서 산업자본의 은행보유지분 한도를 4%로 축소시키게 되었다.

3. 각계 반응과 성과

금산분리 강화 운동은 재벌개혁의 수단인 만큼, 정경유착의 만연으로 재벌, 정치권, 정부의 저항으로 쉽지 않은 경로를 보였다. 그럼에도 지속적인 주장으로 1994년에는 은행법상 동일인 4% 초과 금지, 2002년 비금융주력자 4% 초과 금지 등의 개선을 이끌어냈다. 이명박 정부에서 금산분리 완화가 이루어지던 때 경실련의 거센 저항과 박근혜 정부에서의 강화운동은 언론에서도 잘 나타난다. "경제전문가 76% 금산분리 완화 반대"(2009. 4. 20. 뉴시스) 등의 보도내용을 보면 알 수 있다.

경실련의 금산분리 강화 운동은 동양사태, 정권교체기 등을 활용한 것이 주요한 측면이 있다. 특히 이명박 정부에서 완화됐던 은행법을 동양사태의 계기로 활용해 집중적으로 운동한 결과 4%로 회귀하는 성과도 있었다. 하지만 금산분리가 은행법에만 한정된 것이 아닌, 금산법, 공정거래법, 금융지주회사법, 보험업법 등 다양한 분야에 걸쳐 있는 만큼, 30년이 지난 지금도 핵심과제 중 하나로 남아있다. 더군다나 재벌과 대기업들은 법망을 피해가며 정부와 정치권과 결탁해 교묘하게 금융자본을 지배하고 있다. 문재인 정부는 2018년 말 인터넷전문은행특례법 제정을 통한 산업자본의 34% 지분보유를 가능케 만들었고, 보험업법의 특혜로 삼성그룹의 경우 삼성생명이 여전히 5%를 넘어 7% 이상 삼성전자 주식을 보유하고 있다. 아울러 금융보험계열회사의 의결권 또한 살아있다. 여전히 개선해야 할 과제가 많다.

11. 증권관련집단소송제 도입 운동

1. 배경 및 취지

경제정의실천시민연합

1997년 11월 정부의 공기업 민영화에 참여해 한국종합기술금융을 인수한 '미래와 사람'을 비롯해 관련자 8명이 당시 증권거래법 위반혐의로 검찰에 고발되는 사건이 있었다. 이에 경실련은 11월 17일 '증권거래집단소송제'의 신속한 법제화가 필수적이라며, 허위 및 과장 공시부분까지 포함하는 강화된 입법안을 수용할 것을 촉구했다.

1998년 11월부터 국회 법사위에 계류된 법률안이 강력한 입장표명에도 통과되지 않자, 1999년 12월 13일 참여연대 등과 공동으로 '증권집단소송제 도입 촉구 교수 및 변호사 공동성명'을 발표했다. 당시 법률안은 1년이 지나도 통과되지 않고, 2000년 15대 국회 임기가 종료되어, 자동폐기 될 수 있는 상황에 직면해 있었다. 당시 공동성명 내용에는 "법사위의원들은 2000년 총선을 앞둔 15대 국회의 마지막까지 법안을 제대로 처리하지 못한 채 총선을 맞는다면, 이는 직무유기에 해당하므로, 법안이 통과되도록 모든 노력을 기울여야 할 것"이라며, 강력한 통과촉구 입장을 발표했다. 당시 서명에는 이름만 들어도 알 수 있는 교수와 변호사 443명이 참여했다.

〈공동성명 보도자료 내용 발췌〉
12월 13일, 강철규(서울시립대 경제학과), 김일수(고대 법학과), 김진균(서울대 사회학과), 박상용(연세대 경영학과), 이종훈(중앙대 총장), 임길진(KDI School), 장하성(고려대 경영학과), 정광선(중앙대 경영학과), 정운찬(서울대 경제학부) (이상 가나다 순) 등 교수 345명과 고영구 등 변호사 98명은 분식회계, 허위공시 등 불법행위로 인해 피해를 입는 대다수 투자자들을 보호하기 위한 '증권관련집단소송법률안'을 이번 정기국회 회기 중에 반드시 통과시킬 것을 촉구하는 공동성명서를 발표하였다. 〈이후 생략〉

15대 국회에서 증권관련집단소송제법률안 통과가 무산되자, 16대 국회에서 또다시 증권관련 집단소송제법률안 제정운동에 나서게 되었다. 2001년 12월 27일 법무부가 증권관련집단소송법안 제정안을 국회에 제출하면서, 경실련도 다시 제정촉구 운동을 시작하게 되었다. 경실련은 2000년 2월 14일 '정부의 은행법 개정안 철회와 증권관련집단소송법안 제정촉구를 위한 경제학자 100인 기자회견'을 개최했다. 기자회견에서 "집단소송제도가 존재한다는 그 자체로도 수행하는 기업의 불법행위에 대한 사전적 교정기능이 가능하기 때문에 기업활동의 투명성을 제고하여 대외신인도를 높일 수 있으

「증권관련집단소송법」은 2004년 1월 20일 제정되어, 2005년 1월 1일부터 시행되었다. 법제정 이유에 적시되어 있듯이 '기업의 분식회계, 부실감사, 허위공시, 주가조작, 내부자거래와 같은 각종 불법행위로 인해 다수의 소액투자자들이 재산적 피해를 입은 경우, 소액투자자들의 집단적 피해를 보다 효율적으로 구제할 수 있도록 함과 동시에 기업경영의 투명성을 높이기 위해' 도입되었다. 증권관련 집단소송제도는 신정제지 사태(1992), 1995년 증권사 직원들의 주가조작 사건 등으로 주식투자자들의 피해가 발생할 때마다, 도입 논의가 이루어졌다. 하지만 정부와 정치권의 추진의지와 재계 눈치 보기 등으로 번번이 좌절되었다. 1995년 증권사 직원들이 주가조작에 가담하여, 일명 '작전'이자 불공정행위를 일삼았을 때, 증권감독원은 8월 25일 대책을 발표하며, "시세조종행위로 피해를 입은 다수 투자자들의 피해구제를 위해 집단소송제도의 도입을 추진 한다."(연합뉴스 1995. 8. 25)고 밝혔다. 하지만 김영삼 정부는 대책만 발표해 놓고, 별다른 추진을 하지 않다가 1996년 7월 장기과제로 검토한다는 입장을 내놓았다. 이후 김대중 정부가 들어서고 1998년 초 집단소송제 등 소액주주의 견제권을 강화한다는 정책을 밝히면서 본격적인 도입 논의가 이루어졌고, 1998년 11월에 「증권관련집단소송법률안」이 발의되었다. 발의된 법안이 통과되지 못하고 국회에 계류된 상태로 있다가 1999년 4월 '현대전자 주가조작 사건'을 맞이하게 되었다. 경실련은 이를 계기로 1999년 4월 13일 "검찰은 철저한 수사를 통해 관련자를 처벌하고, 자본이익을 환수하라!"는 성명을 발표하며, 투자자 보호장치로 증권관련집단소송제 도입 촉구운동을 본격적으로 진행하였다.

2. 활동 내용 및 경과

사진으로 보는
경실련 30년

I. 경실련의
정립과 활동

II.
경
실
련
30
년
활
동
의
성
과

III. 지역경실련의
활동과 성과

IV. 경실련과
시민사회의 미래

며, 장기적으로는 기업에게도 이익이 된다."며 강력히 촉구했다. 이후 2002년 2월 23일 증권관련집단소송법안이 국회 법제사법위원회에 안건으로 상정되게 되었다. 당시 법사위 전문위원 검토보고서에서는 "파급효과와 대상기업에 있어 찬반의견이 대립하고 있어, 각계각층의 다양한 의견을 보다 충분히 수렴, 입법이 추진돼야 한다."며, 실시시기와 내용에 대해 유보적 의견을 피력했다. 이에 경실련은 2월 26일 성명을 발표하며, 재계의 주장을 그대로 대변하고 있는 것에 대해 유감을 표명하며, 반드시 제정할 것을 촉구했다.

경실련은 김대중 정부에서 법안 통과가 좌초되자 노무현 대통령이 당선된 후, 2002년 12월 30일 대통령직 인수위원회에 핵심정책과제 중 하나로 제안을 했다. 당시 제안한 개혁과제 중 '재벌개혁 등 공정한 경쟁질서 확립'의 수단 중 하나로 '증권관련집단소송제를 조기에 도입하여 증권시장의 투명성을 높이고, 대기업 지배구조를 획기적으로 개선' 할 것을 주문하였다. 이후 국회에 법률안이 제출되고, 한나라당은 소송대상 중 분식회계는 일정기간 시행유예가 필요하다며, 수정안을 제시했다. 이에 경실련은 2003년 4월 21일 국회가 증권관련집단소송제를 유명무실하게 만들 수정안을 통과시킨다면, 통과시킨 의원을 친재벌적 성향이라며 비판과 함께, 총선에서 상응하는 조치를 취할 것이라며 압박을 했다. 2003년 국회에서 증권관련집단소송법안의 내용과 통과를 두고 한나라당을 중심으로 한 국회, 전경련을 중심으로 한 재계와의 치열한 공방을 벌였다. 당시의 활동을 보면 다음과 같다.

> 증권관련집단소송법 제정 관련 국회 의견청원서 제출('2003. 6. 16)
> 증권관련집단소송법 제정 합의내용에 대한 입장발표(2003. 7. 31)
> 국회 법사위의 증권관련집단소송법안 처리유보에 대한 입장발표(2003. 8. 12)
> 증권관련집단소송제를 무력화시키는 한나라당 수정안에 대한 입장(2003. 8. 21)
> 증권관련집단소송제 국회 법사위 심의를 앞둔 경실련 입장(2003. 9. 1)
> 한나라당 증권관련집단소송법 수정대안에 대한 입장 (2003. 11. 12)
> 재계의 증권관련집단소송 관련 건의에 대한 입장(2003. 11. 19)

우여곡절 끝에 2003년 12월 22일 법률안이 국회 본회의를 통과하면서 제정되었다. 무력화를 시키기 위한 재계의 요구가 수용되어 과도한 남소 방지방안이 반영된 점과 과거분식회계 해소를 위한 법 시행 1년의 유예기간을 둔 점, 그리고 적용대상에도 차등을 두어 자산 2조원 이상 기업들은 2005년 1월 1일, 자산 2조원 이하 기업들은 2007년 1월 1일로 하게 되어, 내용이 미흡한 점이 많지만 집단소송의 첫 발을 내딛게 되었다.

3. 각계 반응과 성과

정치권과 정부는 당시 경실련을 포함한 시민사회의 강력한 도입 목소리에 압박을 받은 것으로 보여진다. 1999년 말부터 경실련을 중심으로 시민사회의 도입 요구에 2001년 12월 27일 법무부에서 증권관련집단소송법안 제정안을 국회에 제출했고, 다음날 법사위에 안건이 회부되었다. 아울러 2002년에 와서도 경실련이 증권관련집단소송법안 제정 촉구를 위한 경제학자 서명과 100인 기자회견(2002. 2. 14.) 등을 여론을 동원해 압박하자 2월 23일에 법사위의 안건으로 상정, 심의하기도 했다. 도입이 가시화 되어가자 2003년부터 재계와 한나라당의 심한 반대가 있었지만, 강력한 의견을 지속적으로 펼친 결과 미흡하기는 했지만, 법안이 통과되는 결과로도 이어졌다. 당시 언론에서도 경실련의 활동을 주목했다. "경실련, 증권거래 집단소송제 입법촉구"(연합뉴스 1999. 11. 17.)라는 보도를 시작으로 도입 공방이 치열했던 2003년에도 비중 있는 보도를 해줌으로써 여론조성과 정치권에 대한 압박으로 이어졌다. 2003년 한나라당이 후퇴한 수정안을 제출한 것에 대한 입장을 당시 언론에서는 "경실련, 한나라당 집단소송제 수정안 철회돼야"(프레시안 2003. 4. 21.)라는 식으로 발표 시 마다 국민들에게 보도를 했었다. 증권관련집단소송제는 최초 포괄적인

소비자집단소송제를 도입하자는 의견에서 출발했지만 이후 주식시장에서의 불공정한 사건들이 많이 발생함에 따라 증권관련분야에 한정해 도입되었던 한계가 있었다. 최초의 국회에서 제정된 법안은 재계의 요구가 수용되어 과도한 남소 방지방안이 도입되어, 정부안 보다 후퇴했다는 점에서도 아쉬운 측면이 있다. 그럼에도 집단소송제 법제화의 첫 열매로서의 성과는 누구도 부정하기는 어렵다. 하지만 2005년 1월 시행이후 2017년 말까지 실제의 소송건수는 12건 밖에 되지 않고 있다. 이는 기업의 불공정행위에 대한 입증할 증거자료가 대다수 기업들에게 있다는 점과 소송비용과 허가절차 문제 등으로 승소에 대한 불확실성 때문인 것으로 보인다. 이는 향후 해결해야 할 과제로 남아있다.

12. 금융감독체계 개편 운동

1. 배경 및 취지

금융감독체계 개선운동은 현재의 기획재정부, 금융위원회, 금융감독원, 한국은행, 예금보험공사에서 이루어지는 금융정책·감독정책·통화정책 등을 독립적이고, 효율적으로 운용하기 위한 운동이다. 금융 감독은 금융활동에서 발생하는 리스크부터 금융 산업의 건전성·투명성·공정성, 그리고 시스템의 안정성을 보호하기 위한 거시적·미시적 감독행위를 말한다. 이런 측면에서 금융감독체계 개선은 감독정책의 독립성이 핵심적인 사항으로 관치금융 척결과 한국은행 독립 운동에도 궤를 같이 하였다.

금융감독체계는 정부조직개편과 연관이 되어 있어, 각 정부의 출범초기 조직개편이 있을 때마다 이슈가 되어 왔다. 특히 김영삼 정부 시절인 1994년 12월, 문민정부의 개혁조치 중 하나로 경제부처 조직개편이 단행됐을 때, 금융감독체계 개편에 대한 요구가 있었지만 이뤄지지 못했다. 오히려 경제기획원과 재무부를 통합해 재정경제원을 출범시키고, 예산·세제·금융정책 등 경제운용 전권을 부여해 버렸다. 결국 재정경제원은 막대해진 권한을 등에 업고 한국은행과 감독기구들을 일제히 통제했다. 이후 1995년 2월 20일, 재정경제원은 은행감독원을 한국은행 금융통화위원회에서 분리시켜 재정경제부 산하로 가져오는 '중앙은행 제도 개편 및 금융감독기관 통합 방안'을 발표했다. 감독의 독립성을 훼손하는 일이 발생한 것이다.

김영삼 정부 말기인 1997년에는 한보사태와 함께 외환위기의 발생으로 기존의 은행감독, 보험 감독, 증권감독, 신용관리기금 등 전문분야로 나눠진 감독기구들을 하나로 통폐합 시키도록 하는 '금융개혁보고서'가 제출되었다. 이후 「금융감독기구의 설치 등에 관한 법률」이 정부안으로 발의돼 1997년 12월 29일 통과되었다. 금융감독정책은 전문성과 독립성, 효율성이 필요한 정책임에도 성급하게 정책을 추진함으로써 전문성이 떨어지고, 감독기구가 정부로부터 통제를 받는 양상이 전개되어 버렸다.

이러한 시대적 배경 속에 경실련은 금융감독체계를 개선하기 위해 지속적인 활동을 전개해 왔고, 지금까지도 불완전한 체계를 개선하기 위한 운동을 펼치고 있다.

2. 활동 내용 및 경과

금융감독체계 개선 운동은 시작 초기에는 경실련의 구체적인 개편방안이 없었던 관계로 은행감독원의 분리 반대, 감독기구의 통합 반대 등 정부의 성급한 개편을 저지하는 형태로 진행됐다. 아울러 초창기에는 한국은행의 독립과 같이 추진했던 바, 은행감독기능에 집중한 측면이 있었다.

김영삼 정부 시절인 1995년 2월 20일, 재정경제원은 '중앙은행 제도의 개편 및 금융감독기관의 통합 방안'을 발표해 은행감독원을 한국은행 금융통화위원회로부터 분리시켜 별도의 조직으로 만들려고 했다. 당시 경실련은 은행감독원이 한국은행으로부터 분리되면, 통화신용정책을 추진하는 수단을 잃게 돼 한국은행의 기능이 축소될 것을 우려했다. 따라서 별도의 기구 보다는 통화

사진으로 보는
경실련 30년

I. 경실련의
창립과 활동

II.
경실련 30년
활동의 성과

III. 지역경실련의
활동과 성과

IV. 경실련과
시민사회의 미래

금융정책을 집행하는 한국은행이 감독기능을 맡는 것이 효과적이기에 반대입장을 명확히 표명했다.

1997년 1월 한보사태가 발생하기 전까지는 은행감독, 보험감독, 증권감독, 신용관리기금 등 전문업역별로 감독기능을 맡아왔다. 한보사태가 발생함에 따라 1997년 2월 정부는 금융기관의 대출관행을 개선하고, 감독을 강화하는 등 금융전반에 걸쳐 제도개선에 나섰다. 이를 위해 은행과 증권, 보험감독원을 통합한 금융감독원을 신설하고자 했다. 이에 경실련은 1997년 2월 18일, 중앙은행 독립과 관치금융 청산이 선제돼야 함을 밝혔다. 은행과 증권, 보험감독원을 통합한 금융감독원 신설은 한국은행을 무력화 시키고, 재정경제원으로의 권력을 집중시켜 관치금융을 더욱 강화하는 결과를 초래할 것이 뻔했다. 이에 금융감독원 설립 검토를 즉각 중단할 것을 강력히 촉구했다. 그럼에도 정부와 정치권의 금융감독기구 통합 움직임은 멈추지 않았다. 1997년 7월 24일 중앙은행 및 금융감독제도 등 관련 금융개혁법률을 입법예고까지 했다.

경실련은 정부의 개편방향에 반대입장을 명확히 하고, 바람직한 방향을 모색하기 위한 토론회, 의견서 제출과 시민사회단체 공동기자회견 등을 개최하면서 국민여론 조성과 정부와 정치권을 압박하는데 집중했다. 정부가 제출한 법률안이 국회에서 통과될 가능성이 커지자, 경실련의 힘만으로 막기에는 역부족하다고 판단해 민주사회를위한교수협의회, 전국사무노동조합연맹, 전국민주금융노동조합연맹, 한국은행·증권감독원·보험감독원 노동조합 등 감독기구 강제 통폐합에 반대하는 시민사회단체를 규합했다. 이와 함께 1997년 11월 12일 '금융감독기구 강제 통폐합 저지 및 금융위기·경제파탄 강경식 부총리 퇴진촉구 공동 기자회견'을 개최하면서, 금융감독기구 통합의 문제점 및 진정한 금융개혁 방안을 제안했다.

1997년 7월, 입법예고 된 정부의 법률개정안은 은행감독원, 증권감독원, 보험감독원을 금융감독원으로 통합해 국무총리 산하 금융감독위원회를 신설하는 것이었다. 경실련은 금융감독은 분야별로 고도의 전문성이 필요한 만큼, 기존과 같이 은행·증권·보험 각각의 감독기능을 수행토록 하고, 효율적 정책조율을 위해 금융감독협의체를 구성하는 안을 제시했다. 하지만 정부와 국회는 1997년 12월 29일 법률을 통과시켰고, 이후 금융감독위원회(1998. 4. 1)와 금융감독원(1999. 1. 2)이 설립되었다.

이후 경실련은 보다 구체화된 정책대안을 만들어 개편을 촉구해 나갔다. 당시 금융정책을 수행하던 금융위원회와 감독정책을 수행하던 금융감독원을 완전 통합하고, 금융감독위원회를 통합감독기구의 최고의 사결정기구로 할 것을 제안했다. 증권선물위원회의 독자적 기능은 보장하고, 금융감독원장의 인사청문회 법적 명문화 및 임기 보장 등도 함께 제시했다. 아울러 금융감독의 견제와 균형원리를 보장하기 위해 한국은행법을 개정해 은행감독관련 검사권을 회복해야 한다고 주장했다. 2005년에 와서는 공적 민간 통합금융감독기구의 신설을 골자로 하는 「통합금융감독기구법」 제정 청원을 했다.

2002년 카드대란, 2011년 저축은행 사태 등 감독실패로 인한 금융사고들이 발생하자 경실련은 금융소비자보호를 포함한 정책대안을 모색했다. 이 대안을 가지고, 2013년 7월 4일, 금융분야 학자 및 전문가 143명의 의견을 모아 올바른 금융감독체계 개편을 촉구하는 기자회견을 개최하였다. 당시 금융감독체계 개편의 기본방향은 크게 3가지였다. 첫째, 금융감독의 독립성을 보장하기 위해 금융위원회의 금융산업정책업무는 기재부로 이관하고, 금융감독정책 업무는 금융감독원에 이전해 금융산업정책과 감독정책을 분리하는 방안이었다. 아울러 금융감독위원회를 금감원 내부의 최고 의사결정기구로 신규 설치해 금융감독원을 민간 공적기구로 설립할 것도 제안했다. 둘째, 금융소비자보호기능을 전담하는 금융소비자보호원(가칭)을 분리해 금감원과 대응한 민간 공적기구로 설치하는 안이었다. 셋째는 금융안정협의회(가칭)라는 감독유관기관 협의체를 법제화해 협력체계 구축을 선도케 하는 것이었다. 이 3가지 방안은 현재도 경실련의 정책대안으로 자리 잡고 있다.

3. 각계 반응과 성과

2003년 경실련은 금융감독기구를 금융위원회(정책)와 금융감독원(감독원)으로 통합하는 입장을 제시하였다. 이후 사회적으로 이를 막으려는 세력과 개편하려는 세력 간의 공방이 시작됐다. 특히 2004년 6월

10일 '금융감독기구 개편, 어떻게 할 것인가.' 토론회에서 경실련이 공적민간금융감독기구안을 발표하자, 정부와 민간에서는 다수가 수용을 하는 등 사회적으로 이슈화가 됐다. 당시 금융감독원은 금융감독위와 금융감독원의 갈등을 이야기하며 금융감독기구의 통합 필요성에 동의했다. 한나라당 권태식 정책위 수석전문위원도 금융관련 업무는 정부가 해야 할 일이 아니라며 공적민간기구화에 찬성하기도 했다. 정책대안을 내세운 경실련의 활동은 당시 언론에서도 크게 부각됐다.

경실련의 금융감독체계 개편 운동은 법제도적으로는 큰 성과를 내지 못한 측면이 있었다. 1997년 12월 29일 「금융감독기구의설치 등에 관한법률」이 통과된 이후 설립된 금융감독위원회의 경우, 위원장들이 대다수 과거 재무부나 재경부 출신(모피아들)이었고, 관련 업계 협회 기관장들도 대다수가 소위 모피아들이 장악했다. 이러한 유착관계는 금융감독기구의 독립성을 훼손해 관치금융에 악용되거나 감독기능 자체를 무력화 시켰다. 이는 금융감독체계 개편의 걸림돌로 작용해 지금까지 유지되고 있다. 모피아들이 금융당국과 업계에서 활약을 하면서 발생하는 문제는 해결해야 할 당면과제다.

그럼에도 경실련은 금융감독체계 개편이 가야할 방향을 사회적으로 명확하게 제시했다. 하지만 금융감독기능의 경우 사실상 금융감독원장의 인사권을 가지고 있는 금융위원회로 인해 독립성이 부족하고, 금융소비자보호의 기능도 독립되지 않았다. 여전히 경실련의 적극적인 활동이 필요하다.

13. 공적자금 투입 감시 운동

1. 배경 및 취지

2000년 12월 20일 제정된 「공적자금관리특별법」 제

2조(정의)에 따르면, '공적자금이란 다음 각목의 기금 또는 재산 등에서 금융회사 등 또는 기업의 구조조정에 지원되는 자금'이라고 나타나 있다. 즉 예금보험기금채권상환기금 및 예금보험기금, 부실채권정리기금 및 구조조정기금, 공공자금관리기금, 국유재산, 한국은행이 금융회사 등에 출자한 자금, 공공차관, 금융안정기금 등을 말한다. 이러한 공적자금은 관치금융과 연결돼 책임 없이 집행되고, 낭비되는 문제가 발생되어 왔다.

김대중 정부는 1997년 외환위기 직후 당시 기아자동차와 한보철강의 부도로 부실채권이 대량으로 발생하자, 제일은행·서울은행을 살리고자 64조원의 공적자금을 투입해 금융구조조정을 단행했다. 부실책임은 물론, 공적자금 투입에 대한 원칙도 없이 무분별하게 이뤄진 지원이다. 이에 경실련은 지배주주·경영진·대주주·채권자의 책임으로 부실화된 기업에 대해 책임소재도 명확히 가리지 않고, 국민들의 혈세인 공적자금을 지원하는 것은 문제라고 지적하고, 공적자금 투입 감시운동에 적극 나서게 되었다.

2. 활동 내용 및 경과

공적자금투입 감시운동은 우선적으로 부실의 책임과 원인을 파악하는 정보공개청구부터 시작됐다. 이후 공적자금 투입의 원칙과 방안을 제시하고, 직접 고발창구를 설립하여 제보를 받는 방식으로 진행했다.

1999년 4월, 경실련은 정부의 제일은행·서울은행에 대한 공적자금 64조원 투입과 관련해 상세한 내역을 국민들에게 공개해줄 것을 요구했다. 또한 미국 S&L 정리사례를 들어 철저한 책임추궁을 촉구하는 공개질의서를 김대중 대통령 앞으로 발송했다. 이에 정부는 대통령 비서실장명으로 미국과 같이 철저한 책임원칙 하에 구조조정을 추진하고 있으나 방법상 차이가 있다는 답변을 해왔다. 아울러 구체적 사항은 금융구조조정을 주관하는 금융감독위원회에서 자세히 설명토록 했다.

경실련은 대통령의 공개질의 회신 내용을 밝히면서 금융감독위원회에 설명을 요구하며, 금융기관의 부실원인 규명과 책임자(경영층) 처벌 없는 공적자금 투입 중단을 강력히 촉구했다. 또한 제일은행·서울은행 등 5개 퇴출은행과 기타 은행, 비은행 금융기관의 부실발생 내역, 부실 무수익 여신현황, 지급보증 및 각주거래, 대손상각 및 대손충당금 현황 등도 정보공개청구 하였다.

사진으로 보는
경실련 30년

I. 경실련의
정립과 활동

II.
경실련
30년
활동의 성과

III. 지역경실련의
활동과 성과

IV. 경실련과
시민사회의 미래

1999년 7월에는 당시 재계서열 2위였던 대우그룹 부도사태가 발생하자, 경실련은 원칙 없는 공적자금이 추가적으로 투입될 것을 우려해 적극 반대했다. 당시 경실련은 '손익분담 원칙'을 확고히 세워 대우사태로 발생한 손실을 업계 내에서 자체적으로 해결하도록 촉구했다. 아울러 김우중 회장과 그룹경영 관련 의사결정자들의 형사상 책임, 민사적 손해배상 책임, 은행의 도덕적 해이까지 규명할 것을 강력하게 요구했다.

2000년부터 금융구조조정과 관련한 이슈가 쏟아짐에 따라 경실련은 공적자금과 관련해 국회는 물론, 사회 전반적으로 문제를 부각시키는 활동에 집중했다. 추가적인 공적자금 투입 반대, 공적자금 관련 국회 상임위 방청 불허 대응, 공적자금 추가 정보공개청구, 공적자금 관련 자산관리공사 부실채권내역 결과분석 발표 등을 전개했다.

2001년까지 금융구조조정에 투입된 공적자금이 129조원이었음에도, 정부 공적자금관리위원장은 2001년 3월 추가적인 공적자금 조성의 필요성을 언급했다. 이에 경실련은 공적자금 조성과 투입과정에서의 부실금융기관, 관리감독기관의 불법행위와 도덕적 해이 행위를 접수받기 위해 2001년 3월 12일 고발창구를 개설하게 된다. 고발창구 개설 이후 같은 해 12월, 경실련은 공적자금 부실운용이 발생하지 않도록 근본적은 대책마련에 착수하였다. 공적자금 운영체계(재경부, 금감위 등)의 문제, 책임소재, 처벌문제, 공적자금 환수대책과 투명성 확보책 등 전반적인 대안마련에 나섰다. 이후에도 공적자금관리위원회 의사록 공개 요청(2002. 2. 25), 강금식 공적자금관리위원장 사퇴 촉구(2002. 8. 12) 등 감시운동을 지속적으로 추진했다. 김대중 정부에서는 금융과 기업구조조정이 활발했던 만큼, 경실련은 공적자금 투입 운동을 핵심으로 추진했다. 이후 박근혜 정부에서는 대우조선 등 조선업 구조조정과 함께 공적자금 투입 문제가 또 다시 등장했고, 경실련은 기업구조조정 원칙을 제시하고, 무원칙적인 공정자금 투입 반대, 부실 책임 규명 등의 운동을 진행했다.

3. 각계 반응과 성과

김대중 정부 시절 경실련의 공적자금 투입 감시 운동은 청와대는 물론, 정부와 정치권을 긴장하게 만들었다. 1999년 4월 29일 대통령에게 공적자금 투입과 관련한 공개질의를 통해 사회적으로 이슈를 부각시켰고, 금융감독위원회 등 정부기관을 움직이도록 만들었다.

대우사태가 발생했을 당시 경실련의 공적자금 투입 반대의 목소리는 언론에서도 주목했다. 당시 언론에서는 '경실련, 대우사태 공적자금투입 반대'(1999. 8. 23. 연합뉴스) 등을 집중 보도했다. '경실련, 공적자금 관련 정보 공개하라.'(2000. 5. 26. 동아일보), '경실련, 금융개혁 공적자금관련 특별감사 대법원에 의뢰'(2000. 8. 25. 한국경제) 등 당시 공적자금 투입감시운동에 대한 국민적 관심이 높았다. 국회 역시 경실련의 문제제기 이후 형식적이기는 하나 2000년 4월 '공적자금 관련 국정조사 결정'을 내렸고, 2000년 12월에는 미흡하지만「공적자금관리 특별법」까지 제정하게 되었다.

대우사태와 관련해 경실련이 제안한 '손익분담원칙'은 금융당국이 수용하는 성과로 나타났다. 또한 1999년 10월에는 예금보험공사가 10조 9756억 원 규모의 공적자금이 투입됐지만 퇴출된 종합금융사의 경영진들에 대해 재산가압류 조치와 130여 개의 퇴출 금융기관 임직원 수백 명에 대한 부실책임을 묻는 조사에 착수하는 계기를 만들었다.

경실련과 같은 시민단체의 감시활동이 있었기에 국민의 혈세인 공적자금의 낭비를 조금이라도 막을 수 있었다. 하지만 지속적인 활동에도 관치금융, 정경유착 등으로 공적자금의 낭비는 계속되었고, 책임추궁은 제대로 이뤄지지 못한 측면이 있다. 이후 대우조선과 같은 조선업 구조조정에서도 공적자금의 낭비를 막지는 못했다. 공적자금은 국민의 혈세를 지원하는 것으로 향후 투입의 명확한 원칙과 강력한 처벌 조항 등을 법적으로 명문화 시켜야 하는 어려운 과제가 남아있다.

14. 보유세 강화 등 조세정의 운동

1. 배경 및 취지

경제정의실천을 전면에 내세운 경실련에서 조세정의실현은 매우 주요한 운동 주제였다. 특히 부동산 문제의 해결을 위한 시민모임에서 그 기초를 찾을 수 있는 경실련은 부동산의 보유에 관한 세제 강화와 함께 조세정의실현을 중요한 지향으로 삼았다. 1989년 출범 당시 사회적으로 부동산 투기와 탈세 등 이로 인한 불로소득의 만연, 자산격차의 심화가 발생하자, 보유세 강화를 포함한 조세정의 운동에 본격 나섰다. 발기선언문에서는 "부동산 문제의 해결은 가장 시급한 우리의 당면과제이다. 인위적으로 생산될 수 없는 귀중한 국토는 모든 국민들의 복지증진을 위하여 생산과 생활에만 사용되어야 함에도 불구하고 소수의 재산증식 수단으로 악용되고 있다."며 보유세 강화 등 조세정의 실현을 통한 해결방안의 중요성을 강조하고 있다. 출범 당시인 1989년 8월 25일 '한국의 토지주택정책, 어디로 가야 할 것인가' 공청회 자료를 보면, 시대적으로 토지로 인한 불로소득과 소득과 자산격차가 심화되었음이 잘 드러나 있다. 1988년 토지로부터의 자본이득이 205조원으로 88년 GNP의 1.8배, 89년 7월 토지시가 총액이 1,300조원으로 1988년 10월 1,047조원에 비해 9개월 만에 250조원 증가한 것으로 나타나있다. 경실련은 토지에 관한 경제 부정의의 만연으로 국민 간에 갈등과 모순의 심화, 국민경제의 생산력 저하로 이어진다고 봤다.

종합토지세가 1990년대부터 시작되었으나, 2005년에 폐지(2005년 종합부동산세로 전환)되고, 부동산 가격은 2000년 중반부터 폭등하기 시작하였다. 참여정부는 보유세 부과의 형평을 높이기 위해 2004년 면적기준 부과에서 기준시가 부과로 변경하고 종합부동산세를 도입

하였다. 하지만 낮은 세율로 인해 부동산가격은 잡지 못하고, 급등함에 따라 오히려 자산격차가 벌어지는 결과를 낳았다. 이에 경실련은 출범과 함께 보유세 강화 등 조세정의 운동을 지속적으로 전개해 왔다. 보유세 강화 외에도 금융소득에 대한 종합과세, 금융실명제 도입, 임대소득과세, 양도소득과세 등 조세정의가 작동하지 않는 주요 세제 문제를 해결하기 위해 활동을 해왔다.

2. 활동 내용 및 경과

경실련은 출범과 함께 비생산적인 불로소득 근절을 목표로 부동산 보유세에 대한 강화를 꾸준하게 주창하였다. 1989년에는 9월 보도자료 발표를 통해 토지공개념 관련 3개 법안을 대폭 강화하여 입법할 것과 종합토지세와 양도소득세를 대폭 강화할 것을 제안했다. 이후 토지공개념 관련 3개 법안이 도입이 되지만, 토지초과이득세법과 택지소유상한제법은 각각 헌법재판소의 헌법불합치와 위헌 판결로 곧 소멸된다. 개발이익환수법은 지금까지 존재하지만 그 의미가 많이 퇴색되어 있다. 대규모 신규택지개발, 재개발, 재건축 등에 조금씩 기능하고 있지만 충분하지 않다. 경실련은 여전히 위와 같은 사례의 개발이익을 추정하여 그 금액을 발표하고 적정한 수준까지 회수되어야함을 주장하고 있다. 이후 부동산투기 근절과 불로소득 척결을 위한 조세제도 개혁을 위한 대토론회 등을 열어 제도 개선을 위한 의견을 모으기도 하였다. 시민들과 함께하는 세제개혁촉구 시민대회도 열어 불로소득 척결을 위한 의지를 보이기도 하였다.

문민정부 들어서는 금융실명제 실시를 계기로 적극적인 세제개혁 캠페인을 전개했다. 금융실명제의 실시로 사업소득자들, 법인, 금리생활자들의 조세포착률이 높아져 조세제도를 개혁하는 것이 중요하게 된 것이다.

토지초과이득세법의 헌법불합치에 따른 역효과를 최소화하기 위해 종합토지세 및 양도소득세 강화 등도 주장하였다. 재벌의 부동산 투기를 막기 위한 운동도 계속하였다. 기업 소유 토지의 업무용/비업무용 구분이 투기의 본질을 은폐시키는 방식으로 이용되어 왔음을 지적하고 대규모 토지 보유에 대한 과세 강화를 주장하였다.

1999년에는 경실련 조세정의실현 시민운동본부가 출범했다. 모든 국민들이 자신의 지불능력에 따라 세금을 내는 사회, 소득이 낮은 사람이 소득이 높은 사람보다

세금을 더 내지 않는 사회, 탈세와 세무부조리가 없는 사회가 조세정의가 실현되는 사회임을 천명하였다. 세제개혁, 세정개혁, 납세자 주권회복 등 3대 과제 15개 운동과제를 설정하였다. 조세부정고발센터를 운영하여 탈세 및 세무부조리 고발, 카드전표 불일치 업소를 고발하였고, 조세개혁 범국민 서명운동, 납세자 권리구제운동 등도 진행하였다.

참여정부는 세부담의 불형평 문제를 획기적으로 개선하기 위해 건물분 재산세와 토지분 종합토지세를 합산해 주택에 대한 보유세를 실거래가의 70~90% 수준인 국세청 기준시가로 통합평가하고, 합산과세하는 방안을 추진하고, 부동산 과다보유자를 선별해 중과세하는 종합부동산세를 도입하기로 했다. 이에 경실련은 정부가 보유세 강화의 중장기적인 목표를 처음으로 밝혔다는 점과 보유세 강화에 따라 취득세, 등록세 등의 거래세를 인하하겠다는 조세대체의 원리를 밝힌 점 등은 높이 평가하였다. 그러나 당시 선진국 실효세율 1~2%에 비해 낮은 0.12% 추정의 실효세율에 비추어 여전히 목표치가 낮고, 국세청 기준시가의 실제 시가 반영 비율의 지역적 편차가 큼을 지적하였다. 이러한 보유세 정책의 실패로 부동산 거품이 더욱 커지는 문제가 발생했다.

이명박 정부가 들어서면서 종합부동산세는 매우 약화되었다. 박근혜 정부 기간에도 여러 세제 혜택 등과 대출완화를 통한 아파트값 떠받치기가 계속되었다. 문재인정부가 출범하고 나서도 여러 차례 아파트값 안정을 위한 정책을 내놓았지만 크게 효과가 없었다. 이에 경실련을 비롯한 시민사회는 '보유세강화시민행동'을 출범시켜 보유세 강화운동을 전개하기도 하였다. 공시가격 현실화 요구도 지속적으로 하였고, 종합부동산세법 정상화를 요구하였다. 조직 내에서도 부동산 운동과 재정세제 운동을 접목할 수 있도록 T/F를 구성하기도 하였다.

경실련은 부동산 보유세 강화, 주택임대소득에 대한 예외 없는 종합과세 실시, 이자 및 배당 등 금융소득에 대한 완전한 종합과세 실시, 세금 없는 부의 대물림을 보장하는 가업상속공제 제도 폐지, 종교인 소득과세는 종교활동비에 대한 명확한 범위 정립은 물론, 궁극적으로 기타소득이 아닌 근로소득세로 전환 등 보유세를 비롯한 세제 일반에 대한 개선 요구를 하고 있다.

3. 각계 반응과 성과

보유세 강화를 포함한 조세정의 운동은 법제도 개선과 관련이 있어, 정부에 세법개정 의견서를 끊임없이 제시하고 있으나, 반영이 제대로 되고 있지는 않다. 정부가 바뀔 때마다 조세제도 개혁과제를 주문하고, 일부 공약으로 반영되기도 하지만, 실제 개선되는 사례는 적었다. 국회에서는 경실련의 조세정의 운동에 관심을 가지고, 부동산 보유세, 상속 및 증여세, 법인세, 금융소득세 등의 개선을 위한 공동토론회 요청은 많았던 것으로 보인다.

부동산 보유세 특히 종합부동산세 도입 및 강화 관련해서는 보수 언론들의 '세금폭탄'을 내세운 공세로 여론조성이 쉽지 않았다. 문재인 정부 들어서는 공시가격 실태와 함께 보유세 특혜를 추정하여 발표한 한 점들은 언론에 많은 주목을 받았다. '경실련. 14년간 서울 보유세 25조 누락'(아시아경제 2019. 4. 2.), '경실련, 공시가격 축소로 보유세 70조원 덜 걷혔다'(SBS CNBC 2019. 2. 18.) 등의 언론기사를 보면 경실련 자료를 인용한 보도가 상당히 많았다.

조세정의와 관련해서는 보유세 외에 경실련이 주장한 종교인 과세도입과 같은 부분은 미흡하지만 과세되는 성과를 얻기도 했다. 아울러 부동산 보유세의 경우 공시가격, 공시지가 등에 대해 시세와의 괴리를 보여줌으로써 개선의 여론과 발판을 마련하는 성과도 있었다. 하지만 조세정의가 세금과 직결되어 있는 만큼, 법인들의 낮은 보유세율, 조세제도의 불투명성, 금융자산에 대한 과세문제 등 해결해야 할 과제가 산적해 있다.

15. 부자감세 반대 및 법인세 강화 운동

1. 배경 및 취지

부자감세 반대와 법인세 강화 운동은 조세형평성 제고 차원에서 경실련의 전반적 조세정의 운동과 궤를 같이 해왔다. 부자감세라고 했을 때는 고소득층, 자산가, 재벌 기업 등 일반적으로 자산과 소득이 서민들에 비해 월등히 높은 층을 대상으로 한다. 하지만 역대 정부들의 조세정책을 보면, 서민들에 대한 세제지원도 있지만, 증세도 많았으며, 소위 부자와 재벌에 대한 감세 정책도 많이 폈었다. 특히 법인세, 소득세, 상속 및 증여세, 특별소비세 등에 있어서 완화하려는 시도들이 많았다. 특히 법인세의 경우, 최고세율 자체는 물론, 비과세 및 감면제도 확대를 통한 실효세율을 낮추는 방식으로 완화되기도 했다.

부자감세와 법인세 인하는 노무현 정부를 시작으로 이명박 정부와 박근혜 정부에서 많이 시도되었는데, 이명박 정부는 투자 활성화 등을 명목으로 내세워 법인세 최고세율을 25%에서 22%로 인하하였는데, 그 결과 2008년부터 2012년까지 약 36조원의 조세수입이 감소하였다. 부자감세 논란이 있었던 가업상속공제 대상 역시 이명박 정부와 박근혜 정부를 거치면서 매출 3000억 원의 중견기업까지 확대되었다.

경실련의 부자감세 반대와 법인세 강화 운동의 기원은 1990년대 초로 볼 수 있다. 1991년 당시 재벌 법인들은 상속 및 증여세 회피를 위해 공익법인을 활용, 수증익의 이월결손금 보전을 이용한 변칙증여 등을 일삼았었다. 아울러 2000년 중 후반을 거치면서 법인세를 비롯하여 전반적인 부자감세 및 법인세 인하 기조가 이어지면서, 지속적으로 운동을 펼쳐왔다.

2. 활동 내용 및 경과

1991년 10월 18일 경실련은 '재벌의 상속 및 증여, 이대로는 안 된다'는 공청회를 개최하여, 금융실명제 도입, 주식양도차익 과세, 수증익의 이월결손금 보전을 이용한 변칙증여 차단, 공익법인의 출연을 이용한 조세회피 차단, 세대를 뛰어넘는 상속 및 증여세 회피 차단(세대생략이전세 도입) 등 재벌 및 부자들의 세금회피수단에 대해 적극 개선할 것을 개진하였다. 1993년 9월 2일에는 정부의 세제개편안에 대한 입장을 발표하면서, 특혜의 온상이 되어온 비과세 감면제도를 우선적으로 철폐할 것을 주장하기도 했다. 1995년에는 정부가 소득세와 법인세 인하 등 세제 완화안을 발표하자, 경실련은 세수의 결손 문제는 물론, 고소득자의 과세표준액을 높여 소득재분배기능을 후퇴시켜 역진성을 가져온다며, 과세표준액을 낮출 것을 제안했다. 1997년 김영삼 정부 말인 2월 21일 정부와 신한국당이 당정협의 방식으로 증여세와 상속세가 완전 면제되는 미성년자 자녀 1인당 1억 한도의 금융상품을 신설하자, 경실련은 즉각 성명을 발표하여 중단을 요청했다. 1998년 초에는 고소득 전문직 종사자에 대한 부가세법 개정안이 국회 재경위에서 부결되면서, 부가세 부과방침이 백지화 되는 일이 있었다. 이에 대해 "고소득자들이 세금을 덜 낸다는 것은 그만큼 일반 서민들이 다른 명목의 세금을 더 낼 수밖에 없다는 것으로, 국회 재경위에 큰 유감을 뜻을 표한다." 라는 강력한 입장을 표명했다. 이후 1998년 11월 30일 국회에서 고소득 전문직 부가세법이 재경위 법안심사소위 통과를 하게 되었다. 1997년 외환이기 이후 전반적인 세제완화 움직임이 일자, 경실련은 1999년 7월 6일 '조세정의실현 시민운동'을 출범시키며, 기자회견을 개최하여, 세제개혁 방안을 제시하였다. 금융소득종합과세 실시, 부가가치세의 간이과세, 과세특례제도의 폐지, 표준소득률, 표준신고율 폐지와 신고납세제도의 정착, 근로소득자와 사업소득자간 과세불공평 완화, 자본이득세 도입 등의 세제개혁안을 제안했다.

김대중 정부에서는 2001년 12월 19일 국회 재경위원회에서 당시 한나라당과 자민련 의원들로만 참여한 가운데 법인세 세율을 2% 일괄 인하하는 법인세법 개정안이 의결되었다. 경실련은 다음날(20일) 법인세 인하는 한나라당이나 자민련이 주장하는 것처럼 기업의 투자를 활성화하여 경기를 부양한다는 이론적으로나 실증적으로 명확하게 밝혀진바 없었고, 한국에서는 과표양성화가 미진하기 때문에 감세정책의 효과가 의문시되고 있다는 점

사진으로 보는
경실련 30년

I. 경실련의
창립과 활동

II.
경실련 30년
활동의 성과

III. 지역경실련의
활동과 성과

IV. 경실련과
시민사회의 미래

을 들어 반대 성명을 발표하였다. 2002년에는 결국 1%p(28% 최고세율 → 27% 최고세율) 인하되었다.

부자감세 및 법인세 인하에 대응하는 운동은 노무현 정부부터 집중적으로 시작되었다. 2003년 7월 30일 경제여건을 핑계로 노무현 대통령의 법인세 인하 시사 발언이 나오자 논쟁이 붙었다. 경실련은 법인세 인하가 어려운 경제여건 속에서 기업으로 실질적인 투자와 외국기업들의 투자 등 구체적 효과를 담보할 수 있는가에 대해 문제를 제기하며, 적절치 않음을 주장했다. 그럼에도 이를 받은 국회 재경위원회는 2003년 11월 21일 2005년 발생 소득분부터 2%포인트 낮추는 법인세법 개정안을 통과시켰고, 경실련은 이에 대한 비판 성명을 발표했다. 노무현 정부는 법인세와 특소세 조세감면 뿐 아니라, 조세정책과 비과세 및 감면을 남발하여, 사실상 부자감세를 추진했다. 이에 경실련은 2006년 2월, 2004년부터 2006년까지의 세입예산서를 분석하여, 결과를 발표했다. 특히 특소세는 지난 3년간 22.9%나 감소했고, 부가가치세는 11.42% 증가했다. 아울러 소득세 증가율은 29%로 가파른 상승세를 보인 반면, 법인세 증가는 13.9%에 그쳤다. 이에 소득세 원천분과 징수분의 불균형이 가속화 되었고, 법인세와 특소세의 조세감면이 경기부양이라는 명목하에 기업과 고소득층에게 혜택이 돌아갔고, 교통세 및 부가세 등 조세저항이 적으며, 소득에 역진적으로 작용하는 조세 부담률이 증가하는 결과를 보여, 양극화를 심화시켰음을 지적했다. 이후 2006년 3월 1일에는 비과세 및 감면 남발 정책을 분석하여, '100원 중 15원이 세금감면'으로 나가고 있음을 주장하며, 조세구조 개혁에 나설 것을 촉구했다.

이명박 정부는 747공약(7%성장, 4만 불, 세계7대 경제)등을 내세우며 강력하게 부자감세 법인세 인하 등의 조치에 나섰다. 더욱이 2008년 글로벌 금융위기의 여파로 경제성장률 급락, 중소기업 부도급증, 대량실업이 심각한 상황에서 재정적자를 악화시키고 특정계층에게만 혜택이 몰리는 법인세와 상속세 인하 등 대대적인 감세정책을 실시하였다. 정부는 2008년 소득세는 종합소득과세표준별 8~26%의 세율을 1%씩 감면, 법인세는 과세표준 2억 원 기준으로 이하는 13%에서 11%로, 이상은 25%에서 22%로 감세했다. 이에 경실련은 2008년 9월 정부의 세법개정안에 대해 '상위 1% 대기업과 부유층을 위한 세제개편안'이라며, 철회 및 수정을 요구했다. 하지만 이명박 정부는 법인세와 소득세 완화, 가업상속공제 확대, 소비세 인상 등 추가적인 감세정책 기조를 계속 유지하였다. 경실련은 2009년 12월 22일부터 이명박 정부 말까지 세제개편안 의견서 제출을 통해 '감세기조 철회 촉구, 법인세 및 소득세 인하 철회 의견 피력, 임시투자세액공제제도 폐지'를 요구했다. 아울러 감세정책 폐지로 재정건전성을 확보 할 것도 지속적으로 주문했다.

박근혜정부에서도 친재벌·부자감세와 서민증세 정책은 지속되었고, 담뱃값 인상 등 서민증세 기조가 지속되었다. 특히 2014년 정부는 세법개정안에서 가계소득증대 3대 패키지를 밝히는데 경실련은 이중 배당소득 증대세제 정책은 고소득 배당자에 대한 부자감세라고 지적한 바 있다. 아울러 자동차세 인상과 담뱃값 인상은 서민증세임을 주장하며, 오히려 소득세, 법인세, 종부세의 증세를 할 것을 피력했다. 이명박 정부와 박근혜 정부의 감세 정책으로 인해 당시 경실련은 오히려 조세형평성 제고를 통한 증세방안 이라는 표현을 쓰면서, 증세 정책을 주장하기도 했다. 그 일환으로 2015년 3월 11일에는 '국민총소득에서 차지하는 법인소득과 가계소득 비중추이 보도'를 통해 ▲가계소득 비중 (GNI 대비)은 2003년 66.11%에서 2012년 62.27%로 3.84%P 하락한 반면 ▲법인소득 비중 (GNI 대비)은 2003년 19.24%에서 2012년 23.27%로 4.08% 증가했음을 밝히며, 법인세를 인상할 것을 주장했다. 이후 3월 17일에는 '최근 4년간 법인세 실효세율 및 공제감면세액 추이 분석결과'를 발표하며, 근로소득세 실효세율은 4년간 0.7%p 정도 상승한 반면, 법인세 실효세율 3.6%p나 하락. 실효세율 19.59%에서 15.99%로 하락했음을 보여주면서, 또 다시 법인세 인상을 촉구했다. 부자감세로 논쟁이 되었던 가업상속 공제 역시 이명박 정부와 박근혜 정부를 거치면서 에서 공제한도가 30억에서 100억(2008), 100억에서 300억(2011), 300억에서 500억(2013), 공제대상도 중견기업 매출액 3000억 원까지 2013년에 확대되었다. 경실련은 가업상속공제에 대해서는 완화 시도가 있을 때 마다, 형평성 문제를 제기하며 폐지 할 것을 주장했지만 결국 지속적으로 확대 되었다. 문재인 정부 역시 가업상속공제 대상을 3000억 원에서 더 확대를 시도하다가, 경실련을 비롯한 시민사회의 대응으로 가로막혀있는 상황이다.

3. 각계 반응과 성과

경실련의 부자감세 반대와 법인세 강화운동은 세제에 대한 전문적 지식과 실태, 정책대안을 제시하는 방식으로 전개해 왔다. 특히 조세제도가 정부의 세법개정안에 의해 방향이 정해지므로, 세법개정안에 대한 의견서 제출, 정부에 대한 개혁과제 제출도 주요 운동방식 중에 하나였다. 30년 간 조세정의 운동이 경실련의 주력 운동 중 하나였던 만큼, 부자감세 반대와 법인세 강화 운동 역시 경실련의 목소리가 시민사회에 많이 알려져 왔고, 정부와 정치권이 경실련의 평가와 의견을 많이 수용했다. 경실련이 경제정의를 조세정의와 연결지어 조세형평성 제고 차원에서 부자가 좀더 세금을 부담하고 세부담의 여력이 더 큰 법인이 세금을 더 부담하도록 한다는 입장을 유지해 왔고, 정부의 정책에 직간접 영향을 미쳤을 것으로 평가된다. 기획재정부 세제발전심의위원회 위원으로 경실련 멤버중 1명이 참석하여 의견을 내는 것도 그 한 예라 할 것이다.

1998년 초에는 고소득 전문직 종사자에 대한 부가세법 개정안이 국회 재경위에서 부결되면서, 부가세 부과방침이 백지화 되는 일이 있었다. 이에 대해 경실련의 강력한 유감표명과 대국회 운동은 이후 1998년 11월 30일 국회에서 고소득 전문직 부가세법이 재경위 법안심사소위 통과를 하게 되는 성과로도 나타났다. 박근혜 정부에서의 실태조사를 통한 법인세 인상의 주장은 문재인 정부가 들어서고 난 뒤, 부족하긴 하지만 법인세 최고세율이 25%로 정상화 되는 성과로도 이어졌다.

다만 경실련의 계속된 주장에도 불구하고, 상속세 및 증여세, 소득세, 법인세, 비과세 및 감면 등 조세제도 전반에 걸쳐 형평성에 벗어나 있는 제도가 여전히 유지되고 있지만, 경실련의 지속적인 개선노력으로 조세정의, 경제정의를 위해 위 문제는 점차적으로 개선될 것으로 기대한다.

16. 예산감시 운동

1. 배경 및 취지

경실련 경제정의연구소에서는 1998년 3월 3일 납세자의 날을 맞아, '납세자 주권의 회복'을 위해 정부와 지방자치단체의 예산낭비 감시운동 선언을 하였다. 당시 선언문에서는 "시민들은 더 이상 납세자로서의 의무에만 머물지 말고, 특정한 계층의 이익과 특정한 정치적 이익을

위해 쓰여지는 예산, 감시자 없는 재산이라고 무분별하게 쓰여지는 예산, 그리고 심지어는 시민의 재산인 세금을 도둑질해가는 행위까지, 이 모두를 납세자로서 자신의 권리를 행사함으로써 막아야 한다."라고 강조하고 있다. 동시에 "시민을 위해 사회전체의 이익을 위해 적절하게 쓰인 예산과 그 집행자에 대해서는 격려를 아끼지 말아야 한다."라며, 긍정적 기능도 강조하고 있다.

운동을 시작하게 된 1998년 당시에는 최악의 10대 예산낭비사례를 선정할 만큼, 예산낭비와 이에 대한 감시가 잘 이루어지지 않은 문제가 컸다. 당시 경실련이 선정한 10대 예산낭비는 ① 교육부, 교단선진화 사업 677억 원 예산낭비, ② 국방부 무기구입 원가계산 잘못으로 인한 439억 원 낭비, ③ 정보통신부 소규모우체국 고객 순번표시기 설치 예산낭비, ④ 환경부 안양시 쓰레기 소각장 용량 과다책정, ⑤ 서울시 40억 원짜리 버스안내 시스템 방치, ⑥ 부루셀라 백신 불량제조 및 소전산화 사업 예산낭비, ⑦ 3개 연금관리공단과 4개 공제회 3조 3,469억 원 경영손실, ⑧ 공기업들의 혈세 나눠먹기식 퇴직금 지급, ⑨ 행자부 전자주민카드사업 시행 백지화, ⑩ 정부부처 전자결재시스템 이용 저조였다.

예산은 투명하게 공개되어야 함에도 그 내용이 베일에 가린 듯 명확하게 알 수 없는 부분도 많았고, 필요하지 않은 예산 책정 등으로 낭비가 심하였다. 정부의 예산을 감시해야할 국회도 제 역할을 다하기는커녕 지역에 대한 선심성 예산을 만들기 위해 여야 할 것 없이 야합하는 경우가 많았다.

2. 활동 내용 및 경과

1998년 3월 3일 예산감시선언과 함께, 예산감시위원회를 구성하여, 본격적인 활동에 나섰다. 예산감시운동은 크게 시민들의 감시역량 강화, 정부 예산낭비 사례조사, 국회 예산심의 모니터링, 재정낭비를 막는 제도개선으로 진행했다. 감시운동은 1998년부터 2002년 시민들과 함께하는 프로그램 위주로 진행했으며, 이후에는 활동가와 위원회 중심으로 진행했다.

- 시민과 함께한 예산감시 운동

운동을 효율적으로 진행하기 위해 1998년 5월 예산감시 신고센터를 운영하면서 예산감시 사례를 접수받는 운동을 진행하였다. 1998년 한 해 동안 접수된 건수는 117건 정도였다. 아울러 시민예산감시단 운영을 통해 언론모니터, 제보접수 및 처리의 활동을 강화하였다. 특히 시민들이 예산감시의 중요성을 알도록 하고, 감시역량의 강화를 위해 1998년 9월부터 예산학교를 운영하였다. 예산감시학교에서는 지방자치와 지방재정, 예산의 이해와 개념, 종류, 지방세, 교부금, 예산의 편성과 집행, 결산과정과 심의 방안, 예·결산 사례 등의 내용으로 진행하였다. 예산낭비 감시 시민운동 워크숍도 개최하여 예산감시 시민운동에 대한 방향을 이해하고 낭비사례를 찾아 확인하는 등의 시간을 가졌다. 아울러 지자체 예산낭비 사례로 계도지(통반장 신문 구독료)에 대한 정보공개를 토대로 개선운동에 나서기도 하였다. 신문사와 연계하여 지방자치 예산학교도 진행하였으며, 전주 신공항 예산삭감 등에 대한 공개질의도 하였다. 2000년 3월 3일에는 '제1회 납세자의 날 대회'를 개최하여, '납세자의 친구상', 납세자 권리선언 낭독, 1999년 예산낭비 'Worst-waste 10'발표, 예산감시 홈페이지 및 1588서비스 개통식 등을 진행하기도 했다.

- 예산낭비 10대 사례 발표

1998년부터는 예산낭비를 막기 위해 매년 최악의 예산낭비 10대 사례를 선정하여 발표하였다. 1999년 10대 사례를 보면 다음과 같다.

(1) 건교부 산하 기관의 설계변경으로 인한 예산 낭비 (2) 예산낭비로 시작한 새 밀레니엄
(3) 외화 내빈의 대전시 새청사 건립
(4) 국립 암센터 예산 낭비
(5) 배보다 배꼽이 큰 홍보비
(6) 서울시의 무리한 소송 제기
(7) 잠자는 관용차량, 잠자는 시민예산
(8) 밀실 행정, 새는 예산 : 학교 옆의 쓰레기 매립장 건설
(9) 용두사미의 정부구조조정
(10) 청소대행업체의 예산 낭비

- 예산감시 백서와 매뉴얼의 제작

2001년 3월에 와서는 그간의 예산감시 활동을 정리하여, '2000년 시민예산감시백서'를 제작하였다. 백서에는 예산감시위원회의 주요사업이었던 인천국제공항 부실 및 부조리 문제, 인왕산~북악산길 우리꽃길 조성사업 모니터결과, 전국 기초자치단체 주민계도용신문 구입예산 현황 발표, 서울시 각 구청의 도로점용료 부과징수 실태조사, 2001년 예산안 중 기관별 삭감 미 재검토해야 할 예산 등도 수록되었다. 아울러 예산감시운동 전국 워크샵, 납세자의 날 대회, 예산학교, 예산낭비제보 및 언론기사모니터, 지역 예산감시활동, 정부의 예산절감정책 등의 내용도 수록하였다. 아울러 예산감시 매뉴얼을 제작하여, 예산감시 운동의 지침서로서 활용되도록 하였다.

- 공공건설 예산감시운동의 시작

2002년에는 예산감시운동에 공공건설 예산감시운동이 추가되었다. 공공건설 예산감시운동은 당시 예산감시운동에 새로운 장을 여는 것이었다. 수십조 원에 달하는 막대한 건설예산의 효율적인 운영감시를 통한

예산절감과 함께 불합리한 건설관련제도개선을 통해 건설과정에서의 각종 부정부패의 고리를 차단함으로써 밝고 투명한 사회를 만드는데 효과적인 운동을 추구하고자 하였다. 주요 내용으로는 최저가 낙찰제 전면 확대시행운동, 예비타당성조사 대상사업 모니터링, 정부조달 실태 감시활동, 공공기관운영비 실태조사 등이 있었다. 공공건설 예산감시운동 부분은 2003년경부터 국책사업감시단으로 구체화되어 보다 전문성이 있는 정책 대응을 추구하게 되었다.

3. 각계 반응과 성과

정부나 지자체의 재정과 예산은 실상 시민들이 접하기 어려운 부분도 있었지만, 경실련의 다양한 예산감시운동은 시민들의 관심과 적극적인 참여를 유도하였다. 또한 참여연대 납세자 운동본부의 결성, 한국납세자연합회, 함께하는 시민행동 등의 창립, 전국예산감시 네트워크의 발족 등 다양한 시민사회 단위의 활동을 견인하였다. 여성, 복지, 환경 등 특화된 분야의 단체에도 예산감시운동의 성과가 반영되어 깊이 있는 정책제언이 가능해졌다. 특히 경실련이 발표했던 '10대 최악 예산낭비사례'는 언론을 통해서 시민들에게 알려져, 정부와 지자체의 예산낭비를 조금이라도 줄일 수 있는 계기가 되었다. 당시 언론에서는 '경실련, 선심·낭비성 10대 예산 선정'(2000. 12. 4. 동아일보) 등의 제목으로 발표시 마다 비중이 있게 보도를 하였다.

예산감시운동의 형성과 정착은 정부 및 지자체의 변화도 이끌어냈다. 감시를 넘어서 시민들의 참여가 가능한 방식으로 전환되었다. 정부의 예산편성지침에도 예산감시운동이 주창하는 투명 참여 효율 예산 등의 가치가 반영되었다. 시군구 단위에서도 예산편성과정에 시민들의 참여방안을 모색하였다. 주민참여예산제 등도 도입하여 활성화되기에 이르렀다.

예산감시 운동은 예산학교, 감시 매뉴얼 및 백서 제작, 예산낭비 사례발표, 시민예산감시단 운영 등 체계적이고도 전문적인 방식으로 진행하여 많은 성과를 냈다. 특히 면밀한 모니터링을 통해 발표한 예산낭비 10대 사례는 정부와 지자체의 재정운영의 투명성과 책임성을 확보하는데 일조하였다고 볼 수 있다. 무엇보다 경실련의 예산감시운동은 지역 경실련은 물론, 시민사회의 매뉴얼화가 되어, 예산감시 운동의 모태가 되었던 측면이 있다. 경실련이 주장했던 복기부기제도, 프로그램예산, 성과예

산, 재정정보의 공개, 참여예산 등이 대부분 제도화되기도 하였다.

17. 글로벌 IT 조세부과 운동

1. 배경 및 취지

최근 디지털 경제의 확대로 구글(Goolge), 아마존(Amazon), 페이스북(Facebook), 애플(Apple), 넷플릭스(Netflix) 등 해외 ICT 기업의 국내 매출이 급격히 늘어났다. 국경 없는 글로벌 시장경쟁 속에서 ICT 기반의 가용 자원을 활용해 언제 어디서든 자유롭게 음악, 동영상, 게임 등의 콘텐츠를 제공하고 수조 원대의 매출을 올리고 있지만, 정작 이에 대한 적절한 과세는 이뤄지지 않고 있으며, 이들 해외 글로벌 ICT 기업의 세금회피 문제가 지속으로 제기되어왔다. 나아가 이들의 국내법인의 경우 한국의 기업공시제도의 허점을 노려, 유한회사 형태로 진입 또는 전환하면서 외부감사 대상에서도 벗어나 있었다.

2015년부터 부가가치세법 개정으로 전자적 용역 거래(게임, 음악, 동영상 파일 또는 소프트웨어 등 대통령령으로 정하는 용역)에 대해 해외 사업자가 우리나라에 〈간편사업자등록〉을 하도록 해 부가가치세를 신고 및 납부하도록 규정하고 있다. 또한, 2018년 세법개정안에도 전자적 용역 범위에 클라우드 컴퓨팅(Cloud Computing)을 추가토록 했다. 그러나 속지주의 원칙 때문에 글로벌 사업자가 〈간편사업자등록〉을 하지 않을 수도 있고, 신고와 납부를 불성실하게 해도 이를 강제

할 수 있는 실효성 있는 제재수단마저 없는 실정이다. 문제는 이로 인해 구글, 페이스북, 애플과 같은 글로벌 ICT기업과 경쟁하는 국내 기업에게 조세 역차별이 발생하고 있다는 점이다. 예를 들어, 법인세의 경우만 하더라도 지난 2016년 국내 사업자인 네이버는 약 5조원 매출에 4,231여억 원을 납부했지만, 해외사업자인 구글은 약 4조원 이상의 추정 매출에 구글코리아가 약 200억 원 이내로 납부한 것으로 알려지고 있다.

국제조세의 경우 법인세를 고정사업장으로 한정하고 있어, 해외 ICT 기업은 조세 피난처(Tax heaven)를 이용한 조세회피를 지능적으로 꾀하고 있다. 국제사회에서는 이미 2012년부터 EU와 OECD·G20을 중심으로 BEPS(Base Erosion and ProfICT Shifting: 국가 간 소득 이전을 통한 세원 잠식) 프로젝트를 만들어 국제공조 및 규제 방안을 심도있게 논의하고 있다. 이에 경실련은 국내 부가가치세법을 중심으로 전자적 용역에 대한 과세 대상 거래의 범위, 과세원칙, 징수 절차, 세원 누락, 전자적 용역의 개념 등의 문제에 대해 면밀히 진단하고, 이를 개선할 수 있는 대안을 찾고자 했다.

2. 활동 내용 및 경과

경실련의 글로벌 ICT 기업 조세부과 운동은 접근은 외부감사법 개정을 통한 적정한 규모의 유한회사 공시를 통해 매출액 등 세원 규모를 파악하도록 하는 것과 법인세 외에 문제가 되는 부가가치세 개선으로 방향을 잡았다. 전문성과 실효성을 위해 경실련 내 재정세제위원회와 정보통신위원회가 적극 결합하여 운동을 전개해나갔다. 우선으로 경실련은 구글, 애플코리아, 한국마이크로소프트 등 대다수 글로벌 ICT 유한회사를 외부감사대상으로 끌어들이기 위해 국회 내 문제의식을 가진 의원들과 토론회 등을 통해 적극 의견을 개진했다. 2016년 11월 29일 김해영 국회의원실에서 개최한 '다국적기업의 불공정 회계감사 회피 행태와 외감법 개정논의'토론회에 참석하여, 다국적 유한회사들의 실태와 문제, 법 개정 방향을 적극 피력했다. 당시 토론회에서는 금융위원회에서도 참석하여, 경실련과 참석자들의 의견을 수렴했다. 2018년 2월 8일에는 더불어민주당과 한국인터넷기업협회가 주최한 '인터넷 시장 역차별 해소' 토론회에 참석하여, 다국적 유한회사의 공시 문제를 다시 한번 강조했고, 이와 함께 부가가치세 영역의 중요성도 적극 피력했다. 이후 금융위원회에서는 다국적 유한회사도 외부감사법 대상이 되도록 하는 작업이 진행되어, 2020년부터 시행하도록 결정되었다. 공시 문제가 일단락되고 난 후 경실련은 디지털 경제 부가가치세 문제 개선에 적극 나서게 되었다.

경실련은 2018년 9월, 〈디지털 부가가치세 문제진단 및 개선방안〉을 모색하기 위한 토론회를 개최하였다. 이를 통해「부가가치세법」과 이의 개정 방향을 제시했다. 먼저 제4조(과세대상)에 누락돼 있는 '용역의 수입'을 과세대상으로 추가 지정하는 것이 필요함을 제기했다. 둘째, 제53조의 2와 시행령 제96조의 2(전자적 용역을 공급하는 국외 사업자의 용역 공급과 사업자등록 등에 관한 특례) 조항에 열거된 전자적 용역의 범위와 과세의 대상을 보다 구체적이고 명확하게 열거하고, ICT 기업들이 제공하는 무형자산과 용역에 대해서는 OECD와 EU가 제시한「부가가치세 가이드라인」과 동일한 수준으로 전자적 용역의 범위를 확대해 과세할 것을 주장했다. 특히 해외 ICT 사업자가 과세 대상일 경우 OECD와 일본처럼 일정기준(threshold) 이상으로 정함으로써 스타트업과 중소벤처기업을 보호해야 함을 피력했다. 셋째, 국외 ICT 사업자들이 제공하는 전자적 용역의 경우, 제20조(용역의 공급장소) 제1항에 규정된 '역무가 제공되거나 시설물, 권리 등 재화가 사용되는 장소'가 어디인지 그 실체가 불분명하므로, 공정과세를 위해서는 '용역이 실제로 소비되는 장소'로 개정해 현행법에 소비지국 과세 원칙의 기준을 재확립해야 할 것을 주장했다.

일명 구글세 문제에 대해 경실련은 현행 부가가치 세제의 범위 및 징수의 대상으로부터 세제의 공백과 법문의 흠결을 찾아 역차별 문제를 교정하는 새로운 접근방법을 택했다. 즉, 해외 기업들에 대한 법인 소득세와 달리 과세당국이 확보하고 있는 국내 소비자들에 대한 부가가치세의 역차별 문제에 보다 집중함으로써 기존의 국제조세 제도에서 주목받지 못했던 대안들을 재발견하고자 했다. 나아가 국내 조세 체계와 현행법에 만족할만한 합의점을 도출한 것이다.

경실련의 〈디지털 부가가치세 문제 진단 및 개선방안〉 모색은 시민사회 물론 관련 분야에서 최초로 문제를 제기한 것이다. 이후 2018년 12월 11일 국회에서 박선숙 의원의 「부가가치세법」 일부 개정안이 국회를 통과했다. 경실련이 제안했던 제53조 2 및 시행령 제96조의2의 전자적 용역의 세제의 범위와 대상이 확대된 것이다. 비로소 해외 ICT 기업들에 대한 공정과세가 시작되었다.

3. 각계 반응과 성과

경실련은 그동안 기업공시제도 문제에 오랜 경력을 가지고 있었던 관계로 글로벌 ICT 유한회사의 문제를 누구보다 잘 알고 있었다. 그리고 2012년 이후 주식회사로 들어온 다국적기업도 공시를 회피하기 위해 유한회사로 전환하는 것도 파악하고 있었다. 이러한 경험 등을 바탕으로 이슈에 관심을 갖는 국회의원들을통해 적극적으로 문제제기를 하고, 언론을 통해서도 알리는 방식을 취했던 점 덕분에 유한회사를 외부감사 대상에 포함시키게 된 성과를 얻게 되었다.

또한, 부가가치세의 범위를 명확히 규율하거나 대상을 확대해야 한다는 경실련의 주장에 대해서는 크게 이견이 없었다. 하지만 기획재정부는 「부가가치세법」 제4조(과세대상)의 '역무의 완료' 개념을 두고, 서비스나 무형자산에 대한 소비지국 과세원칙과 국가 간의 정치적 문제를 우려했다. 즉, 미국과의 무역 분쟁으로 확대될 우려가 있으므로, 우리 세법도 OECD(2015) 권고안의 원칙적 합의에 따라 이를 준수할 필요가 있다는 저자세를 취했다. 국세청은 전자적 용역의 수입이 결국 최종소비자가 부담하는 것이므로, 「부가가치세법」 제20조(용역의 공급 장소)의 장소를 '용역이 실제로 소비되는 장소'로 보는 것이 원칙적으로 옳다며 경실련의 의견에 동조했다. 그러나 국세청은 제53조의 2와 시행령 제96조의 2(전자적 용역을 공급하는 국외사업자의 용역 공급과 사업자등록 등에 관한 특례) 조항, 즉 국세청이 직접 운영하는 개별 소비자에 대한 〈간편사업자등록제도〉에 대해서는 경실련이 문제 제기했던 '자발적으로 부가가치세를 신고하도록 협조를 유도한다는 것은 실효와 확실성이 없다'는 점은 인정하지 않았다.

경실련이 오랜 기간 준비를 통해 2018년 국정감사를 앞두고 개최한 디지털 경제 부가가치세 개선방안 토론회는 시민사회에서 최초로 문제를 제기한 것으로 큰 의의가 있었다. 이로 인해 국정감사에서 디지털 경제 부가가치세 문제를 쟁점화시키는 성과를 얻게 되었다. 해당 상임위에서는 기획재정부와 국세청의 관료들을 소환해 역차별 문제를 질타했다. 국회 박선숙 의원은 경실련이 제시했던 외국 인터넷 기업의 소비자거래(B2C)에 관한 「부가가치세법」 일부 개정안을 발의해 통과시켰으며, 이듬해 2019년 7월에 발효됐다. 이 법안은 인터넷 광고 등 전자적 용역의 범위를 명확히 규정하고 세제의 대상을 확대했다. 비록 늦은 감이 있지만, 해외 ICT 기업에 대한 봐주기식의 특혜로부터 국내 기업을 보호하게 된 것이다. 국내시장을 피해서 해외시장을 개척하고 있는 네이버 등 국내대표 ICT 기업은 공식적 입장을 발표하지는 않았지만, 중소형 스타트업 기업은 이를 적극 환영했다. 그동안 국세청이 국내 기업에게만 엄격히 세제를 부과해 왔다는 인터뷰 기사들이 쏟아졌다. 국제 ICT 세제 문제가 결합된 이슈로 종합문제 해결능력이 취약했던 시민사회 내에서 경실련의 활동은 의미가 매우 크다. 또한, 단번에 합의점을 찾고, 법안개정까지 이끌어 낸 것은 성과가 크다 할 수 있다. 새로운 ICT 사업모델에 대응하기 위해 국제적인 기준과 국내적 필요에 따라 세제의 확대를 고려하고, 〈간편사업자등록〉 제도의 과세 실효성과 확실성을 확보하게 됐다. 무엇보다 해외 ICT 기업이 제공하는 무형 서비스 소비에 대한 세제의 공백을 메워 공정과세를 확립했다.

하지만, 「부가가치세법」 제4조(과세대상) 및 제20조(용역의 공급 장소)의 개정에 대해서는 OECD·G20 BEPS 프로젝트의 합의 결과에 따라서 2020년까지 유보하기로 했다. OECD의 세제 논의 및 국내·외합의 과정 등에 대한 지속적인 감시가 요구된다. 그밖에 해외 ICT 기업의 불투명한 법인 소득세 문제까지 다루지는 못했다. 해외 기업의 영업이익 파악에 국세청이 제대로 대응하지 못하고 있으며, 이들의 과세실적 데이터를 제대로 확보하지 못했다. 향후 국회 등과 협력을 통해 국세청에 대한 개혁논의도 필요하다.

18. 중소상인·자영업자 살리기 운동

1. 배경 및 취지

2007년의 글로벌 금융위기의 여파로 경제 불황이 계속 됨에 따라 대다수 국민들이 민생고를 호소하고 있

사진으로 보는
경실련 30년

I. 경실련의
창립과 활동

II.
경실련
30년
활동의 성과

III. 지역경실련의
활동과 성과

IV. 경실련과
시민사회의 미래

는 가운데, 극심한 내수 침체로 중소 기업과 중소상인들의 도산과 부도가 줄을 있는 상황이 계속되었다. 당시 언론에 보도에 따르면 2008년 11월부터 2009년 1월까지 자영업자의 수가 40여만 명 줄어든 것으로 나타났으며, 이익을 내고 있다는 자영업자가 22.9%로 4명 가운데 1명에도 못 미치고 있어 그 심각성을 더 하고 있었다.

이러한 가운데 대형유통기업들이 기존의 대형마트에 이어 경쟁적으로 기업형슈퍼마켓(SSM)을 잇달아 개설하면서 지역 중소상인 및 자영업자들의 어려움은 더욱 커졌다. 경제력이 집중된 재벌기업들은 막대한 자본과 유통망을 활용하여, 중소상인의 영역, 골목상권까지 빠르게 진출해 나갔다. 이에 경실련을 비롯한 전국의 시민사회단체와 상인조직들이 함께 모여 2009년 5월19일 '중소상인살리기 전국네트워크(준)'를 우선 출범하고 ▲ 대형마트와 SSM에 대한 합리적 규제 ▲ 신용카드 중소가맹점 수수료 인하 등 중소상인들의 어려움을 해소하고 동반 성장을 도모하는 활동을 진행하였다.

2. 활동 내용 및 경과

2009년 5월 19일 경실련은 중소상인·자영업자 문제를 해결하기 위해 뜻을 같이하는 시민사회단체 및 중소상인단체들과 함께 '중소상인살리기 전국네트워크(준)'를 우선 출범하면서, 본격 집중 활동에 나섰다. 운동은 기자회견 및 집회, 캠페인, 성명 및 보도자료 발표, 입법 활동, 설문조사 등 할 수 있는 역량을 전부 동원하여 국회와 정부, 대형유통업체 등을 압박해 나갔다. 네트워크는 7월 20일 '(주)삼성테스코 대형마트 및 기업형슈퍼마켓(SSM) 출점 중단 촉구 항의방문 및 기자회견'을 먼저 개최하였다. 이날 삼성테스코 본사를 항의 방문한 네트워크는 당시 이승한 대표이사와 면담을 요청하여, 의견을 전달했다. 9월 3일에는 '정부의 실효성 있는 중소상인 대책 촉구 기자회견 및 규탄대회'를 진행하여, 대형마트 및 기업형슈퍼마켓의 개설 허가제 도입을 골간으로 한 유통산업발전법 개정안 마련과 사업조정제도의 실효성 있는 시행을 촉구하였다. 9월 22일에는 국회 본청 앞 계단에서 '기업형슈퍼마켓 개설허가제 도입 촉구 상인, 시민단체, 야5당 공동기자회견'을 개최하여, 정기국회에서 기업형슈퍼마켓과 대형마트 개설 허가제 도입을 골자로 한 유통산업발전법 개정을 할 것을 요구했다. 나아가 10월 9일 '개설허가제를 골자로 한 유통산업발전법 개정 촉구 기자회견', '상인 및 시민사회단체 공동 SSM·대형마트 개설허가제 도입 촉구 대회'(10월 16일), '삼성홈플러스 이승한 회장의 중소상인 비하 및 장애인 차별 규탄 기자회견'(10월 19일), '중소상인살리기 입법 촉구 전국상인대회'(11월 3일), '국회 지경위의 개정안 조속 통과 촉구 중소상인·시민사회 공동 기자회견'(12월 9일) 등 집중적으로 기자회견과 집회를 진행했다. 2009년 경실련은 제도개선을 위해 지속적인 성명과 보도자료도 배포하였다. '기업형슈퍼마켓, 등록제가 아닌 허가제로 규제해야'(6월 16일), '이명박 대통령의 대형마트 규제 불가 발언에 대한 논평'(6월 26일), '삼성테스코는 기업형슈퍼마켓 입점을 즉시 중단하라'(7월 17일), '정부는 사업조정절차에 따라 SSM 추가 출점을 중지시켜야'(7월 21일), '인천 갈산동 홈플러스 익스프레스 일시정지 권고를 환영한다'(7월 28일), '기업형슈퍼마켓 문제 해법은 허가제 도입'(10월 7일), '국회의 SSM 허가제 도입 촉구 결의안을 환영'(11월 19일) 등 사안이 있을 때 마다 지속적인 성명을 발표했다. 입법 활동은 '중소상인살리기전국네트워크(준)·민변, 개설허가제에 관한 법률 검토의견서 국회 제출'(2009년 9월 22일), '상인 및 시민단체, 유통산업발전법 개정 청원서 제출'(10월 22일), 'SSM 개설허가제 관련 추가 법률검

토의견서 국회 제출'(11월 25일) 등 개설허가제를 골자로 하는 유통산업발전법 개정에 중점을 두었다. 2009년 9월 24일에는 '국회의원 101명 SSM 개설허가제 찬성, 중소상인 법안 입법정향조사 결과 발표'를 하여, 정치권을 압박하기도 했다.

중소상인살리기 운동은 실효성 있는 제도개선을 위해 2010년에도 집중적으로 이어나갔다. 2010년 1월 20일 'SSM가맹점, 변종SSM에 대한 규제 촉구 국회의원-중소상인단체 공동기자회견'을 시작으로 상인단체들과 연대하여, 지속적인 공동기자회견을 개최해 나갔다. 아울러 4월에는 야5당 의원들과 1차와 2차에 걸쳐 임시국회 SSM법 처리 촉구 기자회견을 개최하면서, 정치권도 계속 압박해 나갔다. 정부부처인 중소기업청에 대해서도 SSM조사에 대한 은폐에 대한 비판과 가맹점 SSM에 사업조정 적용할 것을 촉구하기도 했다. 이러한 운동의 결과 2010년 11월 소위 SSM 법안으로 불렸던, 유통법과 상생법이 국회를 통과되면서, 운동이 일단락되었다. 하지만 통과된 법안이 SSM입점을 유예시키는 임시방편적 성격이 강해, 실효성 있는 제도개선을 위해 이후에도 중앙경실련은 물론, 지역경실련들과 함께 운동을 전개한다. 유통산업발전법 개정으로 대형마트의 경우 의무휴업, 거리제한 등 규제를 받고 있으나, 복합쇼핑몰, 아울렛, 변종 SSM 등 법의 사각지대에 있는 마트들이 생겨났기 때문이다. 이에 경실련은 2015년 2월 중앙위원회에서 전국 공통사업 중 하나로 중소상인살리기 운동을 채택하고, 3월 23일 운동을 위한 1차 워크숍을 진행하고, 6월 29일에는 2차 워크숍을 개최하여, 경실련의 대안을 수립하기에 이르지만, 집중적인 운동으로는 전개하지 못하고, 의견서, 개혁과제 제안 등 큰 틀에서 대안을 제시하는 방식으로 진행했다.

3. 각계 반응과 성과

2009년부터 시민사회와 상인단체들을 결집시킨 네트워크를 출범시키고, 지속적인 기자회견과 보도, 입법청원과 국회 정견조사에 이어 야5당 까지 결합시킨 전략으로 부족하지만 유통법과 상생법이 국회를 통과되는 성과를 얻었다. 국회의원을 대상으로 한 정견조사에서 101명이 개설허가제를 찬성한다는 결과가 나왔으나, 개설허가제가 도입되지 못한 아쉬운 측면도 있었다. 하지만 당시 야당을 압박하고, 결합까지 시킨 결과는 중소상인 문제를 정치권의 이슈로 만들었다는 점에서 큰 의미가 있었고,

실제적으로 법제도 개선으로 이어진 점은 긍정적이라고 볼 수 있다. 아울러 당시 삼성테스코, 롯데 슈퍼, 신세계 이마트 등 대형마트에 대한 항의방문과 입점저지 촉구 기자회견 등은 SSM 입점저지와 대형마트의 진출을 막는데 상당한 기여를 했다. 이러한 중소상인살리기 운동은 향후 대선과 총선에서도 공약으로 채택되는 결과로도 이어졌다. 그럼에도 불구하고, 재벌유통업체들은 복합쇼핑몰, 아울렛, 변종SSM 등 유통산업발전법의 사각지대를 활용하여, 지속적으로 진출하고 있다. 유통산업발전법은 이 외에도 상권영향평가를 업체가 직접 하도록 하는 등 많은 문제점을 안고 있어서, 이에 대한 대응이 시급한 상황이다.

19. 갑을문제 해결을 위한 가맹사업법 개선 운동

1. 배경 및 취지

"갑의 횡포, 을의 눈물"로 표현되는 일명 '갑질'이 최근 우리 사회의 주요 키워드로 등장했다. 그동안 을은 갑에게 권리를 억압당해왔고, 경제 활성화와 산업 위주 정책으로 을의 목소리에 우리 사회는 귀 기울이지 않았다. 갑을 관계에 대한 사회적 관심에도 불구하고, 여전히 구조적·제도적 한계로 인해 우월적 지위에 있는 갑의 횡포로부터 을의 권익을 찾기는 쉽지 않다.

경실련은 영세자영업자, 특히 가맹점주의 권익을 위해 활동했다. 가맹사업(프랜차이즈)은 가맹본부가 자신의 우월적 지위를 남용하여 갖은 횡포를 일삼아 왔던 대표적인 산업이며, 가맹사업의 특성상 가맹본부의 통제가

수반될 수밖에 없어 분쟁이나 피해가 끊이질 않고 있다. 허위 또는 과장된 정보제공, 물류공급 및 영업지원 부실, 과다한 인테리어 및 시설비용 요구, 불필요한 상품 강매, 과도한 로열티·판촉비·광고비의 강요, 가맹점 인근에 직영점이나 가맹점의 추가 설치, 과도한 위약금 요구, 부당한 계약해지 및 갱신거절, 계약 내용의 일방적 변경 등 다양한 피해를 호소하고 있다.

그러나 가맹본부와 가맹점 사업자 간의 분쟁이나 피해가 발생하더라도 사적 자치를 이유로 피해가맹점이 구제를 받을 수 있는 제도적 장치가 매우 한정적이다. 개인에 불과한 가맹점주가 기업을 상대로 생업을 포기하면서까지 우월적 지위에 있는 가맹본부의 부당한 횡포에 대하여 스스로 권리를 찾기는 어렵다. 심지어 가맹본부의 잘못을 알리는 것조차, 명예훼손이나 계약해지 등 가맹사업상의 불이익을 가맹점주가 고스란히 감수해야 할 경우도 태반이다. 이에 경실련은 편의점 가맹사업을 중심으로 가맹점주의 권익 보호 활동과 가맹사업법 개선, 그리고 소자본 무점포창업 피해자의 피해구제 활동을 전개했다.

2. 활동 내용 및 경과

편의점은 대표적인 프랜차이즈다. 24시간 영업을 강제하고 과도한 로열티와 위약금, 영업지역 내 동일 편의점 설치, 상품 강매 등 편의점주의 피해호소가 계속됐다. 2005년 피해를 호소하는 편의점주를 모아, '편의점가맹점주협의회'를 구성하고 본격적인 활동에 들어갔다. 우선 2005년 4월 공정거래위원회에 가맹계약서를 분석해 불공정약관 심사청구를 제기했다. 또한, 매주 월요일에 '편의점 불공정 피해구제 법률상담' 창구를 개설하고, 온라인 '가맹사업피해신고센터'를 운영해 피해사례를 접수하고 법률구제 활동을 전개했다. 2005년 9월에는 그동안 접수된 피해사례를 모아 불공정거래행위로 공정거래위원회에 고발했다.

또한, 편의점주를 대상으로 편의점 실태 및 현황에 대한 설문 조사결과를 발표해 편의점의 시스템의 심각성을 드러냈다. 조사결과, 93.1% 편의점 운영 불만족했고, 95.3%가 재계약 의사가 없었다. 가맹점주 인건비를 포함해 월수입이 130만 원 이하가 전체의 54.7%였으며, 하루 12시간 이상 근무하는 비율이 45.8%에 이르렀다. 편의점 외에 2005년부터 2009년까지 BBQ, 베스킨라빈스, 파리바게뜨, 던킨도너츠 등 치킨, 제빵·제과, 피자 등 다양한 브랜드의 불공정거래행위나 불공정 계약에 대한 사회적 문제 제기와 더불어 규제기관인 공정거래위원회에 고발 조치해 시정과 개선을 끌어냈다.

가맹사업거래의 근본적 문제를 해결하기 위한 가맹사업법 개정에도 적극적으로 대응했다. 2005년부터 가맹점주와 가맹거래사, 변호사들과 함께 가맹사업법의 문제점을 진단하고 개정안을 만들어 갔다. 이를 통해 제도개선의 필요성을 강조하고 국회, 청와대, 공정위 등 관련 부처에 수년간 수차례 의견을 제시했다. 또한, 개혁과제로 선정해 선거나 국정감사 의제로 채택될 수 있도록 노력했다. 나아가 피해사례 증언대회, 간담회, 토론회, 국회 공청회 등 공론화를 위한 지속 활동을 전개했다. 이에 경실련은 가맹본부의 횡포나 가맹점주의 권리를 제대로 보장하지 못하는 가맹사업법상의 문제를 지적했다. 나아가 허위 또는 과장된 정보제공, 과다한 인테리어 및 시설비용 요구, 불필요한 상품 강매, 과도한 로열티·판촉비·광고비의 강요, 가맹점 인근에 직영점이나 가맹점 설치, 과도한 위약금 요구, 부당한 계약해지 및 갱신거절, 계약 내용의 일방적 변경 등 해결하기 대안을 제시하며 2007년 8월 3일(2008년 2월 4일 시행), 2016년 12월 20일(2017년 3월 21일 시행) 2차례에 걸쳐 대대적인 법 개정을 끌어내며 현재의 가맹사업법 기본 틀을 정립하였다.

그런데 가맹사업법상 가맹본부의 책임과 의무가 강화되자 사회적으로 가맹사업법을 적용받지 않은 소자본 무점포창업 피해가 증가했다. 무점포창업은 화장품이나 패스트푸드 등을 샵인샵(SHOP IN SHOP) 형태로 인근 슈퍼나 미용실, 피시방에 입점 시킨 후 위탁 판매하는 사업이다. 주부나 학생·직장인을 상대로 방송이나 언론을 통해 ▲ 안정적인 고수익 보장, ▲ 가상인물을 통한 거짓 성공사례 광고, ▲ 제품 효과·효능의 과장, ▲ 영업지원 및 위탁판매점 소개 미이행 등으로 인한 피해와 더불어 아예 계약금이나 초기 상품대금을 가로채는 사기행위도 기승을 부리고 있다. 이에 경실련은 무점포창업 피해사례를 접수해 사기성 무점포창업 피해자 증언대회를 시작으로 사회적 경각심을 높이고, 다수 피해자를 일으킨 일부 업체를 검찰에 고발했

사진으로 보는
경실련 30년

I. 경실련의
정립과 활동

II.
경실련 30년
활동의 성과

III. 지역경실련의
활동과 성과

IV. 경실련과
시민사회의 미래

다. 또한, 피해자들의 집단적 고소를 지원하고, 무점포창업 5개 업체의 불공정계약서를 공정거래위원회에 고발해 바로잡도록 했다.

3. 각계 반응과 성과

2005년 당시의 갑을 문제, 가맹본부와 가맹점주를 바라보는 사회적 시각은 미온적이었다. 가맹점주가 사회적 약자라는 인식이 부족했고, 사업자로서 당연히 가져야 할 부담이라는 편견도 있었다. 이에 따라, 초기에는 가맹점주의 권리구제를 위한 당사자 운동에 머물렀으나, 점차 일부 가맹본부의 잘못이 아닌, 허술한 제도로 인한 피해라는 인식이 확산되면서 사회적 관심이 커졌다.

또한, 초기에는 가맹본부의 눈치나 불이익 때문에 피해를 받으면서도 침묵했던 다수 가맹점주의 목소리가 커지면서, '편의점 가맹점주 협의회'를 구성해 스스로 권리를 찾기 위한 활동을 적극적으로 펼쳤다. 가맹본부도 가맹사업을 유지하기 위해 불가피한 통제라며 변명을 지속하다 따가운 사회적 눈초리로 영업 전략을 수정하고, 울며 겨자 먹기로 가맹사업법 개정을 수용했다.

공정거래위원회는 제도개선에 적극적이었다. 경실련이 고발한 불공정거래행위와 불공정약관에 대해 적극적인 시정조치를 취하고, 사회적으로 제기된 제도개선안도 전향적으로 수용하는 태도를 보였다. 국회도 다수의 개정안을 발의하고 통과시켜 사회적 분위기를 반영했다.

경실련은 편의점을 비롯한 다수 가맹점주의 권리구제 활동을 진행했으며, 가맹점주 모임 구성해 활동을 펼칠 수 있도록 다방면으로 지원했다. 또한, 침묵하던 다수 가맹점주의 목소리를 낼 수 있는 사회적 분위기를 만들어 이후 스스로의 권리구제를 위해 적극적인 모습을 보였다.

나아가 가맹사업 피해 예방을 위한 가맹사업분쟁조정위원회 설치, 정보공개서 사전제공 의무화, 영업지역 보호, 가맹계약 기간 10년 보장, 과도한 위약금 금지 등 중요한 제도개선을 끌어냈다.

이러한 과정을 거쳐 현재에 이르러 가맹사업법이 정비되고 가맹본부의 가맹점주에 대한 갑질 행태가 줄어들고 무점포창업이라는 미명하에 사업비를 편취하는 사회 현상이 많이 줄어들었다.

20. GMO 표시제도 개선 운동

1. 배경 및 취지

GMO(Genetically Modified Organism)란 유전자변형기술을 이용하여 유전자를 인위적으로 조작한 식물, 동물, 미생물 등 모든 살아있는 생명체를 말한다. 처음 GMO는 작물에 해를 끼치는 '잡초'와 '해충'에 대한 저항성을 높이기 위한 목적으로 개발됐다. 농약을 쳐 잡초나 해충은 죽어도 작물은 죽지 않도록 한 것이다. 초기에는 동종 작물 간 DNA 조작에서 출발하였으나 이후 이종 작물, 식물과 동물, 동물 간 DNA를 추가하거나 빼는 형태로 발전되어 왔다.

GMO는 식량부족으로부터 인류를 구원한다며, 정부와 과학자들의 전폭적 지지로 전 세계로 급속히 퍼졌다. 우리나라가 GMO를 본격적으로 수입한 건 2008년부터이다. 매년 식용 GMO 200만 톤, 사료용 GMO 800만 톤 등 약 1천만 톤의 GMO 농산물을 수입한다. 일본에 이어 세계 2위의 GMO 수입 대국이다. 매년 수입된 식용 GMO는 1차 농산물과 가공식품을 합쳐, 약 230만 톤이 넘는다.

GMO에 대한 국민적 관심이 높아 GM은 농산물 및 이를 사용한 가공식품에 GMO 표시를 의무화하고 있다. 그러나 GMO 농산물은 비의도적 혼입치가 3% 이내이면 표시가 면제되며, 가공식품의 경우 예외가 문제다. 『식품위생법』과 『유전자변형식품 등의 표시기준』에 가공식품에 GMO 원재료를 사용하더라도 최종제품에 GMO 'DNA'나 '단백질'이 남아 있지 않거나, 3% 이내 (비의도적 혼입치)의 GMO 농산물을 가공하면 표시하지 않아도 되는 예외를 인정하고 있다. 당류나 기름, 전분 등은 거의 대부분 GMO를 원료로 가공되지만, 표시제외 대상에 해당하여 GMO를 사용하였다는 표시를 할 필요가 없다.

[GMO완전표시제 22만 국민청원 기자회견]
다. GMO완전표시제 및 GMO 학교급식 퇴출

사진으로 보는
경실련 30년

I. 경실련의
정립과 활동

II.
경실련 30년
활동의 성과

III. 지역경실련의
활동과 성과

IV. 경실련과
시민사회의 미래

안전성, 생태계 파괴, 종교·윤리적 논란, 종자와 농업의 종속화, 식량자급률 인하 등 GMO 논란은 계속되고 있지만, 엉터리 표시제도로 인해 소비자의 알 권리와 선택권은 침해받고 있다. 이에 지속적인 GMO 표시제도의 문제점을 지적하며, 제도개선을 위한 공론화 활동을 전개했다.

2. 활동 내용 및 경과

GMO 표시제도 개선 운동의 첫 시작은 실태를 통해 문제를 드러내는 것이었다. 먼저 시중에 판매되는 가공식품의 GMO 표시실태를 조사했다. 2013년 5월부터 2015년 7월까지 대형마트에서 판매되는 과자·두부·두유, 라면, 식용유, 간장·된장·고추장·청국장·춘장, 빵, 당류, 시리얼·팝콘·스위트콘, 통조림, 수입 가공식품, 건강기능식품 등 총 580개 가공식품에 대하여 GMO 표시실태를 꾸준히 조사해 발표했다. 또한, 문재인 정부가 들어선 2017년에도 과자, 두부, 두유, 라면, 식용유, 액상과당, 장류, 통조림류 등 총 438개 가공식품의 GMO 표시실태를 조사해 발표했다. 이처럼 경실련이 조사한 약 1,018개 가공식품을 조사한 결과, 국내 식품 대기업이 생산하는 가공식품에서 GMO 농산물을 원료로 사용하였다는 표시는 단 하나도 없었다.

실태조사와 동시에 식품기업에 GMO 농산물 사용 여부를 묻는 공개질의와 결과발표, 'GMO와 소비자 알 권리' 시리즈 토론회 개최, GMO 대두 비의도적 혼입치 실태조사, GMO에 대한 소비자 설문조사 결과발표, 해외 GMO 표시제도 현황, 식약처 GMO 공인검사 현황 분석결과 발표 등 GMO 표시제도 개선을 위한 공론화 활동을 이어갔다.

GMO 수입현황에 대한 정보공개 운동도 진행했다. 2013년부터 매년 식품의약품안전처(이하 '식약처')에 식용 GMO 농산물과 GMO를 사용한 가공식품 수입현황에 대한 정보공개를 청구하였다. 그러나 식약처는 기업의 영업비밀과 이익감소를 이유로 업체별 수입현황을 공개하지 않았다. 이에 2015년 3월 식약처를 상대로 업체별 GMO 수입현황 공개를 요구하는 소송을 제기하였으며, 2016년 8월 대법원 판결로 마침내 업체별 수입현황을 공개했다. CJ제일제당, 대상, 사조해표, 삼양사, 인그리디언코리아 등 5대 식품 대기업이 식용 GMO 농산물의 99.99%를 수입하고 있었다.

제도개선 활동도 전개했다. 실태조사 결과발표와 토론회를 통해 『식품위생법』과 GMO 표시 관련 고시의 문제점을 지속적으로 지적하고, 정부와 국회에 GMO완전표시제 도입을 촉구했다. 그리고 2016년 9년 남인순, 김광수, 윤소하 의원 소개로 경실련, 아이쿱생협, 소비자시민모임, 한국 YMCA 등 4개 단체가 공동으로 입법청원을 제기했다. 입법청원내용에는 ▲ GMO DNA 또는 단백질 잔존 여부에 따른 단서조항 삭제, ▲ 무유전자변형식품(GMO-free), 비유전자변형식품(Non-GMO) 표시 규정 도입, ▲ 비의도적혼입치 인하 등이 포함되어 있다.

유명무실한 GMO 표시제도와 이로 인한 논란이 계속되자, 문재인 대통령은 후보 시절 GMO 표시제 강화를 약속했다. 공약에 포함한 것이다. 그러나 안타깝게도 약속은 지켜지지 않았다. 그래서 2018년 3월 경실련을 포함한 시민, 소비자, 환경, 먹거리, 농민, 학부모, 종교 등 57개 단체가 모여 <GMO완전표시제 국민청원단>을 꾸려 청와대 국민청원을 제기했다. 청와대 국민청원은 국정 현안 관련, 국민 다수의 목소리가 모여 30일 동안 20만 이상 추천 청원에 대해서는 정부와 청와대 책임자가 답을 하는 정책이다. 그 결과 하루 평균 7,300명이 넘는 216,886명이 청원에 참여했다. 나와 가족이 먹는 음식에 GMO가 들어있는지 알고 싶고, 우리 아이에게 GMO가 아닌 건강한 음식을 먹이고 싶다는 국민들의 염원이 확인된 것이다.

국민청원이 마무리되고, 우여곡절 속에 2018년 12월 「GMO 표시개선 사회적 협의회」가 출범했다. 협의체는 청와대가 '전문성과 객관성이 보장된 협의체를 구성해, 최대한 이른 시일에 개선방안을 마련하겠다.' 라는 계획에 따라 구성되었다. 정부는 협의체 결과를 존중해 관계 부처 협의를 통해 정책에 반영하겠다고 발표했다. 정부가 사회적 논의기구를 운영한 건 처음이 아니다. 지난 2013년 GMO 표시개선을 요구하는 국민의 목소리가 거세지자, 사회적 합의를 위한 「GMO표시제도 검토협의체」를 구성했다. 2018년 5월까지 총

32차례의 회의를 진행했지만, GMO완전표시제 합의를 끌어내지 못했다. 식약처가 자신의 입맛에 맞게 GMO완전표시제를 반대하는 사람을 중심으로 협의체를 구성하고, 회의안건과 자료도 공개되지 않았으며, 회의는 철저하게 비밀로 했기 때문이다.

2018년 12월에 새롭게 구성된 협의회에서 시민단체와 산업계가 모여 GMO완전표시제 도입을 위한 논의를 다시 시작했다. 그러나 전망을 밝지 않다. 정부와 국회의 GMO표시에 대한 무관심하고, 산업계는 원료기반 GMO완전표시제는 절대로 받아들일 수 없다며 무성의한 태도로 일괄하고 있기 때문이다.

3. 각계 반응과 성과

소비자들의 GMO에 대한 부정적 인식이 매우 높고, GMO 완전표시제 도입을 요구하고 있다. 그러나 정부는 식량 수입을 해외에 의존할 수밖에 없어, 식량 강대국의 눈치를 볼 수밖에 없다. 국회도 식품산업 발전에 대한 막연한 우려와 산업계의 적극적 로비로 제대로 된 논의를 하지 못하고 있다. 언론도, 국민적 관심이 높은 사안이지만, 오래된 이슈이고 해결되지 않는 과학전 논란으로 심도 있는 취재보다는 경실련 활동 등 사실을 전달하는 역할에 머무는 경우가 많다.

경실련은 실태조사 시리즈를 통한 GMO 표시제도에 대한 문제 제기와 사회적 공론화 작업 등으로 GMO에 대한 이슈를 지속적으로 선도하고 있다. 또한, 비의도적 혼입치 하향 조정, 과학적 검증 한계, NON-GMO 표시 허용 등 GMO 완전표시제 반대 논리에 대하여 지속적으로 반박해 왔다. 또한, 'GMO 표시제도 개선과 학교급식 퇴출'을 문재인 대통령 공약에 포함시키고, <GMO완전표시제 국민청원단>을 구성해 30일간 216,886명이 청원해 정부 답변을 이끌어내는 등 여러 노력을 하여 왔다.

그 결과, 유전자 재조합, 유전자변형 등 여러 법률에 달리 표기되어 있던 GMO의 법적 용어가 '유전자변형'으로 통일되었으며. 행정소송을 통해 그동안 비밀이었던, 업체별 GMO 수입량이 공개되는 성과를 이끌어 냈다. 나아가 종전에는 가공식품 원료 기준으로 많이 사용하는 5순위에 GMO 원료가 사용되면 표시했지만, 현재는 함량 순위와 상관없이 모두 표시하는 전 성분 표시제도도 도입되었다. 그러나 여러 노력에도 불구하고, 아직까지 원료기반 GMO완전표시제는 도입되지 않고 있다.

21. 개인정보보호 강화 운동

1. 배경 및 취지

개인정보란 살아있는 개인에 관한 정보로서 성명, 주민등록번호 및 영상 등을 통하여 개인을 알아볼 수 있는 정보를 말한다.

우리나라는 남북이 대치된 상황에서, 평생 따라다니는 고유한 주민등록번호를 모든 국민에게 부여한다. 물건을 사든, 게임을 하든, 은행을 가든 공공과 민간영역에서 만능열쇠(key)로 사용된다. 2000년 이후에 정보통신기술과 온라인서비스가 급격히 발전하면서, 회원가입, 실명확인, 본인인증 등을 이유로 정부나 기업, 심지어 동네 구멍가게까지 마구잡이로 개인정보를 수집하고 이용했다. 2014년 1억 건이 넘는 카드 3사 개인정보 유출을 정점으로 수많은 개인정보 유출과 이로 인한 보이스피싱 등 정신적·재산적 피해가 큰 사회문제가 되었다. 여기에 금융, 통신, 게임 등 다양한 분야에서 본인확인과 실명제를 의무화하고 있다.

반면, 개인정보보호 정책은 미비했다. 개인정보보호 체계는 정보통신망법, 신용정보법, 의료법 등 여러 법률로 나누어져 있고, 개인정보 감독도 행정안전부, 방송통신위원회, 금융위원회, 보건복지부 등에 분산되어 있다. 그나마 개인정보보호법도 제정된 지 10년에 불과하다. 개인정보 유출이나 오·남용으로 인한 소비자 피해구제는 답보상태에 있고, 기업의 책임에는 관대하다. 박근혜 정부 들어 빅데이터를 활용해 산업을 활성화하겠다는 개인정보 이용관련 정책이 거세지며, 동의 없이 의료·질병·유전자·금융 등의 개인정보를 수집 및 공유하도록 하고, 개인정보의 거래를 중요한 정책으로 가져가고 있다.

이에 경실련은 개인정보 수집·이용 실태, 개인정보 유출대응 및 공익소송, 개인정보보호법 제정, 주민등록번호와 실명제 등 다양한 제도개선 활동을 전개했다.

2. 활동 내용 및 경과

개인정보 수집과 이용에 대한 실태조사를 진행했다. 2001년 7월 이력서와 자기소개서 그리고 주민등록번호, 주소, 학력, 성장과정 등 구인자의 개인정보가 제휴 기업에 공유되거나 허술하게 관리되는 구인·구직 사이트의 개인정보보호 실태를 조사해 발표했다. 2002년 12월에는 188개 인터넷쇼핑몰의 개인정보 보호정책과 고지실태, 14세 미만 아동의 개인정보보호, 개인정보 수집·이용에 대한 동의 실태를 조사해 발표하고, 롯데닷컴, 마이오렌지, 이셀피아, 코렉스몰 등을 개인정보보호 우수 사이트로 선정해 발표했다.

2008년 4월에는 은행, 생명보험, 손해보험, 증권, 카드, 이동통신, 인터넷 쇼핑몰, 초고속 인터넷, 항공사 등 주요 온라인사이트의 개인정보 활용에 대한 동의 실태를 조사해 발표했다. 조사결과, 대부분 온라인사업자가 관련법을 위반하여 이용자의 동의 없이 개인정보를 제3자에게 제공하는 등 개인정보가 무분별하게 상업적으로 이용하고 있음이 드러났다. 경실련의 지적 후, 개인정보의 상업적 활용과 제공에 동의하지 않아도 회원가입이 가능하도록 절차가 변경되었다. 2017년 9월 이동통신사, 온라인서점, 온라인쇼핑몰, 오픈마켓, 소셜커머스, 온라인마트, 영화사이트, 음악사이트, 온라인캐쉬, 모바일메신저, 내비게이션서비스 등 29개 기업의 개인정보 열람 실태를 조사해 결과를 발표하고, 제도개선을 촉구했다.

개인정보 유출에 대해서도 적극적으로 대응했다. 2008년 9월 GS칼텍스 1,125명 고객정보 유출, 2010년 6월 KT의 고객 동의 없이 선거홍보 문자 발송, 2012년 7월 KT의 870만 명의 고객정보 유출, 2014년 1월 1억 4백만 건의 대규모 금융·신용정보 유출, 2014년 3월 KT의 981만 명 고객정보 유출로 인한 피해구제와 책임자 처벌을 요구하고 재발 방지를 위한 제도개선도 촉구했다.

적극적인 소비자 행동도 진행했다. 2008년 7월 약 600만 명의 고객정보를 본인 동의 없이 제3자에게 제공한 하나로텔레콤(현 SK브로드밴드)에 대하여 최초의 소비자단체소송을 제기했다. 2008년 9월 하나로텔레콤의 고객정보 유출 피해자 3만 명과 2014년 3월 KT 고객정보 유출 피해자 3천 명, 2015년 3월 홈플러스 개인정보 유출 피해자 3천 명을 모아 손해배상 청구 공익소송을 제기했다. 또한 하나로텔레콤은 1인당 30만 원의 손해배상이 인정되었고, KT와 홈플러스 고객정보 유출은 아직 대법원에서 다투고 있다. 2014년 7월에는 구글과 구글코리아를 상대로, 구글이 미국 정보기관 등 제3자에게 제공한 개인정보 내역을 공개할 것을 요구하는 소송을 제기했고, 현재 소송이 진행 중이다.

그리고 개인정보보호법 제정과 개정, 정보통신망법과 신용정보법 개정, 주민등록법 개정 등 제도개선 활동도 적극적으로 진행했으며, 개인정보와 직결된 전자주민등록증 도입 반대, 게임 셧다운제 반대, 이동통신 실명제 반대와 공공아이핀 부정발급, 이동통신 신분증 스캐너 도입, 빅데이터 비식별화 가이드라인, 본인확인제도 등에도 적극적으로 대응했다.

3. 각계 반응과 성과

다수의 국민은 개인정보 유출을 경험했고, 개인정보의 중요성을 인식하고 있다. 그러나 수많은 개인정보 유출에도 불구하고 책임자 처벌과 피해구제가 어렵다는 사실도 인지하고 있다. 이로 인해 자신의 개인정보보호를 위해 노력하는 반면, 다양한 혜택이나 편의성을 이유로 철저한 확인 없이 형식적 동의가 일반화되고 개인정보 유출에 무감각해지기도 한다.

빈번한 개인정보 유출과 기업의 과도한 개인정보 수집·이용, 개인정보에 대한 국민 관심이 높아 개인정보보호를 위한 제도의 개선이 이어져 왔다. 정부와 국회는 경실련을 비롯한 시민단체를 주요한 의견을 제도에 반영했다. 그러나 규제 완화를 외치는 기업, 금융기관, 의료기관의 압박도 거세졌고, 규제의 강화와 완화

가 반복됐다.

경실련은 개인정보 유출에 적극적으로 대응했고, 개인정보의 중요성을 알리기 위한 캠페인과 실태조사, 의견서, 토론회, 입법청원 등 다양한 활동을 통해 제도개선에 이바지했다. 2011년 3월 민간과 공공을 포괄하는 개인정보보호법이 제정되고, 개인정보보호위원회가 설치되었다. 또한, 2014년 8월 법적 근거 없이 주민등록번호의 수집이 금지되었고, 2015년 12월에는 헌법재판소가 주민등록번호 변경을 허용하는 결정을 내려 주민등록번호 변경이 가능해졌다. 또한, 다수의 개인정보 유출로 인한 손해배상 청구 공익소송을 제기해 피해자 권리구제 활동을 전개했다.

22. 항공 마일리지 개선 운동

1. 배경 및 취지

항공마일리지는 항공기 탑승이나 신용카드 등의 제휴서비스를 이용할 때 마일리지를 적립해 항공 좌석 매입 등으로 사용하는 제도다. 항공마일리지는 항공기에 탑승한 대가로 적립되는 '탑승 마일리지'와 신용카드, 이동통신 등 제휴사의 서비스를 이용하는 대가로 적립되는 '제휴 마일리지'로 구분된다. 탑승 마일리지는 큰 변화가 없으나 제휴 마일리지는 매년 큰 폭으로 증가하고 있다. 항공사들은 마일리지 회원 수는 물론 적립이나 사용 현황, 제휴 마일리지 판매액 등을 일체 비밀에 부치고 있으나, 한국소비자원 자료에 의하면 대한항공이 신용카드사로부터 받은 제휴 마일리지 판매대금은 2004년 824억 원, 2005년 963억 원, 2006년 1,073억 원, 2007년 1,310억 원에 이른다.

대한항공 제휴마일리지 개선 및 공정위 고발 기자회견
- 대한항공 제휴마일리지 관련 법적 대응을 위한 피해소비자 모집 -
일시 : 2009년 9월 23일 오전 10시 30분   장소 : 경실련 강당

문제는 항공사가 마일리지로 구매하거나 승급할 수 있는 좌석을 한정하고 있어, 적립된 마일리지 사용이 굉장히 어렵다는 사실이다. 특히, 제휴 마일리지의 급격한 증가는 마일리지 사용을 더욱 어렵게 하고, 이것이 악순환이 되어 소비자 불만이 커졌다. 이런 상황에서 항공사는 과도하게 적립된 마일리지를 없애기 위해, 대한항공은 2008년 7월부터, 아시아나항공은 2008년 10월부터 적립일로부터 5년이 지나면 마일리지가 자동 소멸되는 유효기간 제도를 도입했다.

항공마일리지 소멸시효는 사용할 수 있는 최소 마일리지가 쌓이지 않을 때도 사용기회 없이 소멸하고, 사용할 수 있는 마일리지라도 실제로 사용이 제한되어 사용할 수 없도록 해놓고 소멸하여 재산권 침해가 발생한다. 이는 소멸시효는 권리를 행사할 수 있는 때로부터 따진다고 규정한 민법과도 상충한다. 이에 항공마일리지 사용에 대한 소비자 권리 보장을 위하여, 항공마일리지 적립과 사용 실태조사, 소멸시효 제도의 문제점을 지속해서 제기하고, 제도개선 활동을 전개하였다.

2. 활동 내용 및 경과

항공사에서 항공마일리지의 유효기간 제도를 도입하겠다고 발표했다. 연이어 30억 원 초과 마일리지 등 전자지급수단을 금융감독원에 등록하는 내용의 『전자금융거래법』 개정안에 대해 규제개혁위원회가 철회를 권고하였다. 이에, 무분별한 항공마일리지 판매와 사용을 제한하는 항공사 행태에 대하여 규제 필요성을 언급하며 항공마일리지 제도개선 운동을 시작했다.

경실련은 2009년 9월 23일, 항공마일리지 개선을 위한 소비자운동을 선언하며 활동을 본격화했다. 그 시작은 시장지배적 지위를 가진 대한항공의 '소비자의 이익을 현저하게 저해하는 항공마일리지 정책'에 대해 공정거래법 위반혐의로 공정거래위원회에 고발한 것이었다. 고발내용은 크게 3가지이다. 첫째, '여유 좌석에 한해 보너스 좌석을 지급한다.'라는 불공정 약관을 근거로 보너스 항공권 지급요구를 거절해, 소비자가 원하는 시기에 제대로 사용할 수 없는 집단소비자 피해를 발생시켰다. 둘째, 마일리지를 적립한 날로부터 무조건 5년이 지나면 사용 여부와 상관없이 소멸하는 것은 '권리를 행사할 수 있을 때부터' 소멸시효가 적용된다는 민법과 배치된다. 즉, 마일리지가 어느 정도 적립되어 사용할 수 있

을 때부터 소멸시효가 시작되어야 한다. 셋째, 보너스 좌석을 지급한다는 조건으로 발행하는 항공마일리지가 실제로 지급되는 좌석 수를 초과하여 발행할 경우, 소비자 간에 경합으로 원하는 시기에 보너스 좌석을 이용하지 못하거나 소멸시효가 도래해 적립한 마일리지가 사라지는 재산 피해가 발생한다.

2010년 2월에는 168명의 법률전문가 설문 조사결과도 발표했다. 항공마일리지는 소비자의 정당한 재산(98.2%), 서비스를 이용한 대가로 적립한 유상서비스(83.9%), 여유 좌석만 이용하는 것은 부당(64.5%), 유효기간 민법 배치(63.7%), 마일리지 현황자료 영업비밀 아니다(74.9%), 마일리지 현황 공개(68.9%), 마일리지를 상속할 수 있도록 개선(61.8%)해야 한다는 결과가 나왔다.

공정거래위원회에 대한항공 및 아시아나항공의 불공정 약관에 대해서도 고발했다. '대한항공 스카이패스 회원약관'과 '아시아나클럽 일반 규정'을 약관규제법 위반혐의로 심사청구서를 제출했다. 고발내용은 부당한 유효기간 조항, 마일리지 이용을 여유 좌석에 한정하는 조항, 상속금지 조항, 마일리지 임의조절 조항, 임의적 제휴서비스 변경 조항, 부당한 약관적용배제 조항 등이다.

정보공개운동도 전개했다. 항공마일리지는 2,600만 명이 보유한 보편적 서비스다. 소비자 불만이 커지고 있지만, 항공사는 정책을 개선하려는 노력보다는 유리한 자료를 인용해 본질을 왜곡하거나 언론을 호도하기 바빴다. 이에 ① 연도별 발행한 탑승 마일리지 및 제휴 마일리지 규모 ② 연도별 지급한 탑승 마일리지 및 제휴 마일리지 규모 ③ 마일리지로 인한 연도별 부채성 충당금 적립 규모 및 적립기준 ④ 연도별 제휴 마일리지 판매금액 ⑤ 보너스 좌석 확보 기준 및 비율 등에 대한 자료공개를 지속적으로 요구했다. 그리고 항공마일리지를 사업자가 표시나 광고를 할 때 소비자 선택에 영향을 미칠 수 있는 '중요정보'를 반드시 포함하도록 의무화하는 제도 개선도 요구했다.

3. 각계 반응과 성과

항공마일리지 개선 활동에 대한 시민 반응은 뜨거웠다. 경실련이 개설한 '항공마일리지 피해접수' 창구에는 격려와 더불어 피해나 불만 사례가 이어졌다. 언론에서도 항공마일리지 제도에 대한 문제점을 지적하고, 피해사례나 피해자 인터뷰를 연일 게재했다.

2009년 10월 한나라당 권택기 의원, 이진복 의원, 현경병 의원, 고승덕 의원, 이사철 의원, 민주당 이성남 의원 등 여야를 막론하고 다수의 국회의원이 국정감사에서 항공마일리지 문제를 심도있게 제기하고, 공정거래위원회의 조속한 해결을 촉구했다. 또한, 정무위에 대한항공과 아시아나항공 임원은 증인으로, 경실련은 참고인으로 출석해 설전을 벌였다.

그러나, 당시 정호열 공정거래위원장은 "우리나라 항공사들이 시행하고 있는 소멸시효 5년은 외국 항공사에 비해 훨씬 관대한 기간이다"라거나 "외국 항공사들도 신용카드사들로부터 마일리지를 판매하는 등 시행하고 있는 제도이기 때문에 종합적으로 접근해야 할 문제이다", "균형을 잃고 푸쉬 할 경우 항공사들이 마일리지를 폐지할 수 있기 때문에 우리나라 소비자후생이 줄어든다."라며 항공사 입장을 대변하는 등, 항공마일리지 제도개선에 의지가 없었다.

경실련은 항공마일리지 제도개선을 위해 항공사를 공정거래법과 약관규제법 위반혐의로 공정거래위원회에 고발하고, 법률전문가 설문 조사 등 소비자 피해와 항공사 횡포에 대한 사회적 이슈를 제기했다. 그 결과 항공마일리지는 2009년 국정감사의 주요의제로 주목받고, 공정거래위원회는 2010년 소비자 친화형 항공마일리지 정책을 마련하겠다며 대통령 업무보고 때 계획을 발표하기에 이르렀다.

결과적으로 대한항공과 아시아나항공은 2010년 유효기간을 5년에서 10년으로 연장하고, 마일리지로 이용할 수 있는 좌석 확대, 가족 마일리지 합산 범위 확대, 초과 수화물·공항 라운지·리무진 버스 등 사용처 확대하는 내용의 개선안을 발표하는 성과를 이뤘다. 그러나 항공마일리지의 재산권을 인정하지 않고, 관련 항공마일리지 현황을 공개하는 제도개선에는 끌어내지 못한 한계도 있었다.

23. 소비자 약관 개선 운동

1. 배경 및 취지

약관이란 계약의 일방 당사자가 다수의 상대방과 계약을 체결하기 위하여 일정한 형식에 의하여 미리 마련한 계약의 내용이다. 흔히 이용약관이나 계약서를 생각하면 된다. 수도·가스·전기 등 공공요금부터 이동통신 초고속인터넷 등 정보통신 이용약관, 온라인서비스 가입 및 이용약관, 게임 영화 연예 등 문화산업, 학원이나 체육시설 이용, 분양 임대차 계약, 가맹점 대리점 하도급 계약 등 실생활과 밀접한 다양한 영역에서 약관이 사용된다. 심지어 버스나 지하철을 이용할 때도 일일이 동의하지 않지만, 계약이며 약관 동의를 전제로 한다. 부당한 계약이나 불공정한 약관으로 인한 피해는 매우 광범위하게 발생할 수밖에 없다.

소비자거래 분야의 약관은 사업자가 자신에게 유리한 계약 내용을 작성할 개연성이 매우 크며, 소비자들은 약관을 꼼꼼히 읽어보지 않는다. 또한, 가맹점, 대리점, 하도급 등 사업자 간 약관은 대부분 외부로 공개되지 않으며, 계약 당사자도 사전에 충분한 법률검토 없이 동의하다 보니, 피해를 구제받지 못하는 경우가 다반사다. 이에 실생활에 밀접한 소비자거래 분야의 다양한 약관을 비롯해 사업자 간 계약서를 분석해 공정거래위원회에 약관 심사를 청구하는 등 불공정약관 개선 활동을 전개했다.

2. 활동 내용 및 경과

경실련 약관개선 활동은 정부 부처 홈페이지 이용약관부터 시작했다. 2008년 4월 청와대, 지식경제부, 문화체육관광부, 국토해양부, 보건복지가족부, 여성부, 행정안전부, 통일부, 국방부, 환경부, 법제처의 이용약관을 분석해 발표했다. 그리고 각 부처에 불공정한 약관 변경 및 공지·동의, 면책조항, 서비스 이용제한 및 계약해지, 이용자의 저작권침해, 부당한 관할법원, 상업적 광고 게재 등 불공정조항을 개선해 달라고 요청하는 의견서를 보냈다. 정부는 즉시 청와대와 각 부처의 홈페이지 불공정약관을 바로잡았다.

2008년 11월 이동통신, 초고속 인터넷, 무선 인터넷(와이브로), 위치기반 및 위치정보 등 정보통신서비스에 대한 불공정한 약관 심사청구서를 공정거래위원회에 제출했다. 정보통신서비스 이용약관은 우리의 일상에 없어서는 안 될 필수품이 되었지만, 산업의 활성화와 원활한 서비스 제공을 명목으로 불공정하거나 이용자 권익이 침해되는 조항이 다수 존재해 왔다. 공정거래위원회와 방송통신위원회는 이례적으로 경실련의 심사청구 한 달 만에 시정결과를 발표했다. 관행적으로 이루어진 홈페이지 고지만으로 서비스를 일방 중지하던 것을 개별 고지하도록 하였고, 사업자의 일방적 판단이 아닌 객관적인 기준에 따라 이용계약을 철회할 수 있도록 개선했다. 또한, 홈페이지 게시물 관리 및 위치기반서비스로 인한 고객의 손해 발생 시 사업자의 손해배상책임을 명확히 하고, 법에서 금지하고 있는 고객에게 불리한 관할법원을 제한하는 조항이 개선되었다. 특히 계약연장 사전고지, 취급위탁 범위를 명확히 했다.

2010년 3월 '대한항공 스카이패스 회원약관'과 '아시아나클럽 일반 규정'의 항공마일리지 이용약관의 부당한 유효기간, 마일리지 이용 여유좌석 제한, 부당한 상속금지, 마일리지 임의조절, 임의적 제휴서비스 변경, 부당한 약관적용 배제 등 불공정조항에 대해 공정거래위원회에 고발했다.

2013년 3월 애플과 구글, 휴대전화 단말기 제조사인 삼성전자와 LG전자, 통신사업자인 SKT(SK 플래닛), KT, LG U+가 운영하는 주요 7개 앱 마켓의 이용약관에 대해서도 공정거래위원회에 심사를 청구했다. 동시에 애플 스크래치, 옴폭 들어간 자국 및 포트의 깨어진 플라스틱을 포함한 표면상의 결함을 보증하지 않은 하드웨어 품질보증 약관에 대해 심사를 청구했다. 그 결과 2013년 10월 공정거래위원회는 애플의 하드웨어 품질보증 약관을 불공정하다고 판단하여 시정 조치했다. 2014년 3월에는 T스토어(SK플래닛), 올레마켓(KT), U+앱마켓

사진으로 보는
경실련 30년

I. 경실련의
정신과 활동

II.
경실련 30년
활동의 성과

III. 지역경실련의
활동과 성과

IV. 경실련과
시민사회의 미래

(LG U+), LG SmartWorld(LG전자) 총 4개의 앱 마켓 운영업체 이용약관에 대해 ▲ 포괄적 계약해지 조항 (언제든 서비스 중단, 계약 해지) ▲ 부당한 환급 불가 조항 ▲ 과도한 사업자 면책조항 ▲ 고객에 대한 부당한 책임 전가 조항 ▲ 고객 저작물 임의사용 조항 등에 대하여 불공정약관 시정조치를 발표했다.

2014년 7월 애플 '수리약관'에 대해 약관심사청구도 제기했다. 수리약관에는 수리과정에서 교환·교체된 부품이나 제품을 무조건 애플의 소유로 하고, 수리를 시작하면 절대 취소할 수 없도록 하고 있다. 또한, 애플이 일방적으로 약관의 전부 또는 일부를 언제든 변경할 수 있고, 불가항력에 의해 애플이 수리를 제대로 이행하지 못하더라도 책임을 지지 않게 되어 있다. 나아가 애플의 판단으로 일방적으로 수리를 취소할 권리를 갖고, 수리가 지연되거나 제대로 수리가 안 될 때도 어떠한 책임을 지지 않는다고 명시하고 있다. 2015년 7월 T-money 이용약관의 불공정성을 공정거래위원회에 신고했다. T-money 이용약관은 분실 및 도난 시 환불이 불가능하며, 그 책임을 모두 이용자에게 떠넘기고 있었다.

사업자 간 약관도 문제를 제기했다. 2005년 4월 훼미리마트·GS25·세븐일레븐·미니스톱 바이데웨이 가맹계약서를 분석해 공정거래위원회에 불공정약관 심사청구를 제기했다. 공정거래위원회는 즉시 조사에 착수해, 2006년 2월 40여개 조항의 불공정약관을 바로잡고 가맹점들에 시정된 내용을 통보했다. 2005년부터 2009년까지 BBQ, 베스킨라빈스, 파리바게뜨, 던킨도너츠 등 치킨, 제빵·제과, 피자 등 다양한 브랜드의 불공정 계약에 대한 사회적 문제제기와 더불어 규제기관인 공정거래위원회에 고발 조치해 시정과 개선을 끌어냈다.

제도개선 활동도 진행했다. 2009년 9월 공정거래위원회와 국민권익위원회에 약관심사절차 개선을 요청하는 건의서를 제출했다. 공정거래위원회의 약관심사 과정에서 신고자 신분이 노출되어 우월적 지위에 있는 거래상대방으로부터 또 다른 불이익을 감수해야 한다. 따라서 심사청구자를 공개하지 않고 약관심사가 이루어지도록 하는 제도개선을 요청했다. 현재는 제도가 개선되어 비공개 심사가 가능하다.

그리고 약관심사를 청구할 수 있는 자가 해당 약관 이해당사자 외에 「소비자기본법」에 의하여 등록된 소비자단체, 한국소비자원과 사업자단체만 가능하다. 그러나 가맹점, 대리점, 하도급업체 등 개인사업자는 소비자가 아니라는 이유로 소비자단체나 한국소비자원의 도움을 받을 수 없었고, 기업들로 구성된 사업자단체의 도움도 불가능했다. 결국, 상대적 약자인 개인사업자들은 불이익이 두려워 약관심사 청구가 불가능했다. 이에 경실련은 약관심사 자격을 등록된 소비자단체에서 시민단체 등 비영리민간단체로 확대해 달라고 요구했다.

3. 각계 반응과 성과

약관은 실생활에 밀접하고, 불공정한 약관으로 인한 피해는 매우 광범위하게 발생한다. 무심결에 동의한 각종 이용약관의 문제점 지적은 정부와 언론, 국민의 관심이 높았다. 언론은 피해사례를 연결해 경실련이 제기한 불공정약관에 대한 문제를 기사화했고, 정부는 경실련이 제기한 불공정약관을 신속하게 처리했다.

결과도 좋았다. 공정거래위원회는 경실련이 제기한 불공정약관 조항의 대부분을 수용해 시정조치 하였고, 기업도 사회적 문제가 지적되자 적극적으로 자진 수정하는 태도를 보였다. 공정거래위원회는 경실련이 제기한 비공개 약관심사 절차를 제도화했고, 국회도 약관심사청구 대상을 확대하는 약관규제법 개정안을 발의시켰다.

경실련은 이동통신, 초고속인터넷, 항공마일리지, 앱 마켓 등 소비자가 무심결에 동의했던 각종 이용약관의 문제점을 지적하고, 의미 있는 개선을 끌어냈다. 경실련이 일관되게 제기한 약관 변경 및 공지, 약관 동의, 면책조항, 서비스 이용제한, 계약해지, 청약철회·환불, 책임 전가, 이용자 저작권침해, 부당한 관할법원 등 다수의 조항이 불공정약관으로 인정되어 잘못된 계약관행이 개선되었다.

나아가 일반적으로 공개되지 않던 사업자 간 계약서의 문제를 드러내고, 불공정약관에 대한 공정거래위원회의 상시 감시 시스템이 마련되고, 비공개 약관심사제도가 도입되어 우월적 지위에 있는 사업자의 눈치

를 받지 않고 약관심사가 가능해졌다. 다만, 무분별한 약관심사청구 제기를 우려한 공정거래위원회의 반대로 약관심사청구 자격이 소비자기본법에 따른 등록된 소비자단체에서 비영리민간단체로 확대되지는 못했다.

24. 공공부문 연체제도 개선 운동

1. 배경 및 취지

연체금은 대출, 신용카드, 통신, 민간보험료, 상하수도, 도시가스, 국민연금, 건강보험, 세금 등, 금전채무의 이행이 지체되었을 때 지급하는 지연이자다. 공공부문의 연체금은 국가, 지방자치단체 또는 공공단체가 법령에 따라 국민에게 부과한 금전채무에 대하여, 국민이 납부해야 할 기한을 넘긴 경우에 부과·징수하는 지연이자를 말한다. 연체금은 금전채무의 이행을 납부기한 내에 행할 것을 강제하는 한편, 납부기한 내에 낸 사람과 내지 않은 사람 사이에 형평성을 유지하는 목적이 있다. 공공부문의 연체제도는 개별 법률이나 조례, 규정에 따라 결정된다.

공공부문 연체제도는 연체금을 부과하는 공공주체의 편의성이나 입장만이 반영되다 보니, 연체자인 국민의 경제적 어려움 등의 개별적 사정이나, 다른 연체제도와의 형평성이 체계적으로 검토되지 못해 국민 권리를 침해됐다. 공공부문 연체제도의 문제점을 살펴보면, 첫째 하루를 연체하더라도 한 달 또는 석 달의 연체금을 내야 한다. 이는 지연이자의 성격이 아닌, 세금과 같이 행정 제재적 성격이 강한 '가산금'처럼 운용하기 때문이다. 둘째, 연체제도의 취지가 같음에도 불구하고 연체이율, 부과 기간, 부과방식 등이 모두 제각각 운용되고 있다. 특히, 상　하

수도 요금은 연체제도의 기준과 원칙이 부재하여, 같은 성격의 요금임에도 부과하는 주체에 따라 서로 다른 연체금이 부과되었다. 이에 국민연금, 건강보험, 산재보험, 고용보험, 상수도, 하수도, 도시가스, 전기, TV 수신료, 임대주택 임대료, 국세, 지방세, 범칙금 등 공공부문 연체제도를 비교 분석해 불합리한 부과방식의 문제점을 드러내고 제도개선 활동을 전개했다.

2. 활동 내용 및 경과

먼저 2007년 5월 국민연금, 건강보험, 산재보험, 고용보험 등 4대 사회보험 연체제도를 분석 발표했다. 최초연체율이 1.2%에서 5% 사이에서 적용되고, 부과방식이 매월 또는 3개월 단위로 가산되었으며, 최고 부과 한도가 연체 원금의 9.0~43.2%로 큰 차이를 가진 것으로 나타났다. 건강보험은 3개월 단위로, 국민연금 고용보험 산재보험은 한 달 단위로 연체금을 부과하고 있었다. 2007년 6월 전기, 도시가스, 상수도, 하수도 등 4대 공공요금 연체제도 분석결과도 발표했다. 전국 164개의 지자체(시·군 단위)의 최초연체이율은 상수도 2~5%, 하수도 3~5%, 도시가스 2%, 전기요금 1.5%였다. 부과 기간은 상·하수도가 60개월로 가장 길었고, 도시가스는 5개월, 전기요금은 2개월이었다. 또한, 연체이율 최고한도는 상·하수도 77%, 도시가스 10%, 전기요금이 2.5%로 나타났다. 그리고 전기요금을 제외한 상수도와 하수도, 도시가스는 납부기일을 단 하루만 지나더라도 무조건 한 달 연체료를 부과하고 있었다. 지역별로는 상수도 최대 38배, 하수도 최대 25배의 차이를 보였다.

청원운동을 진행했다. 2007년 9월 국회, 보건복지부, 노동부에 4대 사회보험 연체제도 개선 청원서를 제출했다. 청원내용은 법률에 연체제도의 명확한 근거 마련, 통일된 용어와 기준정립, 동일한 최초연체이율·부과방식·부과 기간 적용 등이다. 2007년 10월에는 서울특별시와 6대 광역시에 상·하수도 연체제도 개선을 위한 청원서를 제출했다. 청원내용은 연체자를 고의나 악의적 연체자로 규정하여 징벌적 성격으로 운영되고 있는 '가산금'을 이용료 성격의 '연체금'으로 개정하고, 지역적으로 제각각 운영되고 있는 연체제도의 기준과 원칙을 마련해 차별을 해소해 달라고 요구했다. 또한, 적정한 연체이율을 적용하여 하루 단위로 연체금을 부과하는 '일할 계산방식'을 적용하고, 서울특별시 등 중가산 제도를 운

용하는 지자체에 중가산제도의 폐지를 청원했다.

그 외 TV 수신료, 공공임대주택 임대료, 국세, 지방세, 과태료, 범칙금 등의 최초이율, 부과방식, 부과기간, 최고한도를 분석해, 한 달 단위의 부과방식과 과도한 연체이율, 최고한도에 대한 문제를 지적했다. 제도개선을 위한 입법 토론회도 개최했다.

3. 각계 반응과 성과

수도, 가스, 전기, 국민연금, 건강보험, TV 수신료 등의 연체제도는 실생활에 밀접한 제도다. 국회와 언론, 시민들은 하루를 연체해도 한 달 또는 석 달의 연체료를 과다하게 부과하는 등, 공공부문 연체금이 기준과 원칙 없이 제각각 운영되고 있다는 문제 제기에 큰 호응을 보였다. 2009년 3월 이상민의원(자유선진당)이 징벌적 성격의 가산금 제도로 운용하던 사회보험을 연체일수에 따라 하루 단위로 부과하는 내용의 「국민연금법」, 「국민건강보험법」, 「고용보험 및 산업재해보상보험의 보험료 징수에 관한 법률」 개정안을 대표 발의했다.

호응은 제도개선으로 이어졌다. 2008년 5월 서울시가 '수도급수조례'와 '하수도 사용조례'를 개정해, 하루를 연체해도 상수도 3%, 하수도 5%의 한 달 연체금을 한꺼번에 부과하던 것을 하루 단위로 변경하고, 중가산금도 제도를 폐지했다. 곧이어 차례로 모든 지자체에서 하루 단위로 연체금을 부과하고 연체금도 인하했다. 또한, 도시가스도 하루 단위로 연체제도가 개선되었다. 사회연금도 최대 9%인 연체이율이 3%로, 최대 3개월인 부과기간도 1개월로 통일되었다.

경실련은 불합리한 공공부문 연체제도에 대한 실태조사를 통해 지속적으로 문제를 제기하고 제도개선을 이끌어냈다. 제각각이었던 공공부문 연체제도를 행정 제재적 성격의 '가산금'이 아닌 지연이자의 '연체금'으로 정립하는 계기를 마련한 것이다. 또한, 제각각 운영되던 연체이율, 부과기간, 부과방식, 최고한도를 서비스별로 일원화시키는 성과를 냈다.

그 결과 상·하수도와 도시가스 연체제도가 한 달에서 하루 단위로 개선되고, 연체이율과 최고한도가 인하되었다. 또한, 국민연금, 건강보험, 산재보험, 고용보험 등 4대 사회보험 연체이율, 부과기간, 부과방식, 최고한도가 통일되고, 연체금과 최고한도가 인하되어 국민 부담이 줄어들었다. 다만, 현재까지 4대 사회보험 연체금은 하루 단위가 아닌, 한 달 단위로 부과되고 있다.

25. 통신요금 개선 운동

1. 배경 및 취지

통신은 이제 단순히 전화하고 뉴스 보고 쇼핑하는 것을 넘어, 의사 표현과 소통, 정보 접근과 문화 향유를 위해 중요한 보편적 가치가 되었다. 통신비는 주거비, 의료비, 교육비와 더불어 우리 가계에서 차지하는 비중과 중요성이 더욱 커지고 있다. 그러나 망을 독점하고 있는 통신사업자들은 자신의 이익을 위하여 정당한 사유 없이 이용자의 권리를 제한하거

나, 과도한 비용을 부담시켜 왔다. 나아가 망을 이용하는 모든 콘텐츠를 동등하고 차별 없이 다뤄야 한다는 '망 중립성 원칙'을 훼손하려는 시도를 지속해 왔다.

이에 경실련은 가계통신비와 관련된 요금산정체계, 원가공개, 요금인가제, 보조금 규제, 기본료 폐지 등 요금 인하와 더불어 망 중립성 등의 통신이용자 권리 운동을 전개하였다.

2. 활동 내용 및 경과

1) 가계통신비 인하

생활에 직결된 통신비는 모든 국민의 관심사이며, 불투명한 요금산정과 비싼 통신비로 불만이 지속됐다. 이에 따라 가계통신비 인하를 요구하는 목소리가 커졌다. 2011년 6월 방송통신위원회는 기본요금을 1천 원 인하하는 이동통신 요금인하 계획을 발표했다. 경실련은 국민의 기대를 외면하는 생색내기 요금인하를 비판하고, 원가공개와 요금의 적정성 평가를 통해 '요금인하 효과'나 '할인상품'이 아닌 실질적인 통신비의 인하를 요구했다. 2011년 9월에는 SKT의 LTE 요금제가 출시되었지만, 최저요금이 3만 4천 원으로 책정되어 통신비의 부담이 과도하게 늘어남을 지적하며, 새로운 기술이 통신사에게는 돈벌이의 수단, 소비자에게는 통신사의 배를 불리기 위한 도구로만 이용되어서는 안 될 것을 경고했다.

그리고 2015년 5월과 6월, 10월에 이동통신 3사가 데이터 중심요금제로 도입하면서, 기존 혜택을 축소하며 요금을 인하한 것처럼 꾸며 소비자를 우롱한 행태에 대해 비판하고 경쟁 촉진 정책을 통한 통신 시장의 개선을 촉구했다. 또한 박근혜 정부에서 추진한 요금인가제 폐지에 대해 시장지배적 사업자인 SKT의 가격남용행위, 이동통신 3사 위주의 과점체제 고착화 등에 의한 폐해가 커질 수 있음을 반대했다.

나아가 17대, 18대, 19대 대통령선거에서 주요 대선 후보자에게 대상으로 투명한 이동통신요금 산정을 위한 요금 적정성 평가 및 자료공개에 대해 질의하고, 공약 채택을 제안했다. 이명박 전 대통령, 박근혜 전 대통령, 문재인 대통령 모두 가계통신비 인하와 요금 적정성 평가 및 공개에 동의한 바 있다. 문재인 정부가 들어선 2017년 6월부터 2018년 5월까지 소비자단체와 함께 기본료 폐지, 보편요금제 도입, 요금 적정성 평가 및 자료공개 등 가계통신비 인하를 위한 입장발표, 기자회견, 캠페인 등의 활동을 펼쳤다.

그리고 이동통신 단말기 보조금을 규제하는 일명 '단통법' 시행 6개월을 진단하며, 이동통신사의 배만 불리는 제도의 문제점을 드러내며 폐지를 주장했다. 이후 단통법 폐지를 위한 토론회를 개최했고, 65.4%의 소비자가 단통법 폐지를 원한다는 설문을 진행해 결과를 발표했다.

2) 망 중립성 운동

망 중립성(Network Neutrality)은 통신망 제공사업자가 모든 콘텐츠를 동등하고 차별 없이 다뤄야 한다는 원칙이다. 그러나 망을 독점하고 있는 통신사업자들은 자신의 이익을 위하여 정당한 사유 없이 이용자의 권리를 제한하고 있다. 이에 경실련의 제안으로 2012년 5월 민주언론시민연합, 민주주의법학연구회, 언론개혁시민연대, 오픈웹, 인터넷주인찾기, 진보네트워크, 참여연대, 청년경제민주화연대, 한국여성민우회 미디어운동본부, 함께하는 시민행동 등 11개 시민단체와 이용자들이 모여 〈망 중립성 이용자포럼〉을 구성했다.

〈망 중립성 이용자포럼〉은 중립성과 관련된 주제로 포럼(3회), 강좌(3회), 토론회(1회), 감사청구(1회), 오픈세미나(3회)를 개최하였으며, 모바일인터넷전화(mVoIP) 및 스마트TV차단, 트래픽관리기준 등 8차례에 걸쳐 입장을 발표하는 등 망 중립성 이슈를 공론화시키는데 기여했다. 또한, 망 중립성 포럼과 망 중립성 입법화를 위한 관련 법 개정운동, 정책 결정의 투명성을 높이기 위한 정보공개청구 소송 등 이용자 중심의 망 중립성 정책이 마련될 수 있도록 다양한 활동을 전개했다.

경실련은 망 중립성 원칙을 지키기 위해 2011년 11월 mVoIP을 제한한 SKT와 KT를 공정위 고발했고, 이동통신사의 DPI 사용에 대해서 국가인권위원회에 진정서를 제출했다. 그리고 2012년 7월에는 mVoIP 차단과 불공정이용약관 승인한 방통위의 직무유기를 감사청구했다. 2013년 2월 망 중립성 백서 '망 중립성을 말하다' 출판기념 북콘서트 개최, 2013년 4월 방송통신위원회의 망 중립성 논의자료 정보공개청구 소송제기, 2013년 9월 mVoIP 차단에 대한 이동통신사 상대로 손해배상소송 제기하는 등 적극적인 활동을 펼쳤다.

3) 정보통신약관 개정 활동

정보통신 서비스이용약관은 우리의 일상에 없어서는 안 될 필수품이 되었지만, 산업의 활성화와 원활한 서

사진으로 보는
경실련 30년

I. 경실련의
정체성과 활동

II.
경실련
30년
활동의 성과

III. 지역경실련의
활동과 성과

IV. 경실련과
시민사회의 미래

비스 제공을 명목으로 불공정하거나 이용자 권익이 침해되는 조항이 다수 존재해 왔다. 2008년 11월 이동통신, 초고속인터넷, 무선 인터넷(와이브로), 위치기반 및 위치정보 등 정보통신 서비스 부문의 불공정한 약관에 대해 공정거래위원회에 고발해, 시정결과를 이끌어 냈다. 또한, 2013년 3월 애플과 구글, 휴대전화 단말기 제조사인 삼성전자와 LG전자, 통신사업자인 SKT(SK 플래닛), KT, LG U+가 운영하는 주요 7개 앱 마켓의 이용약관, 애플의 스크래치, 옴폭 들어간 자국 및 포트의 깨어진 플라스틱을 포함한 표면상의 결함을 보증하지 않은 '하드웨어 품질보증서'에 대한 문제제기를 통해 공정거래위원회가 시정조치하도록 했다.

2014년 3월에는 T스토어(SK플래닛), 올레마켓(KT), U+앱마켓(LG U+), LG SmartWorld(LG전자) 총 4개의 앱 마켓 운영업체의 이용약관, 2014년 7월 애플 '수리약관'에 대해 약관심사청구를 제기해 불공정약관이 시정되도록 했다.

3. 각계 반응과 성과

2011년 우리 사회에서 통신망은 통신사에 사유화되어, 자신의 이익을 위해 이용되었다. 이에 경실련은 통신 공공성을 앞세우며 가계통신비 인하를 위한 '요금 적정성 평가와 자료공개', '망 중립성 원칙'을 지키기 위해 통신이용자 권리 운동을 전개했다. 경실련의 가계통신비 인하와 망 중립성 이슈를 정부와 국회, 언론의 많은 관심을 불러왔다. 이명박, 박근혜, 문재인 대통령선거에서 가계통신비 인하와 망 중립성을 주요의제를 선정되었고, LTE와 5G, 4차산업혁명 정부 정책을 수립하는 과정에서도 경실련 의견이 중요한 고려 사안이 되었다.

경실련은 일방적으로 추진했던 통신요금 정책에 대해, 가계통신비 인하라는 국민 목소리를 대변하며 지속해서 이슈를 제기하고, 낯설었던 망 중립성 원칙을 지키기 위해 '망 중립성 이용자포럼'을 구성해 전 세계적으로 빠르게 망 중립성 원칙을 입법화시키는 역할을 수행했다. 또한, 4차산업혁명과 규제완화에 맞서 지속적으로 망 중립성 원칙을 훼손하려는 이동통신사를 견제해 망 중립성 원칙을 지켜나가는 활동을 전개하고 있다.

26. 철도민영화 저지와 공공성 강화 운동

1. 배경과 목적

철도는 우리사회의 여객과 물류산업의 축이었으나 장기적으로 누적된 적자와 경영 악화로 부담을 느낀 역대 정부들은 구조개혁을 추진하였다. 노태우 정부(1988~1993)는 987년 선거

공약으로 철도청의 공사화를 제시하여 처음으로 철도청 구조개혁을 시작하였다. 1989년 상하통합형 한국철도공사법이 국회에서 통과 되었으나 재정 부담 등을 이유로 1996년까지 공사화를 유보하였다. 김영삼 정부(1993~1998)는 노태우 정부의 공사화 방침을 폐지하는 대신 상업적 상하통합형 철도공사체제를 추진하였으나 실현하지 못하였다. 김대중 정부(1993~1998)는 국제통화기금(IMF)을 지원받는 조건으로 요구했던 공기업 민영화를 수용하여 철도의 단계적 민영화를 추진하였으나 시민의 반대로 무산되었다. 노무현 정부(2003~2008)는 철도 민영화를 철회하고 시설 건설은 한국철도시설공단(2004.1), 운영은 한국철도공사(2005.1)로 하는 상하 분리를 시행하였다. 그러나 이명박 정부(2008~2013)는 철도 운영부분의 경쟁체제도

입이란 명분으로 다시 민영화를 추진하였지만 시민, 시민단체, 철도노조의 반대로 사회적으로 큰 갈등이 초래되었고 민영화는 지체되었다. 박근혜 정부(2013~2017)는 이명박 정부의 경쟁체제 도입이 민영화였음을 인정하면서도 중단하지 않았고 시민들의 반대로 민영화가 어렵게 되어 고속철도를 KTX와 SR(수서발 고속철도)로 분리하였다.

경실련은 철도는 "시설과 차량 및 이와 관련된 운영 및 지원체계(유지보수·관제·신호)가 유기적으로 작동하여 운영되는 네트워크형 운송체계"인데 정부가 시민들의 교통권에 큰 영향을 주는 기반 시설을 국민들과 충분한 합의 없이 민영화를 추진하는 정책에 반대하였다. 철도운영을 민간에게 넘긴다면 기반시설·운영·지원의 네트워크 체계의 분리에 따른 안전관리 이원화로 위험의 증대, 철도 운영 및 기술축적의 어려움으로 세계시장에서의 경쟁력 약화, 운영기관 분리에 따른 중복비용 및 갈등 유발로 비효율성 증대, 호환되지 않는 운행 노선의 이원화로 시민들의 열차 선택권 제약, 비싼 이용요금 부담, 적자노선의 축소 및 폐지 등 많은 문제를 초래할 수 있었다. 이에 따라 경실련은 철도 공공성 강화, 국민의 합의 없는 민영화 반대, 교통기본권 보장을 기본입장으로 정하고 민영화 반대 운동을 하였다.

2. 운동의 전개

경실련의 철도공공성 강화운동은 정부의 투명하고 합리적인 철도정책 수립, 민영화에 대한 국민 동의 그리고 사회적 대화와 중재로 진행되었다. 먼저 '정부의 투명하고 합리적인 철도정책 수립' 운동은 철도 민영화논란이 제기되었던 2002년 정부가 민영화의 방침만 정해 놓고 국민경제 발전과 합리적 추진방안 및 부작용 해소의 대안 없이 논란을 거듭하여 '국민경제적 관점에서 바람직한 철도운영체제를 모색하는 토론회(2002.9)'를 이해당사자들을 초청하여 개최하였다. 이 토론회는 발제자로 건교부와 철도노조, 토론자로 철도청, KDI, 고속철도건설공단노조, 교통개발연구원, 한국환경정책평가연구원, 학계 등으로 찬반논쟁 방식으로 논의하여 합의를 시도하였다. 그리고 2003년 6월에는 네트워크 산업으로서의 철도 특성을 무시한 민영화 보다는 철도선로는 국가기관인 '공단'이 소유 관리하며 국가의 책임 하에 투자와 유지보수를 수행하고, 철도운영은 '공기업'이 담당하도록 정책 전환을 제안하였고, 참여정부는 이 방향으로 구조개혁을 추진하여 민영화 논란이 종식되었다. 그러나 이명박 정부가 2012년

철도 경쟁체제 도입을 추진하면서 민영화 논란이 재 점화되었다. 이에 경실련은 국토부와 정책간담회를 하였는데 국토부는 "'민영화'가 아니라 철도 운영의 독점 타파를 위한 '경쟁체제' 도입이다. 그러나 넓은 의미에서는 민영화로 볼 수 있다."고 하였다. 그럼에도 외부적으로 국토부는 일체 민영화가 아니라면서 민영화를 추진하였다. 결국 박근혜정부에서 국토부는 이명박 정부의 철도정책은 민영화였음을 공식적으로 인정하였다.

다음으로 '철도 민영화에 대한 국민 동의 운동'은 여론조사와 국토부와 공동으로 전국순회토론 등을 진행하였다. 이명박 정부는 철도경쟁체제 도입이 민영화가 아님을 일관되게 주장하였다. 철도 민영화를 한다면 재벌기업에게 특혜적 노선 독점 제공, 안전성 위협, 비싼 이용가격, 철도공사의 부채해결 대책의 부재 등이 우려되었기 때문에 국민들의 동의가 필요하였다. 경실련은 국토해양부에 5대 도시(부산, 목포, 광주, 대전, 대구) 순회 공개토론회를 제안하였고, 양측이 합의하여 시작하였으나 국토부는 첫 토론회인 부산토론회(2012.5.24) 후 경실련이 발표한 여론조사 및 운영의 편향성을 제기하며 일방적으로 중단하였다. 당시 여론조사(전국 19세 이상 성인 1천명)는 이명박 정부의 경쟁체제 도입은 민영화(51.7%), 민영화는 공공성 강화 대책 마련 후 국민합의하에 추진(91%), 민영화 반대(61%), KTX 민영화는 기업특혜(81.3%)였다. 2013년 12월 JTBC의 여론조사(전국 700명)의 결과도 수서발 KTX 운영회사(SRT) 설립을 철도 민영화의 수순(54.1%)으로 판단하였다. 한편 박근혜 정부는 직접 민영화를 추진하지 않았지만 ㈜SR을 설립하고 관제권 이관 등 언제든지 민영화를 추진할 수 있도록 제도들을 정비하였다. 이에 경실련은 철도 민영화 저지와 공공성 강화를 위하여 다른 시민단체와 연대를 제안하여 '철도공공성시민모임(시민모임)'을 결성(2013.9)하였다. 이 시민모임은 참여연대, YMCA 등 전국의 213개 시민단체들이 가입하였는데 기업의 이윤보다 공공의 이익을 우선하는 철도의 종합적 발전전략의 제시, 철도민영화 정책의 폐기 및 철도발전을 논의하기 위한 장의 마련, 시민의 교통기본권이 훼손되는 정책에 반대 등의 입장을 견지하였으며, 철도공공성 강화 운동에서 시민들의 여론을 가늠하는 모임이 되었다. 그리고 2013년 12월, 정부가 수서발KTX운영주식회사를 설립을 강행하자, 정당 종교 시민 사회단체 등 922개 단체들은 원탁회의를 개최하고 "박근혜 대통령의 공약 이행

시민으로 보는
경실련 30년

Ⅰ. 경실련의
정체성과 활동

Ⅱ.
경실련 30년
활동의 성과

Ⅲ. 지역경실련의
활동과 성과

Ⅳ. 경실련과
시민사회의 미래

과 수서발 KTX 운영 자회사 설립 중단, 각계각층이 참여하는 철도산업의 올바른 발전방안을 위한 사회적 논의 활성화"를 요구하였다. KBS 시사기획 '창'은 철도민영화의 모델이었던 영국의 민영화된 철도의 실태를 취재 보도하여 시민들이 민영화에 대해 편향 없이 판단할 수 있도록 정보를 제공하였다.

끝으로 '사회적 대화와 중재'는 시민들의 반대에도 불구하고 정부가 철도민영화를 강행하면서 철도노조는 민영화 반대 파업에 돌입하였다. 철도 노동자들의 파업은 정부가 철도 구조개혁의 방향을 민영화로 추진할 때마다 반복되었고 이로 인해 노동자들은 해고, 파면 등 중징계를 받았다. 이 파업도 이전의 파업과 다르지 않았다.

검찰은 철도민영화에 반대 파업을 했던 철도노동조합 간부들에 대한 체포영장을 받아 정동 민주노총건물을 부수면서 진입하여 강제로 검거를 시도하였고, 정부와 국토부는 대량 징계를 공언하였다. 이에 철도공공성시민모임은 각계의 원로 및 전문가들로 '철도문제의 올바른 해결을 촉구하는 사회적 대화모임(사회적 대화모임)'을 구성하였다. 위원들은 종교계(인명진, 도법), 법조계(민경한), 노동계(이원보), 학계(이종수), 전문가(윤영진), 시민사회(임현진, 정현백, 남부원, 권미혁, 이시재) 등이 참여하였다. 사회적대화모임은 ① 철도문제의 해결을 위한 사회적 대화 필요, 국가정책을 추진함에 있어 국민들과 소통, ② 국토교통부는 철도정책에 대한 국민의 불신을 해소, ③ 국회는 갈등의 해소와 조정을 위한 특별위원회 설치 및 긴급현안으로 채택, ④ 한국철도공사는 대량징계로 노동자들의 자극 중단, ⑤ 철도노동자들은 평화적 해결의 자세 및 대화를 통한 해결을 촉구하는 기자회견(2013.12.13) 그리고 각 정당 대표들을 방문하여 대화 촉구하였고, 국회의원 신계륜, 김성태, 송호창, 도법, 인명진, 이원보 등 정당과 원로들도 기자회견(2014.1.14)을 통해 국민의 철도가 되도록 국민적 지혜와 마음을 모을 것을 호소하였다. 결국 철도노조. 새누리당, 민주당이 국회에 철도산업발전소위원회 구성을 합의(2013.12.30)하면서 철도노동자들은 파업을 중단하고 현업으로 복귀하였다. 사회적 대화모임, 종교계, 시민단체들은 수차례 민영화 파업으로 해고, 파면 된 철도 노동자들을 대승적 차원에서 복직을 정부에 요구하였고, 문재인 정부가 출범한 2018년 2월에 실현되었다.

3. 각계의 반응 및 성과

경실련은 시민단체들과 함께 철도 민영화 저지를 위하여 "국민과 합의 없는 KTX 민영화 중단 및 갈등 해결을 위한 사회적 대화" 등을 주제로 수십 차례의 기자회견을 하였다. 그리고 정부 및 철도노조 등 당사자와의 간담회, 철도민영화에 대한 국민들의 의견을 묻는 여론조사, 정책의 타당성을 검증하기 위한 십여 차례의 토론회, 선거 시기의 정책질의, 국민들에게 호소하기 위한 신문광고 및 명절 때 홍보물 선전, 지역에 현수막 붙이기, 철도 민영화의 사전 정지를 위해 추진하는 관제권 회수와 같은 철도산업발전기본법 등 법 개정에 대한 의견서 제출, 언론과의 협력 등을 하였다. 아울러 철도문제를 감시하는 시민단체들의 상시적 감시기구인 철도공공성시민모임 결성, 한시적이었지만 '철도문제의 올바른 해결을 촉구하는 사회적 대화모임' 활동, 국회 철도산업발전위운회 활동, 원탁회의 등의 할 수 있는 모든 방법으로 대응하였다.

경실련과 시민단체들의 활동들은 정부의 불투명하고 강압적인 민영화 추진, 국민들의 민영화에 부정적 인식, 철도노동자들의 파업 등과 맞물려 사회적으로 큰 이슈가 되었다. 이명박 정부가 철도민영화를 재추진했던 2012년 12월부터 박근혜 정부인 2017년 4월까지 보도된 '철도민영화'관련 기사는 약 2만 5천여 건이며, 철도와 경실련 검색어는 약 2700여건이 보도되었다.

정부의 철도 민영화 추진 계획은 국민들의 철도의 공공성 훼손 우려와 사회적 동의를 얻지 못하여 좌절되었다. 그러나 정부는 언제든 민영화를 추진할 수 있도록 고속철도 운영기관은 철도공사와 철도공사의 출자회사인 SR(주)로 분리하였다. 경실련의 이 운동은 향후 정부가 철도 등 국가 기간산업의 구조와 성격 변화시 먼저 국민들과 충분한 합의가 필요함을 인식하는 의미 있는 선례를 만들었다.

한국철도산업 체계도

한국 철도산업 체계도

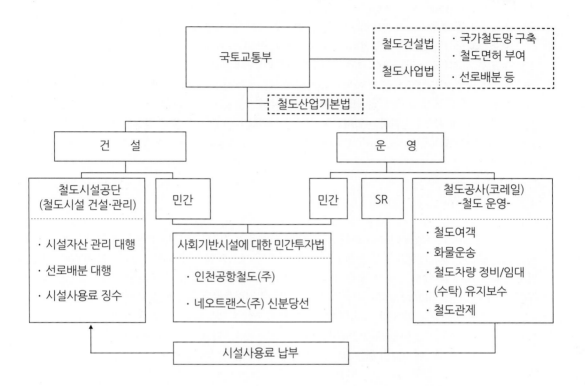

국토교통부 ─── 철도건설법 / 철도사업법 · 국가철도망 구축 · 철도면허 부여 · 선로배분 등

철도산업기본법

건 설

운 영

철도시설공단
(철도시설 건설·관리)
· 시설자산 관리 대행
· 선로배분 대행
· 시설사용료 징수

민간
사회기반시설에 대한 민간투자법
· 인천공항철도(주)
· 네오트랜스(주) 신분당선

민간

SR

철도공사(코레일)
-철도 운영-
· 철도여객
· 화물운송
· 철도차량 정비/임대
· (수탁) 유지보수
· 철도관제

시설사용료 납부

27. WTO와 UR협상 대응과 농업시장 개방 대응 운동

1. 배경 및 취지

1986년 우루과이의 푼다델 에스테(Punta del Este)에서 개최된 우루과이 라운드(Uruguay Round, UR)는 미·일 정상의 제창에 의한 〈관세와 무역에 관한 일반협정(General Agreement on Tariffs and Trade, GATT)〉의 제8차 다자간 무역협상을 말한다. UR협상은 1993년 말에 타결됐고, 1995년 UR협정의 이행을 감시하는 세계무역기구(World Trade Organization, WTO) 체제가 출범했다.

UR협상은 농산물시장의 개방을 목표로 한다. 미국은 80년대 들어 자국의 농업공황, 제조업 쇠퇴, 서비스산업 팽창 등 산업구조의 급격한 변화와 경상수지의 적자에 직면하면서 농업·서비스산업 및 첨단기술에 대한 비교우위를 선점하고자 UR협상에서 농산물시장 개방을 전제 조건으로 하는 새로운 세계무역질서를 구축하려고 했다. 즉, 「미국의 슈퍼 301조(Super 301): "비(非)개방국 보복관세 조치"」에 의한 우선협상국 강제개방 체제를

구축하고자 했다. 미국을 중심으로 농업분야에서 비교우위를 갖는 14개국으로 결성된 케언스 그룹(Cairns Group)은 전 세계 농산물시장 개방과 자유무역체제 구축을 우선 협상조건으로 내세웠다. 이들은 UR의 농산물협상에서 ▲ 유럽공동체(Europian Communities, EC) 및 개발도상국 등에 대한 예외 없는 관세화(tariffication without exception), ▲ 취약산업에 대한 정부지원 중단(de-coupling), ▲ 농산물가격 완전 자유화 등 농산물 수출국들의 편익을 반영하기 위해 공동입장을 취하기 시작했다.

UR 농산물협상의 결과는 비교열위에 있는 국내 농산물시장에 해악을 미칠 수밖에 없었다. 만약 케언스 그룹의 요구가 그대로 받아들여질 경우 ① 국내 농산물 수입제한을 철폐 및 농산물시장 전면 개방, ② 무역거래로 인한 수입국의 산업·시장 보호 목적의 농업보조금 제한 및 보호관세 철폐, ③ 농수산물 긴급수입제한 세이프가드 발동요건 완화 및 수입국의 요청에 따른 수출자율규제 전면 금지 등이 불가피했다. UR 협정은 곧 우리 정부의 농정포기 선언과 농업파탄을 예고하는 것과 다름없었다. 결국 경실련은 우리농업의 경쟁력 강화와 농산물 보호의 필요성을 알리기 위해 1990년부터 UR협상이 안고 있는 문제와 개선을 위해 적극 운동에 나서게 되었다.

2. 활동 내용 및 경과

경실련은 1990년 9월부터 10월까지 UR에 대한 내부 정책간담회, 세미나, 토론회를 개최해 농산물협상 등에 대한 대외·대내 대응책을 도출했다. 우선, 대외 대응책으로 한·미 양국정부간 UR 협상에서의 협조방침을 철회하고, 수입제한조치를 취할 수 있는 무역적자국으로의 복귀할 것, 수입개방 대상품목에 상업화 단계(Commercialized Stage)의 품목만을 포함시키고 국가전략품목은 수입개방대상에서 제외할 것, 수출보조금을 받은 농산물에 대해서는 수입국이 수입거부권을 가질 수 있도록 요구, EC 수준의 수입부과금제를 실시할 것, 양허관세 재조정 등을 확정했다. 대내 대응책으로는 UR협상의 국회비준·동의, '농어촌발전 종합대책' 전면 수정, 무농약·유기농업 장려 및 식품안전표시제도 실시, 농작물보험·농민연금 실시, 농촌의료보험 통합의료보험으로 전환, 품목별 농민생산자 단체 육성 등을 도출했다.

1991년에는 UR협상에 대응한 경제주권 확립 방안, 쌀시장 개방 대응 등에 대한 입장발표와 한국농업의 문제점과 나아갈 방향, 국제농업환경 등을 다룬 논문을 모은 「한국농업, 이 길로 가야 한다」(경실련문고 3, 비봉출판사)는 도서를 출간하게 된다. 같은 해 7월 노태우 대통령의 방미 일정을 앞두고, 경실련은 노 대통령에게 쌀수입 개방과 관련한 대통령에게 공개질의서를 보냈다. 또한 미국행정부에는 쌀 개방에 반대하는 서한을 발송한다. △밀 등 14개 수입품목에 대한 Waiver조항 포기 및 super301 폐기, △ 농산물개방 요구에 앞서 미국 내 노동시장 및 건설시장 완전 개방, △ 농산물수입국보조금 요구에 앞서 미국 내 농산물수출보조금 감축 UR반영, △ 식량안보, 실업문제, 지역균형발전, 환경문제를 반영한 비교역기능(Non-Trade Concerns, NTCs) 고려, △ 쌀 개방 UR협상 철폐 등이 주요 내용이다.

1992년 1월 미국 부시 대통령의 방한과 9월 GATT 던켈 사무총장 방한을 맞아 경실련은 쌀 개방에 대한 반대 입장을 전달하여 한국에 대한 NTCs 개도국 우대조치를 촉구한다. 1993년 들어서는 정부의 농수산물 조기 수입개방 정책이 가시화되면서, 철회를 요구하는 강력한 운동을 전개한다. 같은 해 12월 3일, 경실련은 UR협상 타결로 피해가 우려되는 쌀 등 14개 기초농산물을 보호하기 위해 187개의 농민·학계·시민사회단체들과 함께 〈우리쌀 지키기 범국민 비상대책회의〉를 결성해 UR협상의 국회비준 거부 등 〈UR재협상 촉구 및 우리농업 살리기 캠페인〉을 전개했다.

1993년 12월 15일 UR협상이 117개 국가가 참가한 가운데 타결된다. 쌀 개방만은 대통령직을 걸고 막아 내겠다던 문민정부는 미국 정부의 집요한 통상압력에 굴복해 ▲ 최소시장접근(Minimum Market Approach, MMA)방식의 의무수입물량 부분개방(관세화 개방 10년 유예), ▲ 예외 없는 관세화 조치(농산물시장 전면 개방, GATT 제11조2(c)항) 등을 발표한다. 쌀 등 기초농산물 시장개방이 기정사실화 되면서, 정부의 무능을 비판하는 목소리가 커졌다.

1994년 1월 5일 경실련은 민간 최초로 〈농업구조 개혁안 종합대책(안)〉을 정부에 제시한다. 농업·농촌을 살리기 위해 미래에 대한 비전을 제시하고, 우리농산물의 가격 및 품질 경쟁력 향상을 위한 획기적인 투자에 나서야 하며, 농지제도·농어민후계인력대책·농업관련조직 등의 재정비하며, 농어촌의 생활환경 및 복지수준을 향상시켜야 함을 주장했다. 또한 UR재협상 과제로 쇠고기·감귤·낙농제품「BOP품목」에 대한 GATT사무국 조정신청 및 미국과의 재협상 실시, 남북한 간의 거래는 민족 내부간 거래로 인정 등을 요구한다.

경실련은 1994년 2월 〈농업개혁위원회〉를 구성하고, 4월 예정된 UR협상 타결 마라케쉬 선언, 미국의「미국의 슈퍼 301조」에 따른 UR협정 국회비준 법률안을 준비 등에 맞서 〈우리쌀 지키기 범국민 비상대책회의〉와 함께 UR농업협정상의 쌀 및 기초농산물에 관한 이행계획서를 우리 사정에 맞게 수정하고 재협상할 것은 강력히 촉구한다. 이후 경실련은 WTO체제에서 한국 농업의 피해대책과 발전방향을 모색하기 위한 활동을 적극 전개한다. 1995년 4월「WTO체제하의 한국 농업의 활로」(경실련총서8, 비봉출판사)를 출간하고, 1997년「제2의 UR에 대비하자」(농업개혁위원회 총서) 등을 발간하기에 이른다.

3. 각계 반응과 성과

1993년 12월 15일 UR협상이 타결됐지만 UR협상이 끝난 것이 아니었다. 1994년 2월 25일로 예정된 참가국의 최종 실행 이행계획서 제출을 결정짓는 마라케쉬 협상을 앞두고 미국과 EU 등이 UR 협정문과 다르게 일부 내용을 변조, 다른 실행계획서를 제출할 것이라는 정보가 입수됐다. 특히 미국 정부는 자국의 슈퍼 301조가 UR협정에 우선한다고 주장하는 국회의 권유를 받아들여 일부 이행 스케줄을 변경해 제출할 것으로 파악됐다. 경실련과 〈우리쌀 지키기 범국민 비상대책회의〉는 우리 정부도 UR 농업협정문의 쌀 및 기초 농산물 관련 이행계획서를 현지 사정에 맞게 수정·재협상하라고 강도 높게 주장했다. 그러나 김영삼 정부는 UR협정문은 120여 개국이 합의해 타결한 것이므로 '일자 일획'도 고칠 수 없다는 입장을 고수했다.

그러던 중 김영삼 정부는 미국이 몇 나라 앞으로 이행계획서를 일부 수정해 제출한 것을 뒤늦게 인지하고, 농림부로 하여금 일부 항목을 수정토록 했으나, 곧바로 마라케쉬 협상에 제출하지 않고, 미국 정부에게 보내 의중을 타진했다. 미국이 '안 된다'고 하는 조항들을 삭제한 이행계획서를 GATT에 제출하다 보니, 형식적인 골격만 남게 되었다. 이른바 '마라케쉬 UR 실행 이행계획서 파동'이었다. 이로 인해 〈우리쌀 지키기 범국민 비상대책위원회〉 보다 못한 정보수집 능력, 무지와 무능, 오판을 두고 당정을 질타하는 언론보도가 계속됐다. 결국 당시 이회창 총리가 125일 만에 사퇴하고 농림수산부 장관도 교체된다. 운동을 통해 한국을 중심으로 개발도상국들에 대한 WTO 협정상의 쌀 개방 협정 유예의 결과를 이끌어 낸 것은 긍정적으로 평가할 수 있다. 그러나 경실련이 제시한 〈농업구조 개혁안 종합대책(안)〉을 실현시키지는 못했다.

10년 간 UR협상의 쌀 개방 유예기간이 종료된 2004년, 여전히 시장개방을 반대하는 농민들의 요구는 높았다. 이에 참여정부는 WTO와 쌀 시장 개방을 10년 더 미루는 대신, 2014년까지 쌀 의무수입물량(MMA)을 매년 약 2만 톤씩 늘리는 불리한 조건으로 관세화를 추진하는 데 합의했다. 그리고 2004년 12월 WTO는 각 나라별로 일정량을 쌀 쿼터로 배정해 전면 수입 자유화에서 배제되는 NTCs 품목으로 쌀을 지정했다. WTO 쌀 협정이 살아 있는 한, 미국은 한국에게 쌀 관세 철폐와 미국 쌀 쿼터 증가를 요구할 수 없게 됐다. 하지만 여전히 미국은 우리정부를 압박하며 쌀 수입 양허를 포함하는 한·미 FTA협정을 끈질기게 요구하고 있는 실정이다. 2014년 WTO와의 쌀 개방 의무수입물량 협정도 종료됐다. 박근혜 정부는 '쌀의 관세화 개방'을 밀어붙이려 했다. 그리고 현 문재인 정부에 와서도 쌀 의무수입 문제와 관세 문제가 여전히 살아 있어, 이에 대한 대응이 필요하다. 식량자급률이 23%(쌀 자급률 86%)인 국내 농업 현실의 앞날에 쌀 농가에 대한 보호 없이 우리의 국익을 기대할 수는 없는 상황이다.

28. 농업 직불금 제도 개선 운동

1. 배경 및 취지

농업은 생명산업으로서 국민식량안보의 기반이며 건강한 먹을거리의 제공과 전통문화의 원천이기도 하다. 그리고 생태계 보전, 대기 등 환경정화 기능, 홍수조절 기능 등 공익적 가치 또한 상당하다. 그러나 급격한

산업화와 다국적 농기업, 농업강대국들, 농업개방에 의한 대내외적 부침 속에서 그 토대를 잃어갔다. 농어촌인구는 급격히 감소하였고, 고생산성 기조에 맞물려 기계화, 화학화에 따른 부작용에 농업노동사고의 급증, 생태계와 자연환경 파괴는 심화되었다. 아울러 농업이 경쟁력을 잃는 상황에서 농가소득 문제도 심각하게 제기되었다.

이와 같은 여건 변화에 지혜롭게 대응하면서 국가 자존산업으로서 역할을 다하기 위해서 농업생산 기반을 유지하고 그에 따른 농업인력 확보와 이들 농가의 소득을 보장하기 위한 전략이 필요했다. 즉 농업은 식량자원의 안정적 공급과 국토의 환경보전 등에 이바지하는 국가기간산업으로서의 역할을 해왔고, 농업·농촌의 공익적 기능을 강화하여 농업을 건강한 먹거리 확보, 식량안보의 확립, 쾌적한 농촌 환경생태 보전, 농업 후계인의 육성 기반으로 삼아야 하는 이유가 있기에 쌀을 포함한 직접지불제 운동은 꼭 필요했다. 우리나라 직불제의 도입은 1997년에 최초 도입되어 확대되어 왔다.

2. 활동 내용 및 경과

경실련의 직불제 관련 운동은 1997년 직불제가 도입되기 전까지, 1990년대 초부터 중반까지 직불제 도입 촉구 운동과 도입되고 난 이후 2000년대 이후 개선운동으로 구분된다. 우선 직불제 도입 운동은 1990년 초 UR 협상 등 농산물시장 개방정책과 맞닿아 있다. 당시 우리농업은 벼농사가 중심이었던 만큼, 직불제 도입은 쌀에 대해 중점을 두었다. 1993년과 1994년 UR 협상 등 농산물시장 개방문제, 농지문제, 이농과 열악한 환경으로 인한 농업인구의 감소 등으로 농업 문제가 심각해지자 농업 및 농가소득문제에 대한 대응이 절실했다. 이에 경실련은 1994년 UR 협상 대응과정에서도 UR 및 WTO 체제에서 직접지불제의 도입이 가능함을 주장하며, 도입 필요성을 제시하였다. 당시 경실련은 직불제는 벼농사의 비교역적인 기능과 공익적 효과로 인해 선진 GATT회원국이 공식적으로 이 제도를 실시하고 있어, 우리나라에도 도입이 필요함을 주장했다. 아울러 이 제도가 정착되기 위해 중앙정부의 농업관련 재정예산이 대폭 지방정부로 이관되어야 함도 피력했다.

1996년에 와서는 정부의 쌀 의무수입량(MMA) 44만 톤을 식용으로 도입하는 것에 있어, 쌀 생산농가의 생산의욕을 고취시키기 위해 도입 발표를 취소할 것을 주장하면서, 쌀 자급을 위한 전제조건 중 하나로 직불제 도입의 필요성을 제기하였다. 구체적으로 논농업의 환경보전기능에 대한 지원, 조건불리지역 소득보조, 자연재해 구제를 위한 직접지불, 생산제한하의 직접지불, 소득안정화 지원을 위한 직접지불 등을 제시했다.

이후 농산물시장 개방 등의 문제로 인해 1997년 경영이양직불제가 최초 도입되게 되었고, 순차적으로 2001년에는 논농업직불제, 2002년에는 쌀소득직불제, 2004년에는 조건불리지역직불제, 2005년에는 쌀변동직불제와 경관보전직불제, 2012년에는 밭고정직불제가 도입되었다. 다양한 직불제가 도입되었지만, 부족한 농업예산 문제, 직불제마다 근거법률이 상이한 점, 부정수급 문제, 농업의 공익적 기능 보다는 소득보전에 중점을 둔 점 등 개선해야 할 사항이 많았다.

직불제 개선 운동은 2016년부터 집중적으로 전개했다. 2016년 3월 박근혜 정부에서 치러졌던 20대 총선 개혁과제 중 농업 및 농가양극화 개선 수단 중 하나로 '농업 및 농촌 관련 직접지불제 개편 및 확대'를

제안했다. 문재인 정부가 출범하고 2017년 7월에 와서는 신임 농림축산식품부 장관에게 '농업의 새로운 미래를 위해 우선 이행해야 할 5가지 정책'을 제시하면서, 농업의 다원적 기능을 반영하여, 공익형 직불제로 확대 개편할 것을 촉구했다. 직불제 개편이 법제도 개선사항인 만큼, 2017년 9월 14일에는 국회 박완주 의원실과 함께 공동으로 '직불제 중심의 농정전환과 예산구조 개편을 위한 정책토론회'를 개최하였다. 토론회를 통해 직불제 중심으로 농정예산을 확대하고, 직불제 역시 공익형으로 전환할 것을 촉구했다. 하지만 정부와 국회의 직불제 개선을 위한 노력은 이어지지 않자, 경실련은 2018년부터 직접 직불제를 개선하기 위한 법안 제정에 나서게 되었다. 여러 차례의 내부 간담회를 통한 논의와 연구 끝에 2018년 말 직불제 개선을 위한 입법안을 만들고, 2019년 1월 29일 국회 김종회 의원실과 함께 '바람직한 농업농촌 공익기능 활성화, 직접보상기본법 제정방향은?'이라는 주제로 토론회를 개최하였다. 이 토론회를 통해 법률안에 대한 농민단체 등 이해관계자들의 의견을 수렴했다. 이후 법안을 수정, 2019년 5월 국회 김종회 의원실에 법률안을 제출하였다. 경실련의 직불제 개선 운동 등이 자극이 되어, 문재인 정부 역시 2019년 직불제를 공익형으로 개선하기 위한 작업에 돌입하였다.

3. 각계 반응과 성과

1990년대에는 농산물 개방 문제로 인해 직접지불제 도입의 필요성을 토론회와 정책보고서 등을 통해 경실련을 비롯한 시민사회단체에서 꾸준히 제기되었다. 정부 역시 1993년 UR협상 등 농산물시장 개방으로 피해를 볼 농가에 대한 지원 대책이 필요한 상황으로 1997년 직불제 도입으로 이어지게 되었다. 도입 이후 경실련은 직불제를 공익형으로 확대 개편하기 위해 2016년부터는 국회를 파트너로 하여, 개혁과제를 제시했고, 토론회를 통해 공론화시켜 나가자, 19대 대선에서는 직불제 개편을 공약하는 후보도 생겨났다. 아울러 공익형 직불제로 확대 개편하는 안으로 법률안을 발의하는 움직임도 국회에서 일어났다. 20대 국회의원인 박완주 의원이 직불제 개편 법률안을 발의했고, 김종회 의원의 경우 경실련의 법률안을 받아들여, 발의 절차에 착수하였다. 문재인 정부 또한 공약한 바 있는 공익형 직불제로 개편 방향을 잡고, 관련 작업들을 진행하게 되었다. 직불제 개선을 위해서는 운영주체인 정부, 예산심의 및 법률안을 제정 및 개정하는 국회의 역할이 중

요한 바, 적극적으로 추진하게 하는 과제가 여전히 남아있다.

29. OECD가입 반대 운동

1. 배경 및 취지

1961년 창설된 OECD는 회원국의 경제성장과 세계경제의 발전에 기여한다는 취지로 설립됐다. 김영삼 정부는 OECD 가입을 위해 1995년 3월 가입 신청서를 제출했고, 이후 1996년 10월 회원국이 됐다. 당시 정부는 OECD 가입의 긍정적 효과가 크다고 판단했다. 즉 OECD 가입과정에서 우리 국내의 제도를 효율화 하고, 선진화 할 수 있다고 봤으며, 환경과 노동 등의 통상문제에 대비도 된다고 주장했다. 금융부문 역시 효율성을 높일 수 있다고 봤으며, 선진국의 경제 운용 경험을 벤치마킹이 가능하다고 판단했다. 아울러 다자간 협상 과정에서 우리의 입장을 잘 반영할 수 있다고 판단했다.

하지만 당시 우리나라는 OECD 가입 이전에 개혁할 국내제도가 많았다. 즉 국제 금융에 대비하기 위해서는 한국은행의 독립, 재벌중심의 경제구조, 노동환경, 환경정책 등 바뀌어야 할 부분이 많았다. 아울러 무분별한 국제 자본의 유입이 이루어질 경우 국내자본시장의 피해도 우려됐다. 그럼에도 당시 김영삼 정부는 국내 여론을 등한시 하고, OECD 가입신청을 하게 된다.

경실련은 OECD 가입은 시기상조이며, 가입을 무기한 연기할 것을 주장했다. 외환자유화를 재검토하고, 자본시장 개방에 따른 위험을 차단할 안전장치가 마련될 때까지 가입을 무기한 연기해야 할 것을 강력히 촉구했다.

1994년 먼저 가입한 멕시코의 금융위기 사례를 통해 OECD 조기가입 반대 운동을 본격적으로 전개한다.

2. 활동 내용 및 경과

경실련은 OECD 가입 보다는 국내의 제도개혁과 사회개발을 우선적으로 요구했다. 1995년 2월, 경실련은 OECD의 성격과 가입 시 득실을 파악하기 위해 관련 전문가들을 모아 내부 토론회를 가진다. 환경이나 노동 등 일부 분야에서 제도개혁을 기대할 수 있는 것과는 달리, OECD가입은 급격한 자본과 외환자유화는 우리 경제에 심각한 위험요소가 된다는 점을 확인하고 OECD가입 연기를 경실련의 정책대안으로 결정하게 되었다.

경실련은 OECD 가입과 관련해 ① OECD가입신청의 무기한 연기, ② 국제투기자금에 대한 안전장치로 토빈세(Tobin)세 검토, ③ 정부는 국내의 제도개혁과 사회개발에 우선적으로 노력, ④ 정부는 경실련 공개질의에 답하고, 공청회를 개최해 국민여론을 수렴할 것을 강력히 촉구하였다.

OECD 가입준비가 불충분한 상황에서 정부는 1995년 3월 중 가입신청을 강행하려 한다. 특히 충분한 사전조사나 외환자유화에 대한 대비책 없이 가입을 추진하고 있었다. 단기 투기성자금의 유입과 외환자본의 대규모 유출 등 경제위기가 훤히 우려되는 상황이었다. 당시 OECD는 한국 자본시장의 개방을 강력히 요구하고 나섰다. 만일 OECD가입 신청이 연기되지 않을 경우 그들의 요구에 따라 상당한 수준의 자본시장개방은 불가피했다. 이에 경실련은 홍재형 부총리겸 재정경제원장관에게 OECD가입을 서두르는 이유는 물론, 국제투기자본의 투기과열 및 인플레이션 대처방안, 환율·물가 안정정책, 산업자본 유출 방지 방안, 자본자유화 등 다분야에 걸친 공개질의서를 발송해 정부의 OECD가입 연기를 촉구하고 주의를 환기시켰다.

1995년 3월 13일, 김영삼 대통령은 유럽순방과 세계사회개발정상회의(World Summit for Social Development, WSSD) 참석이 예정됐다. 경실련은 시민단체 자격으로 코펜하겐에서 개최된 WSSD 회의에 참석했다. 국제사회는 한국이 경제적으로는 중진국으로 분류되지만, 사회복지 측면에서는 아직 후진국이라고 평가했다. 한국정부가 빈곤퇴치, 사회통합, 물가안정, 노사갈등과 경제 양극화 문제를 간과하고, OECD 가입을 서두르는 것은 다소 성급한 결정이라고 조언했다. 한국경제가 지난 30여 년 간 양적으로 고도성장을 이뤘으나, 구조적으로는 빈부격차, 도농격차, 지역차별, 농공불균형이 심화돼 OECD로 무리하게 진입할 이유가 없다는 뜻을 모았다.

경실련은 정치적 선전효과를 노려 무리하게 OECD 가입을 추진해서는 안 되는 만큼 가입연기를 강하게 주장한다. 특히 국제투기자금의 대규모 유출입에 노출돼 심각한 경제 불안이 야기될 우려가 크고, 과다한 환율변동은 국제경쟁력을 더욱 악화시키고, OECD에 가입되면 국제무역, 환경협상 등에서 받고 있는 개도국 우대조치를 포기해야 함을 지적했다. OECD 가입을 연기하고 우선 1인당 국민소득 2만 달러, 연간 물가상승률 3% 이내로 안정, 향후 경상수지 5년 이상 기록, 최소 3년 이상의 기간을 두고 모니터링 할 것을 요구했다. 아울러 빈곤문제, 장애자·여성문제 등 제도개혁과 사회개발을 우선 해결해 사회적 통합성 제고해야 함을 강조했다. 더불어 한국은행의 독립 및 원화의 세계화, 토빈세 도입을 적극 검토할 것을 촉구하게 된다.

1995년 3월 29일, 정부의 OECD가입 신청서 제출을 앞두고 경실련은 정부종합청사에서 가입연기 촉구 집회를 가진다. 1994년 멕시코의 OECD가입 직후 인플레이션 사례를 소개하고, 국제투기자금 유출입 우려, 토빈세 도입 등이 이루어지지 않은 상황에서 무기한 가입 연기를 거듭 촉구했다. 그러나 정부는 국민의견 수렴 없이 결국 가입신청서를 제출했다. 정치선전 효과에 밀려 국민경제 영향에 충분한 검토 없이 이루어진 것이다.

OECD가입신청 이후 OECD대표단이 방한했다. 경실련은 OECD가입의 문제점들에 대해 여론의 이목을 집중시키고 공론화하기 위해 같은 해 10월 18일 토론회를 개최했다. 이후 국회에서도 OECD가입의 문제점이 논의되기 시작했고, 정기국회에서 OECD가입 시한에 얽매이지 않겠다는 홍재형 재경원 장관의 공식답변을 이끌어 낼 수 있었다. 드디어 정부의 공식적인 입장을 이끌어 낸 것이다.

이듬해인 1996년 2월, 경실련은 OECD에 먼저 가입한 멕시코의 가입사례를 검토해, 원화의 평가절하와 화폐경제의 몰락에 따르는 생산과 고용의 구조적 문제를 진단하고 경험 있는 대안을 찾기 위해 국제회의를 개최했다. 멕시코 경제 전문가인 Victor M. Godinez는 멕시코가 OECD가입 이후 폐소 위기 때 ① 긴축재정, ② 수출성장, ③ 반(反)인플레이션 정책, ④ 외국인 투자 증대를 통해 경제위기를 극복했다며, 한국의 OECD가입은 재고돼야 할 여지가 있다고 조언했다.

같은 해 8월 23일에는 경실련과 재경원간의 공개간담회도 진행했다. 재경원은 경실련이 가장 우려했던 국내 자본시장 개방 및 국제투기자본 유출입에 대해서 우리나라 경제여건에 따라 점진적으로 자유화를 추진할 수 있으므로, 내외금리차가 2% 이내로 안정되는 시점에서 현금차관 및 채권시장 자유화 등 선진국 수준의 자본유출입이 실현될 것이고, 금리 하양안정과 금융산업 개편을 통해 실물부문의 원활한 성장과 점진적 개방을 추진하는 한편, 현재 대외자본 거래충격에 대한 안전장치를 만드는 중이라고 답했다. 경실련은 정부의 OECD가입을 무조건 반대하지는 않지만, ① 관치금융 및 상품신뢰도를 재고해 기존 경제구조의 체질개선, ② 토빈세 등을 통한 단기성 투기자금 유입 사전대비, ③ 자생적인 실물경제 기반 구축해 자본공동화현상 방지, ④ 국가·기업 부채 및 무역적자 해소를 우선 해결해야 한다는 입장을 거듭 밝혔다.

OECD이사회에서 1996년 10월 11일, 한국의 가입을 최종 승인한다. 이제 국회의 비준절차만 남겨놓게 됐다. 정부는 OECD가입에 따른 긍정적 기대효과만 언론을 통해 과대포장 했을 뿐, 재경원과 우리가 공유했던 문제점들이나 향후 방지책에 대해서는 일절 언급하지 않으려 했다. 같은 해 11월 11일, 경실련은 OECD가입 협상내용 공개와 더불어 가입에 따른 부작용을 최소하기 위한 제도개혁방안을 공표할 것을 요구하고, 범국민 OECD가입 국회비준반대운동을 전개한다.

3. 각계 반응과 성과

당시 OECD 가입을 추진한 정부부처는 재정경제원으로 경실련의 지속적인 가입반대, 가입연기 의견에 1996년 8월 23일에는 경실련과 단독으로 공개간담회를 개최하기도 했다. 당시 경실련은 OECD가입의 긍정적 효과가 발생하기 위해서는 우리 경제가 개방 압력을 효과적으로 수용할 수 있을 때 가능하고, 외국자본의 한국경제 유린

으로 인해 부정적 효과가 발생할 수 있음을 제기했다. 하지만 재정경제원은 OECD 가입은 경쟁력 강화, 국민생활의 질적 향상을 위해 추진된다며, 계획한 일정에 맞게 진행할 것임을 밝혔다. 당시 언론에서도 큰 이슈였던 만큼, 전문성을 바탕으로 한 경실련의 강력한 주장에 대해 비중 있게 보도됐다.

1995년부터 회원국이 된 1996년 10월 이전까지 지속적으로 OECD 조기가입반대 운동을 전개했으나, 여론을 무시한 정부의 일방적 추진으로 가입이 이루어졌다. 김영삼 정부 출범 초기 경제개혁의 성과가 미진하자, 이를 OECD 가입으로 돌파하려고 했던 움직임을 효과적으로 막지 못한 것이 한계였다. 하지만 경실련이 주장한 OECD 조기가입에 따른 부정적 효과들에 대해 사회와 정부가 주목하게 됐다는 긍정적 측면도 있다. 아울러 OECD 가입의 조건으로 한국은행 독립, 금융감독체계 개편 등이 일정부분 수용된 측면도 있다.

30. FTA 협상 감시 운동

1. 배경 및 취지

한미자유무역협정(United States-Korea Free Trade Agreement, KORUS FTA)은 상품 및 서비스 무역에 있어서의 관세 철폐 등에 관해 맺은 양자 간의 통상협정을 말한다. 한·미 FTA는 2006-2007년 참여정부가 협상을 선언한 후 부시 행정부와의 1차 협상타결, 2008-2010년 이명박 정부가 오바마 행정부와 재협상 논의 끝에 2차 협상타결, 2011년 제18대 국회의 비준동의를 거쳐

사진으로 보는
경실련 30년

I. 경실련의
창립과 활동

II.
경실련 30년
활동의 성과

III. 지역경실련의
활동과 성과

IV. 경실련과
시민사회의 미래

만 6년만인 2012년에 발효됐다. 그리고 2017에서 2018년 트럼프 행정부의 개정 요구에 문재인 정부가 3차 협상타결, 2019년 현재 개정안이 발효됐다. 한·미 FTA는 협상과정에서 졸속적으로 추진된 문제가 있었다. 2006년 참여정부는 한·미 FTA 협상을 공식선언하고 밀어붙이기 시작했다. 노무현 대통령은 2월 1일 외교통상부의 요식행위로 개최한 한·미 FTA공청회가 파행됐음에도 당일 대외경제장관회의에서 협상개시를 확정하고, 2월 3일 김현종 통상교섭본부장이 미 의회에서 일방적으로 공식협상 출범을 선언했다. 시작부터 참여정부는 경제적 손익분석이나 국민적 공감대 없었다. 그 과정에서, 정부는 미국의 무역촉진권한(Trade Promotion Authority, TPA) 소멸시점에 일정을 맞추기 위해 한·미 FTA 협상 개시를 늦출 수 없다는 입장만을 되풀이했다. 이는 미국 부시 행정부가 TPA 통상절차법에 따라 의회에 한·미 FTA 개시 선언을 통보하여 협상 목표를 상세히 알린데 이어 의회와의 사전 협의와 승인을 거쳐 본협상에 임하려는 태도와는 사뭇 대조되었다. 이처럼 졸속협상이 시작되고 있었던 가운데 한·미 FTA의 최종 비준권을 갖는 국회는 적극적인 역할 없이 한·미 FTA 협상이 제18대 총선에 불리한 영향을 미치지 않을까하며 눈치를 보는 상황이었다.

이러는 상황에서 미국의 투기성 자본 유입을 우려하는 시민사회 내 각계각층에서 반대의 목소리가 터져 나오기 시작했다. 한·미 FTA의 일부로 편입될 가능성이 높았던 양자투자협정(Bilateral Investment Treaty, BIT)에 직접적 영향을 받게 될 금융·노동·환경·영화계 인사들과 시민단체가 2월 22일 거리에서 첫 집회를 열고 〈한·미 FTA 반대 및 투기자본 규제를 촉구하는 결의대회〉를 가졌다. 만약 BIT가 적용되면, 장기 외국인직접투자(FDI) 보다 단기 투기자본의 유입으로 한·미간의 투자불균형에 따른 재정적자 및 경상적자, 즉 쌍둥이 적자로 알려진 미국의 "달러 재활용(Dollar Recycling)"이 더욱 심화될 우려가 높았다. 또한 북미자유무역협정(NAFTA) 등에서 적용됐던 다수의 BIT 사례에서 보듯, 유형자산 뿐만 아니라 경제정책의 법규와 규범, 지적재산권, 교육·문화·오락산업 정책, 생물의 다양성 등 모든 무형자산에 대한 투자권리를 포괄함으로써 교역국 내 관세장벽을 개방해야 하는 상황이었다. 즉, WTO체제와 달리 FTA체제에서는 농축산식품 등 산업별 피해가 우려될 수밖에 없다. 특히 미국의 요구에 따라 내국민대우 및 최혜국대우 원칙이 적용될 경우, ①미국산 쇠고기 수입 재개, ② 배출가스 강화 기준 2009년까지 철폐, ③스크린 쿼터 50% 축소,④복제의약품 등 가격조정제도 철폐. 즉, 본 FTA협상과는 전혀 관계없는 4대 선결비준 조건들까지도 이 같은 원칙들에 따라 적용됨으로써 자동차·선박수출 등을 제외한 나머지 특정 산업들이 사실상 미국의 절대우위 아래 놓이게 된다. 달리 말하자면 재벌의 자동차·선박산업의 비교우위를 취하고, 농축산업과 서비스업 등 생계형 무형자산들을 버리겠다는 전략이다. 한·미 FTA 효과에 대한 보고서 조작 논란과 그 효력에 대한 통상협정문을 비공개 하는 등, 참여정부가 추진하는 한·미 FTA 불투명한 협상절차는 국론분열을 예고하고 있었다. 3월 6일 시민사회는 〈한·미 FTA 저지 국민운동본부〉를 결성하고 행정소송, 헌법소원, 철야농성, 단식에 들어갔다. 3월 8일 영화계의 스크린쿼터 사수운동을 시작으로, 언론계를 중심으로 분과별 공동대책위원회 수립했고, 3월 15일 한·미 FTA 저지 범국민대회를 개최했다. 경실련 또한 한미 FTA의 효과, 절차 등 전반적 분야에 있어서 감시 운동을 전개해 나갔다.

2. 활동 내용 및 경과

경실련은 한·미 FTA의 찬·반 양 극단으로 분열된 입장에 서기보다는, 정부의 졸속 협상에 대해 국회의 견제역할 제고 및 시민들의 참여를 통한 공감대 형성에 보다 집중했다. 그리고 이를 위해 2006년 투명한 협상절차 촉구, 2007년 분야별 협정내용 검증, 2009년에서 2011년 산업별 피해산업 대책 활동 등을 전개하였다. 우선 2006년에는 정부가 통상절차를 철저히 무시한 협상추진 과정에 대해 과정에 대해 강력히 문제 제기하고 향후 통상협정문을 공개하여함을 촉구했다. 아울러 정부의 독점적 협상권한에 대한 국회의 견제역할을 제고하기 위해 7월 20일에서 8월 4일 82명의 의원들을 대상으로 설문조사를 진행했다.

경실련의 한·미FTA 감시 운동은 2007년에 많이 집중되었다. 경실련은 8차 협상이 시작된 3월 8일 당일 비상시국회의를 개최하고 사회 각계각층 대표인사 870명이 회동하여 협상타결 반대결의를 채택했다. 미국 측의 억지주장과 한국 측의 졸속타결은 즉각 단절돼야 할 사안이었다. 대국민호소문을 통해 "국민의 힘으로

맹목적인 한·미 FTA 질주를 저지하자!"며 다함께 구호를 외쳤다. 특히 한·미 FTA 결과에 대한 검증평가를 국회에 촉구하는 한편, 5~6월 〈경실련 한·미 FTA 검증단〉을 구성하여 통상관료들과 함께 협상내용을 직접 검증하는 활동을 전개했다. 한·미 FTA 정부 협상단과의 4차례 정책간담회를 갖고, ▲ 부동산, ▲ 농업, ▲ ISD, ▲ 보건의료 부문 등에 대한 협상 결과를 분석하였다. 그리고 이를 토대로 각 부문에 예상되는 피해와 정부의 방지대책을 요구하고 나섰다.

2008년 이명박 정부 이후 경실련은 시간이 걸리더라도 한·미 FTA 협상결과를 재검토하여 경제주권과 국익을 챙기고, 농축산업 등 피해산업에 대한 대책을 마련할 것을 촉구하였다. 그럼에도 2010년 12월 3일 4대 선결비준 조건 등에 대한 논란을 뒤로한 채 한·미 FTA 재협상안은 가결됐다. 그러나 더 이상의 재협상은 없었다. 이후 경실련은 재협상안을 중심으로 농축산업, 의료산업 등 피해산업에 대한 대책마련을 강구했다. 특히 ISD 조항의 분쟁과 규제철폐의 대상이 될 수 있는 부동산정책 및 건강보험보장성 강화 등에 대한 지속적인 연대와 감시 활동 등을 전개해 나갔다.

3. 각계 반응과 성과

경실련은 2006년 6월 14일 FTA 본협상이 개시되자 성명을 발표하여, 통상교섭본부에 대한 국회의 견제와 감독을 촉구했다. 하지만 국회의 견제 역할은 부족했고, 이후 경실련은 국회를 움직이기 위해 설문조사를 통한 압박을 진행했다. 2006년 7월에서 8월까지 경실련은 국회의 통상절차법 제정 촉구 움직임에 대해 국회의원 설문을 조사를 실시하였고, 그 결과 응답자의 78%가 당시 국회의 견제역할에 대해 부족하다고 인식, 85%가 협상 체결전 국회동의 등 통상교섭과정에 국회의 역할이 강화돼야 한다고 답변했다. 또한 응답자의 84%가 국민 여론수렴절차가 부족하다고 답했고, 85%가 시한에 쫓기지 말고 합리적 통상절차가 필요하다고 답변했으며 58%가 통상절차법에 찬성했다. 특히 응답자의 96%가 한·미 FTA 협정문이 공개돼야함에 공감하였다. 국회의원 63%가 한·미 FTA 협상 효과를 모른다는 답변도 하였다. 국회의 견제 역할을 촉구했음에도 이후 국회 한·미FTA 특위의 경우 정부의 협상 내용을 학습하기 위한 조직으로 추진되고 있었으며, 시민들의 의견들조차 잘 반영되지 않았다. 경실련은 2006년과 2007년에 걸쳐 졸속협상과 검증 문제, 미

국산 쇠고기 수입, 국회 비준과 관련하여 지속적인 운동을 했으나, 이를 막기에는 역부족이었다. 이후 이명박 정부인 2010년 12월 3일 4대 선결비준 조건 등에 대한 논란을 뒤로한 채 한·미 FTA 재협상안은 여러 가지 독소조항을 남기고, 가결되었다. 당시 활동과 관련한 언론의 보도를 보면, 2006년 국회의원을 상대로 한 설문조사 내용의 보도가 많았고, 2007년 검증단의 활동과 관련한 보도도 많은 것으로 보인다.

한·미 FTA 협상 감시운동은 2006년 당시 이를 둘러싼 국론이 분열되는 상황에서 정치적 이용이 아닌, 객관적이고 원칙적인 주장과 운동을 했다는 점에서 의의가 있었다. 하지만 당시 적극 반대의 입장에 있었던 시민사회단체들과 비교했을 때는 특별한 주목은 받지 못한 한계가 있었다. 하지만 FTA 분야별 검증을 전개함으로써 문제가 되는 부분을 사회적으로 알리고, 견제역할을 충실히 하지 못한 국회의 문제를 부각시킴으로써 국회를 압박한 긍정적인 효과도 있었다. 반면 여러 독소조항들이 많았음에도 이를 저지 하지 못하는 문제도 있었다. 한·미 FTA 문제는 2018년 미국 트럼프 정부에서도 이슈가 되어, 한국과의 재협상 이슈가 불거졌으나, 진전은 되지 않았다.

31. 미국산 쇠고기 수입 감시 운동

1. 배경 및 취지

위생검역은 통상협정의 과정에서 합의의 대상이나 조건이 될 수 없다. 그러나 2008년 4월 18일, 이명박 정부는 미국산 쇠고기 수입 재개 협상과정에서 대한민국

의 검역주권을 포기했다. 6월 20일 정부는 추가협상을 진행하여, 6월 26일 쇠고기 위생조건 고시를 강행하였다. 한·미 쇠고기 수입 위생검역 합의문에서 "대한민국 정부는 미국 내 광우병(소해면상뇌증, Bovine Spongiform Encephalopathy, BSE)이 발생했을 때, 국제수역사무국(World Organisation for Animal Health, OIE)이 미국에 대해 '광우병 위험 통제국' 지위를 박탈하지 않는 한, 미국산 쇠고기에 대해 수입중단 조치를 내릴 수 없다"는 데 합의하기에 이른 것이다.

즉, 대한민국은 미국산 쇠고기 검역과정에서 전수조사 권한이 없고, 광우병 변형단백질인 프리온(Prion)이 뭉쳐있는 소의 뇌·눈·척수·소장 등에서 특정위험물질(Specified Risk Material, SRM)이 발견돼도 표준 검사비율(5두당 1두, 20%)만 적용할 수 있다. 이 같은 위생검역 조건은 '각국 정부가 수입 여부를 결정하는 독자적인 권리'라는 WTO의 검역주권에 정면으로 위배되는 조항이며, 수입국의 통상 자주권을 포기하는 협정인 셈이다. 정상적인 국가에서는 있을 수 없는 일이다. 이명박 정권이 출범한지 불과 몇 개월이 지나지 않은 시점이었다. 무엇보다도 가장 큰 문제는 서민들이 즐겨먹는 설렁탕, 곰탕, 갈비탕 등의 주원료인 소머리와 척수, 내장, 천엽, 곱창과 간, 척추와 사골, 갈비뼈, 꼬리뼈, 소의 피 등에서 광우병의 원인이 되는 프리온이 상대적으로 가장 많이 검출됐다. 먹거리 안전의 위험은 물론, 향후 광우병 청정지역인 국내 축산농가에 대한 피해와 우리 축산업의 가격경쟁력에 큰 위협을 줄 수 있는 상황이었다. 이에 경실련은 먹거리 안전의 차원에서 적극 감시 운동에 나서게 되었다.

2. 활동 내용 및 경과

위생검역 조건이 대폭 완화된 쇠고기 협상이 타결된 직후, 협상 결과에 분노한 수많은 시민들이 전국에서 촛불집회를 열고 이명박 정부에 고시철회와 재협상을 요구했다. 경실련은 2008년 5월 7일 "잘못된 한미 쇠고기 협상, 전면 재협상해야"라는 성명을 시작으로 지속적인 성명과 기자회견, 전국 공동경실련 시국선언 등 이를 저지하기 위한 운동에 돌입했다. 경실련은 성명을 통해 협상 절차와 내용에 대해 문제점을 지적하면서 ① 검역주권 강화, ② SRM 수입 전면금지, ③ 30개월 미만의 소에 대한 월령제한 등 광우병 사태의 핵심 쟁점을 해결할 수 있는 재협상 절차를 요구했다. 결국 6월 19일 이명박 대통령은 특별기자회견을 열고 국민들에게 사과의 뜻을 전했다. 그리고 다음날인 6월 20일 정부는 미국과의 추가협상을 통해 30개월 미만의 소에 대해서도 척추를 제외한 SRM부위를 추가적으로 제거하기로 합의했다. 그러나 국제기준과 직접 관련이 없는 그 밖의 수입 위생검역 조건들에 대해서도 일부 규제를 완화하는 데 추가 합의했다. 2년간 구제역 발생이 없어야 한다는 조건도 1년으로 단축하고, 도축소가 건강한 것이어야 한다는 조항도 "검사에 합격한 소"로 변경한 것이다. 이에 경실련은 6월 24일 시민단체 공동기자회견을 갖고 고시 강행을 즉각 철회할 것을 촉구했다. 시민들의 계속적인 반대에도 불구하고, 정부는 6월 26일 재협상안 고시를 강행했다. 그 과정에서 경찰은 촛불시민들을 강경 진압해 1,476명을 연행하고, 검찰은 이들 중 1,050명에 대해 집시법 위반 등으로 기소했다. 그리고 7월 3일 전국 경실련은 12년 만에 공동시국선언을 갖고 이명박 정권을 향해 강력 규탄한다. 경실련은 이 외에도 당시 지속적인 성명 발표를 통해 정부를 압박했다.

당시 전국 경실련은 △ 절차를 무시하고 강행한 쇠고기 수입고시 즉각 철회, △ 공안정국을 통해 현 상황을 돌파하려는 시대역행적 행태 중단, △ 국민의 기본권인 평화적 집회 및 시위 보장, 언론장악기도 철회, △ 고시 강행한 농수산식품부 장관·통상교섭본부장, 공안정국 주도한 경찰청장·검찰총장·법무부 장관, 경제난국 초래한 기획재정부장관 즉각 경질, △ 언론의 정론직필 통한 국민통합 기여 등을 주장했다. 2008년 5월 2일부터 8월 15일까지 106일 동안 전국적으로 벌어진 미국산 쇠고기 수입 반대 촛불집회는 총 2,398회, 연인원 93만 2천여 명이 참가했다. 특히 10대 청소년들과 대학생들의 비중이 다소 높았다. 한편 같은 기간에 동원된 경찰력만 7,606개 중대, 연인원 68만 4천 540명이었다.

3. 각계 반응과 성과

2008년 4월 18일 이후부터 2008년 8월까지 경실련을 비롯한 시민사회단체, 일반시민 등 잘 못된 한미 쇠고기 협상에 대해 전면재협상을 요구하는 지속적인 성명과 기자회견, 촛불집회 등이 이어졌으나, 이에 대해 정부는 대부분 수용하지 않고, 고시를 강행했다. 즉 이명박 정권은 촛불시민들이 요구한 SRM에 대한 30개월 월령제한 조치를 재협상 조건에 반영했다. 그러나 30개월 이상 쇠고기의 전면수입 금지, SRM 전면수입 금지, 그리고 검역주권 회복에 대한 시민들의 요구는 수용하지 않았다. 이명박 정부의 독선적인 국정운영의 벽으로 인해 한계가 있었다. 시민들의 압박으로 인해 8월 1일, 국회는 쇠고기 국정조사특위 활동을 개시되긴 했지만, 여야는 정쟁으로만 치닫고 아무런 성과를 내지 못했다.

경실련은 운동과정에서 미국산 쇠고기 수입의 문제를 구체적으로 시민들에게 알리고, 촛불집회에 대한 정부의 탄압 움직임에 대해 13년 만에 전국경실련 시국선언을 진행하여, 정부의 국정운영에 대한 문제를 분명하게 지적하여, 촛불집회의 정당성을 강조하였다. 이는 경실련 운동의 성과로 볼 수 있다. 하지만 시민사회단체 중심으로 꾸려진 '광우병대책위'에 참여하지 않고, 중요시 마다 의견만 표명하는 방식으로 대응한 점은 경실련의 존재감을 충분히 부각시키지 못한 한계로 작용했다.

당시 헌법재판소는 대한민국 정부의 고시가 국민의 생명·신체의 안전을 보호 할 국가의 의무를 위반하고, 검역주권을 위반한 것이라는 청구를 기각했다.(2008.12.26. 2008헌마419 등) 이에 대해 국민의 기본권 가치를 부정했다는 비판에 직면하게 된다. 한편, 헌법재판소가 정부와 경찰이 야간 옥외집회를 금지한 것에 대해서 헌법불합치(2009.9.24. 2008헌가25) 및 한정위헌(2014.3.27. 2010헌가2 등)을 판시함으로써 향후 이 같은 촛불문화제를 통해 억울하게 시민들이 형사처벌을 받는 것을 방지할 수 있게 됐다. 미국산 쇠고기 수입 반대 운동은 음식점 원산지 표시제가 도입되는 계기가 되기도 했다. 당시 시민들의 재협상 요구에 따라 30개월 이상의 쇠고기나 30개월 미만 SRM이 수입되지 않도록 「가축 전염병예방법」을 개정하기도 했다. 야간 옥외집회를 금지한 「집회 및 시위에 관한 법률」 개정도 추진됐다.

미국산 쇠고기는 여전히 안전한가에 대한 논란은 끊이지 않는다. 2010년에 이명박 정부는 국민여론이 잠잠한 틈을 타 SRM 식용 부위인 소머리 고기 및 내장 100톤을 미국으로부터 수입했고, 2015년에는 8,000톤을 수입했다. 미국산 쇠고기 수입의 추세는 계속 확대되고 있

고, 한우농가의 피해도 계속 누적되고 있다. 2012년 및 2017년 미국 내 BSE가 발병했고, 위험 발생시 표준검사 비율은 20%에서 30%까지 확대됐으나, 여전히 이에 대한 전수조사는 이뤄지지 않고 있다. 2017년 보통의 경우 일반적인 현물검사 비율은 3% 수준에 머물러 있다.

32. 시민의 힘으로 도입한 토지공개념과 개발이익 환수제도

1. 배경과 취지

"5% 로비에 맞서 95%의 역로비를 전개하자." 1989년 9월 9일 '경실련 회보' 1면 제목이다. 그리고 "토지귀족 5%의 로비위력이 현실로 드러나고 있다. 엉거주춤한 자세로 반대의사를 흘려보내는 공화당은 물론 당초 공개투표의 일종인 점호투표제를 도입해서라도 토지공개념 관련법을 통과시키겠다던 민정당이 급기야 부작용을 최소한 한다는 미명하에 관계 법안들의 속 알맹이를 빼내기 시작했다."며 시민의 역로비로 토지공개념 입법화를 주장하였다. 그만큼 토지공개념의 입법은 어려웠다. 하지만 1960년대 경제개발계획의 추진과 함께 도시화와 산업화가 진행되면서 지가상승과 개발이익 사유화문제가 자산과 소득의 불평등으로 이어졌고, 서민들의 땅 지옥, 집 지옥 현실이 큰 사회문제로 대두되었다. 정부는 어쩔 수 없이 1989년 토지투기 및 지가급등을 억제하기 위해 토지공개념 관련 3개 법률인 토지초과이득세법, 택지소유상한에 관한 법률, 개발이익환수에 관한

사진으로 보는
경실련 30년

Ⅰ. 경실련의
창립과 활동

Ⅱ.
경실련 30년 활동의 성과

Ⅲ. 지역경실련의
활동과 성과

Ⅳ. 경실련과
시민사회의 미래

법률을 제정하게 되었다.

경실련은 창립을 준비하던 당시 명칭을 '부동산투기와 싸우는 시민의 모임'으로 할 정도로 우리사회의 경제적 불의의 원천의 하나로 부동산 투기를 지목하였다. 경실련 발기선언문(1989.7.8)의 6대 실천과제 중 "비생산적인 불로소득은 소멸되어야 한다.", "토지는 생산과 생활을 위해서만 사용되어야 하며 재산증식 수단으로 보유되어서는 안 된다", 2개 항목이 토지분야인 것은 이러한 문제인식을 반영한 것이다. 경실련은 이를 극복하기 위한 유력한 수단으로 토지공개념제도 도입운동을 시민들과 함께 전개하였다. 아울러 토지의 종합토지세 강화, 양도세 강화, 과표현실화, 부동산실명제 도입 등을 촉구했다.

그러나 역대 정부들은 경제 구조조정 및 부동산시장 활성화대책 추진을 위해 토지공개념 3법을 폐지하거나 축소해 토지공개념제도는 유명무실해졌다. 이후 그린벨트 해제를 통한 택지개발, 신행정수도와 신도시건설, 재개발·재건축사업 활성화 등 규제 완화 및 개발을 활성화하는 경기부양정책들이 추진되었다. 이러한 토지개발 활성화대책은 용도지역 전환과 기반시설 설치로 지가와 주택가격 상승을 초래하였다. 토지와 주택가격 상승에 따른 개발이익 사유화는 자산불평등에 따른 부의 분배구조를 왜곡하고 투기를 유발해 경제 불안과 사회적 갈등을 야기하였다. 경실련은 개발과정에서 발생한 불로소득을 공적으로 환수하는 개발이익환수 운동을 지속적으로 전개하였다. 경실련은 토지공개념의 재도입과 부동산 투기의 근절 및 불로소득의 공적인 환수를 기본 사명으로 하여 활동하고 있다.

2. 운동의 전개

1) 땅 투기 근절을 위한 토지공개념 확대 도입

1988년 올림픽 이후 부동산가격이 급등하자 정부는 8월에 토지공개념을 바탕으로 한 토지제도 개혁 추진을 발표하였다. 1989년 10월 경제기획원은 '토지는 사유재인 동시에 공공적 특성을 가지므로 공익을 우선으로 하여 토지소유를 제한하여 토지소유를 적정화하고, 토지거래를 규제하여 실수요자의 토지소유를 지원하고, 개발이익을 불로소득으로 환수하고, 기업의 과다 토지 보유를 억제하여 토지이용의 효율성을 높이'는 토지공개념 3법(토지초과이득세, 개발이익환수제, 택지소유상한제)을 발표하였다. 그해 12월 정기국회에서 입법화 되었다.

경실련은 1989년 '한국의 토지주택정책 어디로 가야할 것인가' 공청회를 열고 토지조세제도의 강화와 토지공개념 3법의 강화 입법을 요구했다. 그리고 ① 누구나 최소한의 토지를 보유할 권리, ② 토지는 재산증식 목적으로 소유되어서는 안 됨, ③ 토지투기를 척결하여 지가를 안정, ④ 토지 불로소득은 사회에 환원, ⑤ 토지는 반드시 본인명의로 거래되어야 등 토지의 경제정의 5대 원칙을 제시하였다. 1989년 9월 19일 조순 부총리를 방문하여 당정협의회에서 확정한 수정법안에 대해 과표는 공시지가 100%까지 조기현실화, 토지기본법 조속입법, 택지소유상한제 후퇴반대, 개발이익산정공식 현실화, 토지초과이득세 확대, 부재지주의 농토잠식 막는 특별입법 제정을 요구하였다. 그리고 1989년 9월 28일 전경련이 토지공개념 도입을 '토지공급을 위축시키고 장기적으로 지가상승을 초래할 것'이라 지적하자, 대재벌들이 아직도 땅 투기로 불로소득을 계속 확보하려는 저의이며 토지공개념을 무력화시켜 기득권을 확보하려는 것으로 투기가 아닌 건전한 생산적 투자촉진을 위해 토지공개념 도입이 필요하다고 비판하였다. 시민들을 대상으로는 1990년에 '땅 투기의 대상인가, 삶의 터전인가'를 발간하여 토지공개념 법안 강화, 종합토지세 등 토지세제 강화, 토지실명제 및 자료공개 등의 투기근절방안을 제시했다.

토지공개념 법률은 1989년 12월 입법화되었다. 택지소유상한제법으로 가구당 200평 초과 택지소유자에게 8년간 1조 6,700억 원의 세금이 부과되었지만 헌법재판소로부터 위헌판결로 1998년 폐지되었고 토지초과이득세도 미실현 이익에 대한 과세를 이유로 헌법불합치 판정을 받아 1998년 폐지되었다. 현재는 개발이익환수에 관한 법률만 유지되고 있으나 외환위기 이후 개발부담금 면제특례, 부담률 축소(50%⇒20%) 등으로 대폭 후퇴되었다. 특히 토지공개념의 근간인 공시지가 시세반영률은 지금도 40% 수준에 불과하여

사실상 토지공개념은 무력화된 상태이다.

2) 부동산 불로소득 환수 운동

부의 불평등의 개선 요구가 거세지면서 2004년 경실련은 토지의 투기적 개발을 막고 공익적 활용 및 소유에 대한 사회적 공감대를 형성해 무력화된 개발이익환수제도를 정상화하기 위해 '개발이익환수포럼'을 창립하였다. 경실련은 토지문제의 근본원인은 토지의 사유화 도시화 상품화이며 토지와 부동산투자가 사회에 미치는 부정적 측면을 최소화하기 위해 개발이익환수제도의 정상화를 강조하였다. 포럼은 개발이익의 체계적 환수를 위해 양도소득세 등 자본이득 환수장치 강화 및 과표 현실화를 우선과제로 제시했고, 개발 인허가제도를 통해 시설부담금제를 내실화, 부과중지된 개발부담금제의 재도입과 실효성 확대, 재건축 이익 환수와 개발이익환수 기반강화를 위해 실거래가격 등기제도 도입 등 개발이익환수체계 전반의 제도개선이 필요함을 제시하였다. IMF 이후 재계의 부동산 규제 완화 요구에 대해 정부가 2001년 12월 부담금관리기본법을 제정해 비수도권은 2002년부터, 수도권 지역은 2004년 1월부터 부과 중지하였다. 경실련은 개발부담금제의 재도입과 확대 시행방안을 논의 한 후 개발부담금제도 개선운동과 재건축개발이익환수운동에 집중하였다.

부동산가격이 폭등하자 정부는 2003년 10·29대책에 앞서 중단된 개발부담금제도 재도입을 발표하였으나 총선을 앞두고 국회 반대로 무산되었다. 경실련은 무력화된 개발부담금제도 재도입과 실효성이 낮은 개발이익환수체계를 정상화할 것을 정부에 요구하였다. 경실련은 정부의 토지개발사업 활성화 추진도 비판하였다. 2004년 정부가 삼성의 아산 기업도시개발을 위한 산업단지 지정을 추진하자 개발이익환수장치 무력화로 막대한 개발이익을 기업이 독점하게 되는 문제를 지적하였고, 2005년에는 수도권 집중을 부추기는 송파신도시건설계획 반대 및 중단을 촉구, 정부 규제개혁위원회의 준농림지 규제완화 추진과 기반시설부담제도 완화에 대해 개발이익 및 전용이익 환수제도 미비를 근거로 반대하는 의견서를 제출했다. 2004년 11월에는 '인천 소래 논현 도시개발사업 개발이익 실태분석'에서 민간의 대규모 도시개발사업에서 2조원 이상의 수익을 사유화하지만 개발부담금은 한 푼도 내지 않는 실태를 폭로하며 제도 개선을 촉구했다. 2005년 5월에는 서울 주택가격 상승의 원인이 되는 재건축사업의 개발이익 실태분석에서, 강남 5개 재건축단

지의 개발이익이 약 6.5조원으로 추정되지만 모두 소유자와 건설사에 귀속됨을 발표하고 유명무실한 개발이익환수제도의 개선을 촉구했다.

2006년 1월 개발부담금제는 재도입됐다. 그러나 개발부담금의 부과 대상사업의 제한, 불합리한 부담금 산정 기준, 낮은 부과율 등으로 실효성 문제는 개선되지 않았다. 경실련은 공시지가의 현실화, 개발이익환수 시점 조정, 축소된 부과율을 도입 당시 기준인 50%로 정상화할 것을 지속적으로 요구했다.

3. 각계의 반응 및 성과

1989년 노태우 정부에서 토지공개념을 도입할 당시에는 여야 모두 토지공개념의 필요성에 동의하고 지지하였다. 원래보다 후퇴한 토지공개념 법안에 대해 야당이 반발하며 수정안을 제시하기도 했지만 대재벌의 대변인 전경련 등의 강력한 반발로 후퇴된 토지공개념이 입법화됐다. 당시 경실련은 제1차 토지공개념 입법 촉구 시민대회(1989.9.9.)를 시민 1천여 명이 참석한 가운데 서강대체육관에서 개최하였고, 제2차 경실련 창립대회 및 토지공개념 강화 입법 및 주택문제 해결을 위한 시민대회(1989.11.4.)는 시민 1천5백여 명이 참석한 가운데 정동 문화체육관에서 하였고, 제3차 토지공개념 강화 입법 및 무주택자문제 해결 촉구 시민대회(1989.12.5.)는 여의도 국회의사당 앞에서 시민 3천여 명이 모여 토지공개념 입법을 촉구하였다. 경실련이 시민들과 함께 개최한 대중 집회는 정부와 국회를 압박하는 힘으로 작용하였고 전문가들의 실사구시 자세로 분석하여 발표한 토지공개념제도 정책은 사회 각계의 지지를 받았다. 토지공개념제도 도입 운동의 성과는 경실련의 정체성을 가장

잘 드러내는 활동이었다.

　　토지공개념 제도가 무력화 되는 시기에 추진한 개발이익환수 운동은 법제도 개선 등 정책대안을 마련하고 이를 사회적으로 공론화하기 위해 토지 등 부동산 개발과정에서 발생하는 개발이익 규모와 제도 미비로 인해 민간에게 사유화되는 실태를 시민에게 알리는 방식으로 진행했다. 인천 소래지구 개발부담금 부과 실태와 서울 강남 재건축단지 개발이익 추정 발표는 일간지와 방송 등 다양한 언론에서 보도하여 많은 시민의 공분을 이끌어 내었다. 언론은 정부의 송파신도시 건설 추진에 대한 비판과 재건축 초과이익환수제 도입을 촉구하는 경실련의 목소리에 대해 정부의 움직임과 경실련의 활동을 비교 보도했다. 결국 재계의 요구로 폐지 위기에 몰렸던 개발이익환수제도 부활 및 정상화운동을 통해 사실상 무력화된 토지공개념의 재확립과 제도개선의 필요성을 사회적으로 부각시켰다. 지가변동과 건축비 거품 등 실증적 자료에 근거한 실태분석과 폭로는 개발부담금제 재도입과 재건축개발이익환수제도 도입에 대한 여론 형성을 하는 데 기여했다. 정부의 개발이익환수제도 무력화와 함께 추진된 토지 및 주택개발사업 활성화에 대한 비판과 감시활동을 진행해 개발을 활성화하려는 정부정책을 견제하였다. 경실련의 '개발이익환수포럼'은 국토 도시 환경 등 다양한 분야의 전문가들이 참여해 합리적 정책대안을 만드는 데 많은 기여를 하였고, 운동의 저변을 확대했다.

33. 이문옥 감사관 양심선언과 재벌의 비업무용 토지 투기고발 운동

1. 배경 및 취지

　　이문옥 감사관 양심선언은 부동산투기가 극심했던 1989년 8월에 실시되었던 국세청의 '재벌계열사의 비업무용 부동산 취득 및 보유세 과세 관련 실태조사' 관련 감사가 업계의 로비에 의해 상부의 지시로 중단된 것을 한겨레신문에 제보한 사안이다. 당시 감사관이 제보한 내용은 재벌계열사들이 보유한 비업무용 부동산 비율이 정부 발표치보다 훨씬 높게 나타나며 재벌의 땅 투기에 대한 국민들의 비판이 쏟아졌다.

　　경실련은 창립이후 지속적으로 재벌들의 땅 투기 근절을 촉구해왔으며, 기업의 업무용 토지를 합리적으로 정의하고 금융, 보험기관의 업무용 범위 축소와 종합토지세 세율 인상 등을 주장해왔다. 토지조세 관련해서도 종합토지세를 부과할 때 업무용 토지를 엄격히 규정하고 별도합산과세를 삭제하고 종합합산과세할 것을 촉구했다.

　　이문옥 감사관의 제보내용은 재벌소유 비업무용 토지에 대한 투기의 심각성을 드러낸 양심선언으로 경실련의 재벌 땅 투기 근절대책의 필요성을 재인식 시켜주었다. 하지만 검찰은 이러한 실태의 심각성은 차치한 채 '공무상 비밀누설행위'로 규정하고 파면조치를 취하였다. 이에 경실련은 이문옥 감사관의 복직촉구와 재벌들의 땅 투기 근절대책을 촉구하는 활동들을 전개하였다.

2. 활동 내용 및 경과

이문옥 감사관은 부동산투기가 극심했던 1989년 8월 '국세청이 실시한 23개 재벌계열사의 비업무용 부동산 취득 및 보유에 관한 실태조사'를 통하여 재벌의 땅 투기가 매우 심각함을 발견했다. 비업무용 부동산 보유비율도 43.3%로 정부가 발표한 1.2%의 40배 이상으로 나타났다. 하지만 감사 중에 당시 감사원 사무총장의 감사 중단 지시를 받고 감사를 중단하게 되었다.

하지만 이문옥 감사관은 '직장 상사의 위법 부당한 명령이나 지시에 복종하는 것도 징계사유가 된다.'는 불합리한 공무원법의 실태를 국민에게 알리고 토지정책을 개선하는 것이 국가이익에 부합된다는 판단 하에 재벌 비업무용 부동산보유 실태와 부당한 감사중단 지시에 대한 사실을 한겨레에 제보하면서 세상에 알려졌다. 경실련은 재벌들의 땅 투기에 분노하며 비업무용토지에 대한 축소, 별도합산과세 폐지 및 종합토지세 최고세율 인상(5%⇒8%) 등의 토지조세 강화를 통한 땅 투기 근절을 촉구했다. 그러나 토지공개념 3법 도입에 그쳤고, 토지조세제도는 크게 개선되지 못했다.

또한 검찰은 이문옥 감사관의 양심선언을 '공무상 기밀누설행위'로 규정하고 이문옥 감사관을 파면조치 후 90년 5월 구속하였다. 이에 경실련을 포함한 시민사회진영은 이문옥 감사관 석방을 촉구하는 입장을 발표하며 석방운동을 전개하였다. 90년 5월 19일, 6월3일 두 차례 '이문옥감사관 석방과 정경유착 규명촉구 시민대회'를 열고 양심선언 한 이감사관의 무조건 즉각 석방을 촉구하고 이를 위한 시민연대기구를 제안했다. 재벌의 부동산투기 실태와 정경유착의 진상을 철저히 규명하기 위한 국정조사와 국회청문회 개최도 요구하였다. 재판부도 6월 30일 도주의 염려가 없다는 이유로 이 감사관을 석방조치했다.

하지만 검찰은 93년 8월 이문옥 감사관에 대해 '공무상 비밀누설죄'를 적용하여 징역1년을 구형했다. 이에 경실련은 즉각 입장을 발표하고 검찰의 이문옥 감사관에 대한 공소취하를 촉구했다. 양심적 공직자를 보호하지 못하는 나라에서는 부정부패 척결을 이룰 수 없다며 이문옥 감사관이 감사원으로 떳떳하게 원직 복귀하여 감사원의 신뢰회복으로 이어져야 한다고 강조했다.

재판부도 9월에 이문옥 감사관의 무죄를 선고하며 양심적 보호자는 보호받아야 한다는 사실을 강조했고 경실련도 환영입장을 밝히며 사법부 개혁의 계기가 되길 기대했다. 하지만 검찰은 즉각 항소하며 시대착오적 과오를 되풀이했고, 경실련은 9월18일 '검찰의 이문옥 감사관 항소 규탄 시민집회'를 서초동 검찰 앞에서 개최하며 검찰의 과오에 대한 국민적 분노를 표출하고 항소취하를 강력히 촉구했다.

결국 대법원도 1996년 5월 이문옥 감사관에 대한 무죄확정판결, 10월에는 파면처분취소판결을 내리며 이문옥 감사관의 양심선언을 인정해줬고, 이감사관은 11월 복직했다.

3. 각계 반응과 성과

이문옥 감사관의 양심선언을 통해 드러난 재벌 땅 투기의 심각성과 이를 부당하게 은폐하려는 정부의 행태에 대해 국민들은 매우 크게 분노했고 경실련 활동을 지지했다.

언론에서는 한겨레가 이문옥 감사관의 제보내용을 토대로 비업무용 토지보유실태에 대한 기사를 집중적으로 다뤘으며 이문옥 감사관의 구속 및 파면조치 등의 부당성에 대한 기사도 많이 보도했다. 동아일보는 90년 12월 '본사 선정 올해의 인물'로 이문옥 감사관을 선정하기도 했다.

정치권에서는 평민당이 비교적 적극 대응했다. 당시 정대철 의원은 "대재벌들의 부동산 투기 등에 관한 정보는 마땅히 국민 앞에 공개돼야 한다."고 지적하며 진상규명 작업에 나서겠다고 밝히기도 했다. 이후 6월에는 '이

사진으로 보는
경실련 30년

Ⅰ. 경실련의
정립과 활동

Ⅱ.
경실련 30년
활동의 성과

Ⅲ. 지역경실련의
활동과 성과

Ⅳ. 경실련과
시민사회의 미래

문옥 감사관 구속진상규명 및 석방촉구대회'를 갖기도 했다.

이문옥 감사관의 양심선언으로 재벌들의 땅 투기 실태가 드러나며 토지공개념 도입에 대한 여론도 커져 입법화로 이어졌다. 이문옥 감사관에 대한 검찰구속 및 파면조치 등에 대해 구속의 부당성을 알리고 파면 철회를 요구하며 정치권으로 확대시키는 등 여론화에 경실련이 주도적으로 참여하면서 재판부의 무죄판결과 파면취소처분을 받아내는 성과를 거두었다.

다만 최근 경실련이 법인들의 토지보유실태를 분석한 결과 2007년 이후 10년간 상위10위 재벌이 소유한 토지면적은 4.7억 평이 증가하는 등 재벌의 땅 투기가 과거보다 더 심각해진 것으로 나타났다. 시세를 반영하지 못하는 낮은 공시지가와 2005년 공시가격 제도 도입 이후 법인이 소유한 별도합산토지에 대한 최고세율 완화(2%⇒0.7%)등으로 토지조세 부담이 낮아졌기 때문이다. 토지조세제도 강화 등 재벌들의 부동산투기를 감시하기 위한 다양한 활동을 적극 전개할 필요가 있다.

34. 부동산실명제 도입 운동

1. 배경 및 취지

1912년 조선고등법원의 판례로 시작된 명의신탁제도는 80여 년간 유지되며 부동산 투기와 탈세, 탈법 및 법인의 은닉수단으로 이용돼 왔다. 이에 경실련은 89년 창립 당시부터 부동산실명제 도입과 토지조세제도 강화 등을 주장했다. 노태우 정부는 1989년 부동산투기 억제책으로 택지소유상한제, 토지초과이득세, 개발이익환수 등의 토지공개념을 도입했지만 명의신탁을 이용한 부동산투기 방지책과 조세강화방안이 누락된 미흡한 수준이었다.

명의신탁의 문제점은 언제든지 권리를 주장할 수 있으면서도 명의가 노출되지 않는 것을 이용해 각종 규제 및 강제집행의 회피 등의 목적으로 악용되며 부동산투기를 조장하고 있다는 점이다. 이에 경실련은 부동산실명제 도입을 촉구하는 법안 마련, 공청회 및 토론회 개최 등의 다양한 활동을 전개하며 부동산실명제 도입을 이끌었다.

2. 활동 내용 및 경과

부동산실명제는 경실련이 창립당시 제시한 5대 토지경제정의 원칙의 하나다. '토지는 반드시 본인명의로 거래되어야 한다.'는 것이다. 부동산의 차명거래가 허용되고 있는 상황에서 투기를 뿌리 뽑는 것은 불가능하기 때문이다.

노태우 정부는 부동산투기 근절을 위한 토지공개념을 도입하면서도 부동산실명제를 제외함으로써 근본적 한계를 드러냈다. 1990년 부동산등기특별조치법을 제정했지만, 조세포탈과 부동산투기 등을 목적으로 한 명의신탁만 금지했다. 이마저도 정상적인 사유가 있을 때에는 예외로 한다는 단서조항을 두었다.

부동산실명제는 김영삼 대통령이 1995년 1월 6일 전격 발표하며 다시 점화됐다. 당시 경실련도 즉각 환영성명을 발표하면서 도입을 촉구했다. 경실련은 어떠한 형태의 명의신탁도 인정돼서는 안 되며, 명의신탁 되는 부동산은 모두 증여로 간주해야 하고, 종합토지세를 강화하라는 입장을 발표했다. 1995년 1월 24일에는 부동산실명제 도입방안에 대한 공청회를 개최했다.

이후 1월 26일 정부가 '부동산권리자명의등기에관한법률안'을 발표했지만 여전히 명의신탁에 대한 예외조항이 존재하고 있었다. 경실련은 즉각 명의신탁 예외 금지와 부동산실명제 정착을 위한 실질심사제 도입을 주장했다. 특히 비업무용 부동산에 대한 명의신탁 악용소지가 있는 법안 삭제, 종중 및 배우자 명의신탁 특례삭제 등을 요구했다. 명의신탁 된 재산을 수탁자의 재산으로 인정하는 것은 사적자치 및 소유권을 침해한다는 정부의 위헌소지에 대해서도 투기를 조장하는 반사회적 행위까지 법적 보호를 받을 필요가 없다고 강조했다.

하지만 1995년 2월 국무회의에서 최종 확정한 '부동산실권리자명의등기에관한법률안'은 여전히 명의신탁 금지에 대한 예외를 인정함으로써 부동산실명제를 무력화할 우려가 매우 컸다. 경실련도 2월에 '경실련의 부동산실권리자명의등기에 관한 법률안' 개정안을 입법청원했다. 하지만 국회는 정부가 발의한 부동산실명법안을 국회에 상정했고, 1995년 3월 17일 상임위까지 바꿔가며 법안을 통과시켰다. 이에 18일 경실련은 유명무실화된 부동산실명법의 본회의 처리반대와 재심의를 촉구했지만 같은 날 본회의에서 의결됐다.

경실련은 1995년 12월 '김영삼 대통령께 지속적인 개혁을 건의드립니다.'를 발표, 금융실명제와 부동산실명제를 보다 강화해줄 것을 재차 요구했다. 하지만 사법부는 관련소송에서 '명의신탁 행위가 1995년부터 시행된 부동산실명법을 위반한 것은 맞지만 선량한 풍속이나 사회질서에 어긋나는 것으로는 볼 수 없다'며 신탁자가 등기를 되찾아올 수 있다고 판결(2002년 9월 대법원 전원합의체)하는 등 명의신탁을 일부분 인정해왔다. 이후 2010년 3월 '명의신탁약정에 따른 등기로 이루어진 부동산에 관한 물권변동은 무효로 한다'고 부동산실명법이 개정되며 명의신탁은 예외없이 불법으로 규정되고 있다. 하지만 사법부는 최근까지도 명의신탁 부동산의 소유권을 인정하는 판결로 부동산실명제를 퇴색시키고 있다.

3. 각계 반응과 성과

김영삼 정부는 출범초기에 부동산실명제, 금융실명제 등 개혁입법을 추진했다. 당시 민주당도 김영삼 대통령의 부동산실명제 실시에 대해 적극 환영입장을 밝히며 부동산실명제가 정의경제를 실현한다고 강조했다. 그러나 민자당이 종합토지세 과표 완화, 업무용토지 명의신탁 허용 등 부동산실명제를 무력화시키는 보완조치 움직임을 보였다. 다행히 경실련이 거세게 반발해 법 개정으로 이어지지는 못했다. 부동산실명제 관련 경실련 공청회에 참석한 안상수 변호사(현 창원시장, 15대~18대 국회의원) 등도 명의신탁 금지가 '효용이 없을 뿐만 아니라 오히려 국민들의 생활을 불편하게 하고 혼란만 가중시켜 경제발전의 걸림돌이 될 뿐'이라고 밝히기도 했다.

언론에서는 매경, 조선일보 등이 부동산실명제 도입이 법인, 개인 등의 부동산 재산권 침해소지가 있다는 내용을 기사화하며 부동산실명제 도입을 우려했다. 사법부도 명의신탁을 인정하는 판례로 부동산실명제의 근간을 흔들고 있다. 2019년 6월 대법원 전원합의체는 명의신탁 소유권 인정과 관련해 2002년 9월 대법원 판례를 따라 '명의신탁 부동산의 소유권은 명의자가 아니라 원 소유자에게 있다'는 기존 판례를 유지했다.

김영삼 대통령이 부동산실명제 도입을 선언한 이후 민자당 등이 규제완화를 요구했지만 경실련의 강력대응으로 법안이 통과됐다. 다만 종중 부동산 등 광범위한 명의신탁 인정은 문제다. 명의신탁계약이 선량한 미풍양속이라는 이유로 사법부가 명의신탁 소유권을 인정하는 판결을 내려오고 있다. 2010년 관련법 제정으로 명의신탁을 예외 없이 금지하고 있지만, 사법부는 명의신탁 소유권을 인정하는 판결로 부동산 차명거래에 대해 면죄부를 주고 있다. 이에 부동산실명제가 제대로 정착되기 위한 다양한 운동방안이 강구되어야 한다.

사진으로 보는
경실련 30년

Ⅰ. 경실련의
정체성과 활동

Ⅱ.
경실련 30년
활동의 성과

Ⅲ. 지역경실련의
활동과 성과

Ⅳ. 경실련과
시민사회의 미래

35. 아파트값 거품빼기와
후분양제 주택공급 운동

1. 배경과 취지

"당정, 당청 간에 치열하게 논쟁하는 것을 두려워해서는 안 된다. 오히려 공공주택 분양가 문제와 같은 중요한 문제에 대해 치열하게 논쟁하여 결론을 도출할 때, 여타의 다른 문제들을 쉽게 갈 수 있다. 계급장 떼고 치열하게 논쟁하자" 2004년 6월 김근태 열린우리당 전 원내대표가 보도자료를 통해 원가공개 찬성입장을 밝히면서 유명해진 "분양원가, 계급장 떼고 논쟁하자" 발언이다. 아파트 분양원가 공개는 당초 열린우리당의 2004년 4 15 총선의 대표적인 개혁공약이었다. 하지만 총선 이후 백지화 움직임이 있었고 노무현 대통령이 직접 "분양원가 공개 반대"라는 입장을 밝혔다. 김근태 의원의 발언은 이런 와중에 나온 발언이었다.

아파트 분양원가공개는 우리나라 주택정책의 뜨거운 감자다. 주택공급체계로 볼 때 우리나라는 세계에서 유례없는 선분양제 나라이다. 선분양제는 아파트를 짓기 전에 판매하는 것이고 후분양제는 다 짓고 판매하는 것이다. 일반 시민들이 일생에 한번 수억 원을 주고 구매할 수 있는 가장 비싼 물건이 주택인데 선분양제는 수십 년간 합판으로 지어진 모델하우스와 장밋빛 개발계획으로 채워진 홍보 전단을 보고 구매해야 했다. 그로 인해 민간은 물론이고 공공아파트조차 부실시공과 하자로 소비자들에게 피해를 떠넘기고 있고 건설사들은 조감도만 보여주며 분양권을 팔아 막대한 이익을 가져갔고 주택시장을 교란시켰다. 경실련은 시장원리에 합당할 뿐만아니라, 소비자들의 선택권을 보장해 주고 피해를 줄일 수 있다는 점에서 후분양제를 주장했다. 하지만 정부의 경제운용방침이나 건설업계의 여건으로 후분양제를 당장 시행하기 어렵다면 단계적으로 시행을 할 것을 주장했다. 정부가 선분양을 유지한다면, 원가를 공개하여 가격 급등과 건설사의 폭리를 억제해야 한다는 게 경실련의 입장이다. 그러나 정부는 공급자에 유리한 선분양제도를 기업의 자율에 맡기거나 인센티브 제공으로 후분양을 유도한다는 입장을 고수하였다.

외환위기 이후 김대중 정부는 분양가 자율화, 양도세 면제 등 대대적인 규제 완화로 경기를 부양시키려 했다. 2000년까지도 타워팰리스, 삼성동 아이파크 등이 미분양되었으나 규제 완화의 영향으로 2002년 이후 집값은 급등했다. 서울의 아파트 평당 분양가는 2001년 평균 670만원에서 2002년 790만원, 2003년 1,070만원까지 상승했다. 서민주거안정을 위한다며 국민의 논밭 임야를 강제 수용해 건설한 용인 동백, 파주 교하 등 신도시에서조차 공기업과 건설사들이 땅값과 건축비를 실제 투입 비용보다 부풀려 높은 분양가를 책정하여 수익을 가져가고 거품을 키웠다. 이에 경실련은 '제2의 토지공개념운동'의 마음으로 2004년 2월 '아파트값거품빼기운동본부'를 출범시키고, 분양원가 공개를 위한 시민행동을 전개했다. 아파트 분양가를 분석하여 거품의 규모와 원인을 규명하고, 거품의 제거를 위한 분양원가 공개는 물론 주택정책 전면 재검토를 요구했다.

2. 운동의 전개

참여정부는 출범 초기부터 김대중 정부의 규제완화의 영향으로 집값이 폭등하여 부동산 투기근절과 주거불안 해소라는 국민적 요구에 직면했다. 노무현 대통령은 당선 직후 언론인터뷰에서 "공영 개발하는 아파트의 분양원가 공개"를 약속했다. 이명박 서울시장은 2004년 2월 SH공사의 상암 7단지 아파트의 분양원가를 최초로 공개하면서 수익률이 40%라고 밝혔다. 민간도 아닌 공공아파트의 수익률이 40%라는 사실이

공개되면서 국민들 90% 이상이 분양원가의 공개를 요구하게 됐다.

경실련은 용인 동백, 파주 교하 등 4개 신도시의 분양가를 분석하여 3조원 이상의 개발이익을 토지공사와 주택업자들이 가져가는 문제를 지적하며 원가공개를 촉구했다. 2004년 17대 총선을 앞두고 각 정당의 주요공약으로 분양원가 공개를 제안했고 당시 여야 모든 정당이 분양원가 공개에 찬성했다. 하지만 2004년 6월 노무현 대통령이 "주택공사가 사업자원리에 의해 움직이는 한 10배 남는 장사도 있고, 10배 잃는 장사도 있다"며 원가공개를 반대하자 정당들도 총선공약을 이행하지 않았다. 이에 경실련은 '아파트값거품빼기 시민행동 서포터즈'를 조직해 시민들과 함께 온라인 시위, 촛불 집회, 서울시청 앞 텐트시위 등을 진행하며 분양원가 공개를 촉구했다. 결국 2006년 9월 오세훈 서울시장이 '은평뉴타운 포함 모든 공공아파트 원가공개 및 후분양제 도입'을 선언하였다. 이어 노무현 대통령이 "지금은 내가 분양원가 공개제를 반대할 수가 없다. 많은 국민들이 그렇게 믿고 있고 많은 시민사회에서 그 주장을 하고 있기 때문에 거역할 수 없는 흐름"이라며 분양원가 공개를 찬성하였다. 2007년 4월 공개된 SH공사의 장지·발산지구 분양가는 각각 평당 1,100만원, 700만원이었지만 분양원가는 780만원, 560만원으로 주변 시세의 60% 수준으로 분양가를 책정했음에도 수익이 30%나 되는 것으로 드러났다. 2007년 2월 주택법의 개정으로 모든 주택에 분양가상한제가 적용되고, 공공아파트는 61개 항목, 민간아파트는 7개 항목의 원가공개가 이뤄졌다. 그러나 주택협회, 건설협회, 여야정치인 등의 반발로 2012년 3월에 공공주택 아파트 원가공개 항목이 12개로 축소됐고, 2014년 12월에는 여야가 합의해 민간아파트의 분양가상한제와 원가공개를 폐지했다.

2009년 경실련은 SH공사를 상대로 한 원가공개 행정정보공개 소송의 승소로 확보한 상암, 장지, 발산 등 22개 아파트사업의 도급·하도급내역과 설계내역을 분석하여 장지·발산지구의 건축원가가 평당 300만원임을 공개하였다. 공기업인 LH·SH는 지금도 원가공개를 거부하여 2019년 8월 다시 행정소송을 제기한 상태이다.

20대 국회에서는 심상정 의원과 함께 분양원가 공개 법안을 입법 청원했다. 정동영의실과는 국정감사시 분양원가 공개의 확대를 촉구하거나 분양가 폭리 실태를 공개 및 후분양 도입 등 기자회견들을 수차례 진행했다. 경기도에는 분양원가 공개 제안을 하였는데 2018년 8월 이재명 도지사가 원가공개를 선언하고 9월부터 수천 개의 원가 세부내역을 홈페이지에 공개하고 있다. 결국 국토부 장관도 2018년 11월 공공주택 분양원가 공개의 확대 시행을 발표하고 2019년 3월부터 공공주택은 62개 분양원가를 공개되고 있다.

한편, 분양원가 공개 운동에 집중하면서도 후분양제 도입도 소홀히 하지 않았다. 1998년 김대중 정부에서 건설사들은 IMF를 이유로 분양가의 자율화를 시행하면 후분양제를 하겠다고 약속하였다. 그러나 건설업체들은 후분양 약속을 지키지 않았다. 이에 경실련은 2002년 '분양가 자율화 시대, 선분양제도의 문제점과 개선을 위한 토론회'를 개최하며 후분양으로 전환을 촉구했다. 2002년 대선을 앞두고 차기 정부의 핵심 개혁과제로 후분양제 도입을 제시했고, 2003년에는 건교부 장관을 면담하며 후분양제 도입을 주장했다. 2004년 총선을 앞두고는 각 정당을 방문해 후분양제 도입을 중점 공약으로 해줄 것을 요구했다. 이후에도 선거 때마다 공약화를 요구해왔지만 받아들여지지 않았다. 2006년 오세훈 서울시장이 공공아파트의 80% 완공 후 분양을 발표하며 시행에 돌입하자 경실련은 중앙정부보다 앞선 서울시 정책에 대해 환영 성명을 발표했다. 그러나 2013년 박원순 시장은 공정률 80%를 60%로 낮추었다. 2017년 부영아파트 부실시공이 불거지며 후분양제 도입이 다시 제기되었으나 일부 언론과 주택보증공사까지 후분양제의 부작용을 여론화하고 적극 반박하였다.

그리고 2017년 3월에는 국가·지방자치단체와 LH공사·지방공사 등 공공기관, 재벌 계열건설사 등의 후분양을 의무화하는 '주택법' 개정안을 청원했다. 재벌건설사와 공기업은 아파트를 최소 80% 이상 짓고 분양하되, 불가피하게 선분양을 실시해야 하는 중소업체들은 사전에 입주예약을 신청 받는 사전예약제로 입주자를 모집토록 해 소비자를 보호하면서 업계 충격을 최소화하도록 했다. 그리고 후분양제 이행에 대해 반대하는 국토부에 대해서는 비판 입장을 발표했다. 같은 해 10월에는 주거 관련 시민단체와 함께 전월세 상한제와 후분양제 도입을 촉구하는 기자회견을 개최했고, 이후 연말까지 청와대 앞 1인시위를 진행하였다.

3. 각계의 반응 및 성과

경실련 아파트거품빼기운동이 추진한 분양원가 공개에 대한 각계의 반응은 다양하였다. 정치권은 시장원

리에 맞지 않는다며 부정적이었다. 건설사와 관련 협회들은 기업의 영업 비밀을 내세우며 반대했으며, 국민의 주거안정을 위해 설립된 공기업들도 원가공개를 거부하였다. 광고의 상당부분을 아파트 분양 광고에 의존하는 보수경제지도 원가공개 반대 논리를 기사화하며 국민적 여론을 담아내지 못했다. 다행히도 프레시안, 뷰스앤뉴스 등의 인터넷 언론 등이 적극 보도했고, 경향신문, 오마이뉴스 등은 경실련과 공동기획으로 부동산 거품의 실태와 대안을 제시하기도 했다. 그러나 집값이 급등하여 시민들의 주거안정이 위협받는 정책여건과 90% 이상의 국민들이 분양원가 공개를 지지하여 다시 도입되었다. 분양원가 공개는 공공주택은 12개 항목으로 축소된 지 7년 만에 62개 항목으로 확대 도입되었다. 그러나 공급의 80% 이상이 민간택지에서 이뤄지는 만큼 민간아파트까지 분양원가 공개가 확대되어져야 한다. 아울러 공개된 분양원가 검증을 위해서 설계내역, 도급내역, 하도급 내역 등의 원가세부내역 공개도 필요하며, 지방자치단체장의 분양원가 검증과 책임도 더욱 강화되어야 한다.

또한 2003년 참여정부 인수위원회는 부동산 투기억제를 위해 후분양제 실시를 검토했으나 정부 출범 이후 제도화 되지 못하고 2007년이 되어서야 후분양제 로드맵이 수립되어 시범사업이 추진되었다. 하지만 업계 반대로 이행하지 못했고 이명박 정부는 아예 무산시켰다. 정치권에서는 2012년 홍종학 의원이 후분양제 법안을 발의했지만 법안 상정조차 못한 채 국회가 마무리됐다. 2017년 정동영 의원이 경실련의 입법청원을 소개하고 후분양 법안을 발의하였고, 국정감사에서 김현미 장관으로부터 공공아파트 후분양제를 추진하겠다는 답변을 이끌어냈다. 국토부는 공공부문 건설에선 후분양제도 로드맵을 마련해 추진할 것이며 민간부문은 인센티브로 후분양제로 유도할 예정이다. 후분양제는 2019년부터 일부 공공주택에 대해 시범도입이 이루어지고 있고, 지방자치단체인 서울시에서 공정률을 축소하여 시행하고 있으며, 경기도는 2018년 공공아파트 후분양제를 발표하였다.

36. 공시지가 가격 정상화 운동

1. 배경 및 취지

망국적 부동산 투기의 근절은 경제정의 실현을 위한 핵심과제다. 토지투기 만연의 원인은 토지에 대한 세금이 낮기 때문이다. 이에 경실련은 지나치게 낮은 공시지가와 공시가격을 현실화하고, 세율을 보다 강화하는 등 토지 조세제도 개혁을 요구했다.

공시지가 제도는 종래의 기준지가(구 건설부), 토지 시가(한국감정원), 과세시가 표준액(구 내무부), 기준시가(국세청)로 구분된 지가 체계를 일원화하고, 토지공개념을 실현하기 위해 1990년 도입됐다. 하지만 매년 공시지가는 시세의 절반으로 조작되고 있다.

분양가 자율화 이후 집값이 폭등하고 부동산 투기가 극심해지면서, 보유세 강화의 필요성이 다시 제기됐다. 참여정부는 보유세를 강화하겠다며 부동산 공시가격제도를 도입했다. 주택 공시가격제도 도입 이후 아파트는 시세를 6~70% 정도 반영하고 있지만, 재벌들이 소유한 상가업무빌딩이나 토지, 고가단독주택 등은 지금도 시세를 3~40% 정도만 반영하면서 부동산 소유자 간 세금 격차도 심각하다.

이에 경실련은 정부의 불평등 공시가격 실태를 구체적으로 드러내고, 공시가격 개선 및 보유세 강화를 위한 다양한 활동을 전개하고 있다.

2. 활동 내용 및 경과

노태우 정부는 토지공개념 3법을 만들었다. 공시지가는 토지공개념 실현을 위해 도입한 제도다. 토지공개념 도입 초기에는 공시지가보다 낮은 과세시가표준액이 과세기준이었기 때문에 세금 징수 효과가 거의 없었다. 경실련은 과표를 공시지가로 현실화해 토지보유세를 강화해야 한다고 주장했다. 1996년부터는 공시지가가 과세기준으로 사용했다. 그러나 시세반영률이 낮아 여전히 불로소득 환수에 미흡했다.

1999년 시행된 분양가 자율화 조치로 2000년 이후 집값이 상승했고, 참여정부는 보유세를 강화해 부동산 가격을 안정시키겠다며 종합부동산세와 공시가격 제도를 도입했다. 이전까지는 모든 부동산에 대해 토지는 국토부의 공시지가 기준, 건물은 국세청의 건물시가 표준액 기준이 과표 체계였다. 이를 주택에 한정해서 토지와 건물을 통합 평가해 공시가격을 발표한 것이다. 이로 인해 주택은 동일물건에 대해서 땅값인 공시지가와 집값인 공시가격이 조사평가 됐고, 조사예산도 2배로 증가했다. 정부는 공시가격 도입 첫해에 시세반영률이 91%에 도달했다고 밝혔다. 하지만 경실련이 전국 132개 필지의 공시지가와 시세를 비교한 결과 시세반영률이 42%에 불과한 것으로 나타나 정부의 엉터리 통계 개선을 촉구했다.

공시가격 도입 이후 부동산 유형별로 시세반영률이 서로 상이한 형평성 문제도 지속적으로 지적했다. 2011년에 대한민국 최고가 주택인 이태원동 이건희 주택의 시세와 공시가격을 비교한 결과, 시세반영률이 31%에 불과했다. 엉터리 공시가격으로 부동산 부자들이 막대한 세금 특혜를 누리고 있음이 드러났다.

이후에도 ▲ 단독주택 공시가격 상위 5위 주택과 아파트 공시가격 상위 5위의 시세반영률 비교, ▲ 상위 10위 재벌의 본사를 중심으로 공시가격 시세반영률, ▲ 이태원동, 논현동, 한남동 등 고가단독주택 밀집지역 내 단독주택 공시가격 시세반영률, ▲ 용도 변경된 대규모 필지의 시세반영률(롯데월드 등), ▲ 여야 정치인 소유 보유 부동산의 시세반영률 등을 꾸준히 조사·발표하며, 왜곡된 공시지가 제도의 실태를 폭로했다. 2019년에는 재벌이나 부동산 부자들이 소유한 고가단독주택 등의 공시가격(집값)과 공시지가(땅값)를 비교해, 2005년 공시가격 제도가 도입된 이후 15년간 땅값이 집값보다 낮게 조작했음을 밝히고 감사원에 공시가격을 조작한 국토부와 지자체장 감사청구 했다.

서울시장에 대해서는 수차례 공개질의를 통해 적극적인 공시가격 개선이행을 촉구했고, 지방선거 단체장 후보들도 공개질의를 통해 지자체장의 적극적인 역할에 나설 것을 요구했다.

문재인 정부 이후 집값 상승으로 보유세 강화에 대한 국민 요구가 커졌다. 에버랜드 표준지 조작사태까지 드러나고 지자체장의 공시가격 불공정 개입 등의 문제도 드러났다. 하지만 정부는 2019년에도 초고가 부동산 등 일부에 국한된 공시가격만 인상했고, 경실련 조사결과 아파트 등의 공시지가 시세반영률은 이전보다 더 떨어진 것으로 드러났다.

3. 각계 반응과 성과

노태우 정부에서 토지공개념과 함께 공시지가 제도를 도입했지만, 공정한 공시가격으로 정착되지는 못했다. 부동산 가격 안정을 위해 역대 정부는 매번 공정한 공시지가를 강조하고 개선을 약속했지만 이행되지 않았다. 김영삼 정부는 과표를 공시지가로 일원화할 것을 약속했지만, 취임 후 뚜렷한 제도 개선 의지를 보이지 않다가 1995년이 돼서야 공시지가로 일원화했다.

노무현 정부는 부동산 불로소득 환수와 집값 안정을 목표로 종부세를 도입하고 공시가격 현실화를 강조했지만, 결과는 아파트 공시가격만 올림으로써 부동산 유형별 형평성 문제를 더 키웠다. 이명박·박근혜 정부에서도 공시가격 개선은 거의 이뤄지지 않았다. 문재인 정부도 초고가 부동산에 대한 인상으로 논란만 키웠을 뿐 근본적 개선이 이뤄지지 않고 있다.

정치권에서는 2005년 경실련의 부동산 통계의 문제 제기 이후 심상정·이한구 의원 등이 정부의 엉터리 통계의 문제점을 지적했다. 최근에는 민주평화당 정동영 의원이 불공정 공시가격의 문제점을 지적하며 관련 법 개정안을 발의하고 개선을 촉구하고 있다. 박원순 서울시장과 이재명 경기도지사 등도 공시가격 개선 의지를 보이고 있으나 구체적 성과로는 이어지지 않고 있다.

언론에서는 경향신문이 [부동산, 값부터 제대로 매기자]는 연속기획 보도를 통해 엉터리 공시지가의 문제를 심층적으로 다뤘다. SBS '끝까지 판다'팀도 [삼성 에버랜드 공시지가 조작의 문제]를 집중적으로 다뤘고, 국토부가 자체조사 후 조작 사실을 밝혀내고 검찰에 고발하기도 했다.

경실련은 초기부터 지속적으로 투기근절을 위한 토지 조세 강화와 과표 현실화, 공시가격 개선을 요구해왔고, 불공정 공시가격 개선에 대한 국민의 요구가 커지고 있다. 정치권이나 언론 등에서도 관심 있게 다루고 있고, 서울시, 경기도 등 지방정부에서도 불공정 공시가격 개선의 목소리를 내는 것은 성과라 할 수 있다. 다만 정부의 정책개선 및 관련 법 개정으로 이어지도록 다양한 실태 분석, 개정안 마련 및 입법 활동 등은 여전한 과제로 남아있다.

37. 무주택 세입자 주거권 보장 운동

1. 배경과 취지

"더 낼래! 나갈래! 더 이상 보탤 돈이 없다! 이 고통의 시대는 끝나야 합니다. 폭등하는 집값, 전세값으로 절대다수의 국민들이 고통을 받고 있고, 경제가 성장하면 당연히 복지가 향상되어 국민의 개개인의 생활은 나아져야 할 텐데 주거 사정은 더욱 열악해져 전체 인구의 절반이상이 집 없이 살아야 하며 150만 세대 이상이 5평 미만의 단칸방 내지는 무허가 주택에서 웅크리고 살고 있는 현실을 볼 때 우리의 주택정책이 존재했는가? 일 년이 멀다하고 싼 셋집을 얻기 위해 길거리를 헤매야하는 참담함을 그냥 이대로 방치해도 좋단 말인가?"

- 경실련 회보 '경제정의'가 발행한 호외(1989.10.30.)에서 '경실련 창립대회 및 제2차 토지공개념 강화입법 및 주택문제해결 촉구를 위한 시민대회' 홍보글.

경실련은 창립을 준비하던 당시 '우리가 원하는 사회는 어떤 것인가?'라는 질문을 던지며 모든 국민이 소득에 맞추어 적절한 집값과 집세를 낼 수 있어야 한다고 판단하였다. 1989년 10월 기자회견을 통해 임대료 폭등과 빈번한 이사로 인해 고통 받는 2천만 세입자를 보호하는 것이 국가주택정책의 최우선 과제임을 천명하는 '세입자보호종합대책'을 발표하고, 당장 시급한 일로 '주택임대차보호법'이 임대료 폭등과 집주인의 일방적 계약해지 등으로부터 전혀 세입자를 보호하지 못하고 있다며 개정을 촉구했다. 경련은 '집을 사면 값이 오른다.'가 아닌 '열심히 일하여 저축을 하면 집을 살 수 있다.'라는 새로운 신화를 만들어야 한다고 강조했다. 하지만 정부의 정책은 개선되지 않았고, 수많은 세입자들의 문제가 심화되면서 경실련은 주택 세입자와 철거민 등 주거약자를 대변하는 다양한 활동을 전개하였다.

2013년 주택임대차시장에서 전·월세 가격이 또 급등했다. 1980년대 후반의 전셋값은 1988년 13.2%, 1989년 17.5%로 급등한 원인은 소형임대주택 공급 부족과 주택가격 폭등이 전세금 인상에 반영되며 임대료가 급등했지만 2013년은 2010년부터 지속된 집값 하락으로 소비자들이 집을 구매하는 대신 임대차시장에 머물기를 선택하면서 임대료가 급등했다. 당시 박근혜 정부는 세입자보호 대책 대신 빚내서 집 사라는 정책으로 일관하며 전셋값을 폭등시켰다. 주택임대차보호법이 있었지만, 재계약시에는 적용이 안 되고 임차인의 계약갱신 청구 권리를 보호하고 있지 않았기 때문에 이러한 급등을 막기에는 역부족이었다. 경실련은 2016년 '서민주거안정운동본부'를 출범시키고 전월세상한제 및 계약갱신청구권 도입 등 세입자 보호운동에 나섰다.

2. 운동의 전개

경실련은 발기인 대회 이후 토지공개념 강화 입법촉구 운동과 함께 주택문제 해결에 운동의 역점을 두었다. 이후 89년 10월 24일 '무주택자문제 대책본부'를 발족하고, 10개 항에 걸친 '세입자 보호 종합대책'을 발표하며 국회의 세입자 보호 입법 촉구, 무주택자 조직화, 서명운동을 본격적으로 시작하였다. 경실련의 세입자 보호를 위한 종합적인 대책은 최저 임대계약기간을 1년에서 2년으로 연장, 임대료 인상률은 소비자물가상승률 이내로 억제, 특별한 사유가 없는 한 임대차 계약 자동연장, 세입자가 바뀌어도 임대료 상한선 이상으로 인상할 수 없도록 억제, 임대차 계약 등록제 실시 및 전세금 반환 보증기금 설치, 임대료분쟁 조정위한 주택법원 신설, 공공주택 공급 확대 등이었다. 당시 대도시의 60% 인구가 셋집에 살고 있는 상황이었고 임대료 급등으로 빚어진 위기적 상황을 극복하기 위한 임대료인상규제법 제정 등의 비상대책을 촉구했다. 또한 임대료인상규제법 제정 후 시행까지의 과도기적 긴급입법조치의 필요성도 강조했다. 이중 임대계약기간을 2년으로 연장하는 임대차보호법 개정은 1989년 12월에 이루어지면서 조금 진전이 있었다. 하지만 정부대책이 융자확대, 200만호 공급확대 등에 국한되며 위기에 처한 세입자들의 주거불안 해소에는 크게 영향을 주지 못했다. 결국 전세값 폭등에 의한 세입자들의 고통이 극심해지며 1990년 초까지 17명의 세입자들이 스스로 목숨을 끊는 비극적 상황에 이르렀다. 이에 경실련은 3월 '경실련세입자협의회'를 결성하며 정부에 대책마련을 촉구했다. 1990년 4월에는 대학로 마로니에 공원에서 '희생세입자합동추도식'을 열고 다시는 이런 억울하고 절망적 상황이 재발되어서는 안 된다며 서민들의 주거안정을 위한 국가의 책임을 다할 것을 촉구하였다.

정부의 싹쓸이식 철거에 따른 도시빈민의 피해에 대해서도 적극 대응했다. 1990년 10월 16일 서초동 비닐하우스에서 토지주가 동원한 200명의 철거용역에 의한 불법 강제철거가 이루어졌다. 이에 경실련은 투기세력에 의해 동원된 철거깡패들의 무력 폭력철거를 강력히 비난하며 검찰에 토지주와 서초경찰서 관계자를 검찰에 형사고발하였다. 1990년 터진 수서비리 사건에 대해서도 고질적인 정경유착 비리로 규정하고 적극 대응했다. 수서비리는 서울시가 개발한 공공택지인 수서대치지구에서 무주택자에게 공급되어야 할 3만 5천 평의 택지가 한보의 전방위 뇌물로비와 불법적 방법으로 26개 직장주택조합에 넘겨지는 불법 택지분양 사건이었다. 하지만 수서비리가 드러났음에도 불구하고 91년 1월 서울시가 변칙적인 토지취득방법을 용인하는 등의 특혜를 부여하겠다고 밝혀 경실련은 건전한 토지거래질서를 훼손하고 무주택 서민들의 권익을 침해하는 서울시의 결정을 즉각 철회할 것을 촉구했다. 이어 '무주택 청약가입자의 권익지키기 모임'을 구성하고 수서비리에 대한 검찰의 전면 재수사 촉구, 제2의 수서비리를 막기 위한 제도개선 등을 촉구하며 국민적 참여를 호소했다. 2월에는 경실련이 추진한 '수서사건 재수사 촉구 및 정경유착 부패 척결을 위한 시민대회'가 불허되면서 이에 항의하는 공개질의를 안기부에 보내기도 했다. 이외에도 공공주택 공급 부족에 따라 선매청약자와 장기청약저축자들도 제대로 주택마련의 기회가 제공되지 않는 문제를 지적하며 공공주택 확대와 장기청약저축자들을 보호할 수 있는 특별 분양 방안 마련을 촉구했다.

1989년 12월 주택임대차보호법의 개정으로 임대차 기간 2년 보장과 연간 5% 임대료 인상률 제한으로 어느 정도 안정됐던 전월세시장이 이명박 정부에서 집값이 하락함으로 인해 전·월세값이 상승 조짐을 보였다. 이에 시민사회를 중심으로 전월세상한제와 계약갱신청구권제 도입을 요구하면서 현행 2년인 주택임대 기간을 계약갱신청구권을 1회 인정해 4년으로 늘리고 2년마다 임대료인상을 5% 이내로 요구하였다.

경실련은 주거의 지속성과 주거안정을 위해 기존 정치권과 시민사회에서 논의되는 것보다 좀 더 강하고 진보적인 안을 내놓았다. 2014년 경실련이 입법 청원한 '주택임대차보호법'의 주요 내용은 첫째, 차임의 연체 등 법에서 정한 경우를 제외하고 세입자의 계약갱신을 2회까지 인정해 적어도 6년간 안정적인 거주를 보장하고, 둘째, 계약갱신 시 차임인상은 5%를 넘지 않도록 해 급격한 임대료 상승으로부터 세입자를 보호하고, 셋째, 주택임대차와 관련한 분쟁을 신속히 해결하기 위해 시·군·구에 임대차분쟁조정위원회를 설치하고, 조정위원회에서 조정이 된 내용은 재판상 화해와 같은 효력을 부여하는 것이다. 2015년에는 경실련 내에 '서민주거안정운동본부'를 출범시키고 적극적인 행동에 나섰다. 시민캠페인을 진행하며 국회의 입법을 촉구했다. 국회 서민주거복지특위 의원들이 지역구 사무실에서 지역경실련과 함께 1인 시위를 진행했으며, 국회 앞에서도 서민주거안정 소망캠페인을 지속적으로 실시했다. 2016

사진으로 보는
경실련 30년

I. 경실련의
창립과 활동

II.
경실련 30년
활동의 성과

III. 지역경실련의
활동과 성과

IV. 경실련과
시민사회의 미래

년 국정감사에서는 서민주거안정에 대한 국회의원들의 국감 성적표와 20대 총선에서 해당 제도의 공약화를 요구하고, 공약 평가를 진행했다.

또한, 당시 언론에서 1989년 주택임대차보호법 개정과 임대료 급등을 예로 들며, 전월세상한제와 계약갱신청구권제도가 오히려 전셋값을 더욱 상승시킬 것이라는 주장이 잘못된 주장임을 과거 데이터 분석을 통해 반박했다. 2017년 대선을 앞두고는 시민단체 공동으로 각 대선 캠프와 면담을 진행하며 전월세인상률상한제와 계약갱신청구권제 등 임대차 안정제도의 공약화와 당선 이후 제도화를 약속받기도 했다.

3. 각계의 반응 및 성과

1989년 당시의 극심한 부동산 가격 상승 및 전세값 폭등은 온 국민적 관심사였으며, 정부는 토지공개념, 200만호 공급확대 등 비교적 부동산가격 안정을 위한 대책이 시행했다. 정치권에서는 평민당 의원들이 세입자 보호대책으로 세입자 임대보증금 융자제도 도입 등을 주장했다. 당시 김대중 평민당 총재도 전세값 세입자 대책을 하루빨리 강구할 것을 정부에게 촉구하였으며, 〈주택소유제한에 관한 법률제정과 세입자보호대책〉에 대한 세미나 개최 등 비교적 많은 관심을 보였다. 언론에서는 한겨레신문이 1990년 4월 '집 없는 사람들' 연속기획 기사로 임대료 2년 보장하는 임대차보호법 개정 이후의 과제에 대해 다루며 종합적인 세입자 주거대책을 제시하였다. 경실련은 창립이전까지 세입자 대책이 주거권 차원의 목소리에 국한되어 있었으나 창립 이후 주거정의 차원에서 보다 종합적이고 정교한 정책대안을 제시하고 제도개선을 촉구하였다. 수많은 세입자, 불법철거로 삶터에서 내쫓기는 철거민 등과 연대하여 전국적으로 시민행동을 추진하고 입법청원, 정책대안 제시 등 다양한 활동을 적극적으로 추진하며 행동하는 시민운동의 상을 제시했고, 무주택자들을 농락한 수서비리 사건에 대해서도 수차례의 집회 등을 통해 검찰수사를 압박했다.

박근혜 정부가 치솟는 전셋값을 잡겠다며 8·28 전·월세대책(2013), 10·30 전월세대책(2014), 서민주거비부담완화 방안(2015)을 발표하였으나 대출 확대나 공급확대로 빚내서 집 사라는 정책이었다. 특히 전세 임대 확대, 월세보증제도, 민간자본 리츠 임대주택 등 실효성 없는 대책으로 오히려 전셋값 상승을 더욱 부추겼다. 저소득층 주거비부담 완화를 위해 확대한다는 월세보증제도는 출시 이후 1년 동안 단 2건, 1억 원만 판매된 낙제 정책이다. 이보다는 깡통전세를 막을 수 있는 전세 보증을 의무화하는 것이 훨씬 절실한 대책이었음에도 이에 대해서는 침묵했다. 보수언론 역시 1989년 전셋값 급등을 예로 들며, 전월세상한제도의 문제점을 여론화시켰다. 국회에서도 전월세상한제와 계약갱신청구권제 도입이 번번이 무산됐다. 2014년에 서민주거안정을 위한 계약갱신청구권과 전월세상한제를 위한 '전월세대책 특별위원회'를 구성하였으나 제대로 활동하지 못하였으며, 서민주거복지특별위원회는 실질적인 전·월세안정 제도를 법제화하지는 못하였다.

2013년 진행된 경실련 등 전월세상한제도입 운동은 국회에서 '주거기본법' 제정을 이끌어 냈다. 주거정책의 기본원칙을 담은 '주거기본법'은 정책의 기반이었던 '주택'에서 '주거'로 전환되는 계기가 마련되었다는 점에서 큰 의미가 있다. 그러나 이법은 다수의 선언적·추상적 조문과 공급자 위주의 조항, 불명확한 국민의 권리와 국가의 책임, 빠져있는 세입자 보호대책 등 한마디로 엉성한 법으로 그 한계도 명확하다.

38. 인천공항 부실공사 고발

1. 배경 및 취지

인천국제공항은 전두환 정권에 시작하여 노태우 김영삼 김대중 정권까지 이어졌다. 세계적인 공항을 목표로 공사가 진행 중이던 공사현장에서 3년 동안 공사감리원으로 근무했던 정태원 씨의 양심선언과 인천국

경제정의실천시민연합

제공항공사의 부실 및 부조리가 제기되었다. 인천국제공항은 동북아 중추 공항을 목표로 당시 공사비만 약 8조원이 투입되는 대형 국책사업이었다.

내부고발자인 정씨는 현장 최우수 감리원으로 선정될 정도로 자신의 실력을 인정받는 감리원이었다. 정 씨는 인천국제공항 건설현장에서 감리원으로 재직할 당시 현장 곳곳에서 벌어지는 부실시공 문제를 지적했고 시정을 요구했으나 반영되지 않았다. 원인은 건설사와 유착된 공무원과 감리 고위직이 정씨의 부실공사 지적을 묵인했고, 이후 상당 기간 부실시공과 부실감리는 계속됐다. 정 씨는 2000년 5월 발생한 내화페인트 부실시공에 대한 사건으로 7월 1일 자로 현장에서 교체된다.

정씨는 부실과 부조리 얼룩진 인천국제공항 건설단계의 문제를 경실련에 제보했고, 경실련은 여러 전문가 회의 등을 거쳐 심도 있는 검토를 거친 후 2000년 7월 14일 인천국제공항공사의 문제를 고발하는 기자회견을 진행한다. 이후 검찰 고발, 감사 청구, 부실·부조리 신고센터 개설 활동 등을 통해 인천국제공항공사 부실시공 등의 문제를 사회에 알렸다.

2. 활동 내용 및 경과

경실련은 정태원 씨의 내부고발을 접한 뒤 상당 기간의 검증을 거쳤다. 경실련은 정 씨의 문제 제기가 공익에 부합한다고 판단, 2000년 7월 14일 기자회견을 진행했다. 기자회견 후 2001년 말까지 단기간에 집중적으로 운동을 전개했다. 첫 번째 기자회견에는 정태원 씨가 직접 나서 양심선언을 했다. 정씨는 인천국제공사 현장에서 발견한 부실공사 현황과 발주자-시공사-감리단 사이의 부조리가 어떻게 만연해 있는지를 밝혔다. 특히 인천국제공항 품질을 관리하기 위해 고용된 감리들이 각종 비리에 연루돼 시공사의 부실시공을 묵인하고 있음을 알렸다. ▲ 방화공사 ▲ 방수공사 ▲ 구조공사 등 3대 부실을 사진,

비디오, 검측 문서 등을 근거로 제시했다. 부실시공으로 인한 사업비 증액과 혈세 낭비 문제 또한 고발했다.

경실련은 2000년 7월 17일 인천국제공항공사 사장 등을 검찰에 고발했다. 경실련은 인천국제공항의 부실시공 및 부조리에 대해 검찰이 명백한 사실관계를 확인하고 관련자를 처벌해 달라고 요구했다. 피고발인으로 ▲ 인천국제공항 사장 ▲ 건설교통부 신공항건설기획단장 ▲ CSC 감리단장 등 3명을 특정했다. 죄목은 업무상 배임, 감독소홀, 업무방해, 문서위조 등이었다.

7월 18일에는 인천국제공항 부실·부조리 신고센터를 개설했다. 시공에 참여한 건설인들의 참여를 촉구하기 위한 선전 작업을 동시에 진행했다. 제보센터를 개설한 후 제보를 접수했고, 후속 대응을 이어갔다.

2000년 7월 21일에는 '인천국제공항 건설 10대 의혹 50개 공개질의서'를 발표했다. ▲공 사비 4조 증액 이유, ▲ 설계, 감리, 시공업체 선정의 적정성 등을 정부에 물었다.

8월 3일에는 인천국제공항 교통 센터 공사현장 관계자 2명으로부터 공사 도면과 보강공사 자료를 입수해 추가 기자회견을 진행했다. 2000년 6~7월 사이 교통 센터 기둥과 보에 철골구조물을 보강하는 공사가 이루어진 점을 지적하며, 보강작업이 이루어진 것은 부분적인 시공상의 하자가 아닌 설계오류나 기초침하 등을 예측하지 못한 구조적인 결함으로 판단된다고 발표했다. 2000년 8월 26일에는 국회 건설교통위원회 소속 의원보좌진을 대상으로 인천국제공항 부실시공·부실감리 문제를 설명하는 자리를 만들었고, 9월에는 국정감사장에 참여해 부실시공의 문제를 알렸다.

3. 각계 반응과 성과

대규모 국책사업에 대한 부실시공 문제는 여론의 큰 관심을 받았다. 2000년 7월 진행된 기자회견 내용은 주요 공중파·일간지 언론사를 통해 보도됐다. 언론은 정태원 씨와 경실련이 제시한 자료를 중심으로 부실시공과 비리 문제를 집중 조명했다. 인천국제공항 문제는 공중파 시사프로그램을 통해서도 방영됐다. KBS가 '양심선언이 남긴 것'이란 제목으로 2000년 7월 25일 방영한 방송에서는 정 씨가 양심선언에 이르게 된 경위를 중심으로 인천국제공항 문제점을 파헤쳤다. 2000년 8월 8일에는 MBC PD수첩이 '나는 고발한다.'라는 제목의 방송

사진으로 보는
경실련 30년

Ⅰ. 경실련의
창립과 활동

Ⅱ.
경실련 30년
활동의 성과

Ⅲ. 지역경실련의
활동과 성과

Ⅳ. 경실련과
시민사회의 미래

을 통해 문제 제기를 이어갔다.

정부의 대응도 나왔다. 인천국제공항공사는 2000년 7월 18일 '인천국제공항 부실의혹에 관한 민관 합동점검'을 실시한다고 발표했다. 시민단체를 포함한 민·관 합동점검단을 구성해 의혹 부분에 대해 점검을 하겠다고 발표했다. 당시 강동석 인천국제공항공사 사장은 합동점검 결과 의혹이 없는 것으로 드러날 경우 허위사실을 유포한 경실련과 해당 감리원에 대해 민·형사 소송을 제기할 방침이라며 오히려 내부고발자와 경실련을 압박했다. 이에 경실련은 성명을 통해 공사 측이 조사 대상이지 결코 조사 당사자가 될 수 없음을 지적했고, 3일간의 형식적인 점검으로 부실과 부조리 의혹을 무마하는 것에 입장을 알렸다.

인천국제공항 감리를 맡았던 정림건축은 정태원 씨와 경실련을 상대로 공사 도면과 시방서 등의 서류를 돌려달라는 서류 인도 청구소송을 제기했다. 이에 대해 경실련은 사적 이익이 아닌 국민이 낸 세금으로 진행되는 공사의 문제점을 국민에게 알리기 위해 사용한 것이므로 건축사무소가 서류 소유권을 주장해서는 안 된다고 반박했다.

경실련 활동은 대규모 국책사업 부실시공 문제를 감리단에 속한 내부고발자가 직접 문제를 제기했다는 면에서 여론의 큰 관심을 받았다. ▲ 공사 품질 유지를 위해 고용된 감리단 고위직의 업무 태만, ▲ 설계도면 조차 완성되지 않은 채 진행되는 대형 국책사업 ▲ 인천국제공항공사의 무능력과 무리한 사업 추진, ▲ 온갖 비리와 유착으로 얼룩진 대한민국 건설사업 등 그동안 수면 아래에서 썩어 들어가던 건설 공사현장의 여러 문제가 동시에 수면 위로 올랐다.

문제 제기만으로 사회적 파장을 일으켰으나 한계도 분명했다. 경실련은 검찰과 감사원에 사업 책임자를 고발했지만, 사정 기관은 사건의 본질은 건드리지 않은 채 봐주기식 수사로 일관했다. 인천국제공항공사는 점검단을 구성해 3일짜리 합동조사를 진행했지만 생색내기에 그쳤다. 이러한 상황에서 경실련이 추가적인 운동성과를 도출하지 못했고, 관련 제도 개선방안 등 실효성 있는 대책을 제시하지 못했다. 또한 내부고발자 보호를 위한 관련법 개정 운동으로 확대되지 못한 것도 아쉬운 점이다.

39. SOC 민간투자사업 개혁

1. 배경 및 취지

사회간접자본(SOC) 시설을 확충하는 방법은 전통적으로 재정사업방식이 거의 유일하였다. 하지만 국가 경제 발전을 위하여 SOC 적기 확충에 민간자본의 효율적 활용이 요구되게 되었다. 이를 위하여 도입된 제도가 민자사업방식이고, 민간자본의 창의성과 효율성을 전제로 하였다. 1994년에 「사회간접자본시설에 대

한 민간자본유치촉진법」을 제정된 이후, 1998년에 「민간투자법」으로 전면 개정되어 현재에 이르고 있다.

그러나 민자사업은 귤화위지(橘化爲枳)의 전형이었다. 최소운영수입이 보장되니(MRG), 의도적으로 수요예측을 부풀리고 이용료는 과다하게 높아지게 만들어 시민의 공분을 사게 만들었다. 수천 내지 수조원사업의 단독 제안자에 대해서도 협상진행 및 계약진행이 다반사였고, 무상으로 제공되는 재정지원금은 적게는 30%에서 많게는 절반까지 달하여 민자사업이라 할 수 없는 상황을 만들었다. 그러다보니 총 사업비의 약 80%를 차지하는 공사비를 부풀리는 것이 가능했고, 공사비와 관련된 정보는 철저히 비밀로 묶어 두었다. 이

것을 한국형 민자사업이라고 자랑스럽게 말할 수 있을까?

우리나라 민자사업은 눈에 보이는 이용료와 수요예측만의 문제가 아니라, 사업자 선정단계부터 계약체결, 시공 및 운영의 전 단계에 걸쳐서 나타나고 있다. 이는 영리를 추구하는 민자사업자만을 비난할 것이 아니라, 그들로 하여금 막대한 부당이득을 취할 수 있게 만든 특혜제도에 근본적 원인이 있다. 특혜제도를 없애야 국제경쟁력을 겸비할 수 있는 사업능력을 배양할 수 있지만 정권이 바뀌어도 특혜제도는 유지될 뿐이다. 2015년 박근혜 정부에서 MRG를 변형시켜 도입한 손익공유형(BTO-a) 및 위험분담형(BTO-rs) 제도가 문재인 정부에서도 활용되고 있는 것이 대표적 사례일 것이다.

* 손익공유형(BTO-a) : 정부가 최소사업비 70% 보장
  위험분담형(BTO-rs) : 정부가 총사업비에 미달한 손실
  액의 50%씩 부담

2. 활동 내용 및 경과

경실련의 민자사업 개혁운동은 과도한 공사비와 운영비 지원의 문제제기에서 부터 시작됐다. 2003년에는 민자사업의 낙찰율이 가격경쟁이 적용되는 최저가공사(약 64%)보다 약 30%가량 높고, 연간 1천억 원 이상의 운영손실적자보전으로 국가재정부담을 가중시키고 있음을 지적했다. 개선방안으로는 사업자에 대한 과도한 운영수익보장 조정, 건설사 위주의 독점금지와 금융기관 및 공개경쟁입찰로 투명성 강화 등을 제시했다.

2006년은 민자사업을 시민의 최대 관심사로 전환시키는 계기를 만들었다. 1월경 발표한 '민자고속도로 건설의 예산낭비 실태 및 특혜 분석발표가 그것이었다. 당시 가장 큰 규모의 2개 민자도로(대구-부산, 서울-춘천) 공사비와 실제(실행) 공사비를 비교한 결과, 민자공사비가 실제공사비보다 약 1.5배 이상 부풀려져, 민간사업자의 약 1조 2,444억 원이라는 막대한 폭리 추정을 밝혀낸 것이었다. 그 후 민자사업 전반에 대한 감사청구를 하였고, 시민의신문과는 '민자도로의 허와 실'이란 주제로 특혜제도에 대한 문제점을 집중적으로 알려나갔다.

2007년에는 동일한 시공업체의 민자도로와 재정도로 공사비를 비교·분석하였다. 동일한 고속도로 시설물에 대하여 시공업체가 동일함에도 불구하고, 특별한 이유 없이 민자도로 공사비가 세금으로 추진하는 재정도로보다 2.2배 이상 높게 나타났음을 밝힌 최초의 구체적이고 정량적인 분석결과였다. 2010년에는 한 시민의 끈질긴

소송결과로 '서울-춘천' 민자도로 실제 공사비내역(하도급내역서, 원·하도급대비표 등)이 공개되었다. 우여곡절을 거쳐 제공받은 하도급공사비 내역을 분석한 결과, 민자사업자가 하도급한 공사비는 56%에 불과하였고, 그 차액은 고스란히 민자사업자들의 부당이득이 되었음을 밝혔다.

2011년에는 거가대교 민간사업자들이 9천억 원의 부당이득을 얻은 것을 폭로하며, 사업시행자, 시공자, 주무관청(부산시, 경상남도), 감리단, 협상단, 심의위원을 검찰에 고발했다. 이후 불법 준공승인, 지제상금 특혜 및 미부과, 공사비 부풀리기에 대해 감사원에 공익감사를 청구했다. 2013년에는 서울시의 경전철 민자사업 추진계획의 문제점을 알리고, 정상적인 민자사업 추진절차를 이행할 것을 촉구했다.

3. 각계 반응과 성과

경실련의 지속적인 특혜 민자사업 문제제기는 타 단체 및 국회 등의 일상적 활동에 기반이 되었고, 미흡하나마 민자도로관리청 신설 등을 포함한 유료도로법 개정을 이끌었다. 하지만 민자사업의 고질적 문제들은 거의 개선되지 않았다. 문재인 정부에서도 박근혜 정부에서 전격도입한 MRG 변형방식인 손익공유형(BTO-a) 및 위험분담형(BTO-rs) 제도를 적극 활용하고 있는 상황이다.

대다수 시민단체들은 높은 통행료만을 문제삼았을 뿐, 민자사업의 구조적 문제에 대해서는 지적을 하지 못하였다. 정치권에서도 국정감사와 토론회 등 민자사업 문제는 여야를 가리지 않고 다뤄졌지만 문제제기에 머물 뿐 민자사업 제도개선까지는 나아가지 못했다. 그렇다보니 선진외국에서 잘 활용되고 있는 민자사업이 유독 우리나라에서는 지탄의 대상이 되어왔고, 묵묵히 본업에 종사한 대다수 건설기술인과 노동자의 사회적대우가 폄하되도록 일조를 하였을 것이다.

민자사업은 착공이후 완성되었다 하여 대다수 문제가 해소되지 않는다. 민자사업자의 성실한 운영능력 부족은 차치하더라도 적어도 30년간의 투자위험을 세금으로 분담해야 하기 때문이다. 따라서 이후에도 민자사업의 특혜관행 구조를 잘 파악하고 실태와 대안을 시민들에게 제대로 알릴 수 있도록 다양한 전략을 강구해야 한다(그림 참조).

사진으로 보는
경실련 30년

Ⅰ. 경실련의
정립과 활동

Ⅱ.
경실련
30
년
활동의 성과

Ⅲ. 지역경실련의
활동과 성과

Ⅳ. 경실련과
시민사회의 미래

[그림] 민간투자사업 특혜관행 구조도

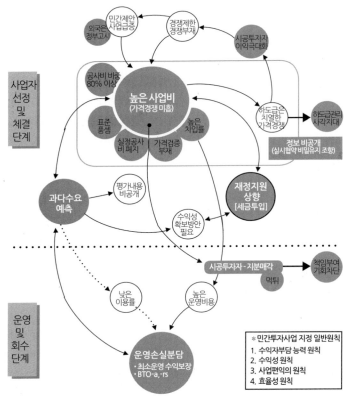

40. 4대강 사업 특혜 고발

1. 배경 및 취지

　　4대강 사업은 2007년 6월 대통령 후보였던 이명박 후보의 공약이었다. 당선 이후에도 한반도 대운하 사업을 추진하려다 국민이 반대했다. 국민의 반대를 피하려고 밀실에서 토건업자들과 사전에 모의하여 절차 등 법을 무력화시키며 추진했던 사업이다. 애초 계획을 포장만 바꿔 4대강의 홍수 예방, 물 부족해소, 수질 개선, 일자리 창출 등의 효과를 가져 올 녹색 뉴딜정책이라며 추진한 사업이다.

사업 타당성 검토 등 법이 정한 절차를 무시하고 22조원을 투입, 4대강 사업은 추진되었다.
　　국민과의 소통 없이 밀어붙이기식으로 급조된 4대강 사업은 수많은 문제가 있었다. 환경파괴는 말할 것도 없고, 기본적인 사업 타당성 검증 부재, 사업비 비공개로 일관했고, 재벌 대기업 입찰 담합과 특혜와 부

패, 건설노동자 착취 등의 문제도 드러냈다.

경실련은 강기갑 국회의원(민주노동당), 건설노동자 단체 등과 4대강 사업의 입찰방식 예산 낭비, 비자금 조성실태, 노동착취 실태, 재벌계열 건설사 일감 몰아주기 특혜, 등 부패와 특혜를 드러내며 제도 개선과 관계자 처벌 촉구 등 다양한 활동을 전개했다.

2. 활동 내용 및 성과

이명박 대통령은 2006년 말 대선후보 시절 한반도 대운하 건설을 핵심공약으로 제시했다. 하지만 대운하 건설은 환경파괴, 타당성 등의 우려로 국민적 반대에 직면했다. 경실련도 대규모 토건 사업을 국민적 합의도 없이 강행 추진하겠다는 이명박 정부를 비판하며, 한반도대운하 사업 전면 재검토할 것을 강력히 촉구했다. 결국 이명박 대통령도 2008년 6월 19일 "국민이 반대하면 대운하를 추진하지 않겠다."며 대운하 사업 중단을 선언했다.

하지만 1년 뒤 2009년 6월 '이름만 바꾼' 4대강 사업을 발표해 국민을 분노케 했다. 경실련도 국민과의 소통 없는 밀어붙이기식 4대강 사업을 비판했다. 4대강 사업은 총사업비가 22조원으로 "총공사비 500억 원 이상 사업은 예비타당성 평가 의무대상"으로 규정한 국가재정법에 따라 예비타당성 평가 대상이다. 이명박 정부는 시행령을 개정해 평가 면제 대상을 확대했고, 4대강 사업을 '재해예방' 사업이라고 포장해 예비타당성 검토를 무시했다. 여기에 환경영향평가까지 형식적으로 추진하고, 사업 발표 1개월 후 한강, 금강, 영산강, 낙동강 등 170개 사업에 8조원 규모 공사를 발주했다.

경실련은 2009년 9월 4대강 사업 등 국책사업의 낙찰현황을 분석, 사업비의 79%를 상위 10개 재벌건설사가 턴키방식 입찰로 독차지했음을 밝혀냈다. 같은 해 11월에는 턴키 사업에 대한 공정위 담합조사 의뢰, 국민권익위 부패신고, 감사원 감사청구 등을 연이어 진행했으며, 국회에도 '4대강 예산 낭비와 부패'에 대한 국정 수사를 촉구했다.

2010년에는 강기갑 국회의원, 건설노조 등과 공동으로 4대강 사업의 계약내역, 작업일보, 선급금 지급실적 등의 자료 분석을 토대로 4대강 사업이 재벌건설사들을 위한 토건 특혜 사업임을 알렸다. 총 9차례에 걸쳐 ① 사업예산 검증, ② 사업원가 공개, ③ 턴키입찰 특혜, ④ 사업비 부풀림, ⑤ 인력 및 장비 투입실태, ⑥임금 체불 등 노동착취 실태, ⑦ 선급금 지급실태, ⑧ 선급금 유용 관료

고발, ⑨ 건설노동자 간접살인 등에 대한 문제를 제기했다. 2010년 4월에는 4대강 사업비 산출근거에 대한 정보공개 비공개 처분 결정에 불복하며 행정소송을 제기했고, 2013년 대법원은 원가 공개하라는 판결을 내렸다. 2014년 11월에는 4대강 사업, 방산비리, 자원외교 등을 이명박 정부의 부정부패 사업으로 간주하고 철저한 진상규명과 책임자 처벌을 촉구하기도 했다.

턴키방식 발주로 사업비를 두 배 이상 부풀렸고 대기업의 입찰 담합을 유도했고, 전체 사업의 50%를 상위 10위 재벌 계열건설사가 독점하는 등 4대강 사업은 재벌 대기업에 수조원의 이익을 안겨준 특혜사업임을 알렸다. 턴키 수주 과정에서의 담합 의혹에 대한 경실련의 주장은 사실로 밝혀졌다. 2012년 공정위 조사결과 턴키 입찰에 참여했던 재벌 계열건설사들의 담합이 적발되었다. 같은 해 감사원도 감사결과 4대강 사업의 총체적 부실 문제를 지적했다. 2013년에는 국민권익위원회도 대형건설사의 4대강 담합을 적발하고 검찰에 수사를 의뢰했다. 하지만 2014년 사법부는 건설사들의 담합에 대해 집행유예를 선고하며 면죄부를 부여했다. 그리고 2015년 정부는 담합 건설사들에 대해 특별사면까지 단행했다.

3. 각계 반응과 성과

이명박 정부와 박근혜 정부에 이르기까지 야당인 민주당, 민주노동당 등은 4대강 사업의 담합 의혹, 환경파괴 문제들을 거론하며 4대강 사업 백지화를 강력히 주장했다. 민주당은 2009년 당 대표인 정세균 의원이 4대강 사업은 백지화돼야 한다고 주장했고, 의원 총회를 통해 국정조사 추진을 결의하기도 했다. 그러나 10년 후 당시 야당이던 민주당은 여당이 되었으나 4대강 반대는 정치적 구호에 그쳤음이 드러났다. 문재인 정부 이후에는 '4대강 조사평가단'을 구성해 보 해체 및 개방 등으로만 접근할 뿐 특혜비리로 얼룩진 4대강 토건 사업에 대한 국정조사는 회피하고 있다. 오히려 4대강의 2배 규모인 50조원 '도시재생 뉴딜사업'을 예비타당성조사 절차를 무시하고 추진하고 있다. 4대강 사업의 2배 수준의 개발 사업을 무분별하게 추진 토건 정부를 자처하고 있다.

언론들도 4대강 반대를 연일 보도했으나, 환경파괴, 보수심판 등의 관점에 많이 집중됐다. 당시 언론들은 경실련의 4대강 특혜를 보도했다. 특히 KBS '시사기획 창'에서는 2011년 '상생의 조건, 조주각 씨와 Mr. 힐러'라

는 4대강 국책사업이 건설노동자의 일자리 악화로 나타나는 실태를 심층 보도하여 사회적으로 큰 반향을 불러왔다.

4대강 사업에 대해 대부분의 시민단체와 정치권 등에서 정치·이념적으로 접근해 반대한 것과 달리, 경실련은 객관적인 자료 분석을 토대로 4대강 사업이 박정희 시대부터 이어진 재벌과 토건 특혜임을 구체적으로 알렸다. 특히 경실련이 제기한 턴키 발주에 참여한 재벌 계열건설사 입찰 담합 의혹이 사실로 밝혀져 이후 무분별한 턴키 발주에 제동이 걸렸고, 서울시 등은 턴키 발주의 원칙적 금지를 선언하기도 했다.

건설현장에 참여한 건설노동자들과의 적극적인 연대를 통한 4대강 대응은 이제까지의 전문가 중심에서 탈피한 현장 중심형 운동의 성과로 볼 수 있다. 다만 건설노동자들의 일자리 질 개선을 위한 직접시공제도, 노동자 임금의 직접지급제도, 적정임금제 등의 제도 개선이 아직도 미진한 것은 아쉽다.

41. 공공입찰 최저가 낙찰제도 도입

1. 배경 및 취지

경실련이 공공입찰의 가격경쟁(최저가낙찰제) 제도도입을 주장하는 가장 큰 이유는 우리나라 입찰제도는 외국기업의 진입을 막고 건전한 경쟁보다는 입찰단계부터 담합과 로비 등 불법을 양산하고 있기 때문이다. 우리나라 공공건설 공사의 역사는 담합과 비리의 악순환이다. 항상

언론을 통해 알려지는 재벌들의 부정부패는 대형건설사와 권력자들, 그리고 그들이 주고받는 뇌물과 비리 관행들이 얽혀있는 것으로 보도된다.

이미 선진국에서는 공정하고 투명한 가격경쟁이 기본원칙이다. 역대 정부도 매번 정권 초반 건설부패 근절과 예산 낭비 근절을 위해 가격경쟁인 최저가낙찰제를 확대하겠다고 약속해왔다. 하지만 건설업계 로비와 반발로 매번 약속이 제대로 이행되지 않았고 박근혜 정부는 2013년 말에 최저가낙찰제를 사실상 폐지시켰다.

경실련은 국가 부도 직후 1999년부터 최저가낙찰제 확대도입을 주장했고, 대통령이 약속했었다. 그러나 건설업계, 정치권, 관료와 일부 언론 등의 최저가 약속 이행을 무력화시키려 로비를 했다. 매년 경실련은 공공사업의 입찰 현황을 분석하여 최저가낙찰제 회피로 낭비된 예산 규모와 실태를 고발하는 등 다양한 활동을 전개하고 있다.

2. 활동 내용 및 경과

1998년 국민의 정부 초기에 건설업계의 오랜 관행이었던 입찰 담합이 사실로 밝혀졌고 1999년부터 국제표준인 최저가낙찰제를 도입하겠다고 정부가 선언했다. 이후 2001년부터 1천억 원 이상 공사부터 최저가낙찰제를 시행했고, 2002년 500억 원 이상, 2003년에는 100억 원 이상 공사까지 확대할 계획도 밝혔다. 하지만 제도 시행 이후부터 건설업계와 언론 정치권과 관료는 최저가낙찰제 시행의 무력화를 시도했다.

최저가낙찰제 도입 이후 낙찰률이 60% 전후에서 결정되자 건설교통부는 부실공사 및 과당경쟁으로 인

한 건설업계의 경영난이 우려된다며, 건설공제 조합이 예정가격의 73% 이하로 낙찰된 공사는 계약보증을 해주지 말라는 지시를 내렸다.

이에 경실련은 건설교통부 장관을 직권남용 혐의로 고발하고, 건설공제조합을 공정거래위원회에 제소했다. 7월에는 재정경제부가 최저가낙찰제가 덤핑입찰과 부실시공의 원인이라며 저가 낙찰자에 대한 감점과 불이익을 주도록 국가계약법령 관련 회계예규를 개정하여 경실련은 연간 1조원의 예산 절감과 건설 산업의 기술경쟁을 가로막는다며 관련 내용의 폐지 건의서를 규제개혁위원회에 전달했다.

2002년에는 한길리서치에 의뢰해 정부 발주 건설공사 입찰에 관한 대국민 여론조사를 했다. 조사결과, 국민 대부분은(70.9%) 정부가 발주하는 건설공사 입찰과정에서 부패와 비리가 여전히 줄어들지 않고 있으며, 관급공사에 관한 정부의 관리 감독이 부실하고 형식적(64.2%)이라고 응답했다.

참여정부도 정권 초기인 2004년에는 최저가낙찰제를 500억 원 이상으로 확대 시행했다. 2005년에는 100억 원 이상 확대를 약속했지만 후퇴되며 300억 원 이상까지 부분 이행하는 정도로 그쳤다. 이에 경실련은 건설부패와 예산 낭비 실태를 고발하며 가격경쟁 제도 조속 도입과 공사비의 거품 제거를 촉구했다.

2005년에는 건설교통부 산하 5개 지방국토관리청이 시행하는 8개 국도건설 토공사 공종별 단가를 분석하여 예산 낭비 실태를 드러냈다. 분석결과 시장가격은 632억 원인데 반해, 정부가 책정한 가격은 1,625억 원으로 2.6배나 부풀려져 있었다. 또 입찰방식을 조사하여 가격경쟁 방식이 아닌 턴키 및 대안 방식으로 전환해 예산 낭비를 시도한 건수가 전체 발주금액 기준 건설교통부는 19%, 한국도로공사는 7.8%나 차지하고 있음을 밝혔다.

이명박 정부도 대선공약으로 최저가낙찰제를 100억 원 이상 확대하여 연간 5조원의 예산을 절감하겠다고 강조하였으나 이행하지 않았다. 오히려 4대강 사업 등 단군 이래 최대의 토건 사업을 강행했고, 전체 사업비의 절반 이상을 턴키 방식으로 발주하여 예산 낭비가 심각했다.

박근혜 정부는 2013년에 300억 원 이상에 대해 종합심사낙찰제도 도입하며 사실상 가격경쟁제도를 없앴다. 당시 정부와 정치권에서는 공공건설공사에 대한 최저가낙찰제 확대 무력화를 넘어서 폐지를 위한 움직임이 있었다. 국가계약법 시행령 개정을 통해 '최저가낙찰제 확대시행 시기'를 뒤로 미뤘다. 그리고 사실상 폐지를 위한

사전정지작업을 벌였다. 경실련은 의견서 제출을 통해 확대시기를 유예토록 하는「국가계약법 시행령 부칙(제22282호) 제1조 개정안」에 대해 철회 의견을 제시함과 동시에 정부가 최저가낙찰제를 확대 예산 절감에 앞장설 것을 강력히 촉구했지만 역부족이었다.

2004년 노무현 정부의 가격경쟁(최저가낙찰제) 확대 약속이 이행됐다면 적어도 40조원(2004년~2013년)의 혈세 낭비를 막을 수 있었다. 아울러 복지예산 부족이라는 불필요한 논쟁은 상당히 줄어들었을 것이다.

3. 각계 반응과 성과

역대 정부는 예산 낭비 방지를 이유로 정권 초 최저가낙찰제 확대를 주장했으나 매번 약속을 이행하지 않았다. 오히려 재정경제부, 건설교통부 등 개발 관료들은 최저가낙찰제 확대가 저가수주에 따른 부실시공을 유발한다며 최저가낙찰제 확대에 반발했다.

정치권에서는 박근혜 대통령이 당 대표 시절인 2004년 제17대 총선을 준비하면서 한나라당 총선공약 1호로 최저가낙찰제 확대를 제시하였지만 이행하지 않았고, 대통령 당선 이후 아예 폐지했다. 건설 경기 침체를 이유로 2012년에는 국회가 나서 '최저가낙찰제 확대시행을 유예하는 결의안'을 통과시켰다.

언론도 최저가낙찰제를 반대하는 기사를 집중보도했다. 2012년 최저가낙찰제 확대시행을 앞두고 최저가낙찰제로 인해 하청 기업의 경영난이 심화 되고, 부실시공을 유발하며, 건설 재해를 증가시킨다는 기사를 쏟아냈다.

1999년 최저가낙찰제 도입 계획이 발표된 이후 업계와 관료, 정치권은 최저가낙찰제 확대를 끊임없이 가로막았다. 경실련은 적격심사, 턴키 등 일괄입찰로 인한 예산 낭비 규모와 입찰 로비, 담합 등 우리나라 입찰제도의 문제를 꾸준히 시민들에게 알리고 제도 개선을 촉구했으나 결국엔 폐지를 막지 못했다. 최저가낙찰제를 대신해서 도입된 종합심사낙찰제도 역시 공공사업의 거품을 막지 못할 뿐 아니라 건설업계의 불법 로비만 더욱 치열해지고 있다. 이에 앞으로도 최저가낙찰제 확대 등 공공사업 입찰제도 개선을 위한 다양한 운동이 필요하다.

사진으로 보는
경실련 30년

I. 경실련의
창립과 활동

II.
경실련
30년
활동의 성과

III. 지역경실련의
활동과 성과

IV. 경실련과
시민사회의 미래

42. 건설 직접시공제 확대 및
적정임금제 도입

1. 배경 및 취지

우리나라 건설 산업은 특이하다. 발주자와 계약을 체결한 원도급업체는 관리만 하고, 실제 시공은 발주자와 전혀 관계없는 하도급업체들이 수행한다. 종합건설업체들은 원도급수주만 가능하고, 전문건설업체들은 하도급만 가능토록 건설업체의 영업범위를 법으로 규제한 것이다(일명 '칸막이식 업역규제'라 한다). 국가가 종합건설회사가 원도급공사를 모두 나눠서 전문건설회사에게 하도급하는 것을 합법화 해준 것이고, 건설업체가 시공을 하지 않아도 되는 희한한 상황이 지금까지 지속되고 있다.

이러한 하도급구조는 1975년 단종공사업(전문건설업)이 신설된 이후 약 40여년을 거치면서 더욱 공고화되었다. 건설 산업이 팽창하는 만큼 각 이익단체들의 입김은 더욱 커져왔고, 엄청난 압력집단으로 성정한 건설단체들은 자신들에게 유리한 제도와 법령유지를 위하여 입법로비에 더 치중하였다.

하도급고착화는 저가하도급(원도급 부당이득분), 불법·불공정 하도급, 다단계 하도급, 산재은폐, 임금체불, 외국인노동자 불법고용, 부실시공 등 건설산업의 고질적인 문제들을 재생산해왔다. 지난 수십 년 동안 수많은 대책들이 발표되었지만 고질적 문제해소는 요원하다. 그리하여 위기는 점점 가까워지면서 커져왔다. 더 이상 위기를 부인할 수 없게 되자 지난 2018년 말경 비로소 칸막이식 업역규제 폐지가 확정되었다. 그나마 다행스럽지 않을 수 없다. 하지만 2~3년의 경과규정과 세부 법령에서의 밥그릇싸움은 시행이 임박해지면 점점 더 과열될 것이다.

칸막이식 업역규제는 건설 산업 정상화의 시작일 뿐이다. 건설 산업의 정상화는 대부분 선진국에서 당연시여기고 있는 직접시공제다. 직정시공할 능력이 없는 업체를 건설업체라고 부를 수 없는 것이다. 한편 하도급이 불가피한 경우라도 '동일노동 동일임금'이 적용되는 직종별 최저임금제라 할 수 있는 '적정임금제'가 필요하다(그림 참조).

2. 활동 내용 및 경과

MB정부시절 건설산업에도 낙수효과(trickle down effect)가 회자된 적이 있었다. 그러나 하도급구조에서는 아래와 흘러갈 물이 거의 없다. 하도급구조에서는 최상위 그릇을 얼마든지 키울 수 있기 때문이다. 하지만 건설업체들은 공사비를 풍족하게 지급해줘야 적정하도급이든 적정임금이든 가능하다면서, 여전히 낙수효과를 주창하고 있다. 현실은 정반대다.

수주업체의 직접시공 의무는 건설업의 고질적 문제들을 대폭 개선한다. 먼저 하도급을 않으니 하도급과 관련된 문제들은 원천적으로 봉쇄되고, 산재은폐 등의 책임전가는 사실상 불가능해진다. 직접시공을 하게 되면 지금과 같은 문어발식 수주는 불가하여, 선별적 수주 및 합리적 공사비 입찰이 유도된다. 이를 통한 효과는 지대적이다. 직접 시공할 능력을 겸비한 건설기술인들이 대접받게 되어, 턴키 공사 등 기술형 공사 수주를 위하여 평가위원들에 대한 상시로비를 않고 본업에 집중케 한다.

직접시공은 가장 밑바닥 건설노동자를 직접 고용토록 하여, 제도의 사각지대에 있던 건설노동자를 사회일원으로 인정케 한다. 건설 산업에서 가장 많은 이해자는 단연 건설노동자다. 그렇다면 다수를 위한 법과 제도가 마련되어야 하며 경실련은 100억 원 이상 공공공사에 대해 직접시공제 의무화를 주장해왔

다. 하지만 2004년 11월 건설산업기본법을 개정하여 직접시공제가 도입되었지만 의무대상이 50억 미만 소규모 공사에 국한함으로써 실효성을 갖지 못했다. 도입 10년이 넘었지만 지금도 의무대상을 70억 미만 공사로만 제한하고 있다. 이에 2014년 4월 15일, 민노총 산하 건설산업연맹과 업역폐지 및 직접시공 촉구 기자회견을 공동으로 개최하였다.

건설 산업에서도 낙수효과를 실현시킬 수 있는 제도가 있다. 다름 아닌 적정임금제'다. 건설생산단계 어디에 있던 동일한 임금기준이 적용되는 것이 낙수효과라 할 수 있다. 적정임금제는 건설노동자 일자리가 불법외국인에게 누수되는 것을 차단하는 역할을 담당하게 될 것이고, 임금이 무한적 깎여져 내려가는 것을 방지한다. 물론 불법고용에 대한 엄격한 단속과 법집행은 필수불가결이다.

2018년에는 건설사의 공공사업 공사비 인상을 추진하는 국가계약법안이 국회에 발의되며 논란을 빚었다. 건설업계가 공공사업에서 지속적으로 적자가 발생하고 있다며 공사비 인상을 적극 요구한 것에 대해 여야 의원들이 공사비 인상을 골자로 하는 개정안을 내놨기 때문이다. 이에 경실련은 공사비 인상 이전에 몽땅하청 금지 및 직접시공제 의무화, 적정임금제 도입 등의 건설 산업 정상화가 우선되어야 한다며 정부와 국회의 혈세낭비 시도를 강력히 비판했다. 또한 공사비 인상 법안을 발의한 각 의원들에게 공개질의를 통해 예산낭비 시도를 중단할 것을 촉구하였다.

3. 각계 반응과 성과

미국에서는 모든 공사를 다양한 전문공종업체에게 하도급하는 형태를 브로커(brokers)이고, 반면 종합업체(full service contractors)는 직접 공사를 수행하여 인건비를 지불하는 다양한 공종의 인력을 고용하는 형태라고 한다. 자본주의의 맹주 미국의 입장에서 보더라도 우리나라 건설 산업의 생산구조는 비정상이 아닐 수 없다. 다단계 하도급 구조로 인해 건설현장은 부실시공, 체불, 노동착취 등 부정적인 산업으로 인식되어왔다. 경실련은 직접시공제 미실시로 인한 건설현장의 각종 문제가 발생될 때마다 직정시공제와 적정임금제를 근본적인 대안으로 제시해왔다.

정치권에서는 2016년 국민의당 정동영의원이 '건설업체가 공공발주기관으로부터 수주한 100억 원 이상 공사의 30% 이상을 직접시공'토록 하는 「건설산업기본법」

개정안을 대표발의했고, 이학영의원도 직접시공제 정상화를 위한 개정안을 발의했다. 하지만 건설업계의 반발과 정치권의 무관심으로 법제화 되지 않고 있다.

건설노동시장 또한 수요와 공급의 전통적 법칙이 적용된다. 인력이 부족하면 임금이 오르게 되고, 임금이 오르면 건설업으로의 신규진입이 늘어나는 것이 당연하다. 하지만 우리 정부의 거의 유일한 정책은 외국인노동자의 유입으로 대체하면서, 오히려 내국인 숙련기반 와해를 가속화시키고 말았다. 다행스럽게도 최근에는 정치권과 지식인들 사이에서 외국인력 무분별한 유입에 대한 우려목소리가 높아지고 있다. 일각에서는 외국인노동자의 인권문제를 거론하나 인권과 내국인 일자리 잠식은 별개의 문제이고, 내국인 일자리는 인권을 넘어 생존의 문제임을 인식해야 한다.

[그림] 하도급 생산방식 문제점 및 원인 구조도

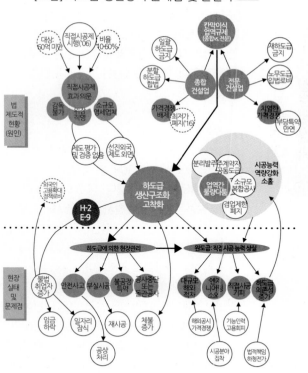

43. 건설 감리제도 개선 운동

1. 배경 및 취지

감리제도는 감리업자가 발주자를 대신해 공사가 설

사진으로 보는
경실련 30년

Ⅰ. 경실련의
창립과 활동

Ⅱ.
경실련 30년
활동의 성과

Ⅲ. 지역경실련의
활동과 성과

Ⅳ. 경실련과
시민사회의 미래

계대로 이뤄지는지 감독하는 제도이다. 1989년 4월 올림픽대교 붕괴(사망 1명), 1993년 1월 청주우암 아파트 붕괴(사망 28명) 공사 중이던 행주대교 붕괴 등을 계기로 1994년 1월, 공공사업자가 발주한 사업에 한해 감리원의 권한과 책임을 강화한 책임감리제도가 도입됐다. 도입 초기인 성수대교 붕괴(32명 사망), 삼풍백화점 붕괴(501명) 등 대형 참사가 발생했지만 98년이후 건설직 공무원과 공기업의 건설직원을 그대로

놔둔 채 감리제도를 도입하여 감리의 권한이 줄고 감리의 대상까지 줄어들고 있다.

하지만 남양주 진접선 참사, 칠산 대교 붕괴 등 공공사업뿐 아니라 마우나 리조트 붕괴 매년 수십만 채가 공급되는 아파트 등 민간사업장에서도 부실감리에 의한 인명피해가 지속 발생하고 있다. 특히 아파트의 부실시공도 심각하다. 화성 동탄 부영아파트 부실시공은 짓지도 않은 상태에서 미리 받을 돈을 결정하고 아파트를 팔 수 있는 특혜 구조인 선분양시스템과 감리의 대가를 감리를 받는 자들이 지급하도록 만든 잘못된 제도로 인해 빚어진 결과다.

건물붕괴로 인한 인명사고는 국가의 시스템이 제대로 작동하지 못해 발생한 후진국형 인재이다. 그러나 건설비용 절감, 영업이익 극대화 등을 요구하는 건설업계의 로비에 정치권, 관료, 전문가, 언론까지 묶인 동조하고 있다. 이에 경실련은 정치권과 업계의 규제 완화를 저지하고 감리강화가 이루어지기 위한 다양한 활동을 전개하고 있다.

2. 활동 내용 및 경과

감리제도는 최초 50억 원 이상 공사에서 의무화했지만, 1999년 1월 시행령 개정을 통해 100억 원 이상 22개 공사종류로 축소됐다. 이후 다시 200억 원 이상 공사로 감리 대상 공사를 축소하려는 움직임이 일었다. 경실련은 성수대교 참사 이후인 1994년 10월 '성수대교 붕괴의 원인과 대책'이란 주제로 공청회를 진행했다. 당시 경실련은 △안전진단 전문가 육성 등 위기관리체계 개혁, △공무원의 부정부패와 무사안일주의 척결, △건설업계의 부조리와 비리 추방 등을 주장했다. 시공사와 감리의 담합 방지를 위한 감리 결과의 공공기관 보고 의무화도 강조했다.

그러나 감리제도는 규제개혁 일환으로 다시 후퇴했다. 2005년 2월 2일 규제개혁 관계 장관회의에서 〈건설산업규제합리화방안〉을 결정했다. 건설현장 내의 △ 시험실 의무설치폐지, △ 시험실 규모 축소ㆍ조정, △품질관리자 배치규정 완화가 주요 내용이다. 정부는 이 같은 내용을 중심으로 건설기술관리법시행규칙 개정을 추진했다. 이에 경실련은 시행규칙 개선안에 대한 반대 의견서를 제출한다. 건설교통부에서 추진 중인 개정안은 강화해야 할 품질관리 감독 기능을 '규제합리화'라는 명분 아래 건설업체의 탈법과 부실한 품질관리를 더욱 심화시키는 일이라고 비판했다. 오히려 ▲ 품질관리업무를 시공분야에서 분리해 감리ㆍ감독업무에 포함할 것, ▲ 건설기술관리법 시행령에 실효성 없는 임의조항으로 존재하고 있는 감리강화 조항을 강행규정으로 개정할 것을 촉구했다.

2010년 5월 발표한 건설기술관리법 시행령 개정안도 감리대상 범위를 100억 원 이상에서 200억 원 이상으로 축소하는 내용이 골자였다. 여기에 상수도, 하수관거, 공용청사 및 공동주택 등 4개 공사는 책임감리 의무대상 공사의 범위에서 제하려고 했다.

이에 경실련은 개정안 전면 철회를 촉구했고, 민간책임감리원 권한을 보다 강화하고 더 세부적인 공정 감리 확대를 주장했다. 그나마 경실련 노력으로 공동(아파트 등)주택 감리는 전체공사로 2004년 확대되었다. 외환위기 이후 건설업계의 원가절감을 이유로 1999년 주택건설촉진법을 개정해 도배·조경 등 13개 공사종류를 감리대상에서 제외했다. 하지만 경실련이 2004년 서울 동시분양 아파트 건축비를 분석한 결과 건설사들이 감리제외 공사비를 부풀려 막대한 이익을 가져가는 것으로 나타났다. 이에 경실련은 감리제외가 원가절감이 아닌 건설사의 분양가를 부풀리는 수단으로 악용되고 있다며 감리대상 확대를 주장했다. 이후 주택법이 개정돼 감리제외 대상인 13개 공사종류의 감리 의무화가 이뤄졌다.

지역건축센터 설립과 감리비예치제 도입도 중요하다. 삼풍백화점 20주기인 2015년 10월에 경실련과 새정치민주연합 김상희 의원이 공동으로 '지역건축센터 설립'을 중심으로 한 건축법 개정안을 발의했다. 주요 내용은 △일정 규모 이상 건축물 건축 시 허가권자가 감리자 지정 및 계약, △ 초고층 및 대형건축물 건축허가 전 안전영향평가 의무화, △ 지자체의 관리·감독을 위한 지역건축센터 설치 의무, △ 감리비 직접 지급과 예치제도 도입 등이다. 감리가 공공의 업무임에도 불구하고 감리 대가를 사업주에게 받게 함으로써 감리의 독립성이 훼손되고 있다. 따라서 건축 전문가들을 센터의 전문직 공무원으로 채용해 책임지고 감리업무를 수행케 하고, 감리의 대가 예치제로 감리의 독립성을 보장할 것을 주장했다. 이후 이원욱 의원이 발의한 부영 방지법안 통과로 2018년 3월 공동주택 사업에 대해서는 감리비예치제 일부 도입됐다.

3. 각계 반응과 성과

대형 참사가 계속되는 상황에서 시민사회는 감리제도 강화를 촉구했고, 일부 법제화로 이어졌다. 하지만 건설업계와 경제단체는 비용 지출을 줄이기 위해 지속 감리규제 완화를 시도하고 있다. 정치권 역시 감리제도 개선 운동에 큰 관심을 보이지 않으며 법 개정을 반대하고 있다. 2015년 경실련과 김상희 의원이 공동 발의한 건축법 개정안도 "지자체의 행정력을 고려할 때 불가능한 측면이 있다"며 상임위를 통과하지 못했다.

언론에서는 안전사고 발생 때마다 감리문제를 언급했지만, 기획취재는 많지 않았다. '시민의 신문'이 2006년 9월 경실련과 공동기획으로 '부실공사 추방, 감리문제 해결부터'라는 제목으로 기획 보도를 했다.

이해 당사자인 감리협회(현 건설감리협회)와의 정책 공조도 진행했다. 감리협회 15주년 토론회 당시 경실련 관계자가 참여해 현 감리제도의 한계, 감리제도 축소 움직임, 감리제도 개선방안 등을 제시했다. 이후에도 감리제도 관련 법안에 대해서도 합리적인 건설관리방안에 대한 의견을 교환했다.

경실련은 건설업계를 중심으로 감리제도 축소 시도가 있을 때마다 공청회, 의견서 제출, 성명 발표 등을 통해 감리제도 강화를 주장했다. 그 결과 공공 사업장 책임감리제가 시행됐고, 공동주택 사업에서 제외됐던 조경, 도배 등 13개 공사종류도 감리대상에 포함됐다. 최근에는 감리 대가 예치제가 도입된 것도 작은 성과다.

하지만 여전히 부실시공과 안전사고가 끊이질 않고 있어 앞으로도 부실시공 방지 및 안전관리 강화를 위한 정교한 대안을 마련해야 한다.

44. 재개발·재건축 공공성 투명성강화 운동

1. 배경 및 취지

재개발·재건축사업은 기존의 노후한 주거환경과 부족한 도시기반시설을 정비하는 공익사업이지만 민간 주도로 사업이 추진되어 개발이익을 둘러싼 이해관계자들의 갈등과 분쟁, 불법과 비리문제는 우리 사회의 오랜 병폐였다. 복잡한 사업 절차와 내용을 전문성이 부족한 주민이 검증하고 사업의 내용을 결정하는 것이 상식적으로

사진으로 보는
경실련 30년

Ⅰ. 경실련의
창립과 활동

Ⅱ.
경실련 30년
활동의 성과

Ⅲ. 지역경실련의
활동과 성과

Ⅳ. 경실련과
시민사회의 미래

불가능함에도 공공에서 사업을 수행하지 않고 방치하여 실질적인 사업의 주체는 자금력을 확보한 대형건설사와 의결권에 영향을 미치는 조합의 소수가 독점하였다.

주민들은 막연히 부동산 개발이익을 기대하며 사업에 참여하지만, 의사결정과정의 참여 기회도 보장받지 못하였으며, 점점 늘어난 사업비로 인한 추가부담금을 감당하지 못해 결국 쫓겨나게 되었다. 부동산 투기를 부추기며 건설사의 수익사업으로 전락한 재개발 재건축사업의 투명성을 확보해 원주민이 쫓겨나지 않고 재정착할 수 있도록 피해를 방지하고 계획의 공공성 확보하여 서민의 주거안정이라는 정비사업의 공익성을 회복하기 위한 활동의 필요성이 이명박 시장의 뉴타운사업 추진과 함께 강하게 대두되었다.

2002년 서울시장에 취임한 이명박 시장은 강북균형발전을 명분으로 뉴타운사업을 핵심정책과제로 추진하였는데 뉴타운사업은 부동산시장 침체로 잠시 주춤했던 재개발사업을 활성화하는 계기가 되었다. 서울시는 시범뉴타운(왕십리, 길음, 은평)을 시작으로 강북에 10여개의 뉴타운을 지정하였으며, 뉴타운 개발공약이 선거에서 유권자의 표심에 긍정적 영향을 미치자 정치권은 발 빠르게 재개발사업활성화를 위한 규제완화 입법을 추진하였다. 2005년 〈도시재정비촉진을위한특별법(이하 도촉법)〉제정으로 전국은 뉴타운광풍에 휩싸였고 재개발지구지정을 위한 건물 노후도 요건이 완화되어 멀쩡한 주택들이 사업구역에 편입되었다. 재개발을 원하지 않는 주민들은 사업 추진에 반대하며 구역지정에서 해제해줄 것을 요구하는 등 재개발사업의 추진을 둘러싼 주민갈등은 더욱 심화되었다.

경실련은 건설업자와 소수 조합원의 배만 불리고 영세한 주민은 결국 쫓겨나는 불법적이고 불합리한 재개발사업 실태를 드러내 재개발사업의 문제를 공론화하고 제도개선을 요구하는 운동을 진행하였으며, 주민 스스로 권리를 찾고 묻지마식 재개발사업에 참여하지 않도록 교육 등 주민 지원활동을 전개한다.

2. 활동 내용 및 경과

1) 실태 고발 및 법제도 개선 운동

재개발구역 주민들은 노후한 주택(토지)을 제공하면 추가 비용부담 없이 새 아파트에 입주할 것이라는 막연한 기대감으로 묻지도 따지지도 않고 사업에 참여하여 피해가 컸다. 정비업체는 주민들이 사업의 내용과 절차를 모르는 점을 이용해 초기에 금품을 제공하고 동의서를 받는 등 불법행위를 자행했고, 주민들은 공사가 시작되어야 막대한 추가분담금을 부담해야 한다는 사실을 인지하고 결국은 쫓겨나게 되었다. 재개발사업으로 쫓겨나게 된 주민들은 재개발사업의 실상을 알려 더 이상 주민을 속여 무분별하게 사업이 추진되는 것을 막아야 한다며 경실련을 찾아왔다. 경실련은 피해주민들과 함께 주민을 속이는 건설사와 정비업체의 불법적인 관행을 사회적으로 공론화하여 무분별한 사업 추진을 막고 주민이 권리를 행사할 수 있도록 관련 법제도 개선방안을 제시하였다.

2008년 개최된 〈재개발 재건축 신고센터 개소 기념토론회〉에서 재개발사업에서 건설사의 폭리구조를 드러내기위해 '서울의 23개 재개발구역 사업비와 조합설립동의서를 분석결과'를 발표했다. 구청에 정보공개청구를 통해 받은 자료를 분석해 건설사의 건축비 거품과 사업비 증액 실태, 부실동의서와 지자체의 관리감독 부실 실태를 기자회견을 통해 추가 폭로하였다. 기자회견 이후에는 부실동의서를 묵인하고 과도한 사업비 증액을 눈감아준 지자체의 부실한 관리감독 행정과 법제도를 개선하지 않은 국토부를 감사원에 감사청구 하였다. 경실련의 재개발사업 분석결과로 재개발사업이 주민을 위한 사업이 아닌 재벌건설사를 위한 사업이며, 사업자가 조합원과 공무원을 움직이고 있음이 드러났다.

2) 시민교육을 통한 조합원 권리 찾기 운동

2006년 건설사와 조합의 전횡으로부터 주민 스스로 피해를 방지하고 권리를 보호할 수 있도록 교육하기 위해 시민학교를 운영하였다. '재개발사업의 현실과 변화가능성'을 주제로 제 1회 〈재개발·재건축 시민학교〉를 개최하였는데, 시민학교 개강 전 재개발사업의 교육과정을 만들기 위해 도시계획 및 정비사업 전문

가, 법률 전문가, 활동가로 구성된 〈재개발·재건축 시민학교 기획 TF〉를 구성하여, 사업과정의 문제와 대안을 모색하고 사례 연구 등을 진행하였다. 총 8강으로 구성된 〈제1회 재개발시민학교〉를 시작으로 2007년에는 대전경실련과 공동으로 총 4강으로 구성된 〈제2회 대전 재개발시민학교〉를 개최하였고, 2008년에 한차례 더 운영하였다. 시민학교에는 재개발사업구역 주민과 학생 등 시민들이 참여하여 정비사업의 문제와 대응방안을 전문가와 토론하고 주민네트워크를 구성하였다.

3) 불법행위 감시를 위한 재개발·재건축 신고센터 개설

재개발사업은 공익사업이므로 공공의 철저한 관리감독 속에서 추진되어야 하나 공공에서 제 역할을 하지 않아 사업과정에서 건설사와 조합의 불법 및 편법행위들이 만연 하였다. 이러한 불법행위를 바로잡기 위해서는 주민이 직접 소송을 해야 하나 관련 자료가 제대로 공개되지 않고 시간과 경제적 부담으로 인해 소송조차 쉽게 진행하기 어려웠다. 정보와 자금력에 있어 우월적 위치를 확보한 건설사(조합)와 일반 조합원간 분쟁과 갈등을 직접 조정하도록 방치할 것이 아니라 공공에서 주민과의 소통창구를 마련하고 조정하는 전담기구마련이 시급했으나, 당장 제도화하기 어려웠다.

2008년 6월 경실련은 〈재개발재건축 신고센터〉를 개설하였다. 신고센터는 주민을 지원하고 정부에 분쟁조정을 위한 전담기구 설치를 촉구하기 위해 마련되었다. 주민에게는 조합과 업체의 불법적 행위에 대한 자문과 의견을 제시하였고, 신고센터를 통해 파악된 불법적 행위 유형을 파악해 구체적인 법제도 개선을 요구하였다. 신고센터는 약 10개월간 온/오프라인을 통해 운영되었고 150건 이상의 사례가 접수되는 등 주민과 소통하고 지원하는 창구 역할을 하였다. 신고센터의 조직구성은 전문가 자문단과 대학생 자원활동가 및 상근활동가로 이루어졌는데, 전문가 자문단은 담당 분야별 의견을 제시하고, 20인으로 구성된 대학생 자원활동가는 접수와 주민 회신 업무를 담당하였다. 시민들이 참여해 피해주민을 구제하고 지원하는 활동을 진행하였다.

3. 각계 반응과 성과

언론은 경실련의 재개발사업 공사비 거품분석과 신고센터 접수사례 분석 등을 통해 재개발사업과정의 분쟁과 불법실태를 심층 보도하였다. 낙후된 주거여건을 개선하겠다는 재개발사업의 당초의 취지는 사라지고 원주민 대신 투기꾼과 건설업자의 배만 불리는 사업실태를 심층적으로 보도하고 경실련의 제도개선방안을 소개했다. 경향신문 공동기획 [서민 울리는 재개발·재건축 정책] 3회 보도 및 한겨레신문 공동기획 '재개발 신기루를 깨자' 시리즈 보도는 일반시민들이 알기 어려운 재개발사업의 문제를 분석해 알기 쉽게 전달하였다.

실태고발과 주민 교육, 신고센터를 통한 불법사례 분석을 통한 재개발재건축 공공성 투명성 강화를 위한 제도개선 요구 활동에 힘입어 2008년 5월 서울시는 「서울시 주거환경개선정책 자문위원회」를 출범해 뉴타운과 재개발 등 기존 주거환경 정책을 재검토하였다. 서울시는 공공관리자제도 시범사업 실시, '재개발·재건축 주민 분담금 사전 공개 의무화', 재개발사업 정보를 구축하고 공개하는 '클린업' 홈페이지를 운영하는 등 제도를 개선하였다. 국회와 정부는 정보공개 관련 벌칙조항을 신설로 사업의 투명성을 확보하는 법개정을 진행하였다.

경실련의 〈재개발·재건축 공공성·투명성 강화운동〉은 재개발 사업과정의 문제분석과 피해 사례 수집을 통해 40여 년간 고착된 불법 관행을 드러내 사회적 공분을 일으켰고, 서울시와 정부의 법제도개선을 이끌어냈다. 법제도 개선 뿐 만 아니라 주민들이 사업과정에서 스스로 권리를 찾고 올바르게 행사할 수 있도록 교육하고, 정책 및 제도개선 요구의 주체가 될 수 있도록 조직하였으며, 주민과의 소통창구를 만들어 공공과 건설사를 견제 감시하는 민간의 창구 역할을 수행하였다. 향후 개발이익 사유화를 위한 민간주도 대규모 정비 사업을 금지하고 원주민 재정착을 위한 세입자 대책 의무화 등 재개발재건축사업의 공익성을 보다 강화하는 법제도개선이 필요하다.

45. 그린벨트 해제 철회 운동

1. 배경 및 취지

1971년 도시 확장을 막고, 도시 녹지보전 목적으로 전국 34개 도시에 약 5,300㎢(16억 3천 만평)의 규모의 그린벨트(법상 용어로 '개발제한구역')가 지정되었다. 그린벨트는 개발이 엄격하게 제한되는 토지이나, 공공의 개발사업 명목으로 해제와 개발이 지속적으로 허용되어

사진으로 보는
경실련 30년

Ⅰ. 경실련의
창립과 활동

Ⅱ.
활동의 성과
경실련 30년

Ⅲ. 지역경실련의
활동과 성과

Ⅳ. 경실련과
시민사회의 미래

왔다. 그린벨트 전체 면적의 83%가 사유지로 이루어져 지방자치제 실시 이후에는 지방선거마다 해제와 개발을 요구하는 민원이 끊이지 않았다.

1995년 지방선거와 총선을 앞두고 개발제한구역 폐지 또는 대폭 완화요구가 대두됐는데, 당시 후보자들은 앞 다퉈 그린벨트 해제를 약속했다. 1996년 김영삼 정부와 여당인 신한국당은 정치적 이유로 그린벨트의 대폭적인 규제완화를 추진했고, 1997년 12월 대통령 선거에서 김대중 후보는 개발제한구역 해제를 공약하고 대통령에 당선됐다. 선거과정에서 그린벨트의 해제 명분은 주민 편의를 높이겠다는 것이었으나, 정치적 고려에 의한 선심성 규제완화로 그린벨트의 훼손은 가속화되었고 부동산투기를 조장하게 된다.

그린벨트는 획일적 지정과 관리정책 소홀이라는 제도운영의 한계에도 불구하고, 시민의 삶의 질 확보와 환경보전이라는 측면에서 보전원칙을 세우고, 제도 운영과정에서 드러난 문제를 개선하기 위해 근본대책을 마련해야할 필요성이 있었다. 그러나 보존과 개발 또는 공익과 사익의 이분법적 구도로 인해 그린벨트에 대한 자유롭고 충분한 논의가 진행되지 못했고, 정부는 현실적 문제의 어려움을 들어 구역조정이나 근본대책 수립보다는 필요한 상황에 임기응변식으로 대처하면서 실질적인 대책이 공론화되지 못했다.

1996년 이후 그린벨트 해제와 개발을 통해 사익을 극대화하려는 주민의 욕구와 주민 민원해소를 통해 정치적으로 활용하기 위한 정치권의 이해가 맞물려 그린벨트 해제는 급속도로 진행되었다. 정치권이 수용한 대폭적인 그린벨트 규제완화책에 대해 환경보전이라는 공익적 측면과 주민불편해소 관점에서 그린벨트의 합리적 운영과 보전을 위한 법·제도개혁, 주민 보상 방안 마련이 필요했다. 그러나 김대중 대통령의 조건부 그린벨트 조정 정책이 사실상 전면 해제 수준으로 후퇴되면서 일방적이며 졸속적인 추진에 대한 감시와 대응활동의 필요성이 대두됐다.

2. 활동 내용 및 경과

정치권과 정부는 그린벨트 훼손의 가장 큰 주범이다. 지방자치제도가 본격적으로 시작된 1995년 제4대 지방 선거에서 후보자들은 주민의 그린벨트 해제 요구에 대해 지역개발을 명분으로 해제를 약속했다. 정부는 그린벨트 내 대규모 농수산도매시장건립을 허용했고, 공공의 그린벨트 개발로 민간의 그린벨트 해제 요구가 가속화되면서 논란이 본격화됐다. 경실련은 선거 시기에 정부가 정치권의 요구를 수용해 예외조항을 신설해 그린벨트를 해제하는 행위는 부적절하다는 반대 입장을 피력했다. 정부에 공공의 훼손 행위를 중단할 것과 환경보전 측면에서 그린벨트의 성격을 재정립하고 실사를 통한 구역 재조정 방안을 마련할 것을 촉구했다. 아울러 그린벨트 지정 당시부터 거주했던 원거주민에 대한 적정한 보상방안을 구체화할 것도 요구했다.

1996년 11월, 신한국당과 정부는 그린벨트의 광범위하고 포괄적인 규제완화 내용을 담은 시행령 개정 방침을 발표했다. 경실련은 비판성명을 발표하고, 이를 저지하고 대안 마련을 촉구하기 위해 13개 시민단체가 참여하는 '그린벨트 문제해결을 위한 시민연대회의'를 구성하였다. 시민단체의 반대에도 불구하고 정부 (건설교통부)는 신한국당의 정치적 이해와 맞물려 대선선심용 그린벨트 완화책에 합의하였다. 시민단체는 왜곡된 규제완화 방침 철회와 전면적인 제도개선을 촉구하였다.

김대중 대통령은 1997년 대통령 선거공약으로 그린벨트 해제와 제도개선을 내세웠으나, 당선 이후 정

부는 일방적이고 졸속적으로 추진한다. 그린벨트 재조정안을 만들면서 국민적 의견수렴 과정 없이 정부여당 독단으로 구역의 전면 재조정안을 밀어붙였다. '환경적으로 불필요한 지역은 해제하고, 비해제 지역은 매입한다.'는 정부의 방침으로 국토관리정책은 더욱 더 왜곡되었다. 해제지역의 무분별한 개발이 확대되고 토지이용규제지역 관리는 어려워졌다. 경실련은 이해당사자를 중심으로 한 협의는 해제를 전제로 하고 있기 때문에 중단하고 객관적 실태조사와 합의 도출을 위해 공개적인 범국민 기구 구성을 촉구하였다.

1998년 11월 시민단체의 요구가 수용되지 않자 경실련 등 제 단체들은 '그린벨트 살리기 국민행동'을 조직하고 범국민시민운동으로 확대했다. 정부와 정치권은 선별적 해제조치를 약속하였으나, 이와 달리 그린벨트 해제구역에 대한 토지거래허가제 폐지, 중소도시권 전면 해제 및 대도시권의 대폭 해제 등의 추가 규제완화가 이어지면서 정책흐름을 제어하기 어려웠다. 그린벨트살리기국민행동은 정부 발표를 무효화시키기 위해 대표들의 단식농성, 가두선전전, 건교부장관 퇴진 100만인 서명운동, 범국민결의대회를 개최하게 된다. 시민단체들의 반대에도 불구하고 정부는 2001년 제주도 전면해제를 시작으로 그린벨트 해제 조치를 단행한다. 김대중 정부에 이어 노무현 정부까지 임대주택 건립을 명분으로 그린벨트 추가해제가 이루어지면서 더욱 가속화됐다.

2002년 6월 정부는 서민주거안정을 위해 그린벨트를 해제하여 국민임대주택을 건립하는 택지지구를 지정할 수 있도록 하였다. 그린벨트 해제에 반대하는 시민단체 뿐만 아니라 해당 지역 주민들도 그린벨트 해제에 강력 반대하며 반발하였다. 주민들은 수십 년 간 그린벨트로 묶여 재산권 행사에 제약을 받다가 정부의 택지개발사업으로 토지를 빼앗기게 되자 해제 반대로 돌아섰다. 택지개발지구로 지정된 군포 부곡, 의왕 청계지역 주민들과 시민단체는 시민공대위를 구성해 정부에 그린벨트 해제 반대 청원 제출, 택지개발예정지구 지정취소 행정소송을 진행하는 등 정부의 그린벨트 개발을 저지하기 위한 연대활동을 진행했다.

김대중 정부의 그린벨트 해제에 이어 다음 정부도 지역경제 활성화와 서민주거안정 등을 명분으로 지속적으로 그린벨트를 해제해 개발하려는 정책을 추진했다. 이명박 정부는 산업단지와 서민주택공급을 위해 그린벨트 추가해제방안을 발표했고, 박근혜 정부는 그린벨트 해제지역에 상업시설과 공장시설 입지가 가능하도록 용도규제를 완화했다. 그린벨트가 사실상 개발벨트로 변질됐음을 비판하고 철회할 것을 촉구하는 경실련의 대응활동도 계속되었다.

3. 각계 반응 및 성과

시민단체의 그린벨트 해제 반대운동을 언론에서는 비중있게 보도하였다. 선거 때마다 단체장 후보의 선심성 공약으로 추진되는 것에 대해 우려도 제기하였다. 그러나 언론의 주요 보도태도는 그린벨트 해제에 따른 부정적 측면보다는 지역주민의 생활불편과 재산권 제약 등 해제를 요구하는 주민들의 집단행동에 초점이 맞춰져 반대 여론을 형성하기 어려웠다. 그린벨트의 환경적 기능과 미래지향적 역할에도 불구하고, 그린벨트 해제 철회운동이 크게 성과를 내지 못한 이유이기도 하다.

재산권 제한에 반대해 그린벨트의 전면 해제를 요구하는 주민과 선거에서 표를 얻기 위한 선심성 정책으로 활용하려는 정치권의 이해가 결합되면서 그린벨트를 해제하는 방향으로 정책이 선회되었다. 전면 해제 위기에 놓인 그린벨트에 대해 시민환경단체는 공익적 관점과 환경보전의 측면에서 합리적으로 재조정하고 주민의 피해보상 대책을 제시하면서 그린벨트 보존과 관리에 대한 대안을 제시하여 전면 해제를 요구하는 민원을 막을 수 있게 된다.

그러나 시민단체의 노력에도 불구하고 정부의 비민주적이고 폐쇄적인 정책결정과정은 시민단체의 참여와 의견을 반영하는데 한계가 있었다. 정부가 그린벨트를 해제 해 국민임대주택단지로 개발하는 사업추진과정에서는 그린벨트 해제에 반대하는 환경단체와 서민주거안정을 위한 임대주택공급 확대에 찬성하는 주거단체의 이견으로 그린벨트 개발정책을 저지하기 어려웠다.

1999년 그린벨트 전면적인 해제 조치 이후 현재까지 그린벨트는 정부의 개발 사업을 위한 토지비축지로 지속적으로 훼손되고 있으나, 제대로 된 관리정책 조차 마련되지 못한 상황이다. 도시의 허파 역할을 하는 그린벨트의 추가훼손을 막기 위한 관리대책 마련이 필요하다.

46. 공공주택 확충 및 주택공기업 개혁 운동

1. 배경 및 취지

1970년대 급속한 도시화에 따른 주택난을 해결하기 위해 정부는 신도시개발을 추진했다. 1970~80년대에는 서울 강남, 목동, 상계 신도시개발이 이뤄졌고, 노태우 정부는 분당·일산 등 1기 신도시를 개발했다. 참여정부도 판교, 송파·위례 등 2기 신도시개발을 추진했다. 문재인 정부도 집권 이후 서울 아파트 가격이 한 채당 2억 원씩 상승하자 집값을 안정시키겠다며 수도권에 30만호를 공급하는 3기 신도시 정책을 발표했다.

공공임대주택 확충 약속도 역대 정부마다 등장했다. 노태우 김영삼 김대중 임대주택 100만호, 노무현 정부 150만호 장기공공임대주택, 이명박 정부 장기임대 및 전세 80만호, 문재인정부 공공임대 65만호 등 역대 정부마다 공공주택 확충을 약속했다. 하지만 약속은 공염불에 그쳤다. 2019년 현재 장기공공임대주택은 100만호로 전체의 5%에 그치고 있다. 공공주택 재고량은 거의 늘지 않지만, 신도시개발 사업을 독점해온 LH공사 등 공기업들은 막대한 이익을 취해왔다.

경실련은 창립 초기부터 토지와 주택의 경제정의를 내걸고 토지공개념 도입, 공공주택 확대 등을 촉구해왔다. 신도시 정책이 공기업의 장사수단으로 변질되었음을 지적하며 토지임대 건물분양 등 장기 공공주택확충을 위한 다양한 활동을 전개하고 있다.

2. 활동 내용 및 경과

경실련은 1993년 10월 토지의 경제정의를 다뤘던 〈땅〉에 이어 주택의 경제정의 실현을 위한 정책대안을 제시하는 〈집〉을 발간했다. 공공임대 확대를 위해 강제 수용한 공공택지를 팔지 말고, 장기 임대해 중소형 임대주택으로 공급할 것을 제안했다.

2004년 2월에는 '아파트값 거품 빼기운동본부'를 출범시키고 용인죽전, 화성 동탄 등 수도권 신도시의 개발이익을 추정 발표했다. 2005년에는 시민들과 함께하는 '아파트 거품빼기 시민행동'을 결성하고, '판교 공영개발 촉구 온오프라인 시위' 등 다양한 활동을 전개했다. 2005년 6월 노무현 대통령이 직접 나서 판교 분양 중단을 선언하고 '판교 공영개발'을 발표했다. 하지만 정부가 추진한 판교 공영개발은 주택공사가 민간업자를 거치지 않고 직접 아파트를 분양하는 방식으로 대부분의 토지가 수분양자에게 팔렸다. 만일 경실련 주장대로 공영 개발하여 직접 개발하여 임대주택으로 공급했더라면 공공주택 확충뿐 아니라 공기업 자산증가와 주거안정 효과까지 가져올 수 있었다.

이후에도 경실련은 여러 차례 판교 개발이익 관련 정부와 설전을 벌였다. 2019년 5월에도 개발이익을 추정 발표하고 부당이득 국가 환수를 촉구했다. 경실련이 2005년 3월 밝힌 토지공사 및 주택공사 등 공공사업자의 개발이익은 10조원이다. 하지만 건교부는 1장짜리 보도 자료를 통해 개발이익이 1천억 원이라고 해명하며, 개발이익 100배 차이가 논란이 됐다. 이후 2010년 판교 공동사업자인 이재명 성남시장이 '모라토리엄'을 선언하며, LH공사에 갚아야 할 (판교)초과 수익만 2,950억 원이라고 밝히면서 개발이익이 다시 논란됐다. 이에 경실련은 성남시장을 면담하고 판교사업비 세부 내역 등 관련 자료를 투명하게 공개 요청했다. 하지만 지금까지도 자료는 공개되지 않고 있다.

문재인 정부의 주거복지 로드맵, 수도권 30만호 건설 등에 대해서도 대응 중이다. 판교 등 2기 신도시가 집장사, 땅장사 수단으로 변질된 상황에서 3기 신도시 사업은 투기 조장과 집값 상승으로 이어질 수밖에 없

Ⅱ.
경실련 30년
활동의 성과

Ⅲ. 지역경실련의
활동과 성과

Ⅳ. 경실련과
시민사회의 미래

다. 게다가 박근혜 정부의 공기업 효율화 정책의 일환으로, 강제수용 토지를 개발하는 신도시 사업까지 민간사업자가 참여하여 막대한 이득을 취하고 있다. 이에 경실련은 주택정책을 총괄하는 청와대 정책실장의 사퇴 및 3기 신도시 개발중단 촉구, 광교, 위례, 등 2기 신도시 개발이익 추정 발표, 과천 지식정보타운의 민간사업자 특혜 및 관계자 처벌 촉구 등을 통해 2기 신도시 정책의 문제와 대안을 제시하고 있다.

100년 주택인 토지임대건물분양의 확대도 주장했다. 불로소득 환수, 공공자산 증가, 내 집 마련 등의 효과를 거둘 수 있는 토지임대건물분양 주택은 이명박 정부에서 특별법까지 제정했다. 경실련은 2010년 오마이뉴스와의 공동기획으로 '토지임대건물분양 주택이면 1억 원에 내 집 마련 가능하다.' 등 반값 아파트의 진실을 발표했다. 하지만 겨우 강남 서초 보금자리주택에 760가구가 적용된 후 건설업계의 반발로 2015년 말 법안이 폐기됐다.

3. 각계 반응과 성과

경실련이 판교 등 개발이익을 추정 발표했을 때, 국민들 대다수는 LH·SH 등 공기업이 강제 수용한 땅을 되팔아 배 불리는 것에 분노하며 경실련 활동을 지지하고 격려했다. 경향신문(2006년), 오마이뉴스(2005년, 2018년), 한국일보(2018년) 등도 경실련과 공동기획으로 판교, 화성 동탄, 마곡 등 신도시 개발이익을 추정하고, 공기업의 땅장사, 집 장사 중단과 신도시 정책의 개혁방안을 보도했다. KBS 시사기획 창, MBC 피디수첩 등도 주거안정으로 포장된 신도시 및 재건축 사업의 문제에 대해 심층 보도했다.

정치권에서도 한나라당 김양수 의원이 판교개발이익을 추정 발표하며 공기업이 공공주택 확충이라는 본연의 역할에 충실할 것을 강조했다. 한나라당 홍준표 의원은 2006년 말 서울시장 후보시절 토지임대건물분양 일명 반값아파트를 제안해 한나라당 당론으로 채택하기도 했다. 2009년 4월에는 '토지임대부 분양주택에 관한 특별법'이 제정됐다. 하지만 특별법 제정에도 불구하고 LH, 건설업계 등의 반발과 저항으로 2015년 말에 폐지됐다.

노무현 대통령은 '공기업도 장사다'라며 공기업의 개발이익 추구를 정당화했다. 국토부나 공기업 관계자들도 공공임대주택 사업은 적자라며 설립취지를 외면해왔다. 일부 보수경제 언론 등은 수분양자의 시세차익을 문제 삼고 있지만 정작 민간업자들이 로또택지를 복권추첨식으로 당첨 받아 불로소득을 가져가는 문제에 대해 침묵하고 있다.

그나마 아파트값 거품빼기 시민행동을 조직하고 대통령의 결단을 촉구해 판교 분양 중단과 공영개발 시행선언을 이끌어낸 것은 성과이다. 또한 불투명하게 추진돼 오던 신도시 사업에 대해 경실련이 개발이익을 분석 발표하며 공기업의 개혁과 공공주택 확충방안에 대한 논리적 근거도 제시했다. 하지만 여전히 사업별 사업비 세부 내역 비공개, 수익 비공개 등은 문제로 남아있고, 토지임대 건물분양 폐지 등 LH공사 등 공기업의 공공성 후퇴 등을 해결하기 위한 보다 적극적인 노력이 이루어져야 한다.

47. 미 대사관 숙소부지 학교 앞 호텔건립 반대 운동

1. 배경 및 취지

박근혜 대통령은 2015년 8월 6일 '대국민 담화'를 통해 이른바 경제살리기 3법인 '서비스발전기본법', '국제의료사업지원법'과 더불어 「관광진흥법」의 조속한 통과를 촉구했다. 김무성 새누리당 대표도 2015년 9월 2일 국회 본회의장에서 교섭단체 대표 연설을 통해 "관광진흥법이 통과될 경우 2만 개의 일자리와 8,000억 원의 신규 투자가 이뤄질 것이라는 연구결과도 나왔습니다."라며 학교 앞 호텔 허용의 필요성을 강조했다.

문화체육관광부(이하 '문체부')는 2012년 10월 경제활성화와 규제 완화를 앞세우며 학교 앞에 관광호텔을 신축 또는 증축할 수 있도록 「관광진흥법」 개정안을 국회에 제출했다. 유해시설이 없는 호텔은 현행 「학교위생법」에서 규정하고 있는 학교환경위생정화위원회의 심의 없이 설치할 수 있도록 허용할 계획이었다. 그러나 시민들의 반발로 인해 유해시설이 없고 객실이 100실 이상 규모인 경우에만 학교 경계 50m 밖의 지역에서 심의 없이 설치할 수 있도록 허용하는 것으로 변경한 바 있다.

당시 여당인 새누리당은 관광 활성화, 일자리 창출, 호텔 부족을 이유로 법 개정을 강력히 밀어붙였다. 야당은 가짜 경제살리기 법안, 대기업 특혜와 학습권 침해를 이유로 반대했다. 업계의 반응도 상반됐다. 관광업계는 경제활성화와 관광계 유치를 이유로 앞장서서 학교 앞 호텔 규제 완화를 요구한 반면, 호텔업계는 호텔 과잉과 높은 객실 공실률로 인한 경영 어려움을 호소하며 규

제완화를 반대했다. 경실련을 비롯한 학부모, 문화, 도시 관련 시민단체들은 역사와 학습권 파괴하며 일부 대기업의 특혜를 제공하려는 정부의 행태를 강력히 비판하면서 반대 운동을 전개했다.

2. 활동 내용 및 경과

대한항공은 2008년 6월 삼성생명으로부터 36,642제곱미터(㎡)의 송현동 옛 미국 대사관 직원 숙소 부지를 매입하고, 국내 최고 수준의 7성급 특급관광호텔 개발사업을 추진했다. 그러나 송현동 부지는 인근에 덕성여자중학교와 덕성여자고등학교, 풍문여자고등학교가 있어 「학교보건법」에 규정한 학교환경위생정화구역 내에 있어 교육청의 학교환경위생정화위원회 심의를 받아야 했다.

대한항공은 2010년 3월 중부교육청에 학교환경위생정화구역 내의 관광호텔을 설치할 수 있도록 신청했지만, 학교환경위생정화위원회 심의에 따라 관광호텔 설치가 좌절됐다. 이후 대한항공은 2010년 4월 중부교육청을 상대로 '학교환경위생 정화구역 내 금지행위 등 해제신청 거부처분취소' 행정소송을 제기했지만 패소했다. 이에 서울고등법원 항소, 대법원 상고까지 진행했지만, 중부교육청의 처분이 정당하다며 모두 기각 판결을 받았다.

이처럼 대한항공은 법원의 판결로 송현동 관광호텔이 불가능하게 됐음에도 불구하고, 지속적으로 관광호텔 설치를 강행할 것임을 밝혔다. 문체부도 2015년 8월 대한항공 송현동 부지에 객실이 없는 복합문화허브 공간 조성계획을 발표하면서도 호텔건립을 '보류'라는 표현함으로써 호텔건립에 대한 여지를 남겼다. 또한, 문체부는 대한항공의 상고를 기각하기 전, 유흥시설의 부대시설이 없는 관광숙박 시설의 학교환경위생 정화구역 내 설치를 허용하는 「관광진흥법」 일부개정법률안을 국회에 제출했다.

경실련은 2013년 11월 특정 기업의 호텔건립을 위한 「관광진흥법」 개정에 대한 ▲ 특정기업의 호텔건립 허용을 위한 특혜법안 즉각 폐기, ▲ 학생들의 쾌적한 학습권 보장, ▲ 해당 부지의 역사적, 지리적 가치를 고려한 공공이용 등 반대의견을 제시하며, 본격적인 학교 앞 호텔 반대 운동을 전개했다. 이후 학교 앞 호텔건립 허용에 대한 정부 정책과 대한항공을 비판하는 다양한 입장을 발표했고, 의견제시, 토론회, 기자회견 등을 연이어 가졌다.

또한, 호텔이 부족하다는 찬성 측의 논거에 대응하는 호텔 공급 과잉 분석 자료를 발표하기도 했다. 대한항공의 경복궁 앞 호텔건립이 가시화된 이후, 2014년 7월에는 도시 및 환경·학부모 단체들과 공동으로 <송현동 호텔건립반대 시민모임>을 조직했으며, 학교 앞 호텔건립을 허용하는 교육부 훈령 제정을 반대하는 의견서를 시민 510명과 함께 제출했다. 이후 교육부 항의방문 등을 진행했다.

2015년 9월 국정 감사 시기에 '학교 앞 호텔법'에 대한 7대 불가론을 제시하기도 하였다. '학교 앞 호텔 7대 불가론'은 △ 호텔은 절대 부족하지 않으며, △ 나쁜 일자리만 단기간에 늘어나는 데 그칠 것이며, △ 7,000억 원의 투자 효과는 허구이며, △ 관광호텔은 아이들의 학습 환경을 저해하고, △학교 앞이 아니더라도 호텔 지을 곳은 많으며, △ 교육부의 '관광호텔업에 관한 학교환경위생정화위원회 심의규정'은 상위법 위반이고, △ 학교 앞 호텔 건립 반대는 우리 아이들의 학습권에 대한 문제라는 것을 구체적인 자료를 기반해 지적했다.

여당인 새누리당은 정부의 주장에 발맞춰 「관광진흥법」 개정안 통과를 줄기차게 시도했지만, 경실련을 비롯한 시민단체와 당시 야당인 새정치민주연합이 가짜 경제살리기법, 대기업 특혜법이라며 반대해 개정안 통

과가 번번이 무산됐다. 결국, 문체부는 2015년 8월 19일 대한항공 송현동 부지에 객실이 없는 '복합문화 허브 공간' 조성계획을 발표하며, 사회적 논란이 일단락되었다.

3. 각계 반응과 성과

정부는 경기 활성화, 관광 활성화를 위한 민생법이라며 「관광진흥법」을 개정해야 한다며 국회와 언론을 상대로 호텔 부족, 일자리 창출, 투자 효과를 선전했다. 박근혜 대통령 역시 국회에서 「관광진흥법」 개정안 처리가 1년 넘게 지지부진하자 '손톱 밑 가시', '암 덩어리'로 언급했다. 학습권을 지켜야 할 교육부까지 나서 학교환경위생정화위원회 심의 권한을 약화시키는 내용의 '관광호텔업에 관한 학교환경위생정화위원회 심의규정'을 훈령으로 몰래 제정하기까지 했다.

전국시도교육감협의회는 교육부가 제정한 훈령은 교육감의 권한을 침해한다는 내용의 '교육자치 정립을 위한 특별결의문'을 채택했다. 서울특별시 학생인권위원회도 개정안이 헌법을 비롯한 관계 법령 및 서울특별시 학생인권조례가 보장한 학생의 안전권, 교육환경 향유의 권리를 침해한다는 의견을 표명했다.

2015년 9월 7일 한국관광협회중앙회와 한국여행업협회, 한국호텔업협회, 한국MICE협회 등 4개 협회는 서울 광화문 사거리에서 '관광호텔 건립 규제 완화를 위한 관광진흥법 개정의 조속한 처리를 요구하는 가두 캠페인을 열었다. 외래관광객이 2014년 기준 1,420만 명에 이르고, 이들의 74%가 서울의 관광호텔에 머무르나 호텔 공급이 이에 미치지 못하고 있다면서 2016년에는 서울지역 관광호텔이 1만2800실이 부족할 것이라는 연구결과도 나왔다며 필요성을 주장했다. 그러나 정작 학교 앞 호텔의 주요한 당사자인 한국관광호텔업협회는 2014년 호텔 객실가동률이 서울 60%, 지방은 30~40% 수준에 불과하다며, 호텔이 부족하지 않고 학교 앞에 관광호텔을 지으면 공급 과잉이 우려된다며 정부의 일방적 추진정책을 반대했다.

경실련은 학습권 보호, 역사·문화지역 보호 등을 위해 학교 앞 호텔건립 반대 운동을 시작했고, 도시 및 환경·학부모 단체들이 함께 〈송현동 호텔건립반대 시민모임〉을 구성해 본격적인 활동을 이어왔다. 정부와 관광업계, 대한항공의 규제 완화에 맞서 2년간 시민과 지역주민, 학부모와 함께 학교 앞 호텔건립의 부당성을 알리며 공론화에 앞장섰다. 그 결과 박근혜 정부와 대한항공, 관광업계

가 학교 앞 호텔건립을 포기하게 만드는 성과를 거두었다.

그러나 정부가 해당 부지에 호텔 대신 한국 전통문화를 중심으로 한 복합문화 허브 공간을 조성하겠다는 계획을 발표하며 논란이 중단되었지만, 언제든 재추진할 가능성은 여전히 남아있다.

48. 덕수궁터 개발반대 운동

1. 배경 및 취지

덕수궁 터 미 대사관 건립 반대운동은 대한민국의 문화유산인 옛 덕수궁 터(경기여고 자리)에 정부가 미 대사관 직원용 아파트 건립을 위한 법개정을 추진하려는 것에 반대하면서 시작됐다. 덕수궁이 위치한 정동일대는 옛 러시아공사관, 정동교회 등 역사적인 문화유산이 몰려있는 지역이다. 옛 덕수궁 터인 경기여고 자리는 과거 대한제국의 궁궐로 사용됐던 곳이다.

1919년 고종이 승하하면서 선원전 등 궁궐전각들이 일제에 의해 훼손되고, 덕수궁과 미 대사관 사이에 담장길이 조성돼 덕수궁이 둘로 쪼개졌다. 이후 옛 덕수궁 터의 일부가 미 대사관에 매각되면서 2002년 미 대사관 직원용 아파트 건립이 추진되는 사태를 맞았다. 당시 미 대사관은 15층 아파트 신축을 추진하기 위해 주차장법 개정을 한국정부에 요구했다. 이에 대해 건설교통부와 서울시가 긍정적인 검토를 보이자 '문화주권 팔아먹는 매국행위'라는 국민적 비난에 직면했다.

이에 경실련, 한국청년연합, 민주노동당 등 수많은 시민사회와 정치권이 연대해 미 대사관 건립 반대를 위

사진으로 보는
경실련 30년

I. 경실련의
창립과 활동

II.
경실련
30
년

활동의 성과

III. 지역경실련의
활동과 성과

IV. 경실련과
시민사회의 미래

한 기자회견, 서명, 면담 등 다양한 활동을 전개했다.

2. 활동 내용 및 경과

덕수궁은 대한제국 말기 궁궐로 사용됐다. 주변 정동일대는 미국, 영국, 러시아, 프랑스 공사관들에 둘러싸여 있다. 러시아, 캐나다, 미국 등은 정동 일대 부지를 추가 매입하면서 대사관 신축을 추진했다. 2001년 5월, 러시아 대사관은 옛 배재고 자리에 12층 건물을 신축했다. 같은 시기에 캐나다 대사관도 9층 대사관 신축을 위한 용도변경 승인을 서울시에 요청했고, 2002년 서울시 도시계획조례 제정과 동시에 서울시는 용적률을 300%에서 400%로 상향시켜 준 바 있다.

이런 흐름 속에 미국 대사관도 2002년 5월 옛 덕수궁 터에 15층 아파트 건립을 추진하면서, 법정주차 대수를 1/5수준으로 대폭 축소하는 주차장법 개정을 요청했다. 이에 대해 건교부, 서울시 등이 관련법 개정을 긍정적으로 검토하겠다는 입장이 언론을 통해 보도됐다. 경실련은 즉각 미 대사관 아파트 건립반대 촉구 입장을 발표했다. 경실련뿐 아니라 시민사회, 정치권들도 대거 반대하면서 2002년 5월 24일 시민사회가 함께 '덕수궁 터 미 대사관 건립반대 시민모임'을 출범하고 미 대사관 신축 철회를 촉구했다.

2002년 6월 지방선거에서는 각 당의 서울시장 후보에게 미 대사관 신축 철회에 대한 공개질의하고 신축 철회와 덕수궁 터 일대 문화지구 지정 등을 요청했다. 당시 민주노동당 이문옥 후보, 이명박 후보는 신축 반대 입장을 밝히기도 했다. 하지만 이명박 후보가 서울시장으로 당선된 이후 관련 법규에 의거해 바라봐야지 국민감정으로 풀 일이 아니라며 사실상 입장을 번복하면서 시민들로부터 거센 비난을 받았다. 이에 시민모임도 2002년 7월 29일 이명박 서울시장에게 항의서한을 전달했다.

시민모임은 정치권 뿐 아니라 미 대사관에도 항의서한 전달 및 면담을 통해 직접 국민의 뜻을 전달했다. 하지만 면담 과정에서 미 대사관 측은 ① 부지가 미국소유이고, ② 이미 정동일대에는 고층건물이 올라가고 있다고 형평성 문제까지 제기하며 신축강행 의지를 밝혔다. 이명박 서울시장의 입장 후퇴, 외교부 · 건교부 · 문화부 등의 법 개정 움직임까지 언론에 보도됐다. 이에 국민들은 '문화주권 팔아먹는 매국행위'라고 강력히 비난했고, 시민모임은 국민서명에 돌입하며 덕수궁 앞 1인 릴레이시위를 이어갔다.

국회도 2002년 국감에서 미 대사관 신축에 대한 서울시와 문화재청의 소극적 입장을 지적하고 대책마련을 강력히 촉구했다. 이후 2003년 상반기에 한국문화재보호재단과 중앙문화재연구원으로 구성된 연합조사단이 덕수궁 터 미 대사관 신축부지에 대한 문화재 지표조사를 실시했다. 같은 해 11월에는 현장조사 결과를 토대로 '옛 덕수궁의 건축부재로 추정되는 석재 등이 조사돼 궁궐터였음이 확실하므로 시 · 발굴조사는 필요하지 않으며, 향후 우리나라의 정통성을 계승하고 위상을 높이는 방안으로 보전돼야 할 것'이라는 결론을 내렸다. 결국 문화재청은 12월 미 대사관 신축부지 등에 대한 심의를 보류시키고 차후 과제로 넘겼다.

하지만 이후에도 미 대사관은 다른 대사관들과의 형평성을 내세우며 공사강행의지를 비쳤고, 부지반납에 대해서도 부정적 입장을 보였다. 시민모임도 미 대사관의 강행의지에 항의하는 사이버 서명운동을 전개했다. 결국 2005년 1월 문화재위원회가 미 대사관 건립 불허와 궁궐터 보존을 최종 결정하면서 덕수궁 터미 대사관 신축이 백지화됐다.

대신 정부는 미 대사관 대체부지로 용산미군 기지 안 캠프코이너 땅 일부를 주기로 합의했다. 덕수궁 터 보존에는 성공했지만 100년간 미군기지로 사용되어 온 용산 미군기지가 완전히 반환되지 못한 채 다시 일부를 미 대사관 부지로 제공해야 할 상황이 온 것이다.

3. 각계 반응과 성과

덕수궁 터 미 대사관 건립이 추진되는 2002년에는 대선과 지방선거를 앞두고 있었던 만큼 정치권도 적극 반응했다. 오히려 서울시장 후보로 나선 집권여당인 민주당의 김민석 후보는 소극적인 반면, 민노당, 한

나라당 후보들은 미 대사관 신축 반대 입장을 보였다. 하지만 이명박 서울시장 후보는 당선 이후 입장을 번복하며 비난을 받기도 했다.

국회에서도 반대 결의안을 제출했다. 김근태, 오세훈의원 등을 포함한 여야 의원 28명이 '덕수궁 터 미대사관 신축철회 권고 결의안'을 2002년 11월 발의했으나, 2004년 임기만료로 폐기된 바 있다.

언론에서는 한겨레, 오마이뉴스 등 진보적 언론 뿐 아니라 동아일보 등에서도 문화주권 차원에서 미 대사관 신축에 대한 기사를 관심 있게 보도했다. 방송에서도 KBS, MBC가 시민모임의 활동, 국회대응 등 신축반대 촉구하는 내용들을 보도하면서 여론화에 기여했다.

미 대사관 아파트 건립반대 운동은 대한민국의 문화주권 회복이라는 공통된 사명과 대선·총선 등 정치적 이벤트와 시기적으로 맞물리면서 시민사회 뿐만 아니라 정치권, 언론방송까지 나서 비교적 적극적인 운동을 전개했다. 특히 경실련을 주축으로 전문가, 시민단체, 그리고 일반 시민들까지 연대하면서 규탄집회, 1인 시위, 온 오프라인 서명, 항의방문 및 서한전달 등 짧은 기간에 다양한 활동을 집중적으로 전개했다.

국민여론에 밀려 당초 외교관계에 치우쳐 미온적이었던 정부도 옛 덕수궁 터 보존을 결정했고, 미 대사관이 덕수궁 터 부지를 반납하는 성과도 거뒀다. 다만 용산 미군기지의 일부를 다시 미 대사관 부지로 제공해야 하는 상황은 또 다른 과제로 남아있다.

49. 청계천 복원 대응

1. 배경 및 취지

민선 3기 이명박 서울시장은 재개발을 촉진시키기 위한 뉴타운사업과 청계천 복원사업을 시정 핵심 과제로 추진하였다. 강남북균형발전을 꾀한다는 명분이었지만 재개발사업 등 투기에 의존한 부동산개발사업 추진으로 강남 재건축에 이어 강북마저 투기광풍에 휩싸이게 되었다. 청계천 복원사업은 개발을 상징하는 도심 고가도로를 철거하고 콘크리트로 덮힌 청계천의 역사성과 생태성을 회복하는 사업이었으나, 이명박 시장은 주변지역을 고층고밀로 재개발하기 위한 환경개선사업의 일환으로 인식하였다. 임기 내 성과를 내기 위해 졸속적으로 사업을 강행하면서 재개발사업으로 쫓겨나야 하는 상인과 서울시와의 갈등은 증폭되었다.

'청계천 복원' 문제는 학계와 문화예술계에서 오랫동안 논의해왔던 의제로 복원 자체에 대해 시민사회가 반대한 것은 아니었다. 초기에는 많은 시민들의 기대와 공감대 속에 추진되었으나 추진과정에서 다양한 쟁점이 제기되었다. 시민사회단체는 성급하게 콘크리트 도로를 걷어내기에 앞서 도심 물길의 생태적 복원, 주변 개발과 상인 대책, 교통 대책, 오폐수 처리 등 주변에 미치는 부정적 영향을 최소화하고 역사성을 복원하는 방향으로 논의되고 검증과 합의를 거쳐 사업을 추진할 것을 요구하였다. 경실련은 청계천 주변 고밀개발에 따른 부동산 투기와 기반시설 부족 문제에 대한 대책을 마련할 것과 상인들이 재정착할 수 있는 대책 마련을 강조하였다.

서울시는 이명박 시장 취임 후 전담부서를 설치하고, 청계천시민위원회 구성 등 각계각층의 시민참여를 위한 청계천시민위원회를 구성하는 등 시민참여 속에 사업을 추진하는 듯 했다. 그러나 이명박 시장 임기 내에 공사를 완료하기 위해 시민위원회의 의견을 무시하고 독단적 행정과 졸속 추진으로 사업을 강행하면서 사업이 목표로 했던 생태적 복원, 역사성 복원과는 멀어지며 졸속 하천공원사업으로 추진되었다.

청계천복원 대응운동은 이명박 서울시장의 독단적 행정과 밀어붙이기식 개발사업 추진에 대한 견제와 올바른 청계천복원의 방향을 제시해야 한다는 공감대가 시민사회 내에 형성되면서 추진되었다. 경실련은 이명박 시장 취임 이후 개발지향적 서울시정에 대한 모니터와 감시활동을 위해 〈서울시민사업국〉을 신설하였고 올바른 청계천복원을 위한 시민사회단체 연대활동을 진행하였다.

사진으로 보는
경실련 30년

I. 경실련의
창립과 활동

II.
경실련 30년
활동의 성과

III. 지역경실련의
활동과 성과

IV. 경실련과
시민사회의 미래

2. 활동 내용 및 경과

2002년 7월 이명박 서울시장은 취임 후 선거공약으로 제시했던 청계천복원사업을 발 빠르게 추진하였다. 경실련은 성명을 발표해 단순히 고가도로를 철거하고 복개된 하천을 조성하는 사업에 그칠 것이 아니라 친환경적이며 역사문화 도심을 회복하는 사업으로 추진되어야 한다는 입장을 밝혔다. 청계천복원 방향에 대한 시민적 합의가 생략되었고, 주변지역 재개발로 인한 상인대책과 교통대책이 제시되지 못한 상황에서 공원조성사업에 매몰될 경우 사회적 갈등을 키우고 도심 난개발로 이어질 것에 대한 우려가 커졌기 때문이다.

그러나 서울시는 충분한 사회적 합의 없이 이명박 시장 취임 1년(2003년 7월) 만에 청계천공원조성공사 착공을 강행하였다. 경실련 대표단(공동대표, 상임집행위원장, 사무총장, 도시개혁센터 대표 및 정책위원)은 이명박 서울시장 면담을 통해 청계천 복원에 대한 우려와 요구를 담은 '올바른 청계천 복원을 위한 경실련 의견서'를 전달하였다.

경실련은 서울시의 독단적 청계천복원사업을 견제하고 시민참여와 사회적 합의를 위해 청계천복원사업에 대한 분야별 토론회를 개최하였다. 고가도로 철거와 하천 복원에 따른 교통처리 대책을 시작으로 주변지역 재개발의 쟁점과 과제, 청계천 주변 상인 및 노점상 대책의 문제점에 대해 이해주체와 전문가, 서울시 담당자와 시민들이 참여하여 토론하고, 의견을 전달하였다. 경실련은 청계천공사 강행의 문제를 시민에게 홍보하기 위해 "청계천 7월 착공 반대" 온라인 사이트를 개설하였다. 서울시는 청계천복원사업 추진에 대한 부정적인 여론이 확산되는 것을 경계해 웹사이트 폐쇄를 요청하였으나 경실련은 구체적인 근거도 없이 시민단체 활동을 침해하는 행위로 보고 시의 요구를 거절하였다.

서울시의 졸속적인 청계천복원사업 추진 강행 입장이 드러나면서 시민사회환경단체는 우려의 목소리를 냈다. 경실련을 비롯한 환경단체, 도시·건축 관련 단체, 역사문화 단체들은 2003년 4월 서울시청 앞에서 〈올바른 청계천 복원을 위한 시민사회단체 기자회견〉을 개최하면서 연대활동을 시작하였다. 그 해 7월 착공을 연기하고 일반 시민의 참여와 충분한 검토과정을 거친 후 공사에 착공할 것을 촉구하였다. 올바른 청계천 복원을 촉구하는 각계인사 100인 선언, 연대토론회 개최, 공동 질의서를 전달하였다.

시민사회 및 환경단체의 졸속 착공 중단 촉구 활동에도 불구하고 서울시는 2003년 7월 1일 청계천복원공사를 강행하였다. 이후 이명박 시장 임기 내 공사 완료(2005년 9월 완공)를 위한 속도전이 시작되었는데 문화재 발굴조사 절차 및 방법 부실, 공기단축을 위한 패스트트랙 공사 채택, 기본설계와 실시설계 의견 수렴 미비 등 예상됐던 졸속추진이 현실화되었다. 서울시의 무리한 공사 진행으로 수표교와 광교가 사라질 위기에 놓이자 청계천복원 시민위원회 위원과 시민단체 대표, 전문가, 학자 등은 공동고발단을 꾸려 이시장과 추진본부장을 문화재훼손 혐의로 검찰에 고발했다. 시민단체는 문화재청에 관련 유적을 사적으로 가지정할 것을 요구하였고, 문화재청은 청계천 유적(광통교 및 광통교지, 수표교지, 오간수문지)을 중요문화재로 가지정한다.

2004년 5월 서울시는 청계천 주변지역 재개발을 촉진하기 위한 도심규제완화를 추진하였다. 도심 재개발지역에서 주거비율을 높일 경우 용적률과 높이 제한을 대폭 완화하는 「도시환경정비기본계획」 변경을 추진했는데 청계천 주변지역의 고층고밀개발을 위한 것이었다. 경실련은 성명서 발표와 토론회, 도시계획전문가 선언 등을 통해 친환경 및 역사문화 복원이라는 취지와 역행하며 도시기본계획 등 상위계획을 종합적으로 검토하지 않은 절차상 하자가 있는 고층고밀 재개발계획을 폐기할 것을 요구하였다.

서울시의 무리한 사업 일정과 졸속적인 추진은 사업추진단 내부 고발로 이어졌다. 2004년 9월 청계천복원시민위원회 위원들이 위원직을 사퇴하며 청계천 파괴공사를 중단하고 올바른 청계천복원을 실시할 것을 서울시에 촉구하였다. 시민위는 청계천 복원사업 추진과정에서 시민의견 수렴을 위해 서울시가 만든 조직이었으나, 이들 조차 서울시 독선적 행정에 반기를 든 것이다. 서울시 개발독재와 함께 공무원과 사업자간의 비리와 부패의 검은 고리도 드러났다. 청계천추진본부장을 지낸 양윤재 전부시장이 건설업자로부터 청계천 변 고도제한을 풀어주는 대가로 억대 금품을 수수한 사실이 드러나면서 청계천 주변개발을 둘러싼 개발업자와 공무원의 검은 결탁이 드러났고 청계천 복원의 숨겨진 의도가 검찰수사과정을 통해 드러나기도 하였다.

3. 각계 반응과 성과

사업초기 서울시의 청계천 추진방식이 친환경 · 역사문화 복원 방향과는 다르게 졸속 진행되고 있다는 시민단체 주장을 언론에서도 관심을 갖고 다루었다. 주변 상인들의 생존권 문제와 대책, 문화재 훼손과 재개발을 둘러싼 뇌물비리 사건에 대해서는 상세하게 다루었다. 청계천 완공 즈음에는 '청계천의 화려한 부활', '청계천의 기적', 서울르네상스' 등 도심 내 친수공간 확보를 긍정적으로 평가해 결과 중심의 보도가 주로 나왔는데, 이는 차기 대권을 꿈꾸던 이명박 시장의 시정 성과로 홍보되었다.

시민단체들은 서울의 역사성과 문화성 회복, 친환경적인 도시와 문화도시 조성을 표방하며 시작된 청계천복원사업이 취지와는 달리 정치적 목적을 위해 행정의 일방적 추진으로 변질되는 것을 견제하고 감시하는 활동을 진행하였다. 시민단체의 연대활동 뿐만 아니라 관련 분야 전문가와 상인 등 직 · 간접적인 이해관계자들과의 네트워크 활동을 통해 시정에 대한 조직적인 대응이 가능하였고 다양한 주체가 참여한 한 점은 의미 있는 활동이었다.

시민단체의 적극적 대응에도 불구하고 서울시가 독선적 시정운영방식으로 일관하면서 행정에 대한 견제가 이루어지지 못했다. 시민들은 청계천복원이라는 대의에 대체로 공감하였고 사업의 방식과 내용이 각론으로 세분화되면서 관심과 문제인식이 점차 희석되었다. 시민사회가 이러한 여론을 반전시킬 운동 전략을 찾지 못한 것은 청계천복원 대응활동의 한계로 평가되었다.

50. 시민안전 감시 운동

1. 배경 및 취지

안전 불감사회, 안전한 도시를 위한 정책방향 모색

1990년대 말 삼풍백화점 붕괴사고, 성수대교 붕괴, 지하철 폭발사고와 같은 초대형 사고가 연이어 터지면서 많은 인적 · 물적 피해는 물론, 시민들은 충격과 불안 속에 하루하루를 살게 됐다. 1995년 6월 정부가 특별재난구역으로 지정했던 삼풍백화점 붕괴사고는 설계 · 시공 · 유지관리의 잘못으로 인한 인재로 501명의 인명 피해를 발생시켰다. 또한 부실공사와 안전관리 소홀로 발생한 1994년 성수대교 붕괴와 씨랜드 화재 등은 성장을 앞세운 무차별적인 개발확대정책들에 대한 반성을 불러왔다. 시민들은 이제 성장과 개발보다 안전과 삶의 질을 보장하는 도시정책에 대한 새로운 패러다임을 요구하기 시작했다.

이러한 대내외 환경변화에 따라 경실련은 시민이 안심하고 살 수 있는 안전한 도시를 만들기 위해 도시운동에 나선다. 1997년 6월 28일, 삼풍백화점 사고 1주년에 '경실련 도시개혁센터'를 설립하고, 시민안전감시운동을 본격적으로 전개했다. 도시개혁센터는 '안전한 도시'를 도시개혁운동의 주요 방향으로 설정하고, 센터 내 건설안전 · 소방 토목 · 건축 및 법률 전문가로 구성된 정책위원회인 도시안전분과를 설치했다. 안전위원회는 안전관리시스템의 안전성 제고를 위한 제도개혁운동을 진행하였고 시민안전감시단을 조직해 현장 실태조사를 통한 부실시설물에 대한 시민고발과 개선캠페인을 동시에 전개했다.

2. 활동 내용 및 경과

1996년 6월, 삼풍백화점 사고 1년을 맞아 경실련은 도시 분야 전문가 100인을 조직해 도시개혁 시민운동을 선언한다. 사고 1년 이후 정부의 안전 분야 정책 추진사항을 평가하고 정부에 시민의 안전인식 변화를 위한 보다 적극적인 개혁시스템의 운용을 과제로 제시했다. 사고 이후 안전관련 법제정과 정부조직의 신설, 기반시설 안전관리와 재난에 대한 체계가 일부 강화됐으나, 제도가 여전히 미비하고 유기적으로 운영되지 못해 현장에서 혼선을 초래하고 있었다.

안전한 도시만들기 운동의 행동과제는 안전관리제도 개혁운동, 시민안전감시단을 조직해 부실시설물에 대한 시민감시운동, 부실시설물에 대한 시민고발과 개선캠페인, 부실공사 추방과 시민의식개혁 캠페인 등이었다. 시민안전감시단은 불특정 다수가 이용하는 부실시설물에 대한 시민감시운동을 전개하였는데 현대 도시생활

에서 시민의 안전할 권리의 보장, 시설 및 공간 이용자의 참여를 통한 안전문화 향상을 목표로 조직됐다. 시민안전감시단 활동은 현장조사에 근거한 실태에 대한 문제제기와 대안을 제시하는 활동으로 진행되었다. 정부의 안전관리대책은 계획만 수립돼 있고 제대로 관리 운영되지 않아 사고발생 시 작동하지 않았다. 시민안전감시단은 이러한 정책운용의 맹점을 지적하고 법제도 개선 등 실천 활동을 전개했다.

시민안전감시단은 학계 및 현장 전문가, 회원이 중심이 돼 건축물이나 시설물의 관리주체와 현장의 안전관리 실태를 점검했다. 지하공간과 백화점 등 다중이용시설과 노후화돼 조치가 필요한 시설물, 재해와 재난이 예상되는 지역과 시설물이 감시활동의 주요 대상이었다. 현장조사를 토대로 안전관리의 문제점을 파악하고 대책을 강구해 관리주체에게 필요한 조치를 요구하는 후속활동을 진행했다.

수해피해 구호 및 제도개선 활동으로는 지하철 7호선 침수사태 서울시 현장 감사 참관, 수해현장 방문과 현지조사를 실시해 실태를 파악하고 홍수 및 재해극복을 위한 방안을 모색했다. 1999년 7월에는 수해피해 대책 시민제보 창구를 개설하고, 임도 부실설계로 인한 수해피해 구제 의견서 발표 및 경기북부 연천군 수해현장 조사 등 피해주민 구제활동을 진행했다. 매년 집중 호우로 경기북부지역 피해가 연속해서 발생했는데, 연천댐 붕괴사고에 대해서는 당시 댐 건설 및 관리자인 현대건설이 홍수피해 원인을 조작하고 은폐한 의혹을 제기하고 정부와 경찰에 현대건설에 대한 철저한 수사를 촉구했다.

또한 지하 다중이용시설에 대한 안전감시활동을 진행했다. 1997년 강남지하상가, 잠실 올림픽지하상가, 중랑천 현장조사결과를 발표했고, 1998년에는 광명지하차도 구조안전진단 문제점 조사, 1999년에는 영등포 두암/영진상가 안전관리 실태조사 결과도 발표했다. 서울시 시설관리공단의 지하도 상가관리 정보 공개청구를 통해 공공의 지하 시설물 안전관리 실태를 점검했고, 서울시내 민간관리 지하상가 재난관리 실태조사 및 안전한 도시 관리를 위한 시민활동 보고서를 발간했다.

삼풍백화점 사고는 설계와 시공, 유지관리의 부실, 관리책임자의 안일한 안전의식, 공무원의 부패가 원인이 돼 일어난 사고였다. 이후 씨랜드 화재사고, 인형동 호프집 화재사고가 계속됐다. 안전한 도시를 만들기 위해서는 안전관리 시스템 마련뿐만 아니라 시민의 안전의식 제고도 필요한데, 1999년부터 2001년까지 매년 삼풍백화점 사고 주기에 즈음해 시민 1000명을 대상으로 시민 개개인과 정부 정책 등 사회 전반의 안전인식에 대한 현주소를 파악하고자 시민안전의식조사를 진행했다.

이러한 활동에도 불구하고 다중이용시설에 대한 대형 안전사고는 끊이질 않았다. 2003년 화재에 대한 사전 예방과 사후 대응능력 미비로 인해 192명의 사망자가 발생한 대구지하철화재사고가 발생한다. 대구사고는 기관 간 재난대응 공조체계 등 종합적 방재시스템 부재와 초기대응시스템 미비로 인명피해를 키웠다. 지하철에 안전기준 적용을 배제하는 등 정부의 안전불감증도 확인됐다. 경실련은 국가차원에서 재난에 대한 위기관리를 총괄할 수 있는 총괄조직 신설과 대응체계 마련, 전 국민에 대한 교육훈련 실시 등을 요구했다. 아울러 2004년과 2005년에는 지역경실련과 공동으로 서울, 부산, 대구, 인천의 지하철 화재안전실태조사와 시민안전의식 조사를 실시해 발표하고, 정부에 의견서를 제출하는 등 지하철 화재안전감시운동을 진행했다.

2014년에는 다중이용시설인 제2롯데월드(백화점 등) 건축물의 완공 전 서울시의 임시사용승인 허용여부가 문제가 됐다. 제2롯데월드 인근 석촌 호수의 수위가 낮아지고, 지반이 가라앉는 싱크홀이 발생해 초고층 건축물의 신축에 따른 안전 문제가 제기됐다. 원인 규명과 대책도 마련되지 않은 상황에서 롯데가 완공되지 않은 제2롯데월드의 임시사용승인을 받아 개장을 추진하고, 서울시가 이를 허용하면서 특혜에 따른 비판이 제기됐다. 기업의 이익을 위해 시민의 안전을 등한시하는 정부와 지자체를 비판하고, 서울시에 제2롯데월드 임시사용을 불허할 것을 촉구하는 활동을 진행했다.

3. 각계 반응과 성과

다중이용시설물의 안전문제는 시민들의 대규모 인명 피해로 이어지므로 예방시스템 마련과 사고 발생

시 신속하게 대응해 피해를 최소화하도록 운영체계를 개선해야 한다. 경실련 시민안전감시운동은 관련 전문가와 회원모임인 '시민안전감시단'이 현장중심의 실태조사에 기반한 문제제기와 실천적 대안제시로 시설물의 안전성을 제고하고 법제도 개선에 기여했다.

특히 안전시스템 미비와 사회적 안전불감증으로 많은 인명피해를 냈던 삼풍백화점 사고와 대구지하철 화재사건의 교훈을 잊지 않기 위해 매년 실시한 시민안전의식 조사는 시민의 안전의식을 제고하고 정부의 정책에 대한 시민의식 수준을 평가하는 잣대가 되었다.

정부의 시설물 안전실태점검이나 정책정보에 일반 시민들이 쉽게 접근하기 어려웠는데, 경실련의 실태중심 시민안전감시단 활동은 시민의 눈높이에서 실생활과 밀접한 시설물의 안전 실태와 관련 정책 및 제도 운영과정을 모니터링하여 개선의 필요성에 대한 사회적 공감대를 형성하였고, 언론의 관심도 받았다. 지하철 화재안전 대응시설 운영 실태는 세계일보의 탐사보도팀과 기획보도를 통해 문제점이 자세하게 드러났고, 발표 이후 표지판과 소화기 비치 등 화재예방을 위한 시설물 관리운영 상황은 상당부분 개선되었다

초기 다양한 전문가와 시민의 참여로 활발한 활동이 이루어졌으나, 정책위원 확보와 이슈 개발의 어려움으로 적극적인 활동을 이어가지 못하였다. 최근 들어 시민의 생활 눈높이가 높아짐에 따라 사회전반에 안전문제가 다시금 제2의 화두로 제기되는 양상으로, 안전감시운동의 진행방향을 새롭게 설정할 필요가 있다.

51. 둥지내몰림(Gentrification) 방지 운동

1. 배경 및 취지

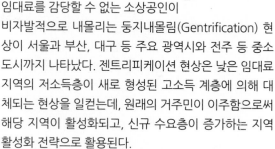

지역이 활성화되면 임대료가 급격하게 상승하고, 인상된 임대료를 감당할 수 없는 소상공인이 비자발적으로 내몰리는 둥지내몰림(Gentrification) 현상이 서울과 부산, 대구 등 주요 광역시와 전주 등 중소도시까지 나타났다. 젠트리피케이션 현상은 낮은 임대료 지역의 저소득층이 새로 형성된 고소득 계층에 의해 대체되는 현상을 일컫는데, 원래의 거주민이 이주함으로써 해당 지역이 활성화되고, 신규 수요층이 증가하는 지역활성화 전략으로 활용된다.

2010년을 전후로 고유한 문화와 특성이 있는 서울 종로의 서촌, 홍익대, 이태원의 경리단길과 삼청동이 알려지면서 지역이 일시적으로 활성화되지만 곧 외부의 자본이 유입돼 대형프랜차이즈점이 입점하고 원주민과 소규모 지역 상인들이 내몰리게 되었다. 소규모 상점이 대형화되고 업종이 획일화되어 지역의 고유한 특성을 잃고 지역이 다시 쇠퇴하는 문제가 발생하자 지방정부 입장에서는 지역활성화 정책 추진의 필요성이 대두되었다. 문재인 정부는 재정을 투입해 쇠퇴한 도심을 재생하는 도시재생사업을 전국적으로 추진하였는데 사업추진과정에서 세입상인의 비자발적 내몰림 현상에 대한 우려와 대책마련이 요구되었다.

최근 경기 침체와 양극화 심화에 따른 소상공인과 자영업자의 존립문제가 사회적으로 대두되면서, 도시와 공간도 시장과 자본의 논리에서 벗어나 사람과 지역이 중심이 되고 지속가능성을 확보해야 한다는 사회적 요구가 확대되었다. 젠트리피케이션 문제를 임대인과 임차인의 사적 법률적 계약관계의 문제로 국한하지 않고, 토지의 불평등한 이용에 따른 구조적 문제로 인식해 공공의 개입을 보다 강화해야 한다는 사회적 분위기가 확대되었다.

2. 활동 내용 및 경과

소상공인과 자영업자의 경제적 몰락이라는 양극화 문제와 임대인과 임차인의 계층 간 갈등문제를 더 이상 방치할 수 없다는 사회적 분위기가 형성되면서 2016년 9월 경실련은 둥지내몰림 방지운동을 전국운동으로 추진하기로 하고 실태조사와 정책대안 마련을 검토한다. 둥지내몰림 현상은 불평등한 임대차계약에서 뿐만 아니라 도시재생 등 공공의 지역활성화 과정에서도 광범위하게 나타났다. 그러나 임대인의 사유재산권보호를 불가침 조항처럼 여기고 임대인과 임차인의 문제를 사인간의 계

사진으로 보는
경실련 30년

I. 경실련의
정립과 활동

II.
경실련 30년
활동의 성과

III. 지역경실련의
활동과 성과

IV. 경실련과
시민사회의 미래

약문제로 보아 공공의 개입을 최소화해야 한다는 사회적 분위기가 팽배하였다. 이러한 사회적 분위기와 이에 편승한 정책으로 임차상인들의 생존권인 영업권을 확보하는 국회의 관련 법제도 개선 논의는 활발하게 이루어지지 못한다.

경실련은 둥지내몰림(상업 젠트리피케이션)현상의 발생 원인을 실태와 사례조사를 통해 분석하고 정책대안과 법제도개선방안을 모색하고, 정부가 정책으로 채택하고 국회가 입법하는 것을 목표로 하였다. 이를 위해 전문가 및 지역경실련 연대, 시민단체와의 네트워크를 구축했다.

먼저 실태조사를 통해 국내 젠트리피케이션 현상의 원인을 분석하고, 대안 마련 및 제도개선을 위한 근거로 활용했다. 2017년 5월 지역경실련과 공동으로 국내 11개 지역(서울 서촌 등 7개 지역, 부산, 광주, 대구, 전주)의 실태조사를 실시하고 보고서를 작성했다. 부산시, 수원시, 광명시, 순천시 등 정부의 도시재생사업이 추진되는 지역에서는 토론회 및 상인간담회를 개최해 '둥지내몰림 문제'를 지역에서 이슈화했다. 아울러 지방정부가 재생사업 추진 시 조례제정 등 젠트리피케이션 방지대책을 마련할 것을 요구하는 활동도 진행했다. 지역의 운동을 지원하기 위해 지역경실련 활동가 네트워크를 조직하고, 워크숍을 개최해 관련 정책에 대한 공유 및 대응전략을 모색했다.

실태조사와 함께 정책대안을 도출하기 위해 지역개발 및 도시계획, 공동체, 법률, 시민사회 등 분야별 전문가 연구모임을 구성해 국내 정책 동향 및 해외 정책사례를 분석하고 법제도의 문제점과 개선방안, 대응전략을 논의했다. 정책과제로 중소상인의 안정적인 영업권 보장을 위한 상가건물임대차보호법(이하 상가법) 개정과 도시계획수단으로 지역 상권과 특성을 보호하기 위한 특구 지정, 발생한 이익의 지역 공유 정비수법 도입, 장기임대 공공상가 공급을 대안으로 제시했다. 2017년 11월 정책대안 공론화 및 향후 입법을 위해 국회 불사조포럼(민주평화당 정동영 의원 외 16인)과 윤관석 의원(더불어민주당), 추혜선 의원(정의당)과 공동 토론회를 개최하였다.

19대 대통령선거와 제7회 지방선거에서 후보자들이 젠트리피케이션 극복을 위한 경실련 정책대안을 공약으로 채택하여 당선 시 정책과제로 추진하도록 정책선거캠페인을 진행했다. 후보자에게 상가법 개정과 이익공유형 재생방안을 개혁과제로 제시하고, 둥지내몰림 방지대책 추진에 대한 후보자의 의지와 정책성향을 유권자인 시민에게 알리는 활동을 진행했다.

마지막으로 임차상인의 생존권인 영업권을 보호하는 상가법 개정 국회 입법활동을 진행했다. 내부 논의를 통해 2017년 11월, 임대료 상승을 제한하고, 영업기간 확보와 보상체계 마련을 담은 경실련의 「상가법 개정안」을 마련했다. 국회 상임위(법제사업위원회)에는 10여개의 상가법개정안이 이미 발의된 상태였으나 논의가 이루어지지 않는 상황이었다. 경실련은 백혜련 의원(더불어민주당/법사위)의 소개로 국회에 입법청원을 하였는데, 이를 통해 계류 중인 상가법 개정 여론을 환기하였다. 2018년 1월 정부는 환산보증금 적용범위 확대와 임대료 인상률 상한을 5%로 인하하는 상가법시행령개정안을 입법예고하였다. 경실련은 정부의 시행령개정안에 대해 찬성 의견서를 제출하고, 정부가 시행령 개정에 그칠 것이 아니라 문재인 대통령 공약이행을 위해 추가 입법을 진행할 것을 촉구하였다.

입법을 위한 다양한 활동에도 불구하고 정쟁으로 인해 국회 공전사태가 지속되자, 국회 압박을 위해 시민단체와의 연대를 통해 운동의 외연을 확장했다. 2018년 4월 상가법개정운동을 진행해온 참여연대, 민변, 맘편히장사하고픈상인모임, 중소상인연합회와 연대하여 정치권의 정쟁 중단과 민생법안의 조속한 처리를 요구하는 공동기자회견을 개최했다. 답보상태였던 국회의 법개정을 압박하는 정부의 대국회 활동을 유도하기 위해 법무부장관 면담을 진행하였는데 망원동 시장상인회 등 현장 상인들의 목소리를 생생하게 전달하고 정부의 입법 책임을 강조했다.

2018년 6월 서촌 궁중족발의 폭력적 강제집행 사건을 계기로 답보상태였던 상가법 개정안 처리에 대한 여론의 관심이 모아졌다. 서촌 궁중족발 사태는 임대인의 과도한 임대료 인상과 강제집행에 반대해 가게를 점거 중이던 임차인이 폭력적 강제집행으로 쫓겨나고, 쫓겨난 임차인이 임대인을 폭행해 구속된 비극적 사건이다. 시민단체가 요구한 상가법개정안이 국회에서 처리되었다면 막을 수 있는 사건이었다. 궁중족발 사

건을 계기로 상가법 개정을 더 이상 방치할 수 없다는 판단아래 활동의 참여단위를 시민사회 및 상인단체에서 종교계까지 확대해 범국민운동으로 전개하기로 결의했다. 2018년 7월, 중소상인단체와 종교계, 시민사회 239개 단체가 참여하는 〈상가법개정국민운동본부〉가 출범하였다. 운동본부는 상가법 소관 상임위원회와 여야 정책위원회에 의견서 전달, 토론회 개최, 기자회견과 캠페인을 개최해 국회와 정치권을 강하게 압박했다. 여야가 규제프리존특별법 등 규제완화법과 상가법 등 민생법안을 연계처리하면서 입법이 다소 늦어졌으나, 2018년 9월 20일에 계약갱신기간을 10년으로 확대하는 개정안이 국회 본회의를 통과한다.

3. 각계 반응과 성과

젠트리피케이션 문제는 단순히 임대차 계약 문제가 아닌 소상공인의 생존권 문제와 계층간 갈등 문제로 귀결되면서 민생현안의 핵심과제로 부상됐다. '궁중족발 사건'으로 상징되는 임대인과 임차인의 불평등하고 불공정한 계약 사례와 임대료 인상 실태 등이 언론을 통해 젠트리피케이션 현상으로 소개되고, 무소불위의 힘을 가진 건물주의 문제가 사회통합을 저해하고 위화감을 조성한다는 위기의식이 확산되면서 임대인과 임차인의 대등한 계약관계 설정의 필요성을 인식하는 계기가 되었다. 일련의 사태와 시민단체의 요구에 의해 정치권도 점차 임차인의 권익 보호에 공감하면서 국회 내에 법개정 분위기 마련되었다.

2009년 용산 사건 이후 임차인의 영업권을 보장해야 한다는 사회적 요구가 확산되었음에도 권리금의 인정과 보장범위 확대 등 상가법은 일부 개정에 머물렀다. 이는 그간 우리사회가 재산권보호의 범위와 기준을 이용자보다는 소유자 중심으로 운영하고, 불평등한 관계를 바꾸는 것(특히 부동산에 대해서는)에 대해 금기시 해왔기 때문인데, 이러한 인식을 깨고 법을 개정하는 것은 어려운 문제였다. 그러나 불법적인 강제집행에 항거하는 상인들의 저항과 이를 법개정과 연계하려는 시민단체의 지속적인 활동을 통해 상가법개정에 대한 공감대가 형성되었고 법개정이 이루어졌다. 2018년 통과된 상가법은 시민단체가 요구한 방안이 모두 수용된 것은 아니나 주택임대차 계약갱신 기간이 2년에 불과한 것과 비교하면 계약갱신 기간이 10년으로 늘어난 것은 큰 성과일 것이다.

상가법 개정을 통해 임대차 계약 시 임차인의 권익보

호는 다소 개선됐으나, 소유권을 중심으로 한 부동산의 불평등한 이용구조 개선은 여전히 과제로 남아있다. 임차인이 쫓겨나지 않고 안심하고 장사할 수 있는 권리를 사회적으로 보장할 수 있도록 법제도 개선과 감시활동은 지속돼야 한다.

52. 국회 입법감시단과 의정평가 활동

1. 배경 및 취지

한국 정치는 민주화 이후에도 여전히 금권과 관권으로 얼룩져있었고, 지역주의와 연고주의에 기초한 보스 중심의 사당 정치를 벗어나지 못했다. 국회의원들은 기득권층의 이해관계만을 충실히 반영할 뿐, 국민은 철저히 외면하는 모습을 보였다. 이로 인해 많은 국민이 정치에 대한 희망을 잃어버리고 투표라는 최소한의 참여조차 거부하는 철저한 무관심과 냉소주의에 빠졌다. 한국 정치는 밀실정치, 참여의 정치가 아닌 '배제의 정치'로 전락했다.

경실련은 깨어있는 시민들의 주인다운 참여와 감시가 있을 때만이 이러한 악순환을 끊을 수 있다고 판단했다. 이에 창립 이후부터 국회의 고유권한인 입법과 국회의원의 의정활동 전반을 감시하고, 국민의 이익에 반하는 입법 활동 저지, 시민의 의식을 개혁하는 의정평가 운동을 전개했다. 경실련은 창립과 동시에 의정감시단을 발족하고, 의정감시단, 입법감시단, 시정감시단 등 다양한 이름으로 국회와 지방의회의 입법 감시 활동과 의정활동 평가를 현재까지 의정활동 평가를 이어오고 있다.

사진으로 보는
경실련 30년

Ⅰ. 경실련의
창립과 활동

Ⅱ.
경실련 30년
활동의 성과

Ⅲ. 지역경실련의
활동과 성과

Ⅳ. 경실련과
시민사회의 미래

특히 국정감사를 모니터링해 행정부를 감시하는 국회의 본연 임무를 제대로 수행하고 있는지 지속해서 감시했다.

2. 활동 내용 및 경과

경실련은 실사구시와 대안 운동을 앞세우며 창립 초기부터 국회의 입법운동을 감시하고 대응했다. 1989년 11월 4일 경실련 창립총회에서 의정감시단을 발족했다. 창립 초기의 국회 입법과정 중 법안심사소위원회 활동이 일반에게 공개되지 않아 법안의 주요 내용이 합의되는 과정을 알 수 없고, 속기록마저 기록하지 않아 국민의 알 권리가 침해되어왔다. 의정감시단은 각 상임위에 협조공문을 보내 방청을 요청하고, '민생관련 입법촉구 국회방문단'을 구성해 야3당 총재와 민정당 대표를 방문해 민생입법 촉구와 의정감시단 활동에 대한 협조를 요청했다. 이후 또한, 주택임대차보호법, 개별이익환수법안 등 민생법안 통과를 위해 건설위원회, 법사위원회 전체회의를 지속해서 방청하고, 소위원회 방청 거부를 비판하며 시정을 촉구하는 성명을 발표하기도 하였다.

지방의회 감시도 시작했다. 1991년 9월 서울시의회 상임위 감시활동을 위한 '경실련 시정 감시단'을 구성했고, 본회의 방청 내용에 대한 자료 및 속기록 등을 통해 회의 내용을 분석해 방청 보고와 토론회를 개최했다. 부산경실련은 1991년 10월 `시민대학'을 개설, 지방의정에 시민들이 참여할 것을 호소했고, 이를 계기로 부산, 경남지역의 환경, 경제문제 등을 중심으로 의정감시활동을 벌여나갔다. 1994년 11월 경주경실련이 지방자치단체장 선거를 앞두고 지역 현안의 건설적인 해결책을 모색하기 위한 정책대안집 발간과 함께 20명으로 구성된 지방의회 의정감시단을 발족해 지방의회 의원들의 활동을 감시 평가하고, 의정활동 백서를 발간해 의정 성적이 좋은 의원들을 발표했다. 1995년 11월 옛 울산경실련을 비롯한 YMCA, YWCA, 환경련, 여성의 전화 등 지역 5개
사회단체는 `울산지역 의정참여단' 발대식을 갖고, 의정감시 활동을 전개했다.

1996년 7일, 국회의 입법 심의 과정에 대한 감시 활동 없이는 법제 개혁 운동의 실효성을 담보하지 못한다는 문제의식에서 입법감시운동을 시작했다. '시민의 신문'을 통해 '시민입법감시단'의 공개 모집을 시작해, 9월 11일 '경실련 국회 입법감시단' 발단식이 경실련 강당에서 열렸다. 입법감시단은 전문적이고 지속적으로 입법 활동을 감시하기 위해 32명의 교수, 11명의 변호사, 27명의 시민, 2명의 학생으로 구성되었다.

입법감시단은 국회 회기 전, 국회 회기 중, 국회 회기 후로 시기를 나누어 다양한 활동을 전개했다. 국회 회기 전에는 입법 감시법률을 선정해 발표하고, 감시법률 평가서를 발표하며 시민법률 로비활동 전개했다. 국회 회기 중에는 국회 입법 심의 과정을 방청 및 모니터링하고, 일일 속보를 발행했다. 국회 회기 후에는 이를 평가 지수화해 평점을 발표하고, 입법 감시 소식지를 발간·배포했다. 비회기 일상 시기에는 국회의원 개인 파일 작성 및 정기적인 공개와 시민입법포럼 활동 등을 펼쳤다.

1996년 입법감시단을 구성해 국회의원들의 입법 활동을 평가했다. 15대 국회의 180회(1996년 7월 8일)부터 181회(1996년 12월 18일)까지 국회 활동을 분석했다. 정량분석·정성분석·입법 연구 및 사회활동의 세 가지 부분으로 진행된 평가를 통해 국민회의 박광태 의원, 국민회의 조순형 의원, 민주당 김홍신 의원 등을 높게 평가했다. 1999년 제15대 국회 마지막 의정활동 평가를 분석해, 합리적 문제 지적과 대안을 제시한 민주당 이미경 의원, 한나라당 김영선 의원, 한나라당 김홍신, 김문수 의원과 민주당 정세균 의원의 의정활동을 높이 평가했다.

의정평가의 일환으로 국정감사 모니터링도 본격화했다. 1999년 9월 경실련, 참여연대, 흥사단, 여성단체연합 등 41개 시민단체는 국회 헌정기념관에서 <99 국정감사 모니터 시민연대> 발족식을 개최하고 국정감사 감시 활동을 시작했다. 그간 시민단체별로 정기국회 국정감사에 대한 의정감시 활동을 벌인 적은 있었으나 시민단체들이 통합기구를 결성, 국정감사 전 과정을 모니터하는 것은 이번이 처음이다. 지금까지 국정감사는 감사행위의 실질적 주인인 국민을 소외시킨 채 무책임하고 의례적으로 진행됐다. 시민연대는 법제

사법위원회를 비롯한 14개 상임위별로 쟁점이 되는 주요 정책과제를 사전에 선정, 발표한 뒤 각 시민단체의 활동 영역과 특성에 맞춰 시민단체별로 특정 상임위에 대한 집중 감시를 벌인 뒤 활동결과 및 실적을 발표했다.

2000년 10월 경실련, 참여연대, 한국여성단체연합 등 40개 시민·사회단체는 공동으로 〈2000 국정감사 모니터 시민연대〉를 발족해, 99년의 활동을 이어갔다. 시민연대는 각 단체의 전문가와 교수, 변호사, 회계사 등 250명으로 모니터 요원과 평가단을 구성했고, 국감평가 지표를 통해 상임위별로 2~4명의 모니터 요원이 현장 방청을 통해 상임위별로 상위의원과 하위의원을 발표했다. 그러나 국회의원들이 모니터링 요원의 직접 방청을 허용해달라는 시민단체의 요구를 거부해 갈등이 불거지기도 했다.

경실련은 2004년 10월 신용불량자 대책, 재정 안정화 대책 등 '국정감사 모니터 20대 과제'를 발표하고, 각 분과위원회 소속 전문가를 중심으로 자문단을 구성하고 국감장 방청을 통한 현장 모니터링과 방향 제언, 종합평가를 발표하였다. 이후 2018년까지 국정감사를 맞아 '국정감사 정책과제'를 발표하고 관련 상임위에 전달했다.

제16대 국회에 접어들어 제15대와 같은 입법감시단 구성 활동은 사라졌지만, 의정평가 활동은 계속되었다. 2001년 10월 30일, 경실련은 16대 국회 임기 1년 차에 대한 국회 의정활동 평가결과를 발표했다. 국회 전체 의원 273명을 대상으로 한 의정활동 평가에서 정책대안 및 국정심의 능력, 법안발의 및 처리, 청원소개 부문 등에서 1위를 차지한 한나라당 김원웅 의원을 최우수 의원으로 선정해 발표했다.

제17대 국회부터는 정당과 후보자의 정책을 비교해 유권자의 알 권리를 확대하는 당·후보자 공약 비교평가 운동을 본격적으로 전개했다. 2006년 6월 '17대 국회 의원입법 활동 분석과 전반기 운영 평가' 결과를 발표했다. 17대 국회 전반기(2004년 6월~2006년 5월) 의원입법 발의 건수는 3156건이다. 의원 1인당 10.5건을 발의한 셈이다. 16대 1912건, 15대 1144건에 비해 두 배 정도 늘어난 수치다. 그러나 3156건 중 269건만 통과돼 가결률이 8.5%에 머물러 질적 수준은 양적 팽창을 따라가지 못했다.

제18대 국회에 접어들면서 경실련의 의정활동 평가는 법안 발의와 가결률 분석 위주로 이루어졌다. 2012년 2월 16일 발표한 18대 국회 입법 활동을 분석한 결과, 발의 건수는 총 11,016건으로 16대 1,651건, 17대 5,728건에 비해 많이 증가했다. 반면 가결 건수는 16대 259건, 17대 697건, 18대 601건으로 줄었고, 발의 대비 가결률을 보면 16대 15.6%, 17대 12.1%, 18대 5.4%로 크게 줄었다. 경실련은 동일한 규정의 적용을 받는 수개의 법안 일괄 제출, 동일한 법률 개정안 줄지어 제출, 철회법안과 철회 후 재발의 급증, 정부를 대신해 발의하는 청부발의 증가를 꼬집었다.

또한, 2008년 10월 18대 국회 첫 국정감사를 시작으로 국정감사 우수의원을 선정해 발표했다. 이후 2018년까지 국정감사를 모니터링해 결과를 발표했다. 국정감사 우수의원은 상임위별로 국정감사 활동을 방청하거나 언론 보도자료, 의원실 배포자료 등을 참고해 구체적인 자료를 근거로 문제를 지적하고 대안을 제시하는 능력을 평가해 선정했다. 2008년 21명, 2009년 19명, 2010년 18명, 2011명 18명, 2013년 34명, 2014년 28명, 2017년 20명, 2018년 8명의 국회의원을 국정감사 우수의원으로 선정했다. 반면, 2012년과 2015년, 2016년은 민생이 실종되고 불성실 국감, 파행 국감 등으로 우수의원을 선정하지 않았다.

2015년 2월 12일 제19대 국회에서도 발의 건수 대비 가결률을 분석해 발표했다. 제19대 국회 전반기 의원 발의 건수는 18대 국회와 비교했을 때 많이 늘어난 것으로 나타났다. 하지만 가결률은 현저히 낮은 수준으로 6.5%에 그친 것으로 나타났다. 19대 국회의원 1인당 평균 발의 건수는 36건으로 집계되었다. 이런 분석을 통해 경실련은 18대, 19대 국회의원들이 그만큼 전문성이 없고, 여야가 공유할 수 있는 양질의 법안을 제출하지 못했으며, 가결에 대한 노력 또한 부족했다고 평가 내렸다.

3. 각계 반응과 성과

경실련 입법 감시와 국정감사 모니터링 등 의정평가는 시민과 언론의 높은 관심을 받았다. 경실련의 의정활동 평가는 대의제 민주주의의 한계를 뛰어넘어 선거와 선거 사이의 기간에 국회의원들에 대한 지속적인 감시의 역할을 한다는 점에서 큰 의미가 있었다.

경실련 의정평가는 대의 민주주의를 질적으로 향상하고, 국민의 대표자인 국회의원들의 가장 주요 활동인 입법 활동을 감시함으로써 대의제 민주주의의 책임성을 강화해 참여 민주주의를 끌어냈다는 평가를 받았다.

경실련의 의정감시단과 입법감시단은 기존의 전문

사진으로 보는
경실련 30년

I. 경실련의
창립과 활동

II.
경실련 30년
활동의 성과

III. 지역경실련의
활동과 성과

IV. 경실련과
시민사회의 미래

가 중심의 활동방식을 뛰어넘어 시민들의 참여를 유도했다. 나아가 지역주의에 호소해 정치권력을 유지해왔던 국회의원들에게 지역주의가 아닌 입법 활동, 정책대결에 힘쓰도록 하는 역할을 했다. 집중 감시 법률안을 선정하고, 이를 모니터링하는 과정에서 시민들의 정치 학습을 도모하고, 결론적으로 시민의식을 일깨우는 계기도 되었다.

1999년과 2000년 〈국정감사 모니터 시민연대〉 활동도 역사적 의미가 크다. 올바른 국정감사를 감시하기 위하여 사회·시민단체들이 모여 국정감사를 현장에서 직접 방청하고 평가해 큰 반응을 끌어냈다. 경실련이 2008년부터 시작한 국정감사 모니터링과 국정감사 우수의원 선정도 큰 관심이었다. 민생개혁과제를 발표하고 국정감사를 모니터링해 우수한 활동을 펼친 국회의원을 선정함으로써 국정감사에 대한 동기를 부여해 정책 국감의 토대를 마련하였다.

53. 공선협과 공명선거 감시 운동

1. 배경 및 취지

1987년 민주항쟁 이후 절차적 민주주의가 실현되지만, 권위주의 시대의 선거풍토가 여전히 개선되지 않았다. 1991년 지방선거를 앞두고, 노태우 정부에서 30년 만에 부활한 지방자치제도에 대한 기대감과 함께 금권 타락 선거에 대한 우려가 커졌다.

이에 여러 시민·사회·종교 단체들이 불법·타락 선거를 감시하고 선거문화를 개혁하기 위한 공명선거 캠페인을 추진하게 되었다. 경실련은 1991년 1월 12일 민간단체로서는 최초로 '선거부정 고발창구'를 개설해 커다란 호응을 받았다. 이어 흥사단의 공명선거 실천기구, 종교계의 공명선거실천기독교대책위원회, 불교계의 공명선거추진 불교도시민연합이 설치되거나 결성되었다. 각계에서 공명선거 실천을 위한 운동이 일어나게 됨에 따라, 범국민적으로 발전시키기 위한 연대기구의 필요성이 제기되었다.

이에 경실련의 제안으로 1991년 1월 30일 공명선거 캠페인을 위한 민간사회단체 간담회가 개최하고, 1991년 2월 7일 '공명선거실천시민운동협의회'(이하 '공선협') 창립되었다. 공선협은 1991년에 창립되어 이후 2000년까지 공명선거 운동을 전개해나갔고, 이후 공명선거, 정책선거 기반을 다지는 중요한 계기가 되었다.

2. 활동 내용 및 경과

공선협은 1991년 지방의회 선거와 광역의회 선거에서 사전선거운동에 대한 단속 촉구와 선거법 개정 운동, 관권개입 및 선거부정 고발창구 개설 운영, 시민감시단에 의한 캠페인 등 공명선거 풍토의 실현을 위해 활동했다. 광역의회 의원선거 기간 중 공선협 캠페인 활동은 구별 시민선거감시단을 조직하고, 이들이 주축이 되어 부정선거 행위를 행한 후보자들에 대하여 선거구 유권자들을 상대로 부정선거행위를 기록한 전단을 배포하는 부정선거행위규탄 캠페인에 집중했다.

공선협은 1991년 2월 7일, 경실련 선거부정고발창구를 확대한 '선거부정고발창구'를 개설했다. 고발창구는 30여 명의 자원봉사자가 참여해 운영되었으며, 선거부정 사례에 대해 시민제보를 받아 검찰에 고발하

고 언론에 홍보함으로써 부정한 선거문화를 줄이고자 했다. 기초선거 157건, 광역선거 163건 등 모두 320건의 부정사례를 접수하여, 기초선거 23건과 광역선거 11건을 검찰에 고발하거나 수사를 의뢰했다.

또한, 공선협은 공명선거 캠페인 추진과정에서 드러난 선거법 개정 운동도 전개했다. 선거운동을 정당과 후보자, 선거운동원만으로 제한함으로써, 민간단체가 불법 선거운동을 하는 후보자의 잘못을 알리 등 낙선 캠페인을 할 수 없는 심각한 문제가 드러났기 때문이다. 이에 경실련과 한국노총은 1991년 1월 23일, 국민의 선거권을 실질적으로 보장하기 위해서는 선거운동의 포괄적 제한과 금지 규정을 삭제하고 누구나 자유롭게 선거운동을 할 수 있도록 하자고 제안했다.

기초의회 선거를 치르는 과정에서도 현행 선거법의 문제점은 더욱 적나라하게 드러났다. 시민사회단체의 후보 추천 및 지지 활동은 물론 후보자들에 대한 정책질의와 토론도 불가능했다. 이후 공선협은 1991년 4월 22일 일반 시민과 사회단체의 자유로운 선거참여, 정당 후보와 비정당 후보의 차별철폐, 선거공영제 강화, 입후보의 자격 완화 등의 내용으로 한 공직선거법 개정안을 청원했다.

공선협은 1992년 3월 22일 '군 부재자투표 부정행위에 관한 이지문 중위의 증언' 기자회견을 열고, 군 부재자투표 부정 진상규명대책위원회를 구성해 활동했다. 이후 3월 26일 '군 부재자투표 부정행위 고발창구'를 개설하고, 3월 31일 기자회견을 열고 14대 총선 부재자투표 선거부정 사례를 발표하다. 그리고 4월 4일 군 부재자투표 관련 국방부 발표에 대한 기자회견을 열고, 이지문 중위 석방과 군부재자 투표부정 진상규명을 위한 백만인 서명운동 발대식을 가졌다. 이후 국방부 장관면담과 고발창구에 접수된 21건의 제보에 대한 자료제출 요구, 군부재자 투표 부정 재발방지 대책 마련을 위한 공청회 개최하는 등 후속 활동을 진행했다.

공선협은 1996년 국회의원 선거에서는 돈 안 드는 깨끗한 선거, 연고주의 선거문화 풍토개혁, 정책 중심선거 운동을 펼쳤다. 1996년 1월 24일 '선거부정고발센터'를 개설해 금품향응은 273건, 불법 홍보는 269건, 지위이용 관권개입은 28건, 입당 강요는 9건, 불법 집회는 14건, 흑색 비방은 30건, 기타는 111건 등 총 734건의 제보를 받았다. 또한, 후보자 3:1 감시 모니터란 후보자 1인에 대하여 시민감시단 3인이 밀착하여 후보자의 선거운동 과정을 모니터함으로써 선거운동의 전 과정을 유형화하여 부정의 소지를 원칙적으로 제거하기 위한 활동도 펼

쳤다. 공선협은 자원봉사 참여, 연고주의 배격, 정책 중심선거, 선거부정 고발, 금품향응 거부 등 5대 캠페인을 중심으로 공명선거 스티커 부착 운동, 거리 홍보 활동, 미디어 캠페인 및 투표 참여를 위한 캠페인 등 기존 선거문화 풍토를 모니터하고 개선하기 위한 각종 캠페인을 진행했다.

그리고 '돈은 묶고 입은 푼다'는 통합선거법의 정신과 취지를 뒷받침하기 위하여, 후보자 초청 정책토론회를 중립적 입장에서 전국적으로 실시하여 정책 중심의 새로운 선거문화 풍토를 조성하는 활동도 전개했다. 이밖에도 공식적인 선거운동이 허용되었던 선거일 공고 이후부터 선거전 일까지 15일간의 KBS(9시 뉴스), MBC(뉴스데스크), SBS(8시 뉴스)를 분석해, △ 피상적인 보도 태도 등 역대 선거 보도와 크게 달라진 바가 없다, △ 유권자에 관한 소극적인 시각과 선거의 냉소적 접근, △ 빈약한 정책 보도, △ 고의적 왜곡, 편파 보도 △ 북한 관련 확대 과장 보도 등 문제를 지적했다.

1998년 대통령 선거에서부터 선거법 개정에 힘을 기울였다. 공선협은 한국시민운동협의회와 함께 〈돈 정치 추방을 위한 시민연대〉를 조직하고 선거법, 선관위법, 정당법, 정치자금법, 국회법 등의 개정을 위해 노력했다. 1996년 11월 27일, 바른 선거문화 정착을 위한 공직선거 및 선거부정방지법 개정에 관한 청원'을 진행했다. 이후 97년 7월 25일, 공선협은 전국본부 발대식을 "깨끗한 선거, 성숙한 유권자"라는 기치 아래 전국적 운동으로 공선협 전국본부를 출범시켰다. 이후 선거법 개정 운동과 함께 기존에 전개했던 선거부정고발센터, 캠페인 운동을 진행했다.

2000년 2월 29일 4.13 총선 공선협 발대식을 진행했다. 공선협은 유권자 다짐 1천만 서명운동, 후보자 바로 알기, 후보자 초청 정책토론회, 후보자 선거법 준수 서약, 후보자 밀착감시 활동 등을 펼쳤다. 공선협은 고발전화(1588-9882)를 개설하고, 감시고발위원회를 조직화했다. 밀착감시 운동으로 선거법 준수를 서약한 후보에 대해서는 2인 1조로 선거사무실 상주와 후보 주요 일정에 대한 모니터링을 시행하고, 후보의 선거비용 사용도 감시했다.

3. 각계 반응과 성과

공선협의 부정선거 고발과 공명선거 캠페인 활동은

1991년부터 1998년까지 시민들에게 큰 호응을 얻었다. 공명선거에 대한 국민 관심이 높아지고, 참여를 이끌어냈다. 공명선거에 대한 중요성을 각성시키고, 공명선거를 위한 사회적 분위기를 조성하는 역할을 했다. 특히, 2000년 지방선거에서 '유권자 다짐 1,000만 명 서명운동'에 하루 2만 명이 서명에 참여하는 등 높은 호응을 보였다.

국민과 언론의 높은 관심에도 불구하고, 초기에는 정부, 정당, 정치인은 공선협 활동에 비협조이거나 비판적이었다. 특히, 1991년 광역의회 의원선거 기간 중 공선협이 구별 시민선거단을 조직하고, 이들이 주축이 되어 부정선거 행위를 행한 후보자들에 대하여 선거권 유권자들을 상대로 부정선거 행위를 기록한 전단을 배포하는 등 부정선거행위규탄 캠페인을 진행하자, 경찰은 선거법 위반이라는 해석을 가해 제지했다.

이후 1996년 국회의원 선거 및 1998년 대통령 선거 과정을 거치면서 공선협의 공명선거 캠페인에 대한 정부의 태도는 훨씬 더 유화적으로 바뀌었다. 1998년 대통령 선거 과정에서 펼쳤던 공선협의 선거법 개정 운동은 이후 실제로 입법적 성과를 이끌어냈으며, 2000년 국회의원 선거에서는 많은 국회의원이 깨끗한 선거를 위한 서약식에 참여하기도 했다.

54. 정치자금 실명제 도입과
투명성 강화 운동

1. 배경 및 취지

한국정치체계에서 정치자금의 파행적인 운영은 정치 발전을 저해해 왔다. 하지만 1965년 도입된 정치자금법은 음성적인 정치자금을 막고, 정치자금의 양성화를 통해 정당의 건전한 발전을 유도한다는 취지로 도입되었지만, 군부 독재 체제에서 그 취지를 살리지 못했다. 민주화 이후 1992년 노태우 정부는 현대그룹으로부터의 정치자금 수수 의혹에 시달렸고, 문민정부인 김영삼 정부에도 음성적 정치자금 문제는 계속해서 터져 나왔다. 그러던 중 1997년 한보사건, 김현철 비리사건, 92년 대선자금 문제 등이 터지면서 깨끗한 정치, 돈 안 드는 정치를 위한 국민적 분위기가 마련되었다.

경실련은 1993년 금융실명제 도입 이후 깨끗한 정치문화를 위한 정치자금 실명제 도입을 주장해왔다. 1997년 한보사건, 김현철 비리사건, 92년 대선자금 문제 등의 이슈 등을 운동의 동력으로 정치자금 실명제를 포함해 전면적인 정치자금법 개정 운동을 전개했다. 또한, 경실련을 주축으로 〈돈정치추방시민연대〉를 구성해 정치자금법 개정을 주요한 시민사회 의제로 대두시켰다.

2. 활동 내용 및 경과

경실련은 노태우 대통령의 정치자금 수수 대응과정에서 정치인의 불법적인 정치자금 수수에 지대한 관심을 보였다. 1992년 1월 8일, 현대그룹 총수인 정주영 씨가 역대 정권에 엄청난 액수의 정치자금을 제공하고, 6공화국 출범 이후에도 현직 대통령에게 300억여 원에 달하는 거액을 헌금한 사실이 드러났다. 같은 해 1월 27일 노태우 대통령에게 정주영 씨의 헌금은 물론 취임 이후 기업인들로부터 받은 모든 헌금내용을 공개할 것, 여야 대표는 정치자금 내용을 공개할 것, 국회는 특별조사단 구성하고 청문회 개최할 것 등을 촉

구했다. 1992년 3월 '민생안정과 경제정의 실현을 위한 10대 개혁과제 및 30대 정책대안'을 제시하며, 정치자금의 국고보조 확대와 수지보고 공개 및 국민적 감시, 기탁금의 부분적 공영화 등을 요구했다.

1993년 금융실명제 실시 이후, 경실련은 본격적인 정치자금 실명제 도입을 주장했다. 1993년 8월 12일, 김영삼 정부가 금융실명제를 실시하게 되면서 투명한 정치자금의 운용에 의한 깨끗한 정치의 실현을 기대할 수 있게 되었다.

1997년 한보 사태가 터지면서 정치인들이 떡값이나 인사치레비 등 관행적으로 뇌물성 자금을 받은 것으로 드러났다. 하지만 정치인들이 대가성 뇌물이 아니라 단순 정치자금이라고 주장할 경우, 당시 정치자금법상 처벌이 불가능했다. 이에 경실련은 1997년 2월 5일, 당시 정치자금법은 음성적 자금거래를 효과적으로 규제하기는커녕 오히려 합리화시켜주는 결과를 초래하고 있다고 날카롭게 지적했다. 정치자금법의 '누구든지 이 법에 의하지 아니하고는 정치자금을 기부하거나 받을 수 없다'라는 규정에 대한 벌칙 조항을 신설해 음성적 거래를 처벌할 수 있도록 하고, 정치자금 실명제를 도입해 선관위가 정치자금 거래에 대한 실사가 가능하도록 제도를 개선할 것 등을 요구했다.

그리고 1997년 2월 12일, 경실련은 국회에 '깨끗한 정치를 위한 정치자금법 개정안'을 청원했다. 청원서는 현행 정치자금법이 벌칙조항의 미비 등으로 뇌물이 분명한 정치자금에도 불구하고, 정치자금이라는 미명 하에 정치적으로 해결, 처벌하지 않거나 관대하게 처벌하는 잘못된 관행이 계속되고 있다고 지적했다. 청원서의 주요 내용은 지정 기탁, 후원회, 국고보조, 당비 등 법이 정하지 아니한 방법으로 자금 수수 시 처벌케 하고, 개인에게 정치자금을 기부할 때는 후원회를 통하게 하고 익명 기부를 금지하고, 후원회에 기탁자, 금액, 지출내역 등을 선관위에 보고하고 공개하도록 하는 것, 예금계좌를 통한 정치자금 수수를 의무화할 것, 선관위의 실사권을 강화할 것 등이었다.

이틀 뒤인 1997년 2월 14일에는 한보 사태를 통해 본 정치자금법 개정의 필요성과 그 방향을 주제로 정책토론회를 마련하기도 했다. 이 토론회에서 김영래 교수는 정치자금 실명제 실시 이외에도 정액영수증제 폐지, 기탁금 제도 개선, 후원회 제도 개선, 국고보조금 제도 개선, 당비제도 개선, 벌칙조항 강화, 선관위의 역할과 권한 강화 등 다양한 내용을 제안했다.

입법청원과 병행해 1997년 2월과 3월부터는 국회의원들을 대상으로 정치자금법 개정에 대한 서명운동을 전개했다. "음성적인 정치자금 수수행위를 차단하고 정치자금법의 실효성을 담보하기 위해 음성적인 정치자금 수수에 대한 처벌조항을 강화해야 한다.", "정치자금의 흐름을 투명하게 하여 부정부패의 소지를 없애고 정치권에 대한 국민의 신뢰를 회복하기 위해 정치자금 실명제를 도입한다." 등 두 가지 개정사항에 대한 서명을 받았다. 이 서명운동에는 국민회의에 김근태, 김원길, 이성재, 이협, 김영진, 정세균, 최재승, 천정배, 장영달, 최선영, 임채정 의원 등이 참여했고, 신한국당에서 이상희, 박성범, 김충일, 박범진, 서훈, 이완구 의원 등이 참여했으며, 민주당에서 김홍신, 이규정, 하경근, 이부영, 이중재, 자민련에서 지대섭 의원 등 23명이 참여했다.

1997년 5월에 접어 들어서는 1992년 대선자금과 관련한 의혹이 제기되면서 새로운 국면을 맞이했다. 김영삼 정부와 신한국당이 대통령선거를 앞두고 선거자금의 원활한 모금을 위해 금융실명제를 무력화시키는 입법안을 마련, 국민의 불편해소라는 미명으로 실명 확인절차를 생략하자는 주장을 하기 시작했기 때문이다.

경실련은 1997년 5월 2일, 김영삼 대통령과 집권 여당에 92년 대선자금을 누가 언제 어디서 어떤 방법으로 얼마를 조달했는지 그 명세를 상세하게 공개하고, 금융실명제 무력화 음모의 즉각 중단과 함께 돈세탁방지법 제정과 정치자금 실명제 도입, 대통령선거의 완전 공영화 등 '돈 정치' 청산을 위한 제도개혁 방안을 즉각 수용할 것을 촉구했다.

1997년 6월 10일에는 경실련 강당에서 경실련을 주축으로 44개 시민사회단체가 '돈정치추방 시민사회단체연대회의'를 결성했다. 그리고 공동입법청원안을 마련 안상수(신한국), 유선호, 추미애(국민회의), 이미경(민주당) 의원의 소개로 제출했다. 이 공동입법청원안은 1997년 2월 12일, 경실련이 단독으로 청원한 개정안에 몇 가지 사항을 추가한 것이었다. 즉, 경실련의 단독안이 정치자금에 대한 처벌강화에 초점이 있었다면, 공동청원안은 여기에 더해 정치자금 배분의 형평성 유지를 추가시킨 것이었다.

연대회의 단체대표(손봉호, 이세중, 손봉숙, 이남주, 최열, 유종성)들은 공동 입법청원과 아울러 정치제도의 올바른 개혁과 조속한 임시국회 소집을 촉구하기 위해

연속 정당 대표를 면담했다. 국민회의 김대중 총재를 면담한 데 이어 23일 김종필 자민련 총재도 면담했다.

3. 각계 반응과 성과

경실련의 정치자금 실명제 도입 운동은 1997년 한보사태 이후 국민의 큰 관심을 받았다. 많은 국민은 정치자금법이 검은돈의 정치권 유입을 막을 수 없어 "있으나 마나 한 법"이라는 인식을 가지고 있었다. 실제로 지난 1965년 정치자금법이 제정된 이래 정치자금법 위반 혐의로 유죄 판결을 받은 현역의원은 한 명도 없다고 지적했다. 이로 인해 청탁성 뇌물이 아니더라도 비공식적으로 돈을 받았을 때에 대한 엄격한 처벌조항 신설, 지정기탁금제 폐지, 익명기부제 폐지 등 경실련의 정치자급법 개정안이 주목받았다.

경실련의 정치자금의 투명성을 확보하기 위한 제도개선 노력은 정치인 또는 정당이 정치자금과 관련해 부정행위를 차단해 선거와 민주주의 발전에 기여했다. 김영삼의 문민정부 출범 이후 금융실명제 도입 이후 가명, 차명, 무기명계좌를 이용한 불법적 정치자금 모금이 어려웠고. 1997년 11월 14일, 정치자금법 개정으로 음성적인 정치자금 수수에 대한 처벌도 강화되었다.

55. 정당·후보자 공약비교평가 및 공약이행평가

1. 배경 및 취지

우리나라는 정책대결이 위주가 된 대통령 선거와 국회의원 선거를 경험하지 못했다. 또한, 선거법상의 제약과 정책과 공약에 대해 별다른 비중을 두지 않는 정치풍토, 시민들의 의식으로 인해 정책선거가 이루어지기 힘들었다.

경실련은 30여 년 만에 지방의회선거가 치러지던 지난 91년부터 깨끗하고 공정한 선거풍토를 조성하기 위해 다른 시민단체들과 힘을 합해 공명선거 캠페인을 전개해왔으며, 1992년 제14대 국회의원 선거부터 정책대결 위주의 선거문화 조성을 위해 정책선거 캠페인을 전개했다. 정책선거 캠페인은 정책대결의 건전한 선거풍토를 조성하고 시민들이 각 정당 및 후보자의 공약 차이점과 문제점을 파악할 수 있도록 돕자는 취지였다. 이를 위해 경실련은 각 당 공약을 비교하여 유권자들에게 알리는 작업을 시행해 나갔다.

2. 활동 내용 및 경과

1992년 제14대 총선을 앞두고, 경실련은 자체적으로 민주자유당, 민주당, 민중당, 통일국민당 등 4개 정당이 공식 발표한 정책공약을 비교했다. 평가 기준으로 개혁성(실천의지)과 정책의 구체성(실천가능성)을 가장 중요하게 보았으며, 나아가 정책의 일관성과 부작용에 대한 대책까지 마련했다. 민주당과 민중당이 시급한 제도개혁 과제들을 수용하고 있으며, 민자당은 개혁에는 소극적인 입장을 취하거나 모호하게 얼버무리고 있다고 평가했다. 한편, 민주당과 민중당의 경우 기본 방향 설정에 있어 개혁 의지는 있으나, 정책의 구체성과 현실성에서는 미흡한 점이 많다고 평가했다.

1992년 제14대 대선을 앞둔 1992년 11월 28일, 오후 3시부터 7시, 경실련 강당에서 각 정당의 공약

평가 발표회를 가졌다. 분야별로 3당 정책공약에 대한 평가를 진행하고, 황인성 민주자유당 정책위의장, 장재식 민주당 정책위의장, 윤영탁 국민당 정책위의장으로부터 질의응답을 받았다. 정책평가의 기준으로 개혁 의지, 정책의 구체성, 차별성(독특성), 실현 가능성, 일관성(타문과의 연계)을 기준으로 평가했다.

1996년 15대 총선을 앞두고 4당의 공약을 비교분석 평가하는 작업을 진행했다. 4당 공약에 대한 평가 작업은 개혁성, 일관성, 현실가능성의 관점에서 진행됐다. 분석 결과, 민주당이 B+, 국민회의가 B-, 신한국당이 C-, 자민련이 D+로 나타났다.

1997년 제15대 대선에서도 경실련은 3당 후보들의 공약을 비교해 발표했다. 한나라당의 공약은 제도적인 측면에서 실패한 김영삼 정부의 정책을 그대로 답습하고 있어 개혁 의지를 찾아볼 수 없을 뿐만 아니라, 구체적인 대안도 없이 구호성에 끝나고 있다고 평가했다. 국민회의 공약은 나름의 개혁 의지와 함께 논리적인 전개를 통해 정책 정당의 능력을 보여주고 있으나, 막대한 재원이 들어가는 공약이 너무 많아 과연 다 실천에 옮길 수 있을지 의문이 든다고 지적했다. 국민신당의 공약은 신생정당으로서 개혁 의지를 보이면서 독창적인 정책을 제시하고 있는 측면이 있으나 그 실현 가능성과 정책 방향의 타당성에 일관성이 결여되어 있다고 지적했다. 이와 함께 유권자들의 계층적 이해에 따라 3당 후보들의 공약을 평가하기도 했다. 이회창 후보의 공약은 중산층 이상의 기득권층에 좀 더 유리한 공약으로 평가하고, 김대중 후보의 공약은 중소기업자, 근로자, 서민 등 중산층 이하 계층을 배려한 인상이 짙다고 평가했다. 이인제 후보는 특권층에 부담을 주는 정책을 펴겠다고 주장했지만, 정책 내용이 어떤 계층을 지향하고 있는지 분간하기 어렵다고 평가했다.

2002년 제16대 대선부터는 새로운 방식을 도입해 공약 평가를 진행하게 된다. 기존에는 후보자의 공약을 개혁성, 구체성, 실현가능성 등의 기준으로 평가했다면, 2002년부터는 주요 정책 사안별 후보자의 공약을 비교하여 유권자에게 알려주는 방식을 채택하게 된다. 297명의 각 분야 전문가를 대상으로 13개 대선 주요 정책 사안에 대해 가장 적절하고 바람직한 정책방안이 무엇인가에 대한 전문가 정책 선호도 조사를 실시한 이후, 이러한 정책선호도를 이회창 후보와 노무현 후보의 정책과 비교했다. 분석 결과, 이회창 후보의 정책과 전문가 집단의 선호정책 일치 분야는 1개 분야, 노무현 후보의 정책과 전문가 집단의 선호정책 일치 분야는 5개 분야 등으로 나타났다.

그리고 2004년 제17대 국회의원 선거부터 1인 2표에 의한 정당투표가 도입됨에 따라 정당투표가 정책에 의해 진행될 수 있는 정책캠페인의 중요성이 더 커지게 되었다. 이에 경실련은 유권자들이 정책 사안별 후보자의 공약을 비교하고, 자신의 정책선호도와 비교할 수 있는 정당선택도우미(Wahl-O-Mat) 프로그램을 가동했다. <경실련 후보선택도우미>는 독일연방 정치교육청에서 개발·운영해 온 'Wahl-o-mat' 프로그램을 응용한 것이므로, 유권자 개인의 정책적 입장에 부합하는 정당이 어떤 정당인지 직접 확인할 수 있어 유권자의 정당선택에 많은 도움을 주고자 하는 목적이었다.

2008년 18대 총선에서도 통합민주당, 한나라당, 자유선진당, 민주노동당, 창조한국당 5개 주요정당이 79개 정책에 대한 입장을 밝힐 수 있도록 질의서를 보내어 그 답변을 공식적으로 받아 분석했다. 또, 이와 별도로 유권자 개인의 정책적 입장을 스스로 확인하면서 어떤 정당과 일치성이 많은지를 확인할 수 있는 정당선택도우미 프로그램을 운영했다.

2012년 제19대 총선에서도 경실련은 각 정당의 수많은 공약으로 인한 유권자들의 판단 부재 문제를 해소하기 위해 주요정당에 유권자들의 관심이 큰 124개 정책을 선별하여 새누리당, 민주통합당, 자유선진당, 통합진보당 4개 정당이 입장을 밝힐 수 있도록 질의서를 보내어 그 답변을 공식적으로 받아 공개하고, 정당선택도우미 프로그램을 운영했다.

2013년 제18대 대선에서도 우리 사회의 핵심현안 중 유권자들의 관심이 큰 150개 정책을 선별하여 주요 대선 후보인 새누리당 박근혜 후보, 민주통합당 문재인 후보에게 정책질의서를 보내어 그 답변을 공식적으로 받은 이후, 국민적 관심이 크고, 후보 간 입장 차가 큰 25개 정책을 선별해 유권자들에게 알리는 작업을 진행했다. 이와 함께 유권자들이 총 20개의 정책 현안에 대해 자신의 견해를 선택하면 대선 후보들의 답변과 비교해주는 후보선택도우미 프로그램을 가동했다.

제19대 총선(2012년)에서부터는 경실련은 선거 때마다 실현 불가능한 장밋빛 개발 공약이 남발되는 폐단을 근절하기 위한 취지로 '5가지 유형별 개발 헛공약'을 발표하였다. 경실련이 발표한 개발 헛공약의 5가지 유형은 신공항 건설, 경전철 사업, 65개 철도 전철 역사 신설 유치, 무분별하게 추진되는 철도 전철 노선 연장, 예비타당성 조사 결과 '사업 중단' 판명 공약 등이었다.

제20대 총선에서도 정당이나 후보자의 장밋빛 헛공약과 마구잡이식 개발 공약은 유권자의 올바른 선택을 방해한다며, '장밋빛 10대 헛공약 선정 및 개발 헛공약 분석 결과'를 발표했다.

3. 각계 반응과 성과

1992년 경실련이 정책선거 캠페인의 차원에서 제14대 대통령선거 공약평가 토론회를 개최하려 하자, 선거관리위원회는 11월 27일, 선거법 61조2(타연설회의 금지)의 규정에 위반된다며 토론회 중단을 요청했다. 대통령선거법 제61조의 2(타연설회의 금지)에 의하면 선거운동 기간에는 누구든지 선거에 영향을 미칠 수 있는 연설회 이외의 다수인을 집합하게 하여 좌담회 토론회 등을 개최할 수 없다는 근거에서였다. 하지만, 경실련은 다시 공문을 통해 이것이 선거에 영향을 미치기 위한 것이 아니라는 것을 밝히고, 토론회를 감행했다.

1992년 경실련이 정책선거 캠페인의 차원에서 공약검증에 나서자 시민사회의 반응은 뜨거웠고, 부문별로 여야 정당이 정책공약을 비교 평가해 유권자의 선택 자료로 내놓으려는 움직임이 활발하게 진행됐다. 경실련은 제16대 총선에서 한국은행 독립 등 경제개혁 과제에 초점을 두고, 개혁과제에 부합하는, 철회해야 할 공약들을 발표한 반면, 인도주의실천의사협의회, 건강사회 실현을 위한 약사회 등 8개 보건의료 단체는 보건복지 예산확대 등을 기준으로 공약 평가를 진행했다. 한편, 환경운동연합은 4당 환경 관련 공약을 검증해나갔다(한겨레, 1996년 3월 21일, 시민단체 공약검증 나섰다.). 또, 이렇듯 시민사회 내 공약검증 움직임이 활발해지자, 정당관계자 및 후보자들의 협조도 더욱 잘 이루어져 공약검증을 위한 각종 토론회가 열렸다.

우리나라는 지역주의가 심화되고 비합리적이고 상대방 헐뜯기 일색의 선거 정국이 펼쳐졌다. 경실련은 유권자들이 정당 간의 정책적 차별성을 인식하고 합리적인 선택을 하는데 기여하고, 다른 한편으로 정당과 정치인들의 무분별한 공약 남발에 제동을 걸었다.

구체적으로 정당들이 개혁적이고, 구체적이며, 실현 가능성 있는 공약을 내놓을 수 있도록 압력을 행사했다. 또한, 구체적인 정책사안별 입장 비교를 통해 정당정치 구현에 앞장섬. 매니페스토 운동에 앞장섰다.

56. 정치개혁을 위한 국회, 선거, 정당제도 개혁 운동

1. 배경 및 취지

제14대 국회 제20대 국회에 이르기까지 정치개혁특별위원회(정개특위)가 정치관계법을 포함하여 정치개혁이라는 과제를 집중적이고 포괄적으로 논의하기 위하여 구성되었다. 제14대 국회의 정치관계법 개정 논의의 중심은 깨끗하고 돈 안 드는 선거, 국민의 자유롭고 선거의 공정성 보장이었다. 이를 위해 각종 선거법(대통령선거법, 국회의원 선거법, 지방의회의원선거법, 지방자치단체의장선거법)의 단일법 통합논의가 이루어졌다.

제15대 국회 정치관계법 개정 논의의 중심은 깨끗하고 돈 안 드는 선거였다. 정치개혁입법특별위원회와 정치구조개혁입법특별위원회를 구성해 공직선거 및 선거부정방지법, 정당법, 정치자금법 및 국회법 등의 정치관계법을 심의·개정했다. 특히, 이 시기 한보사건과 92년 대선자금 문제로 정치권의 돈 정치 구조

를 청산해야 한다는 국민적 공감대가 형성됐다.

제16대 국회의 정치관계법 개정 논의의 중심은 비례대표제 확대에 있었다. 특히, 2001년 헌법재판소가 '1인 1투표 제도를 통한 비례대표 국회의원 의석 배분 방식이 위헌'이라는 결정을 내림에 따라, 비례대표 국회의원 의석 배분 방식을 개선하기 위한 선거법 개정을 논의할 수밖에 없었다. 그리고 제19대 국회와 20대 국회는 연동형 비례대표제 도입을 둘러싼 논의가 주요 쟁점이었다.

경실련 정치개혁을 위한 정치관계법 개정 운동은 국회에서 구성된 정치개혁특별위원회에 대한 대응적 측면이 컸다. 경실련은 돈 정치 추방을 위한 시민사회연대회의에 결합해 정치자금실명제 도입을 비롯해 돈 안 쓰는 선거를 위한 선거법 개정 운동을 시작으로, 선거 단일법 제정과 공직자윤리법 개정, 1인 2표 정당명부식 비례대표제 도입, 비례대표제 의석수 확대를 위한 활동을 했다. 그리고 정당 지지율 그대로 의석수를 배분하는 연동형 비례대표제 도입 운동을 전개했다.

2. 활동 내용 및 경과

한보사건과 김현철 비리사건, 92년 대선자금 문제 등이 터지면서 정경유착과 부정부패를 근절하고 깨끗한 정치풍토를 조성해야 한다는 국민 공감대가 형성되었다. 이에 경실련을 비롯한 44개 시민사회단체들은 1997년 6월 10일, '돈정치추방시민사회연대회의'를 발족했다. 연대회의는 정치권에 대한 국민의 신뢰 회복을 위해서는 정치관계법이 개혁되어야 한다고 판단해 정치관계법 개정 운동을 전개했다.

연대회의는 1997년 6월 18일, 선거법, 정치자금법, 정당법 등 정치관계법을 국회에 청원했다. 청원 이후 연대회의의 정치제도의 올바른 개혁과 조속한 임시국회 소집을 촉구하기 위해 연속적으로 김대중, 김종필 등 정당 대표들을 만나 제도개선을 촉구했다. 이후 연대회의는 1997년 정치관계법 개정을 위한 국회의원 서명 작업을 추진했다.

이런 상태에서 1997년 7월 28일, 신한국당이 개정안을 발의했고, 30일에는 국민회의와 자민련이 야당 단일안을 제출했다. 그러나 제출된 여야 정치관계법은 정치자금을 투명하게 할 정치자금실명제 등의 개혁적 조치와 음성적인 정치자금 수수자에 대한 처벌 방안이 빠져 있어 실효성이 없었다. 이에 1997년 7월 30일 12시, 여의도 신한국당사 앞에서 정치제도 개혁 촉구를 위한 시민사회

단체 공동 집회를 열었다.

2003년 국회에서 정당명부식 비례대표제 도입을 위한 정치관계법 개정 논의가 본격화되었다. 경실련은 2003년 9월 4일, 국회에 공직선거 및 선거부정방지법, 정당법, 정치자금에 관한 법률 등 정치관계법 개정 청원 안을 국회에 제출했다. 또한, 공선협 등과 함께 정치개혁을 위한 범시민사회단체 연대기구를 구성, 집중적인 정치개혁 운동에 진행했다.

그리고 2014년 10월 30일 헌법재판소가 현행 선거구의 헌법불합치 결정으로 선거구의 전면 재확정이 불가피해 졌다. 이에 경실련은 2015년 6월 4일, 권역별 비례대표제 도입, 석패율제 도입 반대, 선거운동 기간 확대, 과도한 선거운동 제한 개선, 법인 단체의 정치자금 기탁금지조항 유지, 정치자금 후원자 인적사항 공개 강화, 출판기념회 수입ㆍ지출 투명화, 상향식 공천제도 법제화, 투명성 전제한 지구당 허용 등을 내용으로 한 개혁 방향을 제시했다. 20대 국회 들어 연동형 비례대표제 도입을 위한 정치개혁공동행동을 지속하고 있다.

3. 각계 반응과 성과

국회의원에 대한 국민 불신이 높아지는 상황에서 입법기관인 국회의원의 특권을 내려놓고 깨끗한 선거를 정치관계법 개정이 주요한 의제가 되었다. 국회는 제14대부터 20대까지 정치개혁을 위한 정치개혁특별위원회를 구성하여 논의를 이어갔다. 경실련을 비롯한 시민사회는 끊임없이 정치개혁을 요구했고, 다양한 대안을 제시했다.

그 결과 역대 국회에서 꾸준히 정치개혁을 위한 정치관계법 개정이 이루어져, 이전보다 투명한 정치자금 모금 및 지출이 이루어지고 있으며, 과도한 선거비용 지출이 줄어 금권정치가 과거보다 많이 개선되었다. 또한, 1997년 정치관계법 개정 논의 끝에 정치자금법 개정, 선거법 개정 등이 이루어짐. 정치자금의 투명성이 제고되고, 불필요한 선거비용의 지출 등을 막아 금권정치, 돈 정치를 추방하는 계기를 만들었다.

2004년 정치관계법이 전면 개정되어, 1인 2표식 정당명부식 비례대표제가 도입되고 정치자금법 전면 개정이 이루어졌다. 하지만 이후 국회 내 정치개혁 논의는 오히려 후퇴되었다. 1997년부터 시작된 정치자금 실명제 논의, 2015년부터 시작된 연동형 비례대표제 논의. 모두 여야 정당의 기득권과 정당의 당리당략에 따라 이용

할 뿐이었고 국민이 원하는 개혁은 이루지 못했다.

20대 국회에서는 연동형 비례대표제 도입을 위한 공직선거법 등 활발하게 논의 진행 중이나, 정치 발전이 아닌 당리당략에 따라 기득권 유지에만 집착해 제대로 된 정치개혁을 위한 진전은 더디기만 하다.

57. 후보자 정보공개운동과 후보선택도우미(Wahl-o-mat)

1. 배경 및 취지

새로운 천년을 맞이한 2000년에 치러진 16대 총선은 정당의 비민주성과 여야의 정쟁, 부패와 비리로 국민의 정치 불신이 최고에 달한 상황에서 치러졌다. 부패한 정치, 보스 중심의 패거리 정치, 지역감정에 의존하는 정치, 돈에 움직이는 정치, 민생은 철저히 외면되는 당시 국회의 모습에서 탈피하여 새 시대·새 정치를 염원했다.

당시 선거법 제87조는 선거기간 동안 불법 선거운동을 엄격히 제한했다. 제87조(단체의 선거운동금지) 단체는 사단·재단 기타 명칭의 여하를 불문하고 선거기간 중에 그 명의 또는 그 대표자의 명의로 특정 정당이나 후보자를 지지·반대하거나 지지·반대할 것을 권유하는 행위를 할 수 없었다. 다만 노동조합은 그러지 않았다. 선거법 제87조로 인해 일부 시민사회단체에서는 특정 후보에 대한 낙선운동을 전개할 것을 주장했으나, 합법적 대안 운동을 지향하는 경실련은 공직선거법에서 금지한 직접적 낙선운동에 참여할 수 없었다.

경실련은 1998년 헌법재판소에 선거법 87조 폐지에 대해 헌법소원을 제기했으나, 합헌 결정이 나온 상황이었다. 이에 헌법에 보장된 유권자의 알 권리를 보장하기 위한 '후보자 정보공개운동'을 전개했다. 후보자에 대한 객관적 사실을 유권자에게 알려, 유권자 스스로 올바른 후보를 선택할 수 있도록 하자는 취지다.

이를 위해 독일 등 10여 국에서 진행해 효과가 검증된 "Wahl-o-mat" 프로그램을 응용한 '후보선택도우미(vote.ccej.or.kr)' 서비스를 구축·운영해 유권자에게 제공했다. 후보선택도우미는 후보 간 정책과 공약을 비교·분석해 유권자의 관심과 투표율을 제고하고, 유권자에게 다양한 정보를 제공했다.

2. 활동 내용 및 경과

16대 총선을 앞두고 시민사회단체에서 여러 가지 흐름이 있었다. 참여연대, 환경운동연합, 교육관계법대책위, 녹색연합, 민언련 등을 중심으로 직접적인 선거개입, 선거운동 기간 선거구 등에서 특정 후보에 대한 낙선운동을 전개할 것을 주장했다. 그러나 선거법 제87조는 특정 정당이나 후보자를 지지·반대할 것을 권유하는 행위를 할 수 없었다.

이러한 제도적 한계로 인해 합법적 대안 운동을 목적으로 한 경실련은 유권자의 알 권리를 보장하고자 후보자 정보공개운동을 전개했다. 그러나 선거관리위원회는 경실련의 후보자 정보공개운동에 대해서도 "후보 판단자료를 명백한 낙선 의도를 가진 것으로 판단하고 사전선거운동에 해당" 경고 조치했다. 그러나 선관위의 판단은 국민의 알 권리 충족과 헌법 제21조 제1항의 표현의 자유를 침해하는 위헌적인 행위로 선관위의 유권해석을 수용할 수 없음을 분명히 했다. 민주 발전을 위협하는 '정보의 비대칭'을 개선하려는 노력조차 불법으로 규정되는 현실을 극복하기 위해 더욱 적극적으로 정보공개운동을 펼쳤다.

정보공개를 위해 현역의원 출결 상황을 포함한 현역의원 의정활동을 평가했다. 아울러 정당 공약을 평가했으며, '후보자 모니터단'을 발족해 적극적으로 총선 후보자들에 대한 정보를 제공하기 위해 노력했다. 여기에 시민제보도 받으면서 시민들이 직접 참여하는 총선을 만들었다.

2000년 1월 10일 경실련 강당에서 출마예상 후보들에 대한 부정적 정보공개 기자회견으로 본격적인 활동을 시작했다. 164명의 출마예상자에 대한 비리연루 사건 등 부정정보를 공개했다. 이후 3월 23일 15대 국회의원 의정활동에 대해 종합평가를 발표했다. 1999년도 국회 속기록을 기초로 정량·정성분석 및 원외활동에 대한 자료를 분석해 발표했다. 더불어 지속적으로 성명서와 논평을 발표하며 적극적인 목소리를 내기도 했다.

때마침 선관위에서는 총선 후보자의 납세 실적, 병역 사항, 전과 기록 등을 인터넷에 공개하기로 하면서 각종 의혹이 있는 후보자들이 국민의 선택을 받지 않도록 연계 활동을 전개했다.

2004년 17대 총선에서도 후보자들의 정보공개를 통해 유권자의 선택을 도왔다. 271명의 현역의원을 대상으로 의정활동 평가를 진행했다. 상임위 출결과 법안 발의를 분석했으며, 상임위 활동과 국정감사 등 의정활동 전반을 꼼꼼하게 살펴보았다. 특히 '이라크 파병안, 한-칠레 FTA 비준 동의안, 대북송금특별법 등 국민적 관심이 높은 법률안을 대상으로 각 의원의 태도를 살펴보았다.

후보자에 대한 정보공개운동과 더불어 독일의 "Wahl-O-Mat" 프로그램을 응용해 우리 현실에 맞게 "유권자-정당선택도우미" 프로그램을 가동했다. 6대 분야 119개의 정책질의 항목 중 변별력 있는 20개 문항을 구성해 최종적으로 유권자가 어느 정당과 정책 성향 면에서 일치하는지를 보내주는 프로그램이었다. 첫 시작은 17대 총선이었으며, 처음 도입되는 1인2표제가 제대로 정착될 수 있도록 유권자와 정당 간 정책성향을 진단할 수 있게 했다.

이후 경실련은 대통령, 국회의원, 교육감, 지방자치단체장 등 주요 선거마다 후보자들에게 국민적 관심이 높은 의제를 선정해 후보에게 직접 정책질의를 진행해, 유권자들에게 손쉽게 후보자와 정당의 정책성향과 입장을 알려주는 '후보선택도우미' 또는 '정당선택도우미'란 이름으로 현재까지 운영되고 있다. 특히 2016년 20대 총선에서는 10만 명이 넘는 시민들이 후보선택도우미에 참여하며 인기를 끌기도 했다. 현재 언론과 포털, 여러 시민사회단체가 선거마다 경실련 후보선택도우미 프로그램을 응용한 다양한 유권자 정보공개 활동을 전개하고 있다.

후보자 정보공개운동과 낙선·낙천운동의 영향력은 매우 강력했다. 언론들은 시민단체들의 움직임에 민감하게 반응했으며, 선관위 결정에 대한 경실련의 불복종 선언에 대해서도 대대적으로 보도했다.

경실련의 정당 출마예상자 가운데 후보 부적격자 명단이 공개되면서 정치권에서는 반발도 일어났다. 국회 정치개혁입법특위는 전체회의를 열어 총선을 앞두고 사회적 문제로 대두되고 있는 시민단체의 후보자 낙선운동 논란에 대해 선각법 상의 적법 여부를 검토했으며, 각 당은 정치적 중립성을 의심케 할 뿐 아니라 법 테두리를 벗어난 것이라 밝히거나 특정 정치인을 낙선 대상으로 지목하는 것은 바람직하지 않다고 입장을 밝히는 등 민감한 반응을 보였다.

시민입장에서는 각 선거에서 유권자들은 후보자에 대해 정확한 정보를 알기 어려웠다. 당시 후보자에 대한 정보는 매우 단편적이었으며, 특히 후보자들의 현안이나 정책에 대한 입장은 한계가 더욱 명확했다. 그래서 후보자들의 정책에 대한 입장을 쉽게 알 수 있으며, 후보선택도우미의 경우 나와 일치하는 후보자나 정당을 손쉽게 찾을 수 있어서 시민과 언론의 반응은 뜨거웠다. 언론에서도 후보선택도우미 프로그램을 자세히 소개하며 유권자의 정책선거와 투표 독려를 이끌었다.

유권자에게 일방적으로 제공되었던 후보자 정보를 쉽게 비교·분석해 올바른 후보를 선택할 수 있도록 정보공개운동을 선도적으로 전개했다. 이를 위해 선관위가 후보자들의 납세 실적, 병역 사항, 전과 기록 등을 공개토록 하고, 출결, 법안 발의 등 다양한 측면에서 국회의원 의정평가를 진행해 유권자의 알 권리를 제공했다.

유권자의 알 권리와 더불어 정책선거와 투명참여를 유도하기 위해 '후보선택도우미' 프로그램을 구축·운영해 후보 간 정책과 공약을 비교해 쉽게 확인할 수 있도록 정보를 제공했다. 유권자의 알 권리와 올바른 정보제공을 가로막던 선거법 제87조 개정을 이끌어냈다.

58. 정보공개법 및 행정절차법 제정을 통한 행정민주화 운동

1. 배경 및 취지

'정보공개법'은 공공기관이 보유·관리하는 정보에 대하여 국민의 공개 청구와 공공기관의 공개 의무에 관해 규정함으로써 국민의 알 권리를 보장하기 위한 제도다. 국정에 대한 국민 참여와 투명한 국정운영을 위해 제정되었다. '행정절차법'은 행정절차에 관한 공통적인 사항을 규정하여 국민의 행정참여를 도모함으로써 행정의 공정성·투명성 및 신뢰성을 확보하고 국민의 권익을 보호하기 위해 제도다.

정보공개법과 행정절차법은 1996년 제정되었다. 이들 법률은 공공정보에 대한 접근권을 보장함으로써 국민의 알 권리를 신장시키고, 국정운영의 투명성을 확보함으로써 국정에 대한 국민의 통제와 참여를 활성화하는 역할을 수행했다.

경실련은 1992년부터 행정 민주화 실현과 행정 비밀주의의 타개를 위한 제도개혁 운동으로 '정보공개법'과 '행정절차법' 제정 운동을 지속해서 벌여왔다. 경실련은 정보공개법과 행정절차법 도입·시행을 위해 입법청원, 실태조사, 의견제시 등 꾸준히 활동했다. 그 결과 그동안 정보공개법을 통해 기관장 판공 비, 지자체 예산 내역, 국회의원 외유 활동 내용 등 그동안 공개되지 않아 부패할 수밖에 없었던 부분들까지 투명하게 공개됨으로써 국민이 행정을 견제하고 감시하는 유용한 수단으로 이용되어 미약하나마 국민주권을 실현할 수 있는 계기가 되었다. 또한, 행정민주화를 위해 국민의 목소리에 귀를 기울이고 국민이 납득할 수 있는 결정을 할수록 절차적으로 정당성을 제도화했다.

2. 활동 내용 및 경과

경실련은 1992년 3월 '경제정의 실현을 위한 개혁과제'를 주제로 〈우리 사회 이렇게 바꾸자〉를 출간하며, 정보공개제도의 필요성을 강조했다. 14대 국회의원 당선자 정책설문 조사 결과를 발표하며 정보공개법 제정을 촉구하기도 했다. 이어 같은 해 9월 '행정정보공개법 제정에 관한 공청회'를 개최하며 본격적인 행정 정보 공개운동을 펼쳤다. 경실련은 공청회를 통해 행정정보 공개를 통한 투명한 행정을 요구하며, 정부가 추진 중인 행정정보공개법의 조속한 제정을 촉구했다. 2003년 4월에는 정보공개법, 행정절차법 개정방향과 일정제시를 촉구하는 성명서'를 발표했다. 내용은 '경실련은 "정보공개법이 실제로는 자치단체장의 판공비나 국회의원들의 외유 문서나 공개하지 못하는 '정보공개거부법'에 그치는 실정이라며, 국민의 알권리 충족을 위해서는 정보공개법이 규정하는 범위가 보다 구체적으로 명시될 필요가 있다는 입장을 밝혔다.

정부는 1993년 7월 중앙정부와 지방자치단체, 교육행정기관 등 모든 공공기관이 정보를 공개할 책무를 가지며, 국민이 공공기관에 대해 정보공개청구권을 갖는 것을 골자로 한 '정보공개법' 제정안을 발표했다. 경실련도 이에 맞춰 1993년 7월 12일 정보공개법 청원서를 국회에 제출했다. 청원내용은 정부가 가진 정보는 원칙적으로 공개하며, 비공개정보는 최소한에 그쳐야 하며 행정정보 외에 입법부나 사법부도 공개 대상에 포함되어야 한다고 주장했다.

1995년 8월 정부가 입법예고한 정보공개법은 정보공개절차 소유기간의 문제점, 비공개 사유의 포괄성, 정보공개위원회의 불명확한 지위와 권한, 책임문제, 정보공개결정에 대한 불복절차 불비 등 많은 문제점을 지적했다. 12월에는 '정보공개법 제정 왜 안되는가.'라는 토론회를 개최해 정보공개법 제정을 촉구했다.

1998년 6월 감사원, 국세청, 철도청 등 10개 공공기관의 정보공개제도 운영 실태를 점검해 발표했다. 13개 종류의 정보공개를 청구한 결과, 3개 기관에서 5개 종류의 요구 자료만 공개되어, 정보공개법이 실효

를 거두지 못하고 있음을 지적했다. 15일 이내 공개·비공개 결정을 요청자에게 통보하게 돼 있으나, 대부분 시일을 넘긴 후에야 공개를 하거나 비공개 이유를 밝히지 않고 자료제공을 거부하는 등 정보공개에 소극적이었다. 2001년 11월 정부가 국회에 제출한 정보공개법 개정안이 비공개정보 범위의 추상성, 모호성의 문제점을 제거하는 개정안이 아니라 오히려 더욱 확대, 강화하는 내용을 담고 있어 강하게 규탄했다.

행정절차법 제정 활동도 전개했다. 1994년 행정절차의 민주화, 투명성을 보장하기 위해 정보공개법과 함께 행정절차법의 제정이 필수적이라 판단하여 시민입법위원회에 법 제정 연구팀을 구성하고 경실련 안 마련에 들어갔다. 그 결과 1995년 11월 '행정절차조례 제정 왜 필요한가?'란 주제로 공청회 개최해 행정절차조례제정의 의의와 제정방향을 제시하고, 구체적인 제정 조례안을 제시했다. 1996년 6월 '행정절차법 제정의 필요성과 입법방향' 토론회를 개최해 행정의 가시화, 투명성, 참여를 통한 민주적 정당성 실현을 목표로 행정절차법 제정도 촉구하며, 구체적인 시안을 제시했다. 같은 해 8월에는 정부의 행정절차법 제정안에 대한 의견을 제시하기도 하였다.

2003년 4월 '정보공개법, 행정절차법 개정 방향과 일정 제시를 촉구하는 성명서'를 발표했다. 정보공개법이 국민의 알 권리를 보장하고 국정운영의 투명성을 갖추자는 취지에서 제정됐지만, 자치단체장의 판공비 나 국회의원들의 외유문서 하나 공개하지 못하는 '정보공개거부법'으로 전락했다며 신랄하게 비판했다. 국민의 알 권리 충족을 위해서는 정보공개법이 규정하는 범위가 더욱 구체적으로 명시될 필요가 있다는 입장을 밝혔다. 동시에 정부가 국회에 제출한 정보공개법 개정안의 비공개 대상 범위가 지나치게 확대됐다며 이를 축소할 것을 촉구하는 행정학자와 공법학자 109명의 성명을 발표했다. 공공기관의 주요 정책 결정에 관한 정보를 공개하지 않아도 되게 해 부담스러운 정보일 경우 이 조항을 이용해 비공개할 수 있게 한 것과 정부가 브리핑 제도를 도입하기 전에 정보공개법과 행정절차법에 대한 시급한 보완을 촉구하는 개정안에 대한 의견서를 국회 행정자치위원회에 제출했다.

2011년 7월에는 14개 중앙정부부처 정보공개심의회의 부실운영 실태를 조사해 발표했다. 분석결과를 발표하며 정보공개심의회의 회의록 작성 부실, 정보공개심의회의 외부 위원 비율 부족, 정보공개심의회의 회의록 작성 부실 등의 운영 실태를 신랄하게 비판했다.

이후 꾸준히 정보공개청구를 통해 정부부처, 공공기관, 지자체 등의 정보공개실태와 문제점을 지적하며, 지속적인 정보공개청구 운동을 전개해 오고 있다. 나아가 부실한 행정절차의 문제점을 드러내고 개선 활동을 전개하고 있다.

3. 각계 반응과 성과

정보공개법과 행정절차법은 국민의 알 권리와 공정하고 투명한 국정운영을 위한 중요한 역할을 수행했다. 그동안 행정부, 입법부, 사법부의 정보가 제대로 공개되지 못해, 국정운영과 행정에 대한 불신이 커졌다. 또한, 기관장 판공비나 국회의원 외유 활동이 공개되지 않아 부패도 끊이질 않았다.

경실련은 정보공개법과 행정절차법 제정 운동은 국민과 언론의 큰 호응을 받았다. 특히 경실련이 마련한 청원안은 정보공개법과 행정절차법 제정의 기틀이 되었다. 의견서, 토론회, 공청회와 국회 입법청원을 통해 법 제정 방향을 제시하고, 미흡하지만 법이 제정되는 성과를 일구어냈다. 또한, 정보공개법과 행정절차법이 입법 취지에 맞게 시행될 수 있도록, 실태를 점검하고 문제를 지속해 지적해 개정될 수 있도록 노력했다.

59. 각 정부 국정운영 평가

1. 배경 및 취지

대통령은 선거를 통해 자신의 공약을 제시하고, 당선 이후 약속한 공약을 이행한다. 대통령 선거는 우리 사회의 잘못된 제도와 관행을 개선하는 중요한 제도적 기제다. 역대 대통령 선거에서는 후보자들이 우리 사회를 바꾸겠다며 다양한 공약을 제시하고, 유권자의 표심을 공략했다. 하지만 대통령 당선 이후에 국민과 약속한 정책은 제대로 추진되지 않았다. 대통령 공약이 실제로 이행되는지 감시하지 않는다면 구호뿐인 공약, 헛공약을 남발할 수밖에 없다.

경실련은 역대 정부의 국정운영을 지속적으로 평가했다. 우선 국민이 느끼는 국정운영을 전문가설문을 통해 진행하고, 공약이행 평가와 국정운영 평가토론회를 개최해 국정운영을 진단하고 올바른 국정운영 방안을 제안했다. 특히 역대 대통령이 제시한 약속을 얼마나 실천

사진으로 보는
경실련 30년

I. 경실련의
창립과 활동

II.
경실련
30년
활동의
성과

III. 지역경실련의
활동과 성과

IV. 경실련과
시민사회의 미래

에 옮겨졌는지를 분석함으로써 선거 공약이 정치성 구호로 끝나서는 안 된다는 메시지를 강력하게 던졌다.

2. 활동 내용 및 경과

경실련은 김영삼, 김대중, 노무현, 이명박, 박근혜, 문재인 정부의 국정운영을 지속적으로 평가해 발표했다. 공약이행 평가와 국정운영에 대한 전문가 설문조사, 이를 토대로 정치, 경제·재벌, 부동산, 통일·외교, 의료, 복지, 소통 등 국정운영을 점검했다.

경실련은 1989년 이후 창립 이후 각 분야의 국정운영을 감시하고 정책을 평가해 왔다. 그러나 국정운영을 평가한 것은 1997년 2월 김영삼 정부 집권 4년 평가토론회를 시작으로 본격화됐다. 첫 평가토론회에는 각 분야 전문가와 여·야 정치인이 참여하였다. 참여한 발제자와 토론자들은 심화하고 있는 경제침체를 해결을 위해 대통령과 정부 여당이 독선을 벗어나야 하며 국정운영을 개혁할 것을 요구했다. 김영삼 정부의 국정운영도 평가했다. 국민 1000명이 참여한 평가 결과는 100점 만점에 종합적인 직무수행 72.5점, 개혁추진 51.3점, 국정운영 65.7점이었다. 공약 이행도 평가했다. 전문가로 구성된 평가위원은 A, B, C, D, F 5등급으로 평가한 결과, 정치는 C, 경제 및 과학기술은 D, 농어업은 C, 중소기업은 C, 사회는 D, 교육은 D, 노동은 D, 여성은 D, 문화는 C, 통일은 D로 낮은 평가를 받았다.

2000년 3월 김대중 정부 집권 2년에는 공약 이행 결과를 평가해 발표했다. 후보 시절 국민과 약속한 17개 분야 1,015개 세부 공약을 하나하나 확인해 분석했다. 그 결과 적극적으로 추진 중인 공약이 29.67%, 미착수율이 22.91%, 추진이 미흡한 공약이 47.43%로 나타나 공약 이행이 저조한 것으로 나타났다. 이에 남은 기간 동안, 선거공영제 실시, 공직선거 후보자의 상향식 추천, 고위공직자에 대한 국회 인사청문회 실시, 검찰과 경찰의 정치적 중립성 제도화, 돈세탁 방지법 입법화, 금융실명제 실시를 촉구했다. 2002년 3월에는 김대중 대통령의 국정운영에 대해 전문가 평가 설문을 실시했다. 전문가 300명은 직무수행능력에 대해 부정적인 평가가 50.7%로, 긍정 평가 22.7%에 비해 배 이상 많았다. 또한, 개혁정책에 대해서도 부정적 평가가 49.0%로 긍정적 평가 17.3%에 비해 월등히 높았다. 직무수행에 대한 부정적으로 응답한 전문가들은 △대통령의 자질과 능력 부족(56.6%), △청와대 보좌진과 정부 각료들의 보좌 잘못 등 인사 실패(35.5%), △국민 지지 부족(6.6%) 등을 이유로 꼽았다. 개혁정책 실패에 대해서는 △대통령의 각종 인사 실패(47.6%), △당정(黨政) 주도세력 부패(17.7%), △대통령의 개혁 의지와 일관성 부족(17.0%) 등을 들었다.

2003년 3월 김대중 대통령이 제시했던 공약 가운데 18.2%만이 지난 5년간 이행이 완료됐다는 조사 결과도 발표했다. 경실련은 관련 분야 전문가 58명을 대상으로 17개 분야, 1천15개에 달하는 김 전 대통령의 대선공약에 대한 이행 정도를 조사한 결과, 추진이 완료됐거나 적극적으로 추진됐다고 평가된 공약이 18.2%(185개), 추진 중이거나 소극적으로 추진됐다고 평가된 공약이 57.4%(582개)였다. 분야별로는 통일 분야가 35개 중 12개(34.3%)로 가장 많았으며 여성(33.9%), 국방(28.8%), 외교(26.2%), 농업(25%) 순으로 공약 이행률이 높았다.

2003년 3월 노무현 정부 출범 100일을 맞아 국정운영 평가를 위해 각 분야 전문가 181명을 대상으로 전문가 설문을 진행했다. 그 결과 참여정부가 잘한 일에 대해 '검찰개혁'을, 잘못하거나 미흡한 부문은 '교육정책'을 지목했으며 앞으로 중점적으로 추진해야 할 정책 1순위로는 '경제성장'을 꼽았다. 앞으로 가장 중점

적으로 추진해야 할 정책은 '경제성장'을 꼽았고, 이어 대북·통일정책, 정치개혁, 교육정책, 반부패개혁 등을 향후 과제로 지목했다. 전반적인 경제정책 운용에 대해서는 35.4%가 '매우 잘못하고 있다'라고 평가했고 32%는 '잘못하고 있다'라고 답해 부정적인 평가가 다수를 차지했다. 긍정적인 평가는 6.1%에 그쳤다. 또한 국정운영 평가 토론회에서는 정부 운영에 대해 책임총리를 적극 활용하고 부처의 자율성을 최대한 인정하는 등 청와대와 각 부처 간의 관계 설정과 함께 이익집단세력의 과잉행위에 대응해 부처별, 부문별 갈등관리시스템을 구축할 것 등을 주문했다.

2004년 2월에는 참여정부 1년을 맞아 '노무현 정부 출범 1년 국정운영 평가와 향후 방향 토론회'를 가졌다. 발제자로 나선 당시 권해수 경실련 정부개혁위원장은 "노무현 정권의 지난 1년간 국정운영은 ▲리더십의 부재, ▲총선 승리를 위한 국정 희생 등으로 요약된다."며 "탈권위주의를 실현했지만 인력 풀(pool)의 한계, 사회적 갈등해결 시스템의 미비로 인해 개혁은 부진하고 불신은 커지고 있다."라고 평가했다.

국정운영 전문가 평가 설문 결과도 발표했다. 전반적인 대통령 직무수행에 대하여 응답자의 약 61.5%가 잘못했다고 부정적으로 평가했고, 잘했다는 비율은 17.5%로 매우 낮았다. 개혁정책에 대한 부정적 평가도 49.5%로 긍정적 평가 20.5%에 비해 높았다. 긍정적으로 평가되는 정책은 검찰개혁, 부동산 대책, 정부 개혁과 지방분권, 부정부패 척결, 정치개혁 순이었다. 반면 부정적으로 평가된 정책은 실업 대책, 대미 외교정책, 물가안정 및 경기침체 회복 대책, 인사정책, 교육정책 순이었다.

2006년 2월에는 노무현 정부 취임 3년을 맞아 국정운영을 전반적으로 재점검하고 남은 기간 초심으로 돌아가 중산층과 서민을 위한 정책에 매진할 것, 합리적 대안을 수용하고 국민통합의 정치를 실현할 것, 경제와 민생문제에 집중하여 부동산 투기를 근절하고 양극화 완화와 동반성장의 계기를 만들 것을 촉구했다.

2008년 5월에는 '이명박 정부 100일 평가 시리즈 토론회'를 열었다. 경제정책 기조와 성장정책 분야, 복지·보건의료 분야, 재벌·공정거래 분야, 교육 분야, 노동 분야 토론회가 5일간 진행되었다. 경실련은 이명박 정부 100일은 재벌기업과 가진 자들을 위한 정부로 평가했다. 재벌들에게 청와대에 핫라인을 개설해주고, 출자총액제한제도 폐지, 은산분리 완화, 법인세 감세, 대기업에 대한 공정위 봐주기 조사 등 시장 질서를 형성하는 규칙과 정상적 활동을 제약하는 규제를 구분하지 추진하고 있다고 신랄하게 비판했다. 또한, 약자인 중소기업과 자영업자, 노동자 정책 실종과 가진 자를 위한 교육정책 추진도 강력히 비판했다.

2009년 2월에는 이명박 정부 출범 1년 국정운영 평가 결과를 발표했다. 전문가 363명이 평가한 결과, 종합적인 직무수행에 대해 74.66%가 부정적으로 평가했고, 72.72%가 정책은 실패했다고 평가했다. 또한, 추진한 정책 중 긍정적으로 평가할 수 있는 정책에 대해 '없다' 23.14%, 신성장 정책 19.01%, 감세 정책 12.40%, 서민 생활 대책 11.29%로 답했고, 잘못했다고 평가하는 정책은 '7·4·7 경제 성장정책'이 39.67%, 인사정책 20.66%, 대북정책 18.46%, 대기업정책 16.80%, 금융정책 16.25%, 부동산정책 16.25% 등 순으로 나왔다. 2010년 2월 출범 2년 국정운영 평가 결과도 다르지 않았다. 전문가 344명은 국정운영에 대해 65.7%가 부정적으로 평가했고, 직무수행도 67.1%가 잘못하고 있다고 응답했다. 그 이유는 일방적이고 독선적인 행태, 낡은 사고와 구시대적 상황 인식, 국민과의 소통 부족을 꼽았다. 정책에 대해서도 66.6% 잘못하고 있다고 평가했다. 그리고 2011년 3월 이명박 정부 출범 3년을 맞아, 대선 당시 내세웠던 10대 공약 중 6개 민생공약 이행 결과를 평가한 결과 평균 D등급으로 사실상 낙제점으로 평가했다. 이명박 정부가 줄곧 내세웠던 친서민, 중도실용, 경제살리기 등의 국정 기조가 그저 정치적 수사에 불과했음을 극명하게 보여주는 결과라고 평했다. 2012년 2월에는 이명박 정부 4년 평가토론회를 개최해 이명박 대통령의 실용주의 정책과 소통 부재, 폐쇄적인 인사정책을 지적하며 호된 질책을 했다.

박근혜 정부에 대한 국정운영 평가도 지속했다. 2013년 취임 100일 평가토론회를 개최해 국정운영 방향의 키워드인 국민행복, 창조경제, 경제민주화 등은 실체가 모호하고, 대통령의 리더십과 국정운영 철학 및 수행방식에 대전환을 요구했다. 100일 국정운영 전문가 설문조사 결과는 국정운영의 국민적 합의부재와 화합과 통합의 능력부족을 이유로 54.5%가 부정적으로 평가했다. 독선적 불통 리더십과 인사 실패로 인한 직무수행 평가에서도 61.7%가 부정적 평가를 내렸다.

2014년 2월에는 취임 1년을 맞아 20대 분야 672개 세부 공약 이행 여부를 평가했다. 전체 672개 공약 중 완전이행률은 28%에 그쳤으며, 후퇴 이행률은 28%, 미

이행률은 44%에 달했다. 경실련은 지난 대선 시기 박 대통령이 국민에게 실현을 약속했던 정치쇄신, 경제민주화, 복지구현 등 주요 공약 이행률이 저조한 수준이라고 지적했다. 250명 전문가 설문 조사결과도 발표했다. 정책만족도 2.45점(C-학점)은 이명박 정부 1년 차의 조사결과였던 2.01점에 비해서는 높은 수치였으나, 노무현 정부 1년 차의 조사결과인 2.56점에 비해서는 다소 뒤떨어졌다. 가장 잘못된 정책으로 경제민주화, 인사정책, 검찰개혁, 국민대통합, 정치쇄신 순으로 나타났다. 앞으로 주력해야 할 과제는 경제민주화, 일자리 등 실업 대책, 공기업 개혁 등 정부 공공부문 개혁, 검찰개혁, 지역 및 사회갈등 해소 등 국민통합의 순이었다. 2015년 2월 취임 2년을 맞아 대선 세부공약 674개의 이행수준을 분석한 결과, 완전이행이 37%, 부분이행이 35%, 미이행이 27%로 나타났다. 완전이행률이 37%밖에 되지 않고 후퇴이행과 미이행이 많다는 것은 공약 실천 의지가 약하거나 공약 자체가 실현 가능성이 작았다는 것을 의미한다며 비판했다. 300명이 참여한 전문가 국정운영 평가결과는 국정운영 리더십과 통치스타일에 대해 77%가, 직무수행 80%, 정책추진 81%가 낙제점을 줬다.

그리고 2016년 2월 박근혜 정부 3년 국정운영 평가에서도 전문가 300명 중 83.3%가 직무수행을 잘못했다고 평가했다. 가장 큰 문제로 국민과의 소통부족과 권위적 행태를 꼽았고, 리더십에 대해서는 비민주적이라고 82.0%가 응답했다. 82.3%가 정책이 실패했다고 평가했고, 경제민주화 정책을 가장 문제로 꼽았다.

촛불 이후 취임한 문재인 정부 국정운영 평가는 취임 1년과 2년에 진행했다. 대선공약인 '나라를 나라답게'에서 제시한 1,169개 공약이행에 대해 평가를 진행했다. 2018년 5월에 진행한 결과는 전체 1,165개 공약 중 완전이행 공약은 143개로 12.3%, 부분이행 494개 42.4%, 후퇴이행 13개 1.1%, 미이행 488개 41.9%, 판단 불가는 27개 2.3%로 나타났다. 중소·중견기업 육성, 경제민주화, 국익 우선 협력외교, 일자리 창출, 정치·선거제도 개혁, 교육의 국가책임이 상대적으로 높은 이행률을 보였고, 민주·인권 회복, 평화통일, 언론 공약은 완료한 공약이 없었다. 2019년 4월에 진행한 공약이행률 평가결과는 완전이행 16.3%, 부분이행 55.9%, 후퇴이행 1.7%, 미이행 24.6%로 나타났다.

문재인 정부 국정운영 평가를 위한 전문가 설문조사 결과는 1년 차에 직무수행 능력, 국정운영 리더십, 소통에 대해 각각 77.3%, 75.6%, 74.4%가 긍정적이라 평가했다. 하지만 주요정책 중 일자리 정책과 부동산정책, 인사시스템 등은 긍정적 평가가 각각 31%, 43.6%, 32%에 그쳐 남은 임기 동안 분발을 촉구했다. 국정과제 중 잘한 정책으로는 적폐청산과 대북정책, 권력기관 개혁 등이 꼽혔으며, 못한 정책은 일자리 정책, 재벌정책, 부동산정책 등이 많은 지목을 받았다. 2년 차 '국정운영'에 대해서는 10점 만점에 5.1점으로 평가하였고, 인사, 일자리, 권력기관 개혁, 적폐청산, 남북·한미 관계, 개인정보 정책은 10점 만점에 평균 5.0점을 줘 부정적 평가를 했다. 가장 낮게 평가한 정책은 인사정책으로 3.9점이었고, 다음은 일자리 정책 4.2점이었다.

3. 각계 반응과 성과

경실련은 1997년 김영삼 정부 때부터 국정운영을 지속해 평가하고 올바른 국정운영 방향을 제시했다. 역대 김영삼, 김대중, 이명박, 박근혜 정부와 현재 문재인 정부의 국정운영을 매년 평가했다. 공약이행을 점검하고 전문가 설문조사를 통해 국정운영을 비판적으로 평가했다.

대통령 공약 이행을 평가함으로써 대통령의 공약이나 개혁정책이 지속되도록 비판하였으며 공약에 대해 재점검의 기회를 제공했다. 이와 함께 경실련은 평가토론회를 개최해 정부의 국정운영을 면밀하게 평가하고 충고와 대안을 제시했다. 나아가 공약 이행평가를 통해 무분별한 공약 남발을 견제하고, 국민과 한 약속을 지키고 개혁정책이 동력을 잃지 않도록 촉구하였다. 다만, 전문가 설문조사와 공약이행 평가가 당시의 시대상을 반영하다 보니, 방식과 내용에 차이가 있어 역대 정권별 국정운영을 동일한 척도로 평가하는 데는 일정한 한계가 있을 수밖에 없다.

동을 본격화했다.

2. 활동 내용 및 경과

60. 재산공개제도 도입을 위한 공직자윤리법 개정 운동

1. 배경 및 취지

1983년 공직자윤리법의 제정으로 도입된 공직자 재산등록제도는 초기 10년간 군사정권 하에서 유명무실하게 운영됐다. 민주화 이후 김영삼 대통령은 '깨끗한 정치'를 표방하며, 1993년 2월 27일 본인의 재산을 공개했다. 이후 김영삼 정부가 당정 고위 인사에 대한 재산공개 방침을 세우면서, 1993년 3월 18일 국무위원들과 청와대 수석비서관들의 재산공개, 3월 22일에는 민자당 의원과 당무위원의 재산공개가 이루어졌다. 하지만 이러한 재산공개 과정에서 고위 인사들의 도덕성 및 공개된 재산의 신뢰성에 대한 문제가 제기되며 재산공개제도의 한계가 드러났다.

이에 경실련은 공직자윤리법 개정을 위한 입법청원 운동을 펼쳤다. 이러한 움직임 속에서 1993년 김영삼 정부는 고위 공직자들의 재산 등록 및 공개제도를 대폭 강화했다. 하지만 재산 등록 및 공개 대상이 협소하게 규정되었을 뿐만 아니라 고질적인 부동산과 금융거래의 명의신탁 관행과 관련 법률의 문제점은 사실상 허위 공개 여부에 대한 감시를 불가능하게 하였다. 더욱이 재산 등록 심사와 공개의 운영마저 형식적으로 이루어져 제도적 취지를 구현하지 못하였다.

경실련은 1998년 경제위기 속에서 경실련은 경제위기를 초래한 원인의 하나로 정경유착과 구조적인 공직부패를 지적하며, 공직자 재산등록 및 공개제도 개선 운동을 펼쳐나갔다. 공직자로 하여금 재산 형성과 유지에 있어서 투명성을 요구하여 권력을 이용한 공직자의 불법적 재산증식을 방지하고 공직자의 청렴성에 대한 국민의 알 권리 충족을 위하여 공직자 재산공개의 확대 및 강화 운

김영삼 대통령에 이은 국무위원들과 청와대 수석비서관들, 민자당 의원과 당무위원의 재산공개 과정에서 고위공직자의 재산 관련 비리 의혹이 일부 드러났다. 이에 경실련은 재산공개에서 드러난 모든 비리 의혹에 대한 검찰의 엄정한 진상조사 및 사법처리를 촉구했다.

공직자들의 재산공개가 커다란 사회적 파문을 일으키자, 시민입법위원회는 깨끗한 정치개혁을 위한 공직자 재산공개제도 개선 운동을 전개했다. 구체적인 활동으로 1993년 4월 12일 '공직자부패방지를 위한 법제도의 개선방향'이라는 주제로 공개세미나를 개최하고, 4월 24일부터는 시민입법위원회의 역량을 모아 제도개선을 위한 구체적인 방안을 모색해 나갔다. 1993년 5월 3일, 경실련은 공직자윤리법 개정안을 국회에 청원하고, 민주당 이기택 대표와 민자당 김종필 대표를 차례로 만나 임시국회에서 처리할 것을 요청하였다.

이후 국회는 공직자윤리법 논의되는 과정에서 재산등록 범위는 4급 이상, 공개 대상은 1급 이상으로 제한하려고 시도했다. 이에 경실련은 1993년 5월 17일 4급 이상 공직자를 공개대상으로 하고 직계존비속도 등록 대상이 되어야 한다는 논평을 발표했다. 이러한 문제의식을 발전시켜 1996년, '공직부패방지를 위한 공직자윤리법 개정의 청원 안'을 다시 국회 제출했다. 청원 안에는 △ 재산등록의무자를 현행 4급 이상의 공무원에서 6급 이상으로, 수사나 감사 등 사정 활동을 하는 공무원과 세무공무원은 7급 이상까지 확대, △ 등록재산의 취득가액과 소득원을 포함한 취득과정을 명시하도록 의무화, △ 공직자윤리위원회는 심사 결과 재산취득의 경위나 소득원을 밝히지 못하거나 재산은닉 또는 허위등록의 혐의가 있다고 의심되는 경우는 법무부 장관이나 국방부 장관에게 조사 의뢰 등의 내용이 포함되었다.

1993년 공직자윤리법 전면 개정 이후, 김대중 정부에서 경실련은 공직자 재산등록 공개 및 심사제도의 제도적 허점으로 인해 여전히 형식적으로 운영되고 있는 점을 지적하며 재산공개제도의 투명하고 내실 있는 운영을 촉구하는 운동을 전개했다.

1998년 4월 25일, 경실련은 공직자 재산등록 현황을 조사하였다. 조사 결과 지난 5년간 25만 8,532명의 재산등록이 이루어졌으나 해임 2명, 징계 10명, 과태료

사진으로 보는
경실련 30년

I. 경실련의
참여와 활동

II.
경실련 30년
활동의 성과

III. 지역경실련의
활동과 성과

IV. 경실련과
시민사회의 미래

부과 2명, 경고 108명 등 에 그친 점을 발견하고 형식적인 심사절차의 문제점과 의무위반에 대하여 엄격한 제재가 이행되지 않은 점에 대해서 강력하게 비판했다. 아울러 공직자윤리위원회에 현직 공무원 배제, 재산등록 감사 장치 마련, 재산등록 업무의 감사원 이관, 고지거부 조항 삭제 등 개선안도 발표했다.

1998년 4월 30일, '공직자윤리법' 개정을 위한 3번째 입법청원서를 국회에 제출했다. 청원서에는 △ 등록 시 등록재산의 취득가액과 소득원 포함 취득 과정 명시하도록 강제하고, △ 재정신청제도를 도입해 등록재산은닉의 죄, 허위기재의 죄, 직권남용에 의한 재산취득의 죄 등에 대하여 일반 국민이 공직자윤리위원회에 조사 요구할 수 있고, △ 검찰에 공소 제기 요구, 법원에 재정을 신청할 수 있도록 하여 국민의 감시 참여의 폭 확대, △ 3급 이상의 고위공직자의 경우 직계존비속 가족의 재산공개 의무화, △감사원에 조사 기능부여, △ 5년마다 한 번씩 모든 재산 재등록, △공직자윤리위원회의 공무원을 제외하고 구성과 임기 보장, △ 등록재산은닉의 죄 등을 신설하여 처벌조항을 강화하는 내용을 담았다.

이후 경실련은 국민의 알 권리 충족을 위하여 공직자 재산등록에 대하여 지속적으로 감시하고 공직자재산등록의 실행과 투명성 제고를 목적으로 공직자들의 투명한 재산변동 현황을 분석하여 발표했다. 또한, 공직자의 부동산 투기, 공직자의 주식투자 문제 등이 붉어질 때마다 공직자 재산공개제도의 개선방안을 짚었다. 2000년 3월 10일에는 '공직자재산공개 제도, 무엇이 문제인가?' 공청회를 열어 기존 공직자 재산공개제도의 문제점과 공직자의 주식투자 문제를 논의했다. 2001년 2월 26일 61명의 국회의원을 대상으로 재산변동사항을 분석해 공직자의 부정한 재산증식의 방지와 공무집행의 공정성 확보를 목적으로 하는 재산공개제도는 그 취지에 맞지 않게 지나치게 형식적이어서 시민이 구체적인 내역을 알 수 없다는 점을 지적하기도 했다.

3. 각계 반응과 성과

김영삼 정부에서 이루어진 공직자 재산공개 이후, 공직자의 도덕성 및 공개된 재산의 신뢰성에 대한 문제가 끊임없이 제기되었고, 제도의 한계가 지적되었다. 경실련은 3차례에 걸친 공직자윤리법 개정안을 입법청원하고, 재산공개제도 도입을 위한 공직자윤리법 개정을 이루어냈다. 이를 통해 공직자가 공직을 남용한 부의 축적 등을 자제하는 제도적 견제장치의 기틀을 마련하고, 불법하게 과다한 재산을 형성한 일부 인사를 공직에서 축출하는 등 성과를 냈다.

이후에도 계속해서 공직자 재산공개 현황을 분석해 제도의 한계를 지적하며, 1993년 6월 11일 재산공개의 제도화, 공직자윤리위에 재산심사권 부여, 4급 이상 공무원의 재산등록 의무화, 처벌규정 강화 등을 담고 있어 현행 공직윤리 제도의 기틀을 마련했다. 2001년 1월 26일 재산공개자의 주식거래내역 신고 의무화, 2005년 5월 18일 가액변동신고제를 도입하고, 재산공개자에 대한 재산형성과정 소명 요구 내용을 입법화시키는 결실을 보았다.

61. 5·18 특별법 제정 운동

1. 배경 및 취지

1980년 5월은 한국 현대사에서 새로운 국면을 연 분수령이었다. 광주 시민은 군부독재의 총칼에도 굴하지 않고 성숙한 민주 역량으로 처절히 군부에 저항, 민주화와 자주화를

외쳤다. 1988년 민주적 절차를 통해 선출된 노태우 정권이 출범했으나, 1980년 5·18에 대한 진상규명과 처벌은 전혀 이루어지지 못했다. 1993년에 문민정부가 출범 이후에도 5·18에 대한 진상규명은 더디기만 했다. 김영삼 대통령은 5·18 문제를 '역사의 평가에 맡기자.'라고 말했고, 1995년 7월, 검찰은 '성공한 내란은 처벌할 수 없다.'라는 어이없는 논리를 내세워 전두환, 노태우 등 5명을 불기소 처분해 국민과 역사를 배반했다.

이에 경실련은 1995년 8월과 9월, 5·18에 대한 철저한 진상규명과 처벌을 통해 역사를 바로 세우고자 '5·18 특별법 제정을 위한 범국민서명운동'을 진행을 시작으로, 같은 해 10월 본격적인 특별법 제정 운동을 전개해 나가기 시작했다.

2. 활동내용 및 경과

1995년 7월, 검찰은 '성공한 내란은 처벌할 수 없다.'라는 어이없는 논리를 내세워 전두환, 노태우 등 5명을 불기소 처분했다. 이에 경실련을 비롯한 10개 단체는 긴급히 '현 정부의 5·18 내란죄 기소 포기 규탄 시민대회'를 개최해 사법부를 강하게 비판했다. 이어 1995년 10월 26일, 5·18 특별법 제정을 위해 범국민적 연대기구인 〈5·18 학살자처벌 특별제정을 위한 범국민 비상 대책위원회〉를 결성했다. 비상대책위원회는 5·18 특별법 제정을 위해 시민과 함께 국민행동을 전개하며, 공론화에 앞장섰다.

경실련은 검찰의 5·18 책임자 불기소 처분에 대한 비판 여론이 확산되자 같은 해 7월 25일, '성공한 쿠데타는 법적 면책을 받을 수 있나'라는 주제로 토론회를 개최했다. 토론회 참석자들은 한결같이 5·18 내란죄 공소시효 연장을 주장했다. 이날 토론회를 기점으로 본격적인 5·18 특별법 제정 운동이 본격화되었다. 8월부터 경실련을 비롯한 천주교 정의구현전국사제단, 광주대교구 정의평화위원회 등 시민사회가 본격적인 서명운동을 벌였다. 1995년 9월 19일, 5·18특별법 제정과 특별검사제 도입을 촉구하는 12만여 명의 서명부를 1차로 공개하고, 황낙주 국회의장을 방문해 서명부와 5·18특별법 입법청원서를 전달했다. 또한, 김대중 새정치국민회의 총재와 박일 민주당 공동대표를 방문해 이번 정기국회에서 특별법을 제정하는 데 힘 써달라고 요청했다.

1995년 11월 〈5·18특별법 어떻게 제정할 것인가〉란 주제로 민자당이 5·18특별법을 제정하겠다고 발표한

직후 5·18특별법제정범국민비대위에 참여한 단체가 5·18 특별법 단일안을 가지고 토론회를 개최했다. 그 결과 1995년 12월 19일, 14대 국회 마지막 정기회의에서 5·18 특별법이 제정됐다. 5·18 특별법은 전두환, 노태우 2명의 전임 대통령을 12·12 반란자와 5·18 내란자 및 부화뇌동자의 공소시효를 정지시켜 처벌할 수 있도록 했고, 공소시효는 2008년까지 연장할 수 있게 됐다. 경실련은 국민과 함께 이 법의 제정을 환영하며, 1980년 이후 지금까지 피와 땀으로 투쟁해온 광주 시민과 국민이 일구어낸 노력의 결과로, 오욕의 과거를 청산하고 우리 역사에 정의를 바로 세울 수 있는 전기를 마련하게 됐다고 평가했다.

5·18 특별법이 제정된 이후 모든 진실이 밝혀질 것으로 기대해 왔으나, 검찰수사는 매우 미흡했다. 12·12 사건의 사후재가 과정, 5·17 비상계엄 확대조치 결재 경위, 8·16 최규하 전 대통령 하야 과정에서의 신군부세력 강압 여부, 국보위의 기획 및 설치과정에서의 역할, 보안사의 집권 시나리오 실체 여부, 전두환 보안사령관의 중정부장 서리 겸직 및 결재 경위 등이 여전히 밝혀지지 않았다. 광주 현장 조사도 시민들의 제보에만 의존한 채 진압 군인에 대한 직접적 수사나 확인은 이루어지지 않았다. 발포 명령자, 추가 양민학살, 사상자 암매장, 사망자 수, 행방불명자의 소재 파악 등 실체는 드러내지 못했다.

이처럼 검찰은 적극적인 조사를 하지 않고 관련자에 대한 사법처리도 소극적이었다. 특히, 국회의원 총선을 앞두고 집권 여당의 당리당략에 따라 12·12와 5·18 수사를 시급히 축소 종결하려고 시도했다. 이에 대해 1996년 1월 15일 경실련은 검찰이 5·18 특별법이 양대 정신인 진상규명과 책임자의 엄중한 처벌을 강력히 요구했다.

이후 검찰은 5·18 특별법 제정 및 헌법재판소의 합헌 결정으로 1996년 1월 23일 전격적으로 전두환 등 신군부 인사를 5·18 사건의 내란죄 및 반란죄 혐의로 기소했다. 그리고 같은 해 2월 2일부터 2월 28일까지 검찰은 12 12 사건, 전두환 전 대통령 비자금 사건, 노태우 전 대통령 비자금 사건 등의 관련자들을 기소했다.

1996년 8월 26일, 12·12 및 5·18 사건에 대한 1심 재판부는 5·18을 군사반란과 내란으로 규정하고, 주범인 전두환, 노태우에게 사형을 선고했다. 하지만 나머지 정호용 등에 대해서는 내란목적살인을 무죄로 선고해 재판의 의미를 심각하게 훼손했다. 이에 경실련은 검찰에

게 2심 재판 때까지 광주진압 시 일선 지휘관 등에 대해 보충 수사를 진행하여 지휘권 이원화 문제, 발포 명령자 색출 등 5·18 관련 범죄사실을 명백하게 입증할 것을 촉구했다. 경실련은 1996년 11월 14일, 12·12 및 5·18 사건의 증언을 거부한 전 최규화 대통령에 대해 사건의 진실을 밝힐 것을 요구하는 논평을 발표하기도 하였다.

3. 각계 반응과 성과

1994년, 1995년의 시대 상황은 재야가 중심이 되어 거리에서 5·18 특별법 제정을 주장했다. 재야 운동권과 시민운동은 노선과 운동 방향에 차이로 서로 거리를 두고 있었다. 경실련은 5·18 광주 학살 진상규명은 보편적 기본권과 인권, 민주주의의 발전을 위해 적극적으로 참여해 제도화해야 한다고 결정했다. 경실련은 재야 집회에 당시 김태동 정책위원장이 참여하며 본격적인 5·18 특별법 제정 운동에 뛰어들게 된다.

한국당과 자민련은 5·18 피해자의 국가유공자지정과 특별검사제 도입 반대를 이유로 5·18 특별법 제정을 반대했으며, 일부 의원들이 본회의 표결에 불참했다. 검찰도 5·18 특별법의 취지를 무시한 채 축소 수사로 일관했고, 범죄사실에 대한 입증도 미흡했다.

5·18 특별법 제정 운동은 불행했던 과거 역사를 청산하고 우리 사회에 법과 정의를 세우는 계기가 되었다. 12·12 및 5·18 사건이 발생 15년이 지나도록 법에 따른 실체적 규정과 역사적 평가가 이루어지지 못해 왔던 점을 감안할 때 재판부가 이를 군사반란과 내란으로 명확히 성격 규정한 것에 대해서는 의미가 크다.

하지만 경실련이 주장했던 특별검사제 도입이 이루어지지 않아 검찰수사 과정에서 5·18 사건에 대한 범죄사실이 충분히 입증되지 못하는 한계가 있었다. 또한, 재판 과정에서도 중요한 증인들이 불참하는 등 실체적 규명이 제대로 이루어지지 못했다. 나아가 피해자들의 국가유공자 지정이 이루어지지 않았다.

노무현 정부는 2005~2007년 국방부의 과거사 진상규명위원회(과거사위) 활동을 통해 5·18 진실을 밝히는 데 공을 들였으나, 발포 명령자에 대한 진실을 밝히지 못했다. 문재인 정부 출범 이후, 국방부의 5·18 특별조사위원회는 5·18 당시 광주에서 계엄군의 헬기 사격이 있었다는 사실을 확인했으나, 일부 기관과 개인의 비협조로 실체를 완벽히 밝히지 못해 5·18 진실규명은 다시 한계에 부딪혔다.

5·18 특별법 제정을 위해 범국민적 연대기구인 <5·18 학살자처벌 특별제정을 위한 범국민 비상 대책위원회>를 결성했다. 대책위원회는 시민운동과 재야운동이 함께한 최초의 운동이란 역사적 의미가 크다.

경실련은 5·18 진상규명과 전두환, 노태우 씨 등 관련자 처벌을 촉구하는 수차례의 집회와 성명서 발표, 토론회 개최 등 활발한 활동을 벌였다. 5·18특별법 제정은 국헌문란과 양민학살의 역사적 범죄를 법의 이름으로 단죄하는 이 시대의 핵심과제였다. 경실련은 검찰의 관련자 불기소 발표 이후 각계각층의 특별법 제정 운동과 결합하여 검찰의 법리판단 문제점을 지적하고 특별법 제정을 위해 노력했다. 그 결과 정부와 여당이 5·18특별법 제정에 나서고 특별법이 제정되어 이 땅의 사법 정의를 실현하는 기초를 마련했다.

62. 청렴하고 책임 있는 공직사회 만들기 운동

1. 배경과 취지

국가 기관이나 공공 단체에서 공적인 직무를 수행하는 공직자는 해당 직무를 감당할 수 있는 전문성과 정직·성실·타인 존경심과 같은 덕목이 내면화된 도덕성이 필요하다. 경실련의 공직사회 감시활동은 고위공직자 인사청문회 제도 도입, 공공기관 낙하산 인사 감시, 공직사회 부패 근절을 중요하게 다뤘다. 고위공직자 인사청문회법 제정은 1998년 김대중 정부 출범 이후 관료 경력이나 실무 경험만 고려하여 인사를 행함으로써 개혁정책들이 일관성을 상실하거나 좌절되는 사례가 발생하여 인사검증 제도 도입 운동으로 시작했다. 인사

합이나 나눠 먹기식 인선을 철저히
배제해 인선의 결과뿐 아니라
그 과정에서도 민주적이어야 했다"고
비판하였다. 그리고 1998년 국회법에 '인사청문회' 절차
를 명시했음에도 정부와 여당이 인사청문회 대상을 국무
총리, 감사원장, 대법원장 등으로 국회 임명동의 절차 대
상자 축소를 주장해 제도 도입이 늦어지고 있어 경실련
은 정치권의 반개혁적 태도가 인사청문회 절차 도입을
늦추고 있다고 비판했다. 이어 1999년 3월에는 인사청
문회 대상자에 국가정보원장, 검찰총장, 경찰청장, 국세
청장까지 확대를 주장했다. 당시 국민회의는 국회의 임
명동의직을 제외하고 '빅4'까지 청문회 대상을 확대하는
것은 '삼권분립의 원칙을 규정한 헌법에 위배된다.'는 위
헌론을 들어 반대했으나 권력기관 장이 정권에 유착되는
것을 막고 정치적 중립을 지키기 위해서라도 인사청문회
가 반드시 필요하며, 고위공직자에 대한 객관적인 인사
여과 장치라는 점에서 대상자의 확대를 강하게 주장하였
다. 그리고 2000년 3월 인사청문회법 제정 과정에서 후
퇴 움직임에 대해 올바른 인사청문회법 제정을 촉구했
다. 당시 민주당 안은 제대로 된 인물을 검증하기 위한
기간으로 턱없이 부족했다. 충분한 사전 준비는 물론이
고 피청문인을 출석시킨 실질 청문회는 질의, 답변, 재질
의를 감안하여 최소한 3일 이상 실시해야 하며, 청문회
의 전 과정을 국민에게 공개할 것을 요구하였다. 2000
년 6월 제정되었고, 2006년 2월에는 헌정사상 처음으
로 국무위원 인사청문회가 열렸다. 2006년 3월, 두 번
째로 시행되는 인사청문회에 앞서 경실련은 인사청문회
가 정쟁의 수단이 아닌 국무위원으로 요구되는 도덕성과
자질, 정책을 검증하는 자리가 되어야 한다고 주장했다.

한편, 경실련은 공공기관장 임명실태를 지속적으
로 조사해 발표했다. 2001년 3월 '정부투자기관장 임명
실태 분석' 기자회견을 열어 정부 투자기관 사장 임명과
정에서 추천위원회 구성의 편파성과 형식적인 사장추
천, 회의록 부재, 무용지물 심사기준, 외부 공모 과정 전
무, 검증절차 실종 등의 문제점을 지적하며 사장 추천위
원회의 민주적 구성과 활성화, 투명성 등을 제안했다.
2002년 3월 정부 투자기관장 및 산하 단체장 임명실태
도 분석 발표하면서 공기업 사장은 '낙하산 인사'라는 비
판이 끊이지 않고, 부적격 인사들이 정치적 배려 때문
에 기관장으로 임명되고 있음을 지적했다. 2008년 12
월에는 이명박 정부의 공공기관장 임명실태를 조사하
여 정부가 공공기관 임원추천위원회 활동에 개입하여 공

청문회법 제정 이후 2003년과 2005년에는 인사청문회
대상자 확대 운동을 펼쳤으며, 고위공직자에 대한 인사청문
회 과정을 모니터하며 의견을 밝히고 있다. 공공기관 낙
하산 인사 감시 활동은 능력과 자질, 도덕성을 갖추지 못
한 인사들이 정치적 이념이나 성향, 학연, 지연 등으로 기
관장으로 임명되는 것을 방지하기 위해 투명한 임명절차
와 제도의 정비를 요구하였다. 그리고 공직사회 부패 감시
는 인허가 관련 부패나 부패를 인지하면서도 적절한 행정
처리를 하지 않는 것 등 전근대적이고 불합리한 건설제도
에서 부패가 만연하고 기술력보다는 담합과 로비가 수주
에 영향을 미치는 토건경제의 실상을 드러내고 관련 정책
의 개선을 위한 다양한 활동을 전개하였다.

2. 운동의 전개

인사청문회법은 국회의 인사청문특별위원회의 구성·
운영과 인사청문회의 절차·운영 등에 관하여 필요한 사항
을 규정한 법률로서 고위공직자의 국정수행 능력과 자질
검증을 위한 장치로서 권력에 대한 중요한 견제수단이 될
인사청문회를 구성하기 위하여 2000년 6월 제정되었다.
인사청문회는 정부 고위직에 대한 인사권이 대통령에 의
해 독점적으로 행사되는 것을 의회가 견제하는 것은 물론
이고 공직의 투명성을 확보하고 국민적 합의를 이끌어 내
는 최소한의 검증 장치이기에 중요하다.

김대중 대통령은 선거에서 인사청문회를 공약했으나
1998년 여당인 국민회의와 자민련이 공동발의 한 청문
회 법안이 국회 운영위에 계류 중임을 이유로 첫 내각 구
성에서 인사청문회를 실시하지 않았다. 이에 1998년 3
월 3일 경실련은 김대중 정부 첫 내각 인선에 대한 인사
평가를 발표하면서 "인사과정이 투명하고 공정하게 진행
되어 국민 여론이 직접 반영될 수 있어야 했으며, 밀실 담

공기관운영위원회가 무력화되어 있음을 지적했다. 그리고 2011년 12월에는 2009년부터 2011년까지 공기업 기관장 임명실태를 분석해 발표하면서 서류심사 전에 최종후보자를 결정해 놓고 그대로 통과시켜 해당 기관의 임원추천위원회와 정부의 공공기관운영위원회 활동을 무력화하고, 형식적인 임원추천위원회 구성, 투명하지 못한 기관장 후보추천과정, 적실성 없는 기관장 심사기준 등의 문제를 지적했다. 개별기관의 낙하산 인사도 비판하였다. 한국가스안전공사 사장(2002.2), 국민연금공단 이사장(2002.6), 대한석탄공사 사장(2002.9), KBS 사장(2003.2), 공무원연금관리공단 이사장(2006.8), 증권거래소 감사(2006.10), 신용보증기금 및 국민건강보험공단 이사장(2008.7), 방통위원장(2011.3), 한국은행 금융통화위원(2012.4), 금융위원장(2013.4), 한국철도공사 사장(2013.8) 등 수많은 낙하산 인사에 대해 비판하였다. 아울러 청와대가 KT 등 민간기업의 인사개입이 기업경영과 시장경제의 심각한 악영향을 끼치게 된다는 점을 지속해 지적했다.

경실련의 부패 근절운동은 건설부패 실태 폭로, 건설사 담합 처벌 촉구, 입찰제도 개선, 건설구조 개편에도 집중되었다. 1990년대에는 건설부패로 인한 부실시공 문제로 경부고속철도 공사에서 벌어진 부실시공과 공기지연으로 인한 공사비 증가 문제를 처음 제기했다. 2000년대부터는 부패의 온상으로 작동해온 입찰제도 개선에 집중하면서 공공공사 입찰제도 개선을 위한 토론회(2000.3)를 비롯해 턴키 공사 발주로 인한 예산낭비 금액 추정 발표, 가격경쟁제도 시행을 촉구하는 공청회와 입장을 연속해서 발표하였다. 2002년에는 건설사 간 담합 입찰이 있었던 서울 지하철 9호선 문제를 집중적으로 제기하였고, 공정거래위원회는 서울지하철 9호선 입찰담합에 대해 시정조치를 발표(2002.7)하면서 해당 기업에 과징금을 부과했으나 입찰과 계약을 책임지는 조달청은 계약취소 및 입찰참가 등 실질적인 제재조치를 취하지 않아 조달청장을 검찰에 고발하였다. 그리고 지하철 9호선 턴키입찰 과정에서 건설사 간 담합과 함께 건설사와 담당 공무원의 유착 의혹을 제기하며 조달청장과 서울시장을 감사원 감사청구(2002.9)를 하였다. 2002년에는 정부발주 건설공사 입찰제도에 관한 국민의 인식조사를 실시하여, 국민들 70.9%는 공공공사 입찰과정에서 부패와 비리가 만연하고, 64.2%는 공무원의 공공공사의 관리·감독도 부실하고 형식적임을 알렸다. 2009년에는 과거 15년간의 뇌물부패 언론기사를 분석해 부패 건수와 뇌물액 규모를 발표했다. 2005년에는 경향신문과 공동으로 검찰과 경찰이 1993년부터 2005년까지 처벌한 뇌물 사건을 전수 조사하여 이중 건설 부문이 50%를 넘는다는 결과를 발표했으며, 지자체 공무원과 중앙 부처 고위직 공무원 다수가 건설 뇌물 사건으로 처벌됐다는 사실도 알렸다. 2006년에는 시민의 신문과 공동기획으로 참여정부의 건설 비리를 분석, 건설 비리의 42%가 지자체 공무원의 주택건축 인허가 과정에서 발생했음을 밝혀냈다. 그리고 대한건설협회 등 건설단체들의 고위공직자 재취업 실태를 조사하여 발표하였다.

경실련은 역대 정부가 임기 말이면 관행적으로 행했던 건설업체 특별사면에 대한 비판을 하였다. 서울지하철 7호선 공사 입찰담합으로 대형 건설업체는 부정당업자 제재처분을 받았음에도 참여정부가 2006년 8·15사면을 통해 대형건설업체의 입찰참가자격 제한조치를 해제하였다. 이명박 정부 역시 2012년 특별사면을 단행하여 각종 비리로 입찰참가 제한조치를 받은 건설업체 3,377곳에 대한 제재를 풀어줬다. 박근혜 정부도 마찬가지로 2015년 8월 입찰 담합적발로 행정처분을 받은 건설업체들을 광복 70주년을 빌미로 대규모 특별 사면했다. 경실련은 대통령의 특별사면은 시장경제체제의 훼손, 건설사 특혜 및 부패 행위의 반복 우려, 건설산업의 부패 근절 의지의 약화를 이유로 비판하였다. 그 외 공공사업 투명성강화를 위한 원가공개 촉구, 입찰 담합 사건 과징금 부과실태 분석, 건설부패 백서 발간, 서울지하철7호선 담합 감시 등의 활동을 지속하였다. 특히 2015년 성남시장이 공공공사의 원 하도급 내역 등을 홈페이지에 상세히 공개했고, 2018년에는 경기도가 발주한 10억 원 이상 공공사업의 설계내역 및 원 하도급 내역을 홈페이지에 상세 공개하는 성과를 얻었다.

3. 각계의 반응 및 성과

경실련과 시민단체들의 노력으로 2000년에 인사청문회법이 제정되었고 이후 2006년에는 인사청문회

대상자가 국무위원으로까지 확대하여 시행되었다. 공공기관 낙하산인사 감시는 낙하산 인사의 문제를 국민들이 인식하고 개선의 필요성을 공감하도록 하였으며 완전하지는 않지만 투명하고 공정한 임명절차를 위한 임원추천위원회와 공모절차 등 제도를 개선하였다.

입찰담합 부패를 막기 위해 경실련의 요구로 도입된 최저가낙찰제는 2001년에 1천 억 원 이상 공공사업에 의무화됐다. 하지만 박근혜 정부가 300억 원 이상 종합심사평가제 의무화를 시행하면서 최저가낙찰제가 사라졌다. 서울시는 경실련의 지속적인 문제제기와 담합적발 등으로 턴키발주를 폐지하겠다고 선언하였다. 또한 공직부패의 큰 비중을 차지했던 인허가권의 비리를 막기 위한 경실련이 지속적으로 요구해온 공공사업 원가공개가 2018년부터 경기도에서 시행되고 있다.

63. 검찰개혁과 특별검사제 도입 운동

1. 배경 및 취지

민주화 이후 검찰권의 중립성과 독립성 강화가 중요한 과제로 주어졌다. 역사적으로, 권위주의 시대 검찰은 정치권력에 종속되어 공정한 수사를 하지 못했다. 제도적으로도 기소독점주의, 기소편의주의를 채택함으로써 무소불위의 검찰권을 휘둘렀고 공안사건에 그치지 않고 형사사법상 수많은 인권침해 사례로 이어져 검찰권의 견제가 절실하게 요청되었다.

이러한 문제의식에서 경실련은 1994년부터 본격적으로 "시민을 위한 검찰개혁" 운동을 전개했다. 특히, 검찰의 가장 큰 문제인 정치적 중립성을 견제할 수 있는 특

별검사제(이하 '특검') 도입을 중점 과제로 삼았다. 특검제는 5공, 6공 때부터 정치인 수사나 대형 공직자 비리 사건 등이 터질 때마다 시민사회와 야당에 의해 지속적으로 주장되었다. 특히 1995년 12·12 사건, 5·18 사건 등에 대한 수사가 시작되자, 경실련은 검찰수사의 공정성에 의문을 제기하며 특검제 도입을 주장해나가기 시작했다.

특검제 도입에 대한 국민적 열망은 계속해서 높아져 갔다. 1996년 국회의원 선거와 1997년 대통령 선거에서 새정치국민회의와 자민련, 김대중 후보가 특검제도 도입을 공약하면서 특검제도 도입 논의에 속도가 붙었고 마침내 1999년 9월 3일 최초로 특검제가 시행되었다. 하지만 당시의 특검제는 '임시 특별검사제도'에 불과해 '상설 특별검사제도'와는 거리가 멀었다. 경실련은 계속해서 임시 특검제의 한계를 지적하면서 상설 특별검사제도를 주장하였다.

2014년 2월 '특별검사의 임명 등에 관한 법률'이 통과되기 전까지 기존의 특별검사 제도는 특별한 사건이 있을 때 여야 합의를 통해 한시적 특검법을 제정하고, 이에 따라 특별검사를 임명하여 수사하는 방식으로 시행되었다. 이러한 특검법은 1999년 '조폐공사 파업유도 및 옷로비 특검법'을 시작으로 대북송금, 대통령 측근비리, 삼성 비자금 의혹 등 총 10차례 제정됐으며, 첫 특검법 때 파업유도 · 옷 로비 특검팀이 각각 구성돼 특검팀은 모두 11번 꾸려졌다.

2. 활동 내용 및 경과

경실련은 1994년부터 검찰개혁 논의를 본격화했다. 1994년 7월 11일, '시민을 위한 검찰개혁의 길'이라는 주제로 공청회를 열고, 검찰총장 임기제 보완, 검찰의 공안화 방지, 특별검사제도 도입, 검 · 경 수사권 조정, 인신구속 제도개선, 탈법적 · 불법적 수사 관행의 시정, 재정신청제도의 전면 부활, 시민참여와 시민적 통제방안 강구 등을 제안했다.

1995년 5·18 사건, 노태우 비자금 사건을 비롯해 정치적 사건에 대한 검찰수사가 본격화되면서 특검 도입을 주장했다. 그리고 1995년 9월 특검제 도입을 위한 '특별검사의 임명 등에 관한 법률안'을 입법 청원했다. 특검제 도입을 통해 정치적 사건과 권력형 부정사건은 정치적 중립성이 확보되고, 독립적 지위에 있는 특별검사를 임

명하여 처리할 것을 촉구했다. 특검제 도입해 5.18 광주민주화운동 관련 범죄 수사, 나아가 정치적 사건과 권력형 비리 사건도 확대 적용해야 한다고 주장했다.

1995년 11월 25일, 김영삼 대통령과 민자당이 5·18 특별법 제정 입장을 밝히자, 경실련은 5·18 특별법의 취지를 살리기 위해서는 특검제를 도입하여 모든 진상을 철저하게 규명하고 책임자 전원을 엄정하게 처벌해야 한다고 주장했다. 95년 7월 18일 검찰이 '성공한 쿠데타는 처벌할 수 없다'라는 논리로 '공소권 없음'을 발표해 국민적 분노가 극에 치달은 상태였기 때문에 이러한 주장은 큰 호응을 얻었다. 이후에도 1995년 12월 2일, 특별검사제 도입하여 군사반란, 내란, 양민학살의 주범인 전두환 의법처리를 촉구했으며 1995년 12월 7일에는 특별검사제 도입하여 노태우 비자금 사건의 전모를 밝힐 것을 촉구해 나갔다. 1997년 1월 한보철강 부도 사태 관련하여 특검제 도입을 촉구했다.

1999년 경실련이 주축이 되어 민언련, 민주노총, 한국여성단체연합, 참여연대, 환경운동연합 등 6개 시민단체가 함께 특검제 도입을 위한 공동행동을 진행했다. 특별검사제 법안 철회 규탄 시민사회단체 기자회견을 개최하고, 특별검사제 법안 철회를 추진 중인 국민회의에 항의서한을 전달했다. 같은 해 6월 23일에는 상설적 특별검사제 도입을 위한 '특검제 입법'(안) 시민사회단체 입법청원 기자회견을 개최했다. 그러나 검찰은 경실련 등 35개 단체가 국회에 입법 청원한 특별검사제 제정 법안에 대해 반발했다. 1999년 한국조폐공사 노동조합파업 유도사건과 검찰총장 부인 옷 로비 사건이 터지자, 특검제 도입을 강력히 주장했다. 그 결과, 1999년 9월 3일 조폐공사 파업 유도 의혹 사건을 담당하는 한시적인 특별검사제가 시행되었다. 그러나 시민단체들이 주장해온 '특별검사제'가 아닌 변형된 형태였다. 경실련은 그간 주장했던 특검제가 현재 검찰이 근본적으로 제대로 수사할 수 없는 사건에 대해서 상시로 독립적인 특별검사가 임명토록 하자는 것이라고 지적했다.

이후 2014년 2월 '특별검사의 임명 등에 관한 법률'이 통과되어 한시적 특검법이 제정되었고, 2016년 11월 「박근혜 정부의 최순실 등 민간인에 의한 국정농단 의혹 사건 규명을 위한 특별검사의 임명 등에 관한 법률」로 상설 특별검사제도가 도입되었다.

3. 각계 반응과 성과

특검제 도입에 대한 국민적 지지는 매우 높았다. 1994년 7월 경실련이 실시한 조사에서 권력형 비리나 대형 정치적 의혹을 수사하기 위하여, 국회 또는 대통령이 임명하는 특별검사제도를 도입하여야 한다는 견해가 72.2%로 나타났다. 또한, 옷로비, 파업 유도에 한정된 특검팀 수사결과 발표 이후 여론조사에서도 상설적 특별검사제도가 필요하다는 데에 대해 59.6%가 찬성했다. 2001년 설문조사에서도 73%가 특검제 도입에 찬성하는 것으로 나타났다.

경실련은 막강한 검찰 권력에 대한 견제, 정치권력으로부터의 중립성 및 독립성 문제를 부각해 특검제도 도입을 주장했다. 검찰과 관련된 권력형 비리가 드러날 때마다 특검제를 요구했고, 상설적 특별검사제 도입을 위한 '특검제 입법'을 청원하기도 했다. 그 결과 특별검사 제도가 도입되어, 특검법에 따라 지금까지 10건의 특별법이 발의돼 11차례 특검이 이뤄졌다.

64. 법조비리근절과 사법농단 진상규명 등 사법개혁 운동

1. 배경 및 취지

1993년 대법원은 대법원장의 자문기구인 '사법제도발전위원회'의 건의로 몇 가지 사법개혁조치를 취했다. 변호사의 판사실 출입조치 제한, 전관예우 폐해 방지를 위한 전관 판사의 형사사건 특별부 배당 등의 조

치다. 하지만 이러한 조치에도 불구하고 오래된 전관예우 관행을 뿌리 뽑기에는 미흡했다.

전관예우란 전직 판사 또는 검사가 변호사를 개업해 소송에 유리한 판결을 내리는 특혜를 말한다. 이러한 특혜가 사법정의를 훼손하는 수준에 이르렀다. 1988년 의정부 법조비리 사건, 1989년 대전 법조비리 사건이 불거지면서 전관예우와 법조브로커로 대표되는 법조비리의 실체가 드러나며 큰 사회적 파장을 불렀다. 법조계 내에서 전관예우 관행은 날이 갈수록 심각해졌고, 더는 묵과될 수 없는 수준에 이르렀다.

이에 경실련은 89년 의정부 법조비리 사건, 89년 대전 법조비리에 대응하며, 전관예우 특혜를 둘러싼 법조비리의 철저한 수사와 엄중한 처벌을 요구했으며, 1989년부터는 전관예우를 근절하기 위한 변호사법 개정 운동에 뛰어들었다.

2. 활동 내용 및 경과

1998년 1월 의정부지원 판사와 의정부지청 검사들이 이순호 변호사 등 관내 변호사들로부터 고액의 돈을 받았다는 의혹이 제기됐다. 의정부 법조비리 사건은 단순한 공직자의 비리 사건을 넘어 법 집행을 책임지고 있는 사법조직의 구조적 비리 사건으로, 사회적으로 중요한 문제였다. 1998년 2월, 대법원은 관련 판사들을 대법원 징계위원회에 회부했으나, 수사를 담당하는 검사는 이러한 금품 제공이 관행이라는 이유를 들며 수사도 제대로 진행하지 않고 사건을 종결했다. 이에 경실련은 검찰의 수사 종결이 법과 상식에 어긋나고 법조비리 수사가 사법개혁의 신호탄이 되리라 기대했던 국민적 열망을 저버린 행위라고 비판하면서 특별검사제 도입과 재수사를 요구했다. 이와 함께 서울지검에 의정부지역 판검사 비리 의혹사건

관련 구속 중인 이순호 변호사 사건수임 기록 장부를 비롯하여 의정부 법조비리 사건 수사기록에 대한 정보공개를 청구했다.

의정부 법조비리 사건의 충격이 채 가시기도 전에 대전에서 법원, 검찰, 변호사, 경찰 간부들이 망라된 법조계 비리가 드러났다. 대전변협의 이종기 변호사가 형사사건을 수임하면서 대전지역 일부 판·검사를 포함한 법원 직원, 경찰 등 200여 명이 각종 형사사건을 소개해주고 거액의 알선료를 챙겨온 것이다. 그러자 경실련은 변호사 및 법조계 인사에 대한 검찰의 철저한 수사를 강력히 촉구하고, 대전 법조비리 수사 촉구를 위한 시민집회를 1999년 1월 11일, 서울중앙지검 앞에서 개최했다. 그리고 1999년 1월 13일, 검찰의 대전 법조비리 사건 수사 진행 상황을 지켜보면서 '용두사미식 사건처리'를 우려하며, 즉각 관련자 명단 공개를 촉구했다.

그러나 검찰은 의정부 법조비리사건과 마찬가지로 대가성이 없다는 이유로 형사사건을 수임해 준 전·현직 판·검사를 형사 처벌하지 않기로 했다. 이에 경실련은 법조비리 근절과 사법개혁을 이루기 위해서는 특별검사제와 형사사건의 수임지 제한과 같은 제도적 장치가 필요함을 강조했다.

98년 의정부 법조비리 사건과 99년 대전지역 법조비리 사건을 거치면서, 사법 정의와 법치주의의 근간을 무너뜨리는 법조비리를 끝장내야 한다는 국민적 요구가 높아졌다. 국민들은 법조비리를 근절하기 위해서는 드러난 비리 사건에 대한 철저한 규명과 관련자 처벌도 중요하지만, 제도개선을 통해 바로잡는 것이 매우 중요하다고 인식했다.

이러한 공감대에 힘입어 1999년 1월 18일, 경실련은 우리 사회 내에 만연되고 있는 법조비리를 척결하고 법과 정의를 바로 세우기 위해 변호사법 개정안을 조순형 의원의 소개로 입법 청원했다. 경실련 안은 '전관예우' 근절을 위해 전관 변호사의 경우 퇴직 직전으로부터 2년 동안 근무했던 근무지의 관할 형사사건에 대한 수임을 금지하는 것을 핵심으로, 수임 제한 규정 위반에 관한 처벌조항 신설, 재판 또는 수사업무 종사 공무원의 사건 소개·알선 금지, 법조브로커와 브로커 이용 변호사에 대한 처벌 강화, 변호사등록 거부·취소 요건 확대, 변호사 징계위원회의 합리적 구성, 변호사 영구제명제도 도입 등의 내용을 담고 있었다. 동시에 법조계에서 이미 관행화되어 죄의식 없이 만연된 '전관예우' 문제를 해결하고,

사진으로 보는
경실련 30년

I. 경실련의
출범과 활동

II.
경실련 30년
활동의 성과

III. 지역경실련의
활동과 성과

IV. 경실련과
시민사회의 미래

사법질서를 문란케 하는 '법조브로커'에 대해 엄정히 제재를 가할 수 있도록 국민의 대표기관인 국회가 법 개혁에 나설 것을 촉구했다.

그 결과 1999년 11월 판·검사로 재직하던 전관 변호사가 개업 후 2년간은 퇴임 전에 소속되었던 법원이나 검찰청의 형사사건을 수임할 수 없도록 하고, 정직 이상의 징계를 두 차례 이상 받고도 중징계 사유에 해당하는 비리를 저지르거나 두 차례 이상 금고 이상의 형을 선고받은 변호사는 영구 제명되는 변호사법 개정안이 통과되었다.

하지만 변호사법 개정 이후에도 전관 변호사들의 전관예우는 사라지지 않았다. 2006년 7월 현직 고등법원 부장판사와 검사 등 10여 명이 사건 청탁 등과 관련해 법조브로커로부터 금품 및 향응 로비를 받았다는 의혹이 제기됐다. 경실련은 되풀이되는 법조비리에 대한 근본적 해결을 위한 법관윤리강령, 변호사윤리규정 등에 대한 강화 등 제도개선을 촉구했고, 7월 25일, '되풀이되는 법조비리, 어떻게 근절해야 하나'라는 주제로 토론회를 개최했다.

2006년 11월, 법원과 검찰의 법조비리 대책에 대한 전문가 의견조사를 실시해 발표했다. 응답자 중 60%가 법원과 검찰의 법조비리 대책이 매우 미흡하다고 평가했고, 법조비리 근절대책으로 공수처 신설, 전관예우 근절 방안 마련을 꼽았다.

3. 각계 반응과 성과

98년 의정부 법조비리 사건과 99년 대전 비리 수사 과정에서 검찰은 연루 판사와 검찰에 대해 봐주기 수사로 일관했다. 국회의원들도 전관예우 근절을 위한 변호사법 개정 논의에 있어서 오히려 기득권층을 두둔하기 바빴다.

97년 의정부 법조비리 사건으로 현직 판사가 중징계를 받고 사표를 쓰게 된 사상 초유의 사건이며, 99년 대전 법조비리 사건에 연루된 변호사가 징역을 선고받는 등 계속된 법조비리로 사법부에 대한 국민의 신뢰는 추락했다. '유전무죄, 무전유죄'라는 말이 횡행했다.

경실련은 89년 의정부 법조비리 사건과 89년 대전 법조비리 사건에서 철저한 수사와 엄중한 처벌을 요구, 법조비리에 강력히 대응해 많은 국민적 지지를 받았다. 그리고 1999년 퇴임 후 2년간 소속 법원과 검찰청의 형사사건 수임 금지, 변호사 자격정지 강화 등을 내용으로 한 전관예우 근절을 위한 변호사법 개정하는 성과를 냈다.

하지만 2011년 개정된 변호사법은 2년간 형사사건 수임 금지가 1년으로 줄어들었고, 형사처벌 조항도 대한변호사협회 자체징계로 완화되는 등 1999년 변호사법보다 더 후퇴되었다. 현재까지도 위법하고 고질적인 전관예우가 근절되지 않고 있다는 것이 국민들과 전문가들의 대체적인 시각이다.

65. 로스쿨 도입 운동

1. 배경 및 취지

1993년 김영삼 대통령이 취임한 후 국민들을 군사독재와 권위주의 시대를 벗어나면서 검찰과 법원이 정치권력의 통제에서 벗어나 국민을 위한 사법권을 행사할 수 있는 기관으로 거듭나기를 간절히 기대하였다. 하지

만 법원과 검찰은 과거 권위주의적인 구조에서 벗어나지 못하고 잘못된 관행들을 답습하면서 국민의 신뢰와 존중을 잃어가고 있었다. 시민들에게는 턱없이 높기만 한 사법의 문턱, 특권 의식에 젖어있는 법조인들에게 양질의 법률서비스를 기대하는 것은 요원하였다. 사법개혁을 위해서는 검찰과 법원은 내외부적인 권력 통제에서 벗어나 법과 양심에 따라 독립적으로 역할을 다 할 것을 요구받았다. 무엇보다 사법 인력의 양성·공급에 있어 국가중심적 소수정예 도제식 교육에서 벗어나 교육을 통한 법률가의 양성과 법률소비자인 국민 기본권 강화를 위한 사법개혁으로의 전환이 요구되었다.

기존의 사법시험 제도는 대학에서의 법학 교육을 사법시험과는 분리된 채 법이론과 법실무의 조화를 이루지 못하고 괴리되어 학부 교육이 형해화되었고 사법시험을 위한 거대한 고시시장의 번성은 법학교육을 약화시키는 요인으로 작용하였다. 또한, 합격자 수를 통제해 변호사 수를 극도로 제약하여 법조시장의 진입장벽을 높이는 방법으로 법조인들의 특권을 강화하였을 뿐만 아니라 결과적으로 국민의 법률서비스 이용 부담을 증가시켜 헌법상 국민의 재판받을 권리를 심각하게 침해하였다.

기존 법조인 양성제도는 복잡다기한 법적 분쟁을 전문적·효율적으로 예방하고 해결하는 데도 한계가 있다. 다양한 학문적 배경을 가진 사람들이 전문적인 법률이론 및 실무교육을 받고, 국민의 다양한 기대와 요청에 부응하는 법률서비스를 제공하는 것이 중요하다. 로스쿨(법학전문대학원) 제도는 이러한 문제를 해결하는 방안이다.

2. 활동 내용 및 경과

1994년 3월 발족한 경실련 '시민입법위원회'는 시민을 위한 사법개혁을 위해 적극적인 활동을 전개한다. 기존 사법제도를 총체적으로 재검토하고, 민주적이고 선진화된 사법 시스템을 구축해 실질적 법치주의를 구현하기 위한 노력이 계속됐다.

1995년 국무총리 산하 '세계화추진위원회'가 사법개혁을 추진하는 과정에서 논의 주체가 시민사회나 법조계가 아닌 청와대와 정부 중심으로 이루어져서는 안 된다고 주장하였다. 같은 해 3월 대한변호사협회가 로스쿨 반대, 급격한 법조 인력증원 반대 등의 사법개혁 의견서를 제출한 것에 대한 비판도 강하게 제기하였다.

1999년 초 대통령 자문기구로 '사법개혁추진위원회'가 설치된 이후, 같은 해 7월 경실련·참여연대·행정개혁시민연합 등 10여 개 단체는 ▲로스쿨 도입 등 법학 교육 혁신, ▲사법시험의 변호사자격시험으로의 전환, ▲특별검사제 도입 및 고위공직자 비리조사처 신설, ▲전관예우 척결 등 개혁과제를 제시하고, '사법개혁을 위한 시민사회단체 연대회의'를 발족한다.

참여정부가 들어선 2003년 대통령과 대법원장은 사법개혁을 공동 추진키로 합의하고, 대법원 산하 기구로 '사법개혁위원회'를 공식 출범시킨다. 당시 1·2분과위원회로 구분해 운영된 사법개혁위원회의 1분과위원장으로 박상기 경실련 시민입법위원회 위원장이 선임돼 대법원의 기능과 구성, 법조일원화와 법관임용방식 개선, 법조인 양성 및 선발, 추가안건 등을 주도했다.

2004년 17대 국회의원 선거 과정에서 경실련은 각 당의 119개 정책을 비교·분석해 발표했는데, 그중 하나가 '사법시험 폐지와 미국식 로스쿨 도입'에 대한 각 당의 정책적 입장이다. 당시 1인2표제가 처음 도입돼 정당 지지 투표를 별도로 하게 돼 있어서 경실련의 정책 비교는 유권자들의 합리적 판단에 중요한 근거가 됐다.

2004년 10월에는 17대 국회의 첫 국정감사에서는 로스쿨의 정원 책정 문제, 공직부패 수사처 신설 등을 포함한 '국정감사 모니터 20대 과제'를 발표한다. 당시 대법원 '사법개혁위원회'가 로스쿨 도입 방안을 최종 확정했지만, 인가 기준, 입학정원 등 '핵심 사안'은 합의하지 못해 논란이 되고 있던 상황이었다. 경실련은 로스쿨 입학정원을 1,200명으로 제한하려는 대법원 사법개혁위원회에 대해 국민의 법률서비스 향상이라는 취지에 어긋나는 만큼 '입학정원을 최소 3000명 이상'으로 할 것을 강력히 주장한다.

2006년 '법조브로커 김홍수 게이트'라는 대형 법조비리 사건으로 사법 불신이 팽배해진다. 경실련은 법조비리 근절 대책으로 비리를 예방, 감시하는 공수처 설치와 함께 전관예우, 인맥, 학연 등을 차단할 수 있는 실효성 있는 법체계, 법조인들의 강한 윤리성·도덕성을 확립할 수 있는 법조인 양성체계의 정비가 필요함을 주장한다. 또한, 2006년 11월에는 국회에 제출된 로스쿨 도입 법안(법학전문대학원 설치·운영에 관한 법률)이 국회 교육위원회에서 1년 넘게 처리되지 못하는 상황에 대해 경실련, 참여연대, 여성연합 등 주요 시민단체 임원들을 조직해 열린우리당, 한나라당 원내대표를 만나 강력히 항의한다.

2007년 10월, 로스쿨 관련 협의를 시작하기 위해

교육과학기술부장관 소속의 '법학교육위원회'가 출범한 같은 시간, 경실련·참여연대 등 5개 시민단체 대표들도 '시민의 시각에서 바라본 바람직한 로스쿨 제도' 토론회를 열고 로스쿨 총 정원을 3,000명 이상으로 해야 한다고 거듭 주장했다. 법조계의 높은 벽을 허물고 국민 중심의 법률서비스 제공을 위해서는 로스쿨 입학 정원이 3000명 이상은 돼야 한다는 것이 경실련의 일관된 주장이다. 당시 로스쿨 정원논란은 국민에게 양질의 법률서비스를 제공하겠다는 도입 취지는 사라지고 법조와 학계 등 지역 간 갈등, 대학 간의 무한경쟁만 양산했다. 대학 서열화, 이기주의, 약육강식 등 한국사회의 병폐가 유치과정에 고스란히 재현됐다.

2008년 교육인적자원부가 총 정원을 2,000명으로 서울권 15개 대학을 포함해 25개 대학을 법학전문대학원(로스쿨) 인가대학으로 선정한다. 경실련은 로스쿨 인가 학교 간에도 정원이 최대 3배 이상 차이가 나도록 한 것은 주요 대학 위주의 서열화를 고착화해 다양하고 전문화된 로스쿨의 발전을 막아 법학 교육을 또다시 황폐화시킬 것이라고 강하게 비판했다. 당시 18대 국회의원 선거를 앞둔 시점으로 한나라당을 제외한 나머지 정당 모두는 로스쿨 입학 총 정원을 3,000명으로 확충하는 것에 찬성하고 있었다.

2008년 2월, '법학전문대학원 설치·운영에 관한 법률'이 국회를 통과되고, 2009년 3월 로스쿨이 개교한 이후에는 변호사시험 합격자 비율 논란이 제기된다. 2010년 12월 변호사 자격시험의 50% 할당제 움직임이 일어나자 로스쿨생들은 최하 80%의 합격률을 요구하며 집단자퇴라는 초강수로 맞선다. 이에 경실련은 참여연대, 천정배 민주당 의원(전 법무부장관), 김선수 전 사법제도개혁추진위원장 등 시민단체, 정계, 학계 등을 규합해 "변호사시험을 정원제 선발 형태가 아닌 순수 자격시험으로 운영해야 한다."라는 공동성명을 발표한다.

2010년 12월 법무부는 1기 법학전문대학원 졸업생이 배출되는 2012년 변호사시험 합격률을 입학정원의 75%로 보장하고, 이후 재논의하겠다는 것으로 논란이 누그러졌다. 하지만 입학정원의 75% 합격률(입학정원 2000명, 변호사 1500명 기준)은 해마다 변호사시험에서 떨어져 누적되는 수험생들을 포용하지 못하는 결과가 됐다. 시험에 합격하지 못한 이들이 재응시하면서 변호사시험 합격률이 2012년 87.1%에서 2017년 49.4%로 급락했다. 그만큼 변호사시험 경쟁이 치열해지면서 로스쿨이 고시학원으로 전락하게 됐다.

2019년 4월 경실련은 변호사시험이 변호사 배출 숫자 확대를 억제하는 것이 아니라, 변호사로 활동할 사람이 기본적인 자질과 소양을 갖췄는지 확인하는 시험이어야 함을 거듭 주장했다. 로스쿨에서 충실히 학업을 닦은 이들이 대거 탈락해 시험 준비에 목을 매야 하는 시험이 돼서는 안 된다. 시험에 의하기보다는 교육에 의한 법률가 양성제도가 절실하다.

3. 각계 반응과 성과

로스쿨이 특성화되고 전문화된 교육과정을 운영하기는커녕 제2의 고시학원으로 변질됐다. 대학별로 특성화되고 전문화된 교육과정을 운영하기를 요구하면서 변호사시험은 종래 사법시험을 답습하고 있는 상황에서 기인한다. 기존의 사법시험이 대학을 고시학원으로 전락시킨 전철을 밟지 않기 위해서는 변호사시험에 대한 보다 면밀한 설계가 필요하다.

로스쿨이 법조인 선발이 아닌 법조인 양성기관이 되기 위해서는 현재의 총 정원 제한은 폐지돼야 한다. 단기간에 총 정원을 폐지하는 것이 어렵다면 최소 3,000명 이상으로 이른 시일 내에 정원을 확대해야 한다. 로스쿨 총 정원 제한 폐지와 함께 설치 대학도 확대돼야 한다.

변호사 시험제도 또한 로스쿨 제도의 취지인 '충실한 법학 교육'과 '다양한 기대에 부응하는 법률서비스 제공'에 맞도록 설계돼야 한다. 지금이라도 국민의 법률서비스 접근권 확대라는 로스쿨 도입 취지에 맞게 변호사시험 합격자 수를 결정해야 한다. 아울러 로스쿨에서 '충실한 법학 교육'이 이루어졌다는 전제하에서 변호사가 되기 위한 최소한의 능력을 평가하는 '자격시험'이 돼야 한다.

'다양한 기대에 부응하는 법률서비스 제공'을 할 수 있는 전문 법조인을 양성하기 위해서는 '다양한 전문분야에 관한 법률교육'이 필요하고, 그렇기 위해서는 변호사시험이 기존의 사법시험처럼 법률 지식만을 지

나치게 어렵게 평가하는 방식이어서는 안 된다.

66. 지방자치 전면 실시 운동과 지방자치헌장 선포

1. 배경과 취지

1949년 지방자치법이 제정되었으나 본격적인 실시는 부침을 거듭하였다. 1961년 5·16 군사쿠데타로 중단되었고, 지방자치의 상징인 지방의회는 제4공화국 헌법에서 "조국통일이 이루어질 때까지 구성하지 아니한다."고 하여 무력화 되었다. 그러나 제5공화국 헌법의 부칙에 "지방자치단체의 재정자립도를 감안하여 순차적으로 구성하되, 그 구성 시기는 법률로 정한다."고 하여 부활의 근거는 만들었으나 시행에 관한 사항을 법률을 제정하지 않았다. 제6공화국 헌법에서 지방의회의 구성을 보류하는 경과규정을 두지 않으면서, 지방자치법(1988.4) 전문이 개정되어 27년 만에 지방자치제도가 부활하였다. 지방자치법에 1990년 12월 지방의회의 의원선거를 1991년 6월 30일 내에 실시하기로 하고, 1994년 3월 개정에서는 4년 임기의 지방자치단체장의 선거를 1995년 6월 30일 이내에 실시하기로 하여, 본격적으로 시행이 되었다.

경실련과 지역경실련은 1991년 지방의회 선거가 실시될 당시부터 '지방자치 정책대학'을 개최하며 지방자치제도의 중요성을 인식하였고 전면적인 실시를 기대하였다. 경실련은 지방분권의 추진과 그에 기초한 지방자치의 실현은 제도상의 미비와 경험부족으로 인해 적지 않은 문제점을 수반할 것으로 보았다. 그러나 지방자치의 실현이 우리사회의 과도한 중앙집권적 구도를 근본적으로 변화시킴으로써 많은 긍정적 변화를 가져올 것으로 기대하였

다. 권력의 다원화에 따른 정치 사회적 민주화는 물론 지방소재 중소기업에 유리한 정치 환경을 조성함으로써 재벌기업 중심의 경제구조를 시정하고 나아가 지역 간의 균형발전을 촉진하는 등의 경제적 효과까지 기대하였다.

그러나 정부와 여당은 법률이 정한 기한을 앞두고 지방자치의 핵심인 지방자치단체장의 선거를 연기하려 하였다. 이에 경실련은 지방자치법의 개악 시도에 대해 우려를 표명하고, 지방자치단체와 단체장의 권한이 대폭 강화하는 방향으로 지방자치법이 개정되어야 함을 주장하며 YMCA 등 8개 시민단체와 공동으로 지방자치법 개정 운동을 본격적으로 전개하였다.

한편 1995년부터 지방자치제도가 본격적으로 시행됐지만 지방자치단체는 중앙정부의 간섭을 받지 않고 사무를 자기 책임 하에 자율적으로 결정할 수 있는 필요한 인력과 재원을 갖지 못하였다. 즉, 지방자치단체의 입법권, 재정권, 행정권, 조직권 등 자치권이 과도하게 제약되어 있었다. 이에 경실련을 비롯한 시민사회는 중앙정부와 중앙정치의 반자치적인 정치 활동을 저지하고, 주민참여를 통해 지역의 문제를 해결하며, 주민을 변화시키고 지방정부를 개혁해 생활 중심의 정치를 이룩하려는 의지에서 지방정부와 주민의 자치역량을 강화하기 위한 '지방자치 헌장' 제정운동을 전개하였다.

2. 운동의 전개

경실련은 1992년 2월 '지방자치단체장선거연기문제대책위원회'를 조직하고, 6월 '지방자치단체장 선거연기에 관한 공개토론회'를 개최하면서 지방자치단체장 선거를 연기할 정치적, 경제적 이유가 없으며 지방자치법을 지키지 않는 것은 불법적인 행위, 관권선거 의지 표명으로 규정하였다. 1993년 12월 경실련은 지방자치법 개정에 대한 의견서(자치사무와 자치권 확대, 자치권 제약하는 불합리한 제도 개선, 지방의회 정책기능 및 견제 기능 강화)를 국회에 제출하면서 강력하게 대응하였다. 그리고 경실련과 YMCA 등 8개 단체는 '바람직한 지방자치법 개정을 위한 시민단체 공동토론회'를 개최하여, 여야가 지방자치단체의 자치권을 악화시키고 중앙정부의 통제와 개입을 강화하려는 움직임에 대응하였다. 이후 각 시민단체가 지방자치법의 바람직한 개정을 위해 공동역할을 모색하면서 단체별 입장과 결의를 담은 성명

사진으로 보는
경실련 30년

Ⅰ. 경실련의
창립과 활동

Ⅱ.
경실련 30년
활동의 성과

Ⅲ. 지역경실련의
활동과 성과

Ⅳ. 경실련과
시민사회의 미래

을 발표했다.

경실련 등 시민사회는 이기택 민주당 대표를 방문해 지방자치법 개정에 관한 의견서를 전달하면서, 지방자치단체의 자치권 강화, 지방의회의 권한과 기능 강화, 주민참여의 활성화, 지방자치 구역개편의 자율화를 제시했다. 아울러 여성의원이 더 많이 의회로 진출할 방안과 시·군·구의회 의원선거의 정당공천 배제 등도 요구했다. 또한, 지방자치법의 개악을 막기 위해, 국회를 규탄하고 지방자치의 정착에 실질적으로 이바지할 수 있는 방향에서 새롭게 논의할 것을 촉구했다. 하지만 시민사회의 노력에도 불구하고, 지방자치법은 민자당의 단독국회에서 개악되었다.

경실련은 지방자치 정책대학 연수회(1994.11), 지방자치 정책대학(2004.11, 1995.1), '지방자치와 시민운동'워크숍, 4대 지방자치선거실무교육 연수회(1994) 등을 개최 하면서 시민운동의 의제를 개발하고 온전한 지방자치의 전면 실시의 의지를 모았다. 1995년 2월 경실련은 '지방자치의 정착과 발전을 위한 개혁방안' 기자회견을 개최하였는데 그 내용 중 특별시·광역시·구 자치제도와 관련 "사실상 행정수행을 위한 행정단위가 될 수는 있으나 자치를 위한 자치단위가 되기에는 문제가 있다"라는 의견을 제시했다. 이를 두고 정치권에서 행정구역개편 논란이 제기되었다. 행정구역개편을 놓고 선거 연기 등의 주장이 나왔기 때문이다. 선거를 1년여를 앞두고 광역행정구역 도를 없애야 한다는 여당 의원들의 주장이 있었으며, 광역자치단체가 옥상옥이 될 수 있다고 우려를 표했다. 반면 야당에서는 행정구역개편을 운운하는 것은 진짜 행정구역 개편이 필요해서 꺼내는 이야기가 아니라고 비판했으며, 선거를 앞둔 심리 전술이라고 평가했다. 이런 논란에 대해 경실련은 가장 중요한 것은 지방자치법 개정을 통해 주민자치 생활 자치를 이룩하는 것이라고 밝히고, 행정구역 개편 제기는 선거 연기를 위한 주장이라며 강하게 경고하였다. 결국 1995년 6월 27일 지방자치선거는 실시되었다.

한편 '지방자치헌장' 제정도 활발히 추진되었다. 2000년 1월 지방자치헌장 제정·선포를 위해 경실련 등 시민단체와 학계가 머리를 맞대었다. 이 모임에서 '중앙정부와 국회의 반시대적 행태를 저지하고, 지방자치의 기본원칙과 방향'을 논의하면서 구체적으로 '지방자치헌장'을 제정하기로 하였다. 이를 실행하기 위하여 '자치헌장 제정을 위한 시민사회 네트워크'를 조직하고, 시민사회단체 및 학계 간담회를 시작으로 경실련·YMCA·자치연대 등을 중심으로 구성된 소위원회에서 초안을 작성하고, 각 지역 시민사회단체들과 의견조율 및 토론을 통해 확정했다. 지방자치헌장의 선포식(2001.3.22.)은 청주 예술의 전당에서 열렸는데, 400여 개의 시민사회단체와 200여 명의 지방자치 학계 인사들이 서명했다 이날 이석연(경실련), 이남주(한국YMCA전국연맹), 박원순(참여연대), 김상희(한국여성민우회)를 비롯해 김병준(국민대), 이기우(인하대), 강형기(충북대), 오재일(전남대) 등이 참석했다. 지방자치헌장은 ▲ 국회, 행정부, 지방의회, 지역주민 등 주체들의 도덕적, 정치·사회적 의무, ▲ 분권화의 의미와 국가와 중앙정부의 관련된 의무, ▲ 중앙정부와 지방정부 간의 수평적인 관계와 지방정부의 국정 참여, ▲ 중앙정부의 반 자치적 입법에 대한 시민사회와 지방정부의 저항권 인정 및 지방정부의 고유권 명시와 범위의 제시, ▲ 유권자 및 주민을 위한 시민교육의 강화와 이를 위한 지방정부의 역할, ▲ 지방정부 정책 및 행정의 투명성, 지역감정의 극복, ▲ 학교자치, 자치경찰 명기, ▲ 지방의원들의 도덕적 책무 명시, ▲ 지방자치 시민교육에 대한 국가의 책무, ▲ 지방재정 강화를 위한 방향 제시 등을 담고 있다. 이후 지방자치헌장 제정의 참여자들은 국회의원, 자치단체장, 의회 등을 대상으로 서명운동을 추진하는 한편 지방자치법 개정과 주민소환·주민투표·주민소송제 관철 등의 노력으로 지방자치헌장 정신을 구현하려 노력하였다.

3. 각계의 반응 및 성과

경실련은 지방자치제도가 다시 시행되는 시기에 '지방자치단체장선거연기문제대책위원회'와 '지방자치특별위원회'를 구성하여 전면적인 지방자치제도 실시를 노력하였고, 이후 정책위원회에 '지방자치위원회'를 조직하였다. 경실련과 지역경실련 그리고 시민단체들이 지방자치의 중요성을 인식하고 지역운동으로 정착

시키기 위한 다양한 노력으로 정부와 민자당의 선거연기 움직임을 차단할 수 있었다. 지방자치헌장 선포는 지방자치제는 실시하고 있으나 중앙정부가 지방자치단체를 철저히 통제하여 올바른 자치가 구현되지 못했던 현실을 타계하기 위한 주민, 학계, 시민단체의 저항의 표현이었으며, 지방자치헌장의 정신은 이후 출범한 참여정부의 지방분권과 균형발전의 정신으로 계승되었다.

67. 지방자치단체개혁박람회

1. 배경 및 취지

우리나라 지방자치제도는 1949년 지방자치법 제정과 1961년 5·16 군사 쿠데타로 인한 단절, 1991년 30년 만의 지방자치 재실시로 볼 수 있다. 그러나 부활한 지방자치는 중앙집권적 체제와 발전전략의 지속, 지리·사회적 여건에 따른 행정, 재정 등의 불균형과 차등적 발전, 지역주민 자치행정에 대한 참여 제한과 불완전한 자치의식으로 지방자치 단체들의 노력에도 불구하고 어려움이 있었다.

이에 『지방자치단체개혁박람회』는 지방자치단체의 개혁성과를 확인하고 지속적 개혁 추진 결의를 다지는 장으로 지방자치단체에서 실시되는 다양한 개혁사례들을 벤치마킹하여 자율성·창의성에 기반한 경쟁력 강화와 경영 혁신을 도모하고자 했다. 또한, 지방자치의 주체인 주민, 지방자치단체, 지방의회, NGO 및 지방자치 관계자들이 모여 창의성·자율성·민주성을 바탕으로 지역사회를 바꾸고자 했으며, 지방정부의 지속적 개혁을 위한

정보화 네트워크를 실현하고자 했다. 나아가 학생들에게 지방자치의 현재 실상을 정확히 알림으로써 이해를 높이고 선진 자치의식 확립을 위한 종합적인 교육 기회를 마련하는 계기가 되었다.

경실련은 총 2회에 걸쳐 『지방자치단체개혁박람회』를 주최했다. 2000년 10월 24일~27일 개최된 『제1회 지방자치 개혁박람회』는 "자치와 분권, 지역이 세계를 바꾼다!"란 주제로 서울올림픽파크텔에서 열렸다. 경실련, 행정자치부가 공동으로 주최했으며 전국시도지사협의회, 전국시장군수구청장협의회, 전국시도의회의장단협의회, 전국시군자치구의회의장회, KBS, 동아일보 등이 후원했다. 2002년 10월 22일~25일 열린 『제2회 지방자치단체개혁박람회』는 "분권과 자치, 지역이 세계를 바꾼다!"를 주제로 서울올림픽파크텔에서 열렸다. 전국시도지사협의회, 전국시장군수구청장협의회, 전국시도의회의장단협의회, 전국시군자치구의회의장회, KBS, 대한매일신보사(현 서울신문) 등이 후원했다.

2. 활동 내용 및 경과

『지방자치단체개혁박람회』는 지방자치 실현을 위한 지방자치단체의 노력을 평가하고, 2년마다 각 주체가 모여 지방자치의 현재를 확인하고 지속적인 개혁을 위한 공론 형성 및 과제 도출을 위한 지방자치단체들의 정책 소통 장이었다.

『제1회 지방자치단체개혁박람회』를 준비하기 위해 지역심사위 구성 및 심사 위원 지원, 중앙심사위 현장 실사 시 협조, 지역 민간·NGO 참여 조직 구성, 박람회 준비를 위해 경실련 내 별도의 사무처를 구성했다. 여기에 지역을 광역권으로 통합해 9개의 지역 사무국을 설치했다. 사업의 규모에 맞게 대규모의 사무국이 꾸려졌다.

그리고 지방자치단체의 사례를 평가하기 위해 중앙심사위원회와 지역심사위원회를 두었다. 제1회 박람회에서는 김동훈(한국지방자치학회장. 위원장), 손희준(청주대 교수), 심익섭(동국대 교수), 김태룡(상지대 교수), 김용환(경실련 기획조정실장), 최정환(걷고 싶은 도시연대 사무총장), 김정훈(서경대 교수) 등을 심사위원으로 구성했다. 제1회 지방자치단체박람회에서는 221개 지방자치단체에서 432개의 사례를 접수했으며, 이 중 32개의 사례를 벤치마킹해 개혁사례로 선정해 발표했다.

심사 분야는 지방재정, 행정관리, 환경, 교통, 지역경

사진으로 보는
경실련 30년

I. 경실련의
창립과 활동

II.
경실련 30년
활동의 성과

III. 지역경실련의
활동과 성과

IV. 경실련과
시민사회의 미래

제, 복지, 여성, 문화, 지역개발, 국제화, 정보화, 조례, 주민참여, 공무원제안, NGO 제안 등 14개로 개혁사례를 공모해 발표했다. 심사절차는 지자체에서 접수된 사례를 대상으로 실사 · 현장방문 · 체험 후 의견서를 작성했으며, 이를 토대로 담당자 브리핑, 위원들의 심사 순으로 이어졌다. 심사는 개혁성(변화의 수준, 변화의 속도, 갈등관리 수준, 제도화 수준), 창의성(차별성, 미래지향성, 정당성, 세련성), 효과성(경제성, 생산성, 유인 효과, 능률성, 합법성)을 기준으로 했다.

서울올림픽파크텔에서 진행된『지방자치단체개혁박람회』에서 개혁사례를 발표하고 홍보하는 부스를 운영했으며, "세계 · 지역 · 지방자치"를 주제로 국제토론회를 진행했다. 또한, 지방자치 확대를 위한 NGO 토론회를 개최했으며, 개혁사례 모음집 출판 등 다양한 행사가 진행됐다.

『제2회 지방자치단체개혁박람회』는 161개 지방자치단체에서 285개의 사례를 접수했으며, 이 중 28개의 우수사례를 선정했다. 대한매일신보사와 함께 "개혁 모범 지자체를 가다"라는 공동 기획연재를 진행해 20개 지방자치단체의 모범사례를 알리고, 다른 지자체들이 눈여겨볼 만한 아이디어들을 소개했다. 또한, 우수사례에 대한 집중 취재와 홍보를 진행했으며, 자치단체장의 인터뷰도 진행했다. 심사 분야에서는 이전의 14개 분야에서 소방 · 방제 분야가 추가되었다. 개혁 모범사례를 분야별로 고르게 선정을 했으나 광역 · 도시 위주의 선정이었다는 평이 있었다. 1회 박람회보다 행정시스템의 근본적인 변화를 이뤄낸 사업이 선정되었으며 민 · 관 협력, 주민 중심의 서비스 개선, 지역 특성을 살린 사업 선정 등의 변화가 있었다.

3. 각계 반응과 성과

지방자치단체들은『지방자치단체개혁박람회』에 우수사례들을 홍보하고 벤치마킹하기 위해 적극적으로 참여했다.『지방자치단체개혁박람회』가 지방자치단체들이 한데 모일 수 있는 유일무이한 자리였기 때문이다.『지방자치단체개혁박람회』단순한 행사를 넘어서 지자체의 우수행정 사례를 전파하고 관계 공무원들 간의 노하우를 나누는 공유의 자리가 됐다. 또한, 박람회 기간 지방자치 의제 관련 토론회 및 세미나가 열리면서 지방자치제도의 발전에 대한 각계의 심층적 논의가 진행됐으며 여기서 도출된 발전과제들이 행정자치부 제도개선안으로 제안됐다.

『지방자치단체개혁박람회』는 지방자치단체의 우수행정 사례를 소개하고, 지방자치제도 5년을 평가하고 향후 방향성을 제시했다.『지방자치단체개혁박람회』는 민 · 관 협력의 성공적 모델로서 지방자치단체의 경쟁력을 강화하고 행정 혁신을 유도하는 등 지방자치 활성화에 이바지했다. 한편 경실련 내부적으로는 전국의 지역경실련이 한자리에 모여 사업을 추진하면서 공동의 성과를 창출하고 지역 시민사회 운동의 고충과 활로를 다시금 모색하는 자리가 마련되기도 했다.

이후 대통령은 지방자치단체개혁박람회 참석 인사들을 초청해 지방자치 발전을 위한 국정과제에 대한 제안을 요청했다. 또한, 우리 사회의 화합과 발전을 방해하는 지역 대립을 지방자치단체들이 앞장서 해결해 달라고 당부했다. 지역 언론에서도 각 지자체의 우수행정 사례들을 대대적으로 보도하여 지자체의 우수사례가 더욱 확산되기도 했다.

68. 기초지방선거 정당공천배제 촉구 운동

1. 배경 및 취지

기초의원 정당공천제는 2006년 선거에서 도입됐다. 제도도입 당시 정당의 책임정치구현을 목표로 했지만, 본래의 취지를 살리지 못한 채 구조적 한계를 드러냈다. 기초단체장과 의원 출마자들은 공천에 막강한 영향력을 미치는 지역구 국회의원, 지역위원장 등에게 줄을 대며 중앙정치에 예속됐다. 정당공천을 둘

경제정의실천시민연합

러싼 금전 수수, 충성 서약 등 각종 비리도 만연했다.

무엇보다 단체장과 의회 또는 의회 내부에서도 여야 간 싸움으로 지방자치 본래의 취지를 살리지 못한 채 비효율만 양산하며 지방의회를 후퇴시켰다. 결국, 기초의회의 정당공천은 지방자치에 대한 주민들의 높은 불신으로 이어졌다. 지역주민들의 참여도 힘들어졌으며, 지역의 유능한 인물이 지역사회를 위해 봉사할 기회도 원천적으로 차단됐다.

2012년 대선 당시 박근혜 새누리당 후보와 문재인 민주통합당 후보는 기초의원 정당공천 폐지를 약속했다. 문재인 후보는 기초단체장까지 정당공천을 폐지하겠다고 공약했다. 그러나 지방선거를 1년 여 앞둔 상황에서 정치권은 기초의원 정당공천 폐지를 주저하거나 없던 일로 만들어 버렸다.

경실련은 2013년 기초지방선거 정당공천제로 인한 폐단을 극복하며, 자치분권의 확대·발전을 위해 전국경실련 공동으로 기초지방선거 정당공천배제 촉구 운동을 전개했다.

2. 활동 내용 및 경과

2013년 경실련 중앙위원회에서 기초지방선거 정당공천의 폐해의 심각성을 공유하고, 정당공천 폐지를 전국경실련 공동사업으로 결의했다. 이에 중앙경실련과 30여 개 지역경실련이 연대해 <경실련전국분권운동본부>를 구성했다.

경실련은 1995년 지방선거를 앞두고부터 기초지방선거의 정당공천 배제를 주장했다. 이와 함께 ▲ 지방자치법 전면 개정을 통한 자치권 확대, ▲ 지방자치단체 내부 행정조직의 통폐합과 군살빼기, ▲ 불합리한 자치구역의 개편, ▲ 사무이양을 이한 초당파적 위원회 설치 등을

주장했다. 아울러 2003년에도 시민단체 연대 모임을 구성해 정당공천배제를 강력하게 주장하기도 했다.

<경실련전국분권운동본부>는 2013년 3월 28일 기초지방선거 정당공천폐지를 강력히 촉구하는 공동선언문을 발표하며 운동의 출발을 알렸다. 선언문에서 새누리당이 4·24 재보선에서 정당공천을 하지 않겠다는 약속을 반드시 이행할 것과 민주통합당이 법 개정 전에 재보선에서 정당공천을 하지 않을 것을 촉구하며 공직선거법 개정에 즉각 나설 것을 천명했다.

이후 지방자치 관련 전문가 140명의 기초의회 정당공천 폐지 촉구 입장을 담은 전문가 공동선언을 진행했으며, 세미나·토론회 등을 진행하며 기초의회 정당공천 폐지에 대해 목소리를 냈다. 정당공천폐지에 대한 국회의원들의 견해를 물어 국회를 압박하는 작업을 병행했다. 민주당에는 전당원투표 결과를 수용할 것과 국민약속 이행에 나설 것을 촉구했으며 새누리당에는 조속한 공식 당론 채택을 촉구하는 작업을 해나갔다. 아울러 신문광고를 진행하며 정당공천폐지를 이슈화시키는 데 노력했다.

경실련은 지방의 정치 및 행정을 중앙의 정치로부터 자유롭게 하기 위해서는 정당공천제를 폐지해야 한다고 주장했다. 지방의 살림살이는 지역주민들에게 맡기고, 지방정치인들이 지역주민의 의견을 존중해 책임질 수 있도록 하는 개선방안을 제시했다. 특히 기초단위에서 여성을 포함해 약자와 소수자의 참여방안까지 고려해 공직선거법 외 관련한 다른 법률의 개정을 주장했다. 더불어 지방선거 선거구 제도의 개혁을 주장하며 3~5인 규모로 선거구 크기를 확대할 것을 요구했다. 여성의 정치참여 확대와 함께 지방의원 개인후원회 제도의 도입도 촉구했다.

2013년 7월 23일 경실련, 지방분권전국연대, 한국 YMCA전국연맹, 전국시장군수구청장협의회, 전국시군자치구의회의장협의회 등 전국 시민사회단체를 비롯한 민·관·정은 <기초지방선거 정당공천폐지 대선공약 이행촉구 시민행동(약칭 정당공천폐지시민행동)>을 출범시켰다. 정당공천폐지시민행동은 법 개정을 위해 면담 및 장외집회, 전국단위 캠페인 및 촉구대회 등 다양한 활동을 전개하였다. 학계 및 시민사회 원로와 지역주민들의 의견을 반영해 정당공천폐지를 이행하도록 했다.

3. 각계 반응과 성과

기초지방선거 정당공천 폐지는 각 당의 대선공약이

사진으로 보는
경실련 30년

I. 경실련의
창립과 활동

II.
경실련 30년
활동의 성과

III. 지역경실련의
활동과 성과

IV. 경실련과
시민사회의 미래

었다. 그러나 막상 선거를 앞두고 정치적 유불리에 따라 공약을 무력화시켰다. 필요성에는 공감하나 이런저런 사유를 들어 결국 정당공천 폐지를 없었던 일로 만들었다. 특히 새정치민주연합은 안철수 공동대표가 정당공천제 폐지를 강하게 주장했던 터라 폐지를 두고 내홍을 겪기도 했다. 새정치민주연합이 폐지 여부를 결정하기 위해 진행했던 국민을 대상으로 한 여론조사 결과에 따르면 '공천해야 한다.' 49.75%, '공천하지 말아야 한다.' 50.25%로 비슷한 결과가 도출됐다. 대다수 지방언론의 경우 사설 등을 통해 정당공천제 폐지를 강하게 주장했다. 그러나 중앙 일간지는 언론사별 정당공천폐지에 대한 입장이 편차가 보였다.

기초지방선거 정당공천 폐지를 위해 민·관이 시민행동을 구성해 목소리를 냈다. 전국경실련이 공동으로 운동을 전개하고 정당공천폐지에 앞장섰다. 여전히 기초지방선거 정당공천 폐지 여론을 조성하기 위한 더욱 치밀한 계획과 운동 전략이 필요했다. 결국, 기초지방선거 정당공천 폐지가 실현되지 못했다. 이후 기초지방선거의 정당공천폐지에 대해 경실련은 현실적인 문제를 들어 정당공천을 유지하는 쪽으로 입장이 선회했다.

69. 지방의제 21 도입 운동

1. 배경 및 취지

지방의제21은 1992년 브라질 리우에서 열린 유엔 환경개발 회의에서 채택된 의제21에서 파생되었다. 의제21은 "21세기 환경을 보전하기 위해 인류가 논의하고 실천해야 할 과제"를 말하며, 지방의제21은 지방정부 차원에서 추진하는 과제를 말한다.

지속가능한 사회의 실현을 위해서는 지방정부와 지역주민의 적극적인 참여와 협력이 필수적이다. 당시 국제동향도 국가적 차원의 대응에서 지방정부 간의 논의와 연대를 중시하는 방향으로 구체화되고 있었다. 특히 본격적인 지방자치의 실시로 눈에 보이는 단기적인 개발이익을 위해 지역의 환경이 심각히 파괴될 위기에 처해 있었기 때문에, 21세기를 내다보며 지역 구성원의 참여 속에 지속가능한 지역사회 발전전망을 합의해 내는 것은 중요한 과제였다.

'지속가능한 지역사회 만들기 운동'은 우선 지속가능한 개발 원칙을 지방정부의 정책과 활동에 통합하여, ▲ 지방 실정에 맞는 정책 및 과제를 개발하는 정책운동, ▲ 지역주민의 참여를 활성화하여, 풀뿌리 차원의 참여민주주의를 확대하는 운동, ▲ 환경을 둘러싼 지역 간의 갈등·분쟁을 조절하는 새로운 대안적 협의구조 모색, ▲ 지구환경문제에 대한 지역주민의 의식을 높여 지구 시민으로서의 연대감 고취, ▲ 지방과 지방 간의 민간차원의 국제연대를 활성화하는 운동으로 구체화 되었다.

2. 활동 내용 및 경과

지속가능한 지역 만들기의 중심사업으로 리우회의에서 권고된 지방의제21 작성 사업을 지방자치단체와 협력하여, 지역경실련에서 작성하는 사업을 추진했다. 지방의제21 작성은 '지속가능한 개발'을 키워드로 지역사회의 발전전망을 합의해 내는 일종의 행동계획이다. 시민들이 더욱 안전하고 건강하며, 쾌적한 삶을

유지할 수 있는 21세기형의 바람직한 도시 상을 구현하는 것을 궁극적인 목표로 했다.

1994년 6월 24일~28일 영국 맨체스터에서 열렸던 94년 글로벌 포럼 리우회의 이후 유엔이 마련한 첫 국제 환경 회의가 열렸다. 경실련 환경개발센터는 한국에서 유일하게 공식적 민간단체 대표로서 유재현 운영위원장을 파견해 아시아적인 도시발전에 대해 논의했다. 이후 8월 경실련 경제정의연구소는 한국환경정책학회, 한국환경사회정책연구소, 서울시정개발연구원 등과 함께 세종문화회관에서 '지방의제21과 지방정부의 대응'에 관한 워크숍을 진행했다. 이 자리에서 92년 리우 정상회담의 결의를 구체화하기 위한 계획을 논의했으며, 글로벌 포럼의 성과를 공유하고 국제화·지방화의 시대에 있어 지방자치단체의 역할에 대한 세계적인 흐름을 소개했다.

'지방의제21에 대한 가이드 지침', '지속가능개발지표 모형 개발'. '환경지자체 실현을 위한 자치행정 매뉴얼 북' 등의 연구 활동을 진행했으며, 지역경실련을 통한 시민실천 공동캠페인을 추진했다. 리우회의에서 채택된 의제21의 28장에서 권고하고 있는 지방의제21 작성을 순천, 대구, 청주 등의 지방자치단체와 함께 추진했다. 지방자치 환경정책을 강화하기 위한 입법운동으로 환경 기본 조례를 비롯한 환경 조례 제정 운동을 전개했다. '21세기 지속가능한 지역 만들기' 사업을 추진했으며, 지역경실련과의 사업협의 회의를 개최했다.

1996년 이스탄불에서 열린 HABITAT II에 참가해 지속가능하고 민중 중심적인 도시에 관한 사례를 발표했다. 당시 도시문제의 심각성을 주장하고 지속 가능한 발전의 문제를 다루었다. 환경과 도시 일견 다른 의제로 보이지만 지속가능성을 중심에 두고 있다는 점에서 서로 맥이 닿아 있었다.

지방의제21는 전국 각지로 확산되었다. 환경교육, 하천 살리기, 습지, 폐기물, 녹색구매, 마을 만들기, 기후변화, 녹색 교통, 로컬푸드, 참여자치, 매니페스토, 거버넌스 등 다양한 분야와 영역에서 정책적 정리와 행동을 조직했다. 아울러 지속가능발전 기본법 등도 제정되었다.

3. 각계 반응과 성과

지방화 시대를 맞아 지방자치단체별로 특화된 환경 관리계획을 수립하고 이를 실천하기 위한 지방의제21이 본격 추진됐다. 각 지방자치단체는 앞다퉈 지방의제21 추진을 위한 계획 마련하고 세부 실천계획을 발표했다.

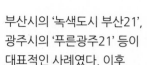 

부산시의 '녹색도시 부산21', 광주시의 '푸른광주21' 등이 대표적인 사례였다. 이후 지방의제21 전국협의회도 창립되면서 지방의제21의 급속한 확산과 질적 발전을 가져왔다.

환경부는 각 지역 특성에 맞는 환경보전과 개발의 조화를 이룰 수 있는 '지방의제21 작성지침 안'을 마련했다. 또한, 지방자치단체, 시민단체, 기업 등이 참여해 지방의제21에 대한 개념과 구체적인 내용을 논의하기 위한 토론회도 진행했다.

2000년 6월 지방자치단체들이 조직한 지방의제21 기구들의 협의체인 지방의제21전국협의회가 창립총회를 열고 본격적인 지방의제21 확산에 나섰다. 협의회는 지방의제21의 정보를 공유하고 경험을 나누며, 실천을 촉진하는 데 앞장섰다. 아울러 우수한 사례를 발굴해 보급·확산시키는 데 촉매제 역할을 맡았다.

경실련의 지방의제21은 지속가능한 지역 만들기라는 의제를 전국으로 확산시키는 역할을 했으며, 지역경실련을 통해 실제 지역에서 추진 기반을 마련했다. 우리나라 지방의제21 활동은 '지속가능발전 세계정상회의'에 제출되어 세계적인 모범사례로 소개되기도 했다.

70. 부패방지법, 돈세탁방지법 제정 운동

1. 배경 및 취지

IMF 경제위기 훨씬 전부터 경실련을 비롯한 시민단체들은 정경유착과 부정부패에 대한 근본적인 처방이 필요함을 주장해 왔다. 삼풍백화점이 붕괴되고, 전직 대통령들의 비자금 사건이 터져 나왔을 때, 한보그룹이 부패로 무너지고 기아가 파산할 때, 부정부패를 추방할 근본적인 제도적 장치를 마련하자는 시민사회의 목소리를 정치인들과 기업인들이 조금만 더 진지하게 경청했다면 국가경제의 파국적 위기와 국민들의 고통은 미연에 방지할 수 있었다.

당시 우리 사회는 만연되고, 관행화된 '부패'로 몸살을 앓고 있었다. 부패방지에 대한 기본법조차 마련돼 있지 않았다. 부정부패근절과 공직사회의 개혁은 정치권력의 일회적 선언에 의해서가 아니라 법과 제도에 의해 지속적으로 추진돼야 한다. 특히 돈세탁은 한국사회의 심각한 부패구조를 떠받쳐 온 핵심적인 범죄현상이다. 돈

사진으로 보는
경실련 30년

I. 경실련의
정신과 활동

II.
경실련 30년
활동의 성과

III. 지역경실련의
활동과 성과

IV. 경실련과
시민사회의 미래

세탁은 부정한 자금에 대한 추적을 곤란하게 해 부정부패를 적발하는 데 장애가 된다. 돈세탁방지법은 부패구조를 청산하기 위한 제도적 장치 중 가장 효과적인 장치고, 세계적으로도 보편화돼 있는 제도다.

경실련은 한국 부패구조의 심각성을 자각하고, 부패방지법과 돈세탁방지법 제정에 적극 나서게 된다. 부정부패와 비리를 근절하는 것은 물론, 건전하고 투명한 금융거래질서를 확립함으로써 경제 사회정의를 실현해야 함을 절감했다.

2. 활동 내용 및 경과

1993년 3월 10일 경실련은 '부정부패추방운동본부'를 발족하고, 우리사회의 각종 부정부패를 폭로, 고발하는 활동뿐만 아니라 원인제거의 차원에서 근본적인 해결대안을 마련하고자 했다. 같은 해 3월 29일에는 경실련 시민입법위원회를 구성하고, '공직자 부패방지를 위한 법제도의 개선방향'에 대한 공개세미나를 시작으로 반부패 활동에 적극 나선다. 당시에는 공직자들의 재산공개가 커다란 사회적 파문을 일으키는 상황으로 공직자재산등록 및 공개, 심사제도 등에 대한 공직자윤리법 개정운동에 초점을 맞췄다. 이후 정경유착과 구조적인 공직부패를 근절을 위한 활동을 본격 전개한다.

경실련을 비롯한 시민단체들은 1994년에 '공익정보제공자보호제도'를 제안했고, 1995년 노태우 비자금 사건을 계기로 부패방지법의 제정을 강력히 촉구해 1996년에는 입법청원에까지 이른다. 돈세탁방지, 내부고발자보호, 예산부정방지규정, 공직자재산공개제도 강화, 고위공직자비리조사처(특별검사제) 도입 등을 포함한 부패방지법의 제정은 반부패개혁의 가장 중심적인 과제이자 국가개혁의 최우선 과제로 인식됐다. 15대 국회의원 299명 중 244명이 부패방지법 제정에 찬성하는 서약서에 서명했을 정도다. 그러나 부패방지법은 15대 국회에서 통과되지 못했다. 1999년 7월, 100여개 시민사회단체가 '부패방지법 제정 100시간 연속캠페인'을 벌였고, 경실련 등 각 단체가 부패방지법 제정 촉구 의견서를 발표했지만, 정치권의 응답은 없었다.

경실련은 2000년 3월, 4·13 총선을 한 달 앞둔 시점에서 16대 국회가 해야 할 100대 개혁과제를 발표한다. 사회 양극화와 상대적 박탈감을 해소하는 정책과제들이 핵심을 이뤘는데, 자금세탁방지법 제정을 통해 투명하고 건전한 금융풍토 조성을 마련하고, 부패방지 협약에 상응한 반부패기본법의 제정도 핵심과제로 제시됐다. 2000년 5월에는 경실련을 비롯한 38개 시민사회단체들이 '부패방지 제도입법 시민연대'를 결성한다. 같은 해 7월 부패방지법과 자금세탁방지법을 공동안으로 확정하고, 공청회 등을 거쳐 16대 국회에 다시 입법청원한다.

주요내용으로 공직자 재산등록과 공개, 공직자의 업무 외 소득 제한, 금지대상 선물의 내용과 처리절차, 부정공직자의 취업제한 등 보다 구체적인 조항을 추가했다. '공익정보제공자보호제도'를 강화해 조직 내 부패행위에 대한 신고를 의무화하고, 공익제보자에 대한 보상금 지급도 포함했다. 특별검사제도를 신설해 독립적인 고위공직자 비리 수사가 가능하도록 했다. 부패방지법과 함께 '자금세탁방지법'도 청원이 이뤄졌는데, 금융기관이 2000만 원 이상의 현금거래가 이루어질 경우 이를 30일 이내에 국세청에 통보하도록 해 음성적 자금세탁을 사전에 차단토록 했다.

2001년 6월 '부패방지법'이 국회를 통과하는 쾌거를 이룬다. 경실련 등 시민단체들이 일관되게 주장해 오던 핵심 내용들이 일부 빠졌지만, 부패방지법은 2002년 초부터 본격 시행된다. '돈세탁방지 관련법'도 논란이 됐던 '정치자금'을 규제대상에 포함해 2001년 9월 국회에서 의결됐으며, 같은 해 11월 부정한 '돈'의 흐름을 상시 추적하는 금융정보분석원(FIU)이 설립됐다.

3. 각계 반응과 성과

1999년 11월 당시 집권여당인 국민회의는 경실련을 비롯한 시민사회의 거센 요구에 마지못해 내부고발자보호제도, 시민감사청구제도, 반부패특별위원회 구성 등을 주요내용으로 하는 빈약한 반부패기본법(안)을 국회에 제출했다. 그러나 법안을 논의할 소관상임위조차 정해지지 않아 행정자치위원회와 법제사법위원회를 떠돌다가 15대 국회 종료와 함께 자동 폐기됐다.

16대 총선 과정에서 경실련이 전개한 후보자정보공개운동은 물론, 여타 시민단체가 전개한 낙선운동 등으로 정치개혁과 부패추방에 대한 국민적 요구가 높아졌다. 여야 3당은 모두 부패방지법의 제정을 핵심공약으로 내걸게 된다. 16대 총선 이후에는 여야 총재회담 과정에서 가장 우선적인 개혁과제의 하나로 부패방지법 제정을 추진하기로 합의한다. 당시 국민의 95%가 부패방지법 제정에 찬성했다. 16대 국회의원 273명 중 209명도 제정에 찬성하는 서명을 했다.

16대 국회에는 시민단체들이 공동으로 제출한 부패방지법, 민주당의 반부패기본법, 한나라당의 부정부패방지법 등 서로 다른 3개의 반부패 관련법안이 상정된다. 입법과정에서 법안 내용은 물론 법안 명칭을 두고도 정치권의 힘겨루기가 이어졌다. 2001년 6월 28일 마침내 부패방지법이 국회에서 통과됐고, 정부는 7월 4일 '깨끗한 정부 구현을 위한 부패방지대책 보고회의'를 열고 '부패와의 전쟁'을 선포한다.

경실련 등 시민단체가 6년간 끈질기게 추진해 온 법안이 국회에서 통과됐지만, 경실련이 주장한 공직자윤리규정, 특검제와 같은 독립적인 고위직 부패 수사기구 등이 빠졌다. 부패방지법은 부정부패를 예방 통제할 종합적인 법안이 아닌 부패신고 접수와 제보자 보호, 부패정책 입안 조정을 담당하는 부패방지위원회를 신설하는 것을 골자로 하고 있어 사실상 내부비리제보자보호법에 머물렀다. 그나마도 내부비리제보자 보호 장치나 부패방지위

원회의 권한도 매우 미흡한 법안이다.

자금세탁방지 관련법도 금융정보분석원(FIU)이 범죄 혐의가 있는 금융거래정보를 금융기관으로부터 넘겨받아 범죄연루 여부를 확인한 뒤, △마약 및 조직 범죄는 검찰에 △탈세와 밀수는 국세청 또는 관세청에 △정치자금은 선관위에 각각 통보토록 했다. '정치자금'이 규제대상에 포함됐으나, 금융정보를 선관위에 통보토록 함으로써 불법자금과 연루된 정치인이 사전에 자신에 대한 조사사실을 알 수 있도록 했다. 선관위가 불법 정치자금을 조사할 경우 소명을 듣기 위해 조사사실을 본인에게 통보할 수밖에 없기 때문이다.

경실련이 펼친 부패방지법·돈세탁방지법 제정운동은 경제정의 사회정의를 실현하는 필수불가결한 조건이다. 빈약하기 이를 데 없는 부패방지법의 제정은 즉각적인 재개정, 보완작업이 불가피함을 여실히 보여줬다. 시민이 나서지 않으면 올바른 제도 도입도, 부정부패 척결도 어렵다. 부정부패 척결과 비리근절을 위한 경실련의 운동은 계속될 것이다.

71. 군부재자투표부정 고발 및 개선 운동

1. 배경 및 취지

1988년 13대 총선 결과 당시 여당이던 민정당이 과반이상 의석 수 확보에 실패하면서 최초로 여소야대 국면이 만들어졌다. 민정당은 국정운영의 주도권을 되찾기 위해 3당 합당을 감행했고, 새로 창당된 민자당은 과반이상의 의석과 안정적 지지층을 확보할 수 있었다. 민자당은 1991년 지방선거에서 압승했으며, 1992년 3월 24일로 예정된 14대 총선에서도 대승할 것이라는 예상

사진으로 보는
경실련 30년

I. 경실련의
청립과 활동

II.
경실련 30년
활동의 성과

III. 지역경실련의
활동과 성과

IV. 경실련과
시민사회의 미래

이 지배적이었다.

　여당에 대응하기 위해 야당인 민주당계는 분열된 세력을 규합해 통합민주당을 구성했고, 통일국민당도 여야 낙천자들을 영입해 몸집을 키웠다. 반면 여당은 예비후보자들이 공천에 불만을 품고 대거 무소속 출마를 선언했는데, 이 과정에서 안기부가 무소속 후보들의 출마를 포기시키려 했다는 의혹이 불거지며 논란에 휩싸였다. 게다가 안기부 직원이 야당후보에 대해 비방하는 흑색선전물을 배포한 혐의로 구속되는 사건이 벌어지며 선거는 혼탁 양상으로 접어들었다.

　당시 경실련은 1991년 지방선거부터 시민사회단체들과 공명선거시민운동협의회(이하 공선협)를 결성해 관권개입 및 선거부정 고발창구를 운영하고 있었다. 1992년 14대 총선을 맞아서는 전국규모로 조직이 확대돼 공명선거를 위한 캠페인에 주력했다. 14대 총선을 불과 이틀을 앞두고 있던 3월 22일, 9사단 소속 이지문 중위가 공선협을 방문해 군부대 내 부재자투표 중 부정행위가 있었다는 사실을 고발했다. 공선협은 이를 중대사안으로 판단하고 공선협 사무실에서 긴급기자회견을 개최했다.

　이지문 중위에 따르면 대대급 이상에서는 연대장이 정신교육 중 여당지지 필요성을 언급하는 정도에서 그쳤는데, 중대급 이하에서는 노골적인 여당지지 압력이 일어났다. 사후에 문제가 생기더라도 하급 지휘관의 과잉 충성으로 떠넘길 수 있기 때문이다. 중대장들은 부대원들에게 인사고과평정에 부재자 투표 여당 지지율이 반영되니 여당을 지지할 것을 호소했으며 부대에 따라서는 공개투표를 실시하기도 했다.

　중대장이 선거개입을 꺼릴 시에는 기무파견대에서 직접 압력을 행사해 부대원 교육을 하지 않을 수 없게 만들었다. 기무파견대는 부재자 투표봉투 발송을 맡고 있는데, 이들은 서신 검열기를 이용해 투표율을 파악해 장교 고과평점에 반영할 것이라고 압박했다. 군은 투표에 압력을 행사한 사실이 외부에 알려지는 것을 막기 위해 정기외출 및 외박, 면회도 전면 금지시켰다.

　이 중위는 내부건의로는 선거부정문제 해결을 기대할 수 없었고, 결국 시민단체를 통해 양심선언을 할 수밖에 없다고 밝혔다. 기자회견이 끝나자마자 이지문 중위는 근무지 이탈 등의 혐의로 사복군인에게 연행돼 조사를 받는 처지가 됐다.

2. 활동 내용 및 경과

　기자회견 다음날, 국방부는 사실여부를 확인하겠다고 하면서도, 이 중위의 폭로가 허위일 가능성이 높다고 일축했다. 반면 공선협은 이 중위의 증언이 사실임을 확신하고, 선거부정 진상규명을 위한 진상조사단과 이 중위의 신변보호를 위한 변호인단을 구성해 적극 대응에 나섰다. 변호인단은 이 중위에 대한 조사 중 그를 좌경세력으로 몰아세우려는 강압행위가 벌어지고 있음을 인지했다. 이에 구속적부심을 청구하고 공개재판 진행을 촉구하는 등 이 중위를 법적으로 보호하기 위한 노력을 기울였다.

　진상조사단은 군 당국에게 선거부정 사태를 자유롭게 조사할 수 있도록 보장해줄 것을 요구했다. 선관위와 국회도 즉각적인 조사에 나설 것을 촉구했다. 군부재자투표 부정행위 고발창구를 개설하고, 선거부정 사례를 수집해 30사단에서도 선거부정이 있었다는 고발내용을 접수했다. 육군참모총장 앞으로 조사협조를 요청하는 공문을 발송하는 한편, 14대 총선 선거부정을 정리한 보고서를 발표했다.

　그러나 국방부는 이 중위의 증언 및 부정고발 모두가 사실무근이라는 조사결과를 발표한다. 이에 공선협은 선거부정에 대한 철저한 진상규명과 이지문 중위의 석방을 강력히 촉구한다. 이어 '이지문 중위 석방과 군 부재자투표 부정 진상규명을 위한 백만인 서명운동 발대식'을 개최했다. 서명운동은 학생과 교수의 지지 덕에 주요 대학가를 중심으로 급속도로 확산됐다.

　국방부 장관은 비난여론을 진화하기 위해 직접 공선협과 면담에 나섰다. 법적 근거가 없기 때문에 민간단체가 직접적인 조사에 참여할 수는 없지만 참관단체 자격으로 참여하는 방안이 제시됐다. 이에 공선협은 접수받은 14대 총선 군 부재자투표 부정사례 21건을 국방부에 조사요구 자료로 제출했다.

　선거부정 진상규명을 위한 노력이 계속되던 중 선관위는 14대 총선 부재자 투표 분석결과 보고서를 발표

한다. 보고서에는 후보자 개인의 지명도가 부재자 투표율에 결정적인 영향을 미쳤을 뿐이며, 부재자 투표에서 전반적이고 조직적인 부정이 있었다고 볼 수 없다는 결론이 담겨 있었다. 이에 공선협은 부재자 투표결과를 자체적으로 분석해 선관위 보고서를 반박했다. 분석결과 총선에서 민자당이 얻은 일반 득표율은 1991년 광역의회선거에 비해 2.8% 감소한데 비해 총선 부재자 득표율은 광역의회선거 득표율에 비해 17.4%나 상승한 것으로 드러났다. 공선협은 선관위의 결론과 달리, 군 부재자 투표 부정이 전국적으로 고른 영향을 미쳤을 가능성이 높다고 반박했다.

3. 각계 반응과 성과

군부재자 투표 부정이 드러나기까지 언론의 역할이 매우 중요했다. 이지문 중위가 양심선언을 결심하고 가장 먼저 찾은 곳은 한겨레신문이었다. 이 중위의 의사를 접수한 한겨레신문은 공신력을 가진 중립적 기관에서 검증 과정을 거쳐 기자회견 형태로 공표하는 것이 바람직하다는 판단 하에 공선협을 추천했다. 군은 양심선언을 외부의 사주에 의한 것으로 만들기 위해 이지문 중위를 운동권, 좌경세력으로 몰아가려고 시도했다. 하지만 언론이 가족과 측근 인터뷰를 통해 그가 운동권과 무관한 선량한 시민임을 조명하면서 여론몰이를 차단할 수 있었다.

공선협을 중심으로 시민사회가 선거부정 진상규명에 앞장서자 야당을 중심으로 한 정치권에서도 진상규명을 위한 움직임이 본격화됐다. 국방부가 계속해서 선거부정을 부정하자 특검제 도입을 통한 재조사와 대통령의 공식 사과를 요구했다. 또한 국방위 소속 군 출신 인사들로 진상조사단을 구성했으며, 군 부정이 사실로 드러날 경우 재선거를 요청하기로 뜻을 모았다.

선거부정에 대해 시민사회뿐만 아니라 언론, 정치권까지 합심해 지속적인 문제제기로 현역군인 한 명이 용기를 얻어 추가 양심고백에 나섰다. 결국 선거법 위반 혐의로 중대장 2명과 서무병 1명이 구속됐으며, 국방부도 더 이상 선거부정을 전면 부인하지 못하고 부분적으로나마 시인하기에 이르렀다.

진실이 드러난 후에도 공선협은 사건 재발을 막기 위한 제도 개선 방안을 계속해서 논의했다. 그 결과 군 부재자 투표 부정을 원천적으로 차단하기 위해 영외에 부재자 투표소가 설치된다. 군인은 직접 해당 투표소에 용지를 가져가야 하고, 투표관리관 감독 하에 투표를 할 수 있게 됐다. 이지문 중위는 1992년 5월 이등병으로 불명예 전역을 당했다. 이후 4년간의 법정 투쟁 끝에 1995년 대법원에서 파면 취소 확정판결을 받아 냈다. 비록 재판에는 승리했지만 내부고발자 보호시스템의 미비는 크게 아쉬웠다. 이후 경실련은 내부고발자에 대한 보호 법안을 포함한 반부패 법안을 발의하는 등 입법운동을 전개하게 된다.

72. 반부패총괄기구 강화 운동

1. 배경 및 취지

우리 사회는 각종 부정·부패·비리가 정치, 경제, 사회, 문화 등 모든 분야에 만연돼 있다. 역대 정권이 출범할 때마다 예외 없이 부정부패 척결을 강조했지만, 부패방지가 가능한 제도적 장치 마련에는 소극적이었다. 부패방지를 위한 근본적인 시스템 개선보다는 부패사건이 터질 때마다 임시방편적 땜질 처방에 급급했다. 이제까지 부패방지대책은 공직자 적발과 처벌이라는 사후 대책에 집중돼 있어 예방 차원의 대책은 소홀했던 것이 사실이다.

부정부패를 방지하고 척결할 수 있는 제도를 마련해 실효성을 확보하는 것은 매우 중요하다. 검찰, 경찰, 국세청, 감사원 등의 사정기관의 무소불위 권력을 견제하고 균형을 잡는 장치가 마련돼야 함은 두말할 나위가 없다. 투명하고 청렴한 한국사회에 대한 요구가 증대되는 상황에서 공직사회뿐만 아니라 민간부문에도 만연돼 있는 부정·부패·비리 문제도 함께 척결해야 한다.

현재의 부패방지 제도가 갖고 있는 한계를 근본적으로 개선해야 한다. 반부패 정책을 총괄하고 체계화하기

사진으로 보는
경실련 30년

I. 경실련의
창립과 활동

II.
경실련 30년
활동의 성과

III. 지역경실련의
활동과 성과

IV. 경실련과
시민사회의 미래

위한 전담 기구의 신설은 매우 절실하다. 부패구조의 척결 없이 한국사회 변화와 발전은 기대할 수 없고, 민주주의 발전도 불가능하기 때문이다.

2. 활동 내용 및 경과

1993년 3월 경실련은 '부정부패추방운동본부'와 '시민입법위원회'를 발족하고, 부정부패 척결을 위한 활동을 전개한다. 주요활동 방향은 사정기구의 개혁(구성, 권한, 인사 및 활동 등), 제도개혁(금융실명제, 정보공개법 제정 등), 환경형성(공정인사제도, 공무원봉급현실화 등), 비직접적 원인해소(소득격차해소, 불로소득 및 과소비 척결 등) 등이다. 아울러 부정부패고발전화 설치, 조사고발활동, 반부패공감대 확산 캠페인 등을 통해 부정부패 척결 촉구와 감시활동도 전개한다.

1999년 11월 김대중 정부는 대통령 산하에 '반부패특별위원회'를 두는 '반부패기본법'을 국회에 제출했다. 하지만 '반부패특별위원회' 신설안이 부패신고 및 처리와 관련해 감사원 감사나 검찰 수사를 강제할 수 있는 아무런 수단도 갖지 못했다는 점은 중대한 한계였다.

이에 2000년 7월, 경실련을 비롯한 38개 시민사회단체들로 구성된 '부패방지 제도입법 시민연대'는 부패방지특별위원회를 독립적 국가기구로 설치하는 내용을 포함한 '부패방지법'을 입법청원한다. 정부가 제출한 '반부패특별위원회' 신설안의 맹점을 극복하기 위해 검찰에 수사를 요구할 권한과 검찰이 수사에 착수하지 않거나 범죄에 대한 수사 또는 그 결과에 대한 검사의 처분이 부당한 때에는 수사촉구서를 첨부해 국회에 특별검사임명요청을 발의할 수 있도록 했다. 아울러 '부패방지특별위원회'는 부정부패 근절을 위한 교육 홍보, 부패예방을 위한 제도개선, 부패행위 신고의 접수·조사를 총괄하는 반부패총괄기구로 기능토록 했다.

시민사회의 노력으로 2001년 부패방지법이 제정되고, 부패방지위원회를 대통령 소속으로 설치함으로써 반부패 제도 총괄기구가 출범하게 된다. 초대 위원장은 당시 경실련 상임집행위원장을 역임한 강철규 교수(경실련 전 공동대표)가 맡았다.

2003년 10월 31일 채택한 UN반부패국제협약에 따라 독립된 반부패기관의 설치는 당사국의 의무가 된다. 2003년 12월 10일 협약에 서명한 우리나라는 부패방지위원회를 2005년 대통령 직속 국가청렴위원회로 명칭을 바꾸고, 독립적인 반부패기구를 구성한다. 하지만 2008년 2월 29일 반부패국제협약을 비준하기도 전에 이명박 정부는 정부조직 개편을 통해 국가청렴위원회를 폐지하고, 과거 행정심판위원회, 국민고충처리위원회와 통합해 국무총리 산하의 국민권익위원회를 발족시킨다. 국무총리 소속으로 설치된 국민권익위원회는 부패문제를 전담하는 기구도 아니고, 독립성도 보장받지 못했다. 유엔반부패국제협약을 정면으로 위반한 것이다.

이에 경실련을 비롯한 참여연대, 한국투명성기구, 한국YMCA전국연맹, 흥사단투명사회운동본부 등 5개 단체는 반부패연대를 결성하고, 유엔 반부패협약 당사국의 마땅한 의무인 독립적인 반부패기관의 설치 촉구에 나선다.

2012년 18대 대통령 선거 과정에서 반부패5단체는 유엔 반부패협약 제6조에 맞게 조사권을 가진 독립적 반부패 국가기관을 차기 정부에서 반드시 설치해야 함을 주장한다. 하지만 박근혜 정부는 국가운영시스템을 처참하게 농락하면서 부패와 관련한 각종 지표는 참담한 수준으로 전락하고 만다.

국정농단과 대통령 탄핵에 따라 2017년 조기에 치러진 대선에서 경실련을 비롯한 반부패5단체는 무너진 국가반부패시스템을 바로 세우는 계기를 마련하고자 했다. 차기정부에 반부패 척결을 위한 대통령 직속의 독립적인 반부패 전담기구를 반드시 설치할 것을 촉구했다.

하지만 문재인 정부는 출범 후 국민권익위원회에서 행정심판 기능을 분리하는 것 외에 독립적인 반부패총괄기구를 설치해 부정부패를 막고 청렴한 사회를 만들기 위한 노력은 소극적이다. 이에 반부패5단체는 2019년 3월 19일 독립적 반부패총괄기구를 대통령 직속기관으로 위상을 강화하고, 부패·공익신고에 대한 사실 확인 권한을 부여하는 내용을 담은 「부패방지 및 국민권익위원회의 설치와 운영에 관한 법률」 개정안

을 입법청원하기에 이른다.

3. 각계 반응과 성과

2001년 부패방지법 이전의 반부패 추진체계나 법제도 등은 전략적 차원에서 운영돼 왔다. 부패문제 대응이 정책적 차원에서 이루어진 것은 김영삼 정부가 처음이다. 금융실명제 실시, 공직선거법 제정, 정치자금법 개정 등 부패방지를 위한 정책적 수단을 다수 채택해 강력하게 추진한다. 아울러 김영삼 정부는 부정부패방지를 전담해 지속적인 점검과 대책을 수립하고, 수사권까지 갖는 강력한 부정방지대책위원회를 설치해 부패문제 대응을 국정의 최우선 과제로 설정했다. 하지만 헌법상 국가최고기관인 감사원의 기능에 비추어 옥상옥이라는 문제가 제기되면서 단순한 감사원의 자문기구로 전락하게 된다.

이후 김대중 정부도 부패를 야기하는 각종 불합리한 제도 개선과 국민의 반부패의식 조성을 위해 대통령 산하에 '반부패특별위원회'를 두는 '반부패기본법'을 국회에 제출했지만, 15대 국회 종료와 함께 자동 폐기된다. 당시에도 '반부패특별위원회'에 대한 검찰·감사원 등 사정기관들의 반발이 매우 심했다.

2001년 부패방지법이 제정되고, 2002년에 대통령 소속 부패방지위원회가 출범한다. 하지만 고위공직자비리수사처는 설치되지 못했고, 공직윤리 관련 조항들이 부패방지법에서 제외돼 반부패 전담기구로서 총괄적 역할을 수행하는 데 한계가 있었다.

부패방지위원회는 2005년 국가청렴위원회로 명칭을 바꾸고, 부패행위의 개념을 직접적 행위 이외에 강요·제의·권고·유인 등 간접적인 부패 행위까지 확장했다. 그러나 '부패방지위원회'와 마찬가지로 부패문제를 국가적인 차원에서 종합적이고 체계적으로 통제할 것이라는 기대에 부응하지 못했다.

이명박 정부가 들어서면서 효율성만을 명분으로 국가청렴위원회가 폐지되고, 국무총리 소속으로 국민고충처리위원회, 행정심판위원회와 통합된 국민권익위원회가 설치된다. 부패전담 총괄기구가 축소되면서 그동안 진행돼왔던 반부패정책 추진도 진행되지 못한다. 결국 박근혜 정부에서 권력형 부패사건, 정경유착에 의한 국정농단이 발생하고, 헌정사상 초유의 대통령 탄핵으로 이어졌다. 한국사회 부패구조의 심각성을 각인시켰으며, 국론 분열과 사회갈등은 물론 국가신뢰도까지 영향을 미치게 됐다.

2017년 조기 대선을 통해 출범한 문재인 정부는 '반부패 개혁으로 청렴한 대한민국 실현'을 국정과제로 선정하고, 그 세부과제로서 반부패 총괄기구 설치를 천명한 바 있다. 문재인 정부는 국민권익위원회의 성격을 반부패총괄기구로서 강화하려 한다면 그에 걸맞는 위상과 권한, 기능을 부여하는 법 개정에 나서야 한다. 전문성을 지니면서 독립적인 반부패총괄기구로 재정비해 유엔 반부패협약국의 당사자로서 의무를 다해야 한다. 반부패 청렴의 가치는 보수든 진보이든, 정권의 정치적 성향과 상관없이 우리 사회에서 반드시 극복해 나아가야 할 정책의제다.

73. 불평등한 SOFA 개정 운동

1. 배경 및 취지

불평등한 SOFA 개정 운동은 주한미군 범죄와 관련해 형사재판관할권과 범죄인 인도시기를 일본과 독일 수준으로 개정하고, 환경, 노무(勞務)에 관한 사항도 반드시 포함하려는 것이다. 수많은 한국인이 미군에 의한 살인·강도·폭행·교통사고, 훈련으로 인한 농작물 피해·소음 피해 등에 시달리고 있지만, 피해를 입어도 범죄자에 대한 정당한 처벌과 피해자 배상이 제대로 이루어지지 않고 있다.

1966년 7월 9일 체결되어 1967년 2월 9일부터 발효된 주한미군지위협정(SOFA)은 미국 군대의 주둔에 필요한 시설과 구역의 제공, 반환, 경비 및 유지를 주요

사진으로 보는
경실련 30년

I. 경실련의
정립과 활동

II.
경실련 30년
활동의 성과

III. 지역경실련의
활동과 성과

IV. 경실련과
시민사회의 미래

내용으로 한다. 일반적으로 국제법상 외국군대는 주둔하는 나라의 법률질서를 따라야 한다. 다만 외국군대는 주둔하는 나라에서 수행하는 특수한 임무의 효율적 수행을 위해 쌍방 법률의 범위 내에서 일정한 편의와 배려를 제공하게 되는데, 이는 해당국가와 미군간에 협정으로 보장된다. 한 미SOFA는 미군들에 대한 편의제공 차원을 넘어 한국의 주권을 상실할 정도로 다른 나라 협정에 비해 지나치게 불평등하다.

1950년 7월 '주한미국군대의 형사재판권에 관한 대한민국과 미합중국간의 협정'(대전협정)부터 차별적이고 불평등한 내용이 유지되고 있다. 대전협정의 경우 한국전쟁 중으로 군사적 필요성에 따라 불가피하게 미군에게 일체의 재판권을 부여했다지만, 주한미군에 의한 한국인 살상·폭행·강간 등의 범죄행위가 끊임없이 발생하는 상황에서도 불공정하고 부당한 내용들은 전혀 개선되지 않았다. 1991년 1차 개정역시 형사재판권 자동포기 조항의 삭제 및 일부 재판권 대상 범죄의 확대 등 불평등 조항의 일부 개선을 담았지만, 미군 형사범죄에 대해 미국에 전속적 형사관할권을 인정해 주고, 한국 측의 권리 행사를 제한하는 내용에는 변함이 없었다. 1992년 10월 윤금이 씨가 주한미군에 의해 잔혹하게 살해되고, 1995년 5월 충무로 지하철역에서 주한미군에 의한 시민 집단폭행이 발생하면서 불평등한 SOFA개정운동이 촉발된다.

2. 활동 내용 및 경과

주한미군에 대한 여론이 크게 악화된 1995년 11월, 한미양국은 SOFA개정(2차)에 합의한다. 1996년 3월 우리 정부가 개정 최종안을 미국 측에 전달했고, 미국정부는 레이니 주한미국대사를 통해 6월로 예정된 우리나라 15대 국회 개원 전까지 개정협상을 타결할 것이라고 공언했다. 하지만 미국은 국내사정 등을 이유로 협상을 일방적으로 무기 연기하는 등 고의적인 불성실과 무성의로 국민적 분노를 초래했다. 미국은 대표적 불평등 조항인 형사재판관할권에 대한 개정의지가 없음을 여실히 드러낸 것이다.

SOFA 2차 개정협상이 미국 측의 일방적인 협상 중단으로 진척되지 못하는 상황에서 경실련은 1996년 7월 11월, SOFA개정 협상에 미국정부가 성실히 임할 것을 촉구하는 성명을 발표한다. 이후 경실련은 불평등 시정을 바라는 국민들의 요구가 제대로 반영될 수 있도록 협상과정을 면밀히 모니터했다.

1999년 10월 한미SOFA 개정을 목표로 경실련을 비롯해 녹색연합, 참여연대 등 120여 개 시민사회단체는 '불평등한 SOFA개정 국민행동'(상임대표 문정현 신부)을 결성했다. 하지만 단체들의 결속력이 약했던 상황에서 뚜렷한 성과를 내지 못했다.

2000년에 들어서면서 상황은 급변한다. 4월 이태원 여종업원을 살해한 주한미군 매카시 상병이 재판 중 도주하는 사건이 발생하고, 7월 주한미군이 한강에 독극물을 무단방류한 사건이 연이어 발생하면서 불평등한 SOFA 문제는 사회적 이슈로 부각됐다. 또한 한국전쟁 중 미군에 의한 노근리 민간인학살사건, 미공군의 매향리 미군사격장문제 등도 드러나면서 불평등한 SOFA개정을 넘어 평화에 대한 국민적 요구가 거셌다.

2000년 5월 경실련통일협회가 '불평등한 SOFA개정 국민행동' 사무국을 맡으면서 본격적인 활동이 이루어진다. 매일 낮12시 광화문 미대사관 앞에서 미군범죄사죄와 불평등한 SOFA 개정을 촉구하는 집회를 개최했다. 집회를 전후해서는 종로 명동에서 거리서명운동을 전개했다. 불평등한 SOFA개정 100만인 서명운동은 전국적으로 진행됐으며, 온라인과 오프라인 동시에 이루어졌다. 외국의 평화·미군관련 단체가 참여하는 '국제사이버서명운동'도 전개했다. 미군의 반인권적 행위를 국제인권위원회와 국제사법재판소에 제소하고, SOFA개정을 위한 'SOFA해설서'(소책자)를 한영으로 제작해 배포했다. 종교계, 여성계, 학계, 언론계, 시민단체 등 각계 인사들은 SOFA개정촉구 시국선언문을 연일 발표했다.

경실련은 2000년 7월 한미SOFA가 헌법상 평등권과 형사피해자의 재판절차진술권, 인간다운 생활을 할 권리 등의 기본권을 침해했다며 헌법재판소에 헌법소원도 제기했다. 경실련은 국제법상 조약은 체결국 가간의 상호성과 평등성이 생명이나 한·미SOFA는 조약으로서의 호혜평등성이 현저히 결여됐을 뿐만 아니라 위헌성이 뚜렷하므로 헌재는 과감하게 위헌판단을 해 최후의 헌법수호기관으로서 권위를 세워야 함을 강조했다.

경실련은 미군기지 임대계약과 임대료 납부에 대한 전면적인 개정 요구도 진행했다. 특히 서울시 면적의 절반 정도 되는 땅(8천만 평)이 미군 측에 무상으로 영구 임대되고 있는 상황이지만, 이 중 6백 80만 평이 사유지인데도 정보공개가 안 돼 토지주는 물론 지자체도 그 사실을 모르고 있는 경우가 수두룩해 미군 공여지 반환을 요구하는 공익소송도 제기했다.

2000년 9월에는 한미SOFA의 불공정성과 부당성을 미국 국민들에게 직접 알리기 위해 시민단체 대표들로 구성된 방문단이 미국을 찾았다. 워싱턴 백악관 앞에서 미군훈련장 폐쇄를 촉구하는 푸에르토리코 비에케스섬 주민들과 항의시위와 캠페인을 벌였고, '정의와 평화를 위한 아시아태평양 센터'(APCJ&P)를 방문했다. 제임스 맥거번 민주당 의원, 워싱턴 주재 한국대사와의 면담, 재미 한인언론과의 기자회견 등을 진행했다.

한미 양국은 96년 9월 제7차 협상이 있은 지 4년 만인 2000년 8월에 개정협상을 재개한다. 2000년에 들어서만 4차례의 협상 끝에 12월 28일 한미SOFA협상이 타결된다. 91년 1차 개정이 이루어진 뒤 9년만이다.

3. 각계 반응과 성과

2차 SOFA 개정의 원동력은 시민사회의 힘이었다. 경실련 등 120여 개 시민사회단체가 불평등한 SOFA의 전면 개정을 주장하는 성명발표 및 각계 시국선언, 집회, 헌법소원, 캠페인, 서명운동, 택시시위, 언론기고, 공청회, 국회청원, 문화예술한마당, 국제연대 등을 전개하면서 전국적·국제적 운동으로 이끈 것이 주요했다.

시민사회가 요구한 SOFA개정의 방향은 상호성, 호혜성, 평등성, 주권회복의 4대 원칙에 기반해 ① 수사 및 재판, 형집행에 이르기까지 형사관할권의 완전한 보장, ② 민사소송 및 판결집행에 관한 구체적인 절차규정 마련, ③ 미군기지 공여 및 운용, 반환에 대한 합리적인 정책 마련, ④ 환경오염에 대한 미국정부의 책임 부과, ⑤ 부대 내 한국인 노동자들의 노동인권 보장, ⑥ 협정 대상자에 대한 통관, 관세, 과세상의 지나친 특혜 폐지, ⑦ 보건 및 위생검역의 강화 등이다.

국민들의 전면개정 요구가 거세지면서 정부와 국회도 반미(反美)정서를 경계하면서 SOFA 개정에 적극 나서게 된다. 정부는 개정 협상에 방어적이고, 소극적인 태도를 버리고 미국 측의 무리한 협상안에 대한 강경 대응방침을 밝힌다. 당시 미국 측이 '3년 이하 미군 범죄에 대해서는 재판관할권을 넘겨 달라'는 개악 움직임을 보이자 비판여론이 거세졌고, 정부 역시 미국 측의 무리한 요구에 적극 대응하게 된다.

국회는 정부의 미온적인 협상태도를 비판하고, 재판관할권, 미군범죄자 신병인도 시기 등 SOFA의 불평등 항목에 대한 대책을 강하게 추궁했다. 2000년 7월 여야 초선의원 10여 명은 성명을 통해 독일과 일본 주둔 미군지위협정과 대등한 내용으로 한국과 한미주둔군지위협정(SOFA)을 개정할 것을 미국 측에 요구했다. 국회 연구단체인 '나라와 문화를 생각하는 모임'은 한미주둔군지위협정(SOFA) 전면개정에 대한 국회차원의 공개 논의를 촉구하기 위한 토론회도 개최했다.

2000년 7월 31일, 국회는 본회의에서 한미주둔군지위협정(SOFA)의 전면 개정을 촉구하는 결의안도 채택했다. 여야 의원 61명이 발의한 결의안은 ▲ 미군의 형사관할권, 민사소송, 미군의 군사시설 및 기지, 환경·노무·검역문제 등 행정협정 전반과 부속문서를 전면 개정하고 ▲미국정부는 불평등한 협정으로 인한 한국 국민의 우려를 심각히 인식, 상호 호혜적인 내용으로 개정할 수 있도록 성실한 자세로 협상에 임할 것을 촉구하는 내용을 담고 있다.

SOFA개정 요구는 언론에 집중 보도되면서 사회적 이슈로 부각된 측면이 강하다. 주한미군의 독극물 한강 무단 방류 사건은 미군부대 내의 환경범죄를 예방하고 대응할 수 있는 '환경조항 신설' 요구로 이어졌다. 미군시설 주변지역 주민의 안전한 삶을 보장하는 방안은 물론, 주한미군이 저질러 온 여성 인권유린에 대한 방지대책은 물론, 혼혈아동의 인권에 대한 요구도 증대됐다.

경실련 등 시민사회단체가 불평등한 SOFA개정을 국민적 운동으로 만들고, 한미SOFA 2차 개정을 이끌어냈다. 하지만 우리의 요구대로 개정이 이루어지지는 않았고, 상징적·부분적 개정에 그친 것은 아쉬움이 크다.

2차 개정에서 본 협정은 기소시 신병인도에 관한 한 개 조항만이 개정됐고, 합의의사록은 4개 조항, 양해사항은 10개 조항이 개정됐다. 나머지는 SOFA에 삽입되지 못하고 '환경보호에 관한 특별양해각서', '한국인고용원의 우선고용 및 가족구성원의 취업에 관한 합동위원회 합의사항'의 형태로 별도 규정됐다. 정부당국은 신법우선의 원칙 등에 따라 모두가 같은 법률적 효력을 갖는다고 주장하고 있다. 그러나 환경조항만 보더라도 사실상 환경오염의 원상회복 의무를 면제한 본 협정은 그대

사진으로 보는
경실련 30년

Ⅰ. 경실련의
정신과 활동

Ⅱ.
경실련 30년
활동의 성과

Ⅲ. 지역경실련의
활동과 성과

Ⅳ. 경실련과
시민사회의 미래

로 둔 채 합의의사록에서 환경보호에 관한 선언적인 문구와 특별 양해각서로 대체한 것은 그 자체로 모순이 아닐 수 없다. 미군의 환경범죄를 어떻게 예방할 것인지, 발생한 환경오염에 대해 어떻게 원상회복할 것인지 구체적 시행조항이 없다.

형사재판권의 개정에서도 미군 피의자 신병인도 시기와 관련해서 살인·강간·유괴·폭행치사·음주운전치사 등 12개 주요 범죄는 한국 검찰이 기소 시 인도하도록 했다. 일면 개선된 것처럼 보이나 미군 피의자의 법적 권리를 지나치게 보호했고, 기소 후 한국당국의 불신문 조항이나 미정부대표의 출두 시까지 신문을 할 수 없게 된 조항 등은 전혀 개선되지 않았다. 교통사고처리도 공무에 대한 판단주체가 개정되지 않았으며, 미군차량의 보험가입의무화도 신설되지 않았다. 환경조항이 신설됐지만 의무조항 없이 노무조항도 냉각기간을 70일에서 45일로 단축하고, 정당한 사유 없이 한국인 노무자를 해고할 수 없도록 했지만, 국내 노동법제한규정의 개선은 없다.

오히려 미국은 개정협상의 대가로 미군 피의자에 대한 특혜를 강화하고, 공여지 침해방지 조항을 신설하는 등 개악이 이루어졌으며, 미군·미군속 가족들이 SOFA상 지위를 유지하면서 국내 취업을 가능케 하는 요구도 관철됐다.

불평등한 SOFA 개정 운동은 2002년 6월 미군장갑차에 의한 여중생 압사사건과 관련, 과실치사로 기소된 2명의 미군병사에 대해 미군 법원이 무죄평결을 함으로써 재촉발됐다. 유족과 한국민에게 사과 한마디 없이 자국재판이 매우 공정했다고 강변하는 주한미군사령관의 기자회견에 국민들은 분노했다.

한미SOFA가 일본과 독일 SOFA에 비해 불평등하지 않다고 강변하지만, SOFA 본 협정만을 두고 하는 얘기다. SOFA의 부속 협정인 합의의사록과 양해사항에서 본 협정의 내용을 제한하는 독소조항이 있는 상황에서 불평등은 여전하다. 정부는 근본적이고 전면적인 개정을 요구하는 국민들의 요구를 수용해, 미국 측에 한미합동위원회를 통한 SOFA 재개정을 당당하게 요구해 불평등을 개선하는 데 적극 나서야 한다.

74. 북한 동포 돕기 운동

1. 배경 및 취지

1995년, 1996년 북한의 계속된 식량난과 경제난으로 인해, 기아와 질병으로 수백만의 북한 동포가 죽어가고 있었다. 당시 북한을 직접 방문해 현장을 조사한 국제기구와 언론매체는 북한 동포들이 하루 100g 이하의 곡물 또는 풀과 나무뿌리로 연명하고 있다고 밝혔다. 이로 인한 영양실조로 온갖 질병이 창궐했으며, 10월 추수 전 수백만의 아사자가 나올 것으로 예상했다.

그러나 당시 정부는 대북지원에 대해 소극적 입장이었으며, 정치적 고려도 많았다. 특히 1996년 12월 강릉 잠수함 사건으로 인해 남북관계가 급속히 냉각되어, 대북지원이 쉽지 않은 상황이었다. 아울러 정부는 민간의 쌀 지원의 경우 군용미전용 가능성을 이유로 지원을 불허하고 있었다. 북한에 대한 인도적 지원이 절실했지만, 정치적 환경은 어려운 상황이었다.

경실련의 주도로 새로운 민족운동, 북한의 동포를 돕는 운동을 전개하기 시작했다. 현재 대표적인 대북지원단체인 '우리민족서로돕기운동'을 조직하였으며, 96년 6월 창립대회를 시작으로 북한동포돕기 범국민운동을 전개하기 시작했다. 경실련을 중심으로 종교 및 민간단체들은 북한동포돕기 모금 운동을 전개했으

며, 정부가 북한동포돕기를 위해 적극적으로 나설 것을 촉구하는 100만인 서명운동에 나섰다.

2. 활동 내용 및 경과

당시 북한의 식량난은 매우 심각했다. UN 인도사업국을 비롯한 UNDP, WHO, UNICEF, WFP, FAO 등 국제기구 대표들이 북한을 직접 방문하여 조사한 결과에 따르면, 곡물 유실을 포함해 호우로 인한 총 곡물 피해는 190만 톤(쌀 108만 톤, 옥수수 82만 톤)에 달했다. 곡물 부족량은 연간 곡물 수요량의 절반에 해당하는 388만 톤으로 나타났다.

북한동포돕기 운동은 다양하게 진행되었다. 경실련을 비롯해 6대 종단, 우리민족서로돕기운동본부, 환경운동연합 등 20여 개 시민단체가 각기 북한동포돕기 운동을 벌이고 있었다. 그 외에 전국연합, 참여연대 등 10여개 시민단체가 주축이 된 <겨레사랑-북녘 동포 돕기 범국민운동>, 민주노총의 <겨레사랑-북녘 동포돕기 한 끼나누기 운동>, 민주금융노련의 <점심 한 끼 안 먹기 운동>, 한국여성단체연합과 평화를 만드는 여성회는 <북한 여성과 밥 나누기, 사랑 나누기 운동>을 펼쳤다.

경실련은 1995년 9월 남북한 수재민 돕기 모금창구를 개설하고, 정부의 대북 수해지원과 민간차원의 수재물자 지원 창구 단일화를 요구하였다. 그리고 모금 운동을 통해 845만 원을 수재민에게 전달했다.

1996년 1월 '대북지원 어떻게 할 것인가"라는 주제로 토론회를 개최해 대북지원방안을 모색했으며, 같은 해 4월 '4자회담 제의와 평화체제 구축방안, 대북식량지원운동 어떻게 할 것인가'를 주제로 토론회를 개최했다. 1997년 2월 '북한의 식량난과 농업문제', 4월에는 '북한의 식량난과 북한동포돕기 운동'이라는 주제로 토론회를 개최했으며, 8월에는 '북한의 식량위기, 고비는 넘겼는가?, 독일통일에 비추어 본 남북한 미래전망' 등 대북지원과 식량문제를 주제로 계속해서 방안 마련에 나섰다.

경실련은 북한동포돕기에 대해 다음과 같이 주장했다. 1. 인도주의와 민족애 차원에서 도와줘야 한다. 2. 장기적인 관점을 가져야 한다. 3. 우리 정부가 앞장서서 북한을 도와야 한다. 4. 정부는 민간의 대북 지원 활동을 적극 장려해야 한다. 5. 선거 전략에 악용하지 말아야 한다. 6. 강대국에 의한 북한 시장의 선점·잠식을 막고 북한의 개혁·개방을 위해서도 북한을 지원해야 한다.

아울러 대북지원에 대해 적극적으로 나서지 않고 있

는 정부를 압박하는 작업도 병행했다. 민간단체가 추진하는 모금만으로는 그 양이 너무 미미했기 때문이다. 김수환 추기경, 강원룡 목사, 송월주 스님 등 종교계 지도자들이 앞장서고, 사회 각계인사들이 참여한 가운데 정부가 조건 없이 적극적인 대북 식량지원에 나설 것을 촉구하며 '민족화해를 위한 북한동포돕기 선언'을 채택했다. 또한, '대량 아사방지 식량 100만 톤 긴급지원을 위한 100만인 서명운동'을 전개하기로 했다. 정부에 대량 아사방지를 위해 최소 50만 톤의 식량과 의약품을 긴급 지원할 것과 민간단체의 모금 활성화를 위해 언론과 개별기업의 모금 활동이 전폭적으로 허용할 것을 강하게 촉구했다.

경실련과 우리민족서로돕기운동 등은 모금 활동을 통해 옥수수 1만5천 톤(25억 상당)을 구입해 북한에 전달했고, 그 외 다양한 단체에서도 모금을 통해 북한에 식량을 전달했다. 정부는 민간 지원 허용 방침을 밝혔으나 그 창구를 대한적십자사로 단일화하고, 옥외 모금 운동을 금지하면서 당초 취지를 무색하게 만들었다.

96년 7월 경실련 회원들도 북한동포돕기운동에 적극 나섰다. 민족화해아카데미총동창회, 경실련 청년회, 증권사 노동조합협의회 회원들은 유동인구 및 시민 밀집 지역을 선정해 길거리로 나서 북한동포돕기운동에 나섰다. 북한 동포의 심각한 식량난을 시민들에게 실상을 알리면서, 모금 활동을 통해 민족화해의 계기를 마련하고자 했다. 또한, 기금마련을 위해 종로2가 파노라마(옛 우미관 극장)에서 주점을 열었다. 이를 통해 1,450여만 원을 모았으며, 북한 어린이 돕기 운동을 위해 한겨레통일문화재단에 기탁했다. 97년 5월~6월 민화회 회원들과 지역경실련이 함께 거리 캠페인 및 한 주 한 끼니 굶기 운동을 전개하며 1,200여만 원의 기금을 모아 <북한동포돕기 옥수수 10만 톤 보내기> 운동본부에 전달했다.

3. 각계 반응과 성과

시민사회 주축으로 시작된 북한동포돕기운동은 4당 대표 및 국회자문위원들을 초청해 간담회를 갖고, 북한동포돕기 운동 성명서를 채택하는 등 범국민적 차원으로 북한동포돕기를 확산시켜 나갔다. 남북관계를 늘 정치적 논리로 접근했던 상황에서 인도적 차원에서의 지원을 이야기하며 국민의 호응을 끌어냈다.

강릉 잠수함 사건으로 인해 남북관계가 어려운 상황

사진으로 보는
경실련 30년

Ⅰ. 경실련의
창립과 활동

Ⅱ.
경실련 30년
활동의 성과

Ⅲ. 지역경실련의
활동과 성과

Ⅳ. 경실련과
시민사회의 미래

에서 북한동포돕기라는 운동을 전개하면서 새로운 통일운동의 전기를 마련했다. 경실련을 비롯한 시민사회, 종교, 노동 등 각계각층에서 다양한 형태로 대북지원을 전개했고, 그 결과 '우리민족서로돕기운동'이라는 대북지원을 전담하는 단체를 탄생되어 전문적이고 지속적인 대북지원의 토대를 마련했다. 경실련 회원과 지역경실련이 참여해 적극적인 북한동포돕기 캠페인을 전개했다.

75 재외동포 운동과 세계우리겨레 공동체(GKN)

1. 배경과 목적

　　1993년 초 출범한 김영삼 정부는 '군인이 아닌 국민이 수립한 정부'라는 의미로 '문민정부'라 명명하였다. 문민정부는 '세계화'를 기치로 군사정부와 차별화된 재외동포 정책을 추진하였다. 당시 한국인의 해외이주는 1902년 하와이 사탕수수 농장 노동자로 출발하여 중단되었다가 1950년 한국전쟁을 계기로 재개되었다. 1970년대 초부터 본격화 된 한국인의 이민은 불과 20~30년 만에 약 150만 명에 이르렀고, 재외교포는 1995년을 기준으로 142개국에 520만여 명에 이었고 2천명 이상 거주국도 24개국이었다. 문민정부의 재외동포정책은 "거주지에서 존경받는 한인"이 되자는 '교민의 현지화'였다. 김영삼 대통령은 미국 방문 시 "한국인의 긍지를 가지면서 훌륭한 미국 사회의 일원"을, 캐나다에서는 "여러분은 한국과 캐나다라는 두 개의 조국을 가지고 있고, 한국도 조국이고 캐나다도 조국입니다. 여러분은 캐나다에서 뿌리를 내려야 합니다."라고 하여 재외동포정책을 명확히 하였다. 정부의 '교민의 현지화'는 그동안 방치하였거나 검은 머리 외국인으로 여겼던 재외동포들에 대한 냉소적인 시선을 사는 곳은 다르지만 한민족으로 받아들이고 민족의 동질성과 정체성을 강화하려는 활동이 나타났다.

　　경실련은 문민정부 출범이후 변화되는 정책 환경을 받아들여 한민족 공동체운동을 구상하였다. 경실련의 재외동포 운동은 해외에서 태어나 성장하는 동포 2~3세들이 민족과 국가라는 두 개의 범주에서 겪고 있는 정신적 문화적 혼란을 극복하면서 민족적 정체성을 키워내 동포사회의 주역으로 유지 성장시키며, 거주국에서 '소수민족'으로서 차별받는 동포들의 권리를 보호하고 지위를 향상시키는 방향이었다. 그 시작을 세계의 동포 청년들이 서로 만나서 연대하고 협력하는 교류의 장을 마련하는 일부터 하였다.

2. 운동의 전개

　　경실련은 교포 청년들의 연대와 협력의 장을 열기 위해 '세계우리민족청년대회'를 추진하였다. 이 대회는 5차 대회까지 진행되었는데 민족적 정체성 형성과 자부심을 체험하도록 고국을 방문하고 해외동포들이 거주 지역에서 교차로 진행되었다.

　　제1차 대회(1993.8.3.~17. 중국·한국)는 7개국 131명이 참여하였다. 중국에서는 백두산 및 연변을, 한국에서는 판문점, 경복궁, 포항제철 등 역사 유적과 산업시찰을 하였다. 참가국별로 교포사회의 현황과 미래를 발표하고, 서울에서 열린 '남북 인간 띠 잇기 대회'에 참가하였다. 제2차 대회(1994.8.2.~17. 일본·한국)는 8개국 123명이 참여하였다. 일본에서는 재일 한국인의 역사와 조선인의 삶을 조명하였고 한국에서

는 하회마을, 불국사, 서원 등 문화유적을 방문하였다. 그리고 해외동포사회의 역사와 청년, 민족적 정체성, 국제화 시대 교포정책과 통일정책을 토론하였다. 특별히, 유럽 입양청년 참가자의 생모의 만남도 주선하였다. 제3차 대회(1995.8.2.~9 미국)는 11개국 100명이 참여하였다. 미국 LA에서 LA 4·29 폭동과 한인사회, 통일과 교포사회의 역할을 토론하였고, 유럽 입양청년들을 위한 밤을 개최하였다. 제4차 대회(1997.8.6.~17 한국 중국)는 우리겨레공동체위원회의 주최로 9개국 200명이 참여하였다. 한국의 세종문화회관에서 "해외교포정책 이렇게 바뀌어야 한다." 공청회 후 세계우리겨레공동체(GKN, Global Korean Network) 창립대회를 하였고, 8월 12~17에는 중국 백두산 통일순례를 하였다. 제5차 대회(1997.8.11.~17 캐나다)는 GKN의 주최로 5개국 50명이 참여하였다. 캐나다에서 캐나다 복합문화주의의 정책과 실체, 캐나다 한인사회의 역사를 토론하였다. 그리고 재외동포들 간의 교류도 조직하였는데 일본·캐나다·미국 동포들이 재일한국연구소 한청련·민권협 주최(1995.5)로 일본 도쿄와 오사카에서 300명이 참가한 가운데 '각 나라 정부의 소수민족정책, 각 동포사회가 안고 있는 과제'를 토론하였고, 일본 캐나다 동포들은 GKN캐나다위원회 주최(1995.8)로 40명이 참가하여 '캐나다의 복합문화 정책과 캐나다 동포사회의 실태'를 토론하였다.

세계우리겨레공동체는 4차대회에서 결성되었는데, 1996년 3월 미리 캐나다에서 준비회의에서 정관, 목적, 성격, 지역GKN의 위상, 운동방향을 확정하였다. GKN의 사업은 동포들의 교육 문화 생활 경제차원에서의 교류와 협력, 동포들의 지위향상 및 해외동포사회의 발전을 위한 조직 여론조성, 민족공동체 형성 및 발전을 위한 정책연구 세미나, 인류공존사회 실현을 위한 민간차원의 국제교류와 협력, 인류적 과제의 해결을 위한 국제시민운동이었다. 창립대회에서는 대표자로 이상철(캐나다 빅토리아대 총장), 사무총장으로 김광남(재일한국연구소장), 지역위원회는 일본 캐나다 미국 LA 경실련, 지역준비위원회는 독일 호주 미국 뉴욕 미국 시카고 EKN, 개인 참여는 중국 러시아로 하였다.

한편 경실련은 첫 세계한민족청년대회 이후 해외 입양 청년들의 활동을 지원하였다. 1995년 경실련 주최로 독일 뒤셀도르프에서 열린 제1회 "유럽한국입양청년대회"는 유럽 9개국 입양 청년 90여명이 참여하여 EKN(Euro-Korean Network)과 입양청년조직 GKL(Global Korean League)을 결성하였다. EKN은 스웨덴·덴마크·네덜란드·벨기에·스위스·프랑스·독일 등에 흩어져 있는 한인 입양아 1천 5백명이 결성한 것이며, GKL은 1990년 초부터 결성되던 스위스의 '동아리', 네덜란드의 '아리랑', 스웨덴의 '한국입양회' 등 각국의 자생 한인입양청년 조직들을 연결하는 네트워크로 유럽 내 5만여 명에 이르는 입양아의 '부모 찾기 운동'을 결의하였다. 그리고 경실련은 해외입양청년들이 모국을 방문 시 안정적 활동을 위해 사무공간을 제공하였는데 이를 인연으로 모인 입양청년들이 GOKAN(Global Overseas Korean Adoptees Network)을 조직하여 활동하였다. 경실련은 GOKAN과 함께 해외입양 청년을 위한 법 제도적 지원을 위한 대정부 건의, 권익 옹호, 바람직한 입양문화 조성, 부모 찾기 운동을 함께 하였다. 그리고 경실련 내에서도 모국방문 및 국내 체류 중인 입양인 지원(언어, 비자, 직장), 국내외 입양인 실태 조사 및 제도 개선, 관련 단체들의 연대 및 행사 지원을 위해 '입양인들과 함께 하는 모임(KAFT, 하문자 위원장)'을 구성하여 워크숍(1997.1~3)을 하였다.

한편, 우리겨레공동체와 경실련은 '재외동포의 출입국과 법적지위에 관한 법률(재외동포법, 1999.8.12. 제정)' 개정 운동을 하였다. 출입국과 경제 복지 분야에서 해외동포를 내국인과 동등하게 대우하겠다며 제정한 재외동포법이 재외동포의 범위를 한민족 혈통을 지닌 외국 국적자에서 대한민국 국적을 보유했던 자와 직계비속으로 규정하면서 건국 이전에 이주한 중국과 옛 소련 동포들은 적용 대상에서 제외되었다. 이에 법률의 개정을 요구하는 농성과 기자회견을 진행하였다(SBS, 1998.8.18) 그리고 재외동포법이 "일제 강점기에 강제징용 이주를 강요당했거나 만주 연해주에서 항일투쟁을 했던 독립투사의 후손들을 적용 대상에서 제외한 것은 시정돼야 한다"며 헌법상 평등권 침해를 사유로 조선족 동포 3명(변호인 이석연 사무총장)과 함께 헌법 소원을 냈다(서울신문, 1999.8.24) 1999년 12월에는 보다 구체적으로 재외동포법의 조선족 동포의 국적취득 허용 조건 완화, 국내 체류동포들의 신분 보장, 연수생제도 확대를 통한 송출비리 근절 등을 요구하는 기자회견을 동포들과 함께 하였다(한겨레신문, 1999.12.24.) 이에 헌법재판소는 "재외동포의 법률조항은 대한민국 정부수립 이전에 해외로 이전한 동포들의 평등권의 침해"라고 판결하였다(매일경제, 2001.11.29) 정부는 미흡하지만

사진으로 보는
경실련 30년

Ⅰ. 경실련의
창립과 활동

Ⅱ.
경실련 30년
활동의 성과

Ⅲ. 지역경실련의
활동과 성과

Ⅳ. 경실련의
시민사회의 미래

중국동포의 국적 취득 기회를 일부 확대(정부수립 이전 중국으로 이주했으나 국내 호적에 올라 있고 생계능력이 있는 중국동포 1세 및 배우자와 미혼자녀, 국내에 사는 배우자와 직계 존비속, 형제자매와 함께 살려는 중국동포 등에게도 한국 국적이 허용)하였다.

3. 각계의 반응 및 성과

경실련의 세계우리겨레공동체(GKN), 해외입양 청년들의 모국방문과 부모 찾기 지원, 재외동포법 개정 시민운동은 사회적 이슈가 되어 언론의 보도가 이어졌다. 1994 세계우리민족청년대회 참가자들이 한반도의 분단모순을 객관적이고 세계적인 시각에서 판단할 수 있는 장점을 활용해 남북 상호교류와 협조, 신뢰를 위한 가교 구실을 해 궁극적으로 한반도 통일에 기여할 것을 다짐(한겨레신문, 1994.8) 세계 각국에 살고 있는 5백30만 동포들은 다양한 문화와 언어, 학술, 비지니스 등 귀중한 국제경험을 많이 갖고 있는 민족 자산으로 동포사회와 모국 사이에 교량역할(한겨레신문 1996.8) 경실련이 마련한 제1회 유럽 한인입양청년대회는 70년대 초반에 입양된 입양청년들은 현지에서 생활하면서도 정체성의 위기를 겪고 있으며, 입양청년들이 한국인임을 다시 한 번 인식하고 21세기 한국발전의 주역이 되도록 다짐(한겨레신문, 1995.7.8.), 어린이들의 해외입양은 해방 후 한국사회가 저지른 가장 가슴 아픈 잘못이며, 국가도 사회도 그들을 외면했던 현실을 반성케하고 정부의 지원을 촉구(한국일보, 1995.8.4.) 우리도 한국인으로서의 정체성과 민족적 자긍심을 가질 수 있도록 한국정부가 적극 지원해 주길(연합뉴스, 1995.8.2.) 경실련의 지원으로 몇몇 입양 청년들이 모국을 찾아 친부모와 상봉하는 사례로 이어졌고, 한국에 체류 중인 해외 입양인이 만든 단체인 해외입양인연대로 계승(매일경제신문, 2008.9.12.) 등 많은 언론들이 경실련의 활동을 보도하였다.

경실련의 재외동포 운동은 초기에는 포괄적인 재외동포들이 대상이었으나 대회가 거듭되면서 청년 해외 입양인들까지 확대되었고 이들의 안정적인 교류의 장을 위해 '우리겨레공동체(GKN)'라는 국제시민운동단체로 발전하였다. 행사 과정에서는 초기에는 한국인의 역사문화 및 산업시찰과 같은 자긍심의 고취였으나 민족의 정체성, 재외동포 및 해외입양 청년들의 현실과 지원제도의 개선, 통일과정에서의 제외동포들의 역할들을 논의하면서 그동안 숨겨왔거나 감춰졌던 재외동포와 입양한인들의 문제를 드러내어 시민운동의 중요한 의제로 제기하고 성찰하면서 민족공동체의 일원으로 재인식하는 계기가 되었다. 그리고 재외동포법의 헌법 불합치를 이끌어 내며 정부의 외교 재외동포 정책이 선언적이지 않고 현실에 기반하고 집행되어 재외동포들을 실질적으로 지원하도록 개선하였다.

76. 5·24조치 해제 촉구 운동

1. 배경 및 취지

남북경협은 남북관계를 개선시키고, 한반도 상황을 안정적으로 관리하는 수단이며, 평화와 경제의 선순환구도를 만드는 핵심적 역할을 한다. 북한경제의 자생력 확보를 통한 경쟁력 회복 및 재건은 물론, 글로벌 경제환경에서 남한이 선진국가로 도약할 수 있는 신성장동력 창출에도 기여한다. 따라서 인적·물적 자원, 지리적 특성 등 남북한 간 비교우위의 생산요소들을 결합하는 어떠한 경협사업도 시너지 효과를 낼 수 있는 사업성을 지니고 있다.

무엇보다 경제 문제는 이념도 국경도 초월할 수 있는 상호 간의 이익에 관련된다. 오해와 갈등, 그리고

불신을 관통하고 녹여낼 수 있다. 남북한은 경제발전 수준이 서로 다른 만큼 서로를 필요로 하는 보완관계를 형성하고 있다. 남북 간 경제교류협력은 향후 더 나은 환경에서 더 좋은 성과를 기대할 수 있다.

아쉽게도 한반도는 정치적 논리가 경제논리를 압도하고 있다. 북한에 국제 제재가 이루어지는 상황에서 경제교류협력사업은 쉽지 않다. 하지만 남북이 교류와 협력의 확대를 통해 경제적 연계성을 높이는 것은 한반도 긴장완화와 비핵화에 많은 기여를 할 수 있음을 인식해야 한다. 진정한 평화체제 구축도 가능하다.

2. 활동 내용 및 경과

1991년 남북기본합의서 교환으로 통일문제는 더 이상 머나먼 미래의 이야기가 아니고, 가까운 미래의 일로 다가왔다. 경실련이 경제정의가 실현된 한국의 미래상에 대한 청사진을 토론하면서도 '통일된 한국'의 청사진을 토론하지 않은 것에 대한 깊은 성찰이 이루어진다.

1992년 1월 경실련 정책협의회와 3월 중앙위원회에서 경실련이 통일문제와 환경문제를 중요한 과제로 다룰 것을 결의했다. 이후 1993년부터 통일운동에 대한 준비를 본격적으로 시작해 경제정의연구소 내에 '통일부'를 설치한다. 같은 해 8월 상임집행위원회에서는 통일문제에 대한 경실련의 기본입장을 정리할 '통일문제특별위원회'를 설치·운영할 것을 결의하고, 10월에는 '연간통일운동에 대한 경실련의 기본입장'을 채택하고 통일문제 전담기구로 '경실련통일협회'를 사단법인으로 설립할 것을 승인한다. 1994년 경실련통일협회는 창립총회(초대 이사장 조요한 전 숭실대 총장)를 개최하고 본격적인 활동을 전개한다.

창립과 함께 11개 통일단체를 결집해 '남북교역은 민족내부거래이며 정부는 이를 국제적으로 인정받기 위해 노력할 것'을 촉구하는 공동기자회견을 개최한다. 이후 남북경협의 의의와 전개에 대한 세미나를 개최해 다양한 의견을 수렴하고, 1994년 11월에는 연변경제인을 초청해 주요 대기업 등 한국의 산업시찰을 실시해 동북아경제공동체의 가능성을 타진했다. 1995년에는 '남북경제교류협력의 실제와 전망'이라는 과제로 연구프로젝트를 진행해 이듬해 『남북경협의 현장』이라는 도서를 출간하게 된다. 이후 남북경제교류협력 활성화를 위한 심포지엄을 개최하는 등 보다 적극적인 활동을 전개하게 된다.

2000년 남북정상회담 이후 남북관계가 급속히 개선되면서 경제사회적 통일운동의 요구가 증대되게 된다. 경실련통일협회는 창립 이후 10여 년 동안 통일운동관련 시민단체의 선두주자로서 통일의식 확산 및 바람직한 통일운동 방향제시 등에 중요한 업적을 남겼다. 하지만 창립 당시와는 다르게 남북관계가 근본적인 변화를 경험하면서 새로운 시민사회 통일운동의 방향제시가 필요함을 인식한다. 2006년 제2창립을 선언하고 남북 간 경제교류·협력의 발전방향 및 제도적 정비방안 등 종합적인 대안을 모색하는 활동에 적극 나서게 된다.

2006년부터 '남북경협SYMPOSIUM'을 개최해 북한경제 기초 정보 구축 및 제공, 경협관련 전문가 양성 및 지원, 경협 관련 법령 등에 대한 재검토 및 개정 방안 마련, 남북 협력기금 등 지원 사업 제도 개선 등 보다 구체적인 활동을 전개한다. 농림업, 수산업, 광업, 경공업 등 경협의 범위가 양적으로 확대되고, 경협의 방식 또한 단순 지원형태에서 벗어나 개발협력의 형태로 질적 변화를 도모하고 있는 상황에서 북한 개발을 위한 3단계 마스터플랜을 마련해 2007년 대선 후보들에게 전달하기도 했다.

하지만, 2008년 7월 금강산관광 중단, 2010년 천안함 사건에 따른 '5·24조치' 단행 등으로 남북관계는 또다시 대립과 반목에 나서게 된다. 경실련통일협회는 5·24조치의 전면 재검토를 촉구하며, 시민서명운동, 100일 릴레이 1인 평화시위 등을 전개한다. 북한 김정은 국방위원회 제1위원장의 후계체제가 본격화되고, 남한의 19대 총선과 12월 대선정국으로 전환되는 중요한 시기였던 2012년에는 연초부터 남북경협 새판짜기 등 새로운 대북정책의 구상을 위한 열린 좌담회를 한 해 동안 시리즈로 개최한다.

(사)경실련통일협회는 지난 30일(화) 광화문역 7번 출구 앞에서 남북교류협력 정상화와 한반도 평화를 위한 5.24조치 해제 촉구 서명운동 및 캠페인을 진행하였습니다. 5.24조치 해제 서명은 온라인으로도 참여 할 수 있습니다. 많은 참여 부탁드립니다.

2014년에는 남북경협전문가 113명과 개성공단, 금강산관광, 위탁가공, 교역, 내륙투자기업 등 남북경협 기업 107곳에 5·24조치 해제와 경협환경 등에 대한 설문조사를 전개해 경협 정상화를 촉구한다. 당시 전문가 90%이상과 경협기업 80% 이상이 5·24조치의 해제를 강력히 요구했다.

2015년 4월부터는 경실련통일협회와 오마이뉴

스가 공동으로 남북경협 재개와 남북교류협력 정상화를 위해 '남북교류협력 사용설명서'라는 타이틀 아래 5·24조치-남북교류협력-개성공단-사회문화교류-금강산관광-인도적 지원-대북정책 등에 대한 기사와 심층 인터뷰를 12회에 걸쳐 게재한다.

또한 광복 70주년을 맞이한 2015년 8월 6일 경실련통일협회, 금강산기업인협의회, 남북경협기업비상대책위원회, 남북경협포럼, 남북물류포럼, 동학민족통일회, 어린이어깨동무, 우리민족서로돕기운동, 통일맞이 9개 시민사회단체는 광복70주년 연대선언을 발표한다. 지난 70여 년의 갈등과 대립을 종식하고 한반도 평화와 남북관계 개선을 남북한 당국과 국제사회에 촉구하는 내용으로, 첫째, 남북 간 소모적인 상호비방을 즉각 중단하고 실질적인 남북대화에 나설 것, 둘째, '5·24조치'를 즉각 해제하고, 금강산관광 등 남북교류협력을 조속히 재개할 것, 셋째, 북한은 남한과의 정치적 상황과 무관하게 남북교류협력에 적극적으로 임할 것, 넷째, 북미 및 북일 관계정상화, 한반도 비핵화와 평화체제의 병행 추진을 위한 6자회담 재개 등이다.

2015년 19대 국회 마지막 정기국회를 앞두고, 경실련은 정기국회와 국정감사에서 꼭 다루어야 할 16대 의제를 선정해 국회를 압박한다. 이 중 한반도 평화와 남북관계 개선의 최대 걸림돌인 5·24조치 해제와 남북교류협력 정상화를 위한 대책도 포함됐다. 하지만 이런 노력에도 불구하고 2016년 2월 10일, 북한의 4차 핵실험과 장거리 로켓 발사로 인해 남북의 마지막 연결 고리인 개성공단마저 전면 중단된다.

경실련통일협회는 유명무실한 '5·24조치'의 해제와 함께 남북교류협력법 개정 등 안정적인 교류협력 기반을 다지는 데 적극 나설 것을 촉구하며 2018년 12월, '남북교류협력법' 개정안을 입법청원한다.

3. 각계 반응과 성과

경실련통일협회는 남한이 남북관계의 당사자로서 남북교류협력재개와 한반도 평화를 위해 보다 적극적인 역할에 나설 것을 촉구하고 있다. 정부는 국제사회의 대북제재 국면에서 독자적으로 성과를 내기 어려운 상황이다. 이럴 때 일수록 우리 내부의 상황과 주변정세를 제대로 파악하면서 한반도 평화를 구축해나가는 노력이 필요하다. 지금이야 말로 함께 할 수 있는 부분부터 협력해 나가는 구동존이(求同存異)의 자세가 절실하다.

남북경제교류협력 사업의 재개를 위해서는 향후 막대한 시간과 노력이 필요하다. 남북 교류·협력을 통한 더욱 진전된 남북관계를 원한다면 교류·협력 재개가 구호에만 그쳐서는 안 된다. 남북 간 대화와 협력을 통한 신뢰 구축, 인도적 지원, 경협 재개 등 실질적 관계개선 조치를 계속 이어가야 한다. 남북경제의 공동발전을 도모하는 것은 물론, 동북아경제권의 기반을 구축하는 방향에서 논의돼야 한다. 남한 내에서는 대북정책을 둘러싼 갈등을 최소화하고 정치권의 합의 수준을 높이면서 정책을 추진하는 노력이 매우 중요하다. 안정적인 교류협력사업 기반이 조성되고, 다양한 분야에서 남북 간 경제교류협력사업이 전개될 때 한반도 평화가 가능하다는 것을 결코 잊어서는 안 된다.

77. 지구촌빈곤퇴치네트워크 (GCAP) 구성과 ODA감시 운동

1. 배경 및 취지

지구촌빈곤퇴치시민네트워크는 한국사회에 유엔의 새천년개발목표 (Millennium Development Goals, MDGs)의 의미와 중요성을 알려 시민

들의 높은 관심과 참여를 높이고, 우리정부의 공적개발협력(Official Development Assistance, ODA)정책의 획기적 개선을 촉진하기 위해, 경실련을 중심으로 35개 국내 시민단체 및 해외원조 단체들을 중심으로 지구촌 빈곤문제의 해결에 기여하고자 결성된 국제연대 단체이다. 아울러 네트워크를 통해 한국 NGO들과 국제시민사회 간 교류와 협력 증진을 도모한다는 목적도 있었다.

[목적]
• 한국 사회에 새천년개발목표(MDGs)의 의미와 중요성을 알려 시민들의 관심과 참여 향상
• 한국 정부의 국제개발협력 정책의 획기적 개선을 촉구
• 한국 NGO들과 국제시민사회 간 교류와 협력 증진 도모

2005년 6월 2일에 출범한 지구촌빈곤퇴치시민네트워크는 전세계 120개국 시민단체들의 연대체인 GCAP(Global Call to action Against Poverty)과 보조를 맞추어, 2005~2016년 국내 화이트밴드 캠페인(Whiteband Campaign)을 꾸준히 진행하였다. 화이트밴드 캠페인은 지구촌 시민들이 세계 절대빈곤의 심각성을 함께 인식하고 각국의 정부가 MDGs를 달성하도록 촉구하기 위해, 매년 10월 17일이 되면 세계 빈곤퇴치의 날을 상징하는 화이트밴드를 착용하며 각국에서 펼치고 있는 세계적인 빈곤퇴치운동이다. 지난 12년 동안 이 캠페인에 참여한 전 세계 인구는 약 1억 7천명으로, 지구촌빈곤퇴치시민네트워크는 범세계적인 시민운동조직인 것이다.

2. 활동 내용 및 경과

지난 2010년 이명박 정부가 OECD 개발원조위원회(OECD Development Assistance Committee, OECD-DAC)에 가입하게 된 것을 계기로, 지구촌빈곤퇴치시민네트워크는 「국제개발협력기본법」을 도입하기 위해 국내 시민사회에 ODA 정책 활동을 보급하는 역할을 감당하였다. 이에 따라, 지구촌빈곤퇴치시민네트워크의 빈곤퇴치운동은, ① MDGs 캠페인, ② ODA 정책활동, ③ GCAP 국제연대/교류, ④ CSO 역량교육, ⑤ 번역·출판 활동 등으로 세분화되었다. 그 주요 활동 내용은 다음과 같다.

특히 지구촌빈곤퇴치시민네트워크가 만들어 낸 C20 시민회의(Civil Dialogue)는 G20 사전 시민사회 공식간담회로서, 정부기관만 참여할 수 있었던 기존의 G20 정상회담의 거버넌스와 국제시민사회의 소통구조에 새로운 활로를 개척한 것으로 널리 평가되었다. 경실련을 중심으로 지구촌빈곤퇴치시민네트워가 주관한 C20 시민회의에 2010년 G20 서울 정상회담의 공식의제로서 빈곤퇴치 및 개발협력 등 국제시민사회의 긴요한 민생 개혁과제들을 반영하기 위해 전 세계 총110명의 시민단체 관계자들과 각국 정부대표 21명의 사전교섭단장(sherpa)들과 함께 G20 사전 작업실무반인 C20 시민회의체를 최초로 조직하였다. 그 후 3년간의 준비기간을 걸쳐 GCAP과 러시아 시민사회단체 등과의 긴밀한 협력 끝에, 지난 2013년 G20 상트페테르부르크 정상회의 사전 시민사회 공식간담회로서 C20 시민회의를 정례화 하는데 성공

캠페인	• 화이트밴드 빈곤퇴치 캠페인 • '우리가 원하는 세상, 나눔이 있는 세상 만들기 캠페인 • MDGs 인식제고 캠페인 • SDGs 국내이행 캠페인 • action/2015 Korea 캠페인
정책활동	• 대외 공적개발원조(ODA) 정책 대정부 대응 • 공적개발원조 관련법 제정을 위한 제안서 • 대외원조확대 및 개선을 위한 시민사회 정책제안서 • OECD-DAC 개발원조 실사단 간담회 • Post-2015 / Beyond 2015 대응 • SDGs 국내이행 대정부 대응 • 부산세계시민사회포럼(BCSF) • 대선후보 초청 국제개발협력 공약 및 정책 공개토론회 • 대외 공적개발원조(ODA) 관련 정책토론회 • SDGs 국내이행논의 토론회
국제연대	• GCAP • 아시아개발연대(ADA) • Civil G8/20 • UN 총회, UN 개발협력포럼(DCF) • Social Watch • 오픈포럼 • 아태지역 시민사회 국제워크숍
역량교육	• 지구촌포럼 • 주요문서 강독사업 • CSO 역량 강화사업 • 시민사회 오픈포럼 및 워크숍
번역출판	• 유엔 MDGs 보고서 한국어판 발간사업 및 발간기념 강연회 • 시민사회 캠페인 및 파트너십 역량강화 강연 • 개발정책 세미나 • 보고서, 뉴스레터, 용어집, 기타 설명자료

사진으로 보는
경실련 30년

Ⅰ. 경실련의
정책과 활동

Ⅱ.
경실련 30년
활동의 성과

Ⅲ. 지역경실련의
활동과 성과

Ⅳ. 경실련과
시민사회의 미래

했다. 즉, 국제시민사회의 NGO 민간외교 모델("트로이카(Troika): Bottom-up 방식의 풀뿌리 거버넌스 플랫폼")을 안착시키는 데 선구자적인 역할을 해냈다.

3. 각계 반응과 성과

2005에서 2016년 까지 국내에서 총 14회의 화이트밴드 빈곤퇴치 캠페인을 통해 MDGs 이행에 대한 시민들의 지속적인 관심과 정부의 책무성을 이끌어 냈고, 그 결과 전 세계 하루 생계비 $1.90 이하의 빈곤층 인구를 절반으로 감소시키는 데 직·간접적으로 기여할 수 있었다. 아울러 지구촌빈곤퇴치네트워크는 2005년 국내에 ODA정책을 최초로 보급하였고, 그 결과 2009년 국회의 「국제개발협력기본법」 제정 및 정부의 OECD-DAC 가입에 결정적인 역할을 하였다. 2010년 G20 서울 정상회담 사전 G20 시민회의를 최초로 조직하였고, 그 결과 2013년 G20 상트페테르부르크 정상회의 사전 시민사회 공식간담회로서 정례화시키는 데 기여하였다. 국제시민사회에 풀뿌리 민주주의 방식의 Troika 거버넌스 모델을 도입하는 선구자의 역할을 하기도 했다. GCAP 등을 통한 국제연대·교류와 국내 포럼·워크숍·교육 활동을 꾸준히 이행함으로써, 국제시민운동에 대한 참여와 관심, 전문성도 이끌어 냈다. 그러나 지난 10년 동안 반복돼 왔던 구조적 문제점, 유상원조 구속화 및 무상원조 분절화 문제 해결에 대한 대안적 합의를 이끌어내지 못한 한계도 있었다. 아울러 정부 용역사업 및 국제기구 프로젝트사업에 대한 시민사회의 재정적 의존성 등으로 인해 연대관계가 소원해졌고, 그 결과 정부정책 감시에 다소 소홀한 점도 있다.

2015년 MDGs 종료 이후, 유엔이 지속가능개발목표(Sustainable Development Goals)를 제시했고, 이에 OECD-DAC가 기존의 ODA 프로젝트에 민관합작투자사업(Public-private partnership, PPP)을 그 해안으로 제시하면서부터, 국제사회의 빈곤퇴치캠페인은 그 노선을 달리하였다. 민간 기업들의 사회적 임팩트 투자, 즉 "지속가능한 개발이익 마중물 사업"으로 변질된 것이다. 그 결과 ODA 정책과 SDGs 캠페인에 대한 공익성과 시민들의 관심은 멀어져만 갔다. 결국 2017년 6월 30일 지구촌빈곤퇴치네트워크는 회원단체들과 함께 해산총회를 갖고 만장일치로 연대조직을 청산했다. 더 이상의 정부협력과 국제기구사업에 대해서 거리를 둘 수밖에 없었다. 다만, 이에 대한 후속조치로서 정부사업을 각자 감시하기로 했다.

그 이후 대정부 유·무상원조 활동과 시민사회의 대응은 순탄치만은 않았다. 2018년 OECD가 발표한 한국의 ODA/GNI는 2016년까지 0.16% 수준으로 꾸준히 증가했으나, 박근혜 정부가 약속한 재원마련 목표치 0.25%에는 여전히 미달한 것으로 나타났다. 물론 국회의 인도적 감시 노력 및 기업들의 사회적 책임(Corporate Social Responsibility, CSR)의 "공급과 수요"로 명목상의 정책 활동들을 유지할 수 있었다. 하지만 여전히 한국수출입은행의 유상원조 대외협력기금(Economic Development Cooperation Fund, EDCF) 운용은 대기업과의 유착관계와 개발이익으로부터 자유롭지 못했다. 유상원조의 구속화 문제가 이러한 구조적 문제를 방증한다. 예를 들면, OECD가 제시한 원조 유·무상원조 비구속화 60% 달성목표(*원조 비구속화란, "자유입찰에 의해 현지 기업을 통해서 물자와 서비스를 직접 제공함으로써 개발제원이 개도국 시장경제에 직접 유입되어 개발효과성을 높이는 것")는 2014년 58%에서 2015년 51% 수준으로 하락했고, 특히 유상원조의 경우 2012~2015년 44.2~47.8% 수준으로 전체평균보다 항상 낮았고, 동 기간 최빈국 및 중채무빈국 대상 비구속화 비중은 전체 국가 대상 비구속화 비중 평균보다 8.8~33% 수준으로 오히려 더 떨어졌다. 즉, 경제적 수준이 가난한 나라일수록 정경유착과 개발이익에 구속된다는 점을 명확히 한다. 한편, 무상원조 역시 한국국제협력단(Korea International Cooperation Agency, KOCIA) 퇴직자들과 이들 관변단체를 중심으로 한 ODA 용역사업 일감몰아주기와 더불어서, 시민사회 전문가들을 정부 프로젝트사업에 포섭시키기 위한 관료직·위원직·교수직 선점을 둘러싼 "밥그릇 싸움"으로 변질되어갔다. 감사원이 지적한 원조분절화 문제가 구조적 불투명성을 방증한다. 예를 들면, 정부 무상원조기관은 2016년까지 총 50개 기관으로 그 예산규모는 다소 증가한 것과 비교하면, 산하기관의 정부용역 프로젝트의 수와 거래비용이 증가하면서 이에 따른 단위 사업 당 사업비는 계속 감소했다. 즉, 퇴직자들의 인건비와 행정비용 낭비

됨으로써 상대적으로 ODA 사업비가 영세화된 것으로 감사원은 평가한다. 특히 2017년 최순실 국정농단사건에서 들어난 박근혜 정부의 새마을 ODA사업은 향후 문재인 정부가 반드시 혁파해야할 "원조적폐청산" 개혁과제임을 명확히 한다.

2019년 현재 문재인 정부는 지난 10여 년 동안 시민사회가 지적해 왔던 ODA사업추진체계의 유ㆍ무상원조 통합과 적폐청산 공약들을 아직까지 이행하지 못했다. 오히려 문재인 정부는 「한국국제협력단법」의 경업금지규정을 삭제하여, 퇴직자들과 시민사회 전문가들을 정부 용역사업으로 포섭할 수 있는 가능성의 길을 열어뒀다. 경실련, 참여연대, 환경운동연합 등을 비롯한 감시단체들이 SDGs의 이행과 ODA의 책무성을 촉구하고 있지만, 향후 개선가능성은 다소 불투명하다.

78. UN사회경제이사회 활동

1. 배경 및 취지

1948년 유엔은 한국을 합법정부로 승인했지만 구소련의 거부권 행사로 유엔가입이 부결되었다. 1950년에 6.25전쟁이 발발하자 미국을 주축으로 유엔 안전보장이사회는 한국전쟁 파병을 결정했고, 1953년 유엔의 정전협정 조인으로 전쟁은 중단되었지만 한반도는 남과 북으로 갈라졌다. 그 후 반세기 동안 한국은 국제사회의 원조를 받으며 개발도상국의 지위로 발돋움하였고, 88년 서울올림픽을 유치하면서 국제사회에 발전된 나라로 알려졌다. 1991년 노태우 정부에서 남ㆍ북 유엔 동시가입이 추진되었다. 1990년대 시작된 노태우 정권의 북방외교 정책은 냉전이 해체되고 유엔체제가 본격화 됐던 시기에 국

제사회와 교류하면서 한국을 알리는 데 긍정적인 역할을 했지만 유엔의 빈곤퇴치, 환경개발, 주거안정 등과 같은 선진적인 개발협력 정책과는 다른 현실이었다. 경실련은 1992년 6월 브라질 리우데자네이루에서 열린 '유엔 환경개발회의' 참가를 계기로 국제사회에 한국의 사회경제문제를 알리고 함께 대안을 마련하고자 국제기구 활동을 전개하였다.

2. 운동의 전개

1) 유엔총회와 경제사회이사회(ECOSOC) 활동

경실련은 리우 지구회의를 시작으로 1995년 3월 덴마크 코펜하겐에서 개최한 '유엔 사회개발정상회의'에 참가했다. 경실련은 한국의 빈부격차, 도농격차, 지역차별 등 양극화 문제를 알리고 국제사회로부터 "주거환경복지" 정책 등에 관한 조언을 얻을 수 있었다. 그해 4~5월에는 케냐 나이로비에서 개최된 '해비타트 II' 주거회의에 참가하여 무주택 서민들의 주거안정을 위한 주거환경 개선의제 등을 제시하며 전 세계 시민단체, 국제기구 전문가들과 함께 정책토론을 했다. 그리고 1997년 12월 일본 교토에서 열린 '기후변화협약'에 한국 NGO 대표로 참가하여 유엔회원국들과 국제기구들에게 경실련도시개혁센터의 도심주거환경 대책을 소개함으로써 국제사회에 경실련의 이름을 알리게 됐다. 이를 계기로 경실련은 1999년에 유엔 경제사회이사회 비정부기구 특별협의지위를 얻었다. 국내에서는 4번째로 국제 NGO단체 명단에 "Citizens' Coalition for Economic Justice (Special, 1999)"의 이름을 올렸다.

이후 경실련은 유종성 전 사무총장과 국제위원회 김매련 자원활동가를 중심으로 1999~2002년 유엔 본부가 있는 미국 뉴욕 현지에서 경제사회이사회 비정부기구 협의위원회 활동을 전개하였다. 경실련은 유엔의 새천년개발목표(Millennium Development Goals: MDGs, 2000-2015)와 경제사회이사회의 국제개발협력정책에 주목했다. 2000년 2월 태국 방콕에서 개최된 '유엔 무역개발회의'에 참석하여 남북한 경제격차를 알리고 그해 10월 유엔 무역개발이사회 정기총회에서 남북 경제격차의 시정을 촉구했다. 2000년 7월과 2001년 2월 유엔총회 '저개발국가(III) 국제개발협력회의'에 참석하여 저개발국가의 범주에 북한을 포함시킬 것을 공동성명을 통해 촉구하고, 기조연설을 저개발국가의

사진으로 보는
경실련 30년

I. 경실련의
창립과 활동

II.
경실련 30년
활동의 성과

III. 지역경실련의
활동과 성과

IV. 경실련과
시민사회의 미래

빈곤퇴치와 정의, 지속가능한 민주주의 발전을 위해 국제사회가 MDGs의 원조 책무성을 다할 것을 호소했다. 특히 국제사회의 원조 책무성을 강화하기 위해 경실련은 유엔의 국제개발협력과 OECD의 공적개발원조(Official Development Assistance, ODA) 간의 정책협력 가능성에 주목했다. 경실련은 지난 2000년 4월에 유엔총회 '지속가능발전 세계정상회의' 준비위원회의 기조연설을 통해 "OECD 선진국들의 토빈세(Tobin Tax) 징수를 통한 개발금융"을 ODA 정책대안으로서 제시하여 공식의제로 채택됐다. 2001년 2월 유엔총회 '국제기구 고위급 개발금융회의'에서 사회개발위원회의 정책의제로 상정되고 유엔 결의안으로 통과되었다. 이듬해 2002년 8~9월 남아프리카공화국 요한네스버그에서 개최된 '지속가능발전 세계정상회의'에 참가하여 선언문 이행을 위한 사업계획(안)으로 반영시키는 등 큰 성과를 올렸다. 경실련의 유엔 활동과 남북문제의 평화협력과 인도적 지원 등의 공로를 인정받아 2003년 바른생활상재단(The Right Livelihood Award Foundation, RLA)으로부터 "대안 노벨상"을 수상하였다.

이후 경실련 국제위원회를 중심으로 우리정부의 MDGs 이행 캠페인과 ODA 정책 감시에 주목했고, 국내 35개 시민단체들과 함께 지구촌빈곤퇴치시민네트워크(Global Call to action Against Poverty: GCAP, 2005-2016)를 결성하였다. 경실련은 전 세계 120여 개국 시민단체들과 함께 국·내외에서 빈곤퇴치운동을 전개하였다. 그리고 2009년 4월 경실련은 『국제개발협력기본법』을 입법청원하여, MDGs와 ODA을 연계시킴으로써 우리정부가 MDGs를 달성할 수 있도록 정책적 정합성을 높였다. 유엔의 MDGs 달성 기한이 끝날 무렵인 2013-2015년에 유엔총회에 참석하여 세계시민단체연합(CIVICUS) 등과 함께 MDGs의 '후속 프로그램(Post-2015)'인 지속가능발전목표(Sustainable Development Goals, SDGs, 2016-2030)를 논의하고, 유엔개발계획의 SDGs 공청회와 유엔사무총장과 우리정부가 주최한 특별 간담회에 참석했다. 특히 박근혜 정부의 "새마을 ODA"를 벤치마킹하려는 유엔개발계획의 신자유주의적 정책의 문제점을 유엔 사무총장에게 전달하고, SDGs의 책무성을 촉구했다. 2016년 최순실 국정농단사태를 통해 밝혀진 "미얀마 ODA" 민관협력사업의 부정부패가 드러났음에도 유엔은 침묵하였다.

경실련은 2017년 12월 유엔 경제사회이사회 성명을 통해 "인도적 지원"이라는 미명하에 개발금융 재원이 무기원조와 개발거래 비용 등으로 낭비되고 있는 공적개발원조의 실태와 부패 문제에 대해 강력 규탄하며, 평화협력의 투명성과 경제협력의 신뢰에 기반을 둔 투명한 ODA 거래를 촉구했다. 북한의 핵실험과 탄도미사일 개발이 재개된 시점인 2017-2018년에 경실련은 유엔 군축위원회 산하 '핵군축 고위급회의 작업실무반'에 가입하여 전 세계 전문가 및 시민단체 60여명과 함께 '유엔 핵군축캠페인(UNFOLD ZERO)'을 전개하였다. 공개서한을 통해 신뢰구축을 위한 유엔 안전보장이사회의 안보협력과 투명성조치를 권고하고, 제네바 '핵군축회의' 기조연설과 군축위원회 공청회 그리고 유엔본부 기자회견 등을 통해 양자 간의 신뢰에 기초한 한반도 평화협력, 안보협력, 경제협력을 이행하고 나아가 동북아 6자회담 등 다자협력 체제를 구축함으로써 유엔이 북핵문제를 단계적으로 해결해 나갈 것을 촉구했다.

경실련은 2018년 5월 유엔 경제사회이사회 성명을 통해 토지공개념에 근거한 '경실련 도시권 선언문(2017)'의 공개공지제도와 시민참여개발모델 등을 발표하였고, 7월 '지속가능발전 고위급정책포럼'의 정책의제로 상정하였으며, 9월 유엔총회 결의안으로 통과됐다. 그리고 유엔 인권이사회의 사업계획(안)으로 반영되어 현재 광주 등 전 세계 지자체 단위에서 도시권 선언에 기초한 지표개발과 이에 기초한 글로벌 인권도시 네트워크 시범사업 등이 진행되고 있다. 또한 2019년 7월 경실련은 유엔 경제사회이사회의 '지속가능발전 고위급정책포럼'에 박상인 정책위원장이 참가하여 "포용적 지속가능 경제성장" 목표달성을 위한 정책 기조연설을 통해 기업만능정치의 종언과 재벌개혁의 단행을 촉구했다.

2) 유엔 인권최고대표사무소와 인권이사회 활동

경실련은 타 시민사회단체들과 함께 지난 2013년 인권이사회 통해 미국 국가보안국(National Security Agency, NSA) 등 전 세계 정보기관의 국내 외 인터넷 감시에 대하여 규탄 공동성명을 내고, 유엔 '프라이버시' 결의안 통과에 기여하였다. 2018년 한국 여성정책연구원과 함께 국가 성인지예산제도 분석을 바탕으로

"경제개혁 및 긴축조치가 여성 인권에 미치는 영향" 국내 보고서를 작성하여 국제사회가 미투 운동을 통해 여성고용차별 등 직장 내 성폭력 문제를 근절할 것을 권고했다.

3. 각계 반응 및 성과

경실련의 정책감시, 정책연구, 공개질의, 의견수렴, 대안제시, 입법청원, 구조개혁과 같은 신시민사회 운동 방식은 국제시민사회에서 인정받고 있다. 2013년 세계은행그룹(World Bank Group, WBG)은 경실련의 전문가와 시민 참여를 통한 정책감시와 애드보커시 운동을 인정하였다. 2003년 RLA 대안노벨상 심사위원회는 "경실련이 1989년 창립 이래로 한국의 경제발전을 더욱 정의롭고, 포괄적이며 민주적으로 이룩하는데 성공적인 역할을 해왔으며 사회정의와 책임감에 기초한 광범위한 개혁 프로그램을 개발하고 추진하는 그 동안의 노고를 기리고, 또한 현재 북한과 화해를 도모하는데 있어 동일한 가치를 가지고 협력하는 것을 치하"한다며 경실련을 수상자로 선정하였다. 한편 2016년 우리정부 역시 "SDGs에 대한 책무성과 투명성을 강조했던 경실련의 국내·외 정책 활동이 많은 시민사회단체들에게 주인의식을 부여하고 파트너십을 강화하는데 모범이 됐다"고 평가했다. 그밖에도, 국내 외 다수 기관들은 경실련의 애드보커시 운동 모델을 연구하고 있다.

79. 이라크전쟁 반대 운동

1. 배경 및 취지

미국은 2003년 3월 20일 이라크 수도인 바그다드를

폭격하며 전쟁을 일으켰다. 미국은 대외적으로 이라크의 대량 살상무기 해체와 후세인정권의 교체를 내세웠지만, 자국의 경제적 이익을 위해 속내는 이라크 석유자원과 아랍권 내 영향력 확대였다.

경실련은 이라크 전쟁을 미국이 UN의 승인 없이 일으킨 것으로, 명백한 침략전쟁이라고 규정했다. 아무런 명분이 없고 세계의 평화를 위협하는 침략전쟁에 우리 군대를 파병하는 것에 대해 반대하며 이라크전쟁 반대 운동을 전개했다.

2. 활동 내용 및 경과

경실련을 비롯한 26개 시민사회단체는 2003년 3월부터 4월까지 다섯 차례 '미국의 이라크침공을 반대하는 시민반전대회'를 개최하는 것을 시작으로 이라크전쟁이 불법 침략전쟁임을 강하게 비판했다. 침공 다음 날부터 미 대사관을 비롯해 세종문화회관 앞에서 이라크 문제의 폭력적 해결 반대, 미국의 명분 없는 전쟁의 중단 촉구, 이라크전쟁 파병 반대 등을 외쳤다.

이어 2003년 4월 15일 경실련을 포함한 26개 단체는 '반핵반전평화를 위한 시민네트워크'를 출범시키며 북핵 문제의 평화적 해결을 통한 한반도 평화유지, 이라크 난민 구호 및 의료지원 활동을 전개하였다. 또한, 다음날 '이라크 난민돕기 시민네트워크'를 출범시키면서 공동모금 운동 전개, 의료지원팀 파견(의료진, 의약품), 국제기구를 통한 긴급구호 요청, 국제 NGO와 연대 활동을 전개했다.

특히 경실련은 이라크전쟁에 국군 파병을 반대하는데 목소리를 강하게 냈다. 당시 경제에 있어 대미 의존도가 높았기 때문에 국익을 이유로 파병 불가피론이 정치권을 중심으로 나타났다. 국익을 위해 비전투부대의 파병을 결정하려는 한국 정부의 처지를 이해하면서도 침략전쟁에 파병을 지지할 수 없었다. 대신 적십자 등 민간차원의 의료, 구호 및 복구지원 활동이 활발하게 이루어질 수 있도록 정부가 적극 역할을 해줄 것을 촉구했다.

정부의 파병 발표는 그 이유와 근거를 국민에게 상세히 설명하지 않은 폭거로 규정하며 정부가 국민 참여를 희화화하고 시민사회를 기만하여 국민을 냉소주의로 내몰고 있다고 비판했다. 이어 미국의 불법적인 침략전쟁에 자기 돈을 써가며 목숨을 담보로 전투 임무를 수행할 이유가 없다며 모든 수단을 동원해 강하게 저지할 것이

사진으로 보는
경실련 30년

Ⅰ. 경실련의
철학과 활동

Ⅱ.
경실련 30년
활동의 성과

Ⅲ. 지역경실련의
활동과 성과

Ⅳ. 경실련과
시민사회의 미래

라고 견해를 밝혔다.

이와 함께 북핵에 대해서도 반대의 목소리를 내며 한반도 평화를 외쳤다. 당시 부시 미국 대통령이 이라크와 함께 악의 축으로 규정했던 북한에 대해서도 전쟁을 일으킬 수 있다는 우려가 있었기 때문에 무고한 인명을 살상하는 명분 없는 전쟁 중단을 촉구했다. 파병 반대 반박보고서를 통해 연간 8000억 원을 들여 파병해도 전후복구사업은 미국이 독식할 것이라고 했으며, 전투병을 파병해도 미국의 경제·안보정책은 바뀌지 않을 것이라고 분석했다.

2003년 9월 23일 〈이라크 전투병 파병 어떻게 볼 것인가!〉라는 주제로 토론회를 개최했다. 이라크에 전투병 파병을 두고 한국 사회 내 찬반 여론이 첨예하게 대립하는 가운데 찬반 의견을 듣고 제3의 대안을 모색하고자 했다. 당시 서경석 경실련 상임집행위원장은 "파병 찬반 토론보다 새롭게 만들어질 이라크 정부가 친미정부가 아닌 민주 정부를 만드는 것이 중요하다고 주장했다.", "실패한 파병에 왜 우리가 가야 하는가."에 대해 문제를 제기해야 한다고 했으며, "이라크인들에게 필요한 것은 민주주의다."라고 설득해야 한다고 주장했다.

당해 국회 국정감사에서 전투병 파병 문제는 국민적 이슈로 등장했다. 정부는 9월 24일 현지조사단을 파견해 파병 여부를 판단하고자 했으나, 파병을 전제로 활동한다는 의혹을 제기했으며 객관성과 부실조사 논란을 제기했다. 국방부와 NSC, 외교통상부, 청와대를 소관 부처로 하는 국방위원회와 통일외교통상위원회, 행정자치위원회 등 해당 상임위의 국정감사를 모니터링하며 평가를 진행했다.

그 외 2004년 11월 이라크전쟁 재건사업에 참여한 오무전기 근로자의 피격사건을 계기로 재건사업과 정부 대응, 해외 파견노동자 보호대책 등 향후 재발방지를 위한 정부 정책을 촉구하는 기자회견과 추모식을 개최했다.

3. 각계 반응과 성과

이라크 전쟁과 전투병 파병을 두고 국내여론은 찬반논란이 계속되었다. 특히 시민사회단체에서도 이라크에서 완전 철군을 주장하는 반전·반미운동진영에서부터 조기 파병 적극적으로 지지를 주장하는 극우 보수진영에 이르기까지 극한적인 국론분열의 지경에 이르렀다. 국회와 정당들도 찬반이 나뉘면서 갈등이 고조되었다.

경실련은 이라크전쟁 이전부터 이라크전쟁의 부당함을 주장하였으며, 전쟁 직후 재빠르게 시민사회 연대체를 조직해 반전운동을 전개했다. 당시 전투병 파병을 두고 찬반 갈등이 있던 상황에서 토론회 등을 개최하며 합리적인 대안을 모색하고 노력했다. 그리고 국회 국정감사에서 이라크파병을 핵심 의제로 삼아 국회의원들의 활동을 평가했으며, 국회가 주요한 역할을 할 수 있도록 감시했다.

경실련은 사단법인 경실련통일협회를 중심으로 민주, 인권, 평화운동을 지속해 왔다. 그러나 기존의 평화운동은 북한 주민들의 기본권 보장을 위한 대북지원, 통일 교육, 평화통일 정책 등 한반도 평화운동 위주의 활동이었다. 이라크전쟁 반대운동은 한반도 평화에 국한하지 않고, 반전과 세계 평화운동으로 활동을 확대하는 계기가 되었다. 그러나 이후 세계적으로 발생하는 분쟁과 유사한 파병에 대해 적극적으로 대응하지는 못하였다.

80. 한약 분쟁조정

1. 배경 및 취지

한약 분쟁은 '한약 조제권 분쟁'의 줄인 말로, 1993년 한약조제에 관한 약사법을 개정하면서 약사들의

의 한약 임의조제는 일체 금지되며, 한의사의 경우에는 첩약 의료보험이 가능한 처방의 처방전 발급을 의무화한다. ③ 한의사의 처방전에 따라 조제할 수 있는 사람은 한약사에 한한다. ④ 한방 의약분업이 완수되기 전에도 가능한 부분부터 의약분업을 먼저 실시한다. ⑤ OTC에 해당하는 한약의 경우는 한약사가 처방전 없이 판매할 수 있도록 허용한다. ⑥ 정부는 바람직한 약사법 개정을 뒷받침하기 위해 한약사 제도 도입, 한약학 전문교육기관 구체화, 조속한 첩약의료보험 실현, 기존 의료보험수가 현실화, 한약공사 즉각 설치, 한의사 보건소 배치, 한의학 전담부처 설치 등이다. 경실련이 제안한 대안에 대해 소비자단체들도 중재에 참여하겠다는 의사를 전달해 왔다.

9월 15일 경실련의 주선으로 약사 측 2인, 한의사 측 2인이 경실련을 방문해 한약 분쟁해결을 위한 조정위원회 구성에 합의했고, 다음 날 한약 분쟁의 합리적 해결을 위한 '한약조제권분쟁 해결을 위한 조정위원회'를 결성했다.

조정위원회는 한의사나 약사의 이익보다 국민의 이익을 우선시하며 쌍방이 공존할 방안을 모색하기로 했다. 이를 위해 약사 3인, 한의사 3인, 한국소비자연맹 1인, 소비자를 위한 시민모임 1인, 경실련 1인 등 9명으로 조정위원회가 구성되었다. 조정위원회는 휴폐업과 대규모 집회 등 극단적 행동 중단과 학생들의 불이익을 당하지 않도록 정부에 촉구하는 동시에 새로운 약사법 합의안 마련을 위해 노력했다.

9월 20일 한약 분쟁이 경실련의 중재와 한의사, 약사 간의 극적 합의가 타결되었다. 타결내용은 다음과 같다. ① 대한한의사협회와 대한약사회는 경실련이 제시한 대안을 수용한다. ② 경실련 대안의 시행을 위한 세부적 토론과 있을 수 있는 부분적 의견 차이는 앞으로 대한한의사협회와 대한약사회 양측이 함께 참여하는 별도의 위원회에서 구체적으로 논의한다. ③ 합의된 사항이 모든 사람에게 충분히 수용되고 앞으로 예상되는 극한행동을 피하기 위해 보사부의 입법예고안은 철회되어야 한다. ④ 보사부가 양측이 합의한 경실련 대안을 부분적으로 선별 수용할 경우에는 본 합의는 취소된다 등이다. 그러나 대한약사회가 내부 갈등으로 합의안 무효화를 선언했다. 경실련은 무효화 철회를 촉구했다.

경실련은 9월 23일 652명이 참여한 한약분쟁 여론조사 결과를 발표했다. 여론조사 결과는 경실련의 중재

한약조제 허용으로 인해 촉발된 한의사협회와 약사협회 간의 분쟁을 말한다.

1993년 문민정부가 들어서기 직전, 당시 보건사회부는 약사법 시행규칙에 있던 '약국에서는 재래식 한약장 이외의 약장을 두어 이를 청결히 관리하여야 한다.'라는 조항을 삭제했다. 이로 인해 약국에서 한약조제가 가능하게 되면서 한의학계의 강력한 반발이 시작됐다. 한의과대학생들은 수업을 거부하며 거리로 나섰고, 수련의들은 집단 사직이라는 극단적 선택까지 결의했다. 약사회도 이에 맞서 전국 약국이 휴업하고, 정부 과천청사 앞에서 최루탄이 등장할 정도로 대규모 궐기 대회를 진행했다. 이후 양 단체는 사활을 건 투쟁에 돌입하게 된다.

경실련은 한약 조제권 분쟁 해결을 위한 대안을 제시하고, 극단적으로 치닫던 한의사협회와 약사회를 중재해 '한약조제권 분쟁조정위원회'를 결성하고, 한약조재권 분쟁의 타결을 끌어냈다. 한약 분쟁 해결을 위한 중요한 역할을 수행한 것이다.

2. 활동 내용 및 경과

한약조재권 분쟁으로 한의사협회와 약사회가 격렬히 대치했다. 1993년 6월 17일 경실련은 '의약분업과 자격을 갖춘 사람이 한약조제를 해야 한다.'라는 의약 분쟁 해결의 대원칙을 발표하고, 보사부의 시행규칙 개정 철회를 요구했다.

1993년 9월 14일 한약 조제권 분쟁의 해결을 위한 경실련 대안을 제시하고, 한의사협회와 약사협회가 희망한다면 중재하겠다는 의사를 밝혔다. 경실련 제시한 대안은 ① 3년 이내에 한의사와 한약사 간의 한방의약분업이 실현되도록 한다. 의약분업은 첩약 의료보험이 가능한 모든 처방에 적용되도록 한다. ② 약사 또는 무자격 의료인

사진으로 보는
경실련 30년

Ⅰ. 경실련의
창립과 활동

Ⅱ.
경실련 30년
활동의 성과

Ⅲ. 지역경실련의
활동과 성과

Ⅳ. 경실련과
시민사회의 미래

한 한의사협회와 약사회 간의 합의안을 71.6%가 알고 있고, 합의안에 대해 78.9%가 긍정적인 평가했다. 그리고 정부안보다 합의안이 '좋다'라고 66.4%가 답변했다.

앞으로 합의안을 전면 수용 53.1%, 합의안 선별 수용 39.4%로 정부안 2.6%에 비해 압도적으로 높은 지지를 받았다. 그리고 약사회의 합의안 무효화 결정에 86%가 잘못된 일이라고 비판했다.

정부에서는 수습 방안으로 약학대에 한약과를 신설하되 학문의 연계성을 고려하여 한의과대학과 약학대학을 함께 운영하는 종합대학교에만 두도록 하는 한편, '한의학발전정책협의회'를 발족시켜 인력수급 장기계획과 한방의약분업 계획 등을 수립했다.

1997년 11월 28일 헌법재판소 결정문에서 '약사가 한약조제권을 상실한다고 하더라도 약사라는 직업을 포기하게 한 것은 아니며, 한약사 시험에 합격하는 약사에게 한약조제권을 부여한다는 또 다른 규정을 두고 있으므로 해당 조항이 직업의 자유를 침해한다고 볼 수 없다'라고 밝혀 개정 약사법을 인정함으로써 이 분쟁은 일단락되었다.

3. 각계 반응과 성과

한약 분쟁 조정은 우리나라 시민운동사의 한 획을 긋는 주요한 사건이었다. 한의사협회와 약사회 간의 분쟁은 한의대생들의 집단 유급, 전국 약국 폐업 및 휴업, 한의사 자격증 반납 등 전례 없이 격화됐다. 분쟁 격화로 시민의 건강은 뒷전이었으며 문제 해결을 위한 중재 노력은 어디에도 없었다. 정부는 의료단체로부터 불신을 받고 있었으며, 국회는 민감한 문제를 떠맡는 것을 꺼렸다.

경실련은 한약 분쟁의 중재에 나섰고, 한의사협회와 약사회가 경실련 중재안에 합의하는 성과를 이룩했다. 정부는 경실련 중재안을 적극적으로 반영해 약사법 개정 예고안을 수정했으며, 국회는 정부안을 그대로 통과시켰다. 전국을 뒤흔든 집단분쟁을 시민단체의 힘으로 해결해 낸 것이다.

경실련이 약사와 한의사 간의 갈등을 중재하고 합의를 끌어낸 것은 시민단체의 역할과 중요성, 영향력을 일깨우는 상징적인 사건이었다. 그러나 시민단체, 정부, 이해당사자의 사회적 합의가 언제든 헌신짝 버리듯 폐기될 수 있다는 나쁜 선례를 남기기도 했다.

81. 의약분업 실시 운동

1. 배경 및 취지

의약분업 전의 우리나라 보건의료 현실은 정확한 진단 없는 투약으로 발생하는 오남용, 약가 마진으로 유도되는 약의 남용 등 의약품 오남용이 심했다. 또한, 의사와 약사 간 행위 중첩으로 인하여 효율적인 양질의 의료서비스를 받지 못하고 있었다. 따라서 의약분업은 약품 오남용으로부터 환자를 보호하고 진료와 처방은 의사에게, 조제와 투약은 약사에게 담당하게 하는 직능의 전문화와 약제비 절감, 환자 알 권리 등을 위해서 반드시 필요한 사안이었다. 의약분업은 의사와 약사의 전문영역에 맞는 역할을 중심으로 서비스 제공하고 불필요한 비용 절감이라는 합리성과 효율성을 확보하는 장치이다.

하지만 의사-약사 간 분쟁으로 인하여 쉽사리 시행되지 못하고 있었다. 의약분업은 1963년 「약사법」에

의약분업 원칙이 명확히 규정되어 있으나 의사나 약사에게 예외 조항을 두며 시행을 유보하고 시범사업 등을 실시했지만 계속 실패했다. 1994년 한약분업을 두고 분쟁을 경실련이 조정하면서 개정한 「약사법」에 "동법 시행 후 3~5년의 범위(1997년 7월~1999년 7월)에 대통령이 정한 날로부터 의약분업을 시행하도록" 부칙에 명시함으로써 의약분업의 법적인 근거를 마련했다. 하지만, 의사와 약사는 의약분업은 필요하다고 주장했지만, 시기와 방법의 유불리에 따라 수용과 반대를 반복하면서 의약분업안에 합의가 어려웠다. 또한, 의약분업의 시기를 지속적으로 연기하여 시민단체가 의약분업 실시를 촉구하며 본격적으로 합의 과정에 참여하게 되었다.

2. 경과

1) 의약분업 합의안 중재 및 약사법 개정

의약분업 시행 법정시한을 지키기 위해 1998년 시민단체, 소비자, 언론 등 공익대표와 의·약계 인사 20인으로 구성된 의약분업추진협의회(분추협)를 결성하여 합의안을 마련했지만 합의안이 '임의조제 묵인', '주사제 오남용 방조', '병원 예외 허용' 등으로 진정한 의약분업과는 거리가 있음을 시민사회가 강하게 비판하였다. 이 일로 시민단체가 의약분업 방안에 적극적으로 개입하게 되었다. 또한, 의약분업 시기를 두고도 입장이 달랐다. 의사협회, 약사회, 병원협회 등 의료계에서 의약분업 연기를 원했지만, 경실련을 주축으로 한 시민단체들은 법정시한 준수를 강하게 요구하였다.

의협과 약사회는 1999년 2월 '시민단체와 협의하여 2개월 이내에 의약분업에 합의할 것'을 전제조건으로 1년 연기를 얻어냈다. 의약간 합의가 이루어지지 않을 경우 정부안대로 시행하기로 약속했다. 의협과 약사회의 약속에 따라, 3월말 <의약분업 실현을 위한 시민대책위원회>가 구성되었다. 당시 김용익 교수, 양봉민 교수, 인도주의실천의사협의회, 건강사회를 위한 약사회 등이 자문을 맡았다.

1999년 3월부터 진행된 의약분업 실현을 위한 시민대책위 토론에서 5월 10일 의협과 약사회가 시민대책위원회 안에 동의하고 두 단체가 합의하는 의약분업안을 채택한다고 발표하였다. 시민단체 안은 유예기간을 모두 삭제함으로써 완전한 전면실시 방안으로 변화되었다. 합의안의 주요 내용은 ① 병원, 종합병원, 보건소 등도 포함하여 모든 보건의료기관으로 대상기관을 확대하고, 외래조제실을 폐쇄한다. ② 의약분업 대상 의약품은 모든 전문의약품으로 하고, 주사제를 포함하되 일부 주사제는 예외로 한다. ③ 일반명 처방과 상품명 처방을 병용하고, 동종의 의약품으로 대체조제를 허용하고 사후 통보한다. ④ 약효 동등성은 의약분업 실시 이전에 반드시 완료한다. ⑤ 의약품 재분류 품목을 확대하여 2000년 3월까지 분류를 확정한다 등이었다. 하지만 병원협회는 외래조제실 폐쇄 내용에 반발했다.

1999년 5월 10일 합의안을 바탕으로 정부는 7월 의약분업 실행위원회를 구성하고 실행위원회에는 경실련 김승보 정책실장, 양봉민 교수가 참여했으며, 실행위원회 산하 3개 분과에서 법안, 행정적 준비사항, 시행 절차 등을 논의하여 9월 최종안을 만들고 국회에 제출했다. 실행위원회 논의 중 병원협회와 의협도 반발하였고, 각 분과회의에 계속 참여하던 의협과 병협 대표가 9월 실행위원회 최종 합의에서는 일방적으로 퇴장했다. 1999년 10월 병·의원 보험약가 제도를 실거래가 제도로 전환하여, 경영 투명성과 소비자 알권리 강화 등 조건에 합의했다. 11월 실거래가 제도가 시행되면서 의료보험 약가 인하(평균 30%)와 약가 마진 손실분에 대한 보상으로 수가가 1차 9% 인상되었다. 결국, 9월 최종합의안 내용을 토대로 1999년 12월 약사법 개정안이 통과되면서 의약분업은 일단락되었다. 약간 인하에 따른 수가인상 조처가 일반 의원보다는 병원에 유리하게 이루어지면서 일반 개원의는 소득 유지에 강한 위기감을 느꼈고, 이러한 위기감은 의약분업에 대한 반발로 다시 이어졌다.

2) 의료계 반발과 의약분업 정착

1999년 11월 약가인하와 수가인상의 연동 조치로 시작된 의협과 병협의 반발은 2000년 1월 약사법 개정안 공표 이후 본격화되었는데, 2월 17일 전국의사대회를 개최하고 휴진에 돌입했다. 이에 정부는 실거래가 상환제 보전 명목으로 의료보험 수가를 6% 인상했다. 의약분업과 관련하여 의료계가 진료거부라는 집단행동에 돌입하자, 의약분업 합의안을 중재했던 시민단체는 3월 28일 '7월 1일 의약분업실현과 의료계의 부당한 집단진료거부 철회를 위한 시민사회단체 연석회의'(이하 시민사회단체연석회의)를 구성하고, 의료계의 명분 없는 진료거부에 반대하는 기자회견을 개최했다. 이후 3월말 대통령 면담 후 유보되었던 휴업 투쟁은 4월 1일 수가 추

사진으로 보는
경실련 30년

I. 경실련의
정립과 활동

II.
경실련 30년
활동의 성과

III. 지역경실련의
활동과 성과

IV. 경실련과
시민사회의 미래

가 인상에도 4월 4 ~ 6일 강행되었다. 이에 경실련 등 시민사회 단체는 의료계의 투쟁을 의약분업 거부로 인식하고 4월 18일 〈의약분업정착을 위한 시민운동본부〉를 구성하여 의료계의 의약분업 거부 투쟁 저지를 위해 나섰다.

2000년 6월 의료계가 임의조제와 대체조제에 문제를 제기하며, 약사법 선보완의 입장으로 본격적 폐업 투쟁을 이어갔다. 폐업이 1주일 지속되면서 사망환자가 발생하여 경실련은 손해배상 소송을 청구했다. 또한 '의사회 집단 폐업철회와 의료개혁'을 위한 각계인사 500인 선언을 주도했으며, 집단폐업 피해신고센터를 개소하여 피해자 구제를 도왔다. 서울대병원 의대교수 폐업동참 자제촉구, 의사협회 및 병원 항의방문 등 설득작업도 했다. 대한의사협회장 검찰 고발, 복지부장관 면담, 지속적인 대국민 홍보 캠페인, 병의원 집단 폐업 규탄집회 등을 이어나갔다. 2000년 6월 24일 여야 영수회담을 통해 7월 중 약사법 선 개정을 약속했고 이 약속에 따라 의협은 집단폐업을 철회했다. 시민운동본부는 진료가 재개된 것은 다행스럽지만 영수회담의 결과는 환자의 생명을 볼모로 한 집단이기주의를 용인한 처사라고 강하게 비판했다.

2000년 7월 임의조제 근절과 대체조제는 의사 사전 동의가 필요한 내용으로 약사법이 개정되었고, 8월 1일부터 의약분업이 본격 시행되었다. 하지만 의료계는 전공의, 전임의 중심의 제2차 집단폐업에 돌입했다. 경실련은 의료계의 집단폐업은 명분이 없으므로 즉각 철회할 것을 촉구했다. 또한, 의사의 집단폐업에 정부가 수가인상 등 미봉책으로 대응하는 것도 멈출 것을 요구했다. 의료계는 파업 투쟁을 반복했으며, 10월 ~11월 의약정 대화를 통해 11월 의약정 합의안이 발표되었고, 2001년 2월 주사제를 제외하는 약사법 수정안이 통과되면서 의약분업 시행을 앞두고 벌어졌던 논쟁이 마무리 되었다.

3. 각계 반응 및 성과

의약분업은 의사와 약사, 병원협회까지 첨예한 이해관계가 얽힌 사안이라 정부도 중재가 어렵고, 표를 의식한 국회도 선뜻 중재하기 어려웠다. 이해관계가 없는 시민사회 단체의 중재가 꼭 필요한 사안이었다. 1999년 5월 10일 의약분업 합의는 개혁방안에 대한 사회적 합의를 이끌어내면서 시민단체의 역할을 보여준 것은 큰 성과이다. 의약분업을 의사와 약사의 이해 조정 문제가 아닌 시민사회 전체의 문제로 전환을 하며 의료개혁의 중요 사안이라는 것도 인식시켰다.

의사-약사는 의약분업을 놓고 수십 년 간 자신의 직역에 대한 이익을 위해서 논쟁을 펼쳐왔다. 의사는 임의조제와 대체조제를 반대했고, 약사는 직능의 권한 축소, 병원은 외래약국 폐쇄로 인한 수익 감소 등을 염려했다. 하지만 약물의 오남용, 약제비 절감 등 국민건강증진을 위해 필요하다는 대의명분 아래 제도 자체를 반대하지는 못하고, 실행안에서 각 집단의 이익을 위해서 격렬하게 논쟁했다. 의사들이 휴업이라는 실력행사를 하는 동안 사망자가 발생하는 등 국민과 환자의 심각한 피해가 발생했다. 의료계의 요구는 점차 보건의료제도 전반에 대한 요구로 확대되었다. 이러한 사활을 건 논쟁 속에서 정부는 건강보험 수가인상 및 복약지도료 신설 등 달래기식 미봉책에 급급했다.

82. 국민건강보험 보장성 강화와 의료영리화 저지 운동

1. 배경과 취지

1989년 국민건강보험제도가 도입되면서 이용자의 경제적 부담이 줄고 접근성이 향상되어 국민들의 건강수준이 높아졌다. 국민건강보험의 재정은 국민의 보험료 납부 능력과 의료 이용 정도에 따라 변동성이 크기에 적절한 수지관리가 중요하고 보험료 수입의 80%를 국민이 부담하기에 신중하게 보험료율 책정을 해야 한다. 그리고 미래 세대에 보험료율의 부담을 전가하지 않기 위해 보장성을 강화하되 누적 수지를 적절하

게 관리하면서 보험료 인하 등도 고려할 필요가 있다. 그리고 건강보험은 전 국민이 부담하는 사회보험이기에 공급자와 가입자의 의견이 충분히 반영되는 정책적 합의가 중요하다. 그럼에도 국민들의 부담을 가중시키는 보험 수입 정책, 보험재정 지출관리 미흡, 건강보험의 낮은 보장성 등 여러 문제들이 있어 경실련은 국민건강보험이 국민의 건강 수준을 높이고 사회보장 기능을 충실히 할 수 있도록 지속가능한 재정구조 구축과 보장성 강화를 위한 제도개선을 위해 노력하였다.

경실련은 의료 영리화 반대운동도 소홀히 하지 않았다. 공공의료가 취약하고 민간중심의 우리나라의 보건의료 환경에서 의료의 영리화는 보건의료 체계를 무너뜨릴 수 있는 문제이다. 수십 년에 걸쳐 다양한 형태로 시도되고 있는 의료 영리화는 역대정부들이 지속적으로 추진하고 있다. 현재의 의료 영리화는 영리병원 도입, 해외 의료관광 직접적 영리 의료행위 허용, 의료법인 영리 부대사업 허용, 원격 의료, 의료기기와 의약품의 규제완화, 유전자 검사 자유화, 민간 의료보험 활성화 등 다양한 형태로 파생되고 있다. 경실련은 공공의료체계는 강화되지 않고 답보 상태인 환경에서 국민들의 생명과 건강이 경제력에 따라 차별되는 것을 허용하는 제도의 개선을 반대하고 있다.

2. 운동의 전개

건강보험의 재정안정을 위해서는 지불제도와 수가 체계를 개선하고, 건강보험 지출의 30% 이상을 차지하는 약값의 거품 제거, 병원의 회계 투명성 확보, 부당허위 청구 등 재정 누수 요소들의 개선이 필요하다. 경실련은 2001년 건강보험 재정 위기 이후 건강보험 재정에 의견을 내기 시작했다. 2002년 '건강보험재정건전화특별법'이 공표되고 건강보험정책심의조정위원회(이하 건정심)

가 구성되면서 건강보험료와 수가 결정에 가입자의 의견을 대변하였다. 건정심과 건강보험재정위원회 활동에서 타 가입자 단체들과 함께 보험료의 과도한 인상, 무분별한 수가 인상과 불투명한 수가 계산 등에 문제를 제기하였다. 그리고 건강보험 수가는 의료기관 종별로 차등 계약을 요구하였고, 상대가치점수 등 편법적 수가 보전정책을 비판하였다. 당시 종별 계약을 합의했는데도 제대로 업무를 진행하지 않자 보건복지부 장관 등 관련 책임자를 직무유기로 고발하고 헌법 소원도 청구하였고, 결국 유형별 계약을 이끌어냈다. 또한 공공의료기관의 식대원가를 정보공개청구로 받아 분석발표하면서 정확한 원가분석에 기반을 두어 적정한 수가 책정을 요구하였다. 행위별 수가 지불제도를 채택하고 있는 건강보험의 낭비적 요소를 개선하기 합리적인 수준으로 통제할 수 있는 총액계약제도의 도입을 제안하였고 그 전 단계로 포괄수가제도를 요구했다. 현재 7개 질병에만 도입된 신포괄수가제도가 있으나 행위별 수가제의 단점을 보완하기에는 미흡하며, 총액계약제 논의는 지지부진한 상태이다.

경실은 건강보험의 재정적 누수 요인을 개선하기 위해 의료기관의 허위부당 청구에 대한 개선, 건강보험료의 30% 이상을 차지하는 약제비 거품을 위한 성분명 처방, 약값 리베이트 제공 의약품의 건강보험 급여 대상에서 제외를 요구했다. 행정소송을 통해 의약품 실거래가 신고 자료를 분석하여 의료기관들이 정부에 신고한 계약과 달리 음성적 거래 등 부당 행위를 밝혀냈다. 그밖에 약값 담합 행위의 고발, 건강보험 진료비 지급 내역도 소송으로 확보여 병원 경영의 투명성을 위한 운동을 했다.

한편, 건강보험이 중증질환과 같이 보장성이 낮아 의료비 부담이 계속 가중된다면 사회보험으로서의 기능을 못하게 되므로 본인부담상한제를 제안하였다. 그리고 건강보험료를 과도하게 거둬들여 보험공단은 흑자였지만 국민의 보장성은 상당히 낮은 문제를 지적하면서 건강보험 급여확대도 요구했다. 박근혜 대통령 공약에서 암·심장·뇌혈관·희귀난치질환 등 4대 중증질환 보장강화, 선택진료, 상급병실, 간병비 등 3대 비급여를 급여화하겠다고 약속했으나 이를 이행하지 않아 기자회견, 영상홍보 등으로 대응하였다. 문재인 정부의 건강보험 보장성 강화 정책이 시행되면서 저소득층의 본인 부담 상한액 하향, 선택 진료비 폐지, 상급 병실료 급여화, 상복부 초음파, 뇌혈관 MRI 등 보장성은 나아지고 있으나 이해관

사진으로 보는
경실련 30년

I. 경실련의
창립과 활동

II.
경실련 30년
활동의 성과

III. 지역경실련의
활동과 성과

IV. 경실련과
시민사회의 미래

계자들의 반대로 당초 공약보다는 지지부진한 상태이다. 현재는 보장성 강화를 위한 급여화는 보험료율 인상과 연계되므로 비급여 진료비 내역 제출을 의무화 활동을 하고 있다.

의료 영리화 반대운동은 산업계는 물론 정부 등을 상대로 해야 하므로 경실련과 입장이 비슷한 시민사회, 노동계, 종교계와 연대하여 활동하였다. 현재는 '의료영리화반대 범국민운동본부'의 시민단체, 민중단체, 종교단체, 보건의료단체, 노동조합 등과 함께 활동하고 있다. 경실련은 병원의 비영리법인 규정을 무력화할 수 있는 병원의 채권발행 허용 반대, 의료법 전면 시 의료계의 입장을 대폭 반영한 의료 산업화 반대활동을 하였다. 특히, 경제특구 내 영리병원을 허용하는 경제자유구역특별법 시행령 개정에 대해 국민의견서 제출운동, 영리병원 도입 반대 1인 릴레이시위와 시민결의대회 등으로 맞섰으나 막아내지 못했다. 이 법안은 제주영리병원 허가를 촉발시켰고, 제주도민들의 공론화를 통해 설립 허가 취소 결정에도 불구하고 원희룡 도지사가 허가를 강행하면서 1000인 선언, 릴레일 1인 시위 등 다양한 활동을 전개하여 결국 허가 취소를 이끌어냈다. 그동안 의료 영리화는 의료법인의 자법인 설립허용, 해외환자 유치 및 진출 등이 허용되었고, 바이오산업 규제완화, 신의료기술 규제완화, 보건의료 빅데이터 활용 허용 등 우회적인 영리화는 확대되고 있다.

3. 각계의 반응 및 성과

건강보험의 정책결정은 공급자(의사, 약사, 병원 등), 가입자, 그리고 정부가 균형을 이루면서 합리적으로 결정되어야 한다. 그러나 건정심은 공급자들의 의견이 일방적으로 반영된 정책들을 채택되는 경우가 많았다. 공급자들이 원가 이하 수준의 저수가 주장을 펼치며 수가 인상을 요구하였고, 정부는 원가 분석을 위한 노력은 제대로 하지 않으면서 공급자 달래기 용으로 수가 인상안을 수용하였다. 이는 건강보험 재정의 안정성을 위협하게 되었고 이에 따라 보험료를 인상하는 정책들이 반복되었다. 현재도 전면 급여화 정책이 이해관계자의 반대로 실현되지 못하고 있으며, 철저한 원가 분석 없이 저수가를 전제로 수가 인상을 결정하고 있다. 위와 같은 건강보험정책심의조정위원회의 여건에서 경실련은 가입자 대표의 일원으로 건강보험 정책 결정에 가입자들을 대변하는 역할을 하였다. 그리고 건강보험의 재정관리 측면에서 병원 진료비 내역, 식대 공개, MRI 가격 조사 등 실태를 공개하면서 건강보험 재정지출에 대해 사회적 이슈를 만들어 냈다.

의료영리화 반대 서명운동에 100만 명 이상의 국민들이 참여하고, 국민의 생명과 건강을 해치는 무분별한 규제완화에 거부하는 등 의료 영리화를 재인식하는 공론을 형성하였다. 시민들과 함께 영리병원 도입을 저지하는 성과도 얻었다. 그러나 기업과 의료기관들은 꾸준하게 의료산업에 자본이 진출할 수 있도록 지속적으로 추진하고 있고, 정부도 산업과 투자 활성화, 미래 성장 동력 등을 이유로 의료기술 평가 간소화, 신약 허가 과정 간소화, 줄기세포 치료제 규제완화 등과 같이 적극 지원하고 있다. 경실련 국민들과 함께 의료 영리화 반대 운동에 더 적극적인 활동을 할 것이다.

83. 호스피스·연명의료결정법 제정 운동

1. 배경 취지

존엄사에 대한 논쟁은 30년이 넘도록 지속 됐지만, 존엄사의 개념과 안락사 허용 여부 등 논쟁만 반복하면서 법·제도 정비는 미비했다. 말

기치료 단계에서의 환자들은 통증이나 육체적 고통보다는 오히려 존엄성과 자아 상실과 같은 인격성을 위협하는 증상들을 두려워했고, 일부 환자들의 경우 마지막으로 존엄성을 지키기 위한 대안으로서 존엄하게 죽을 권리, 원하지 않는 치료를 거부할 권리를 주장했다. 하지만, 이러한 요청들은 보라매병원 사건 이후 의료현장에서 의사와 환자의 가족들에 의해 무시되기도 하며, 법률 규정이 미비하여 허용되지 않았었다.

2008년 5월 김모 할머니의 연명의료중단을 위한 '인공호흡기 제거 청구소송'와 연명의료중단에 관한 입법부작위 위헌확인의 '헌법소원'이 제기되면서 이슈가 재점화되었다. 이에 경실련은 논쟁의 반복과 법·제도가 미흡한 현실을 비판하고, 사회적 상황과 인식을 반영한 존엄사에 대한 정책방안의 공론화와 법제화 운동을 했다. 존엄사법은 안락사와는 명확히 구분하여 현대 의학으로 회복 가능성이 거의 없는 말기환자에 한정하였다. 인위적으로 생명만 연장하는데 불과한 생명유지 장치를 환자가 보류하거나 중단할 수 있도록 자기 결정권을 행사하고, 의사결정을 존중할 수 있도록 제도적인 장치를 마련하고자 했다.

말기환자가 존엄하게 죽을 권리, 원하지 않는 치료를 거부할 권리를 법으로 허용하는 것을 취지로 입법 운동을 하였다. 호스피스·연명치료 결정법의 제정은 말기단계에서의 의료의 한계에 대해 사회적 성찰과 존엄한 죽음에 대한 환자의 자기결정권 존중과 생전유언의 제도적 정착의 의미가 있다.

2. 경과

2008년 10월 말기환자의 자기결정권에 관한 입법 제안 토론회를 시작으로 존엄하게 죽을 권리에 대한 법제화 논의를 시작하였다. 입법 제안 토론회에서는 이전의 논쟁이 30년 동안 존엄사 또는 연명치료중단의 요건이나 절차에 대한 구체화하는 작업이 없어 허용 여부 및 개념 정의에 대한 논쟁에만 머무는 상황에서 말기환자의 자기결정권 존중에 대한 정책방안들을 공론화하고, 제도적 장치 마련을 위한 요건과 절차들에 대한 공론의 장 마련했다. 이후 보건의료위원회에서 마련한 '존엄사법(안)'을 2009년 1월 입법청원의 형식으로 국회에 제출하여 본격적인 입법 활동에 돌입했다. 청원 이후 당시 한나라당 신상진의원과 면담하며 존엄사 입법청원안 주요 내용에 대한 설명과 법제화 방안을 논의했다. 면담 이후 신상진 의원이 경실련 '존엄사법(안)'을 대표 발의하기로 하고 2009년 2월 신상

진 의원 등 22명의 의원이 존엄사법을 발의했다.

존엄사법 제정의 필요성과 법안 설명을 위한 입법 공청회를 2009년 3월에 개최하였고, 입법학적 고찰을 중심으로 존엄사의 올바른 법제화를 위한 토론회를 개최했다. 2009년 5월 21일 대법원이 연명의료의 중단을 요청할 수 있다는 환자의 권리를 인정한 원심판결을 유지하는 최종 판결을 선고하였고, 존엄사에 대한 사회적 합의와 법제화가 필요하다는 점을 판결문에 명시하였다. 대법원 판결에 따른 법제화를 구체화하기 위해서 2009년 7월 주요 국가의 존엄사법 분석과 평가와 발의된 존엄사 법안을 생명윤리법적, 입법학적 등의 관점으로 검토하는 토론회를 개최하여 입법화를 위한 구체적 방안을 제언하였다.

대법원 판결 이후 2009년 12월 복지부는 연명치료중단 제도화 관련 사회적 논의 협의체를 구성 운영했다. 의료계·종교계·법조계·시민사회단체 등 이해관계자 모두 참여하여 주요 쟁점 및 악용 방지 대책 등에 대한 사회적 논의를 지속했다. 경실련도 위원회에 참여하여 사회적 합의 구조에 참여했다. 사회적 협의체는 2010년 6월까지 운영하여 연명치료중단 대상 환자, 중단 가능한 연명치료의 범위, 사전의료의향서 작성절차 및 의사결정기구 등 4개 항목에는 합의를 이룬 반면, 자발적 의사결정이 곤란한 경우 추정 및 대리에 의한 의사표시 인정문제와 입법 추진 등에 있어서는 이견이 있어 합의에 이르지 못했다.

2010년 4월 공청회 진술 등 존엄사 입법 활동은 지속했지만, 존엄사법 입법화, 연명의료중단의사의 대리결정 등의 문제에 대한 각 이해관계자가 첨예한 이견을 보였다. 따라서 사회적 협의체 운영과 수차례 의견수렴의 과정을 반복했지만 합의에 이르지 못했고, 18대 국회가 회기 만료하면서 법안은 폐기되었다.

의료현장에서 환자와 가족들이 겪고 있는 정신적, 육체적, 경제적 고통이 계속되고 있고 국민의 인식과 관심도 높은 현실로 공론화 필요성이 지속적으로 제기되었고, 2012년 국가생명윤리심의위원회는 무의미한 연명치료중단에 대한 특별위원회를 구성하였고 이 위원회에 경실련도 참여하여 입법화의 필요성, 무의미한 연명치료중단의 대상, 범위, 사전의료의향서, 중단 여부 결정기구 등에 대한 의견을 제출했다. 이후 2013년 5월 국가생명윤리심의위원회에서는 특별위원회의 권고안을 심의하여 최종적으로 연명의료결정 거부권, 사전연명의료의향

사진으로 보는
경실련 30년

I. 경실련의
창립과 활동

II.
경실련 30년
활동의 성과

III. 지역경실련의
활동과 성과

IV. 경실련과
시민사회의 미래

서 작성, 호스피스-완화 의료 선택 가능, 추정적 의사, 가족합의에 의한 대리결정 등의 내용을 담은 권고안을 발표했다.

이후 2015년 19대 국회에서 존엄사 관련 법안이 재발의 되고,「호스피스·완화 의료 및 임종 과정에 있는 환자의 연명 결정에 관한 법률」이름으로 수정되어 2016년 1월 8일 국회를 통과했다. 호스피스 분야는 2017년 8월, 연명의료 분야는 2018년 3월부터 시행되고 있다.

3. 각계 반응 및 성과

존엄사법에 대해서는 신상진 의원, 전현희 의원 등 의사 출신 의원들이 관심을 갖고 입법 과정을 함께했다. 국회에서는 입법화에 대한 공감대가 형성되기는 했으나, 종교계의 반대가 완강하고 사회적 합의 도출이 반드시 필요한 내용이라 법안의 발의부터 2016년 법안이 제정되기까지 약 10년의 시간이 걸렸다.

종교계는 존엄사법 입법 청원 당시부터 반대의 목소리를 냈다. 존엄사는 안락사를 보기 좋게 포장한 표현이므로 존엄사법에 반대한다고 입장을 밝혔다. 인공호흡기에 연명하는 치료를 중단하는 것은 찬성하나, 호흡기 제거 후에도 정상적인 간호, 영양과 수분 공급은 중단되어선 안 되는 가장 기본적인 치료행위는 해야 한다고 주장했다. 또한, 생명의 결정권은 인간에게 없기 때문에 죽을 권리를 인정할 수 없고, 삶은 누구에게나 가치가 있으며 환자의 고통이 죽음보다 못하다는 판단의 근거가 없다고 주장했다. 생명경시 풍조를 조장하고 회복 불능에 대한 명확한 판단 불가능, 경제적 취약층에서의 남용 우려 등을 지적하며 반대했다.

법제화 여부에 대해서도 각계 의견은 달랐다. 법제화를 반대하는 학자들은 치료중단 여부를 환자의 의사결정에 전적으로 맡겨 법적 책임을 묻지 않는 것은 바람직하지 않다는 견해를 보였고, 합리적인 통제장치가 있더라도 안락사가 시행되었는지 불법 사실을 입증하기는 불가능하다는 논리로 반대하였다. 하지만 다수의 학자는 법제화를 통해서 환자의 품위 있는 죽음을 도와줄 수 있는 길을 마련하고, 요건과 절차를 구체적으로 제시함으로써 안락사의 남용을 최대한 방지할 수 있는 제도적 장치를 구비할 것을 주장했다. 무엇보다 법제화가 되지 않은 상황에서는 '세브란스 김 할머니' 사건처럼 소송이 제기됐을 때마다 법원에 판결을 구하고 사건마다 각기 다른 결론을 가질 경우의 사회적 혼란이나 법적 불확실성의 제거를 위해서도 법제화가 필요하였다.

사회적 협의를 거치면서 연명의료, 임종환자, 말기환자 등의 용어 정의와 중단가능 연명의료 범위, 사전연명의료의향서 작성 조건 및 절차, 의사결정기구 등에 대해서는 공감대를 형성했다. 하지만 의식불명상태 환자에 대한 대리의사결정, 미성년자인 말기환자에 대한 적용여부 등은 이견을 보였다. 가톨릭 등 종교계는 죽음에 대한 인간의 자기결정권은 본질적 가치로 타인에 의해 판단될 수 없다는 이유로 반대했으며, 의료계는 환자 가족의 정신적·경제적 고통이 심각하며 가족 합의에 의한 대리결정의 효력 인정이 국제적 추세임을 이유로 찬성했다.

종교계의 반대에도 불구하고 존엄사법에 제정되는 성과를 얻었다. 존엄사 법제화 과정에서 최초로 관련 법안을 완성하여 입법청원서 제출했고 경실련 법안을 의원 발의로 성사시켜 존엄사법 법제화의 물꼬를 트고 이의 사회적 논의로 확산하는데 적극적인 역할을 했다. 존엄사법은 다른 법률과 달리 쟁점이 의료, 윤리, 철학, 종교 등 복잡한 내용이 얽혀 있고 논쟁이 첨예하다. 따라서 존엄사법은 반드시 사회적 합의가 필요한 법안이었으며 처음으로 구체적인 법안을 마련하여 입법청원을 시도한 경실련이 지속적으로 법제화를 이끄는 주도적인 역할을 했다.

84. 상비약(OTC) 약국 외 판매 실시 촉구 운동

1. 배경취지

우리나라의 모든 약은 의사의 처방을 필요로 하는 전문약과 처방 없이 살 수 있는 일반약 모두 약국에서만 구입할 수 있도록 판매장소를 규제하고 있었다. 부작용이 적고 사용방법이 널리 알려진 소화제, 해열진통제 등 가정상비약도 약국에서만 판매가 허용되어 공휴일이나 심야시간에 이들을 필요로 하는 소비자들은 어려움을 겪었다.

미국 및 캐나다, 영국, 독일, 일본 등의 국가에서는 가정상비약 수준의 일반의약품의 약국 외 판매를 시행하여 소비자의 불편을 최소화하고 있다. 총 의료비 지출과 고령화 사회를 대비하며 각국의 환경에 맞는 자가 치료를 제공하는 것이 세계적 추세이다. 경실련은 가벼운 증상에 대해서는 자가치료할 수 있도록 소화제, 감기약, 해열진통제 등 상비약 수준의 일반의약품의 약국 외 판매를 허용을 촉구했다. 이로 인하여 야간과 공휴일에 약국 이용에 대한 국민의 불편을 해소하고 가벼운 증상에 대한 자가 치료를 통해 기본적인 의료이용권을 보장할 것을 촉구했다. 주요 촉구 항목으로 농어촌, 중소도시 등 전국적으로 접근성 높일 수 있도록 판매장소 확대, 포장단위 제한, 표시기재 정보제공, 연령제한 등 제도개선 및 상시적 분류체계 구축 등이 포함되었다.

2. 경과

일반의약품 약국 외 판매 촉구운동은 2007년 2월 보건복지부가 원칙 없이 추진하고 있는 의약외품 정책을 철회하고, 안전성과 효능이 검증된 일반의약품을 약국 외에서 판매를 촉구하는 의견서를 경실련이 제출하면서 시작했다. 이후 전문가, 약사 단체, 정부가 모여서 일반의약품 약국 외 판매 관련 정책간담회를 여러 차례 가졌다. 정책간담회에서는 휴일과 심야시간대 약국 이용에 대한 국민 불편을 해소하고, 국민의 가정용 상비약품의 저렴한 구매

를 유도하여 의료비용 절감효과를 얻을 수 있다는 기본 정책 방향 등을 논의했다. 토론회를 개최하여 정부, 국회, 약사회, 시민단체의 의견을 개진하고 합리적인 대안을 모색하면서 공론화를 시작하였다.

2008년 대통령 인수위에 일반의약품(OTC) 정책 제안서, 일반의약품 약국 외 판매 품목 제안서 등을 제출하고, 해외 사례와 비교하는 등 일반의약품이 약국 외 판매가 가능하도록 정책제안운동을 진행했다. 하지만 매번 특정지역 간 이해관계에 의해 보류되면서 논의는 제자리를 맴돌았다. 일반의약품 약국 외 판매 요구가 거세지자 복약지도를 해야 한다는 이유로 약국 외 판매를 반대하던 약사회는 '심야응급약국' '당번약국제' 도입을 주장, 시범사업을 시행했다. 이에 경실련은 모니터단을 조직하여 심야응급약국의 시행이 국민 불편을 해소하는데 도움이 되는지 조사했다. 직접 방문해서 운영 여부를 확인한 결과, 심야 응급약국은 전국 약국 수의 0.3%에 불과하고 이것도 수도권에 절반 이상 집중됐다. 광역시도별로 1개~3개에 불과하고 단 한 개도 없는 광역시도 있었다. 59회 방문 모니터 결과 문 닫은 약국도 11차례 확인했으며, 35번 의약품 구매 시 10번은 복약지도 등 설명이 전혀 없는 등 부실한 운영실태도 드러났다. 경실련의 모니터링으로 심야응급약국은 의약품 구매 불편을 해소하는데 실효성이 없다는 것을 밝혀냈다.

경실련은 2011년 3월, 상비약 약국 외 판매를 경실련 전국 운동으로 선포하고 전국 기자회견, 거리 서명 캠페인을 진행했다. 온라인으로도 서명을 받아 국민 여론을 모으는데 힘썼다. 심야약국 및 당번약국에 대해 다시 한 번 실태 조사하여 전국 심야시간대 약국 접근성 0.2%로 매우 미흡하고 약 구입 시 95% 이상 복약지도가 없는 것을 확인했다. 전국 다소비의 약품 현황 및 가격실태 분석결과, 50개 다소비의약품 전국 평균 판매가격은 1.2배에서 최대 3배의 가격차이가 났다. 이처럼 약국의 독점적인 판매방식으로 형성된 시장가격 왜곡 현상은 판매처의 다양화를 통한 가격경쟁을 유도하여 합리적으로 가격이 결정될 수 있고, 일부 일반약의 판매처 확대가 이뤄질 경우 소비자의 구매 접근성을 높일 수 있다고 발표했다.

약사회의 반대와 보건복지부의 미온적인 태도로 인해 사실상 상비약 약국 외 판매가 무산되는 듯 했으나, 청와대의 강한 의지와 여론의 비판에 힘입어 보건복지부가 약국 외 판매를 위한 약사법 개정안을 2011년 8월에

마련하고 약사법 개정 작업을 본격적으로 시작했다. 그러나 국회에서는 민주당과 약사들의 표를 의식한 한나라당도 소극적 행보를 보였다. 상비약 약국 외 판매를 촉구하는 온·오프라인 국민 서명과 의견서를 국회에 보내 상비약 약국 외 판매의 국민적 요구를 환기시키고, 법 개정을 요구했다. 이후 국회의원에게 공개질의 했지만 대부분의 의원들은 대답을 회피하면서, 국민의 요구를 계속 외면했다.

국회 상정 불발 이후 대표적인 민생법안을 처리하지 않았다는 비판여론이 확산 되었고, 약사회가 상비약 약국 외 판매방안을 전향적으로 검토하겠다고 발표하면서 우여곡절 끝에 약사법 개정안이 2012년 2월 상임위를 통과했다. 하지만 법사위에서 무산되면서 자초되는 듯했지만, 결국 2012년 5월 약사법이 개정되면서 소비자는 상비약을 약국 밖에서도 살 수 있게 되었다.

개정된 현행 약사법에는 소화제, 감기약, 해열진통제 등 필수 상비약 20개 품목에 대해서 24시간 운영이 가능한 곳에서 판매할 수 있게 되어 있지만, 현재는 13개 품목만 판매 하도록 되어 있다. 안전상비약 지정 심의위원회를 통해서 품목의 논의가 현재까지도 지속되고 있지만 약사회의 반발로 6차까지 거치면서 처음 지정된 13개 품목에서 늘지 못하고 있다. 경실련이 국민 대상으로 상비약 관련 설문 조사 결과, 품목확대가 필요하다는 의견이 압도적이었다.

3. 각계 반응 및 성과

경실련의 상비약 약국 외 판매운동에 대해 보건복지부와 약사회는 전국적으로 약국 수가 많다는 점과 약의 안전성을 이유로 반대했다. 2011년 실시한 국회의원 정견질의에서는 답변을 회피하는 등 일부 정치인들이 지역 약사회를 의식하여 일반약 약국 외 판매에 회의적인 입장을 표출했다.

서울시 약사회는 시민단체가 일반약 슈퍼판매 주장과 관련되어 대기업과 유착했다는 음해하는 등 약사회의 반발은 극심했다. 경실련은 즉각 반발하고 서울시 약사회에 공개질의하는 의혹에 문제제기 하자, 서울시 약사회는 시민단체는 경실련을 지칭한 것이 아니라는 입장을 내면서 유착 의혹을 철회했다. 대한약사회는 일반약 약국 외 판매 저지를 위한 결의대회, 비대위 구성, 보건복지부 항의 방문, 90여 곳의 지역약사회에 해당 의원들을 직접 면담해 상비약 약국 외 판매의 문제점과 부당성 적극 홍보해 줄 것을 요청하는 등 조직적으로 극렬하게 반대했다. 또한, 상비약 약국 외 판매를 준비하려는 제약사 3곳을 불러 소명을 요청하는 등 실력행사를 했다. 약사법 개정 이후 판매 품목 선정 때에도 궐기대회, 자해소동 등 끊임없이 반발 중이다.

정치인들은 지역 약사들의 표를 의식하면서 국민 건강과 안전성을 이유로 일반약 약국 외 판매에 대해 반대했으며, 경실련 공개질의에서도 입장을 회피하는 태도를 보였다. 언론 인터뷰에서도 여야 가릴 것 없이 일반약 약국 외 판매를 반대했고, 당번약국의 제도 정착을 위해서 노력했다고 밝혔다.

주관부처인 보건복지부도 약사들의 반대에 소극적인 태도를 보이며, 당번약국제도 도입 등 다른 제도로 국민의 요구를 무마하려고 했다. 하지만 당시 이명박 대통령의 발언으로 급물살을 타고 정부가 개정안을 마련하는데 이르렀다. 또한 이명박 대통령은 2011년 국회 시정연설을 통해서 일반약 슈퍼판매는 의약품 가격 거품이 빠져 국민 의료비 부담이 줄 뿐 아니라 심야나 공휴일에도 약 구입이 쉬워질 것이라며 일반의약품 슈퍼 판매의 당위성을 강조하며 약사법 개정을 당부했다.

직역단체의 반대로 번번이 무산되었던 상비약 약국 외 판매 제도를 경실련이 결국 이끌어냈다. 판매되는 의약품이 성분명 지정이 아닌 품목별 지정으로 판매 품목은 한정되어 있어 당초 주장했던 수준보다는 못 미쳤다. 2012년 약사법 개정이 후 안전상비의약품 판매제도 개선은 이루어지지 않고 있다. 전국 경실련 운동으로 선포하면서 지역과 함께 실태조사, 캠페인 등 지역의 참여를 이끌어내 약사들의 극렬한 저항에 대해 일반 국민의 목소리를 효과적으로 전달하여 여론을 형성하는데 주요한 역할을 했다.

85. 의료사고피해구제법 제정 운동

1. 배경취지

　　의료서비스의 수요는 급증하고 의료사고로 인하여 수많은 피해가 발생하고 있지만 피해구제를 받을 수 있는 법적인 근거가 미흡했다. 의료사고 발생 시 의료인과 의료사고 피해자들은 스스로 능력에 따라 해결해야 하는 문제점도 있었다. 또한, 강제집행력을 지닌 조정기구나 수단이 없어 합리적인 분쟁 해결이 어려워 보건 의료인과 환자의 대립과 갈등으로 사회적 문제가 발생했다.

　　의료분쟁으로 인한 피해구제법 제정 논의는 1980년 대부터 의료단체를 중심으로 입법 요구가 있었고 1990년대에도 꾸준하게 요구가 있었다. 각계의 첨예한 이해대립으로 십 수 년 간 난항을 겪었고, 의료사고 발생 시 환자와 의료인 간의 갈등으로 방치되면서 제도의 부재로 인한 피해는 환자와 의료인 개인의 몫이었다. 국민의 생명권과 건강권 확보와 약자인 환자의 권익을 보호를 위해서 「의료사고피해구제법」 제정은 반드시 필요했다.

　　의료행위는 전문적이고 폐쇄적이어서 환자측에서 의료의 전 과정을 정확하게 인식하는 것이 거의 불가능하여 의료진 자신의 무과실을 입증하는 '입증책임전환'을 골자로 하여, 의료인과 환자 사이의 최소한의 균형을 갖추고 합리적으로 조정하는 법안이 필요했다. 당시 의원 입법과 정부 입법안은 의료사고 발생 시 의사의 과실이 추정되도록 하지 않고, 형사책임 특례, 무과실 보상 등 의사에게 유리한 조항을 두고 있어 '의사특례법'이라는 우려가 존재했다. 경실련의 「의료사고피해구제법」 제정 운동의 목적은 의료분쟁을 해결하는 수많은 방법의 하나를 더하는 것이 아니라, 의료분쟁을 쉽고, 간편하고, 신속하고, 충분하게 피해구제를 할 수 있는 실효성 있는 제도로 만드는 것

이 목적이었다.

2. 경과

1. 연대체 구성과 「의료사고피해구제법」안 마련

　　2005년 10월 <의료사고피해구제법 제정을 위한 시민연대>를 공식 출범하여 캠페인, 입법촉구 활동 등 다양한 연대활동을 진행했다. 연대는 9월부터 준비모임과 주요 쟁점을 논의하였고 2005년 11월 「의료사고피해구제에 관한 법률」이란 이름으로 청원 안을 마련하여 시민사회의 제정 청원 안에 대한 국회의원 서명 활동과 국회 보건복지위 의원을 중심으로 법안 소개를 요청했다. 청원안의 주요 내용은 '입증책임전환: 의료과실추정의 원칙을 적용', '무과실보상제도의 위헌성', '약화사고에 대해 약해기금 구축', '설명의무의 법정화, 진료기록 작성시간, 작성방법, 위변조 금지 등의 규정', '의료사고피해구제위원회 구성', '임의적 조정전치주의 채택'이다. 시민연대는 이후 법 제정이 될 때까지 연대 활동을 지속했다.

　　2006년에는 보건복지위 의원 면담, 건복지위 소속 의원 인식조사 및 분석결과를 발표의원 면담을 통해 정기국회에 실질적인 논의를 약속받았고, 법 제정을 위해 노력하는 '입법 약속 스티커'를 의원실에 부착하는 등 국회 설득 활동을 했다. 의료사고피해구제법의 주요 쟁점 살펴보고 의료계와 논의를 구체화하기 위해서 2006년 5월 의료법학회와 공동주관으로 토론회를 개최했다. 2007년 3월에는 시민연대 청원 안에 대해서 국회 보건복지위 공청회가 열려 진술인으로 참여했다.

　　의료사고 및 소송의 실태를 알리고 시민 홍보 활동에도 주력했다. 2006년 1월에는 의료소송 실태 분석 및 주요 의료사고 피해사례를 발표하는 기자회견, 4월에는 의료사고 피해자 증언대회를 개최했다. 이런 행사를 통해 피해구제를 위한 법 제정의 필요성을 주장하고 하루 속히 법 제정을 촉구했다. 이후에도 기자회견, 거리 캠페인, 등을 지속적으로 개최했다.

2) 의료사고 입증 책임 전환이 빠진 채 논의되는 「의료사고피해구제법」

　　2007년 법안이 의료사고피해구제의 핵심인 '의료사고 입증 책임 전환'이 빠진 채로 상임위를 통과하고 법안 소위에서 논의하고 있었다. 따라서 법안심사 소위와 상임위 전체 회의 참관, 보건복지위원회 전 의원실 방문, 보건복지위 위원장과 간사 면담, 법안 심사 결과에 대한

국회 항의 방문 등 법안 처리 과정에 대해서 감시했다. 의료사고 입증 책임 전환이 반드시 포함된 법 제정을 촉구했다. 결국 「의료사고피해구제법」은 17대 국회 임기가 만료하면서 법안은 폐기됐다. 2008년에는 이명박 정권의 출범과 의료사고피해구제법 제정에 찬성 입장이던 열린우리당의 해체와 분열 등 정치지형의 변화로 법제정 여건은 더욱 어려워졌다.

이후 2009년 18대 국회에 다시 청원 안을 제출했으며, 입법청원을 위한 국회의원 면담, 의원과 보좌관 등 국회 관계자 간담회. 복지부 간담회 등 설득 작업을 지속했다. 또 다시 2010년에 보건복지위원회를 졸속으로 통과한 수정 법안은 의료사고 입증 책임 전환이 빠져 국민의 뜻을 반영하지 못했다. 수정 법안에 대해 국회 법사위에 문제점을 설명하고 본래 상임위로 회부해 재검토할 수 있도록 요청하고 설득했다. 입증책임전환조항 내지 과실추정조항 삽입과 형사처벌특례, 무과실보상 삭제를 요구하는 지속적인 의견서를 제출했다.

3) 입증전환책임은 빠진 채 통과된 「의료분쟁조정법」

2011년 3월 10일 「의료사고피해구제법」(안)은 「의료사고 피해구제 및 의료분쟁 조정 등에 관한 법률(약칭: 의료분쟁조정법)」의 이름으로 제정됐다. 의료분쟁을 조정·중재하는 법안이 제정된 건 다행이지만, 의료사고피해 구제의 핵심인 과실 '입증책임전환' 빠진 채 제정 되었다. 제정된 법안의 문제점을 다시 한 번 지적하는 입장을 발표했다.

3. 각계 반응과 성과

주요 쟁점이었던 입증책임 전환에 의료계는 강하게 반대했다. 의료계는 입증책임이 의료인에게 전환된다면, 방어진료에 치중할 수밖에 없고 위험과목 전공을 기피하는 결과를 초래하여 환자와 의사 모두에게 불이익이라고 주장했다. 증거자료가 의사 측에 편중되어 있다는 지적에는 불가피한 경우가 아니면 환자에 관한 기록 열람 및 사본 교부의무가 있고 환자도 의료전문변호사, 진료기록감정을 하는 회사 등 전문가로부터 관련 사항에 대한 이해와 법적 도움을 충분히 받을 수 있다고 주장했다. 또한, 의료인과 의료기관도 사고의 인과관계를 입증하는 데 어렵고, 전문적인 영역이 의료행위만 있는 것이 아닌데 의료행위에만 과실을 책임지라는 것은 형평성 문제가 있다고 주장했다. 또한 외국에서도 명문화 하는 경우는 없다고 주장했다.

경실련을 포함한 시민연대는 치료방법의 선택이 의사 재량이고, 의료사고 여부 등을 증명할 수 있는 유일한 증거인 진료과정과 관련된 자료는 의료 공급자가 독점하고 있다고 지적했다. 의료행위는 전문성, 특수성, 폐쇄성으로 인해 의료인이 정보를 독점하게 되는 특성이 있어 환자 측에서 의료의 전 과정을 정확하게 인식하는 것은 거의 불가능에 가깝다고 반론했다. 또한, 환자 측에서 의사의 과실 및 그 과실과 손해 발생 사이의 인과 관계를 입증한다는 것은 매우 어렵고, 더욱이 의료사고 피해자나 보호자의 증언은 대부분 비전문가의 의견으로 받아들여지지 않기 때문에 전문적인 지식이 요구되는 의료사고 자체의 특성상 의료공급자의 무과실 입증이 반드시 선행되어야 한다고 주장했다.

법조계도 입증의 어려움, 증거편재, 의료사고 감정의 불공정성, 소송지연, 소송비용 부담 등으로 인하여 환자들이 권리구제를 받기 어려운 점을 고려할 때 의료진이 과실이 없음을 입증하도록 하는 것이 바람직하다는 의견을 제시했다.

책임 부처인 보건복지부는 입증책임 전환에 대해서는 환자의 입증의 어려움을 완화하려는 제정안 취지에는 공감하지만, 입증책임은 전환은 환자와 의사 모두에게 불이익이라는 의견을 갖고 있었다. 복지부가 대안으로 환자 측을 대신하여 전문적인 감정을 수행하는 별도 기구 설치가 환자와 의료인 모두에게 도움이 될 것이라고 주장했다.

쟁점이 첨예한 상황에서 2005년 경실련의 주도로 시민연대를 출범하여 법이 제정되기까지 지속적인 입법안, 의견서를 제출하고 다양한 시민대상 캠페인 활동을 펼쳐 온오프라인 국민 서명을 일만여 명 받았다. 의료분쟁 조정을 위한 별도의 법안이 제정되고 한국의료분쟁조정중재원이라는 특별기구가 설립된 것이 성

과이다. 다만 경실련의 핵심 주장이었던 의료 과실 입증 책임 전환을 법에 명시하지 못한 점은 한계로 남았다. 그러나 이러한 일련의 시민운동 영향으로 2011년 진료기록부 거짓작성 시 징역형 등을 처할 수 있도록 의료법이 개정되고, 2015년 환자안전법이 제정되는 계기가 되어 의료사고를 줄이는데 큰 기여를 하였다.

86. 장기요양보험 제도개선 운동

1. 배경 및 취지

인구고령화, 여성의 사회활동 증가, 가족구조 및 가족에 대한 가치관 변화와 같은 인구사회학적 변화와 만성질환자 및 치매환자의 수 증가, 노인의 사회적 입원으로 인한 노인의료비 증가 등 보건의료적 변화로 인하여 새로운 사회적 위험이 대두되면서 노인장기요양제도 도입 필요성에 관한 논의는 1990년 후반부터 시작되었다. 특히 2000년 우리나라의 65세 이상 인구가 전체 인구의 7.2%를 넘고 이후 인구고령화가 빠르게 진행되면서 경실련을 포함한 시민단체들은 국가와 사회가 함께 책임지는 노인요양보장제도 도입에 적극적으로 동의했다.

제도 설계 당시부터 엄격한 대상자 선정 기준으로 인한 대상자 범위, 공급자의 난립, 인력 수급, 협소한 요양서비스 종류 등에 관한 우려가 제기되었다. 이로 인하여 '요양보장'이라는 말이 무색할 정도로 제도적 틀만 있고 보장내용은 너무 제한적이라는 비판의 목소리가 컸다. 시민사회단체와 가입자 단체는 민간요양기관이 아닌 공적 전달체계 구축, 장애인을 포함한 대상자 확대, 종사자들의 고용안정과 적정임금 보장, 일원화된 교육시스템 구축

등을 요구하고, '사회보험'이 아닌 '사회보장'으로 확대하여 대한민국 국민이면 누구나 장기요양제도를 통한 서비스를 받을 수 있어야 한다고 주장했다. 그러나 정부는 3차례의 시범사업을 거쳐 '보험료 부담만 있고 서비스는 없는 제도'가 될 수 있다는 국민의 우려에도 불구하고 2008년 7월 다섯 번째 사회보험인 노인장기요양보험제도를 시행하였다.

노인장기요양보험이 도입된 지 11년이 지난 2019년 현재까지 긍정적인 성과를 이루었으며, 제도적으로 많은 발전을 해왔다. 그럼에도 불구하고 제도 도입 초기부터 제기된 일부 장기요양기관들의 도덕적 해이, 종사자들의 고용불안과 저임금, 부족한 공공시설, 지역 간 불균형 문제 등은 여전히 해결되지 않고 있기에 시민단체들의 장기요양보험제도 개선운동은 여전히 현재 진행형일 수밖에 없다.

2. 경과

1) 제도 도입 이전의 공론화 과정

노인장기요양보장제도를 도입할 계획이 처음 발표된 것은 2001년 대통령 광복절 경축사에서였다. 이후, 2003년 대통령 인수위에서 『공적노인요양보장제도』를 도입할 것을 발표한 이후 『공적노인요양보장추진기획단』과 『공적노인요양보장제도 실행위원회』를 거쳐 노인요양보장제도 시안을 구체화했다. 2005년 5월 23일 당정 협의를 거쳐 정책추진방안을 결정하고 정부기관 내 '노인요양보장추진단'을 구성하였으며, 정책자문기구로 『노인요양보장제도 운영평가위원회』와 시범사업을 관리 점검하는 『시범사업 운영평가단』을 설치하여 운영했다.

노인요양보장제도 시행을 위하여 2005년에 「노인수발보장법」 제정에 관한 논의가 시작됐다. 장기요양인프라가 부족한 상황에서 시범사업을 충분히 시행하고 안정적인 상태에서 제도가 도입되어야 함에도 불구하고 시범사업을 실시한 지 4개월 만에 입법예고를 한 것에 대하여 시민단체들은 제도 실행 의지에 의구심을 제기했다. 성급한 제도 도입보다 국민의 합의와 의견을 최대한 반영하기를 지속적으로 요구했다.

2006년 법 제정안이 발의되자 시민단체는 노인수발보험제도가 '사회보험'을 통해 국민에게 보험료 부담을 주고 재정의 공공성만을 달성했을 뿐 급여대상의 범위는 여전히 협소했으며 부족한 장기요양기관과 인력, 그리고

사진으로 보는
경실련 30년

I. 경실련의
창립과 활동

II.
경실련 30년
활동의 성과

III. 지역경실련의
활동과 성과

IV. 경실련과
시민사회의 미래

서비스 체계구축에서는 요양서비스의 공적 기능 확보에 실패할 것이라는 우려를 표명하고 제도의 재설계를 강하게 요구했다.

2) 「노인장기요양보험법(안)」통과 이후 제도 보완 촉구

「노인장기요양보험법(안)」은 2007년 4월 제도의 재설계 없이 국회를 통과했다. 경실련은 가입자단체들과의 연대를 통해 운영모델에 대한 문제의식을 공유하고 의견을 나눴다. 또한 국민을 대변하는 시민단체로서 다른 가입자단체들과 장기요양의 수가 등 중요한 정책을 결정하는 장기요양위원회와 장기요양실무위원회에 참석하여 제도 보완에 주안점을 두고 활동하였다. 제도 발전을 위하여 가입자단체들과의 꾸준한 연대를 통하여 2019년 현재까지 장기요양위원회 대응 전략과 운영 방향에 대해서 함께 논의하고 공급자 단체에 대응해왔다.

2008년 장기요양보험 시행 이후 지금까지 경실련에서는 정책토론회나 포럼 등에 참여하여 제기된 문제점을 지적하고 제도개선을 위하여 노력해왔다. 특히 제도가 도입된 2008년에는 장기요양보장제도의 요양보호사 양성과 문제점을 점검하고 제도개선 과제를 도출하기 위해 재가요양협회, 노인복지협회 등 유관기관들과 실태 점검 간담회를 가졌다. 또한, 전문가 워크숍을 통해 노인장기요양보험 요양보호사 교육 및 양성에 대한 문제점 및 제도개선 과제를 논의했다. 2008년에는 당사자와 전문가 간담회를 통해 논의된 내용과 16개 시도 정보공개청구를 통한 현황 분석한 자료를 근거로 요양보호사 양성 교육기관의 무분별한 난립과 과다한 요양보호사 배출 등 문제점과 개선 방향을 제안하는 의견서를 보건복지부에 제출했다. 2009년에는 '장기요양 보험 대상자' 확대 촉구 기자회견, 2010년에는 노인장기요양제도 평가 및 요양보호사 문제점 개선 촉구 토론회, 2011년 장기요양기관 경영평가 및 수가 개선 의견서 제출 등 제도개선을 위한 활동들을 지속했다. 무엇보다 공공성 강화, 시설운영의 투명성 확보를 위한 회계 투명성 확보, 종사자 처우 개선, 장기요양기관 재무회계기준 도입 촉구 등을 요구하는 개선과제를 제시했다. 장기요양기관 평가제도의 실효성을 높이기 위해서, 건강보험공단 장기요양기관 평가결과 보고서를 토대로 장기요양기관의 법적 기준 미준수 현황 및 법적 기준 미준수 의심현황을 파악하여 장기요양 기관의 실태를 드러내는 분석자료도 2015년에 발표했다. 현재도 경영 투명성 확보를 위한 재무회계기준 준수, 공공시설 확충, 종사자 처우 개선 등 지속적인 정책개선을 촉구하고 있다.

3. 각계 반응과 성과

경실련을 비롯한 여러 시민단체, 노조, 경총 등 가입자단체는 수급자 범위의 협소성, 기관 난립으로 인한 서비스질 악화, 왜곡된 인건비 전달체계, 본인 부담 문제, 국가의 미비한 재정지원, 의료 및 재활서비스와의 미흡한 연계 등 장기요양보험 제도의 문제점에 대해서 비슷한 입장을 갖고 있다. 개선방안에 대해서도 공공성 확대, 국가 재정지원 확대, 장기요양기관 평가 기준 강화, 장기요양기관의 경영 투명성 확보 등 비슷한 입장을 보이고 있다. 따라서 수가 협상, 제도개선에 대해서도 연대하여 대응하고 있다.

장기요양기관 등 공급자들은 가입자 단체와는 반대 입장을 보이고 있다. 기관들은 경영상의 어려움, 사유재산 등의 이유로 평가 기준 강화, 재무회계규칙 도입 등에 반대하고, 서비스질 강화, 인건비 전달체계 개선을 위해서 수가 인상 등을 요구하였다. 하지만 경영상의 어려움을 입증할 재무회계 공개 등은 거부하고, 서비스 개선을 위한 자체적 노력은 미흡하다. 이로 인하여 가입자와 공급자 간 매년 진행되는 장기요양위원회 협상은 어려움을 겪는 상황이 반복되고 있다. 2018년 장기요양위원회에서도 재무 회계 사무비용 보전 문제로 가입자와 공급자 간 격렬한 이견을 보였고, 결국 2년 한시 도입으로 합의되었다.

경실련은 장기요양 제도 설계 당시부터 제도 도입이 11년이 지난 지금까지 수많은 토론회와 포럼 등에 적극적으로 참여하며 제도개선을 위하여 지속적으로 강하게 의견을 개진하고 있다. 또한 보건복지부의 장기요양위원회 위원으로 참여하여 장기요양기관의 투명성 확보를 위한 재무회계기준 도입, 종사자 처우개선

등 장기요양서비스 내실화를 위하여 다른 가입자 단체들과 함께 목소리를 내고 있다. 이밖에도 국민건강보험공단의 장기요양급여심사위원회, 장기요양기관 평가위원회 등 여러 위원회에 적극 참여하여 서비스의 질 향상과 제도 개선을 위하여 노력하고 있다. 하지만 공공시설 확충, 신체기능 위주로 설계된 등급판정체계 개편, 인력 배치기준 합리화, 여전히 불충분한 종사자 처우 개선, 장기요양기관의 부정불법 수급, 가족수발자들을 위한 사회보장 혜택 등 개선되고 해결되어야 할 문제점은 아직도 남아있다. 향후 장기요양서비스가 공급자 중심에서 장기요양 욕구를 가진 수급자 중심으로 바뀌어 돌봄을 필요로 하는 노인들의 삶이 질이 보장될 수 있도록 장기요양보험 제도 개선 운동의 방향과 역량을 집중해야 할 것이다.

87. 건강보험료 부과체계 개편 대응 운동

1. 배경취지

국민건강보험제도는 전 국민을 대상으로 국가에 의해 시행되는 공보험이다. 공보험의 보험료는 경제적 능력에 따라 부과되는 것이 원칙이다. 국민건강보험제도는 도입 초기부터 409개의 직장의료보험조합과 지역의료보험조합이 별도로 운영되다가 2000년에 관리운영체계가 하나로 통합되었다. 하지만 건강보험료 부과체계는 하나로 통합되지 못하였고 기존 방식대로 직장가입자와 지역가입자로 이원화체계가 그대로 유지되었는데 직장가입자 보험료는 근로소득에 일정률을 부과하였고, 지역가입자 보험료는 종합소득과 재산, 자동차, 성별, 연령 등에 보험료를 부과하였으며, 특히 소득과 재산 자료가 미흡한 지역가입자에 대해서는 평가소득에 근거하여 보험료가 부과되었다.

직장 가입자에게는 소득에 대해서만 보험료를 산정하고 지역가입자에게는 재산과 자동차, 성별, 연령까지 포함하여 보험료를 부과하여 지역가입자가 상대적으로 불이익을 당하는 경우가 많았다. 연금소득자의 피부양자 무임승차 문제와 직장가입자 내에서도 근로소득에 보험료를 부과하고 금융소득, 임대소득, 기타소득 등 종합소득에는 넓은 면제 범위가 있어 부과 형평성 문제가 지속적으로 제기되었다. 직장에서 퇴직하여 지역가입자로 전환되면 월급이 없어졌는데도 보험료가 인상되는 등의 문제가 속출하였다.

건강보험료 부과체계는 2000년 관리운영체계의 통합 이후 지속적인 개편 요구에도 불구하고 통합 당시의 틀이 유지되었는데, 2014년 소득이 없어 생활고에 시달리던 송파 세 모녀가 스스로 목숨을 끊는 사건이 발생했다. 송파 세 모녀에게 월세 주택을 재산으로 간주해 월 4만 8천원의 건강보험료가 부과된 사실이 드러나면서 지역가입자 보험료 부과문제가 사회적으로 여론화되면서 부과체계 개편 요구가 확대되었다. 아울러 당시 건강보험공단 김종대 이사장이 자신이 퇴직 후에 고액재산과 높은 연금소득에도 불구하고 아내의 피부양자로 등록하면 건강보험료를 내지 않는 무임승차가 가능하다고 폭로하면서 불합리한 건강보험료 부과체계의 실상이 알려지게 되었다.

정부는 건강보험의 불평등한 부과체계 문제를 인지하고 있었으나, 자영업자의 소득파악률이 낮다는 이유로 소득 중심 부과체계로의 개편에 미온적 태도를 보였다. 불공평한 보험료 부과체계는 건강보험제도에 대한 불만과 불신으로 이어져 제도 운영의 안정성을 위협할 수 있으므로 부과체계 개편은 더는 미룰 수 없는 과제가 되었다. 경실련은 가입자별 이원화된 부과기준에 따른 보험료 부과의 불공평 문제를 제기하고 '경제적 능력에 따른 부과'라는 사회보험료 부과원칙을 회복하기 위해 가입자 구분을 없애고 소득 중심으로 부과체계를 개편할 것을 주장했다.

2. 경과

1) 건강보험 부과체계 문제와 대안 제시

경실련은 2012년 대통령선거 후보자가 건강보험료 부과체계 개편을 정책공약으로 채택하도록 경실련 개혁

370

371

II. 경실련 30년 활동의 성과

사진으로 보는
경실련 30년

I. 경실련의
창립과 활동

II.
경실련
활동의 성과 30년

III. 지역경실련의
활동과 성과

IV. 경실련과
시민사회의 미래

과제를 제시하였다. 직장가입자 보험료 부과의 형평성, 보험료 납부능력이 있는 피부양자 무임승차 문제, 지역가입자의 불합리한 부과문제를 제기하고, 소득 중심으로 부과체계를 일원화할 것을 요구하였다. 박근혜 후보는 소득 중심의 단일기준에 따라 지역가입자와 직장가입자의 일원화에 찬성한다는 입장을 밝혔으나 당선 후 국정과제에는 소득기반 확대, 재산·자동차 부담완화 등 소득중심 부과체계로 단계적 개편을 제시하여 후퇴하는 입장을 보였다. 경실련은 박근혜 정부에 건강보험 보장성 강화 및 건강보험료 부과체계 개편 이행을 촉구하고 공론화하기 위해 정책토론회를 개최하였다.

2) 건강보험료 불공평한 부과체계 실태 드러내기

건강보험료 부과체계 문제는 제도가 복잡하여 문제점을 일반 시민에게 알려 공론화하는 데 어려움이 있었다. 송파 세 모녀 사건과 건강보험공단 이사장의 폭로로 지역가입자 부과문제와 피부양자 무임승차가 공론화되면서 부과체계 개편에 대한 사회적 분위기가 조성되었다. 불공평한 부과체계 실태 폭로운동을 진행하였다. 피부양자 기준이 허술하여 고액의 재산 보유자와 연금소득자가 피부양자로 적용되어 보험료를 내지 않는 무임승차 문제를 발표했다. 피부양자 제도는 무소득 자녀와 배우자 등 가족을 위한 제도이나 대상 선정기준이 느슨해 최대 연소득 7,000만원 소득자도 보험료도 내지 않는 문제점을 지적했다. 둘째는 송파 세 모녀 사건이 단적인 예인 저소득 지역가입자의 장기체납 문제도 지적했다. 저소득 지역가입자 장기체납은 건강보험 이용이 제한되는 등 의료 사각지대 문제도 연동된다. 마지막 문제는 직장가입자의 보험료 면제 문제이다. 직장가입자는 근로소득에 보험료를 부과하고, 근로 외 소득에는 연 7200만 원을 초과해야 추가로 부과하는데 정부 고위공직자의 재산공개 소득 자료를 토대로 보험료 면제 실태를 알아본 결과, 우병우 전 민정수석의 경우 예금이자소득이 연 4700만원 발생이 예상되나 보험료는 면제되는 것으로 드러났다. 실태조사를 통해 건강보험료 부과체계의 불공평함을 적나라하게 드러냈고, 가입자 구분을 없애고 소득 중심으로 보험료를 개편할 것을 촉구하였다.

3) 건강보험 부과체계 개편안 대응

2017년 1월 23일 정부는 "서민의 부담을 줄이고 형평성을 높이기" 위한 건강보험료 부과체계 개편방안을 발표했다. 정부의 개편방안은 소득의 비중을 높여 3년 주기로 3단계에 걸쳐 개편하겠다는 내용이 주요 골자였다. 정부의 개편방안은 그간 형평성 논란이 있는 문제점을 적지 않게 개선했다. 관리운영체계의 통합 이후 17년 만에 지역가입자에 대해 성과 연령에 따라 보험료를 부과하던 방식을 폐지했고, 금융소득 등 소득이 있지만 직장 가입자의 피부양자로 등록되어 건강보험료를 내지 않던 사람들을 지역가입자로 전환해 건강보험료를 부과하는 방안을 마련했다. 하지만, 3년 주기로 3단계로 나누어 시행하겠다고 밝혀, 근본적인 문제점은 계속 남게 되었다. 이러한 단계별 시행은 저소득 지역가입자의 고통보다는 고소득자의 보험료 부담을 지나치게 고려한 대책이었다.

늑장 부리는 개편안에 대한 비판과 3단계 개편방안을 일괄 추진하고, 이후에는 가입자 구분을 없애고 소득 중심으로 일원화할 것을 요구했다. 국회에 의견서를 제출하고 보건복지위 소속 국회의원에게 공개질의와 기자회견을 통해서 제대로 된 방안으로 신속히 개편할 것을 압박했다. 이후, 국회 논의에서 경실련 등 시민사회단체의 요구가 부분적으로 반영되어 당초 복지부의 3단계 개편안에서 2단계 개편안으로 축소되어 통과되었고, 2018년 7월 1일부터 1단계 개편안이 시행 중이다.

3. 각계 반응과 성과

건강보험료 부과체계 형평성 문제는 제도개선의 시급성에도 불구하고 복잡성으로 인해 쉽게 여론화되지 못했고, 제도개선 논의도 부진했다. 그러나 '송파 세 모녀 사건'을 계기로 지역가입자 보험료 부과 문제와 특히 취약계층에는 더욱 심각한 문제를 야기한다는 점을 인식시키게 되었고, 이러한 사회적 여론이 정부의

미온적 태도를 바꿔 불합리한 제도를 개선할 수 있는 계기가 되었다. 여론은 조성되었지만 정치권에서는 부과체계 실태를 제대로 파악하지 못해 제도 개선에 대한 방향을 올바르게 설정하지 못했고, 시민사회 내에서도 소득과 재산에 모두 부과해야 한다는 의견도 있어 한목소리를 내는 데 한계가 있었다.

경실련은 2000년 건강보험 관리운영체계 통합 당시 소득파악이 낮다는 이유로 기존 이원화된 부과체계가 변화 없이 유지되었던 보험료 부과체계를 소득 중심으로 일원화한다는 방향성을 제시하였고 결과적으로 소득 중심의 부과체계가 일부 개편된 것은 커다란 성과이다. 복잡한 부과체계 개편문제를 공론화하기 위해 고위공직자와 고소득자 등 기득권층에는 부과 혜택이 부여되고, 저소득 취약계층에는 과도하게 부과되는 실태를 드러내 제도 개선의 필요성을 공론화한데 큰 역할을 하였다.

하지만 정부는 9년에 걸친 단계적 개편안을 발표하였고 당시 여당이 개편에 부정적이거나 소극적인 태도로 일관했다. 국회를 지속 압박하여 정부 개편안의 시간을 단축하는 합의안을 도출해냈다. 일괄추진, 완전한 소득중심 부과체계 등 후속 논의가 이루어지지 못한 것은 한계로 남는다.

88. 메르스 피해구제 활동

1. 배경취지

2015년 5월 20일 국내 첫 메르스(MERS·중동호흡기증후군) 확진 판정 이후, 사망 38명, 확진 186명, 격리 1만 7천여 명이라는 엄청난 피해가 발생했다. 확진으로

인한 직접적 피해뿐 아니라 상권 침체, 격리자가 겪어야 했을 고통 등 사회경제적 손실 추산액은 몇 천 억 원에서 몇 조 원까지 정확한 파악은 불가능하다. 메르스 유행 당시 국민은 서로를 경계하며 메르스 감염 위험의 불안과 공포에 떨어야 했다.

국가의 무능력하고 무책임한 모습에 국민은 더욱 분노했다. 메르스 감염이라는 국가적 비상 상황에서도 정부의 안일한 인식과 초기 대응은 부재했다. 국가의 방역 지휘체계는 엉망이었고, 민간병원을 적극 통제하지 못했다. 메르스 전염력에 대한 잘못된 판단으로 초기 감염 의심자를 관리하지 못했고, 조기 검진과 치료를 적극적으로 실시하지 않아 피해는 더욱 퍼졌다. 국가는 초기 감염자와 의심자에 대한 추적 관리를 실패했고, 의료기관의 환자 감소와 이미지 훼손을 우려하여 감염병 발생병원을 신속하게 공개하지 않아 메르스 확진 환자와 격리자를 증가시켰다. 심지어 우리나라 최고의 시설과 인력을 자랑하는 대형 민간병원의 의료진이 슈퍼전파자가 되는 황당한 상황까지 발생했다. 이로 인하여 결국 모든 의료기관에 대한 불신과 환자 격감을 초래했다.

메르스 확산의 주요 원인은 감염병에 대한 정부의 안일한 인식과 초기 대응의 부재 등 취약한 공공의료체계였다. 또한, 의료기관의 자만과 병원 감염을 지역사회 감염으로 왜곡시키고 의료과실 책임을 회피하려는 안일한 태도였다.

정부의 잘못된 정책판단과 부실한 방역체계로 인한 피해는 고스란히 국민에게 돌아왔다. 건강했던 사람이 오히려 병을 치료하는 병원에서 메르스에 감염돼 목숨을 잃었다. 감염자의 가족은 격리됐고, 사랑하는 가족을 지켜보지도 위로하지도 못한 채 장례조차 제대로 치르지 못하고 떠나보내야 했다. 또한, 감염환자의 가족이라는, 같은 병원에 있었다는 이유로 사회의 따가운 시선을 감내해야 했다.

메르스 사태는 국가의 부실한 감염병 관리체계와 공공의료 부재라는 우리의 부끄러운 보건의료 현실이 그대로 드러난 것이다. 국가가 국민의 안전과 생명이 직결된 역할을 제대로 수행하지 못하면, 우리 사회의 엄청난 피해와 사회경제적 손실이 발생하고 이는 고스란히 국민에게 전가된다는 교훈을 주었다. 감염병 발생과 같은 국가적 의료재난 상황에 대한 대비책은 선택이 아닌 필수이며, 국가는 적절한 공공의료 시설과 인력을 확보하고 체계를 정비할 의무와 책임이 있다. 경실련은 국가의 무책

사건으로 보는
경실련 30년

I. 경실련의
창립과 활동

II.
경실련 30년
활동의 성과

III. 지역경실련의
활동과 성과

IV. 경실련과
시민사회의 미래

임한 행태에 법적 책임을 묻고 국가가 의료재난 상황 대비와 공공의료 시설 확보를 요구하였다.

2. 경과

1) 피해자 손해배상 청구 공익소송과 보건정책 책임자에 대한 법적 조치

국민의 생명 보호의 의무를 제대로 하지 않은 국가에 대한 책임을 묻고, 이로 인한 피해자를 구제하기 위하여 피해자를 모집하여 2015년 7월 9일 3건의 1차 공익소송을 진행했다. 정부와 지자체에는 감염병 관리 부실, 공공의료체계 미흡의 책임을 묻고 병원에는 병원 감염관리 규정 위반, 조기진단과 사후 적극적 치료를 하지 않은 점 등의 책임을 물어 손해배상을 청구했다. 이후 피해자들의 피해 상담 문의가 많아 추가 피해자를 모집하여 2015년 9월 10일 10건의 2차 공익소송을 청구하여 총 13건의 공익소송을 제기하였다. 1, 2 차 13건의 공익소송의 원고는 메르스 감염 사망자 또는 확진자 및 격리자를 포함하여 총 49명이었다. 또한, 메르스 확산이 마무리되어 갈 2016년 1월, 초동대응 부실과 정보비공개로 인한 확산방지 실패 등의 책임을 물어 당시 문형표 보건복지부 장관에게 직무유기 혐의로 고발하였으나, 혐의없음으로 불기소처리 되었다.

2) 공익소송의 일부 승소

메르스 공익소송은 현재도 진행 중이며 대다수의 재판 결과는 국가 잘못이 없다고 판결했다. 피해자들은 정신적 고통, 소송비용과 시간 등의 부담으로 소송을 포기했고, 대법원에서는 청구인용과 청구기각 판결 등 다양한 선고가 있었다. 인용된 판결(원심 서울중앙지법 2018. 2. 9. 선고 2017나9229 판결)은 국가 및 병원의 감염병관리 주의의무 위반과 사망과 인과관계가 있다고 인정하였다. 또한, 외과 골절로 입원 후 병원에서 감염된 환자의 경우 2019년 3월 14일 대법원에서 최종 승소했다.

3. 각계 반응 및 성과

공익소송을 통해 피해구제 활동을 하겠다고 밝혔을 당시, 많은 피해자가 하소연 또는 소송 문의가 줄을 이었다. 대부분 피해자는 국가와 병원의 잘못으로 감염되거나 격리되었는데 고통을 오롯이 피해자들이 견뎌야 하는 점에 대해서 힘들어했다. 또한, 피해자들의 억울함과 주변의 따가운 시선이 가장 고통스럽다고 하소연했다. 격리로 인하여 가족이 죽음을 맞이하는 순간도 함께 하지 못한 비통함도 하소연했다. 공익소송 제기 기자회견 당시 직접 참여하여 비통한 심정을 전하기도 했다.

1차 공익소송 제기 당시 언론의 반응은 뜨거웠다. 국가의 초기 대응이 부실하여 사태가 확산했지만 책임을 묻는 이가 없었다. 피해자를 모집하여 손해배상청구 소송까지 이어진 점에 언론은 주목하였다. 당시 세월호 참사로 인하여 국가의 재난관리 능력에 대해서 비판이 많았으나, 능력은 나아지지 않고 재난이 반복해서 발생하는 점에 언론과 국민은 분노했다. 사태가 진정 된 이후에도 방역체계, 공공의료체계 개선에 대한 노력보다는 경영의 어려운 의료기관에 보험 급여 선지급, 피해 보상액 지급 등 손해보전에만 노력하였다. 또한, 메르스 사태의 책임을 의료기관의 부주의로 떠넘겨 급기야 삼성 이재용 부회장이 직접 사과하는 광경도 벌어졌다.

메르스 사태로 인한 인적 물적 피해가 컸던 원인은 정부의 부실한 감염병 관리체계 및 운영의 문제임을 규정하였고, 소송을 통해 메르스 사태에 국가의 책임이 있음을 명확히 했다. 민간 의료중심의 보건의료체계의 한계를 드러내고 경실련의 핵심 주장인 공공의료 인력과 시설 확충의 필요성을 여론화하고 감염병 대책 수립 강화에 목소리가 실린 계기가 되었다. 소송 이외의 후속 대책을 마련하지 못했고, 소송 진행 과정을 모니터링이 미흡해 시민의 피해구제 활동을 홍보하거나 확대하지 못한 것은 한계점이다.

89. 폐기물 에너지화사업의 정상화 운동

1. 배경과 목적

우리나라의 폐기물 처리정책이 단순 매립에서 소각으로 변화했음에도 다이옥신이 발생하는 문제가 드러나자 정부는 폐기물의 에너지화를 추진하였다. 정부의 정책변화는 원유가격 상승에 따른 신 재생에너지 확보 시급, 에너지의 97%를 수입에 의존하고 있는 화석연료의 대체, 기후변화협약에 따른 온실가스 감축의무, 런던협약 수산물 안전을 위한 해양배출기준 강화, 지속가능 발전 및 자원순환형(Zero Waste) 사회를 위한 폐기물관리체계 전환의 필요성 때문이었다. 환경부의 새 폐기물 처리는 "폐기물을 소각 또는 매립 전에 기계적 또는 생물학적 전처리과정을 통하여 재활용 가능 자원을 회수함으로써 매립지 안정화 및 수명연장, 재활용 촉진"의 전처리시설(MBT, Mechanical Biological Treatment)로, 2007년부터 4개의 시범사업을 추진하고 이 사업의 성과를 토대로 전국적으로 확대할 계획이었다. 그리고 2008년 8·15 경축사에서 이명박 대통령은 '저탄소 녹색성장'을 새로운 국가비전으로 선포한 이후 환경부는 지방자치단체들이 추진하는 소각장 건립을 전면적으로 취소하면서 에너지 자립율 향상, 화석연료대체 온실가스감축 등 기후변화 대응, 일자리 창출, 신성장동력 확보를 위해 2013년까지 고형연료화시설(RDF) 20개소 RDF발전시설 10개소 바이오가스 등 48개 시설 건설에 2.7조원을 투입한다고 발표하였다.

경실련은 정부의 폐기물의 자원화정책이 자원재활용 및 최종 폐기물의 매립량을 줄일 수 있다는 점에서 긍정적으로 판단하였지만 추진 방식을 우려하였다. 환경부는 자원순환정책에 부합하고 경제성 있으며 선진국에서 일

반화되어 있는 전처리시설(MBT)이 아니라 유기성폐기물의 안정화를 위한 생물학적(BT) 처리를 배제하고 폐기물을 전기 및 가스를 사용하여 건조하는 기계적(MT) 처리공법을 지방자치단체들(인천, 부천, 부안, 원주, 부산, 대전, 대전, 가평, 나주, 순천, 목포, 포항, 영주 등)에 권고하였고, 일부 시설을 민간투자방식으로 건설하여 과도한 공사비 및 이용 수수료로 자치단체들의 예산 낭비가 우려되었다. 자칫 전처리 방식의 차이로 인해 변형된 소각장처럼 된다면 저탄소 녹색성장이라는 정부의 정책기조와도 배치되고, 기후변화협약에 효과적으로 대응하지 못할 우려가 있었다. 이에 경실련은 환경부가 조급하게 서두르기 보다는 친환경적인 기술 및 공법의 개발과 검증, 시설의 설치비용을 최소화하는 방향으로 전환할 것을 제안하였다.

2. 운동의 전개

순천·목포경실련이 처음 폐기물 에너지화사업의 심각성을 제기하였다. 환경부는 전남의 나주시·목포시·순천시에 고형연료제조시설을 짓고 이를 나주혁신도시의 RDF발전소에서 처리할 계획이었다. 경실련은 폐기물 에너지화사업이 빠르게 추진되고 있어 정보공개청구로 문제를 분석하고 지역사회의 여론에 호소하기로 하였다.

정보공개청구와 국회의원실을 통해 확보한 자료를 분석한 결과 정부의 사업의 문제점은 폐기물을 화석연료(전기, LNG, B-C유)를 사용하지 않거나 최소화 하여 현재 보다 현저히 낮게 탄소배출을 감축하여 화석연료 대체 효과를 갖게 되는 녹색기술 개발이 아니라는 점, 고형연료제조는 폐기물을 유기물과 가연물을 선별한 후 유기물을 생물학적 처리로 안정화시켜 가연물과 혼합하여 성형하는 데 특히 중요한 함수율을 실제는 35~50% 수준임에도 20%로 설계하여 만약의 경우 함수율이 높은 폐기물이 반입된다면 유기물 가연물의 선별효율 저하, 악취 발생, 연료 발열량 저하, 유기물로 선별된 가연물의 매립량 과다 등의 우려, 그리고 UN기후변화방지기구(UNFCCC)가 신에너지는 '기존의 화석연료를 변환시켜 이용'하는 것이므로 본질적으로는 화석연료(석탄, 석유, 천연가스 등)로서 지구온난화에 기여하지 못하기 때문에 정부의 RDF제조방식은 생분해성이 없어 국제적으로 인정되거나 CDM(Clean Development Mechanism)을 획득하기 어려운 것으로 분석되었다. 위와 같은 사실

사진으로 보는
경실련 30년

I. 경실련의
정립과 활동

II.
경실련 30년
활동의 성과

III. 지역경실련의
활동과 성과

IV. 경실련과
시민사회의 미래

을 외면한 채 환경부는 시범사업이 진행 중임에도 검증되지 않은 기술을 국가기술표준으로 삼아 지방자치단체에 권고하면서 강행하여, 이 사업이 실패할 경우 폐기물 대란이 우려되었다.

위와 같이 폐기물 에너지화사업을 분석한 후 경실련은 중앙위원회(2009.8, 2010.2, 2010.8)에서 전국 경실련 공동사업으로 선정하고 '폐기물에너지화사업 대응 TF'를 구성하여 대응하였다. 먼저 2009년 9월 국회환경노동위원회의 후원으로 환경운동연합 환공과공해연구회와 함께 '저탄소 녹색성장과 폐기물 에너지화정책의 방향' 토론회를 개최하여 이 사업의 심각성을 알렸다. 이후 환경부 및 지방자치단체와 수차례 정책간담회, 시범사업지인 수도권매립지 현장 방문, 폐기물 관련 조합 및 사업자와 간담회, 목포와 순천경실련 주최 10여회의 지역 토론회와 기자회견, 신문과 방송 인터뷰 등을 전개하면서 정책 전환을 촉구하였다. 그럼에도 정부는 예정된 일정에 맞춰 사업을 진행하였다.

한편 경실련은 환경부의 폐기물 에너지화사업의 실적을 평가하기 위해 수도권 매립지 시범사업을 분석하였다. 그 결과, 건설기간은 4개월 지연(시험가동만 8개월), 시설 가동 일 중 정상가동은 46%, 폐기물 처리량은 목표의 43.3%, 고형연료 생산량은 목표의 16.6%, 함수량은 예측보다 4배 높고, 유기물 매립량은 설계보다 10.9% 많고 총 매립비율 52%, 톤당 RDF제조비용은 5천 원짜리 연료생산에 10.4만 원 투입, 운영수입은 수익률 목표의 3.5%, 운전시간은 목표 시간의 67.3%에 불과하였다. 환경부의 시범사업 중 강릉은 처음부터 시작되지 못하였고, 부천은 악취, 가동중단 등 수년간 민원이 발생하였다. 그럼에도 환경부는 수도권매립지 1단계 본 사업을 발주하였다. 이에 경실련은 이사업의 문제들을 지적하면서 2011년 11월 환경부 수도권매립지관리공사 일부 지방자치단체 등을 대상으로 감사원에 감사청구를 하였다. 또한 환경부가 폐기물에너지화사업의 실패를 보완하기 위해 RDF를 SRF로 전환하고 외국의 쓰레기와 고형연료를 수입하려는 '자원의 절약과 재활용 촉진에 관한 법률' 개정안에 반대 의견서를 제출하였다. 전남지역의 시설을 분석한 결과, 순천시는 RDF생산량은 계획의 절반 수준이고, 민간투자사업자의 자본잠식으로 시설의 가동과 중단을 반복하며, 톤당 5만 원짜리의 연료생산을 위해 20만원의 수수료를 지불하는데 이는 과거보다 10배 비싸다. 목포시는 시설의 정상 가동이 어려운 여건이고, 나주혁신도시 고형연료시설과 발전시설의 악취, 먼지 등으로 주민들이 시설 운영을 반대하여 소송중이다.

3. 각계의 반응 및 성과

국회 예산정책처는 '폐자원에너지화사업 평가' 보고서에서 정부가 RDF사업의 경제적 타당성 을 3.5배 이상 부풀리는 등 면밀한 검토 없이 사업을 확대하고 있다며 재검토해야 한다고 밝혔다(2010.9). 감사원은 경실련의 감사청구와 사업실태 점검 결과를 발표하면서, 환경부가 고형연료 제조시설 건립을 경제성에 대한 고려 없이 추진해 177억여 원을 낭비했으며, RDF시설 위주로 추진된 기존의 계획을 재검토하도록 지시했다(2012.3). 한겨레신문은 "'폐기물 에너지화' 시험가동만 6개월째"라는 제목으로 정부 269억 들인 수도권매립지 사업 진전 없는 예상낭비 우려를 지적하였고(2010.3), 내일신문과 뉴시스는 "정부의 폐기물전처리시설 설치가 논란이 있어 수정이 필요하고, 수도권 매립지 사범사업 전면 공개 및 검증 실시, 생물학적인 처리공정을 배재한 MBT 설치 및 폐기물 자원화 사업 재검토, 미검증 공법 강행 추진 경위규명과 책임자 문책, 환경부 주최 공청회 실시" 등 경실련의 입장을 보도하였다(2010.3). 전남의 남도방송은 '순천시의회의 주최 토론회에 순천시 담당공무원이 불참 및 비공개 사업추진은 행정 불신 초래할 것이며 민간투자 기업의 투명성을 요구했다(2010.3). 결국 2013년 12월 환경부는 논란이 되었던 폐기물 에너지화 사업을 전면 재검토하며 신규 사업은 불가능하다고 밝혀 이 사업의 실패를 인정하였다.

경실련의 활동으로 정부의 폐기물 에너지화사업의 문제가 밝혀졌으며, 성급하게 추진된 사업들이 성과를 내지 못하여 중단되었다. 순천시 의회는 이를 계기로 '순천시 민간투자사업 조례'를 제정하였다. 더 큰 문제는 이미 수백억 원 이상을 투입하여 건설한 시설들일 정상 가동되지 못하고 고철이 되고, 쓰레기가 쌓이면서 악취는 물론 화재가 발생하고 있음에도 해당 지역은 쓰레기 처리에 무대책으로 매립을 늘려가고 있다. 전

국 각지의 RDF, SRF시설은 혐오시설로 낙인 되었다. 정부가 폐기물 에너지화사업을 처음부터 환경적으로 계획하고 기술을 개발했다면 지금의 상황과는 많이 달라졌을 것이다.

물 쓰레기 처리에 관해서도 관심을 두고 활동했다.

2. 활동 내용 및 경과

1994년 3월 정부와 민간단체들이 함께 참여해 환경정책을 협의하고, 환경정책 수행에 대한 국민 의견을 수렴하기 위한 '민족환경단체정책협의회'에 참여했다. 민간환경단체정책협의회는 당시 환경처와 대한YMCA연맹, 환경운동연합 등 17개 민간환경운동단체 대표로 구성되어, '분리수거 일원화'와 '쓰레기종량제 시행' 등 쓰레기처리의 효율적인 추진방안을 논의하는 기구였다.

1994년 6월 경실련환경개발센터 등 6개 단체로 구성된 〈종량제시범사업 민간평가단〉은 전국 33개 시범지역에서 실시되고 있는 쓰레기종량제의 중간평가 결과를 발표하는 '종량제 시범사업 1차 모니터결과 보고회'를 개최했다. 민간평가단은 전국 1백 28명의 모니터 요원들에 대한 설문 조사결과를 발표했다. '종량제 시행에 주민들의 협조가 잘 이뤄지고 있다'라는 응답은 26.6%에 그쳤지만 '그저 그렇다'나 '협조가 잘 이뤄지지 않고 있다'라는 응답이 각각 50.8%와 22.7%에 달해 전체적으로 종량제 시행에 대한 시민들의 협조가 미흡한 것으로 나타났다고 지적했다. 또한, 시범지역에서의 쓰레기 불법 배출도 여전하고 불법 배출 형태로는 '재활용 가능한 쓰레기를 분리수거하지 않고 규격봉투에 섞어서 배출하는 행위'가 46.5%로 제일 많았고 '눈에 잘 띄지 않는 곳에 버리거나 불법적으로 자체 소각하는 행위'도 26.8%에 달해 가장 큰 문제로 대두되고 있다고 설명했다.

1996년 『서울특별시 폐기물 감량화·재활용·적정처리에 관한 조례』 제정 운동을 전개했다. 서울은 전 국토의 0.6%에 불과하지만, 인구의 24.2%(1993년)가 집중되어 있고, 쓰레기 배출량은 1일 16,000톤으로 전국 쓰레기의 4분의 1 이상을 차지한다. 이런 상황에서 감량화, 재활용, 소각과 매립의 쓰레기 관리 방식이 상호 유기적이며 통합적으로 운영되지 못하고 있다. 이에 심의위원회 설치, 음식물 쓰레기 감량화 및 퇴비화를 위한 재정지원과 공공기관 재활용품 우선구매, 기업에 포장 폐기물 억제 권고 등의 내용을 담은 조례 제정을 촉구했다.

1997년 3월 15개 광역자치단체의 쓰레기종량제 추진 실태를 조사해 개선방안을 제시했다. 1995년 성공적으로 평가되었던 쓰레기종량제가 시간이 지날수록 쓰레기 매립과 소각 처리량, 재활용품의 수거가 줄어들고 있

90. 쓰레기종량제 시행 촉구 운동

1. 배경 및 취지

쓰레기종량제는 배출자부담의 원칙에 따라 국민 전체를 대상으로 쓰레기 발생량에 대한 가격 개념을 도입한 제도다. 정확한 정책명은 '쓰레기 수수료 종량제'이며 1995년 1월부터 시행됐다. 유한한 생태에서 쓰레기 문제를 해결하는 최선의 방법은 감량과 재활용이다. 우리 사회의 생산-유통-소비-폐기로 이어지는 자원의 소모과정을 소비-수비-회수-재활용으로 이어지는 자원순환형 사회로 전환되어야 한다.

경실련은 산하 (사)경실련환경개발센터에서 시민의 생활과 가장 밀접한 자원의 낭비를 가속하는 쓰레기 문제에 지혜롭게 대처하기 위해 중요한 운동과제로 선정했다. 단순한 캠페인을 넘어 쓰레기 문제의 근원이 되는 우리나라의 산업구조, 소비구조, 생활양식의 문제에 접근해 해결책을 찾으려는 노력 했다. 이를 위해 정부, 기업, 민간단체, 시민 등 많은 현장의 목소리에 귀 기울여 실천방안을 모색하고, 정책개선 촉구와 실천 운동을 접목하려는 노력을 계속해 왔다.

(사)경실련환경개발센터는 쓰레기종량제 시행과 쓰레기종량제가 제대로 추진되고 정착될 수 있도록 지속적으로 감시해 결과를 발표하고 대안을 제시했다. 또한, 음식

사진으로 보는
경실련 30년

I. 경실련의
창립과 활동

II.
경실련 30년
활동의 성과

III. 지역경실련의
활동과 성과

IV. 경실련과
시민사회의 미래

었다. 이에 쓰레기종량제 현황 파악을 위해 232개 기초자치단체의 담당자를 대상으로 설문조사를 진행했고, 광역자치단체의 종량제 업무평가 조사해 6대 도시와 9개도의 광역자치단체 업무성과를 비교 평가해 순위를 발표했다. 그 결과 대전광역시와 경상북도가 쓰레기종량제 업무평가가 가장 높게 나왔고, 인천광역시와 제주도가 가장 낮은 평가를 받았다.

쓰레기종량제 시대에 해결해야 할 '음식물 쓰레기' 처리에 대한 대안 마련을 위해서도 노력했다. 음식물 쓰레기는 타 쓰레기와 함께 혼합되어 소각 또는 매립되었으나, 높은 수분과 부패가 쉬워 수집·운반·처리 과정에서 다양한 문제를 유발해 처리의 어려움과 많은 추가 비용을 발생시킨다. 이에 한국식 음식문화와 쓰레기 문제를 진단하고, 식생활문화 개선과 식재료 소비감소, 음식업소 쓰레기감량 지원 등 제도화를 위해 노력했다.

3. 각계 반응과 성과

쓰레기종량제 도입에 대한 국민 반응은 엇갈렸다. 쓰레기 감소와 환경보호라는 긍정적 측면에도 불구하고, 분리수거가 정착되지 않은 상태에서 주민부담만 가중될 수 있다는 우려도 제기되었다. 실제로 1993년 모 대학의 시민의식 조사결과, 쓰레기종량제에 대해 응답자의 61%가 찬성하고 11%만이 반대했다. 그러나 '종량제가 앞으로 잘 추진될 것이냐'는 질문에 응답자의 21%만이 '잘 될 것'이라고 답했을 뿐 38%는 '처음에는 잘되다가 흐지부지될 것', 41%는 아예 '처음부터 잘되지 않을 것'이라고 답해 79%에 달하는 응답자가 그 실효성에 회의적인 반응을 보였다. 그러나 쓰레기종량제가 안착하고, 쓰레기 감소 효과가 나타나자 적극적으로 참여했다.

경실련은 환경오염과 자원 낭비의 주범인 쓰레기 문제에 관심을 두고, 환경단체들과 함께 쓰레기종량제 시행을 요구하며 제도가 도입되는 성과를 이끌어냈다. 또한, 15개 광역자치단체의 쓰레기종량제 추진 실태조사 결과발표, 음식물 쓰레기 개선토론회 등 사회적 관심과 제도개선을 촉구하며 쓰레기종량제 안착에 이바지했다. 환경부의 '쓰레기종량제 10년 평가결과(1995~2004년)'에 따르면, 1인당 1일 쓰레기 발생량은 94년 1.33kg에서 04년 1.03kg으로 감소했고 쓰레기 수집운반비용 및 매립비용은 약 6조 9,239억 원 줄었고, 현재까지 제도가 운용되고 있다.

91. 환경개발센터 설립 및 환경정의 운동 추진

1. 배경 및 취지

1989년 창립된 경실련은 경제, 정치, 부동산 등 다양한 분야의 불편부당한 제도를 개선하고, 국민 삶의 질 향상을 위해 노력했다. 이러한 경실련 활동에 대한 사회적 관심이 커지고, 다양한 의제에 대한 참여 요구가 늘면서 자연스럽게 환경운동까지 활동영역을 넓히게 되었다. 급격한 사회변화와 경제발전으로 인류가 지구에 탄생한 이후 가장 심각한 환경위기에 직면했다. 환경문제 해결에 있어서 가장 중요한 주체의 하나로서 비정부 시민단체의 역할이 강조되고 있다. 경실련도 주체적이고 선도적인 시민단체의 일원으로 환경보전을 위한 적극적으로 참여했다.

경실련은 90년대 초반 환경연구부를 시작으로, 본격적인 환경운동을 전개하기 위해 1992년 사단법인 환경개발센터를 창립했고, 이후 어린이환경위원회도 만들어졌다. 경실련 환경운동은 자원 재활용, 에너지 문제, 수자원과 그린벨트 보호를 위해 노력했고, 무분별한 난개발에 맞서 적극적인 활동을 전개했다. 또한, 환경문제의 해결을 위해 시민들의 참여를 유도하며, 다양한 분야 전문가들의 자발적인 참여를 통해 대안적 환경정책을 제시했다. 나아가 국제환경단체와 협력했다.

2. 활동 내용 및 경과

1991년 6월 유기농업 생산자 조직인 정농회와 함께 '경실련 정농생협'을 구성해 유기농산물, 저공해 축산물 등 안전한 먹거리에 대한 계몽운동을 실시했다. 1991년 10월에는 '알뜰 가게'를 창설하여 만연된 과소비 문화를 개선하고, 자원을 재활용하고 근검절약 정신을 실천하는 운동을 펼쳤다.

지구환경 보호를 위한 국제 행사도 적극적으로 참여했다. 1992년 4월 뉴욕에서 열린 '환경과 개발에 관한 유엔회의'(UNCED)에 참가해 외국 민간단체와 교류를 활발하게 진행했다. 또한, 1992년 5월에는 '환경과 개발에 관한 국제회의'와 '92 글로벌 포럼'에 참여했다. 8월 아시아 민간단체 지도자 정상회담, 9월 리오 사후점검 회의, 11월에는 아시아 민간환경단체 지도자 회의에 참석했다.

1992년 10월 한국의 폐기물 재활용에 대한 세미나를 개최하고, 페놀 사건, 녹색 휴가 보내기 캠페인, 영종도 신공항 건설 반대, 포장재 감량 캠페인 등 다수의 연대 활동을 진행했다.

이러한 환경운동의 기반으로 1992년 11월 경실련 산하 '환경개발센터'를 창립해 본격적인 환경운동을 전개했다. 환경개발센터는 자원 재활용을 위한 정책촉구, 소각장 문제 대응, 효율적 에너지 수요관리 및 원자력발전 문제, 지속 가능한 수자원 확보, 상수원 보호구역 제도개선, 설악산 국립공원 보존·북한산 국립공원 보전·발왕산 스키장 개발·무분별한 골프장 건설 반대 등 환경보전을 위한 활동을 전개했다. 그리고 경실련의 지역조직들이 설립되면서 지역 환경운동을 지원하고 지역의 하천지도 공동캠페인을 하였다. 환경개발센터의 지역경실련 지부는 강릉. 거제, 경주, 구미, 대구, 부천, 순천, 울산, 양평, 제주, 청주, 춘천, 포항 등이었다. 여천공단 공해문제에 직접 대응하여 특별대책지역 지정을 이끌어 내기도 했으며, 9개 지역경실련과 함께 하천오염지도를 제작하였다. 환경개발센터는 1998년 11월 사단법인 환경정의시민연대로 개칭했으며, 1999년 7월 경실련으로부터 독립해 '환경정의시민연대'(현 '환경정의')란 이름으로 활발한 활동을 하고 있다.

환경정의시민연대가 독립한 이후경실련에 어린이환경위원회가 구성됐다. 어린이환경위원회는 2001년 서울 시내 영유아 보육 및 교육 시설 층별 조사를 통해 시설안전에 대한 문제를 지적하고, 서울 시내 66개 놀이터의 안정성과 중금속 오염실태 드러내 사회적으로 큰 충격을 주었다. 그리고 아동안전특별법 제정 운동도 전개했다.

3. 각계 반응과 성과

1990년대 급격한 산업화는 필연적으로 환경파괴를 불러왔다. 산림·수질·공기오염과 무분별한 난개발로 인한 환경파괴는 큰 사회문제였다. 산업화가 중요했던 시기에 환경보호의 필요성과 무분별한 난개발의 폐해를 알리고, 실천적 대안과 제도를 제안했다.

환경운동과 환경운동 시민단체가 활발하지 않았던 시대에 경실련 환경운동은 시민과 언론의 큰 관심을 가졌고, 사회적 환경 이슈에 대한 공감대를 형성해 갔다. 또한, 국내외 여러 환경단체와 연대하며 시민이 참여하고 함께하는 다양한 환경운동을 전개했다. 경실련의 환경운동은 1993년 환경운동연합 창립, 1994년 녹색연합 창립의 토대가 되었다.

환경파괴의 근원이 되는 산업구조, 소비구조, 생활양식의 문제에 접근해 해결책을 찾으려는 노력을 지속했고, 그 과정에서 정부·기업·민간단체·시민의 현장의 목소리를 접하면서 실천방안을 모색했다. 에너지 문제의 현실에 대한 인식을 근간으로 안전성, 경제성, 생태계 영향을 객관적으로 검토하고, 정부 정책을 평가해 현안에 대응했다.

그리고 지하수의 난개발로 인한 지하수질 오염과 수자원 고갈문제를 해결하기 위해 지하수법 개정을 촉구하며, 토론회와 의견제시를 통해 공론화를 위해 노력했다. 그 외 덕유산 국립공원 스키장 반대, 설악산 모노레일 건설 반대, 발왕산 스키장 개발 반대, 정포 골프장 건설 반대 등 무분별한 생태계를 파괴하는 난개발 반대 운동을 전개함. 또한, 환경보전을 위한 자연공원법 개정, 환경영

사건으로 보는
경실련 30년

Ⅰ. 경실련의
창립과 활동

Ⅱ.
경실련 30년
활동의 성과

Ⅲ. 지역경실련의
활동과 성과

Ⅳ. 경실련과
시민사회의 미래

향평가법 개정, 산림법 개정 운동을 적극적으로 전개했다.

92. 경제정의 실현을 위한 개혁 과제, 우리사회 이렇게 바꾸자

1. 배경과 목적

1989년 7월 우리 사회의 경제적 불의와 부패를 척결하고 시민의 뜻과 힘을 모아 경제정의를 실현하고자 출범한 경실련은 시민 누구나 참여하여 함께 만들어 가는 시민운동을 지향하면서도 단순한 현실 비판에 그치지 않고 합리적인 정책 대안을 제시하기 위해 노력하였다.

1992년 선거의 해를 맞이하면서 경실련은 92년도 경실련정책협의회(1991.12.27)에서 두 가지 사업에 역점을 두기로 하였다. 하나는 금권 타락선거를 방지 감시하는 공명선거 캠페인이었다. 깨끗한 선거풍토 조성과 함께 혈연, 지연, 학연 등에 의한 전근대적인 선거문화를 지양하고 정책을 보고 투표하는 합리적인 선거문화를 형성하는 것이 필요하다는 판단이었다. 다른 하나는 차기 정부와 국회가 담당할 우리 사회와 경제의 개혁과제를 제기하는 정책캠페인이었다. 정책캠페인은 우리사회의 발전을 위해 꼭 필요한 개혁과제를 국민들에게 널리 알리고, 이러한 정책을 공약으로 내세우는 후보를 지지하자는 캠페인을 전개하는 한편, 각 정당과 후보들에게는 경실련이 제시하는 정책을 공약으로 받아들일 것을 촉구하는 것이었다. 이를 통해 우리사회가 나아가야 할 구체적인 개혁과제에 대해 시민사회 내, 그리고 시민과 정치인 간의 합의를 형성함으로써, 선거 이후 개혁의 토대를 마련하고자 하였다.

2. 운동의 전개

경실련정책연구위원회는 정책캠페인을 위해 당시 가장 중요하다고 생각되는 13개 분야 54개의 과제를 선정하고 '우리사회 이렇게 바꾸자-경제정의실현을 위한 개혁과제'를 1992년 2월 20일 출간하였다. 나아가 경실련은 경실련의 정책적 입장을 분야별로 구체화하여 '경실련 총서' '경실련 문고' 등으로 연속하여 출판하였다. 정책 역량이 갖춰진 지역경실련에서도 '우리 ○○ 이렇게 바꾸자'를 출판하였다.

'우리사회 이렇게 바꾸자' 1판에서 경실련은 우리가 바라는 사회를 자유, 평등, 박애가 실현된 사회로 제시하고 경제정의 실현을 통하여 우리 사회를 이러한 사회에 보다 가깝게 만들 수 있고, 지속적인 성장, 형평의 추구, 복지의 실현을 통하여 달성된다고 밝혔다. 그리고 우리사회의 문제를 경제안정과 성장기반의 약화, 불공정한 분배의 극대화, 재벌의 비대화, 금권정치의 강화, 경제의 대외의존도의 심화, 비민주적인 정치구조의 고착, 사회윤리의 붕괴 상태로 진단하였다. 이를 극복하기 위한 과제로 민주적인 시장경제 확립을 위한 제도개혁과 산업구조 개편이 필요하며, 주요 개혁과제로 효율성과 형평성의 동시 추구, 사회복지의 제고, 국제경쟁력 강화를 위한 산업구조개혁과과 산업민주주의 실현, 불합리한 정부개입의 축소, 정치제도의 개혁을 제시하였다. 그리고 제2판(1996)에서는 1판에 담지 못했던 10개 분야(사회복지·교육·시민단체·여성·사법·통일·국토 건설안전·과학기술·환경)를 추가하였고, 제3판(2000)에서는 5개 분야(보건의료·언론·반부패·정보통신·어린이환경)를 추가하였다. 제4판(2009)에서는 소비자와 공공갈등분야를 추가하였고 제3판에 있었던 언론, 시민단체, 정부규제, 토지, 교통, 환경 등을 제외하였다.

⟨우리사회 이렇게 바꾸자⟩ 1판 분야별 개혁과제

분야	주요 개혁과제
1. 토지	• 부동산과다보유,투기근절 세제개혁 • 국토균형 개발 • 수도권 지역 개발 • 골프대중화 정책의 중단
2. 주택	• 빈곤층의 보호와 주거안정책 강구 • 주택의 투기 및 불로소득의 방지 • 세입자의 주거안정과 임대차 보호 • 공정분배를 위한 종합 주택정책 방향
3. 금융	• 금융실명제의 실시 • 중앙은행 독립과 통화정책의 중립화 • 금리의 자유화 • 금융 자율화
4. 재정	• 토지세제의 개편 • 소득세제의 개편 • 상속·증여세제 개편 • 기금제도의 개선 • 사회간접자본 확충 재원의 확보 • 방위비의 축소
5. 농업	• 쌀 등 기초식품의 수입개방 반대 • 농어촌발전 종합대책의 수정 및 보완 • 농산물 유통구조 개선 • 농·축산 관련법 개정
6. 노동	• 노동조합법의 개정 • 노동쟁의조정법의 개정 • 공공부문의 노사관계 개혁 • 산업재해 예방 • 여성노동자에 대한 부당한 차별 해소
7. 재벌	• 재벌의 소유 분산 • 소유와 경영의 분리 • 여신편중 및 금융산업 지배 방지 • 세습화 방지 • 공정거래위원회의 위상 강화
8. 중소기업	• 중소기업 금융 지원의 대폭 확대 • 중소기업에 대한 인력 공급 강화 • 중소기업 기술개발 지원의 고도화 • 중소기업 경영자원의 충실화
9. 정부규제	• 정부규제의 투명화 및 객관화 • 경쟁 제한적 정부규제의 철폐
10. 대외경제	• 국제화의 과제 • 대외개방 전략 • 국제수지 개선방안1:무역제도 개혁 • 국제수지 개선 방안2: 산업구조조정
11. 교통	• 지역간 균형 발전 • 교통 안전 정책 • 대도시 교통난 완화 • 대중교통 서비스의 질적 향상
12. 정치제도	• 선거제도의 개혁 • 정치자금제도의 개혁 • 정보공개제도의 확립 • 집회 및 시위에 관한 법률의 개정
13. 지방자치	• 지방자치단체장 선거의 조기 실시 • 합리적 지방분권화(사무, 권한 재배분) • 지방재정력 강화 • 공개 행정 및 시민 참여의 확대

　'우리사회 이렇게 바꾸자'는 새롭게 포함된 영역은 당시 경실련이 중요한 개혁과제 또는 향후 개혁이 필요한 분야를 선정하였고, 어느 정도는 달성이 되었거나 경실련이 다룰 여건이 되지 않는 분야는 제외되었으며, 지속적으로 포함되어 있는 분야는 해당 시기별 개혁과제들의 내용이 변경되어 수록 되었다. 예를 들어 제1판의 재벌개혁과제는 재벌의 소유분산 및 소유와 경영의 분리, 금융지배 방지, 세습화 방지, 공정거래위원회 위상 강화였으나 제4판에서는 재벌개념 재정립과 독립경영체제, 상호출자 한계와 순환출자 금지, 출자총액제한제 재도입, 지주회사로 전환문제, 적대적 인수합병과 독약증권문제, 금산분리 원칙 강화, 경영의 투명성과 책임성 제고, 공정거래 질서 확립 규율 방안 등을 제시하고 있다.

　2001년에는 '우리사회 이렇게 바꾸자'와 별도로 새천년을 맞아 한국사회의 비전을 제시하는 '한국사회의 비전을 말한다.'를 발간하였다. 특별히 지방자치에 관해서는 '우리 서울 이렇게 바꾸자-지방자치 시대의 서울시정 개혁 청사

사진으로 보는
경실련 30년

I. 경실련의
정립과 활동

II.
경실련
활동의 성과 30년

III. 지역경실련의
활동과 성과

IV. 경실련과
시민사회의 미래

진'(1995)을, 새천년을 맞아 '21세기 한국 지방자치 비전을 말한다'(2002), 2014년 지방선거를 앞두고 지방자치의 이론과 실제 현장에서 사례를 모아 '지방자치의 생각과 현장'(2014) 등을 발간하였다.

한편 전국 각 지역에서 창립된 지역경실련들은 초기에는 경실련 본부가 추진하는 전국 의제가 중요한 과제였으나 점차 지역 시민들과 함께할 수 있는 지역의제의 개발에 나섰다. 지역사회의 발전과 지방자치의 정착은 그 지역사회가 나아가야 할 비전에 대해서 사회구성원간의 폭넓은 합의가 형성될 때 효과적으로 달성될 수 있기 때문이었다. 지역경실련은 본부의 '우리사회 이렇게 바꾸자.'를 표본으로 지역의제들을 발굴하고 분석하여 그 지역사회가 나아갈 방향과 비전을 제시하였는데 1995~1996년에 집중적으로 출판되었다. 첫 시작은 1994년 전주경실련의 '전북·전주 이렇게 바꾸자.'였다. 이 '우리 지역 이렇게 바꾸자.'의 시리즈는 군산경실련(1994), 청주경실련(1995), 광주경실련(1995), 대전경실련(1995), 울산경실련(1995), 안양경실련(1995), 수원경실련(1996), 강릉경실련(1996), 부산경실련(2006) 등 10개 지역에서 출판되었다. 그 외 지역 비전서들로 충북의 오늘과 내일(1996, 청주), 시민주체의 부산만들기(1996, 부산), 불어 사는 대전 만들기(1999, 대전), 새천년 전북·전주 발전방향(2000, 전주), 새천년 새문명 새마음(2001, 제주), 안양지역 발전론-21세기 희망의 도시 안양 만들기(2001, 안양), 더 지속가능한 도시 대전을 위한 정책과 방향(2003, 대전), 목포에서 인권을 생각하다(2007, 목포), 시민이 행복한 도시 부산 이렇게 바꾸자(2011, 부산), 21C지방화시대를 준비하는 지방자치와 선거(춘천) 등 다양한 지역정책을 다룬 도서들을 발간하여 지역사회의 비전을 제시하고 공론을 형성하였다.

경실련은 경실련총서와 경실련문고를 발간하였다. '경실련 총서'는 개혁과제 중 특정분야의 정책을 구체화한 것으로 우리사회 이렇게 바꾸자, 열린사회 열린 정보, 금융실명제, 동북아시대 한민족, 통일 그 바램에서 현실로, WTO 체제하의 한국 농업의 진로 등이 있으며, '경실련 문고'는 땅-투기의 대상인가 삶의 터전인가, 재벌-성장의 주역인가 탐욕의 화신인가, 집-기쁨과 고통의 뿌리, 한국농업 이 길로 가야한다, 다시 출발하는 학생운동, 민족화해의길 등이 있다.

3. 각계의 반응 및 성과

1990년대 초 국가 및 사회의 비전들은 관변연구소나 민간기업 연구소가 정책대안을 만들어내는 일은 있어도 민간 시민단체가 이러한 종합적 사회 개혁안을 발간하는 사례는 드물다. 그만큼 경실련 본부와 지역 경실련은 한국사회의 총괄 정책 및 지역 정책까지 포괄하는 종합적인 정책들을 제시하면서 한국 경제의 정의실현과 그 토대 위에서 재도약을 바라는 시민의 바람을 표현한 것이다. 경실련은 회원, 전문가, 상근활동가의 세 축의 유기적 톱니바퀴처럼 맞물려 활동한다. 과거 재야 및 계급운동과 가장 차별화된 구성이었던 경실련의 전문가 집단은 각자의 영역에서 실사구시와 공공선의 원칙으로 문제를 분석하고 대안을 만들면서 사회개혁의 일원으로 참여하였다. 이러한 각계의 분야의 전문가들이 생산한 합리적인 정책 대안들은 격렬한 논쟁을 빚으면서도 많은 부분이 실현되었다. 특히 중앙정부 및 지방자치단체의 정책 담당자, 연구 집단 및 언론, 지방의회 출마자들의 필독서가 되었다. 경실련본부와 지역경실련이 추진했던 다양한 정책 활동들은 시민운동에 대한 인식의 개선은 물론 경실련을 정책운동 집단으로 평가하는 토대가 되었다.

93. NGO 사회적 책임 운동

1. 배경 및 취지

NGO는 공공성을 조직의 목적으로 삼기 때문에 기업과 달리 사회적 책임성에 대한 요구가 일어나지 않았다. 기업의 경우 단순한 이윤추구를 넘어 영향력이 사회전반과 생태환경에까지 확대되면서 사회적 책임

에 대한 중요성이 강조됐다. 환경감시, 소비자 보호, 소액주주운동, 기업지배구조 개혁, 불매운동 등 사회적 책임 강화를 위한 다양한 운동들이 전개됐다. 경실련도 국내 상장기업을 대상으로 기업의 사회적 성과를 분석·평가해 우수기업을 세상에 알리는 작업을 진행한 바 있다.

그러나 시민단체 출신 인사의 대거 정·관계진출과 시민단체 낙선운동의 정치적 편향성 논란을 계기로 NGO의 사회적 책임논의도 본격화된다. 시민단체가 권력화 됐다는 비판이 강하게 제기됐다. 시민단체에 대한 국민적 신뢰가 흔들리면서 회원 수는 더 이상 늘어나지 않았고, 재정운영도 힘들어졌다. 재정악화는 능력 있는 활동가의 재생산을 어렵게 만들었고, 업무능력이 떨어짐에 따라 국민적 신뢰도는 더욱 추락하는 악순환이 발생했다. 시민단체 내부에서도 특단의 대책이 필요하다는 인식이 확산된다.

2. 활동 내용 및 경과

경실련과 기독교윤리실천운동, 녹색미래, 흥사단, YWCA 등 단체들은 내적혁신운동으로서 시민단체의 사회적 책임운동이 필요하다는데 인식을 같이 하고, 'NGO 사회적 책임운동(준)'을 구성했다. 이들은 시민운동이 시작된 지 20년 동안 시민단체의 영향력은 양적으로 크게 성장했지만 대내외적 환경변화에 맞춰 자기혁신을 하지 못한 결과 위기상황에 이르렀다는데 공감했다.

NGO 사회적 책임운동(준)의 활동은 크게 두 가지 방향으로 전개됐다. 첫째, 사회적으로 책임 있는 시민단체의 상과 활동방식에 대한 사회적 공감대 형성에 기여하는 것이다. 이를 위해 사회 각계의 시민단체 이해관계자들이 참여하는 진지한 연구·토론·대화의 공간을 마련해 앞으로 시민운동이 나아갈 방향과 비전, 추구해야할 가치와 운동방식 등에 대한 공감대를 형성할 수 있도록 했다. 둘째, 시민단체들이 자발적으로 책임성 제고를 위한 내적 혁신을 이룰 수 있도록 돕는 활동을 전개하는 것이다. 이를 위해 우선적으로 시민단체의 사회적 책임에 관한 헌장과 행동규범을 마련하고, 이의 적용을 돕는 가이드라인과 관련 지표 등을 개발함으로써 시민단체들이 추구해야할 내적 혁신의 방향과 도달해야 할 수준을 제시했다.

2007년 2월 23일, NGO 사회적 책임운동(준)의 발족을 기념하기 위해 '한국시민운동과 사회적 책임성'을 주제로 토론회가 개최됐다. 토론회에서는 시민단체의 사회적 책임성의 명확한 가치를 담은 헌장과 행동규범의 제정에 대한 필요성이 공유됐다. 같은 해 4월에는 시민사회와 정당, 언론, 학계사회 각계인사를 초청해 'NGO 사회적 책임 연속토론회'를 개최했다. 정당과 시민단체, 시민과 시민단체, 기업과 시민단체 그리고 시민단체 참여자와 시민단체 간에 어떤 책임성 관계를 형성할 것인가가 주요 논의내용이었다. 대부분 시민단체에 대한 국민 신뢰도는 아직 높은 수준을 유지하고 있지만 자기반성이 없다면 더 큰 위기를 초래할 것이라 비판했다. 정치권과 시민단체의 관계는 반드시 절연돼야 하며, 비당파성의 원칙을 지키려는 시민단체 내부의 윤리의식과 조직문화의 확립이 중요하다는데 의견을 같이했다. 식상한 의제와 독선적이고 일방적인 의사소통구조를 버리고 현장 중심의 전문성을 확대해야 한다는 지적이 이어졌다.

NGO 사회적 책임운동은 시민사회 내외부와의 토론을 거친 끝에 2007년 6월 26일, 시민단체 사회적 책임 헌장 및 행동규범을 선포했다. 세계적인 추세와 한국적 현실, 한국 시민단체들의 특성들을 조화롭게 반영한 헌장과 행동규범을 만들기 위해 노력했다. 준비위에 참여한 단체들의 활동경험을 반성적으로 성찰하고, 외국 NGO들의 사례와 NGO관련 전문가들의 의견을 수렴했다. 시민단체 사회적 책임 헌장에는 시민단체의 방향성과 사회적으로 갖춰야할 책임성이 거시적으로 담겼다.

시민단체 사회적 책임 헌장은 비정부·비영리 시민단체들은 공익성·자발성·자율성 및 독립성의 가치를 추구하며, 인권과 정의·평화·지속가능성 및 기타 공공의 이익을 위해 활동한다고 규정한다. 시민단체는 조직구조, 사명, 정책 및 활동에 대해 개방성과 투명성을 유지하며, 민주적인 의사결정구조를 확립하고 시민들

과의 의사소통에 힘쓰며 시민들의 제안과 참여를 촉진할 것을 의무화하고 있다.

행동규범은 시민단체가 공유하는 원칙, 정책과 실천지침들을 규정한다. 대내외적으로 책임성을 증진시키고, 이해관계자들과 의사소통을 장려하며, 조직으로서의 효과성과 효율성을 높이는 것을 목표로 한다. 시민단체가 추구하는 가치로 시민중심, 실사구시, 원칙중심, 독립성 등 4가지가 선정됐으며, 투명성, 도덕성, 민주적인 의사결정구조, 건전하고 지속가능한 재정과 윤리적 모금, 전문적 경영 등이 조직경영 및 활동원칙으로 제시됐다. 서명단체들은 NGO 사회적 책임운동 내에 행동규범 준수위원회를 두고, 각 단체를 대상으로 행동규범의 준수에 관해 정보 공개를 요구하고, 필요한 경우 실사를 할 수 있게 권한을 부여했다. 각 단체는 이를 거부할 수 없도록 명시했다.

3. 각계 반응과 성과

경실련은 시민운동의 사회적 책임성을 강화해 지속적 발전토대를 구축하는 것을 2007년 목표 중 하나로 삼았으며, 지역경실련도 적극 동참했다. NGO사회적 책임운동이 본격화되자 언론사들은 운동의 자발성에 대해 높게 평가하면서도, 이번 기회에 시민사회가 통렬히 자성해야 한다는 칼럼과 기사를 게재했다. 정치권에서도 시민운동의 권력화에 대해 우려를 나타내며, 시민단체 관계자 다수가 정치권이나 정부요직에 진출했으나 그들의 활동이 국민들의 기대수준에 미치지 못했다고 지적했다. 이들은 모두 시민단체가 사회적 책임운동을 계기로 정치활동을 지양하는 대신 권력과 자본에 대한 견제와 감시 역할에 집중해야 한다고 입을 모았다.

그러나 사회적 책임 헌장 및 규범은 선언적 성격이 강하기 때문에 구체성이 떨어졌으며, 사회적 책임운동 참여단체도 수많은 시민단체 중 일부에 그치는 한계를 보였다. 결국 사회적 책임운동은 시민사회 전반으로 확산되지 못했고, 가시적인 성과를 남기지도 못한 채 퇴색돼 버렸다. 그럼에도 경실련은 내부 규약 등을 통해 여전히 사회적 책임성 강화에 적극 나서고 있다.

시민운동의 위기를 시민단체 스스로 만들어 낸 것임을 자각하고, 자기반성에 나선 것은 높이 평가할 수 있다. 시민단체 모두가 시민운동의 위기가 아직 끝나지 않았음을 인식하고 사회적 책임 운동의 의미를 다시 한 번 되새겨볼 필요가 있다.

94. 시민이 주인 되는 시민교육

1. 배경과 취지

경실련은 창립 당시부터 시민과 함께 하는 학습하고 연구하는 모임을 조직하는 데 많은 노력을 하였다. 시민들이 주체가 되어 사회 현안에 발언하거나 시민운동이란 용어도 낯설던 당시 시민운동의 상을 시민들이 직접 구상하고 경실련의 과제를 함께

배우고 공유하는 중요한 활동이었다. 1989년 7월 8일 발기인 대회를 마치고 다양하게 개최되었던 워크샵, 세미나, 시민대학이나 1991년 지방자치 선거를 앞두고 개최한 '지방자치정책대학', 민간통일 교육의 장이었던 민족화해아카데미, 사람을 위한 도시운동으로 개최된 도시대학 등은 경실련의 대표적인 시민교육의 장이었다. '경실련 30년사'에서는 경실련이 지속적이고 체계적으로 개최해 온 민족화해아카데미와 경실련도

시대학을 소개한다.

경실련통일협회의 민족화해아카데미는 통일교육은 가치관의 교육임에도 이념교육으로 변질돼 분단 상황을 더욱 고착시키던 당시 진보-보수의 대결적 모습에서 벗어나 남북문제를 포괄적으로 접근하고자 하였다. 당시 관변단체들에 의한 남북 대결적 태도와 통일 대의의 명분을 강하게 주장했던 재야 통일운동의 한계를 극복하고 평화에 기초한 화해와 협력의 추구를 기본 방향으로 하여 시민사회의 공론을 도출해 범민족적 합의를 이루는 것을 기본과제로 하였다.

1997년 6월 '시민중심'의 도시운동을 위해 창립한 경실련의 (사)경실련도시개혁센터는 도시운동에 대해 시민적 공감대를 형성하고 실행할 수 있는 주체를 양성하며, 도시운동이 시민 속에 자리 잡을 수 있도록 시민강좌인 '도시대학'을 개최하였다. 도시대학은 시민들에게 국토와 도시정책, 주택문제, 안전과 교통문제, 환경문제 등 도시개혁운동을 소개하고, 시민 스스로 지역을 설계하고 바꾸어 나가는 주체가 되도록 하였다. 시민단체 및 지역 활동가에게는 도시문제와 정책에 대한 이해를 높여 운동을 기획하고 행동하여 실질적으로 지역의 변화를 이끌어낼 수 있도록 지원하고, 행정과 정책을 다루는 지방자치단체 의원과 공무원에게는 도시와 시민을 행정상의 업무로 바라보는 관성이 아니라 도시적 상상력을 키우고 현장의 문제와 선진 사례를 통해 새로운 시각을 갖도록 했다.

2. 운동의 전개

1) 민족화해아카데미를 통한 민간통일교육

1996년 평화공존, 화해협력, 민족통일의 주제로 '제1기 민족화해아카데미'가 처음으로 개최되었다. 민족화해아카데미는 정치, 경제, 사회, 문화 등 각 분야의 전문가를 강사로 초빙하여 통일문제에 대한 총론적 인식, 북한의 이해, 민족의 화해와 협력을 위한 구체적 과제 등을 함께 공부하고 토론하는 장이었다. 열아홉 여학생부터 여든이 넘은 실향민에 이르기까지 다양한 세대와 계층이 강좌에 참여했다. 당시 수강생들은 교재 편찬 요구에 따라 1997년 3월 '민족의 화해와 통일을 위하여'라는 책을 출간하였다. 집필에는 강만길 고려대 명예교수, 고(故)리영희 한양대 명예교수, 김성훈 전 상지대 총장, 한완상 서울대 명예교수 등, 통일·평화전문가 27명이 참여했다.

경실련통일협회는 '1기 민족화해아카데미'를 시작으로 30기에 이르기까지 20년이 넘게 시민을 대상으로 통일교육을 진행하였는데 2006년부터는 통일교육 환경이 열악한 지역을 대상으로 '지역순회 민족화해아카데미'를 진행하였는데 강릉, 광주·전남, 부산, 춘천, 속초, 청주, 광명에서 지역 통일교육을 하였다. '지역순회 민족화해아카데미'는 지역의 특성을 반영할 수 있도록 해당 지역의 통일교육 전문가의 주도적인 참여를 유도하고 있다.

민족화해아카데미의 기본 통일교육의 방향은 통일교육의 확대, 사회적 공론의 형성, 평화공동체 건설로 이어지는 단계적 통일교육으로, 남북정세, 경제협력, 사회문화교류 분야의 전문 강사들이 정치적 이슈보다는 경협과 문화적 소통의 필요성을 강조하였다. 통일교육의 내용과 유형도 평화교육, 갈등해소교육, 다문화이해교육 등 관점의 다변화를 통해 상호간 문화이해, 배려, 설득, 소통 능력을 배양하고자 했으며, 무엇보다 교육을 통해 평화공동체 건설에 대한 개인적 통일전망의 확립과 한반도 평화의 실천적 역할을 모색하는데 중점을 뒀다.

경실련통일협회는 통일교육의 지속성, 전문성과 지역통일교육의 활성화에 기여했으며, 청소년, 대학생, 여성, 기업인, 북한이탈주민 등 많은 시민들이 참여할 수 있는 다양한 교육프로그램을 운영해 상호간 이해를 증진시켜 왔다. 또한 일회성 강좌를 지양하고 체계적인 학습기회를 제공하는 등 안정적 운영에 노력하고 있으며, 1200여명의 수료생을 배출했다. 그리고 수료생들은 '민족화해아카데미총동창회'(민화회)라는 자체 회원조직을 결성해 민족화해, 평화나눔, 한반도 평화공동체 형성에 노력하고 있다. 그리고 '민족화해아카데미' 외에도 북한 및 통일관련 언론보도의 모니터링을 통한 통일언론양성을 위한 통일언론아카데미(1999), 사이버 통일대학(2004.4) 그리고 건국대 통일인문학연구단과 공동으로 다름에 대한 인정, 차이에 대한 소통, 분단 트라우마의 극복을 위한 '통일인문학강좌'(2012)를 개설했다. 2013년에는 2030청년들의 통일의식 확대를 위해 기존 통일강좌의 틀에서 벗어난 2030리더십체인지 '콕스'과정을 운영하기도 했다.

2) 시민중심의 지속가능한 도시 만들기, 도시대학

경실련도시개혁센터 창립준비위원회는 1997년 4월, 시민이 주체가 되는 도시운동을 위해 시민강좌인 '도시대학' 설립을 결의했다. 도시대학은 1997년 10월, '제1기 도시대학'을 시작으로 2014년까지 총 20기까지 진

사진으로 보는
경실련 30년

I. 경실련의
창립과 활동

II.
경실련 30년
활동의 성과

III. 지역경실련의
활동과 성과

IV. 경실련과
시민사회의 미래

행되었으며 750여명의 수강생을 배출했다. 2015년과 2016년에는 특별과정으로 도시재생대학을 2차례 진행했다.

제1기 도시대학(1997.10.7-11.28)은 총 16개 강좌로 진행되었는데 역사와 도시, 시민운동, 행정과 주민참여, 도시안전과 치안, 대중교통, 서민주거안정과 주거권 보장, 도시문화와 쾌적한 도시, 국토균형개발, 고밀개발과 하천관리, 미래 도시계획까지 폭넓고 다양한 분야를 다뤘다. 강사는 국토 및 도시계획 학계 전문가를 중심으로 민간기관 및 시민단체 활동가들로 현장의 경험과 사례를 공유하였다. 도시대학은 매년 1~2회 개최했는데, 제4기까지는 다양한 주제를 폭넓게 다루면서 도시문제와 정책의 이해를 높였고, 제5기부터는 현안 쟁점을 집중적으로 다뤘다. 빈곤층 주거문제인 쪽방촌 실태와 인사동 보전과 개발 문제, 생태도시를 만들기 위한 부천 시민운동이 사례를 소개하였고, 현장체험 프로그램인 〈도시체험〉을 새롭게 기획하여 종로, 인사동, 강남구 세곡동 등 사회적으로 쟁점이 된 현장을 전문가와 함께 둘러보며 도시문제에 대한 이해의 폭을 넓혔다. 제7기는 세계 도시체험으로 친환경생태도시 브라질 꾸리찌바, 주민참여도시 일본 세타가야, 프랑스 신도시개발 등을 소개하고 국내 적용 방안을 논의하였다.

제8기 도시대학(2002.8)은 지방의원 특별과정으로 서울시의원 및 구의원, 경기도 의원 등 45명의 초선의원이 참여했다. 주제는 도시계획 및 개발관련 이론과 제도 소개, 수도권 과밀과 개발 문제, 도시계획에서 주민참여 방안 등 도시계획과 지방자치 현안을 다뤘다. 수도권 현안으로 부각된 접경지 관리문제, 상수원보호 문제와 개발, 준농림지 난개발 문제, 청계천 복원과 쟁점 등은 토론 형식으로 진행해 도시를 바라보는 다양한 시각과 관점을 드러내고 현실에 반영할 수 있는 방법을 토론했다. 지방의원 특별과정은 정책수립 주체인 지방의원의 정책역량강화 뿐만 경실련과 지방의원과 네트워크를 구축해 도시운동의 정책화를 위한 창구역할을 했다.

제9기(2003)는 일반 시민 대상의 강좌와 차별화해 지역 맞춤형 특별과정이었다. 은평구의회와 협약을 체결해 강좌의 기획부터 지역의 현안 및 요구를 반영해 강의 주제와 프로그램을 선정했고, 구의원 15명과 관련 공무원이 참여해 전문가들과 함께 지역의 자료를 분석하고 현안 문제와 대안을 토론하는 방식으로 진행했다. 당시 은평구 지역현안이었던 은평뉴타운과 재개발 문제에 대해 지방의회가 개발민원 해소라는 수동적 자세보다는 원주민이 재정착하고 지역 전체가 바람직하게 관리될 수 있는 지속가능성 측면에서 어떤 정책을 입안하고 운영할지를 토론했다.

제11기(2005.1)는 경실련 핵심사업인 개발이익환수방안 및 이명박 서울시장의 청계천 복원과 뉴타운 사업을, 제12기에서는 청계천 주변 재개발문제를 집중적으로 소개했다. 도시대학 11기 동우회 회원들이 조사한 '청계천공원의 접근과 보행, 안전 문제'를 현장을 방문해 발표하는 형식으로 운영해 회원조직의 운동 참여를 모색했다. 제13기는 서울 및 경기도 지방의원 초선의원들의 특별과정으로, 제14기는 참여정부 국토균형발전정책과 수도권 신도시건설의 문제를 집중적으로 다뤘다. 제15-16기는 재개발·재건축의 공공성 투명성 강화운동의 일환으로 정비사업과정에 대한 이해와 주민권리찾기를 주제로 운영되었는데 일반시민 뿐만 아니라 재개발구역 조합원 또는 사업 추진을 반대하는 주민들이 수강하였다. 제17기는 경기도와 대전광역시 지방의원 대상의 특별과정이었고, 제18기와 제19기는 문화도시와 대중교통 중심 도시를 주요 의제로 하였으며, 제20기는 마을 만들기 정책과 사례를 소개하였다.

3. 각계의 반응 및 성과

민족화해아카데미는 1990년대 후반 남북교류협력사업이 활성화되면서 요구된 새로운 통일교육의 패러다임에 부응하여 체계화되고 안정적인 교육프로그램으로 통일교육의 효과를 제고하였다. 1999년 통일교육지원법의 제정과 2000년 12월 통일교육협의회 창립 등에 의미 있는 역할을 했다. 민족화해아카데미는 정권교체, 남북관계, 국제정세의 변화와 무관하게 일관성 있게 추진됐다. 이명박 정부 당시 '민족'이라는 표현에 압박도 있었지만, 오히려 남남갈등 극복을 위한 공론의 장으로 통일담론의 확산에 기여했다. 특히 군

사적 안보 위험에 중점을 두기보다는 비군사적 교류와 협력을 통해 군사적 위험까지 감소시키는 평화 지향 교육시스템을 구축했다. 아울러 세대, 성별, 계층 간 시대정신을 담아내고 공감대를 형성하는데도 기여했다.

경실련도시대학은 지난 20년간 도시운동에 대한 시민홍보 프로그램으로 자리매김하면서 도시문제의 개선을 위한 도시운동에 대한 시민들의 이해와 저변을 넓히는데 기여하였다. 무엇보다 도시운동에 대한 지지자 또는 주체를 키워내는 인큐베이팅 역할을 수행했다. 도시대학의 수강생들인 시민, 연구자, 학생, 지방의원, 공무원, 언론인 등이 결성한 도시대학동우회는 시민의 도시를 만드는 데 강한 네트워크가 되었다.

95. 시민이 만드는 시민의 신문 창간

〈사진〉 시민의 신문 창간 1주년 기념식

1. 배경 및 취지

경실련은 1992년 14대 총선과 대선을 맞아 정책캠페인과 공명선거캠페인으로 많은 시민들의 지지와 참여를 이끌어냈다. 경실련의 운동성과를 보다 효과적으로 시민들에게 알리기 위한 방안이 고민되기 시작했고, 시민운동 전문 대중매체가 필요하다는 공감대가 만들어졌다.

1992년 6월 경 사무국이 경실련신문 창간을 처음으로 제안했다. 신문창간이 제안되자 일각에서는 재정적 어려움을 이유로 우려하는 목소리도 제기됐다. 그럼에도 경실련을 비롯한 시민운동을 시민들에게 선전하고, 회원참여구조의 확대와 회원 상호간의 교류를 촉진하며, 수많은 시민운동 단체 간의 연대를 강화할 수 있다는 점에서 신문창간이 필요하다는 주장이 많은 설득력을 얻었다.

신문창간 첫 제의 후 약 3개월이 지난 1992년 9월 28일, 경실련 상임집행위원회는 신문창간과 관련 다음과 같은 결론을 내린다. 첫째, 격주 간 신문을 발간한다. 둘째, 신문 발간이 중요한 사업인 만큼 경실련 상집위원 전원이 모금에 동참해 설립기금 모금을 5천만 원 이상 책임진다. 셋째, 별도의 법인체를 만들어 신문을 발간한다.

2. 활동 내용 및 경과

상임집행위원회 결의 후 가칭 '시민의 신문 창간 준비위원회'가 설립됐다. 준비위는 한겨레신문이 국민주 신문으로 창간된 것을 참고해 1993년 1월부터 국민주 모금에 들어갔다. 국민주 모금에는 일반시민을 비롯한 학생, 교수, 변호사, 정치인, 기업인 등 1천여 명이 참여했고, 약 1억 5천만 원이 모금됐다. 1993년 4월에 열린 창립 주주총회에서는 신문사 운영을 책임질 운영위원회와 편집위원회를 주요기구로 하는 정관을 확정했다.

준비위는 당초 신문을 격주 간으로 발간할 것을 계획했으나, 주간 8면 신문으로 최종 확정했다. '시민운동의 대변지'를 표방하고 창간한 주간 '시민의 신문'의 편집방향은 부정부패와 싸우는 신문, 사회개혁과 도덕성 회복을 선도하며, 시민단체의 활동을 소개하고, 정의로운 시민의 벗이 되는 것이었다. 1993년 5월 6일 정치·경제·사회·문화 등 사회 제반 현상을 제약 없이 다룰 수 있는 일반종합 주간지로 등록을 완료했으며, 5월 29일 마침내 창간호가 총 16면으로 발행됐다.

'시민의 신문'은 언론기관으로서 역할을 하는데 그치

시민으로 보는
경실련 30년

Ⅰ. 경실련의
정립과 활동

Ⅱ.
경실련
30년
활동의 성과

Ⅲ. 지역경실련의
활동과 성과

Ⅳ. 경실련과
시민사회의 미래

지 않았다. 한국시민사회운동의 변화와 발전을 기록으로 모은 한국민간단체총람을 1996년부터 매 3년마다 발간해 시민사회의 역사를 기록하는데 큰 기여를 했다.

초창기 시민의 신문은 경실련 기관지 성격이 강했으나, 점차 시민운동의 대변지로서 위상을 확립하는데 초점을 맞췄다. 1997년 3월 경실련 비상상집회의에서 시민의 신문 분리·독립안이 확정됐으며, 같은 해 5월 전국 70여 시민사회단체의 공동신문으로 거듭 태어났다.

3. 각계 반응과 성과

2006년, '시민의 신문' 인터넷판에 이형모 대표의 불미스러운 사건에 대한 사과문이 게재됐다. 이형모 대표는 사실을 시인하고 대표이사직과 유관기관에서 모두 사퇴하겠다는 의사를 밝혔다. 하지만 시민의 신문 이사회 내부에서는 이 사안이 사표를 수리할 정도가 아니라며 사표를 반려했다. 이 대표가 사퇴의사를 고수함에 따라 사표는 결국 수리됐지만 비상경영체제가 계속되면서 경영 상태는 급속히 악화됐다.

하지만 이형모 대표는 얼마 뒤 임시주주총회에 나타나 신임사장 임명을 저지하는 등의 움직임을 보였고, 이로 인해 사장임명은 두 차례나 실패했다. 그러자 이사회마저 총사퇴를 결의하면서 신문사는 경영공백 상태에 빠졌다. 급여는 제대로 지급되지 않았고, 부채는 날로 늘어만 갔으며, 신문제작마저 중단됐다. 일부 기자들이 끝까지 남아 자리를 지켰으나, 2007년 4월 신문 사이트와 사무실이 모두 폐쇄되는 것을 막을 수 없었다.

'시민의 신문'은 대안언론이 없던 시절 시민운동에 관한 전문매체이자 노동자 농민 서민을 대변하는 역할을 했다. '시민의 신문' 등장으로 언론사의 전문성에 더 이상 일방적으로 의존하지 않는 시민언론이 가능할 수 있었다. 하지만 대표자 1인 중심의 경영구조, 대표자의 일탈과 부실경영, 이에 대한 시민사회의 안일한 인식과 미숙한 대처는 시민사회의 큰 자산이 사라지는 원인이 됐다.

96. 언론감시(언론모니터회)

1. 배경 및 취지

1987년 6월 항쟁과 6·29선언을 계기로 방송가에도 민주화 바람이 불었다. 방송사 단위로 노동조합이 결성되고 현대사를 재조명하는 프로그램 제작이 활성화되자, 노태우 정부는 방송인들의 활동에 위기의식을 갖게 되었다. 1990년 거대 보수 여당의 출범에 따라 정부는 사장 인사개입을 통해 언론을 통제하려는 시도를 시작하였다.

1990년 3월 정부는 최초의 민선사장으로 노조와 대화를 통해 KBS를 이끌었던 서영훈 KBS 사장을 비롯한 임원과 간부를 해임시키고, 노조활동에 부정적 입장을 취했던 서기원 사장을 낙하산 임명하였다. KBS 노조는 서기원 사장의 퇴진과 정부의 방송공사에 대한 외압중단을 요구하며 제작거부와 철야농성에 들어갔고, 정부는 공권력을 동원해 노조원을 강제 진압했다. CBS와 MBC 노조가 공권력 투입에 항의하며 제작거부에 들어가는 등 혼미를 거듭하다가 파업을 중단하고 복귀하면서 사태는 일단락되었다.

1996년 3월, 정부의 방송사 인사개입을 통한 언론 통제 시도가 다시 이루어졌다. MBC 노조는 불공정 보도를 주도한 강성구 사장의 연임 문제, 총선용 전략적 목적에 의한 사장의 연임, 방송사 사장 임명방식의

비민주성에 대한 항의로 파업에 들어간다. 노조는 95년 8월부터 불공정보도 책임과 도덕적 결함을 이유로 강사장의 퇴진을 요구해왔으나, 청와대의 개입으로 강사장의 연임이 결정되자 파업을 단행하였다.

90년대 초 정부의 공영방송의 사장 인선문제 개입을 둘러싼 KBS와 MBC의 파업사태는 방송사 내부갈등이 아닌 언론의 공정성과 독립성을 훼손하는 문제였다. 경실련은 방송이 자유와 독립성을 확보할 때 공익방송으로서의 사회적 기능에 충실할 수 있고, 언론의 공정성은 인사의 공정성에서 출발한다고 보았기 때문에 언론의 자유와 독립성을 요구하는 구성원들의 활동을 지지하고 지원하였다. 언론의 자유와 독립, 공정성을 보장하기 위한 시민들의 감시활동의 필요성이 대두되었다.

2. 활동 내용 및 경과

1990년 3월 KBS 이사회가 서영훈 사장의 사표를 수리한 후, 곧 이어 서기원 사장 임명을 결정하자 노조는 비상대책위를 꾸려 서사장의 출근을 저지하는 농성을 확대했고, 정부는 청원경찰을 여의도 본사에 투입시켜 강제연행으로 맞섰다. 이에 비상대책위가 무기한 제작거부 투쟁에 돌입하는 등 정부와 노조는 극한 대치국면에 서게 된다. 1990년 4월 경실련은 〈KBS는 국민의 방송이 되어야 한다.〉의 제목의 입장에서 KBS의 서기원 사장의 퇴진 요구를 방송의 독립성을 확보하기 위한 활동으로 규정하고 지지하는 성명을 발표했다. 경실련은 KBS 사태가 회사의 단순한 노사문제가 아니라 국민의 방송으로 뿌리내려 언론민주화가 달성될 수 있는가를 판가름하고, 나아가 우리사회 경제정의 실현운동의 전망을 판가름하는 중대한 사건으로 보고 국민의 관심과 단체의 결집을 호소했다. 정부에는 KBS 전직원의 서사장 퇴진요구를 정부가 수용할 것을 촉구하였다.

1996년 3월 MBC 노동조합은 강성구사장의 연임이 결정되자 파업을 시작하였다. 강사장의 무능력과 무소신을 이유로 사장퇴진을 주장하던 노조는 청와대의 개입으로 연임이 추진되자 비상대책위원회를 구성하고 농성을 시작하였다. MBC의 파업사태에 대해 경실련은 민변과 참여연대 등 16개 단체와의 공동 입장문을 발표하였다. 먼저 문민정부 출범 이후에도 방송의 공정성과 독립성이 보장되지 않았다는 점을 지적하고, MBC 파업사태는 방송의 자유와 독립성을 확보함으로써 공익방송으로서의 사회적 기능에 충실하려는 방송인의 정당한 요구로써 방송의 최고 책임자인 사장에 대한 인사권의 독립을 보장할 것을 촉구하였다. 방송사에 대한 공권력 개입을 반대하고, 15대 총선에 대한 공정보도가 이뤄질 수 있도록 일체의 개입을 중단할 것으로 요구하였다.

이후 경실련, 민주사회를 위한 변호사 모임, 민주화를 위한 전국교수협의회, 참여연대, 한국여성단체연합, 환경운동연합 등 6개 시민사회단체는 파국적 상황이 초래할 휴유증을 우려하여 사태의 정확한 진상을 파악하여 시민사회의 합리적 해결 대안을 모색하고자 MBC파업진상조사위원회를 구성하고 조사활동을 전개하였다. 단장은 이세중(한국시민단체협의회 공동대표, 전대한변호사협회 회장)가 맡았고, 강명구(서울대 교수, 언론학), 박원수(변호사, 참여연대 사무처장), 유재현(경실련 사무총장), 최열(환경련 사무초장)이 조사위원으로 참여하였다.

진상조사단은 MBC 파업의 진상을 조사해 사태의 발생원인과 경과에 대한 진실을 파악하고 관련당사자들 뿐만 아니라 공공방송의 확립과 방송 민주화에 관심을 갖는 시청자와 국민에게 진실을 알리는 역할을 하였다. 그러나 조사과정에서 총선이라는 정치적 행사를 앞두고 파업이 신속하게 해결되지 않으면 안 된다는 사회적 요구와 관련 당사자들의 중재요청에 따라 진상조사단에서 쌍방의 의견을 조정하여 가능한 해결방안을 모색하였다.

조사단은 "노동조합측은 파업을 중단하고 즉시 업무에 정상 복귀하고 강성구 사장은 총선 종료 후 사임한다는 발표를 한다"는 조정안을 마련하였다. 이러한 조정안은 강성구 사장 입장에서 보면 스스로 퇴진을 결정하고 총선보도를 자신의 책임 하에 진행함으로써 명예로운 퇴진이 보장된다는 점, 노동조합측에서도 즉각적인 퇴진 입장에서 양보한 것이지만 사장의 퇴진이 이루어진다는 점에서 최종적으로 요구가 수용되어야 된다는 점에서 쌍방이 수용 가능한 것이라 판단하였다. 그러나 회사측이 노동조합에 파업을 그만두고 복귀할 것을 요구하고 노조측은 강사장의 사퇴 의사표명이 공식적이지 않으면 수용하지 않겠다고 하여 중재는 성립하지 않았다. 조사단은 최종 권고안을 제안하고 조사활동을 마무리하였다.

결국 노사 동반퇴진 조건으로 파업을 철회하면서, 노조위원장이 해고되고 사장도 1996년 6월 사퇴하였다. 경실련은 강사장의 사퇴가 MBC 살리기로 연결되기 위해서는 사장 퇴진으로 인해 중징계를 받은 노조원의 징계 철회, 권력으로부터 중립적인 사장을 민주적인 방식을 통해 선임할 것을 촉구하였다.

언론의 역할이 점차 증대되고 일상적 삶에 직접적인 영향을 미치게 됨에 따라 방송이 좀 더 건강하고 사회를 긍정적으로 이끌어 가기 위한 시청자 주권운동의 필요성이 대두되었다. 1996년 1월, 경실련은 〈경실련 방송모니터회〉 1기 회원을 모집한다. 회원들은 스스로 방송의 소비 및 수용의 주체로서 인식을 같이 하고 직접 감시하고, 방송에 대한 욕구와 불만을 적극적 행동으로 반영시키기 위한 시민참여활동으로 방송비평작업과 교육을 진행 하였다.

2000년부터는 명칭을 미디어워치로 변경하여 정기적으로 TV프로그램 모니터와 보고서를 발간하고, 미디어교실을 열어 일반인, 주부, 대학생을 위한 교육 프로그램을 운영하였다. 중학교 CA(특별활동)과정에 '미디어/방송 바로보기'반을 개설하여 운영하였는데, 2001년부터는 서울시내 25개 학교로 확대 운영하는 등 시청자 주권운동의 새로운 장을 열었다. 방송환경의 현실을 이해하고 좋은 프로그램의 제작진을 격려하여 방송제작 환경을 개선시키기 위한 대안운동의 일환으로 '시청자가 뽑은 좋은 프로그램'을 선정해 시상하였다.

3. 각계 반응 및 성과

KBS 파업사태에 대해 언론은 양비론적 입장을 취했다. KBS 노조의 활동을 지지하는 한겨레 등 일부 언론을 제외하고 대부분의 일간지 사설에서는 KBS에 대한 공권력 투입의 문제와 방송 정상화를 다루면서 경실련 활동은 크게 보도되지 않았다. 반면 MBC의 파업사태에 대해서는 시민단체가 진상조사위 활동을 통해 중재안을 마련하는 등 적극적인 활동을 진행한데 대해 권고안을 소개하는 등 심층적으로 보도하였다.

사회민주화의 진전과 함께 방송의 사회적 위상과 역할이 확대되고 공정성 확보가 강조되고 있는 시대적 상황에서 정치권력이 언론사의 인사권 개입을 통해 방송을 통제하려는 시도를 시민사회가 비판하고 감시하는 활동을 통해 언론의 독립성 확보의 중요성을 사회적으로 인식하는 계기가 되었다. MBC사태에 대한 시민사회단체의 진상조사와 중재 노력은 자칫 무기한 방송중단으로 이어질 수 있는 사태를 막고 추락한 언론의 신뢰를 회복하기 위한 활동으로 평가할 수 있고 중재는 무산되었지만 사장의 퇴진을 이끌어내는 성과를 거두었다. 경실련의 미디어워치(방송모니터회) 운동은 시청자 주권운동의 새로운 장을 여는 계기가 되었다.

97. 이주 노동자 인권 보호활동

1. 배경 및 취지

1980년대 후반부터 꾸준히 증가하기 시작한 이주 노동자는 일명 3D 업종과 중소영세기업이 인력난을 겪게 되어 수요가 늘면서 다양한 문제가 발생하였다. 1992년 중국과의 수교 이후 재중동포 노동자가 늘었고, 정부는 1993년 산업기술연수생 제도를 도입하였다. 그러나 관광비자로 입국하여 취업을 위해 불법체류자가 된 이주 노동자들의 문제는 더욱 악화되었다. 근로기준법 적용문제, 산재보험 문제 등 다양한 문제가 발생했다. 나아가 불법 수수료 등도 만연해 있었다. 즉 이주 노동자들은 우리나라에서 최소한의 대우조차 받지 못하고 있는 상황이었다.

이러한 이주 노동자 문제를 해결하기 위해 1994년 1월 14일 '외국인 노동자 인권문제 대책협의회'가 구성되기도 하였다. 당시 약 10만 명으로 추산되는 이주 노동자의 열악한 노동환경으로 인한 인권문제는

1994년 1월 이주 노동자들이 경실련을 찾아와 그 절박함을 호소하는 강당 농성으로 이어졌다. 이에 경실련은 이주 노동자 인권 보호활동에 적극 나서게 되었다. 경실련의 이주 노동자 인권보호 활동은 1994년 1월 14일 "외국인 노동자의 인권문제, 우리의 부끄러운 모습입니다."라는 제목의 성명에 잘 나타나 있다.

2. 활동 내용 및 경과

경실련은 1994년 여러 단체들과 외국인 노동자 인권문제 대책협의회를 구성하고, 1월 14일 성명발표와 함께 정부의 즉각적인 인도적 조치와 제도개선을 촉구하였다. 당시 경실련은 이주 노동자들도 국내 노동자들과 같이 근로기준법과 산업재해보상보험법 등 최소한의 법규의 보호를 받을 것, 체류관련제도의 근본적 개선, 불법 체류자에게 부과하는 벌금제도 근본적 개선, 사망자와 실종자에 대한 엄정한 진상조사와 대책 수립 등을 촉구했다. 경실련이 함께한 외국인노동자 인권문제 대책협의회는 1995년 10월 '외국인 노동자 보호법 제정을 위한 공청회'까지 개최하는 등 법제도 개선 운동도 진행하였다. 경실련은 이후 재중동포 및 외국인 노동자와 함께하는 시민 한마당 행사 등도 개최하면서 이주 노동자들과 특히 재중동포들과의 연대와 네트워크를 강화하는 행사도 진행하였다.

이주 노동자 인권 운동은 1995년 경제정의실천불교시민연합(경불련) 산하에 '외국인노동자 인권문화센터'가 설립되면서 노동 및 인권문제 상담, 의료기관 알선, 법률상담, 교육 및 문화활동 교류, 종교활동, 쉼터제공 등 다양한 활동을 전개해 나가게 되었다.

1999년 8월 12일 재외동포법이 국회를 통과하자, 23일 서울 명동성당에서 기자회견을 개최하여 조선동포 3명을 청구인으로 하여 '재외동포법이 헌법상 평등권을 침해했다'는 취지로 헌법소원심판청구를 하였다. 이로 인해 2001년 11월 헌법재판소가 재외동포법 중 재외동포의 정의를 규정한 제2조 2호와 동법 시행령 관련조항에 대해 '헌법 불합치' 판정을 내리게 되는 성과를 가져오기도 했다. 이후 경실련은 제도개선을 위한 공청회 등을 개최하여, 노동위원회, 중소기업위원회, 시민입법위원회 등이 유기적으로 결합하여 활동하였다.

이러한 이주 노동자 인권 운동으로 2002년 이주 노동자 문제 해결을 위한 개선안이 발표되기도 하였으나, 문제의 핵심이었던 산업기술연수생 제도가 폐지되기는커녕 확대되는 등 문제가 여전히 많았다. 이에 경실련은

대안 없이 불법 이주 노동자 단속과 추방에만 힘을 쏟겠다는 정부에 대해 날선 비판을 했다. 단순한 인력 수급의 문제를 넘어서 이주 노동자의 법적신분, 고용조건, 업체선택의 자유, 노동기본권을 비롯한 인권문제, 송출국가와의 외교문제까지 복합적으로 얽혀있는 사안임을 감안한 접근과 대안 마련이 중요함을 강조하였다.

3. 각계 반응과 성과

1994년 이주 노동자들의 경실련 강당 점거 농성은 사회 각계의 관심을 보다 구체화하는 계기를 부여했다. 이는 1995년 산업연수생 명동성당 농성 등으로 이어졌고, 2007년에 와서는 서울 경기 인천 이주 노동자 노동조합 등도 결성되었다. 경실련이 독자 및 연대를 통해 지속적으로 해온 이주 노동자 인권보호 활동으로 인해 1998년 12월 법무부는 「재외동포의출입국과법적지위에관한법률」(안)을 국회에 제출하였으며, 1999년 8월 2일 법안이 국회를 통과하게 되었다.

경실련의 이주노동자 지원은 노동부가 불법취업 이주 노동자들에게도 내국인 노동자들과 동등하게 근로기준법, 산재보상보험법 등 노동관계법을 적용하겠다는 확답을 받아내게 되는 데에도 영향을 미쳤다. 산업기술연수제도의 문제점을 지적하여 고용허가제도로 전환하는 데 기여한 바도 있다. 2002년에는 특례 고용허가제가 도입되면서 8개 분야에 재중동포 합법 취업의 길이 열리게 되었다. 2004년에는 고용허가제가 도입되어 취업관리제는 흡수되었고, 2007년에는 재중동포 등을 위한 방문취업제가 시행되었다. 과거 이주 노동자의 기본적인 취업을 금지하면서, 실질적 필요에 의해 불법체류 이주 노동자를 묵인하던 때와는 달리 어느 정도 이주 노동자의 인권이 개선된 부분도 있지만, 임금문제, 범죄노출 문제, 사회보장 문제 등 여전히 해결해야 할 과제들이 산적해있다.

이주노동자들이 결성한 노동조합은 10년간의 법정투쟁 끝에 2015년 6월 25일 대법원전원합의체에서 비로소 합법화된 것이 현실인 만큼 이들에게도 인정되는 보편적 노동인권의 보장의 길은 순탄치 않다. 그 사이 다수의 지도자들이 구금, 추방되었다. 현행 고용허가제가 이주노동자의 사업장 이동금지를 근간으로 하고 있어 이들의 직업선택의 자유가 크게 제한되어 있는 것도 국제적 비판의 대상이 되어 있다.

98. 비정규직 차별 철폐와 격차해소 운동

1. 배경 및 취지

1997년 IMF 외환위기 이후 임시, 일용직 등 비정규직 노동자수가 급증해 2000년에 와서는 700만 명을 넘어서게 되었다. 전체 근로자의 약 53%나 되었다. 당시 비정규직은 단시간 근로자, 파견근로자, 기간의 정함이 있는 근로자 등으로 나타났는데 낮은 임금은 물론, 상여금, 퇴직금, 시간외 수당, 연월차 휴가 등 기본적인 근로기준의 보호도 받지 못했다. 아울러 자유로운 해고 문제로 고용불안정에 시달렸다.

실제 2000년 3월 기준 우리나라 주 36시간미만 단시간 노동자가 취업자의 10.1%로 OECD 회원국의 10%~25% 비중에 비해 낮은 편이었지만, 단기고용 노동자와 파견노동자의 비중은 OECD 회원국의 10% 내외 수준에 비해 우리나라는 33.2%로 매우 높은 수준이었다. 임금 또한 정규직 노동자의 40%의 수준에 있었다. 이로 인해 시민사회는 노동계의 비정규직 문제에 관심을 가지기 시작하고, 이를 해결하기 위한 움직임에 나서게 되었다. 2000년에 와서는 민주노총과 한국노총에서 '비정규직 근로자의 보호와 정규직으로 전환'을 당시 5월 투쟁의 주요 이슈로 제기 하는 등 비정규직 문제가 사회적 이슈로 부상했다.

이에 경실련 또한 노동관계법의 사각지대에서 있는 비정규직에 대한 남용과 차별 문제의 심각성을 느끼고, 2000년부터 본격적으로 운동에 나서게 되었다.

2. 활동 내용 및 경과

비정규직 차별철폐 운동은 주로 2000년 초반에 집중되었다. 2000년 경실련은 비정규직 노동자들이 사회적 약자로서 차별을 받지 않고, 기본적인 생활이 가능하도록 제도적 장치를 마련함과 동시에 비정규직 고용관행의 폐해와 남용 문제를 시정하기 위한 방안을 마련하기 위해 독자적 운동과 연대 운동을 전개했다. 2000년 4월 25일에는 '비정규직 노동자 기본권 확대를 위한 정책 토론회'를 개최하여, 비정규직 노동자의 실태와 문제점을 드러내면서 정책대안도 함께 제시했다. 기간을 정한 단기간 근로자에 대해서는 고용보장과 기간 설정 사유와 절차 명시, 단시간 근로자에 대해서는 근로시간 상한선 규제, 기간의 정함이 없는 근로 원칙, 파견 근로자 등 외부근로자에 대해서는 동일노동 동일임금 원칙, 파견이 아닌 대여의 개념으로 전환, 대주가 차주를 찾지 못할 경우 임금계속지급 의무 규정, 대여기간 3개월, 노동조합에서 자유로운 가입 보장, 대주와 대여근로자 사이의 계약기간을 대여기간과 일치시키는 것 금지 등을 제안했다. 이후 5월 9일과 16일, 6월 7일에는 비정규직 노동자 기본권 보장을 위한 시민사회단체 연석회의를 개최하여, 대응 방안을 논의했고, 6월 26일에는 '비정규 노동자 차별철폐 및 기본권 보장을 위한 공동대책위원회'를 출범하여 활동을 시작했다. 이 조직을 통해 9월 19일에는 법개정안 마련을 위한 공청회를 개최했고, 10월 31일 서울역 광장에서 '비정규 근로자 보호를 위한 근로기준법 개정청원 서명운동'도 전개했다. 이후 10월 2일에는 비정규노동자의 양산기도를 규탄한다는 성명을 발표하면서, 법 개정을 촉구하였다.

2000년 활동에 멈추지 않고, 2001년에 와서는 4월 한국통신 비정규노조 해고관련 진상조사단 활동을 진행하고, 7월에는 최저임금 관련 비정규노동자 기본권보장과 차별철폐를 위한 공대위 기자회견도 개최하였다.

2002년에는 비정규공대위 연대사업의 일환으로 비정규직 보호입법 촉구활동을 전개했다. 2002년 3월 22일에는 비정규공대위에서 노사정위를 면담하여, 비정규직 보호를 위한 요구안을 전달했다. 이후 6월 7일에는 '비정규노동자 보호입법의 올바른 방향과 내용' 토론회를 개최하여, 비정규직 보호를 위한 법 개정안 통과 촉구, 노사정위 입법논의의 문제를 제기했다. 10월 15일에는 서울역에서 진행된 '비정규직 차별철폐 100만인 서명운동'에 참여하여, 캠페인을 벌이기도 했다. 아울러 경실련은 2002년 6월부터 한국비정규노동센터와 함께 비정규직의 권리침해에 대한 사례조사 및 분석 작업을 진행하여 '비정규직에게 노동법은 있는가.'라는 백서를 2003년 1월 토론회에서 발표하여, 이슈화를 함과 함께 정책대안을 제시했다.

비정규직 차별철폐 운동은 이후 2007년에 와서 대선기간을 활용하여, 경향신문 및 좋은정책포럼과 공동으로 '대선 10대 의제 검증' 작업을 진행하면서, 당시 각 당 후보들의 비정규직 정책도 10대 의제 중 하나로 평가하면서, 중요성을 부각시켰다.

2015년에 와서 박근혜 정부의 일반해고 및 취업규칙 불이익 변경요건 완화 등 핵심쟁점을 모두 수용한 노사정 합의가 타결됨에 따라, 9월 15일에는 입장을 발표하면서 비정규직 문제해결을 위한 실질적 대책이 부재함을 지적했다.

문재인 정부는 취임 후 첫 공식행사로 인천공항공사를 방문하여 비정규직의 정규직 전환을 약속한 바 있다. 2017년 7월 20일 정부가 공공부문 비정규직의 정규직 전환을 위한 가이드라인과 로드맵을 제시하자 경실련은 7월 26일 성명을 통해 "공공부문 정규직화를 일자리 문제 해열을 위한 단초로 삼아야 한다."고 입장을 밝히며, 동일노동 및 동일임금 원칙과 상시적 업무에 대한 비정규직 사용제한 법제화를 할 것을 촉구하였다.

3. 각계 반응과 성과

2000년 초반에 적극적으로 추진했던 비정규직 차별철폐 운동으로 인해 2002년 대선과정에서 당시 노무현 후보, 이회창 후보 등 주요 대선주자들의 정책에 반영되는 성과가 있었다. 2002년 10월 경실련 초청 정책토론회에서 노무현 후보는 비정규직 노동자 대책으로 국민연금과 각종 사회보험 혜택, 차별임금을 위한 비정규직 채용 금지, 비정규직 노동조합 활성화 등을 제시했고, 이회창 후보 역시 고용안정 문제와 임금 문제를 개선하겠다고 밝히기도 했다. 이후 한국비정규노동센터와 함께 사례조사와 분석작업을 통해 발표한 '비정규노동자 권리침해 백서'는 실태를 자세히 드러냄으로써 언론을 통해 사회적으로 널리 알려지는 결과도 나왔다. 경실련을 비롯한 시민사회단체의 적극적 활동으로 노무현 정부가 출범되고 난 후, 2003년 비정규직 노동자 차별을 해소하기 위한 정부의 관련 법개정 움직임이 있었으나, 노사 간의 입장차이와 정부의 의지 부족으로 진척되지 못했다. 2004년 노무현 정부는 비정규직 법안을 발의하고, 연내 처리한다고 했으나, 이후 발의된 법안은 파견근로자 업종과 기간을 늘리는 내용이 포함되어, 민주노동당을 비롯한 노동계에 전면파업을 불사한 반발까지 불러일으키기도 했다. 2006년 11월 국회를 통과한 비정규직 보호 관련 3개 법안은 개악 측면도 있었으나, 기간제 근로 사용기간을 최대 2년으로 제한하고, 비정규직 근로자 차별시정, 불법파견 제재 강화 등으로 한 발자국 나가는 성과를 내었다. 경실련의 비정규직 차별철폐 운동은 2000년 초에 집중되었고, 이후에는 특별한 활동을 하지 않고 단발적인 입장만 내는 등 지속성의 면에서는 문제가 있었다. 비정규직 노동자 문제로는 여전히 동일노동 동일임금의 명문화 문제, 임금 및 처우 문제 등 많은 과제가 남아있다.

99. 최저임금의 실질적 보장 운동

1. 배경 및 취지

1986년 12월 31일 제정된 최저임금법 제1조(목적)에는 '근로자에 대하여 임금의 최저수준을 보장하여 근로자의 생활안정과 노동력의 질적 향상을 꾀함으로써 국민경제의 건전한 발전에 이바지하는 것을 목적'으로 한다고 명시되어 있다. 제정목적과는 달리 2000년 초까지 여전히 최저임금의 수준이 평균임금 대비 현저히 낮았고, 5인 미만 영세사업장에게 적용되지 않고, 결정구조 또한 불투명했다. 이후에도 십 수 년이 지나도록 자산양극화, 소득양극화, 높은 물가수준 등의 현실과 최저임금의 괴리가 컸다. 실제 2016년도 최저임금(시급 6,030원, 주 40시간 기준 월급 126만원)은 단신 가구생계비(월 155만3000원)의 81% 수준밖에 미치지 못하였다.

사진으로 보는
경실련 30년

Ⅰ. 경실련의
창립과 활동

Ⅱ.
경실련 30년
활동의 성과

Ⅲ. 지역경실련의
활동과 성과

Ⅳ. 경실련과
시민사회의 미래

노동자 다수가 2~3인 가족을 이루고 있는 것을 감안할 때 이는 턱없이 부족한 수준이었고, 낮은 최저임금은 상당수 노동자들이 많은 시간 일을 하고도 빈곤의 늪에서 헤어나지 못하는 근로빈곤(Working Poor)상태에 빠지는 주요 원인 중 하나였다.

미국·독일·일본 등 주요 국가들이 양극화 해소와 내수활성화를 목적으로 대폭적인 최저임금 인상을 추진하고 있는 가운데 우리나라에서도 2016년 20대 총선을 계기로 최저임금 인상에 대한 논의가 활발히 진행되기 시작했다. 특히 최저임금의 당사자였던 청년들의 '최저시급 1만원'의 구호는 최저임금을 사회적 이슈로 부각시켰다. 이러한 시기를 맞아 경실련은 그간의 정책제안 수준에서의 운동을 경실련의 집중사업으로 선정하여, 본격적인 운동을 추진하게 되었다.

2. 활동 내용 및 경과

최저임금 강화 운동은 크게 정책제안기, 집중운동기(2016년), 제도 보완 및 개선기로 구분된다. 정책제안기는 2000년 초부터 2015년까지로 볼 수 있다. 경실련이 최저임금 강화 목소리를 내게 된 시기는 2000년 초반이다. 2000년 정책대안집 '우리사회 이렇게 바꾸자(3판)' 노동분야 중 '근로자의 삶의 질 향상'을 위한 수당 중 하나로 제시했다. 당시 개선방향으로 5인 이상 사업장에 한정된 적용대상을 모든 사업장으로 확대, 평균임금의 50% 수준의 임금인상 등을 제안했다. 이후 정권 교체기 무렵인 2002년 11월에는 '차기정부 핵심개혁과제 및 분야별 주요개혁과제'에서 부익부빈익빈 문제에 대처하기 위한 수단 중 하나로 최저임금을 노동자 정액급여의 45% 수준으로 현실화하고, 최저임금결정위원회의 투명성 확보 및 적용대상 확대 의견을 제시했다. 이후로도 최저임금 문제는 기본 노동현안으로 생계비 수준으로의 인상이 필요함을 주장하였다. 2015년에 와서 경실련은 노동위원회를 재정비하여 최저임금 문제를 해결하기 위해 정책대안을 재수립하여, 토론회와 논평 등을 통해 적극적인 목소리를 내기 시작했다. 2015년 5월 27일 국회 환노위 은수미의원과 공동개최한 '최저임금제도 문제진단과 개선방안 토론회'에서 경제성장률, 물가상승률, 소득분배개선, 최저생계비 등을 고려한 최저임금 하한선의 법제화, 공익위원 선출방식의 개선 등을 주장하였다.

집중운동기는 2016년으로 볼 수 있다. 2015년 최저임금 문제의 정책대안을 준비한 경실련은 2016년 5월 최저임금 결정시기와 맞물려, 핵심과제로 선정함과 동시에 상근활동가 최저임금TF를 구성하여 집중운동에 나서게 된다. 운동 전략을 준비하여 2016년 6월 22일 '최저임금 인상 집중행동 주간 선포 기자회견' 개최를 시작으로 다양한 활동을 전개하였다. 경실련은 당시 최저임금의 급격한 인상은 부작용이 발생할 수 있다고 판단하여, 5년의 기간을 두고 매년 단계적으로 13% 이상을 인상하여, 2020년 즈음에 최저시급 1만원 수준으로 인상률에 도달할 것을 주장했다. 최저임금 강화를 위한 집중행동기간 진행했던 프로그램은 상시적 성명 발표, 기자회견, 시민캠페인, 전문가 공동선언, 해외사례 발표, 전국경실련 합동기자회견, 전국경실련 동시다발 기자회견, 온라인 캠페인, 재심의 요청 서한, 카드뉴스 등이다. 당시 활동 내용을 보면 경실련이 얼마나 집중을 했는지가 잘 드러난다.

최저임금 인상을 위한 집중행동 주간 선포 기자회견 (2016. 6. 22.)
최저임금위원회 5차 전원회의에 대한 성명발표 (2016. 6. 24.)

최저임금위원회 최저임금 인상 결정 촉구 기자회견 및 시민 캠페인 (2916. 6. 27.)

최저임금 1만원 온라인 캠페인 전개 (2016. 6. 25.~)

최저임금 관련 전문가 설문조사 결과 발표 기자회견 (2016. 6. 28.)

최저임금위원회 협상 결렬 규탄 긴급 기자회견 (2016. 6. 29.)

최저임금 인상 촉구 및 해외사례 발표 기자회견 (2016. 7. 4.)

최저임금 인상 촉구를 위한 전국 경실련 동시다발 기자회견 (2016. 7. 4.)

생활가능한 수준 최저임금 실현을 위한 전문가 112인 공동 선언 기자회견 (2016. 7. 6.)

최저임금 인상 촉구를 위한 전국경실련 합동 기자회견 (2016. 7. 12.)

최저임금 공익위원 중재안에 대한 입장 발표 (2016. 7. 13.)

2017년도 최저임금 결정에 대한 입장 발표 (2016. 7. 17.)

2017년 최저임금 재심의 요청 서한 제출 (2016. 7. 20.)

2017년 최저임금 평가 및 제도개선 토론회 (2016. 8. 17.)

추석 차례상 비용과 최저임금 비교 분석 발표 (2016. 9. 12.)

최저임금법 개정안 입법청원서 제출 (2016. 12. 13.)

최저임금법 개정에 대한 입장 발표 (2017. 2. 13.)

최저임금제도 개선에 대한 입장 발표 (2017. 3. 31.)

제도 보완 및 개선기는 2017년 최저임금이 결정되면서 일단락이 된, 집중운동기 이후로 볼 수 있다. 2017년 최저임금이 결정되면서 집중운동을 마무리하고, 최저임금법 개정운동으로 전환했다. 2016년 12월 12일 최저임금을 전체노동자 평균임금의 50% 이상으로 하고, 최저임금위원회 공익위원 선출을 노사동의에 따라 하도록 하는 「최저임금법 일부개정안」 입법청원을 하였다. 아울러 19대 대선에서 생활가능한 수준의 최저임금 실현을 개혁과제로 제시해 도달 기간에는 차이가 있지만, 주요 대선 후보 모두 최저임금 1만원 실현이 공약으로 제시되었다. 문재인 정부 출범초기에는 최저임금 로드맵 제시와 영세 자영업자 대책추진을 통해 최저임금 1만원 시대를 안정적으로 실현시킬 것도 정부에 촉구하였다. 또한 노사가 신뢰할 수 있는 공익위원이 선출될 수 있도록 최저임금 결정방식 개선이 필요함을 지적하였다.

3. 각계 반응과 성과

최저임금 강화운동은 집중운동기간에 사회적으로 주목을 받았다. 기자회견 시 언론의 주목을 끄는 퍼포먼스로 인해 당시 많은 보도가 되었다. 아울러 전문가 선언,

전국 경실련 동시다발 기자회견 등 다양한 프로그램으로 언론과 사회에 주목을 이끌 냈다. '최저임금 1만원, 상상해봐'(2016. 6. 22. 뉴스1), '경실련, 내년도 최저임금 최소 13% 인상해야'(2016. 6. 22. 한국경제TV), '전문가 90.5%가 최저임금 인상해야 한다'(2016. 6. 28. 뉴시스), '최저임금 인상을 위한 경제 경영전문가 선언'(2016. 7. 6. 연합뉴스) 등 인터넷 포털 사이트에 경실련 최저임금 키워드가 연일 회자가 되었다. 경실련의 활동으로 정치권 또한 자극을 받아, 최저임금위원회가 인상을 결단할 것을 촉구하는 입장 문들이 발표되었다. 이에 따라 당시 최저임금위원회가 2017년도 최저임금을 2016년 대비 7.3%(440원) 인상된 6,470원으로 결정하는 움직임도 보였다. 당시 박근혜 정부의 상황으로 비춰 봤을 때, 작은 인상률은 아니었음을 알 수 있다. 또한 집중운동을 비롯하여 입법청원, 대선 개혁과제 제시 등으로 최저임금 1만원 실현 공약을 각 당 대선 후보자들 대다수가 공약을 하는 움직임도 보였다.

최저임금 운동은 후발주자임에도 불구하고, 전국 경실련이 나서서 다양한 프로그램을 통한 집중행동을 전개하여, 최저임금 논의에서 영향력을 발휘하였고, 19대 대선에서 공약으로 채택되는 결과를 얻었다. 반면 문재인 정부가 출범하고, 2017년과 2018년에 두 차례에 걸친 두 자리 수 이상의 인상으로 인해 최저임금 제도개선이 사회적 관심사에서 멀어져 버린 측면도 있었다. 2019년 최저시급 8,350원이 되면서 최저임금 인상에 대한 보수 언론, 소상공인 및 재계, 정치권에서의 공격이 거세졌지만, 이에 대한 적절한 대응을 하지 못한 한계점은 있다. 향후 최저임금이 생계 가능한 수준으로 자리 잡히도록 하는 과제는 여전히 남아있는 상황이다.

100. 노동정의 실천 운동 경실련 노동자회

1. 배경 및 취지

1960년대 후반 이후 산업화가 본격화되면서 한국 사회는 비약적인 경제성장을 이룬다. 그러나 화려한 성장 이면에는 노동자들의 엄청난 희생이 자리하고 있었다. 노동자들은 저임금과 장시간 노동, 열악한 작업환경을 감내하도록 강요받았다. 노동억압적인 사회분위기

사진으로 보는
경실련 30년

Ⅰ. 경실련의
창립과 활동

Ⅱ.
경실련 30년
활동의 성과

Ⅲ. 지역경실련의
활동과 성과

Ⅳ. 경실련과
시민사회의 미래

는 1987년 6월 항쟁을 기점으로 전환기를 맞는다. 6월 항쟁이 기폭제가 돼 이른바 노동자대투쟁이 벌어진다. 1987년 7월부터 2개월간 3천여 건의 노사분규가 발생했는데, 이는 과거 20년간에 벌어진 분규 건수보다 많은 것이었다. 제조업 중심이었던 노동운동의 영역이 사무·전문·기술직으로 확대돼 1989년까지 노동조합 수와 조합원 수가 두 배로 증가하였고 임금도 두 배로 인상되었다. 당시 유일한 전국조직이었던 한

국노총을 거부하고 자주성과 민주성을 강조하는 전국노동조합협의회(전노협)가 조직되는 등 노동운동은 그야말로 전성기를 맞았다.

그러나 문익환 목사 등의 방북으로 공안정국이 조성됨과 아울러 3저 호황의 효과마저 사라지면서, 정부와 기업은 노동운동에 대한 공세를 본격화했다. 정부는 공권력을 투입해 노동쟁의에 개입하고, 노조간부들을 수배했다. 탄압이 거세지자 노조의 활동성도 크게 위축됐다. 경제가 침체기에 접어들자 보수언론은 노동자 책임론, 고통분담론 등을 내세우며 위기의 책임을 노동운동에 떠넘기기 시작했다. 노동운동에 대한 공세는 날로 강화되었지만 노동운동은 통일된 전선을 구축하지 못하였다.

90년대의 노동운동의 초점은 임금인상, 단체협약 체결을 기본으로 조직 확대와 산별노조건설을 통해 기업별 노사관계를 극복하는 것이었다. 그러나 같은 산업에 종사하더라도 대기업-중소기업 노동자의 임금 수준은 크게 차이 났는데, 그 간극은 단결의 걸림돌이 되고 말았다. 그런데 기존의 한국노총의 노선을 비판하는 전노협의 진화로 새로이 등장한 민주노총은 한국노동운동의 발전에 새로운 전기를 제공하였다.

2. 활동 내용 및 경과

경실련은 위기에 봉착한 노동운동의 새로운 방향을 제시하기 위해 1993년 3월 13일, 경실련 노동자회(이하 노동자회)를 결성한다. 노동자회는 새로운 노동운동론을 내세우고, 이를 구체화하는 운동을 전개할 것을 선언한다. 새로운 노동운동으로 기존의 급진적이고 계급투쟁적인 노동운동을 지양하는 대신, 대등한 노사관계 형성과 경영참여에 주력하는 점진적 개혁노선을 제시했다. 임금기준의 합리성에 관한 토론회를 개최해 기업이 노동자를 대등한 동반자로 인정하지 않는 전근대적 노사관이 기업발전의 장애가 되고 있음을 지적했다. 객관적인 임금결정기준도 모색했다.

그러나 소유와 경영을 일치시키는 한국의 기업 풍토에서 기업주는 기업경영이 배타적인 자기 권리이며, 노동자는 통제의 대상이라고 인식하고 있다. 그러다보니 노사관계는 대립적 관계로 귀결돼 임금협상을 할 때마다 소모적 대립이 끊이지 않았다. 선진국으로 진입하기 위해서는 고부가가치 산업으로 경제체질을 전환해야 하고, 이를 위해서는 노동자의 자발적인 창의성이 중요한데, 일방적이고 대립적인 노사관계에서는 불가능하다.

반면 적정한 임금을 보장하고 노동환경을 개선해 노동자의 생활을 안정시키며, 노동자의 적극적인 참여를 보장하는 대등한 노사관계를 구축한다면 창의성과 생산력을 증가시킬 수 있다. 잘못된 노사관계를 개혁하는 것이 경제발전의 계기를 만드는 중요한 첫걸음인 것이다. 민주적이고 대등한 노사관계 구축을 위해 사측은 경영정보를 공개하고 노측은 이를 분석할 수 있는 역량을 키워야 한다. 경영정보가 투명하게 공개되면 사내 부정을 밝혀내고 공정한 분배를 이룰 수 있다. 뿐만 아니라 부동산 투기 등 사회적 윤리 문제도 드러내

사회적 정의실현에도 기여할 수 있다. 특히 노동자의 경영참여는 대등한 노사관계를 성립하는데 있어 핵심과제다.

노동자회는 노동운동이 시민운동에 적극 참여할 것을 촉구했다. 노동자도 한 사람의 시민이기 때문에 시민운동 과제와 무관할 수가 없기 때문이다. 노동운동의 시민운동참여는 계급적 이익을 잠시 유보하는 대신, 전체 시민의 이익과 조화를 모색하는 것이다. 노동자회는 기업 내 부정부패를 추방하고, 기업의 전근대적 족벌소유구조를 청산하며, 소유와 경영을 분리해 기업구조의 민주적 개혁을 추구했다. 또한 기업의 환경오염과 파괴를 감시하고 방지하는 운동도 추진했다. 노동자회는 일한 만큼 대접받는 사회를 만들기 위해 적극 나섰고, 금융실명제 등 경제적 개혁에도 앞장섰다.

노동자회는 1992~1993 14대 대선을 맞아 각 정당과 후보의 공약 중 노동공약 평가토론회를 개최해 노동정책에 대한 노동자들의 의견을 모았다. 그러나 1993년 2월 출범한 김영삼 정부는 기대와 달리 비생산적인 이윤을 추구해온 기업들에게는 각종 지원을 약속한 반면, 노동자들에게는 고통분담론을 앞세워 공무원과 일반기업 노동자들의 임금까지 동결하게 된다. 정부의 고통분담 논리는 노동자들에게 경제회생의 책임을 전가하는 것일 뿐만 아니라, 노사 자율에 의한 임금협상 원칙을 심각하게 침해하는 것이다. 노동부가 법원 판결과 어긋나는 노동행정 지침을 법리에 맞춰 개정하려한 점은 그나마 긍정적으로 평가할만하였다. 그러나 이마저도 여당과 관료, 기업들의 반발에 가로막혀 추진되지 못했다. 경실련은 강력한 유감을 표명하며 노동정책의 중단 없는 개혁을 촉구했다.

새로운 노동운동을 전파하기 위해 노동자들을 대상으로 교육활동도 활발히 전개했다. 임금교실을 통해 임금교섭에 대한 새로운 접근방향을 제시했다. 경영참가 교육에서는 경영합리화와 자동화가 노동자에게 미치는 영향, 노동자의 경영참여에 대한 선진국의 사례 등을 교육했다. 노동조합의 구체적인 활동방안을 만들기 위해 노조간부를 대상으로 수련회를 개최했다. 노동조합의 업무 전산화를 위해 월 단위로 컴퓨터 강좌를 개최하기도 했다. 또한 노동자회 안내책자 및 회보를 발간·배포해 홍보에도 힘을 기울였다.

안산과 수원에는 노동자회 지부를 설립해 새로운 노동운동을 확산시키기 위한 거점으로 삼았다. 안산지부는 경실련 노동운동의 취지에 맞는 임금교섭을 추진하고자 노조들과 함께 공동준비모임을 구성했다. 공동준비모임

은 합리적이고 구체적인 실사에 근거한 임금교섭방안을 모색하고자 임금·재무제표·근로조건·근속연수 실태와 노동 관련 정책·통계자료 등을 조사하고, 경영참가·고용안정·복지제도 신설 등 요구가 담긴 통합 요구안을 마련했다. 그 결과 노사 양측은 합리적인 태도로 교섭에 임했으며, 보통 10차례가 넘게 진행됐던 교섭횟수가 절반 수준으로 줄어들었다. 안산 반월공단 내 5개 중소기업에서는 노조의 경영참여를 합의하는 성과를 거둬 언론에 상세히 보도되기도 했다.

노동자회의 활동은 기존 노동운동이 시민운동에 관심을 갖는 계기가 됐다. 한국노총은 일시적 경기활성화가 아니라 경제제도의 근본적 개혁이 한국사회가 당면한 핵심과제라는 경실련의 인식을 공유하고, '경제개혁촉구를 위한 범국민운동협의회'를 공동으로 발족시켰다. 협의회는 금융실명제 실시·물가안정·세제개혁·토지공개념 도입·고용 안정 등을 목표로 삼았다. 경실련과 한국노총을 비롯한 20개 노동 시민단체가 1993년 개최한 경제개혁촉구범국민대회에는 약 1만여 명이 모이기도 했다. 노동자들의 환경운동 참여를 위해 기업의 환경오염문제를 지적하고, 환경교실을 열어 강연회를 진행하는 등 노동자들의 환경운동 참여도 독려했다.

3. 각계 반응과 성과

노동운동의 침체기가 시작되면서 이를 극복하기 위한 다양한 논의들이 진행됐다. 노동자회가 제시한 새로운 노동운동은 주요 대안 중 하나로 거론되며 기존 노동운동 진영에 적지 않은 반향을 일으켰다. 그러나 한편에서는 경실련 노동운동의 한계를 지적하는 목소리도 제기됐다. 시민운동은 다양한 사회계층의 이해관계 속에서 공익의 가치를 추구하는데, 노동운동은 노동자 계층의 이해를 최우선으로 반영해야 하기 때문에 접점을 만들기 어려울 것이라는 지적이다.

노동자회는 노동운동과 시민운동의 괴리를 극복하지 못했다. 결국 노동자회의 조직은 와해됐으며, 노사관계개혁특별위원회로 명맥을 유지하게 된다. 이후 노사관계개혁특별위원회는 기존의 노사관계 개선운동 및 노사분규 중재 활동, 노동자 교육, 노동법 개정, 이주 노동자 지원 등의 활동을 전개했다.

경실련 노동운동은 기존 재야운동권의 운동방식에 대한 비판의식을 바탕으로 운동의 변화를 시도했다는 측

면에서 언론의 많은 주목을 받았다. 하지만 노동자회가 목표했던 노동운동의 새로운 흐름을 만들지는 못했다. 그럼에도 침체기에 빠진 노동운동에 새로운 방향성을 제시했고, 노동운동이 사회 전체의 이익과 조화를 향해 가도록 자극했다. 노동자의 경영참여 모델은 2016년 서울시가 산하 투자·출연기관에 근로자 이사를 의무적으로 도입하도록 하는 조례를 제정하면서 현실화됐다. 이후 문재인 대통령도 대선공약으로 공공부문부터 노동이사제를 도입하고 민간부문까지 확산시키는 정책을 제시했다.

현재 경실련의 노동정의 실천운동은 전문가위원회인 노동위원회의 과제가 되어있다.

3. 경실련 30년 성과 평가

1. 언론을 통해 본 경실련 운동 의제

앞서 분석한 경실련 100대 과제 가운데 운동 의제로서 좀 더 의미 있는 키워드를 선별하고 검색어에 약간의 변형을 가해 언론기사 검색을 해 보았다.

이하에서는 경실련 30년 활동을 10년 단위로 나누어 빅카인즈(https://www.kinds.or.kr/)를 통해서 분석하고자 한다. 경실련 창립 후 초기 10년간 활동을 기사 검색으로 보면 다음의 그래프와 같다. 1990-1999년 사이에 검색된 운동 의제는 공명선거, 금융실명제, 한국은행, 재벌, 특검 순이었다. 87년 체제 이후 민주화 과정에서 공명선거가 강조되었고 금융실명제가 경실련의 중요한 운동 의제였음을 알 수 있다.

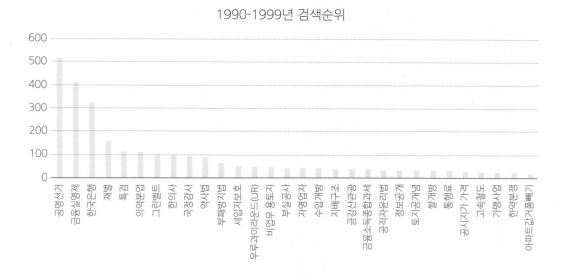

다음은 2000-2009년 기간 10년간의 검색순위다. 재개발재건축, 의약분업, 정보공개, 원가공개·분양가상한제, 공명선거, 국정감사, 임대주택 순으로 검색 건수가 많았다. 90년대 경제, 정치 이슈에서 부동산·주거안정으로 주력 운동 의제가 이동했음을 알 수 있다. 아울러 경제정의 분야에서는 금융실명제, 한국은행 이슈에서 재벌의 지배구조와 관련한 운동 의제가 새롭게 등장하고 있음을 알 수 있다. 90년대 검색어 가운데 금융실명제나 한약분쟁과 같이 일정한 성과를 거둔 운동 의제는 2000년대 이후 자취를 감추지만, 적지 않은 의제는 이후 20년 동안에도 주요 의제로 계속 등장하고 있음을 확인할 수 있다.

사진으로 보는
경실련 30년

Ⅰ. 경실련의
정신과 활동

Ⅱ.
활동의 성과
경실련 30년

Ⅲ. 지역경실련의
활동과 성과

Ⅳ. 경실련과
시민사회의 미래

2000-2009년 검색순위

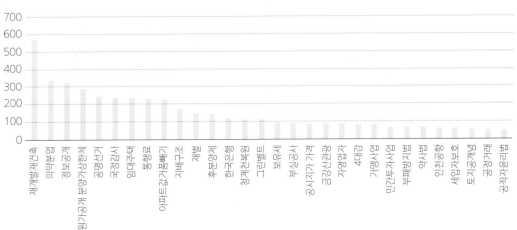

2010년대 들어서는 다음의 그래프에서 보듯이 공시지가, 국정감사, 재개발재건축, 통행료, 4대강, 지배구조 등의 순으로 기사검색 순위가 바뀌었다. 재벌의 지배구조 이슈가 계속해서 주력 운동 의제가 되었음을 알 수 있다. 앞서 20년간에도 주요 이슈였던 국정감사가 검색순위 2위를 차지해 2010년 이후 주요 운동의제였음을 확인할 수 있다. 2010년 이후에는 상비약, 유전자조작GMO, 건강보험료 등 사회정의 이슈가 새롭게 중요 운동의제로 등장했음을 알 수 있다. 30년 기간을 전체적으로 보면 전통적인 의제에 더하여 한국의 경제성장 과정에서 제기되는 문제들이 새롭게 운동의제로 등장하고 있음을 알 수 있다.

2010-2019년 검색순위

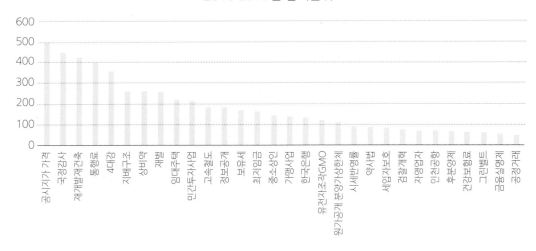

2. 분야별 성과 평가

분야별 운동성과 평가는 100대 운동 과제를 선정할 때 분류했던 대분류(경제정의, 부동산·주거안정, 정치·정부개혁, 사회정의)를 기준으로 분야 별로 종합평가하고자 한다.

1) 경제정의 분야 평가

경실련의 30년 간 100대 운동의제 가운데 '경제정의' 부문은 세부적으로 7개 분야(재벌, 금융, 재정·세제, 중소기업, 소비자, 농업, 통상)와 31개 세부과제로 구분할 수 있다. 1989년 출범한 경실련은 1990년 초반 재벌의 경제력 집중 해소와 금융실명제, 금융소득종합과세 등 재벌·금융·조세개혁 운동을 시작했다. 이후 경실련은 농업과 통상, 소비자 분야 까지 운동의제를 확장시켜 왔다. 경제정의의 중요한 축인 부동산·주거안정 분야는 경실련 운동의 핵심 과제였던 만큼, 별도로 구분하여 평가를 하고자 한다.

경제정의 분야 31개 의제가 나름대로의 성과는 있었지만, 대표적인 성과는 금융개혁분야로 김영삼 정부 1993년 8월 12일 '금융실명거래 및 비밀보장에 관한 긴급명령'에 따라 도입 된 금융실명제로 평가할 수 있다. 금융실명제는 출범 초기부터 집중적인 운동을 벌여 돈세탁, 비자금, 상속 및 증여세 탈루, 부동산 투기, 뇌물 등 불법과 부정부패를 줄이는 데 상당한 기여를 했다. 금융개혁분야에서는 이 외에도 한국은행 독립성 강화, 금산분리 강화, 증권관련 집단소송제 도입, 무분별한 공적자금 투입 방지 등의 성과를 보였다.

경제정의 분야에서 중요한 축을 담당하고 있는 재벌개혁 의제는 출범 초 부동산 개혁 운동과 함께 현재까지도 지속적인 운동의제였다. 그러나 경기불황과 투자를 핑계로 한 재벌의 저항과 로비, 정경유착으로 인해 한계가 있었다. 재벌개혁에서 의미 있는 성과는 '출자총액제한제도(출총제)'이다. 정부는 재벌의 경제력 집중을 억제하는 중요 수단이었던 출총제를 1998년 2월 외환위기 이후 '외국인에 대한 적대적 M&A에 대한 경영권 방어와 국내기업 역차별 해소' 등을 핑계로 정부가 폐지시켰다. 이에 경실련은 경제력 집중 실태 자료를 분석하여, 정부에 대한 끈질긴 압박으로 2001년 재도입을 관철시켰다. 이후 이명박 정부에서 2009년에 출총제가 공식적으로 폐지되자, '폐지로 인한 경제력 집중 실태'를 시리즈로 분석발표하며, 재도입을 주장했다. 경실련의 운동은 뜻하지 않게 2012년 대선과정에서 '경제민주화' 바람을 일으켜, 주요 대선주자들이 앞 다투어 관련 공약을 제시하는 결과를 가져왔다. 출총제는 재도입 되지 않았지만, 박근혜 전 대통령의 경제민주화 공약에 '순환출자금지'가 포함되어, 실제로 신규 순환출자가 금지되는 제도개선의 성과를 거두었다. 아울러 2016년 국정농단의 주범이자, 재벌의 이익대변 단체인 '전국경제인연합(전경련) 해체' 운동을 집중적으로 전개하여, 해체로는 이어지지 못했지만, 삼성, 현대차, LG, SK, 포스코, KT 등의 주요 회원사를 탈퇴시키고, 예산 40%를 축소시키는 성과를 거두었다. 경실련은 재벌들의 골목상권진출과 갑을문제 해결을 위해 '중소상인살리기' 운동과 '가맹사업법 개정' 등의 운동도 전개하여, 재벌유통업체의 SSM 진출을 막기도 했으며, 가맹사업자들의 권익신장에 기여하기도 했다.

재정·세제 관련 주요 의제로는 법인세 강화, 보유세 강화, 예산감시, 글로벌 IT기업 조세강화 운동 등을 들 수 있다. 조세형평성과 불로소득 환수, 부동산 투기 근절 차원에서 지속적으로 전개했던 보유세 강화 운동은 노무현 정부 이후 종합부동산세가 도입되면서부터 사실상 완화된 바 있다. 문재인 정부 들어서도 각종 조세 강화를 위한 운동은 지속하고 있다. 근로소득에 비해 담세능력이 있음에도 이명박 정부에서 투자활성화를 명목으로 22%로 인하했던 조치는 조세부담 능력의 실태를 분석해 공개하는 운동 등을 통해, 문재인 정부 들어 최고세율이 25%로 인상되는 성과를 거뒀다. 1998년부터 본격화했던 예산감시 운동은 예산감시지침서와 백서 제작 등으로 시민사회 예산감시운동의 모범이 되었다는데 큰 의의가 있었다. 이후 국책사업감시 등으로 이어져, 공공건설사업 분야에서 예산이 절감되는 성과를 거두기도 했다. 2016년 이후 구글과 페이스북 등 글로벌 IT기업들의 조세회피와 관련해서도 이를 방지할 수 있는 제도개선 운동을 하여, 유한회사를 외부감사법 테두리로 끌어 들이고, 글로벌 IT기업들의 부가가치세를 개선하여, 의미 있는 성과를 거두었다.

'경제정의' 분야 가운데 빼놓을 수 없는 의제로 '소비자권익보호'운동을 들 수 있다. GMO표시제도 개선, 대인정보보호 강화, 항공 마일리지 개선, 소비자 약관 개선, 공공부문 연체 제도 개선, 통신요금 개선, KTX 민영화 저지 등이 대표적인 운동의제였다. 소비자 관련 의제는 소비자 피해 실태를 알리고, 고발하는 방식을 취함으로써 사회적으로 문제를 공론화 시켜, 제도개선을 가져오게 만들었다. 이명박·박근혜 정부 시기에는 KTX 민영화 추진을 막기 위해 시민의 안전과 요금문제, 국제입찰 문제 등 민영화로 인한 비효율을 제기하는 전략으로 시민의 공감대를 얻어 저지시키는 성과를 거두었다. 나아가 농업이 국내 산업에서 차지하는 중요성을 인식하고, 1990년 초부터 UR협상으로 인한 농업의 피해를

막기 위한 대응은 쌀 개방 협정 유예를 이끌어내기도 했다. 20대 국회인 2019년에 들어서는 '공익형직불제'로 개편하는 경실련의 주장을 담은 법률안이 국회의원을 통해 발의되기도 했다.

경실련은 국내문제 뿐 아니라, 대외통상 문제로 인한 국내 경제 피해에 대해서도 관심을 가지고, 이슈가 있을 때마다 대응을 해왔다. OECD 조기가입반대(1995), FTA협상 감시, 미국산 쇠고기 수입 감시 등의 활동을 전개해, 졸속적이고 일방적인 개방 추진을 막았던 성과도 있었다.

경제정의 분야 개혁의제는 불공정하고, 불투명하며, 쏠려있는 한국의 경제구조를 근본적으로 바꾸는 의제들이다. 재벌 중심의 경제구조 개혁, 불투명하고 불공정한 금융시스템 개혁, 형평성에 맞지 않는 있는 조세제도, 개방경제로 인해 피해를 보는 취약 층에 대한 보호 등이 그것이다. 30년이 지난 2019년에 지난 활동성과를 평가해 보면, 이러한 의제 중에 일부는 커다란 성과를 거두기도 했지만, 적지 않은 의제가 현재진행형임을 알 수 있다. 그 만큼, 경제적 부정의를 통해 이익을 얻는 기득 계층과 재벌, 정치권의 저항이 상당함을 의미한다.

운동 방식에 있어서 경실련은 실사구시적인 방식을 구사했다. 경제적 부정의에 대한 실태를 분석하여 시민사회에 알림으로써 제도개선을 촉구하는 전략이 대표적인 운동 방식이다. 또 다른 운동의 특징은 '기업의 사회적 책임 강화' 의제에서 알 수 있듯이, '좋은 기업상'과 '좋은 사회적기업상' 등 시상 제도를 통해 기업의 사회적 책임 이행도 촉구해왔다는 점이다. 사회의 부조리에 대해서는 지속적인 개혁을 촉구해왔지만 사회적 책임을 잘 이행한 기업에 대해서는 시상을 함으로써 균형 잡힌 운동을 지향해 왔다고 자부할 수 있다.

2) 부동산 주거안정 분야 평가

30년여 전 세입자들은 주거권조차 제대로 보장받지 못하는 반면 소수 상위계층은 막대한 불로소득을 축적하며 불평등을 키우는 상황에서 경실련은 경제적 불의를 더 이상 방치하지 않기 위해 창립을 선언한 바 있다. 경실련의 발기선언문의 실천과제, 토지경제정의 5대 원칙 등에도 이러한 정신이 담겨있다.

그러나 경실련 창립 이후 30년이 지난 지금의 현실은 과거 30년 전에 비교할 때 전혀 나아지지 않았다. 집값과 땅값의 폭등으로 과거 복부인에 국한되었던 부동산투기는 온 국민으로 확산했고, 불평등은 더욱 심화되었다. 그렇기 때문에 결과만 놓고 보면 경실련이 과연 부동산·주거안정을 위한 30년 운동성과를 논할 수 있는지 회의적이고 자괴감이 들기도 한다. 그러나 경실련이 지난 30년 간 동산투기 근절을 위해 열심히 싸워온 것은 엄연한 사실이며, 그 과정에서 크고 작은 성과들이 있었음은 부인하기 어렵다.

경실련은 창립 초기부터 토지는 재산증식의 목적으로 소유되어서는 안 되며 불로소득은 소멸되어야 하고 모든 부동산은 실명으로 거래되어야 한다는 '땅의 경제정의'를 제시한 바 있다. 이를 실현하기 위해 경실련은 토지조세제도 개혁 및 공공주택 확충 등의 정책을 제시하였으며, 이러한 운동의 영향으로 토지공개념 도입도 이루어냈다. 당시 노태우 정부가 전경련 등의 반발로 후퇴시키려고 하였으나 경실련 등의 적극적 대응으로 토지공개념이 입법화되었다. 그러나 외환위기 이후 경제 활성화 명분으로 토지공개념이 대폭 후퇴하였다. 현재 개발이익환수법이 존재하고 있지만 유명무실한 상황이다. 경실련은 지금도 재개발·재건축 사업, 신도시 개발 등 각종 개발 사업에서 발생하는 개발이익을 추정 발표하고, 개발이익의 50%이상을 환수할 것을 주장하고 있다.

창립 당시 치솟는 전월세가격을 감당치 못하고 스스로 목숨을 끊을 수밖에 없는 세입자들의 고통을 해결하기 위해 경실련은 1989년 '무주택자문제 대책본부'를 발족하고 계약기간 보장 및 인상률 제한 등 '세입자 보호 종합대책'을 제시하였다. 이후 계약기간 2년 보장과 5%이상 제한 등이 법제화되기도 했다.

부동산실명제 도입도 경실련의 대표적인 부동산·주거안정 분야 운동 성과다. 명의신탁제도는 일제 강점기 때부터 80여 년간 허용되며 탈세, 탈법 및 법인의 은닉수단으로 악용되며 부동산투기를 조장해왔다. 김영삼 정부가 집권 초기 부동산실명제 도입을 발표한 바 있다. 그러나 당시 투기 세력을 비호하는 정치인 관료 등의 반발로 후퇴가 예상되는 상황에서 경실련은 예외 없는 부동산실명제 도입을 촉구하였다. 당시 경실

련은 토론회 개최, 입법청원, 의회감시, 대통령에게 건의문 전달 등 다양한 방법을 동원해 적극적으로 대응하였으며, 결국 실명제가 도입되었다.

1990년대 초 토지공개념 및 부동산실명제 도입은 이후 부동산가격의 안정화에 기여하였다. 그러나 외환위기 이후 분양가상한제가 폐지되고 양도세 한시적 면제 등 토지조세제도가 완화되면서 부동산가격이 다시 가파르게 상승했다. 이런 상황에서 당시 정부는 주거안정을 위해 그린벨트를 해제하고 판교 등 대규모 수도권 신도시를 건설하는 수도권 과밀 개발정책을 발표했다. 이에 지역경실련 등 전국 시민사회와 함께 환경파괴 및 수도권 집중의 문제를 제기하면서 관련 정책의 철회를 촉구하였다.

판교의 경우 계획이 발표되자마자 수도권 아파트가격이 상승하는 부작용이 나타났다. 이에 경실련은 〈아파트값 거품빼기운동본부〉를 출범시키고 시민서포터즈들과 함께 판교공영개발을 촉구하는 등 투기근절책을 제시했다.

참여정부에서는 아파트값거품빼기 운동본부를 출범시키고 10만 서포터즈 운동, 판교공영개발 촉구, 분양원가 공개 등 집값거품 제거를 위한 다양한 활동을 전개하였다. 이 가운데 판교발 투기 광풍과 관련해서는 노무현 대통령이 '판교분양 중단과 공영개발 추진'을 발표하는 성과를 이루어냈다.

논밭임야를 강제수용해서 개발한 신도시에 대해서는 LH공사 등 공기업들의 막대한 개발이익을 추정발표하며 분양원가 공개운동을 주도하였다. 당시 서민주거안정을 위해 설립된 공기업의 부동산 투기와 불로소득 규모가 경실련을 통해 낱낱이 공개되자 국민의 90% 이상이 분양원가 공개를 찬성하였다. 이에 경실련은 17대 총선에서 분양원가 공개 등 부동산투기 근절정책의 공약화를 요구하였는데 상당수가 공약으로 채택되는 성과도 이루어냈다. 그러나 정치권의 약속불이행으로 분양원가 공개가 이뤄지지 않다가 2006년 오세훈 서울시장이 경실련의 분양원가 공개요구를 전격 수용했고, 이후 노무현 대통령까지 '거스를 수 없는 흐름'이라며 원가공개를 수용했다. 이후 2007년에 관련법이 개정되고 분양가상한제와 함께 모든 분양아파트에 대한 원가공개가 이루어졌다.

덕수궁터 미대사관 부지 개발 및 경복궁 터 미대사관 숙소부지 관광호텔 건립 등 문화재 주변 지역 개발을 통한 부동산투기에 대해서도 경실련이 주도적으로 시민단체 등과 연대하여 개발을 저지시킴으로써 문화주권을 되찾는 성과도 함께 이루어냈다.

건설부패 근절, 예산낭비 방지 등과 관련해서도 경실련은 많은 성과를 남겼다. 건설업은 7~80년대 활발한 해외수주, 주택난 해소를 위한 대규모 신도시 건설, 대규모 SOC 구축 등에 힘입어 우리나라 경제성장과정에서 중요한 역할을 담당했다. 그러나 뿌리 깊은 뇌물비리와 경쟁 없는 입낙찰시스템 등은 고질적인 문제로 부정부패와 예산낭비의 주범이 된 지 오래다. 경실련은 시민사회 중 독보적으로 건설업에 대한 전문성을 바탕으로 각종 건설 비리와 예산 낭비 실태를 파헤치며 가격경쟁 방식 도입, 표준품셈 폐지 및 시장단가도입, 감리강화 등의 정책대안을 제시했다. 가격경쟁 방식인 최저가낙찰제는 경실련의 지속적인 공공사업 공사비 분석으로 거품실태가 드러났으며 김대중 정부에서부터 전격 수용되었다. 이후 건설업계 등의 반발로 폐지되었지만 2001년부터 2013년까지 13년간 최저가낙찰제가 시행되면서 38조 6천억 원의 예산절감 성과를 이루어냈다. 민간투자사업과 관련해서도 정부의 과도한 민간사업자 특혜제도인 최소운영수입(MRG) 제도의 문제를 집중 제기함으로써 MRG가 폐지되는 성과도 이루어냈다. 이외에도 성수대교 붕괴 등 대규모 국책사업의 부실감리 문제제기를 통해 책임감리제가 도입되었으며, 아파트건설에도서 감리의무대상을 확대시키는 성과를 이루어냈다.

건설업의 불투명성 개선을 위한 공사비 등 정보공개운동도 활발히 진행해왔다. SH공사가 추진한 상암, 장지, 발산 등 15개 지구에 대한 공사비 세부내역 공개 소송에서 승소하였고 이는 경기도, 성남시 등이 대한민국 최초로 공공사업의 설계내역 및 원하도급 내역 등을 자발적으로 공개하는 성과로 나타났다.

경실련은 창립 초기부터 지금까지 30여 년간 일관되게 부동산투기 근절과 건설부패 근절 및 예산낭비 방지를 위해 다양한 활동을 중점적으로 추진해왔다. 이 가운데 상당 부분은 제도개선으로 이어지는 성과로 나타났다. 그러나 부동산 거품을 떠받치며 부당이득을 취하려는 건설업계, 정치인, 관료 등 개발 5적의 막강한 유착관계로 인해 번번이 제도가 후퇴되거나 사라지는 상황이 반복되고 있다. 이 때문에 경실련 창립 당시와 30년이 지난 현 상황을 비교할 때 경제정의가 더 악화된 것 아니냐는 뼈아픈 자성의 목소리가 나오고 있다. 시민운동단체의 효시(嚆矢)격인 경실련은 지난 30년의 역사를 성찰하면서 좀 더 적극적이고 효과적인 운동 방법과 대안을 모색해야 할 것이다.

사진으로 보는
경실련 30년

I. 경실련의
정립과 활동

II.
경실련 30년
활동의 성과

III. 지역경실련의
활동과 성과

IV. 경실련과
시민사회의 미래

3) 정치·정부개혁 분야 평가

지난 30년 경실련 활동 가운데 정치·정부개혁 분야에서 언론 기사 검색 건수가 많았던 의제는 국정감사, 공명선거, 정보공개, 부패방지법, 검찰개혁, 공직자윤리법, 공약이행평가 등이다.

상근자나 전문가 그룹에서 지난 30년간 성과로 꼽은 의제는 공약이행평가, 부패방지법·공직자윤리법, 국정운영평가, 공명선거운동 등이다.

경실련은 역대 정부의 국정운영을 지속적으로 평가했다. 평가는 전문가 설문을 통해 진행하고, 공약이행 평가와 국정운영 평가토론회를 개최하여 국정운영을 진단하고 올바른 국정운영 방안을 제시했다. 1989년 창립 이후 국정운영에 대해 평가한 것은 1997년 2월 김영삼 정부 집권 4년 평가토론회가 처음이었다. 이후 경실련은 김영삼, 김대중, 노무현, 이명박, 박근혜, 문재인 정부에서도 국정평가를 지속해 국정운영 전반에 대한 평가와 점검을 통해 피드백을 제공해 왔다.

경실련은 인사청문회와 관련해서도 1999년부터 도입을 주장했으며, 그 결과 2000년에 인사청문회법이 제정되었다. 법 제정 이후에도 경실련은 2003년과 2005년 인사청문회 대상 확대를 위한 운동을 펼쳤다. 그 결과 2006년 인사청문회 대상을 국무위원으로까지 확대하는 성과를 이끌어냈다. 청문회법 제정 이전 국회는 1998년 국회법에 '인사청문회' 절차를 명시하여 제도를 시행했지만, 정부와 여당이 인사청문회 대상을 국무총리, 감사원장, 대법원장 등 국회 임명 동의 절차 대상자로 축소를 주장해 제도 도입이 늦추어지고 있었다. 이에 경실련은 이런 정치권의 반개혁적 태도가 인사청문회 절차 도입을 늦추고 있다고 비판한 바 있다.

이와 같은 활동을 토대로 경실련은 인사청문회 과정을 감시하고 도덕적 결함과 부적격 인물에 대한 임명 철회 활동을 통해 부적격 인물의 공직 진출을 저지하는 성과를 거두었다. 나아가 반복되는 인사 참사를 방지하기 위한 청와대 인사검증 시스템 개선을 지속적으로 촉구하고 있다.

다음으로 성과로 평가하고자 하는 것은 공공기관 낙하산인사 감시활동이다. 공공기관 낙하산 인사는 능력과 자질, 도덕성 그리고 국민의 뜻과 관계없이 인사권자가 정치적 이념이나 성향 또는 학연 지연 등으로 맺어진 인물을 공공기관의 기관장이나 임원에 임명하는 것을 말한다. 공공기관 낙하산인사는 비리와 부패의 근원이며, 무능과 세금 낭비라는 결과를 유발할 수밖에 없다. 그러나 정권이 바뀔 때마다 능력과 자질, 전문성에 문제가 있는 코드인사가 반복됐다. 참여정부 이후 공공기관 임원에 대해 '임원추천위원회'를 도입해 공모제 형식을 취하고는 있지만, 실효성 면에서 문제가 많은 형태로 운영되고 있다. 경실련은 정권의 입맛에 맞는 공공기관 낙하산 인사에 대해 강력한 비판을 제기하면서, 임명 철회와 임명과정에 절차적 투명성을 담보할 것을 요구해 왔다. 이를 위해 지속적으로 공공기관 임명 실태를 분석하여 낙하산 인사의 병폐를 알리고, 투명하고 공정한 임원추천위원회 구성과 공모절차 개선 등 제도개선 활동을 전개해왔다.

4) 사회정의 분야 평가

압축된 근대화 과정에서 한국은 성장과 개발 일변도의 경제개발 정책으로 양적 성장 면에서는 괄목할 만한 성과를 이루었다. 그러나 IMF 경제위기를 겪으면서 정부 기능의 민영화 확대와 기업의 구조조정 과정에서 근로자의 정리해고로 대량 실업이 발생했다. 이 과정에서 노동시장의 불안정 문제가 심각해졌으며, 급격한 사회변화와 불안요인으로 기존의 사회복지와 노동체제는 이를 감당할 수 없었다. 심화하는 불평등과 양극화문제를 개선하기 위해서는 사회안전망 구축을 위한 대책마련이 요구되는 상황이었다.

경실련은 사회복지시스템이 취약계층을 보호하고, 소득재분배 기능을 수행할 수 있도록 제도화하고 정책화하는 운동을 진행하였으며, 이용자의 권리증진에 운동의 목표를 두었다. 아울러 노동시장 유연화에 따른 차별문제와 임금 보장 등 불평등 문제를 해소하는 것도 경실련의 사회정의 운동의 주요 관심사였다.

이러한 활동가운데 보건의료 분야의 활약이 두드러졌다. 한약분쟁 조정과 의약분업 실시, 상비약 약국

외 판매, 의료영리화 반대 및 건강보험 보장성 강화, 건강보험 부과체계 개선은 의료체계 및 건강보험제도의 합리적 조정과 개선을 통해 의료가 사익추구의 수단이 되지 않고 국민의 건강권을 증진시키는 공적제도로 자리매김하는데 기여하였다. 공급자 중심의 의료제도에서 환자의 권리보호 특히, 국가의 감염병 대응 실패에 따른 피해를 구제하기 위한 메르스 피해 소송은 국가의 정책실패에 대한 책임을 묻는 사건으로 기록되었으며, 이후 국가상대 소송에 많은 영향을 미치는 등 사회적으로 큰 반향을 일으켰다.

그 밖에 사회정야 분야 운동 가운데는 일반 시민을 대상으로 한 〈민족화해아카데미〉와 〈도시대학〉 등과 같은 교육 프로그램의 운영도 성과로 지적할 수 있을 것이다. 전술한 교육 프로그램은 사회개혁에 대한 이해를 높이고 시민운동에 대한 저변을 확대하여 운동의 동기를 부여하는 등 시민운동의 외연을 확대하는 계기가 되었다.

시민과 함께 한
경제정의실천시민연합 30년사

경제정의실천시민연합
CCEJ 30주년

III. 지역경실련의 활동과 성과

사진으로 보는
경실련 30년

Ⅰ. 경실련의
정립과 활동

Ⅱ. 경실련 30년
활동의 성과

Ⅲ.
지역경실련의
활동과 성과

Ⅳ. 경실련과
시민사회의 미래

1. 지역경실련의 역사와 현재

Ⅰ. 창립 배경 및 목적

　　1989년 7월 8일 경제정의실천시민연합(경실련)이 발기인 대회를 개최하며 시민운동의 막을 열었다. 경실련은 우리 사회가 정경유착과 금·관권 선거, 부패, 부동산 투기, 탈세, 불공정한 노사관계, 농촌 중소기업의 황폐화 등 불공정한 소득분배와 재벌에 경제력 집중, 비윤리적인 부의 축적이 만연하다고 진단하였다. 우리 사회의 경제적 불의는 더 이상 방치할 수 없는 수준으로 경제성장의 토대가 와해됨은 물론 시민들의 인간다운 삶의 가능성 조차 원천적으로 박탈하고 있다고 보았다. 경실련은 이를 극복하기 위하여 ▲ 모든 국민은 빈곤에서 탈피하여 인간다운 삶을 영위할 권리가 있고 ▲ 비생산적인 불로소득은 소멸되어야 하며 ▲ 자기 인생을 자유롭게 선택할 수 있도록 경제적 기회균등이 모든 국민에게 제공되어야 하고 ▲ 정부는 시장경제의 결함을 시정할 의무가 있으며 ▲ 진정한 민주주의를 왜곡시키는 금권정치와 정경유착은 철저히 척결되어야 하고 ▲ 토지는 생산과 생활을 위해서만 사용하고 재산증식의 수단으로 보유되어서는 안 된다는 6대 실천과제를 선언하였다. 이 과제를 실현하기 위해 기존의 재야 사회운동과 다른 운동의 원칙과 전략을 수립하였는데 ▲ 민주적 절차를 지키고 합법 평화적인 운동으로 시민의 지지와 개혁의 정당성을 획득하여 사회 개혁을 추진 ▲ 계급과 이념을 초월하여 깨어있는 시민이 스스로 사회변화의 주체로 나서서 압력을 행사하여 국가 정책을 전환하고 ▲ 배타적인 투쟁과 소모적인 비판이 아닌 실사구시의 자세로 현실을 분석하고 합리적인 정책 대안을 제시하여 실질적인 사회개혁을 이루며 ▲ 흑백논리를 배제하고, 우리 사회의 개방성과 다양성을 반영하며 다수가 소수의 의견을 존중하면서 사회적 합의를 이루는 점진적인 변화를 추구하였다.

　　경실련의 활동은 독재정부 하에서 억눌렸으나 민주주의 실현을 갈망하는 전문가, 직장인, 종교인, 주부, 학생 등을 시민운동으로 이끌었으며, 국가의 주인이 정치인과 소수의 재벌이 아닌 95%의 시민임을 자각하게 하였고, 정치 행정의 권력으로부터 소외되었던 사회적 약자들이 목소리를 내게 되었다. 특히 경실련이 주력했던 부동산 투기 근절과 무주택세입자 운동, 정경유착 근절과 재벌개혁, 부정부패 추방, 공명선거운동 등이 시민들의 호응을 받으면서 시민운동이 정착하는 토대가 되었다. 경실련 운동의 사회적 지지는 지역사회 운동으로 확산되었다. 지역사회에서 명망과 인품을 인정받는 인사들이 경실련 본부와의 협의를 통해 뜻을 함께할 시민들을 모집하고, 발기인대회를 통해 조직 체계를 갖추고 지역의 의제에 목소리를 내면서 창립을 하였다.

　　초기의 지역경실련들은 91년 지방의회의원선거와 92년의 총선 및 대선과정의 공명선거캠페인과 정책캠페인은 우리사회 선거문화를 바꿔놓았다. 정책캠페인의 성과는 지방의회감시단 운영, 지자체 시민대학 개설, 지방의정 논단 개최, 지방의회의원 공약이행평가 등 의정감시활동으로 이어졌고, 지역경실련의 중요하고 보편적 활동으로 정착하였다. 그러나 세제개혁캠페인이나 이문옥 감사관의 양심선언을 계기로 진행된 정경유착 근절 캠페인, 부정부패 추방 캠페인 등 경실련 본부 중심의 의제들을 지역화 하는 활동은 지역시민들의 참여에 기반을 둔 운동으로 발전하는 데에 한계가 있었다. 이에 따라 지역사회의 특성을 반영한 의제를 발굴하려는 노력이 전개되었는데 환경, 주택, 교통, 지역경제 활성화 등 다양한 분야의 지역 현안들이 시민운동의 과제로 등장하였고, 시민들과 함께 대안을 찾기 위한 세미나, 토론마당, 공청회 개최, 성명서, 기자회견 등 다양한 방법으로 전개되었다.

　　경실련의 지역조직 설립은 서울의 구 지부와 지역경실련으로 추진되었다. 경실련 본부가 있는 서울은 1990년부터 회원운동 활성화 방안으로 구 지부의 조직을 시작하였다. 경실련의 정책들이 정부의 정책으로 관철되기 위해서는 조직화된 다수의 힘이 필수적이었지만 경실련운동을 지지하는 개개인의 시민들을 결집시키고 활동으로 나서게 하는 데에 한계가 있었기 때문이다. 서울 구 지부는 경실련 정신을 지역사회로 확산하는 것, 새롭게 열리는 지방자치에 효과적으로 대응하고 건강한 지역사회를 만드는 것, 지역의 현안을 발굴

하고 해결함으로써 시민들의 욕구를 충족하는 것, 시민들의 자율적 참여로 지역을 변화시키는 새로운 문화를 창출하는 의미에서 중요하였다. 경실련은 사무국에 시민부를 설치하여 구 지부 조직을 지원하였다. 먼저 노원·도봉구에서 지역이슈였던 소각장문제에 대한 정책간담회를 갖는 등 1993년 7월부터 활동을 시작하였고, 강남·서초구지부 준비모임은 7월부터, 강서·양천구는 11월에 회원간담회를 갖고 조직화가 시작되었다.

지역경실련은 1989~1991년까지는 광역시를 중심으로 창립하였고 이후 기초자치단체로 확산되었다. 지역경실련의 첫 출발은 대구경실련이었다. 1989년 10월 27일 계명대에서 4백여 명의 시민들이 참석한 가운데 '토지공개념 확대도입을 위한 강연회'를 갖고 출발했으며, 1990년 6월 2일 '창립대회 및 이문옥감사관 석방과 정경유착 규명 촉구 시민대회'를 갖고 출범했다. 뒤를 이어 대전경실련(1990.11), 부산경실련(1991.5), 광주경실련(1990.6), 인천경실련(1992.10)이 창립하였다. 제주경실련은 1991년 2월 지역경실련의 대열에 합류했으며, 이리, 광명, 포항, 구리 등이 조직되었다. 현재까지 전국 57개 시군에서 지역경실련이 활동하였다.

II. 조직 현황

1. 조직 현황

지역경실련의 조직화는 1995년까지는 급속하게 진행되었다. 경실련은 "100개 지역경실련, 10만회원이면 개혁을 이룰 수 있다"는 기치로 조직화에 노력하였다. 그러나 1997년 경실련 본부의 '김현철 비디오테이프 사건'으로 물의를 빚어 일시적으로 창립을 준비하던 지역이 활동을 중단하기도 하였다. 1999년 경실련 내 개혁특별위원회를 설치하여 전국 경실련 조직의 통합성과 건전성 강화를 위한 내부 개혁을 추진하였다. 참여정부 출범 이후 시민과 전문가들이 적극적으로 사회문제에 발언할 수 있는 열린 공간이 확대되었고, 시민운동계의 의견을 국정에 반영하려는 노력으로 시민운동이 활발하게 전개되었다. 이명박·박근혜 정부는 정권과 성격이 비슷한 시민운동을 지원하고 성장시키려는 기조에 따라 기존의 시민운동이 일시적으로 위축되었으나 촛불시위로 분출되었다. 이 시기 경실련은 산하 조직의 양적인 확장 기조에서 탈피하여 내실을 갖추려는 조직운영 방향으로 전환하였고, 거점이 지역이 아니면 신규 지역경실련 설립을 억제하면서 정규 활동을 하지 못하는 조직들을 단계적으로 폐쇄하였다. 2019년 현재 27개 지역에서 26개 지역경실련이 활동하고 있다.

[지역경실련 연도별 조직 현황]

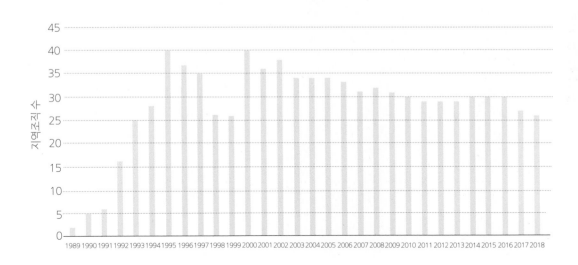

창립된 지역경실련들이 활동을 중단하는 이유는 주로 조직운영을 위한 인적 물적 기반의 취약, 조직의 내분 등으로 중앙위원회의 결의로 해산되었으나 드물게는 자진해산하기도 하였다. 광역지역 중 울산경실련(1993~2007)은 울산참여자치시민연대와 통합하여 울산시민연대로 출범하였고 태백경실련은 자체의 결의로 해산하였다.

활동을 중단한 지역경실련

	활동 지역	소계	폐쇄 지역	소계
광역	대구 부산 인천 대전 광주	5	울산 서울(노원·도봉 강남·서초 강서·양천 강동·송파)	5
경기	수원 광명 안산 이천·여주 양평 군포 김포	7	부천 안양·의왕 오산·화성 하남	4
강원	강릉 춘천 속초	3	고성 단양 태백 동해	4
충청	청주 천안·아산	2	충주 단양	2
전라·제주	전주 군산 정읍 목포(무안) 순천 여수 제주	7	광양 장흥 김제 익산 남원 무주	6
경상	구미 거제	2	경주 포항 울릉 창원 안동 영천 통영 진해 의성	9
합계	26(27)		30	

지역경실련 26개 조직의 회원은 평균 275명이다. 지역경실련의 회원 수가 가장 많은 지역은 800명이며 가장 적은 곳은 100명 수준이다. 광역지역 5개 경실련의 회원은 평균 436명이며 기초지역 21개 경실련의 회원은 평균 237명이다. 지역경실련의 회원 수와 상근활동가들의 수는 비례하는 것으로 나타났는데 경실련 자체 조사에 따르면 이명박 정부 출범 이후 상근활동가는 평균 1명이 축소되었다. 2019년 7월 기준으로 50여명이다.

[지역경실련의 회원과 상근활동가 현황]

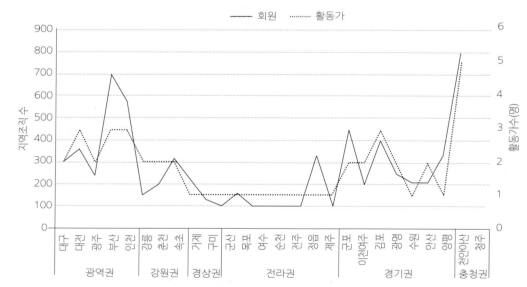

2019년 7월 기준으로, 지역경실련의 월 평균 회비는 7천여만 원 수준이다. 지역경실련의 회비 납부 방식은 일반적인 CMS(Cash Management Service) 방식이 있고, 자동이체, 지로, 현금으로 사무처에 납부하고 있다. 그리고 회원들은 회비 외에 행사가 있을 경우 특별 회비를 납부하고 있다. 그러므로 지역경실련의 CMS 방식에 의한 회비 납부가 회비의 전부로 볼 수는 없다. CMS 방식은 금융회사와 금융결제원이 공동으로 운영하는 서비스로서 회원들이 직접 은행에 가지 않아도 쉽고 편리하게 이용기관의 고객계좌에서 정해진 날에 회비를 자동으로 입금하는 서비스로 경실련이 시민운동단체 중 처음으로 도입하였다.

아래 그림의 '지역경실련의 회비 현황'에서 나타나듯이 지역경실련들 중 지역경실련 전체의 회비 평균이상을 넘는 지역은 26개 지역경실련 중 11개 지역(대전, 광주, 부산, 인천, 청주, 구미, 순천, 광명, 수원, 안산, 양평)이며, 15개지역경실련은 평균 이하를 모금하는 열악한 수준이다. 위에서 살펴보았듯이 지역경실련은 2008년 이후 상근활동가들이 축소되면서 회원 수가 점차 감소하였고 이는 다시 회비의 감소로 이어지고 있다.

[지역경실련의 회비 현황(2019.7 기준. CMS)]

―― 월회비 ········ 평균

2. 지역경실련 관련 규칙

지역경실련이 전국적으로 창립되면서 지역경실련의 설립에 관한 절차와 운영을 위한 표준안이 요구되었다. 1993년 상임집행위원회에서 처음으로 '지역경실련 창립절차에 관한 내규'가 제정되었다. 이 내규는 창립 목적으로 "새로 조직되는 지역경실련의 창립과정을 지도 격려하고 창립을 위한 제반승인 요건을 갖출 수 있도록 협조"하는 것이며, 창립 요건으로 "지역사회의 각 분야가 균형 있게 반영된 30명 이상의 회원 및 유능한 지도자들이 창립에 뜻을 모으는 일(발기 회원), 활동에 필요한 지도력과 자원의 효과적 동원(지도자, 예산, 공간), 발기 회원과 예산 등을 검토하여 해당 지역의 대표자들과 경실련 본부가 공동으로 활동 방향과 계획을 합의하여 창립"하는 것으로 규정하였다. 그리고 창립의 절차, 창립총회, 집행위원회 구성과 집행위원회, 창립 보고, 창립승인 등 절차를 포함하고 있다.

2000년에는 지역경실련 상호 간의 협력과 단결로 경실련 운동의 발전을 도모하고자 지역경실련들의 상설기구로 '지역경실련협의회'를 발족하였다. 이 협의회는 상임집행위원회의 승인을 받은 지역경실련이 참여하며, 주요 사업으로 지역경실련 간의 사업 정보의 교류, 임원 상근활동가 회원의 교육, 공동사업 및 정책의 개발과 전국 공동사업 추진 등이다. 이에 경실련 본부는 조직 관리를 지역경실련협의회로 이관하였으며, 경실련 규약에 공식기구로 등록하였다.

2004년 '경실련 조직발전특별위원회'는 지역경실련의 신규 사고 지역조직의 관리, 전국공동사업 및 지역 공통관심

사진으로 보는
경실련 30년

I. 경실련의
창립과 활동

II. 경실련 30년
활동의 성과

III.
지역경실련의
활동과 성과

IV. 경실련과
시민사회의 미래

사의 의견조율, 전국적 협력관계 향상을 위한 업무를 담당하도록 조직위원회의 역할을 조정하고, 위원회에는 임원과 지역경실련의 사무책임자도 참여하도록 하였다. 현재 조직위원회는 권역별로 지역경실련의 사무책임자들이 참여하고 있으며, 위원장도 맡고 있다.

2007년 12월 상임집행위원회는 기존의 '지역경실련 창립절차에 관한 내규'를 개정하여 '경실련 지부조직의 설립 운영 폐지에 관한 규칙'으로 개정하였다. 이 규칙은 지역경실련의 창립과 해산 절차, 지회조직, 회원, 임원의 범위와 자격상실, 사무국장의 상임집행위원회(중앙) 동의, 징계 등 포괄적으로 규정하고 있다. 그리고 상임집행위원회는 조직위원회의 제안으로 수용하여 2008년에 '경실련 운동의 통합성과 건전성 확보에 관한 규칙'을 제정하였다. 이 규칙은 "경실련이 비전과 정체성을 공유하는 전국적 시민운동체로서 정책적 일관성, 동일한 도덕적 가치와 조직적 규범, 통합성을 견지하기 위한 제반사항을 규정"하는 것으로 표준규약의 준수, 지부 간 이견의 조정과 중재, 상근활동가의 직제와 보상체계 및 교육훈련 등을 담고 있다.

2014년과 2018년 조직위원회는 지역경실련 조직운영과 상근활동가들의 근무 실태를 전수 조사하여 상근활동가들의 복지(급여, 보험)를 강화할 것을 권고하였다. 그리고 중앙위원회 결의로 지역경실련들이 창립 이후 해당 지역의 인적 물적인 여건에 맞게 규약을 개정하면서 조직 간의 균형과 견제 원리가 무너지고 각 단위의 역할이 불분명하는 등 표준규약과 다르게 조직이 운영되고 있음을 인식하고 2014년부터 경실련의 통합성과 건전성 유지를 위하여 '지역경실련 표준규약'에 맞게 개정하도록 권고하여, 완료하였다. 2017년 조직위원회는 권역별로 지역경실련의 임원과 상근활동가들을 면담한 후 신규간사교육 정례화, 최저임금 이상의 활동가 급여 지급, 지역경실련 임원의 임기를 상임집행위원회의 결의로 1회 연장하는 방안을 상임집행위원회에 보고하였고, 상임집행위원회는 이를 승인하여 시행하였다.

3. 주요 기구 및 임원

1999년 '경실련 내부개혁과제 개혁특별위원회'는 전국적으로 창립된 지역경실련의 위상, 경실련 전체 조직의 통일성과 책임성 그리고 소통의 강화를 위하여 지역경실련의 임원을 전국 경실련 임원으로 활동하도록 권고하였다. 이에 공동대표단, 중앙위원회 의장단, 협동사무총장 등 경실련을 대표할 수 있는 직책에 지역경실련 임원들이 활동하게 되었다.

경실련 공동대표단으로 이종석(부산, 1999.7-2001.7), 오경환(인천, 2001.7-2003.12), 허창수(구미, 2004.1-12), 법등(2005.1-2005.12, 2006.1-2007.12), 김용채(광주, 2008.1-2009.12), 안기호(대전, 2010.1.~2011.12), 박종두(목포, 2012.1.~2013.12), 최인수(수원, 2014.1.~2015.12) 김대래(부산, 2016.1.~2017.12), 목영주(강릉, 2018.1.~2019.12) 등 지역공동대표들이 활동하였다.

경실련 중앙위원회 의장단으로 제5기(1997.7-1999.7) 김종오(수원), 제6기(1999.7-2001.7) 김명한(대구), 제7기(2001.7-2003.12) 목영주(강릉) 조수종(청주), 제8기(2004.1-2005.12) 임덕호(안산) 이용선(울산), 제9기(2005.1-2007.12) 조연상 최인식, 제10기(2008.1-2009.12) 김숙정(거제) 박종두(목포) 제11기(2010.1-2011.12) 안동규(춘천) 최인수(수원), 제12기(2012.1-2013.12) 김대래(부산) 이국성(인천), 제13기(2014.1-2015.12) 공재식(대구) 황신모(청주, 2014.1-10), 제14기(2016.1-2017.12) 문병규(광주) 김춘호(안산), 제15기(2018.1-2019.12) 김형태(대전) 조문수(제주) 등 지역경실련 임원들이 부의장으로 활동하였다.

경실련의 사무를 총괄하는 사무총장의 업무를 보좌 협력하는 협동총장은 신철영(1999, 부천), 이상희(2000, 2002, 울산), 이동환(2004, 부산), 김재석(2008, 광주), 조근래(2008, 구미), 김종익(2009, 목포), 박완기(2009, 수원) 등 지역경실련 상근활동가가 활동하였다.

지역경실련협의회는 2000년 1월 출범하면서 공동의장으로 이종석(부산경실련 상임고문), 김명한(대구경실련 상임대표), 김용채(광주경실련 공동대표), 사무처장으로 이상희(울산경실련 사무처장), 간사로 박완기(수원경실련 정책실장)를 선임하였다. 이후 지역경실련협의회는 운영체계를 운영위원회 중심으로 개편

하였으며, 운영위원장으로 김재관(2002-2003, 강릉), 김재석(2004-2007, 광주), 이광진 (2008-2011, 2014-2015, 대전), 박완기(2012-2013, 수원), 김송원(2016-2017, 인천), 최윤정(2018, 청주), 고선영(2019, 안산) 등 상근활동가들이 활동하였다.

2. 지역경실련의 활동과 성과

1) 강릉경제정의실천시민연합

Ⅰ. 창립 배경 및 취지

강릉시는 1995년 1월 강릉시와 명주군이 통합된 도농통합형 도시이다. 강릉지역은 권위적이고 획일적인 문화, 무책임한 정치와 행정, 만연하는 부패, 빈부 격차의 확대와 부동산 투기, 환경파괴 등 건강한 시민의식과 삶의 희망을 좌절시키는 지역 현안들이 산적해 있음에도 1990년대 초까지 이를 해결할 주체와 노력은 찾기 어려웠다. 강릉지역의 시민주권 운동을 통한 참여민주주의를 확대함으로써 정치·경제·사회 정의를 실현하고 지속가능한 지역공동체를 위해 1995년에 창립하였다. 첫 사업은 시의원·도의원 출마자들과 당선자들을 위한 '지방자치정책대학(1995-1996)'으로 지방자치 제도와 지방재정의 이해, 예·결산 심의와 교육을 진행하였다. 지역 현안과 강릉의 미래를 시민들이 참여하여 결정하는 시민주권의 원칙을 견지하면서 지방자치법 개정, 지방의회 의정평가, 예산감시 활동을 전개하였다. 시민환경센터를 설립하여 백두대간의 환경보전과 무분별한 개발에 맞서 합리적 대안을 제시함으로써 지속가능한 강릉을 위해 노력했다. 강릉 지역의 정치·경제·사회정의 실현과 지역공동체를 만들기 위해 활동하면서 합리적 균형과 올곧음을 유지하기 위하여 기업과 정부의 보조금을 받지 않고 지역사회의 건강한 변화를 바라는 시민의 회비와 후원금으로만 활동하고 있다.

○ 창립일 : 1995년 7월 12일(발기인 대회, 1994년 11월 26일)

Ⅱ. 조직 및 기구

1. 회원

강릉경실련의 회원은 회사원, 자영업자, 주부, 청년, 학생들과 다양한 연령대의 시민들이 참여하고 있으며 정책대안 제시를 활동 원칙으로 하여 강릉지역의 대학 전문가 등 회원들이 활동하고 있다.

2. 주요 임원

1) 공동대표 : 전영권, 목영주
○ 전 공동대표 : 강규석, 이부동, 이정행, 전석두, 한재덕, 홍동선, 심재우, 김홍목, 윤경호, 서완수, 심재상, 송문길, 전방욱
2) 감사 : 최우헌, 심윤보
○ 전 감사 : 고석태, 이종식, 고광록, 최정우, 이정임, 정석중
3) 집행위원장 : 송재석
○ 전 집행위원장 : 목영주, 윤경호, 김홍목, 심재상, 신승준, 고재정, 박웅섭, 정세환, 이윤일
4) 정책위원장 : 권상동

사진으로 보는
경실련 30년

I. 경실련의
정립과 활동

II. 경실련 30년
활동의 성과

III.
지역경실련의
활동과 성과

IV. 경실련과
시민사회의 미래

○ 전 정책위원장 : 윤경호, 서완수, 박웅섭, 정세환, 송재석, 최복규
5) 사단법인 시민환경센터 : 한동준 이사장
○ 전 이사장 : 목영주, 전방욱
6) 사무처 : 심헌섭(사무처장)
○ 전 활동가 : 김재관, 이정임, 최복규, 박인균, 박광수, 김진욱, 정광민, 남진천, 김세윤
7) 산하에 참여자치센터, 청년회, 시민회(경죽회), 남대천친구들, 마을만들기사업팀 등 활동

3. 정책 및 사업 위원회

1) 정책위원회
지역 현안을 분석하고 시민들의 공론을 의제화하여 대안을 제시한다. 백두대간과 동해안이라는 지정학적 위치 때문에 환경 보존과 개발이 상시적으로 갈등을 빚는 지역 현안에 집중하여 시민환경강좌, 지방의제 21 의제, 동해안 호수보존, 강릉시민영화축제, 두산기업 정포골프장건설 반대, 남대천 오염발전방류저지, 포스코 마그네슘제련소 페놀오염 등에 적극 대응하였다. 강릉의 청사진을 제시하는 '우리 강릉 이렇게 바꾸자' 정책자료집 발간, 미래 세대인 NGO활동가 육성 활동을 하였다.

2) 의정참여단
지방자치제도가 도입되던 1995년부터 시민주권 시대를 위해 지방자치법 개정운동, 지방자치정책대학의 개설, 지방의회 의정평가, 자치단체장 공약이행 평가, 시민예산감시 및 주민참여 예산제 참여, 조례·예산분석 등을 하고 있으며, 선거시기에는 공명선거실천시민운동협의회 활동을 펼쳐왔다.

3) 조직위원회
시민운동의 기초인 회원 확대 및 활동조직화, 지역경실련 협력사업, 타 단체와 연대사업을 조직한다.

4) 시민사업팀
시민의 생활과 밀접한 의제들을 발굴하여 주도한다. 그동안 시민들과 함께 녹색가정만들기, 장애인편의시설 실태조사, 강릉 생명의 숲 가꾸기 국민운동, 실업극복 강릉 시민연합, 함께하는 즐거운 시민행동을 전개하였으며, 소식지 '함께'를 발행하고 있다.

5) 사단법인 시민환경센터
환경보전과 생명보호를 최우선 가치로 개발 만능주의에 맞서 시민들의 환경의식을 고취하고 파괴된 자연환경을 회복시켜나가는 등 환경권 수호를 위해 2000년 3월에 창립되었다. 지역의 환경실태 조사와 정책개발, 시민환경교육과 홍보출판, 환경 및 지역사회단체와 연대사업을 한다. 경포호 습지 복원, 남대천 자연형 하천만들기, 동해안 호수 보전, 연곡천 지키기 주민운동, 마을 환경의제·녹색가정·생태마을·마을 만들기 운동, 지방의제 실천사업, 쓰레기 자원화 운동, 청소년 다살이학교 운영, 시민환경강좌 등의 활동을 하였다.

6) 남대천 친구들
임계댐 유역변경발전소의 방류수로 오염이 심각해진 남대천을 살리기 위한 시민활동과 지역 소하천 및 호수 살리기 운동을 위해 1999년 1월 조직되었다. 그동안 남대천 살리기, 경포호 생태복원, 연곡천 지키기 운동을 전개하였으며, 자연형 하천 만들기, 소하천 조사 및 수계지도 작성, 열린 생태학교 운영, 경포호 습지조성 땅 1평 갖기 운동을 하였다.

4. 출판
○ 출판물 : 동해안 호수 보존 심포지엄 자료집(1996), 동해안 호수 환경 지도(1997), 강릉 남대천 수계 지도(2001), 경포호의 생태·문화 지도(2006), 아름다운 비행 경포호의 새들(2007), 강릉 남대천 생태 지도(2009), 강릉의 새(준비 중) 등

○ 보고서 : 강릉시의회 의정평가 보고서(2014, 2015, 2016, 2017), 345kv 양양~동해 송전설로 주민환경의식조사 보고서(2005, 2007, 2009, 2011, 2013), 강릉 안인화력 1·2호기 건설사업 주민환경의식조사 보고서(2018) 등
○ 간행물 : 회원소식지인 계간『함께』및 비정기적으로 뉴스레터 발간

Ⅲ. 주요 운동 사례

1. 강릉 남대천 살리기 운동

1991년 강릉 수력발전소 건설과 유역 변경식 발전방류수에 의해 남대천 수질이 악화되어 식수 취수장으로 사용이 어려워지고 연안의 어족자원이 감소하는 피해가 발생하였다. 이에 시민들과 남대천친구들의 모니터링, 강원지역 대학의 전문가들의 자문을 통해 문제의 원인과 심각성을 시민들에게 알리며 지역단체들과 함께 수력발전 중단 운동을 추진하였다. 1999년 '강릉 남대천 살리기 범시민운동본부'를 결성하고 수력발전소 발전방류수 방류 금지 가처분 신청을 하였으며, 한국수력원자력과 수년간의 협상, 2001년 방류저지 농성, 한국수력원자력 상경집회, 댐 폐쇄 범도민 서명운동, 2004년 '도암댐 문제 해결을 위한 연구용역' 실시 등 지속적으로 활동하였다. 결국 정부는 2005년 제131차 '국정현안정책조정회의'서 "평시는 홍수조절용 댐으로 사용하고 수질개선사업으로 도암댐이 호소수질 2급수 이상일 때 강릉시와 발전용 재사용에 대하여 논의한다"고 결정하여 한국수력원자력은 현재까지 발전소를 폐쇄하고 방류를 중단하고 있다. 강릉경실련과 시민들이 함께 한 '강릉 남대천 살리기 운동'은 시민의 작은 목소리로 시작하여 시민단체의 호소, 전문가의 분석, 지자체와 시민들의 합의와 공동협의회 구성, 광역단체의 참여, 정부의 수용으로 이어졌다. 이 운동은 시민들의 참여로 남대천을 지켜내면서 강릉 시민운동의 역사적 이정표가 되었다는 평가를 받고 있다.

2. 의정모니터 활동

강릉경실련은 출범 직후부터 의정지기단, 의정모니터단을 운영하면서 의회의 활동을 정기적으로 평가해 왔다. 지방의회의 평가와 발전방안을 엄격하게 제시하기 위해 의정활동 평가의 지속성 및 적확성 확보, 회의록 분석 등 의정평가 기법을 개발하였고 2014~2017년까지 행정사무감사 등 매년 의회활동 평가서를 발표하였다. 의정

평가는 지방의원의 발언과 공무원의 답변을 분석하여 강릉시의회의 시정통제기능의 실태를 평가하고 이를 바탕으로 질적으로 향상된 시민의 통제가 이뤄질 수 있는 효율화 방안을 제시하였다.

3. 다살이학교

미래세대인 청소년들이 이론 중심의 환경교육이 아닌 자연공간에서의 환경체험학습으로 환경의 가치를 체득하게 함으로써 환경 의식을 고취하고 일상생활에서 실천하도록 다살이학교를 운영하였다. 다살이학교는 석호체험교육(동해안 석호 알기, 봄의 경포호, 호수 비교탐사, 여름의 경포호, 자전거 생태기행, 가을의 경포호, 경포의 새들), 하천체험교육(우리 지역의 하천, 남대천 생태조사Ⅰ~Ⅳ, 하천 비교탐사, 남대천의 어제와 오늘), 생태생활체험교육(산과 들의 봄맞이, 숲을 이룬 나무, 열매를 키워요, 농사체험, 여름캠프, 논과 밭, 빈들의 하루, 숲의 겨울준비) 등 1999~2010년에 청소년의 환경체험교육으로 진행되었다.

4. 모심과 살림학교

모심과 살림학교는 산림과 해안으로 구성된 강릉의 지리적 특성을 반영하여 환경과 인간이 공존하는 생활양식을 자라나는 어린이들이 체득하도록 진행하였다. 지역 환경·사회 공공성·생태와 생명의 이해와 실천, 아이들의 생태적 감수성(오감)을 열어주기, 아이들과 부모의 자연환경 체험과 실천, 환경활동가의 육성으로 추진하였다. 2007~2010까지 공작활동(새집만들기, 새를 부르는 피리 만들기), 음식체험(두부·버섯교실·보존식품 만들기), 생태문화 탐사(경포호 석호·누정·철새 탐사 등), 밤으로의 여행(별자리, 달빛걷기), 자연생태 탐사(남대천 수서생물·습지식물·물고기 탐사·매미 관찰 학교), 숲 만들기·짚신 만들기 등 옛날 생활체험 등의 활동을 하였다.

Ⅴ. 향후 운동 과제

강릉경실련은 지역사회의 자산인 환경을 보존하며, 시민의 참여로 지역의 정치·행정을 변화시키고 시민사회의 역량을 키워내는 활동을 지난 25년간 전개하였다. 그동안 도농복합 도시의 문제, 비민주적이고 권위주의적인 지역문화와 토호들에 장악된 지방권력의 부조리와 부패, 개발만능주의 행정에 따른 환경파괴, 문제 해결에 선

사진으로 보는
경실련 30년

Ⅰ. 경실련의
창립과 활동

Ⅱ. 경실련 30년
활동의 성과

Ⅲ.
지역경실련의
활동과 성과

Ⅳ. 경실련과
시민사회의 미래

뜻 나서지 못하는 시민의식, 활성화되지 못한 기부문화 여건에서 소수의 뜻있는 활동가들이 시민들과 함께 지역 의제를 만들고 공론을 모으며 해결하려 애써온 여정이었다. 그 성과로 지금 강릉에는 25년 전과 비교할 수 없는 다양한 시민단체들이 활동을 하고 있다. 강릉경실련은 지속가능하고 공명정대한 지역공동체 만들기, 시민주권 실현의 정치개혁운동, 환경과 생태 중심의 시민의식 고취와 참여의 활성화 그리고 다양한 지역시민활동의 지원과 연대에 더욱 주력할 것이다.

2) 거제경제정의실천시민연합

Ⅰ. 창립 배경 및 취지

거제도는 우리나라 제2위 규모의 섬으로 1971년 거제대교의 개통으로 육송화되어 부산·창원·통영과 일일생활권이 되었고, 죽도·옥포조선소가 준공되어 조선공업도시가 되었다. 1987년 노동자 대투쟁과 민주화운동은 지역사회 변화의 열망으로 넘쳤지만 기업중심에서 시민중심으로 전환되지 못했다. 시민 중심의 사회개혁과 경제정의 실현으로 불평등 구조를 극복하고자 하는 노동자, 회사원, 농민, 자영업자, 변호사, 기자 등 '거제를 밝고, 깨끗하고, 정의롭게 만들자'는 뜻으로 모인 시민들이 1994년 거제경실련을 창립하였다. 거제경실련은 창립을 통해 노동자, 시민이 지역사회의 주인이며, 불로소득자보다 땀 흘려 일한 사람이 대접 받는 사회, 금전보다 개인의 성실성과 도덕성이 존중받는 사회, 아름다운 환경이 잘 보존된 평화로운 거제를 지향하였고, 주민의 의견이 존중되는 민주화된 지방정치, 개인의 이익이 아닌 거제사회 구성원 전체의 이익이 반영되는 공공선을 추구하며 활동하고 있다.

○ 창 립 대 회 : 1994년 11월 24일(발기인 대회 1994년 3월)

Ⅱ. 조직 및 기구

1. 회원

거제경실련 회원은 노동자, 회사원, 농민, 사업가, 자영업자, 변호사, 언론인 등 다양한 직종의 시민들이 활동하고 있다. 그동안 꾸준히 활동하였던 회원 중 지방자치단체 및 지방의회와 공공기관에 진출하여 지역사회 변화에 노력하고 있다.

2. 주요 임원

1) 공동대표 : 유천업
○ 전 공동대표 : 홍원백, 김윤탁, 강명득, 원신상, 하원정, 김재윤, 김윤탁, 이종삼, 권순옥, 육순종, 이장표, 김수영, 박용호, 박동철, 엄수훈, 김숙정, 지영배, 강학도, 허철수, 이헌
2) 고문·지도·자문위원 : 권순옥, 김숙정, 김수영, 박용호, 반대식, 엄수훈, 이장표, 이종삼, 지영배, 홍원백, 허철수, 김선일, 김한주, 박명옥, 진영세
○ 전 위원 : 김임순, 권헌선, 김현봉, 배종엽, 손계수, 윤병일, 이영호, 이윤섭, 윤양원, 조용부, 김문기, 김형곤, 도리천스님, 민창기, 이재열, 조준식, 최석균, 조용부, 강명득, 감영득, 김윤탁, 김재윤, 이청준, 육순종, 강돈묵, 나양주, 변성준, 서용찬, 원종태, 이강석, 이상영, 장동석, 전기풍
3) 감사 : 조하영 백순환
○ 전 감사 : 김원룡, 이상용, 엄수훈, 주영군, 이행규, 주영군, 류제식, 박재위, 강학도, 신율기, 황분희,

옥충석, 김경섭, 이청준, 민창기, 이행규, 나양주, 김문기

4) 집행위원장 : 이광재

○ 전 위원장 : 이종삼, 반대식, 박동철, 김용운, 진휘재, 송오성

5) 정책위원장 : 최운용

○ 전 위원장 : 황송주, 권순옥, 반대식, 송오성, 최운용, 이헌, 노재하

6) 조직위원장 : 박대기

○ 전 위원장 : 반대식, 박동철, 진휘재, 김경진, 송오성

7) 사무처 : 배동주(사무국장)

○ 전 활동가 : 김용운, 박동철, 전갑생, 변광룡, 권순남, 장남수, 최운용, 김범용, 노재하, 이양식, 박희자

3. 정책 및 사업 위원회

1) 정책위원회
정책위원회는 지역현안에 대한 분석과 해결의 합리적인 방향 및 연대 등 제반 활동을 한다. 또한 위원회와 특별기구들의 연간 사업 기조 설정 및 조정을 한다.
2) 조직위원회
회원의 참여 및 조직의 활성화를 위해 다양한 회원 활동과 대외 협력 사업을 주관한다.
3) 불공정거래신고센터
지역사회에 불공정 거래로 인한 기업과 노동자, 공급자와 수요자 사이의 현안을 중재·조정 및 제도개선 등의 목적으로 2013년에 개설하였다.
4) 편집위원회
거제경실련 소식지 월간 '거·실'의 제작을 담당한다.
5) 창립 이후 환경위원회(권순옥 위원장), 지방자치위원회(강희종 위원장), 의정참여단(반대식 단장), 의정동우회(김원배 회장), 시민고충상담소(김수영 소장), 지방자치정보센터(이상영 센터장), 녹색교통광장(조준식 위원장), 거제관광기획팀장(윤창원 팀장), 청년연대(김해연, 김경진 위원장), 환경개발센터(이행규 센터장), 베트남사업위원회(강명득 위원장), 문화유적답사회(박동철 회장), 여성위원회(윤정미, 강정숙 위원장), 시민고발센터(권순남 센터장), 거제비전21(소순삼 위원장), 푸른청소년팀(이종우 팀장), 시정참여단(김원배 단장), 재정위원회(강학도 위원

장), 홍보위원회(박순옥 위원장), 불공정거래신고센터(배동주 센터장 유태영 부센터장), 편집위원회(김민수, 황분희 편집장) 등이 활동하였다.

4. 출판

○ 간행물 : 회원 소식지 월간 '거·실'

III. 주요 운동 사례

1. 거가대교 통행료 인하운동

부산광역시 가덕도와 거제시 장목면을 연결하는 거가대교의 개통으로 부산과 거제의 통행거리는 140km에서 60km로, 통행시간은 2시간 10분에서 50분으로 단축되어 교통이 편리해지고 유류비 등 물류비용이 크게 절감될 것으로 전망되었다. 하지만 거가대교는 민간투자사업으로 추진되어 통행료가 재정도로보다 평균 1.43배, 전국 18개 민자도로 중 가장 비쌌다. 민자도로 중 비싼 인천대교(19.2km)는 소형차 기준으로 편도 5,500원이지만 거가대교는 1만원이었고, 특대형차 등 화물차는 3만원 이었다. 거제경실련은 거가대교의 건설 당시부터 사업비 등 많은 특혜에도 불구하고 이용자들은 비싼 통행료를 부담해야 하는 사실을 지적하였다. 거가대교가 완공되던 2010년에 '거가대교범시민대책위'를 주도하여 시민들과 함께 감사청구, 특혜 비리의 검찰 고발을 하였고, 2017년 11월 '거가대교 통행료 인하 범시민대책위원회'를 구성하여 1인 릴레이 시위, 집회 등 다양한 활동을 전개하였다. 결국 2019년 9~10월 경 특대형차와 대형차 통행료를 각각 5,000원 인하 결정을 받았고, 공동 관리주체인 경상남도와 부산시가 용역 의뢰 중인 통행료 인하 용역결과가 12월에 나오면 2020년부터 전 차종의 인하 결정을 이끌어 낼 것이다.

2. 지역개발사업 대응 활동

조선업의 발전과 인구 유입으로 주거 및 산업 부지 확보를 위해 무분별한 개발이 진행되었다. 거제경실련은 환경적 고려가 충분히 담보된 지역개발을 지향하면서 지역개발사업에 대응하였다. 삼성·대우 등 기업들의 환경 및 해양 오염문제 대응, 옥포만 공유수면 매립 문제 대응, 민스크호 남해상 해체 반대 운동, 대우조선 밸러스트 작업의 불법성 및 위해성 대응, 양정리 채석산 허가

사진으로 보는
경실련 30년

I. 경실련의
창립과 활동

II. 경실련 30년
활동과 성과

III.
지역경실련의
활동과 성과

IV. 경실련과
시민사회의 미래

반대, 거제 핵발전소 건설 반대, 장목관광단지 환경영향평가, 대주그룹 중소형 조선소 설립 및 덕곡만 조선단지 설립 대응, 고현항 매립 반대 및 인공섬 대응, U2 석유비축기지 반대, 거제풍력발전단지 백지화 운동을 하였다. 거제경실련은 시의 개발사업에 대해 적극적으로 시민의 입장을 대변하고 토론회 등을 통해 공론을 모으고 정책 기관과의 면담을 통해 행정을 변화시키며 친환경적 개발로 이끌었다.

3. 지방자치 정착 활동

거제시는 조선사의 영향력이 큰 도시로서 시민들의 요구는 도외시하고 기업의 편의가 우선되는 정책들이 많아 시민들을 위해 일하는 자치단체와 지방의회의 활동이 절실하였다. 거제경실련은 올바른 지방자치 제도의 정착을 위해 도내에서 처음으로 1995년 지방자치정책대학 및 지방예산학교 개설을 하였고, 시정 감시단 및 의정감시단을 조직하여 부정선거 고발창구 개설, 선관위와 깨끗한 선거 캠페인, 선거법 해설 강좌, 지방선거 후보자 초청 토론회 및 공명선거 다짐 서약식, 투표참여 캠페인, 투표권보장 신고센터 개설, 시민의 정책 제안서 전달 등의 활동을 하였다. 그리고 경실련의 회원 및 지역의 인재들을 발굴하여 지방자치단체와 지방의회에서 활동하도록 지원하였다. 이러한 결과로 시민들의 주권의식을 향상시키고 기업 편향적이었던 지방정부와 의회가 시민을 위해 일하는 공직사회를 만드는 데 기여하였다.

4. 대우조선 정상화 운동

지역경제에 큰 영향을 미치는 조선업의 환경, 개발, 하청기업, 노동자 권익 등에 관하여 모니터링과 대안 제시, 지원 활동을 하였다. 2000년과 2008년 대우조선 매각반대를 위한 범시민대책위 활동과 시민서명운동, 대우조선의 국민기업화와 올바른 매각방향 운동, 대우조선 해외 매각 반대대책위원회 활동, 거제·통영·고성 조선소 하청 노동자 살리기 운동, 조선업 살리기 범시민대책위 활동 및 토론회 등 시민참여 활동, 대우조선 노동자 부당징계 대응, 대우조선 하청노동자 사망사고관련 지원, ㈜장한 법정관리 후 협력사 2차 피해 구제활동 등 지속적인 활동을 주도하거나 지원하였다. 2019년 1월 산업은행의 대우조선 매각 발표로 거제경실련이 주도하여 시, 시의회, 기관단체, 시민사회단체를 망라한 '대우조선해양 동종사매각반대 지역경제 살리기 거제범시민대책위원회'를 결성하여 토론회, 집회, 서명 운동 등 범시민운동을 전개하였고, 현대중공업의 중간지주회사 설립을 통한 매각에 대해 중앙부처 등을 수차례 항의방문하여 항의서한과 범시민 서명을 전달하며 지역경제 몰락을 경고하였다.

5. 청소년 등 생활문화 운동

거제경실련은 시민의 생활과 밀접한 운동을 지속적으로 전개하여 주권자의 권리를 찾고 지역문화를 개선하려는 노력을 하였다. '주거'와 관련하여 신현매립지 준공업지역 공동주택 허가 진상규명 및 행정사무감사 감시활동, 대동피렌체 입주자대책위 지원, 롯데인벤스 고가분양 대책 활동, 삼성12차 주택조합의 독봉산 부지매입 관련 소송, 거제해양관광개발공사 정관변경 저지운동, 대우조선해양 외국인 아파트 건립 대응, 분양가 300만원 아파트 대응, 현대산업개발 관련 헌법소원 제기, 난개발(산지경사도) 방지운동을 하였다. '환경'과 관련하여 지속가능한 거제21 활동(늘푸른거제시민위원회)을, '교통'문제 관련하여 시내버스 요금과 노선 개편 대응, 옥포 교통혼잡 시민조사, 교통약자 이동편의 증진 조례제정 운동, 도심 순환버스 제도개선 모니터링, 시내버스 표준운송원가산정 운송수입금 실사를 하였다. '청소년'과 관련하여 청소년 풍물학교 및 열린 음악회, 학교급식 조례 제정운동, 학원비 정보공개운동, 청소년 자원재활용 벼룩시장, 교복공동구매운동, 청소년 역사문화탐방 등을 지속적으로 하였다. '시민생활'과 관련하여 홈플러스·롯데마트 등 SSM입점 저지운동 및 중소상인살리기 활동, 시민고충상담소 및 법률시민강좌 개설, 보행자 권리찾기, 생활폐기물 처리업체 불법 용역 대응 및 쓰레기 게이트 주민소환운동, 장묘문화 개선, 가습기살균제 관련 옥시제품 불매운동, 사회적경제 창업아카데미, 올바른 먹거리 아카데미, 상문동 송전탑 지중화 활동, 친일 김백일 동상철거 범시민대책위활동을 하였다.

Ⅴ. 향후 운동 과제

거제경실련은 지역의 주요 관심사인 경제와 노동자, 개발과 환경 문제에 집중하면서 시민운동이 정착하는 데 기여하였다. 거제경실련은 지역현안에 대한 시민들의 요구가 많음에도 인적·재정적 한계로 제대로 부응하지 못하고 연대활동으로 대응했다. 향후 거제경실련은 시민참여, 지역경제 살리기, 노동자 등 시민의 권리보호, 지속가능한 환경을 중심으로 활동할 계획이다.

3) 광명경제정의실천시민연합

Ⅰ. 창립 배경 및 취지

광명시는 서울과 인접한 수도권의 위성도시들과 마찬가지로 서울로 진입하지 못한 인구가 유입되면서 주거지역 개발을 중심으로 도시화가 빠르게 진행되었고, 경제활동인구의 대부분은 서울과 인천으로 이동하고 있다. 광명지역은 급속한 도시화에 따른 주거와 교통, 환경 그리고 노동복합 도시의 특징인 이질적인 문화와 갈등 등을 해소하고 새로운 지역 문화에 대한 요구가 높았다. 광명경실련은 시민들 스스로가 자존감을 갖고 새로운 지역 문화 창출에 공감하는 시민들에 의해 1992년 창립되었다. 광명경실련은 다양한 계층의 지역 시민들의 선한 의지를 모아 평화적이고 합리적인 대안을 제시하며 경제정의와 사회적 형평, 환경보전, 민주시민 문화운동의 성숙이라는 운동을 목표로 활동하고 있다.
○ 창립일 : 1992년 9월 6일(발기인대회 1992년 7월 26일)

Ⅱ. 조직 및 기구

1. 회원

광명경실련 회원은 자영업, 종교인, 회사원 등 다양한 직종에 종사하는 시민들과 연령대로 구성되어 있다.

2. 주요 임원

1) 공동대표 : 고완철, 이승봉, 하숙례
○ 전 공동대표 : 권도용, 김만중, 조명규, 조운천, 김

법운, 노신복, 조흥식, 동일
2) 고문·지도위원 : 안석모, 조흥식, 조옥경, 최문교, 최영길, 김원선, 윤철, 동일
○ 전 위원 : 윤영주, 김인숙, 노신복, 신해운, 김법운, 고완철, 이승규, 박종덕, 김성배, 윤영호, 이필상, 백남춘, 윤철, 김원선, 김희제, 홍종득, 이철로, 최영길, 허봉복, 김태경, 이상호, 우병설, 최문교, 남상경, 정도환, 이상허, 주명식, 안석모, 이영희, 정도환
3) 감사 : 박준서, 박흥기
○ 전 감사 : 고완철, 김성배, 공금영, 박홍근
4) 집행위원장 : 구교형
○ 전 집행위원장 : 조흥식, 이승봉, 정상영, 윤문선, 신은숙, 김희수
5) 정책위원장 : 이복자
○ 전 정책위원장 : 이인재, 방성섭, 이승봉, 오민석, 원명
6) 조직위원(확대 사무국) : 이승봉, 하숙례, 구교형, 김효숙, 신성은, 박태준, 박은경
7) 사업기구 : 시민감시단(하숙례 단장), 두꺼비생태학교(노신복 학교장)
8) 과거 위원회는 재정위원회(박찬양 위원장), 환경위원회(조근식 위원장), 시민안전감시위원회(강대용 위원장), 여성위원회(지미선 위원장), 시민경제정의모임(윤문선 회장)이 있었다.
9) 사무처 : 허정호(사무국장), 최미영(부장), 김정숙(부장)
○ 전 활동가 : 백승대, 양정현, 양귀익, 손혜운, 장남수, 정상영, 강찬호, 임선희, 김선미, 이복자, 조범상, 윤문선, 허창순

3. 정책 및 사업 위원회

1) 정책위원회
광명경실련의 정책연구와 정책결정에 필요한 제반 활동을 담당한다. 시민사회, 복지, 에너지, 도시계획, 지방자치, 환경 등 다양한 관련분야의 전문가들과 시민들이 참여하여 이론적 논쟁보다는 실사구시 자세로 현안을 분석하고 대안을 만들며 시민 여론을 형성한다.

2) 두꺼비생태학교
생태 및 환경교육을 통해 시민의 생태적 이해를 높이

며 생태지킴이 활동으로 지속가능한 지역공동체를 만들며, 광명시 어린이집들을 대상으로 월 1회 생태수업을 진행하고 있다.

3) 회원 모임

회원활동은 등산모임 '너울가지', 우쿨렐레 악기를 익혀 지역 행사를 후원공연하는 '띵가딩가톡톡', 자투리천을 이용하여 생활용품을 만들며 환경을 생각하는 퀼트모임 '꼬매꼬매', 광명경실련의 재정을 후원하고 회원 간 소통을 위해 2007년부터 활동하는 후원계모임 '노세 노세'가 있다. 그 외 커피소모임, 류구모임(당구), 나만의 티셔츠 만들기, 텃밭수확제, 전통매실고추장 담그기 등 계절과 시기에 맞게 회원활동을 하고 있다. 회원 행사로, '도농교류행사'는 2005년부터 강화도 양도면 환경농업농민회와 자매결연으로 추진된 교류행사, 농촌 체험 및 현지 농민과의 교류, 농촌경제 지원을 위한 강화유기농 농산물 구입 캠페인 등을 하였다. 2002년부터 회원 및 시민들과 전통놀이 및 대보름 음식 나눠먹기 행사로 '정월대보름행사'를 진행하고 있다. '회원의 날' 행사는 2001년부터 매년 6월 6일에 회원들의 교류를 위해 현장 탐사활동을 진행하며 오대산 월정사(2017), 한반도평화견학-DMZ생태평화공원(2018)을 현장 탐사하였다. '시민교육'은 다양한 주제(열린과학교실, 역사학교, 건강과 단식, 주거권, 지방자치, 평화통일 강연회 등)를 선정하여 토론의 장을 마련한다.

4. 출판

○ 출판물 : 4·13총선 광명총선시민연대 활동 백서(2000), 6·13지방선거 광명지방자치개혁시민연대 활동 백서(2002), 2009 광명시의원평가 자료집(2008-2009), 6·2 전국동시지방선거 광명시유권자약속운동본부 활동백서(2010), 제19대 국회의원선거 4·11총선광명시민연대 활동자료집(2012), 광명경실련 제6대 광명시의원 종합평가 자료집(2014), 6·4 지방선거공동대응광명시연대기구 활동 백서(2014), 4·13 총선 대응 활동자료집(2016), 제7회 전국동시지방선거 광명시유권자운동본부 활동자료집(2018)

○ 보고서 : 시민감시단 활동보고서(1998-2000), 지방자치시민감시단 활동 및 시의원 의정활동 평가 자료집(2007), 제18대 국회의원선거 시민정책선거 제안 및 공약비교 자료집(2008), 광명시정 비리의혹 시민조사단 보고서(2009)

○ 간행물 : 회원소식지(격월 1회)

III. 주요 운동 사례

1. 광명경실련 시민감시단

광명경실련 창립부터 시민감시단을 조직하여 지방정부를 감시하는 활동을 해 오다 1998년 11월 재정비하여 시민주권의 실현을 목표로 활동하고 있다. 회원들의 자발적인 참여로 활동하는 시민감시단은 지방정부와 지방의회 활동의 모니터링 기법을 체계화하고 정기적으로 평가하여 시민들에게 알리고 있다. 주요 활동으로는 시정평가, 예산낭비 감시, 시의원 의정활동 평가 및 시의회 방청, 행정사무감사 및 예산안 평가를 하고 있다. 최근에는 광명시 예산안 평가 및 의견서·논평 발표, 지역현안(예산낭비사례) 현장방문 및 문제제기, 시의원 의정평가 및 발표, 광명동굴 모니터링 및 개방 초기 시설물 및 관람환경에 대한 의견서 제출 등을 하였다.

2. 총선 및 지방선거 유권자운동본부

총선 및 지방선거 시 광명지역의 시민사회단체들이 유권자운동본부를 구성한다. 유권자들에게 후보자들에 대한 다양한 정보를 제공하고 검증할 수 있는 기회를 제공하여 참 일꾼을 선택할 수 있도록 한다. 또한 중요한 정책과제를 각 후보자에게 전달하여 당선 시 광명시 주요 정책으로 실현될 수 있도록 한다. 주요 활

동으로는 총선 클린선거 및 매니페스토 정책선거 실천협약식(2008), 광명시평생학습축제 1인 8표제 체험부스 운영(2010), 찾아가는 간담회 및 좋은후보선정사업(2012), 정당공천 감시 및 바로잡기 활동(2018), 후보자 초청 토론회 및 대담회(2018) 등을 진행하였다.

3. 광명시 시설관리공단 및 광명도시공사 설립 대응활동

광명시는 주요 4개 시설의 운영을 위해 시설관리공단 설립을 추진하였다. 광명경실련은 시설관리공단의 설립은 수익성 및 공익성 측면에서 효과를 거두기 어렵다는 분석 후 지속적으로 의견을 내는 등 조례안 부결에 노력하였다. 그럼에도 시설관리공단은 설립되었고 이후 광명도시공사로 전환하는 과정에서 시민들의 의견을 수렴하지 않는 행정을 비판하면서 광명시의회 및 광명시장 면담 등 반대 활동을 하였다. 광명도시공사 설립 이후에는 공사의 주요 개발 사업에 대한 감시활동으로 전환하였다.

4. 지역경제 및 중소상인살리기 광명네트워크

지역경제의 육성을 위해 재래시장 및 중소상인 활성화를 위한 시책 마련을 촉구하고, 재건축·재개발(뉴타운) 시 재래시장이 존치되도록 노력하였다. '지역경제 및 중소상인살리기 광명네트워크'를 구성하면서 구체적인 보호육성책을 마련하기 위해 광명전통시장 존치를 위한 서명운동, 시민교육, 간담회 등을 진행하였다. 2012년 전통시장이 뉴타운구역에서 제외되었는데 이를 위한 활동들은, 광명시재래시장 존치 관련 경기도청 뉴타운사업단 방문 및 경기도청 집회(2009), 광명시 재래시장 존치 서명운동 1만 명 돌파(2009), 광명시 유통업상생협력을 위한 연대활동, 코스트코·이케아 광명입점저지 총궐기대회 및 전국네트워크 연대 등의 활동을하였다.

5. 광명경전철 사업 감시

2004년부터 경전철 사업의 수요 예측의 과다성, 실시협약 추진과정에서의 부적절성 등을 발견하고 원점재검토를 요구했다. 광명경전철사업과 관련하여 시민 대토론회, 사업 재검토 촉구 시민결의 대회 등을 진행하였으며, 2008년 기획예산처 예산낭비 사례로 접수하였다.

6. 광명시 환경사업소 음식물 쓰레기 처리시설 대응 활동

2001년부터 추진되어온 광명시 환경사업소 음식물 쓰레기 처리 병합시설 건설공사는 한 번도 검증되지 않은 신공법임에도 불구하고 별다른 검토 없이 설계에 반영해 추진하였다. 이 결과 음식물처리 부분 시설 공사에만 64억 원이 투입되었고, 2005년 7월 준공 예정이었던 시설은 시설의 시험 가동과정에서 정상 운영되지 못하였다. 이후 1년 동안 8억여 원을 추가로 투입하여 보완공사를 했지만 정상적으로 음식물을 처리하지 못하였다. 결국 이 시설은 준공시점 이후 처리 불능이 되었고 광명시는 매년 2억 4천여만 원을 위탁 처리 비용으로 지급하게 되어 혈세를 낭비하게 되었다. 광명경실련은 사업의 기술검증 요구, 주민감사청구, 주민소송 등으로 맞섰지만 막아 내지는 못하였다. 광명경실련은 "광명시의회 음식물처리시설특별조사위원회 활동 결과에 대한 논평"(2006.02), 광명시 음식물쓰레기시설에 대한 주민감사청구서 접수(2006.03), 2006년 7월 주민소송(광명시 음식물쓰레기처리장 부실시공 책임자들 낭비예산 약 20억 원의 배상 청구) 등의 활동을 하였다. 이 사업을 폐지시키지는 못하였으나 광명시가 새로운 사업 추진 시 경각심을 갖고 신중하게 행정을 추진하도록 교훈을 남겼다.

V. 향후 운동 과제

광명경실련은 시민 주체의 지방자치 실현을 위해 지방정부와 지방의회의 모니터링을 지속하면서 지방자치제도의 실질화를 위해 지방분권운동에 역량을 집중한다. 기본권으로서의 주거권 보장을 위해 도시재생사업의 민관거버넌스 구축 및 중점 역할, 에너지 자립을 위한 지속가능에너지운동을 전개할 예정이다.

4) 광주경제정의실천시민연합

I. 창립 배경 및 취지

광주광역시는 1980년 5월 민주항쟁의 고장이다. 1987년 6월 민중항쟁으로 민주주의와 인간다운 사회를 건설하려는 시민들의 자각과 노력은 각계각층으로 분출되었다. 광주경실련은 정경유착과 금권정치, 극심한 빈부의 격차, 공직자의 부정부패, 투기꾼들의 막대한 불로소득 등 우리 사회의 병폐가 더 이상 방치할 수 없는 상태에 이르렀음을 자각한 시민, 중소기업인, 지식인들이 조직화된 시민의 힘으로 경제정의를 실현하여 모두 함께

고루 잘 사는 사회를 만들려는 절박함으로 1990년 6월에 창립하였다. 지역개발의 불균형에서 비롯된 지역적 갈등과 5·18 민주항쟁이 여전히 미해결의 정치적 과제로 남아있는 가운데 광주경실련은 다시 새로운 저항주체로서 경제정의실현을 위한 시민운동의 주역임을 선언하였다. 광주경실련은 광주·전남지역의 지역발전을 위한 구체적인 정책대안을 마련하고, 투기를 근절하고 서민들의 주거 안정을 위한 국가의 보호와 지원을 제도화하며, 지역사회의 공동체 회복, 성숙한 시민사회 및 시민운동을 지향하며 활동하고 있다.

　　○ 창립일 : 1990년 6월 23일(발기인 대회 1990년 6월 16일)

Ⅱ.조직 및 기구

1. 회원

　　회원은 다양한 직업에 종사하는 변호사, 교수, 자영업, 직장인, 학생 등 많은 시민들이 활동하고 있다.

2. 주요 임원

　　1) 공동대표 : 백석, 박상규, 박광복, 조경록
　　○ 전 공동대표 : 배영남, 김준원, 황승룡, 김종재, 조국현, 김용채, 황인창, 이민원, 윤홍성, 공수현, 류한호, 문병규, 손호상, 김갑수
　　2) 고문·지도 : 김용채, 황인창, 이민원, 윤홍성, 공수현, 류한호, 손호상, 문병규, 안병주, 조형수, 강신주, 박용수, 박종식,
　　○ 전 위원 : 문병란, 문정식, 이광우, 이동화, 김준운, 배영남, 황승룡, 김갑수
　　2) 감사 : 오지홍
　　○ 전 감사 : 김동재, 오경희, 손성만, 윤홍성, 이상윤, 정찬영, 송경용, 안병주, 박광복
　　3) 집행위원장 : 박종렬
　　○ 전 위원장 : 김용채, 한상석, 조운식, 박용섭, 이민원, 문병규, 공수현, 안병주, 조형수
　　4) 정책위원장 : 이봉주
　　○ 전 위원장 : 김정식, 지병문, 조인선, 박광서, 홍성우, 황인창, 이민원, 박진석, 김승용, 강인호, 오승용, 이봉주, 노희정
　　5) 조직위원장 : 임종연
　　○ 전 위원장 : 이동화, 최정부, 임장배, 김인천, 김정록, 안병주, 박종렬
　　6) 건축도시위원장 : 서재형
　　7) 법률지원위원장 : 조인형
　　○ 전 위원장 : 심재훈, 이정학, 김덕은
　　8) 여성위원장 : 염해숙
　　○ 전 위원장 : 김석, 신은희
　　9) 자치분권위원장 : 서상기
　　○ 전 위원장 : 오주섭, 오지홍
　　10) 재정위원회 : 서문현
　　○ 전 위원장 : 김인천, 성봉규, 박광복
　　11) 공공감시위원장 : 이정학
　　○ 전 위원장 : 오지홍, 오주섭, 명노민, 김동헌
　　12) 사회복지위원장 : 김효중

○ 전 위원장 : 손성만, 강신주

13) 청년위원장 : 김영현

○ 전 위원장 : 임정훈, 고영삼

14) 에너지대책위원장 : 임종연

15) 아파트투기대책위원장 : 심재훈

16) 창립 이후 활동한 위원회는 노동위원회(하희섭, 심재훈 위원장), 시민권익위원회(조형수 위원장), 시민사업위원회(이상동, 조형수 위원장), 회원참여위원회(정동기, 박종렬, 하희섭 위원장), 도시재생위원회(서재행 위원장), 인재개발위원회(김병헌, 김미남 위원장), 2020미래위원회(김미남 위원장), 시민안전감시단(정찬영 단장), 영광원전대책위원회(한상석 위원장), 외국인노동자특위(오성광 위원장), 환경개발센터(이식재, 이인화 대표), 홍보위원회(김성경 위원장), 예산감시센터(임장배 센터장), 청년특위(박철수 위원장) 등이 있다.

17) 사무처 : 고영삼(사무처장), 박향미

○ 전 활동가 : 김보현, 박종렬, 정영재, 박치우, 권정희, 김재석, 변동철, 김미경, 김기홍, 최주영, 윤정철, 서영화, 이세형, 김경민, 김세현, 김동헌, 박수민, 김창재

3. 정책 및 사업위원회

1) 정책위원회

광주경실련의 정책 기조 설정 및 각 단위의 정책을 조정하며, 지역 현안에 대응한다. 주요 활동은 정책토론회 및 캠페인, 선거 후보자 검증 및 공약이행 평가, 예산감시, 총선·지방선거 검증 및 공약이행평가, 예산감시, 아파트거품빼기운동 등을 한다.

2) 조직위원회

회원 교양강좌, 회원확대 및 조직 강화를 위한 행사, 대외 연대활동, 달빛모임 활동을 한다.

3) 건축도시위원회

최근 현안인 민간공원특례 2단계사업 관련한 실태분석, 지역시민단체 연대, 비리의혹 수사 촉구 등 광주지역 도시계획 및 개발관련 관련 활동을 담당한다.

4) 여성위원회

광주경실련 여성회원 확대와 회원 친목을 위해 시사 및 교양강좌 등을 주관한다.

5) 법률지원위원회

광주경실련의 E-마트 건축법 위반 소송, 광주도시공사의 맞춤형 매임임대주택사업 배임혐의 고발, 민간공원특례 2단계 사업 고발 등 공익소송을 지원한다.

6) 달빛모임

광주경실련과 대구경실련 회원들의 교류와 화합을 위하여 대구 달구벌과 광주 빛고을의 첫 글자를 조합하여 달빛모임이라 정하고, 매년 정례적으로 교차방문, 문화체험, 등반, 친목행사 를 하고 있다.

4. 출판

○ 출판물 : 광주·전남 이렇게 바꾸자(1995), 재미있게 배우고 실천하는 어린이 경제 학교(2015), 광주경실련 25년 정의가 강물처럼(2015)

○ 보고서 : 총선 및 지방선거 광주 매니페스토 토론회(2011, 2012), 어린이 경제교육 강사 양성 프로그램, 민선 5기 3년 시정 평가, 공개공지 찾기 민·관 합동워크숍(1차, 2차), 2000 소비자보호사업 TV 홈쇼핑 모니터링 보고서, 폐기물 관리 조례 제·개정 보고서(2001)

○ 간행물 : 소식지 '시민세상'

Ⅲ. 주요 운동 사례

1. 대형마트 및 SSM입점 저지 활동

대형유통업체들의 대형마트 및 SSM의 무분별한 진출로 지역 중소상인들의 생존권이 심각하게 위협받고 있고, 광주지역은 대형마트의 점포수가 인구 대비 전국 2위를 기록할 만큼 심각한 상황이었다. 2009년부터 광주경실련은 정당·시민단체·상인들과 함께 대형마트 및 SSM 입점 저지 기자회견, 단체장 면담 및 대책위원회 구성, 천막농성 및 1인 시위, 정당·시민단체·상인 연석회의 등 대형마트 및 SSM에 대한 입점 저지 활동을 전개하였다. 이 운동으로 각 지자체별로 대형 마트 및 SSM 입점 저지 조례가 제정되는 계기가 되었다. 한편, 제88회 전국체전 개막일 주차장 확보를 위해 광주시는 전국체전을 위해 불가피한 선택이라며 월드컵경기장 인근 롯데마트와 우일레포츠센터에 7,000만 원이 넘는 휴업보상을 결정하자 이에 광주경실련은 해당 업체들의 부당한 요구를 수용한 무책임한 행위이자 민간업자에 대한 지나친 특혜라고 판단하여 철회를 요구하였다. 결국 우일레포츠센터는 보상 요구를 철회하였고 롯데마트는 합의에 이르지 못하였다.

사진으로 보는
경실련 30년

I. 경실련의
정립과 활동

II. 경실련 30년
활동의 성과

III.
지역경실련의
활동과 성과

IV. 경실련과
시민사회의 미래

2. 민간공원특례사업 감시 활동

도시공원일몰제에 따른 민간공원 추진에 대하여 정책위원회의 워크숍, 지역시민사회단체들과 연대하여 연구모임을 진행하였다. 광주시에 민간공원특례사업에서 건설되는 아파트의 분양원가 공개질의, 민간공원 특례사업 진행과정에서 중앙공원1지구 우선협상대상자 변경에 대한 공익감사 청구, 비리의혹에 관한 수사와 책임자 처벌 촉구, 그리고 이에 관련한 모든 경위에 대한 철저한 의혹 규명을 위해 광주시 전 환경생태국장 등을 검찰에 고발하여 진실 규명을 진행하고 있다.

3. 어등산 관광단지 조성 감시 활동

어등산 개발은 총사업비 3,400억 원이 소요되고 특혜 의혹이 제기되어 행정의 투명성을 위해 광주경실련은 2009년 광주시에 정보공개를 청구하고, 경쟁입찰을 통한 사업자 선정 및 개발이익 환수 대책을 요구하였다. 이후에도 어등산 관광단지 조성사업과 관련하여 광주시 민관협의회 참여, 타 단체와 연대를 통한 대규모 복합쇼핑몰 입점반대 투쟁을 전개하였으며, 시정평가를 통해 감사위원회에 공익감사를 청구하였다.

4. 민선 지방자치단체장 공약 이행 및 시정 평가

지방선거에 출마한 후보자들과 정당이 발표한 공약이 당선 이후 제대로 지켜지지 않아 20여 명의 전문가를 중심으로 공약이행평가단을 구성하여 평가하였다. 광주시장 및 5개 구청장의 공약이행에 대해 5개의 지표를 기준으로 공약을 객관적으로 평가 및 발표함으로써 공약의 중요성을 각성시키는 데 일조하였다. 또한 민선자치 시대의 시정에 대한 평가와 개선을 위해 21세기 지방정부의 방향 모색, 지역발전을 위한 민선시장의 과제, 광주의 미래를 위한 경제, 사회복지, 환경, 도시계획 등 각 분야별 평가 토론을 지속적으로 시행하고 있다.

5. 청년부채 제로 캠페인

광주지역 청년들의 부채문제 해결을 위해 광주시의회 청년특별위원회, 청년센터, 청년유니온, 대광새마을금고와 협약을 체결하여 펀딩 및 부채상담가 양성교육을 추진하였다. 이를 통해 청년부채 상담자들을 면담하고 상담사례를 축적하여 광주청년지갑트레이닝센터와 협약을 맺고 대광새마을금고에서 기부한 1천만 원으로 광주 꿈틀은행사업을 시작하였다. 광주시의 청년부채 사업을 견인함으로써 추경으로 예산을 3억 원을 편성하여 광주청년드림은행을 개소하였으며, 광주청년지갑트레이닝센터가 민간위탁으로 운영되도록 하였다.

6. 시민생활 개선운동

광주경실련은 시민생활 여건을 개선하는 활동을 적극 전개하였다. '시민공간(공개공지) 찾기 운동'은 시민의 도시를 만들어 가고자 전문가·시민단체·시민 등 1천 명이 참여한 시민공간에 대한 설문조사와 실증 조사 그리고 심포지움을 개최하고, 공공 공간의 계획과 관리 및 시민 참여방안을 기초로 "시민공간 찾기" 책자를 발간하였다. '아파트 거품빼기 운동'은 시민의 주거안정과 공공복리 증진을 위해 공기업의 아파트 분양원가 공개와 추첨식 택지공급체계 개선을 촉구하는 활동을 하였다. '도시철도 2호선 건설 대응'은 광주시의 도시철도 1호선의 운영적자로 지방재정에 막대한 부담이 되는 상황에서 도시철도 2호선은 냉정한 사업성 평가와 시민의 합의가 필요함을 제기하였고 타 시민단체와 연대하여 공동토론회, 성명서 발표, 공론화 활동을 하였다. 'RDF 사업 대응'은 정부의 폐기물에너지화사업에 따라 광주시는 상무 소각장 대체 시설로 양과동 매립장에 RDF시설 건설을 추진하였다. 광주경실련은 RDF시설의 경제적, 환경적 문제, 상무소각장 조기 폐쇄로 인한 예산낭비, 사회적 합의를 무시한 시의 일방적인 추진 등을 제기하면서 성명, 시민 공청회, 방송토론 개최 등 반대 활동을 적극적으로 전개하였다. '부패 없는 오치공동체 만들기'는 주민 스스로가 부패를 추방하여 부패 없는 지역에서 생활한다는 자부심과 긍지를 가질 수 있도록 반부패 캠페인을 전개하였으며, 부패

없는 지역공동체 교육, CLEAN ZONE(부패 없는 지역공동체) 선포식 등을 진행하였다. 그밖에 2006년 광주상공회의소 회장선거에서 심각한 분열로 인해 많은 폐해가 발생하여 광주상공회의소 개혁을 위한 제도 개선안을 마련하면서 중재활동을 하였다. 지방화시대 공공갈등의 잠재적 이해당사자인 지방정부 및 시민단체 공동의 갈등해소를 위해 2007년부터 광주전남의 지방의원, 공무원, 기업인 및 NGO활동가를 대상으로 갈등조정전문가 아카데미를 실시하였고, 학교 폭력 등 학내 갈등이 심화되어 또래 조정 신청을 받아 갈등 이해, 조정 방법, 실제 사례를 통한 모의 훈련을 실시하였다.

V. 향후 운동과제

광주경실련은 1990년 창립 이후 민주화 운동의 성지에서 시민운동의 개척, 시민권리 보장, 지방자치제 정착을 위해 노력하였다. 향후 10년은 지역사회의 경제살리기, 서민주거 안정 및 시민을 위한 도시 만들기, 사회적 불평등 해소와 차별 해소의 제도화 운동 등을 강력하게 추진할 예정이다.

5) 구미경제정의실천시민연합

I. 창립 배경 및 취지

구미시는 경상북도 중서부의 42만 도농복합시로서 포항시에 이어 경북 2위 규모이지만 팽창기 인구 80%가 외지에서 유입돼 시민들의 정주의식이 부족하다. 선산군에 속한 농촌이었으나 1969년 구미국가산업단지 1단지 착공 이후 1970~80년대 섬유·전자, 1990년대 백색가전과 전자·전기, 2000년대 정보기술(IT)과 모바일 등 대기업의 주력 제품을 생산하며 '내륙 최대 공단'으로 성장했다. 그러나 정부의 수도권규제완화로 2003년 LG디스플레이 5.3조원 신규투자 파주 이탈, 지역경제의 주축인 LG·삼성 계열사들의 생산거점 세계화, '정주여건 부족' 등의 이유로 생산시설을 수도권과 해외로 이전하여 위기가 심화되고 있다. 구미경실련은 지방중소공단도시의 취약점인 교육·문화·여가·소비 등 정주여건 문제의 해결을 중점 목표로 '구미공단 정주여건 개선활동', 지방자치제 시대의 시민주도 지역운동, 경제정의와 사회정의 실현 등 시대적 요청에 부응하는 지역시민운동에 공감하는 시민

들이 1995년에 창립하였다.
　○ 창립일 : 1995년 10월 17일
(발기인대회 1994년 10월 10일)

II. 조직 및 기구

1. 회원

구미경실련 회원은 지역대학 중 시민운동 관련 학과가 거의 없는 지방중소 공단도시 특성으로 인해 직장인, 전문인, 종교인, 사회운동가, 일반시민을 중심으로 구성되었다. 특히 구미경실련은 창립 당시부터 각계 상층 인사들을 포괄하려거나 기여가 없는 허수 회원들을 확보하려고 하지 않았다. 회원에 대한 이러한 원칙은 현재까지 유지되고 있지만, 창립 회원들의 주축이었던 30대가 50대가 되면서 회원 고령화라는 한계에 봉착한 상태다.

2. 주요 임원

1) 공동대표 : 윤종욱, 최낙렬
　○ 전 공동대표 : 허창수, 장봉환, 성화, 김요나단, 법등
2) 고문·지도·자문위원 : 김요나단, 법등
　○ 전 위원 : 박근호, 김오용, 김영일, 김인종 백영기, 김재홍, 박동진, 백영기, 윤종욱
3) 감사 : 박정구, 오영재
　○ 전 감사 : 김복룡, 송장호 김복수 김용호 최재선 김희철, 정택동, 정영광, 김진억, 고준 김종길, 김보준
4) 집행위원회장 : 권보
　○ 전 위원장 : 이동규, 김종길, 김영일, 김재홍, 김희철, 장흔성, 윤종욱, 오영재
5) 정책위원회
　○ 전 위원장 : 임은기, 김희철, 조진형, 오영재
6) 조직위원회 : 정영광
　○ 전 위원장 : 조진형, 김재홍, 류호일, 장흔성, 박재동
7) 재정위원회 : 이덕신
　○ 전 위원장 : 김학송, 조진형, 김희철, 윤종욱, 윤임식, 장병기
8) 창립 이후 대외협력위원회(김종길, 류호일 위원장), 청년회(정영아 회장), 도시환경위원회(장흔성, 도근희 위원장), 사회복지위원회(도근희, 정택동, 오

사진으로 보는
경실련 30년

I. 경실련의
창립과 활동

II. 경실련 30년
활동의 성과

III.
지역 경실련의
활동과 성과

IV. 경실련과
시민사회의 미래

영재 위원장), 주민자치위원회(김희철, 고준, 신병철 위원장), 시민법률상담소(김희철 소장) 등이 활동하였다.

9) 사무처 : 조근래(사무국장)

3. 정책 및 사업 위원회

1) 집행위원회
집행위원회는 구미경실련의 다양한 사업을 기획하고 조율한다.
2) 조직위원회
조직위원회는 회원정책 및 활동을 담당한다.
3) 재정위원회
2000년부터 "100% 회비로만 운영한다"는 원칙으로 재정 마련을 위한 활동을 하고 있다.

III. 주요 운동 사례

1. 금오산 정상의 미군통신기지 미사용부지 반환 운동

2004년 단독으로 전개한 사업으로, 우리나라 도립공원 1호인 금오산(976m) 정상에 1953년 11월 설치된 미군통신기지의 전체 반환이 아닌 정상을 포함한 미사용 부지 반환 운동을 하였다. 미국인들의 실용주의 가치관을 겨냥하여 실사구시 운동으로 제안하여 성공한 이례적인 사례이다. 구미경실련의 청원을 구미시의회가 특별결의안으로 채택하고 언론의 적극적인 보도와 시민들의 지지로 한 달여 만에 국방부와 미군 측을 협상 테이블로 이끌어냈다. 2014년 10월 금오산 정상에 공원조성이 완료되면서 61년 만에 발을 딛게 됐다.

2. 전국 최대 평지 숲 - 구미 숲 만들기 1만 명 시민청원 운동

2011년 '낙동강 둔치에 국내 최대 20만평 평지숲 조성'을 제안하였다. 2012년에는 주민단체들과 공동으로 시의회에 10,059명이 청원을 하였다. 2012년 총선에서 이슈화되어 김태환 국회의원은 6대 공약에 반영, 심학봉 국회의원은 30만평으로 확대 공약, 남유진 시장은 2014년 주요 공약으로 채택하였다. 구미시가 낙동강 둔치 개발용역 '7경 6락 리버사이드 프로젝트'를 통해 고아읍 강정 둔치 183만㎡(553,575평)에 구미 숲 조성을 확정하였다. 그러나 강정 둔치가 나무를 심을 수 없는 보전구역이 되면서 구미숲 조성은 추진되지 못하고 있다.

3. LG디스플레이 주식 1주 갖기 범시민운동

2007년 '기업하기 좋은 도시 만들기 시민운동' 차원에서 구미경실련이 'LG디스플레이 주식 1주 갖기 범시민운동'을 지역사회에 제안하였다. 이후 구미사랑시민회의, 구미시 공동 주관으로 전개하여 207,747주(66억 원)를 매입하는 국내 전무후무한 기록을 달성하였다. 2008년에는 주민 개미모금 방식으로 'LG디스플레이 1조 3천억 투자 감사음악회'(강서지역=금오산 분수광장, 강동지역=동락공원)를 개최하였다. 2010년엔 'LG-구미공단 7,300명 고용창출, 1만통 감사엽서보내기 시민운동'을 제안해 6개 주민단체 공동으로 전개하였다.(10,865통 전달)

4. 봉곡도서관(어린이도서관 겸용) 건립 1만 명 시민청원운동

2003년 시민 12,548명의 청원을 조직하였다. 이에 2006년 봉곡도서관(71억 원)과 함께 선산읍 주민들의 요구에 따른 선산도서관(56억 원)도 동시 착공하여 2007년 동시 개관하였다. 기초단체 기준 '구미시

=전국 최고 도서관도시'로 발전하는 기폭제가 되었으며, 전국 첫 시민단체 도서관 건립 시민청원운동의 성공 사례를 만들었다.

5. 28억짜리 박정희 뮤지컬 취소 운동

구미경실련은 예산 감시활동 차원에서 '경기침체-이런 예산 줄여서 경제살리기·복지 예산으로 사용하자'는 캠페인을 하였다. 경북도와 구미시가 추진하는 박정희 뮤지컬(28억), 박정희 불빛축제(10억), 구미호의 봄(2억) 등 낭비성 예산을 분석하고 7차례 성명서를 발표하면서 여론화하고 대안을 제시하였다. 이에 경북도와 구미시가 구미경실련이 제안한 1억 미만 규모의 '대체공연 프로그램'을 수용하면서 박정희 뮤지컬의 취소를 이끌어냈다.

6. 구미천 생태하천 조성 및 유지수 방류 활동

1997년부터 '도심하천 살리기 캠페인'을 전개하면서 1998년 시장선거 후보들에게 '구미천 생태하천 조성 및 유지수 방류'를 제안하였다. 구미시는 85억원을 들여 1단계 생태하천 조성(44억2,800만원, 2001~2004), 2단계 하천유지수 방류 관로매설(41억 원, 2008)을 추진하였다.

7. 자연휴양림 조성 활동

2000년 5월 구미경실련에서 20년 이하 구미거주 시민 851명의 설문조사 결과를 토대로 발표한 '외지인의 정주의식을 높이기 위한 시정건의서'의 1호 정책과제로 자연휴양림 조성을 제안하였다. 2002년 구미시가 구미경실련 제안을 수용하면서, 구미시 옥성면 주아리 계곡 153ha 시유림에 기본 및 실시 설계 용역을 발주하였고, 65억 6천만원을 들여 2003년 옥성자연휴양림 조성에 착공, 2007년 11월 개장하였다.

8. 강동문화복지회관 건립 2만 명 시민청원운동

문화생활 불모지 10만 강동주민의 숙원사업을 2006년 구미경실련이 제안하였다. 강동지역의 대표적 주민단체인 인동을사랑하는사람들의모임(인사모)과 공동으로 청원운동을 전개하여 시민 21,351명 청원을 통과시켰으며, 구미시는 예산 358억 원을 들여 2017년 개관하였다.

9. 구미경실련이 구미시에 정책 제안하여 집행한 예산 1,000억원 돌파

구미경실련은 구미시 행정과 의회에 비판과 감시활

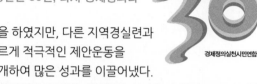

동을 하였지만, 다른 지역경실련과 다르게 적극적인 제안운동을 전개하여 많은 성과를 이끌어냈다. 구미경실련의 정책 제안들은 실사구시 원칙으로 시민들과 소통하면서 제기된 요구들을 선택하여 공공기관에 제안하였고, 이를 언론과 시민들이 지지하고 공공기관이 수용하여 집행예산 1천억원의 성과를 이뤘다.

10. 구미시 최장기 '10년 민원' 소각장·매립장 입지선정 갈등 해결 등

구미시 최장기 10년 민원인 '구미시환경자원화시설 입지선정' 갈등 해결(2004), 지산동~도량동~봉곡동 녹지형 중앙분리대 제안(2009.2012 설치, 14억원), 장애인편의시설 점검활동(1997. 2억6,365만원 추가편성), 준공업지역 시의원 특혜성 도시계획조례 개정운동(2005. 감사원 감사청구로 부시장 등 공무원 8명 주의), 이마트 동구미점 입점저지 및 대형마트 현지법인화 청원운동(2008. 5,272명 청원 시의회 통과), '대구-구미 생활권통합 캠페인'(2007. 이후 경산~대구~구미 대구권광역철도 조기개통, 대구시-구미시 문화교류 협약체결 등 정책캠페인. 영남일보가 경제통합 등으로 10회 기획연재), '구미경실련-읍·면·동 찾아가는 저예산 정책발굴 탐사활동'(2010.9~2014.1 풀뿌리시민운동 새 영역을 개척한 사례로 녹지형 중앙분리대 설치(14억원), 신평동 낙동강변 전통누각 갈뫼루 건립(6억원) 성과), 경차우대 2시간 무료 조례개정 시민청원(2008. 시행), 가정폭력피해자 A씨 구명운동(1998), 지적장애인 단기보호쉼터 '사랑의 쉼터'개소(1997. 구미경실련 주도 현금·물품 3천500여만원 모금), 구미지역 첫 지역아동센터 '무지개 공부방' 개소(1998. 2004. 한 회원의 기부로 회원 건물 옥상에 2,000만원 상당 20평 조립식 공부방 건립. 경북도 내 첫 자가전용 공부방), 수돗물불소화 1만명 시민청원운동(1995), 구미경찰서 재이전 시민운동(2014~2017), '집값폭락·특혜성난개발 2조원대 민간공원 개발 저지'활동(2017~), 왕산광장 및 왕산루 유치(2015. 수자원공사 수용, 22억원), 대구취수원 구미이전 조건부 찬성 활동(2014~), 시장관사 부활 저지(2018. 시장 철회), 삼성전자 네트워크사업부 수원 이전 저지 활동(2018), 시청이전 및 트램 도입 저지 활동(2018~)

V. 향후 운동 과제

구미경실련은 지방중소공단도시에서 시민운동을 할

426

427

III. 지역경실련의 활동과 성과

사진으로 보는
경실련 30년

I. 경실련의
창립과 활동

II. 경실련 30년
활동의 성과

III.
지역경실련의
활동과 성과

IV. 경실련과
시민사회의 미래

수 있는 여건의 제한이 있었으나 시민들과 소통하면서 시민의 의사를 대변하는 시민단체로 성장하였다. 구미경실련의 향후 10년은 구미공단 정주여건 개선 활동, 대구-구미 생활권통합 정책 캠페인, 장세용 시장의 주요 공약인 시청 이전 및 트램 도입 저지 활동, 광주형 일자리보다 진일보한 '시민출자-경북(구미)형 일자리' 활동, 도시재생 정책제안 활동, 구미사랑 상품권(지역화폐) 발행 확대를 통한 자영업 활성화에 집중할 예정이다.

6) 군산경제정의실천시민연합

I. 창립 배경 및 취지

군산시는 전라북도 북서부 금강과 만경강의 하구에 위치하여 인접한 익산시·김제시와 함께 호남평야의 중심을 이루어 일찍부터 미곡농업이 발달하였고, 긴 해안선과 많은 도서가 있어 부안군과 함께 전라북도 서해안 어업의 중심지이다. 일제강점기에 미곡 수출항으로서 정미업과 양조업을 중심으로 한 공업이 발달하면서부터 전라북도 제1의 상공업도시가 되었고 광복 후에는 군산항을 통해서 수입한 원목 가공과 양조·수산물가공업이 발달하였으며, 간석지를 매립하여 만든 군산국가산업단지에 대규모 자동차산업단지가 있다. 군산경실련은 시민 개개인의 존엄과 가치가 존중되고 시민의 의지에 의해 운용되는 민주사회를 만들기 위해 1994년에 창립하였다. 군산경실련은 경제정의와 사회적 형평, 환경보전, 민주시민 문화의 성숙이라는 목표를 이루기 위해 다양한 계층의 시민들이 참여하여 활동하고 있다.

○ 창립일 : 1994년 10월 29일(발기인 대회 1994년 8월 25일)

II. 조직 및 기구

1. 회원

군산경실련 회원은 다양한 직종의 양심적인 시민, 정직과 정의로움을 토대로 시민운동에 참여하여 공공의 선을 이루고자 하는 일반 회원과 전문성을 지닌 임원회원 등이 활동하고 있다.

2. 주요 임원

1) 공동대표 : 김원태
○ 전 공동대표 : 김영기, 김항석, 황희성, 김종석, 서성우, 김귀동, 성광문, 최산호, 서정태, 윤덕희, 고선풍, 최인식, 양태윤, 박일성, 송창섭, 이애란, 김항석, 고진곤, 임광희, 곽병선, 장화영, 종 걸, 현화영, 김재훈, 석초
2) 고문·지도·자문위원 : 성광문
○ 전 위원 : 이병훈, 김양규, 전희순, 김종석, 황선주
3) 감사 : 김민재
○ 전 감사 : 장영문, 이현규, 최한서, 이근창, 이기수, 장지식, 김중식, 한광수, 김부영, 서우석, 신영자, 김동희, 장 영, 김문원, 이미아
4) 집행위원회 : 서지만
○ 전 위원장 : 송서재, 오치원, 곽병선, 강희관
5) 정책위원회 : 정동원

○ 전 위원장 : 김종후, 최산호, 김용환, 송재복, 김정훈, 곽병선, 전천운, 황성원, 이해숙, 이연식
6) 조직위원회 : 전강훈
○ 전 위원장 : 이진수, 송광문, 박주향, 노치우, 강윤필
7) 창립 이후 활동한 위원회는 환경위원장(한광수 위원장), 정치경제위원장(심영배 위원장), 재무위원장(홍용승 위원장), 상조위원장(전강훈 위원장), 교육복지위원회(김동희 위원장), 시정참여단(김도경 단장), 홍보편집위원회(김종후 위원장), 운영위원회(이기향 위원장), 청년회(정종엽 회장), 산악회(양동집 회장) 등이 있다.
8) 사무처 : 서재숙(사무국장)
○ 전 활동가 : 강희관, 박주향, 이 복, 윤정희, 김은정, 최기자

3. 정책 및 사업 위원회

1) 집행위원회
집행위원회는 군산경실련 활동의 기획 및 조정 등을 총괄한다.

2) 정책위원회
정책위원회는 군산의 비전을 제시하고 정책개발, 군산시정에 대한 모니터링 및 공공개발사업에 대한 감시, 지방의회 활동 평가 그리고 지역의 주요 현안에 대해 시민의 공론을 모으고 대안을 제시한다.

3) 조직위원회
조직위원회는 군산경실련 조직 강화 및 인적자원 발굴을 위한 회원 확장, 타 기관 및 조직과 연대를 통한 저변 확대를 담당한다.

4) 환경노동위원회
환경노동위원회는 산업도시인 군산의 환경을 보호하고 노동자들의 권익 보호를 위한 제도 개선 및 지원활동을 한다.

5) 정치경제위원회
정치경제위원회는 건전한 지방
정치 활성화, 지방의회 발전을 위한 의정평가, 지역 소상공인을 위한 정책 개발, 지역경제 발전을 위한 정책 및 현장 지원 활동을 한다.

6) 교육복지위원회
교육복지위원회는 군산지역의 교육, 복지, 문화, 청소년, 아동 등의 사회분야의 활동을 기획 및 집행하며, 군산 바다의 날 행사 등을 주관한다.

7) 상조위원회
군산경실련 회원들의 친목 행사 및 경·조사 전반을 주관한다. 전국 경실련에서 유일한 상조위원회이다.

4. 출판

○ 출판물 : 우리 군산 이렇게 바꾸자(1994)

Ⅲ. 주요 운동 사례

1. 전통시장 장보기 활성화 운동
군산경실련은 창립 초기부터 대형유통점들의 군산 개점 반대운동을 적극적으로 추진하였다. 한편 전통시장 활성화와 지역 중소상인들의 상생을 위하여 공공기관, 시민사회단체, 종교단체 등이 참여하는 전통시장 장보기 운동을 지속적으로 전개하였다.

2. 1018 경제교실 등 청소년 교육 활동
군산경실련은 미래 세대를 위한 경제개념 및 지역경제 바로 알기 교육을 추진하였다. 이 경제교실은 군산경실련과 군산대학교의 공동주최로 어린이와 청소년들에게 경제와 금융생활의 기본과 중요성 등을 교육해 1018세대가 실생활에서 실천할 수 있는 경제생활에 관한 사례 등을 배움으로 생활에서 활용하도록 하며, 경제정의 실천시민으로 성장해 나가도록 교육과 체험을 실시했다. 그리고 경제교실 교육과정을 참여하여 이수한 초중고 학생들에게 표창장을 수여하여 격려하고 있다. 그밖에 청소년 환경체험학교, 결식아동 급식 지원운동 등을 전개하였다.

3. 환경지키기 운동
군산경실련은 창립 당시부터 환경 보호에 적극적으로 활동하였다. 산업(생활)폐기물 불법 반입 및 처리 대응, 환경오염 실태조사, 월명공원 주차장 계획 철회운동, 음식물쓰레기 실태조사, 군산지역 저수지 수질조사, 서해안 해양투기 및 오염방지 대책위, 용담댐 상류 쓰레기

매립장 반대 운동, 은파유원지내 수상골프연습장 건설 반대운동, 유연탄 전용부두 설치 저지운동, 직도 폭격장 반대, 군산 핵폐기장 반대운동, 미룡동 대우토취장 반대운동 등 군산지역의 환경관련 현안에 대응하였다.

4. 지역경제 살리기 및 시민지역 운동

군산경실련은 경제를 목표로 활동하는 시민단체로서 최근 군산의 지역경제에 큰 영향을 미치는 한국GM군산공장 폐쇄 및 구조조정, 현대 조선소 철수 등 현안에 시민의 입장을 적극적으로 대변하고, 노동자들의 지원, 자동차 산업 회생을 위한 대안제시 활동을 적극 전개하였다. 그밖에 산업전시관 부실공사 대응, 새만금 관광개발 시민여론 수렴, 임대료부당인상자신고센터 개설, SSM 입점 저지, 지방자치정책대학 개설, 아파트안전시민학교 개설, 월명공원 내 일제 잔유물 철거운동, 개복동화재참사 대책위 등의 활동을 하였다.

V. 향후 운동 과제

군산경실련은 지역경제에 큰 영향을 미치는 자동차산업의 침체와 구조조정으로 시민들이 경제적으로 많은 어려움을 겪고 있다. 전라북도 미래 경제에 영향이 큰 새만금개발사업도 논란 중이다. 군산경실련은 우선적으로 지역경제를 살리기 위한 정책과 전략 개발, 시민의 공론을 모으는 활동에 주력할 계획이다. 또한 군산 시정 및 지방의회의 활동 평가 및 반부패 운동, 갈등 많은 지역사회를 하나로 묶는 공동체 운동을 전개할 계획이다.

7) 군포경제정의실천시민연합

I. 창립 배경 및 취지

군포시는 경기도 중남부에 위치한 서울의 위성도시로서 안양시, 시흥시, 안산시, 수원시, 의왕시와 인접하고 있다. 1989년 시로 승격될 당시 면적이 20.70㎢로 전국에서 가장 작은 시였으며, 1기 신도시 중 하나인 산본 신도시의 개발로 인구가 급속히 증가하였고, 주민의 60% 가량이 산본 신도시에 거주하고 있다. 군포시는 지방자치 실시 이후 급속한 성장에 따른 산적한 문제들을 지방정부와 지방의회가 협력하여 해결하지 못하고 수년째 대립과 반목을 거듭해오고 있었다. 군포경실련은 시민 개개인의 산발적인 의사표현보다는 공동체적 의식에 입각한 시민의식의 발현이 요구되는 시대적 흐름에 부응하고 정치권의 당리당략과 기업의 부당한 이윤 추구에 맞서 인간의 존엄과 시민사회의 자율성을 지켜내는 구심점이 되고자 1997년 9월 27일 창립하였다. 군포경실련은 땀 흘려 일하는 사람이 대접받는 사회, 시민이 주인되는 사회, 개인의 이익을 떠나 공동의 이익을 위해 일하고 사회적 형평과 환경보존을 소중하게 생각하는 경실련의 창립 정신을 군포지역에서 실현하고자 한다.

○ 재창립일 : 2019년 1월 24일(발기인 대회 1997년 2월 27일, 창립일 : 1997년 9월 27일)

II. 조직 및 기구

1. 회원

군포경실련의 회원은 직장인과 자영업에 종사하는 시민들이 많으며, 종교인, 주부, 청년 학생 등이 적극적으로 활동하고 있다.

2. 주요 임원

1) 공동대표 : 주삼식, 김연승
○ 전 공동대표 : 곽도, 주성훈, 이흥주, 구본영
2) 고문·지도·자문위원
○ 전 위원 : 곽도, 곽수용, 곽윤열, 김남준, 김동별, 김석현, 김창호, 나승훈, 남만우, 노경환, 리영희, 오동환, 육종철, 이문식, 이우정, 정영수, 최학규, 주삼식, 한성수
3) 감사 : 오승원
○ 전 감사 : 김병현, 김영식, 김정수, 김창호, 이경재, 이해중, 이희영, 이희재.
4) 집행위원장 : 박충수
○ 전 위원장 : 김기홍, 김원대, 박태환, 석경수, 주삼식, 이흥주, 조용석.
5) 정책위원장 : 박평식
○ 전 위원장 : 구본영, 오세일, 정영수, 주삼식,
6) 조직위원장 : 문홍민
○ 전 위원장 : 이문식
7) 기타, 도시경제위원회(김낙동, 이해중, 조재용 위원장), 환경위원회(김영희, 류미화, 홍승현 위원장), 교육문화위원회(황금숙, 이혜경, 이원현 위원장)등이 활동하였다.
8) 사무처 : 황은아(사무국장)
○ 전 활동가 : 권경화, 김희정, 임구원, 박경숙, 오은정, 이남헌, 이유하

3. 정책 및 사업 위원회

1) 정책위원회
정책위원회는 창립 당시부터 지방자치(의정참여) 및 예산감시, 도시경제위원회, 환경, 교육문화, 좋은 학교도서관 만들기, 우리고장알기, 주거문화 등 분과위원회를 구성하여 지방자치와 산본 신도시개발로 급속하게 성장한 지역사회의 갈등을 해소하고 공동체 만들기에 주력하였다. 각 분과위원회들은 회원들과 전문가들이 참여하여 독립성을 유지하면서 활동을 하고 정책위원회는 운동의 기조를 설정하는 역할을 하였다. 그리고 군포부패방지시민센터를 운영하면서 부패지수 조사 및 부패교육을 하였다. 정책위원회에는 창립 이후 좋은 학교 도서관 만들기(정원임 팀장), 우리고장알기(송연자 팀장), 주거문화(유삼종 팀장)

분과가 활동하였다.

2) 지방자치 위원회
군포경실련 창립위원회로서 군포시의 급속한 성장에 따른 산적한 문제들을 지방정부와 지방의회가 협력하여 해결하는 성숙된 자세가 아니라 수년째 대립과 반목으로 지속하는 여건을 개혁하고자 군포시의 예산감시 및 지방의회의 모니터링을 일관되게 하고 있다. 지방자치위원회는 지방자치 시민대학 개설, 매년도 시의회 의정활동 및 공약 평가와 이행분석, 행정사무감사 모니터, 군포시 법정동과 행정동 일원화 추진, 4대도시(군포·의왕·과천·안양) 통합추진에 대한 여론수렴 및 토론회, 군포·의왕 경찰서 친절도 조사, 시장후보자 정책토론회, 모의 시의회 개최, 군포시 예산 평가 발표, 예산지킴이 학교 및 예산낭비 거리전시회, 공직자 부정부패 및 각종 비리 방지 등 반부패 운동, 주민참여예산제도의 정착과 실질화를 위한 운동을 하였다. 특히 군포시 예산지킴이의 꾸준한 활동으로 낭비성 예산방지와 예산의 효율적 운영을 위한 질의 및 예산낭비사례 발표, 때우기식 질의, 소속정당을 위한 묻지 마 심의, 동문서답식 답변 등을 파악하여 회기별로 의원 평가 작업을 진행해 의회의 기능 강화를 추구하였다. 지방자치위원회(박태환, 석경수, 김연승, 이점용 위원장)에는 시민과 전문가들의 참여를 바탕으로 의정참여단(박충수 단장), 예산감시단(이창석 위원장)을 운영하였다.

3) 도시경제위원회
도시경제위원회는 급속한 도시화에서 나타나는 제반의 갈등을 해소하고 지역경제의 활성화를 통해 공동체성을 회복하는 운동을 전개하였다. 도시경제위원회는 그동안 일하지 않는 공무원 퇴출을 위한 진상조사단 활동, 경제살리기 알뜰가계부 강좌, 군포시 시설관리공단 조례안 날치기 통과 규탄 및 조례안 개정 설문조사 및 간담회, 지역사회개발에 대한 모니터링 및 군포·금정 뉴타운(재개발·재건축) 개발 대응, 취약계층 주거비 실태 파악과 지원 대책 촉구, 군포시 중장기 도시기본계획 및 각종 조례개정에 대한 의견 발표와 방안제시, 정부의 반값아파트 정책 실패에 대한 세미나, 신용카드 가맹점 수수료 인하 및 대형마트 규제를 위한 관련법 개정, 산본 중심상가 살리기 운동, 지역경제 활성화를 위한 중소 상인 살리기

사진으로 보는
경실련 30년

I. 경실련의
창립과 활동

II. 경실련 30년
활동의 성과

III.
지역경실련의
활동과 성과

IV. 경실련과
시민사회의 미래

운동 및 금정·군포 재래시장 살리기, 사회적 기업 아카데미 개최 등의 활동을 하였다.

4) 환경위원회

환경위원회는 산본 신도시 개발로 군포시의 인구가 급증하고 상업시설들이 급속하게 확장하면서 나타나는 문제들을 집중하여 대응하였다. 군포시 소각장 시설과 관련하여 안전도 검사 실시, 전-후처리 시설 개선요구, 소각장 용량 관련 계수조작 문제제기 및 공사 중단 운동, 수리산 도립공원 관련 관통 고속도로 건설과 환경감시, 군포시 복합화물터미널의 확장으로 인한 각종 공해 조사를 실시하였다. 그리고 군포의제 21 활동 및 기후학교 등에 참여하였다.

5) 교육문화위원회

교육문화위원회는 군포시 투명성 강화를 위한 투명사회 시민학교 개최, 명절을 앞두고 지역사회 주민들과 소통하는 척사대회 개최, 지역대학과 연계한 대학생 자원봉사 교육 및 지역 활동, 부모와 함께하는 경제교육 강의 및 캠페인, 지역축제와 문화예술교육 개선, 군포문화재단 설립 대응 및 군포시 문화평가모니터링 실시, 군포시 시민편익 조사 활동, 지역문화예술교육 역량 강화 활동 및 시설공단과 문화예술 활동의 연관성 여부 조사, 국제교육센터의 운영에 대한 문제조사 및 개선방안 제시, 지역사회 문화발전을 위한 교류연대 체제 구축 등의 활동을 하였다.

6) 좋은학교도서관 만들기

2000년 7월부터 시작한 이 운동은 전국에서 가장 활동적인 학교도서관 만들기 운동을 전개하여 민관이 공동으로 추진한 사업의 모범 사례로 감사원에서 발표하는 등 군포시를 교육도시로 만드는 데 노력하였다. 군포시와 의왕시내 학교 20~30여 초중고에 사서교사를 파견하고 학부모를 대상으로 학교도서관 교육 등을 지속적으로 하였다.

7) 살기 좋은 아파트만들기 운동

군포경실련은 1998년부터 아파트 공동체 활성화를 위해 입주자 대표와 거주자들을 위한 교육을 하였고, 시민들을 대상으로 아파트 시민대학을 개설하였으며, 시민들과 함께 정부의 지역난방비 기습인상을 저지하는 운동을 추진하여 보류시키는 성과를 얻었다. 이후 지속적으로 군포지역의 아파트입주자 대표회의와 연계하여 살기 좋은 아파트공동체 만들기 운동을 전개하고 있다.

8) 의정참여단

군포경실련은 1999년부터 꾸준하게 의정참여단 활동을 하여 군포시의 행정과 예산을 감시하였다. 이를 통해 군포시의 우수 시의원을 선발하기도 하였다.

4. 출판

○ 출판물 : 군포경실련 아파트시민대학 자료집(2001), 군포경실련 지방자치대학 자료집(2001), 군포지역 학교도서관 사서교육 자료집(2001), 자원봉사자 심화교육 자료집(2001), 주민참여예산제 활동 백서 등
○ 간행물 : 회원소식지 '좋은 이웃'을 발간했으나 중단되었다.

III. 주요 운동 사례

군포경실련은 1997년 창립한 이후 시민생활과 밀접한 다양한 교육활동을 전개해왔다. 군포경실련이

교육에 집중한 이유는 군포시의 급속한 도시화와 확장으로 각지에서 급속한 인구가 유입되면서 사회문화적 혼란과 갈등으로 공동체의 위기를 극복하려는 취지였다. 군포경실련이 지난 22년간 실시한 시민관련 교육들은 경제살리기 알뜰가계부 강좌, 지방자치 시민대학, 예산지킴이학교, 환경교실 공개강좌, 바른자녀교육을 위한 공개강좌, 주민참여예산학교, 군포/금정 뉴타운(재개발·재건축) 강좌, 사회적기업활성화아카데미, 군포의제 21 기후학교, 군포시 투명성 강화를 위한 투명사회 시민학교, 지역대학과 연계한 대학생 자원봉사 교육, 부모와 함께하는 경제교육, 학교도서관 만들기 학부모 교육 및 학교도서관 교육, 아파트 공동체 활성화를 위해 입주자 대표와 거주자들을 위한 아파트시민대학, 열린 강좌(사회 이슈 토론), 시민상담(법률, 부동산, 의료, 지적재산권) 및 시민문화센터 개설 등이 있다. 이러한 교육 활동은 급속한 도시화 과정에서 나타났던 이질적이고 갈등 많은 지역문화를 성숙한 시민사회로 만드는 데 큰 기여를 하였다.

V. 향후 운동 과제

군포경실련은 지난 22년의 활동과정에서 군포 시민들과 함께 지역의 다양한 문제와 요구에 부응하여 문제를 합리적으로 해결해 왔으며, 성숙한 지역문화를 창출하고자 노력하였다. 특히 창립 당시부터 지방자치, 환경, 주거, 도시경제 등에 집중 활동하고 시민들에게 다양한 교육의 기회를 제공하여 호응을 얻었다. 최근 2~3년간 군포경실련은 조직운영의 어려움을 겪다가 2019년 1월 24일 재창립하였다. 군포경실련은 기존의 지방자치, 환경, 주거, 도시경제 분야를 계승하여 지속적으로 활동할 계획이며, 그동안 미흡했던 회원과 함께하는 활동을 최우선적으로 고려하여 추진할 예정이다.

8) 김포경제정의실천시민연합

Ⅰ. 창립 배경 및 취지

김포시는 동쪽은 한강을 경계로 파주시·고양시, 서쪽과 남쪽은 인천광역시, 동남쪽은 서울특별시, 북쪽은 한강을 사이에 두고 북한의 개풍군과 접하고 있다. 김포는 전 토지의 39.6%가 경지로서 곡창지대인 김포평야와 기후와 풍토가 개성과 비슷해서 인삼재배가 많고, 북한 땅을 볼 수 있는 애기봉이 있어 종교 행사가 많이 열리는 곳으로 농업지역에서 도시로 급속하게 변모하는 지역이다. 김포경실련은 김포시의 도시화가 시작된 2000년 초 무분별한 도시 개발, 김포지역으로 서울 소재 공장들의 급속한 이전 등 인구와 산업시설이 집중되면서 지역사회의 문제로 제기되면서 지역의 특성을 살리고 시민의 권익을 구체적으로 대변하며 시민들이 자발적으로 참여하는 민간 활동의 필요성에 공감한 시민들이 4년의 준비기간을 거쳐 2005년 2월에 창립하였다. 김포경실련은 삶의 터전인 김포를 시민이 주인인 사회, 삶의 질이 높고 지속가능한 사회로 만들기 위해 합리적인 대안을 제시하는 운동을 지향하였고 창립을 준비하는 당시부터 김포변전소 부지 이전 운동, 학교급식 개선을 위한 조례제정 운동, 경전철 사업 재검토 요구, 지방선거 입후보자에 대한 검증, 제15대 총선 후보자별 정책질의, 러브호텔과 관련한 도시계획조례 재개정, 한국인 비하 영화인 '007 어나더데이' 조기 상영중단, 김포신도시 관련 시민 토론회 및 2006년 김포 신도시 개발계획 승인 이후 본격적인 개발 이슈에 대응하였다. 그리고 김포경실련은 일반적인 경실련의 3축인 회원·전문가·상근활동가 체계와 다르게 상근활동가의 역할을 회원들이 자원봉사로 분담하면서 활동하고 있다.

○ 창립일 : 2005년 2월 18일(발기인 대회 2001년 6월 17일)

Ⅱ. 조직 및 기구

1. 회원

김포경실련 회원은 서울의 주변도시로서 다양한 직종과 연령대로 구성되어 있으며, 특히 2011년부터 운영한 김포도시농부학교 수강생들의 회원 활동이 두드러져서 지역의 먹거리와 공동체 구성 운동이 활발하다.

2. 주요 임원

1) 공동대표 : 이적
○ 전 공동대표 : 김흥주, 석지관, 신성식, 이중택
2) 고문 및 지도위원
○ 전 고문 : 장기정, 이경제, 김형창, 김창집, 백종

일, 변문수, 이동화, 도현순

3) 감사 : 한재혁

○ 전 감사 : 남한서

4) 집행위원장

○ 전 집행위원장 : 신성식, 채신덕

5) 정책위원장

○ 전 정책위원장 : 안재범, 어중석

6) 조직위원장 : 황인문

○ 전 조직위원장 : 채신덕

7) 창립 이후 활동했던 위원회는 교육위원회(채신덕, 이영백 위원장), 문화예술위원회(송주승 위원장), 생태환경위원회(김창환 위원장), 공동주택위원회(이종준 위원장), 사회문화위원회(임영란 위원장), 지역경제위원회(김석흠 위원장), 김포신도시개발특별위원회(이중택 위원장), 김포신도시보상특별위원회(정광영 위원장)가 있으며, 2001년 발기인대회 이후 결성된 창립준비위원회에는 정책위원회(김상식 위원장), 재정위원회(김형창 위원장), 사회복지위원회(이동화 위원장), 지역경제위원회(김병욱 위원장), 교육환경위원회(신성식 위원장)가 활동하였다.

8) 사무처 : 이종준(사무국장)

○ 전 활동가 : 어중석, 박찬주, 심민자, 황인순, 황규숙

3. 정책 및 사업 위원회

1) 정책위원회

정책위원회는 농촌지역에서 도시화가 급속하게 진행되면서 제기되었던 김포지역사회 문제를 해결하기 위한 분석과 대안제시 활동을 하였다. 지역사회 현안이었던 신도시 개발, 한강하구 유역의 생태보전과 친환경개발을 위한 한강하구전략회의, 지역교통 발전, 소비자물가조사, 공동주택 관리비 부과내역조사, 민통선 환경 현안답사, 경인운하(아라뱃길)를 걱정하는 시민모임 결성 및 백지화 운동, 교복 값 거품빼기운동, 안전한 학교급식 조례 제정 청원, 풍무고등학교 내 고액과외 철회운동 등을 대응하였다. 창립 이후 활동했던 위원회는 교육위원회, 문화예술위원회, 생태환경위원회, 공동주택위원회, 사회문화위원회, 지역경제위원회, 김포신도시개발특별위원회, 김포신도시보상특별위원회 등이 있다.

2) 도시농업공동체 곳간지기

김포경실련은 도시농부학교를 개설하여 다양한 계층의 도시민들에게 농사에 대한 기초부터 텃밭 가꾸기 등 농사체험과 도시농업과 관련한 농업교육을 통해 정서를 함양하고 농업기술을 보급하는 활동을 하였다.

3) 교육나눔센터 '곳간'

2014년 김포경실련 사무실에 50석 규모의 교육나눔센터 곳간을 설치하여 지역의 시민들과 시민단체들이 언제든지 이용할 수 있도록 개방하였다. 최근 협동조합이 되었다.

4) 산전수전

김포경실련 회원들의 산행 모임이다

4. 출판

○ 출판물 : 공동주택 관리비 부과 실태 조사와 적정 관리비 산정을 위한 연구 보고서(2006)

○ 간행물 : 2011년 월간 소식지『경제정의』를 창간하였다

Ⅲ. 주요 운동 사례

1. 김포변전소 반대 운동

2001~2005년 한국전력공사가 지역주민들의 반대를 무시하고 주거 밀집지역에 변전소 설치를 강행하였고 김포시는 이미 확정된 변전소 건립 추진에 반대하지 않은 상황에서 김포경실련은 김포변전소 반대 시민대책위원회에 참여하여 주민 동의 없이 일방적으로 진행되어 주거 밀집지역에 건설 예정인 변전소의 문제를 지적하였다. 한전이 설계변경에 따른 추가비용 부담과 시간을 이유로 주민들의 반대 주장을 무시하자 김포변전소의 전자파 피해 예상 홍보와 부지 이전을 요구하여 지중화 건설을 유도하였다.

2. 김포도시농부학교

2011~2019년 도시농업을 통하여 협동의 공동체 문화 확산과 안전한 먹거리 생산으로 시민의 건강한 생활과 우리의 전통 문화 계승을 위해 운영하였다. 2011년 1기를 시작으로 11기까지 총 340여명의 도시농부를 양성하였으며, 농사의 기초인 토양, 작물재배, 친환경농업 등에 관한 이론 및 실습 그리고 농기계 작동법, 과수재배, 김장작물 재배 등 교육과정에 포함하여 실용성을 갖췄다.

3. 애기봉 평화문화제 개최

애기봉은 북한 땅을 볼 수 있는 곳으로 2011~2015년 남북한 평화통일을 염원하고 준비하기 위하여 애기봉 등탑 설치 반대 운동과 대북 비방선전물 날리기 저지 운동을 통하여 시민들이 남북의 교류 협력과 평화의 중요성을 인식하도록 하였다. 통일단체들과 공동으로 애기봉평화문화제를 개최하여 대립과 갈등이 아닌 평화를 만들어 나가는 활동을 하였다.

4. 한강하구전략회의 활동

김포경실련은 2006년 한강하구 유역의 생태 보전과 친환경 개발을 위하여 한강하구 인근의 환경단체들과 함께 한강하구전략회의라는 협의체를 출범하였고 김포경실련이 초대 의장 단체로 활동하였다. 2008년 이후 한강

하구의 난개발 저지와 습지보호구역 지정 등을 위하여 녹색연합, 한국갯벌생태연구소, 한국환경생태연구소, DMZ생태연구소, 강화도시민연대, 인천녹색연합 등과 공동으로 활동하였고, 서해안 갯벌생태계를 훼손시킬 수 있는 강화도 조력발전소 건설을 무산시켰다.

V. 향후 운동 과제

김포경실련은 도시화에 따른 김포한강신도시 개발과 교통문제, 환경 보호 그리고 급격한 인구 유입 등으로 나타난 시민 간의 갈등과 다양한 정치, 문화 욕구의 해결을 위하여 노력하였다. 시민생활의 문제들을 상근활동가 중심이 아니라 지역 시민과 전문가들의 자원봉사에 의존하여 활동하는 실험을 통해 지속적으로 활발한 활동을 전개하지는 못하였지만 현안의 특성에 따라 시민과 회원들의 역량 집중을 통해 지역을 변화시키는 의미 있는 성과를 만들어 왔다. 김포경실련은 회원 공동체인 곳간지기를『곳간지기 사회적 협동조합』이라는 사회적 경제 활동의 모델로 전환하는 실험을 하고 있다.

9) 대구경제정의실천시민연합

Ⅰ. 창립 배경 및 취지

대구경실련은 대구·경북지역의 시민들이 대구지역에서 경제와 사회정의를 실현하기 위해 1990년 6월 결성하였다. 창립총회는 '30년간 권력의 아성으로 있던 대구지역의 특성'을 반영하여 '이문옥 감사관 석방과 정경유착 규명 촉구시민대회'와 함께 열렸듯이 이 당시의 활동은 중앙경실련이 제기하는 이슈를 대구지역에서 함께 집회나 캠페인을 추진하거나, 지역 현안도 연대활동으로 전개하여 대구경실련의 독자적 사업은 부재하였다. 초기 대구경실련은 "중앙경실련의 위상과 활동에 힘입어 겨우 활동의 명맥을 유지해 왔다고 할 정도로 활동이 저조했다"고 자체 평가를 하고 있다. 그러나 이러한 문제들은 상근활동가들을 확보하면서 1992년부터 급속하게 자생력을 갖추기 시작하였다. 상근활동가의 증대는 조직의 안정화와 독자적인 활동의 기반이 되었고, 청년회, 산악회, 풀뿌리시민회 등 회원조직이 구성되어 회원도 대폭 증가하였다. 환경개발센터 등 활동기구의 설립으로 활동

범위도 확장되었다. 1990년대 중반 이후에는 정치, 경제, 사회복지, 환경, 문화, 교육, 교통, 안전 등으로 사회 전영역에서 지역의 현안을 공론화하고 대안을 제시하는 종합적인 시민단체로 정착하였다.

○ 창립일 : 1990년 6월 2일(발기인대회 1989년 11월 21일)

Ⅱ. 조직 및 기구

1. 회원

대구경실련 회원은 경실련 운동에 공감하는 다양한 직업에 종사하는 시민들이 활동하고 있다. 회원의 대부분은 40대 이상의 남성, 여성이며, 청년 회원은 매우 적은 편이다.

2. 주요 임원

1) 공동대표 : 심준섭, 지우
○ 전 공동대표 : 김희섭, 전호영, 정학, 서석구, 김기동, 김영환, 정영환, 김무공, 김명한, 석성우, 최영인, 홍종환, 조기섭, 전영평, 계성, 김종웅, 공재식, 박준상
2) 감사 : 서정걸, 장해열
○ 전 감사 : 정기웅, 김준곤, 남호진, 조동환, 조봉래, 김원구, 홍순기, 박준상, 이인식, 박창진, 박동희, 김승환, 장해열, 이근원, 김대진
3) 집행위원장 : 박영식
○ 전 집행위원장 : 정학, 전호영, 금병태, 김명한, 김태환, 전영평, 김종웅, 박준상, 김원구, 김수원
4) 정책위원장(정치·행정개혁센터) : 공재식
○ 전 정책위원장 : 김한규, 김종민, 전영평, 천진호, 김종웅, 박준상
5) 조직위원장 : 김대진
○ 전 조직위원장 : 김제민, 이철우, 김준곤, 조봉래, 홍순기, 이인식, 김수원, 오경학, 박동희
6) 경제정의연구소장 : 최준호
○ 전 소장 : 김종웅, 김영재, 남병탁, 손광락, 심준섭
7) 환경·문화개혁센터장(환경위원회, 교육·문화개혁센터, 환경센터) : 전영권
○ 전 센터장 : 김명한, 우형택, 조용기, 전영평, 유영환, 박규현, 엄붕훈, 최동학, 김동석 박영식
8) 시민권리센터장(부정부패추방운동본부·시민복지위원회·시민생활위원회·시민안전센터) : 오경학
○ 전 센터장 : 권오상, 남호진, 감 신, 조동환, 김원구, 박준상, 최종탁, 양승대, 김수원
9) 재정위원장 : 조락현
○ 전 위원장 : 이원락, 이승철
10) 편집위원장 : 김진국
○ 전 위원장 : 남동강, 남인철, 정민재
11) 사무처 : 조광현(사무처장), 최은영(사무국장)
○ 전 활동가 : 양희창, 민영창, 강은희, 하종호, 김윤종, 이창용, 이희동, 김형섭, 송순임, 이선혜, 장철규

3. 정책 및 사업위원회

1) 정책위원회
지역의 정치·행정·경제·사회 분야의 현황과 문제를 진단하고, 바람직한 정책 대안을 생산하여 지역 사회

에 전파하기 위한 활동을 전개한다.

2) 조직위원회
회원확대 및 교육, 조직 활동 지원, 회원의 경실련 활동 참여기회 부여, 회원·가족 행사 주관 등 조직발전과 회원참여 활성화를 위한 활동을 전개한다.

3) 재정위원회
후원회원 확대, 후원 행사 주관 등 안정적인 재정기반을 마련하기 위한 활동을 전개한다.

4) 경제정의연구소
지역기업의 사회적 책임성 제고, 사회적 경제 활성화. 사회적 책임조달 강화 등 지역 차원의 경제정의 실현과 대안경제 활성화를 위한 활동을 전개한다.

5) 시민권리센터
지방정부·지방의회 등 지역 권력에 대한 시민적 통제, 다양한 영역에서 침해받고 있는 시민의 피해 구제, 시민의 권리의식 제고 등을 위한 시민행동을 전개한다.

6) 환경·문화개혁센터
대구지역 도시환경 및 도시공간 개선, 시민의 문화향수권 확충, 문화정책의 공공성 강화 등환경정의 실현과 문화예술 영역의 개혁을 위한 활동을 전개한다.

7) 소식지 편집위원회
월간으로 발행하는 소식지 '열린사회'를 편집, 발간하는 역할을 수행한다.

4. 출판

○ 출판물 : 금호강 생명찾기, 금호강 생명찾기 종합보고서, 예산감시지침서, 납세자 주권, 재정민주주의실현을 위한 시민예산학교, 밀라노프로젝트 이모저모 등
○ 간행물 : 소식지 "열린사회"

III. 주요 운동 사례

1. 외국인근로자센터 설립 운영
산업연수생, 산업기술연수생 제도로 인해 이주노동자의 60%가 불법체류자로 전락하여 강제잔업, 정신적·육체적 폭행, 여권 압류, 폐쇄된 생활의 강요와 외출제한, 임금체불 등 인권침해가 만연하였다. 이는 전국적 현상이었지만 영세한 중소기업이 많은 대구에서 더욱 빈번하였다. 대구경실련은 1994년 중앙경실련으로부터 운영비를 지원받아 '외국인근로자센터'를 설립하여 이주노동자들의 상담, 권리구제, 등반대회, 한글교실 등 정서적 교류와 사회 적응 지원, 고용허가제 도입 등 이주노동자 문제 전반을 다뤘다. 이주노동자 문제는 대구지역에 이주노동자 관련 단체들이 증가한 1997년에 해소되었는데 당시는 대구지역의 유일한 이주노동자 지원 창구였다.

2. 지방의원과 시민운동가를 위한 예산학교 등 시민강좌
대구경실련은 1998년 10월, '예산감시운동이 시민운동의 새로운 영역'을 열어나갈 것임을 선언하고 예산감시센터를 구성하였으나 간헐적인 예산낭비 사례에 산발적인 대응 수준이었다. 2002년 10월, 예산에 대한 시민의 관심 제고, 예산에 대한 체계적인 이해, 예산감시운동의 전문성 강화, 예산감시 네크워크 구축 등을 위하여 '지방의원과 시민운동가를 위한 예산학교'를 운영하였다. 예산학교는 '지방재정의 이해', '예산과정의 이해', '예산낭비의 유형과 예산감시운동', '예산과정에 대한 주민참여 방법', '지방자치와 지역사회의 민주화' 등으로 진행하였다. 이 밖에 '지방자치 정책대학', '여성지도자대학', '민족화해 아카데미', '여성을 위한 문화강좌', '주민자치학교-행정체계·절차에 대한 도전. 시민의 의견을 제시하자' 등 다양한 시민교육 프로그램들을 운영하였다.

3. 아파트 거품빼기 운동 및 시민 주거권 실현운동
2004년 2월부터 전국의 경실련과 함께 '아파트 거품빼기 운동'을 전개하였다. 대구시청 앞에서 '아파트값 거품빼기 운동 선언 및 대구도시개발공사 아파트 분양원가 공개 촉구'를 시작으로 U대회 선수촌 및 수성그린타운 아파트 분양원가, 죽곡1지구 택지조성원가 및 아파트 분양원가, 동호지구 택지조성 원가 등 대구도시개발공사, 한국토지공사 등 공기업 대상의 정보공개운동을 전개하였다. 그리고 대구지역 구·군의 신규 아파트 분양가 조정 내역을 공개하면서 분양가 조정의 근거 공개와 분양가 조정 과정에 시민의 참여 보장을 요구하였다. 또한 투기과열지구 해제, 아파트 분양원가 공개 건의 등 대구시의 주택건설경기 부양 중단 및 공공주택 확충을 요구

하였다. 이 과정에서 대구경실련은 대구도시개발공사를 상대로 죽곡지구 택지조성사업의 택지조성원가, 감정가, 도급계약서 및 하도급계약서, 택지매매 계약서 등의 정보비공개 처분 취소를 요구하는 소송을 제기하였는데, 대구도시개발공사는 대법원의 판결로 택지매매 계약서 외의 정보를 공개하였다.

4. 공익제보자와 함께하는 시민행동

2005년 공익제보자 여상근 씨는 (주)KT 동대구지사에 근무하던 중 고속철도 운행과정에서 잡음전압이 발생하지 않음에도 (주)KT가 대책공사를 하여 수백억 원의 예산을 낭비하는 사실을 확인하고 공사 중단을 요구하였다. 그럼에도 (주)KT가 이를 수용하지 않자 국민권익위원회에 제보하였고, 이는 감사원 감사에서 일부 사실로 확인되었으며 이후 대통령 표창을 받았다. 하지만 이 제보로 인해 여상근 씨는 (주)KT에서 파면되었고, 관련기관의 미온적 조치로 예산낭비의 진상도 규명하지 못했다. 대구경실련은 2008년 2월 '공익제보자 여상근과 함께하는 시민모임'을 구성하여 예산낭비 책임자들에 대한 고발, 국민감사청구, 명예회복과 복직을 요구하는 활동을 하였다. 이 활동은 공익제보와 제보자에 대한 감수성을 키웠고 공익제보자들이 대구경실련을 찾아오는 계기가 되었다. 또한 1990년 5월 '감사원의 대기업 비업무용 부동산취득에 관한 국세청 과세실태 감사'의 감사반장이었던 이문옥 감사관이 해당 기업의 로비로 감사가 중단된 사실을 공개하여 공직에서 파면되고, 비밀누설죄로 구속되는 어려움을 겪게 되었다. 대구경실련은 창립대회(1990.6.2)를 '이문옥 감사관 석방과 정경유착 규명 촉구 시민대회'로 개최하였다. 이후 대구경실련의 반부패 활동은 '경제부정 및 금융실명제 관련 비리고발창구', '법조계의 전관예우에 대한 시민제보창구', '아파트 관리비리 제보창구', '섬유관련 기관, 단체의 비리 제보 창구' 등 비리 제보창구의 운영, '세무비리 척결운동', '비리공직자 사퇴 및 처벌 촉구운동' 등 비리에 대한 고발, 감사청구 등으로 이어지고 있다.

5. 지방자치단체(장)의 '돈 내고 상 받기' 관행 개선 운동

대구경실련은 2008년 11월, 수성구청장과 달서구청장이 연합광고 및 시상식 행사비용 명목으로 구의 예산을 지불하고 '2008년 존경받는 CEO 대상'을 수상한 것을 확인하고 구청장 개인의 수상을 위해 사용한 예산의 반납을 요구하였다. 이에 두 구청장은 관련 예산을 모두 반납하였다. 2009년에는 참언론대구시민연대와 함께 대구·경북지역 지방자치단체와 단체장이 언론 등 민간기관으로부터 받은 수상내역과 지출내역(홍보비, 광고비 등)을 공개하여 지방자치단체와 단체장의 '돈 내고 상 받기' 실태를 그대로 공개하였다. 이는 국민권익위원회가 지방자치단체에 '민간이 주최·주관하는 시상 응모에 대한 자체 심사제도 도입, 수상에 따른 허위과장광고 금지 등'의 제도 개선을 권고하는 계기가 되었다. 이후 대구경실련은 2017년 대구MBC와 함께 지방자치단체와 단체장의 '돈 내고 상 받기' 관행의 개선을 확인하기 위해 대구·경북지역의 지방자치단체(단체장)에 시상 내역 및 관련 예산 집행 내역을 정보공개청구를 통해 확인하였는데 이러한 관행은 2009년과 비교하여 전혀 개선되지 않았다. 그래서 국민권익위원회에 이에 대한 조사 및 처분을 요청하였고, 대구시는 2018년에야 '민간단체 주관 시상참여 및 후원명칭 사용승인에 관한 규정'을 제정하였다.

6. 사회개혁과 시민생활 개선 활동

위의 사례 외에 대구경실련 1991년 구미의 두산전자 공장의 페놀사태에 대한 시민규탄 대회 및 피해접수창구를 개설하는 등 진상·책임 규명 활동을 하였다. 1992년부터 공명선거운동으로 선거부정고발센터 운영, 유세장 캠페인, 투·개표 참관 등 활동을 하였고 이후 후보자 초청 토론회, 공약실천 협약식, 영호남 유권자대회 등을 선거 시기마다 전개하였다. 1995년에 폐교된 중앙초등학교 매각반대 및 2·28 공원 조성운동, 금호강 생태 및 문화유적 종합학술조사 겸 체험학습 프로그램인 '금호강 생명 찾기'운동, 지역 현안 시민포럼(시내버스, 공원·녹지정책, 행정감사청구제도 도입, 외국인노동자, 대구의 공간구조 및 교통, 녹색문화 도시, 실업문제, 보행권 등), 시내버스 요금 인하 및 버스개혁운동(1998), 반부패를 위한 '사회정의 파수꾼' 회원활동(1998), 환경행정의 모범적인 사례를 발굴하여 시상하는 대구·경북환경문화상(1999~2008), 밀실

공천을 받아 당선한 국회의원에 대한 당선무효소송, 골목상권·재래시장 등 소규모 자영업을 위한 동네경제살리기운동(2001), 중앙 지하상가 재개발 민간투자사업 무효화 운동(2001~2005), 대구지하철참사 대책위원회 및 대구시장 퇴진과 대구시 개혁을 위한 시민운동본부 활동, 대구시와 대구지역 구·군의 위원회 운영실태 공개와 국가청렴위원회의 지방자치단체 개선 권고 성과, 경부고속도로 폭설 피해자 위자료 청구소송(2004~2008), 시유지 홈플러스 성서점 부지의 특혜 바로잡기 운동(2005~2016), 정부와 대구시의 국책사업인 밀라노프로젝트 감시, 공개공지-시민공간찾기운동(2009~2014), 기업의 사회적 책임 증진을 위한 대구시민포럼, 지방자치단체 출자출연기관 및 섬유관련 전문생산기술연구소 개혁운동(2014~), 지역의제에 대한 릴레이 정보공개청구 운동(2017), 대구시의 대구관광뷰로의 주민감사청구·주민소송(2017~2019), 성서산단의 바이오SRF 열병합발전소 건설 반대 운동(2018~2019), 대구·경북지역 지방의회 업무추진비 개혁(2018~) 등 활동을 전개하였다.

V. 향후 운동과제

종합적인 시민단체 활동을 하던 대구경실련은 지역 시민운동의 확산에 따라 지방자치단체와 지방의회, 기업 등 지역 권력에 대한 감시·견제로 특화하였다. 앞으로 대구경실련은 시민에 의한 지방권력통제에 주력하면서 지역사회 각 분야와 네트워크를 구축하며, 종합적인 도시개혁운동 비전 수립과 추진 네트워크 구축, 생활권 단위의 지역공동체, 생활협동조합, 주민운동을 전개하고 있는 사회적 경제 조직 등 다양한 형태의 대구지역 풀뿌리 주민운동과 연계를 강화하여 추진할 예정이다.

10) 대전경제정의실천시민연합

I. 창립 배경 및 취지

대전광역시는 국토의 중심에 위치하고 국가의 미래 산업을 육성하기 위한 연구단지와 10개의 종합대학이 있다. 우리 사회의 만연한 경제적 불의와 도시개발에 따른 투기와 불로소득으로 시민들은 박탈감에 시달리게 되었다. 대전지역의 사회·경제적 불의를 바로잡기 위한 불로소득의 차단, 경제적 기회균등의 보장, 정경유착 척결 그리고 연구단지를 통한 과학기술 발전을 위한 제도의 개선이 지역사회의 과제가 되었다.

대전경실련은 지역사회의 요구에 부응하기 위하여 '현실적 대안을 제시할 수 있는 시민운동'에 공감하는 학계와 전문가, 사회운동가, 시민들이 자발적인 노력으로 1989년 창립하였다. 대전경실련은 경실련의 첫 지역조직이다. 초기 대전경실련은 중앙 및 과학기술의 현안을 중심으로 활동하였으며 이후 회원 조직의 확대와 함께 그 영역을 확대하였다. 90년대 이후는 교통문제, 중소상인살리기운동, 도시 안전디자인 등 종합적 시민운동을 전개하고 있다.

○ 창립일 : 1990년 11월 2일(발기인대회 1989년 12월 16일)

II. 조직 및 기구

1. 회원

회원은 교수, 연구원, 법조인 등 전문가 그룹과 가정주부, 자영업자, 직장인 등 다양한 분야의 시민들이 활동하고 있다. 여성과 청년의 회원 활동 향상을 위해 노력하고 있다.

2. 주요 임원

1) 공동대표 : 김형태, 김종선, 김혜천
○ 전 공동대표 : 강성두, 황규상, 김세열, 변평섭, 임국이, 한규덕, 양지원, 정태화, 홍승원, 조성근, 조연상, 임헌태, 한숭동, 김갑룡, 이문지, 안기호, 강도묵, 신상구, 신희권
2) 감사 : 한명진
○ 전 감사 : 김진옥, 이병민, 황인성, 김형태, 이해정, 이승복, 김종구, 이강철, 김영기, 홍승원, 현영석, 한규덕, 이옥희
3) 집행위원장 : 안병진
○ 전 위원장 : 현영석, 김진옥, 이해정, 이강노, 이문지, 김형태, 이승복, 권순자, 이정보, 정예성, 한명진, 김응배, 신창호
4) 정책위원장 : 임상일
○ 전 위원장 : 김규복, 김진옥, 이병민, 이문지, 이창기, 신희권, 최진혁

5) 조직위원장 : 서재열
○ 전 위원장 : 김진옥, 김영범, 이옥희, 한명진, 이용훈, 안병진
6) 시민사업위원장 : 김주홍
○ 전 위원장 : 김갑룡, 정상희, 방명덕
7) 홍보위원장 : 이용훈
○ 전 위원장 : 남기동, 박종빈, 김영범
8) 사) 대전경실련도시개혁센터 이사장 : 김응배
○ 전 이사장 : 안기호, 강도묵, 김종선
○ 집행위원장 : 임윤택(전 집행위원장 : 김혜천, 최봉문)
9) 사) 대전경실련도시안전디자인센터 이사장 : 이창기
○ 센터장 : 박성진
10) 동네경제살리기추진협의회
○ 공동대표 : 장형근, 안종대, 정인구
○ 전 공동대표 : 최주용, 신상구, 송행선, 황진산, 조연상, 안기호, 이정보, 이문지, 성기호, 김영기, 이창기, 김태원, 신수용, 이창기, 정예성
○ 운영위원장 : 오학석(전 운영위원장 : 이승복, 김종기, 이문지, 최우석, 신동호, 신상구)
11) (사) 대전경실련 갈등해소센터(준) 이사장 : 김성태
12) 한시적 위원회로 부정부패감시위원회(김영범, 이정보위원장), 정책기획위원회(이승복, 최재준 위원장)가 활동하였다.
13) 사무처 : 이광진(사무처장), 서해림(사무국장), 김창근(사회적경제 협동국장), 이용훈(안전센터 사무국장), 김원숙(갈등센터 사무국장), 이선경(팀장), 이동민(도시센터 협동국장)
○ 전 활동가 : 김광수, 김영범, 최재준, 유병규, 오수철, 박상우, 도영실, 김현숙, 이윤경, 채관병, 김주홍, 이현호, 안종호, 차정민

3. 정책 및 사업위원회

1) 정책위원회
대전지역의 지방자치·정치개혁·도시(교통·안전), 지역경제·사회복지, 교육 등 정책 분석 및 대안제시를 담당한다.

2) 조직위원회
회원 확대 및 활성화 사업과 지역경실련·타 단체와의 교류 등을 담당한다.

3) 시민사업위원회
시민생활과 관련한 의제 개발, 자원봉사, 시정·의정 감시, 대외 협력사업을 지원한다.

4) 홍보위원회
대전경실련의 활동을 시민들에게 홍보하고 각종 자료집과 홍보물을 출판 한다.

5) 사) 대전경실련 도시개혁센터
우리의 삶의 터전을 살 맛 나는 도시로 만들기 위하여 도시계획 분석 및 대안제시, 도시재생 및 민간특례 사업 감시, 도시대학 개최, 주민참여 지역 운동, 아파트값 거품 빼기, 장애인 편의시설 감시운동, 어린이

보호구역 모니터링, 도시철도·대중교통 개선 운동을 한다.

6) 사) 대전경실련 도시안전디자인센터
자연재해 및 도시·사회적 재앙에 대응하는 학교안전 문화 조성, 공원의 안전 모니터링 및 대안 제시, 화재 예방 포럼, 범죄예방 정책 제안, 시민참여형 공공시설물 안전관리 지도서비스 구축 사업 등을 전개한다.

7) 동네 경제살리기추진협의회
동네 경제의 활성화를 위하여 대형유통업체의 사회적 통제 강화 운동, 상인의 자생적 조직화 지원, 정부의 중소상인 지원정책 제안 및 법·제도의 개선 등을 한다.

8) 사) 대전경실련 갈등해소센터
사회 갈등 해소와 지속가능한 발전을 위하여 갈등해소 역량강화 교육, 학교·법원 등 청소년 갈등 해소, '참여와 숙의'의 공론화, 공공갈등 예방을 위한 민·관 네트워크 활동을 한다

9) 회원 조직으로 산악회 '마실', 축구동호인 모임 '경실련 유등천 FC', 갈등 해소 토론모임 '소통', 정보공개청구모임 '내놔!', 시민 생활 주변의 안전을 모니터링하는 '시민안전 감시단' 등이 활동한다.

4. 출판

○ 출판물 : 우리 대전 이렇게 바꾸자(1995), 더불어 사는 대전 만들기(1999), 올바른 도시의 이해(2000), 21세기 새로운 도시관(2001), 지속가능한 도시 대전을 위한 정책과 방향(2003), 도시계획의 새로운 패러다임, 예산의 이해(2004), 살고 싶은 도시 대전을 위한 정책과 방향(2005), 경실련과 공부하는 어린이 경제교실(2005), 경제를 알자 청소년 경제학교(2006), 북한 바로알기(2015) 등이 있다.

Ⅲ. 주요 운동 사례

1. 중소상인 살리기 운동
유통시장 개방으로 외국의 대형 유통업체들이 입점하고 백화점도 셔틀버스를 운행하면서 지역 중소상권이 몰락하였다. 대전경실련은 백화점의 셔틀버스 운행중지 촉구를 시작으로 중소상인들과 함께 2년여의 서명운동, 기자회견, 집회, 토론회, 간담회 등을 통해 관철하였다. 2000년대 초 중소상인들의 생존권을 위해 '동네경제살리기추진협의회'를 조직하여 유통산업발전법의 개정과 전국상인연합회의 창립을 지원하였다. '스타점포 만들기'는 혁신으로 경쟁력 향상을 희망하는 상인들의 신청을 받아 경실련 자원봉사자들이 교육과 리모델링을 지원하였으며 5호점 개장 이후 국비 지원사업으로 전환되면서 전국상인연합회가 담당하고 있다. '대규모 점포의 신규 입지·SSM 입점 반대 운동'은 가오동·용전동 홈플러스 및 용산동 현대아울렛의 입점을 반대하면서 대형점포 총량제를 제안하여 조례로 제정하였다. '그림공모전'은 학생이 동네경제에 관심을 갖도록 유도하는 취지로 10회까지 진행하고 있다. 전국에서 가장 많은 대형점포가 입점한 대전의 이 운동은 전국적 시민운동으로 확산되었다.

2. 균형발전 운동
1990년대 수도권 과밀화에 따른 지방의 공백을 해결하기 위하여 수도권 공장 총량제의 강화와 기업의 지역 이전 운동을 전개하였는데 이후 국토균형발전 및 분권 운동으로 이어졌다. 대전의 과학연구단지와 연계하여 특허법원 설치를 요구하여 관철하였다. 이후 참여정부의 신행정수도 건설 및 이전 운동을 전개하면서 신행정수도 건설에 따른 수도권 규제 완화와 대전과 충청지역에 예상되는 부작용 등을 분석, 발표하면서 균형발전 운동을 전개하였다.

3. 선거 대응 및 의정활동 모니터링
지방자치제의 부활에 맞춰 지방선거 시기에 정책을 제안하고 공약화하는 운동, 후보자와 정책 MOU 체결, 후보자들의 공약 평가, 당선된 자치단체장의 공약이행 평가 등 회원 및 유권자들의 권리찾기 운동을 전개하고 있다. 시의회 의원들의 의정활동 평가를 위해 시민사회단체들로 평가단을 구성하여 의회 상임위원회를 방청·모니터링·평가하여 시민들에게 알리고 있으며, 회기가 끝난 후 우수의원을 선정·시상하여 성실한 의정활동을 격려하고 있다.

사진으로 보는
경실련 30년

Ⅰ. 경실련의
창립과 활동

Ⅱ. 경실련 30년
활동의 성과

Ⅲ.
활동과 성과
지역경실련의

Ⅳ. 경실련과
시민사회의 미래

4. 안전하고 편리한 교통

대전경실련은 90년대 초 대전지역 교통안전 지도 제작을 시작으로 안전·편리한 교통 만들기 운동을 전개하고 있다. 90년대 말 형식적인 스쿨존의 실태를 조사하여 실질적인 어린이 보호구역으로 역할을 하도록 시설설치 등을 요구하는 세미나와 포럼을 개최하고, 이를 정책으로 건의하여 전국에서 최초로 모든 초등학교에 스쿨존을 설치하는 성과를 이뤘다. 2017년에는 스쿨존의 새로운 표준화 사업을 제안하여 용전초등학교에 적용하였다. 아울러 대중교통 활성화를 위한 시내버스 준공영제 개선, 도시철도 문제 해결 등의 활동을 지속하고 있다.

5. 사회적 약자와 시민편의시설 정례 모니터링

장애인 편의시설, 공원 내 편의시설 및 안전시설, 공개공지 등 사회적 약자 및 주민권리 관련 시설들에 대해 상설 모니터링을 실시하여 대전시 정책에 반영시키는 활동을 15년여간 지속하고 있다. 회원 및 자원봉사자들과 함께 실시한 대화초등학교 벽화 그리기, 공단 슬럼가인 대화동의 폐가를 커뮤니티 공간으로 활용한 '도심으로 돌아온 등대' 등을 전개하였다.

5. 서민 주거안정과 도시재생(개발)

국민주택기금의 지원을 받은 민간 임대사업자의 부도덕한 행위로 해당 아파트들이 부도 처리되면서 피해를 입은 임차인 보호를 위해 피해복구를 위한 법률 개정을 주도하였고 전국적으로 1만 세대 이상이 혜택을 입었다. 그러나 이 제도는 일몰제의 특별법이기에 피해자가 계속 발생하여 다시 기간에 한정하지 않고 구제될 수 있는 법률로 개정하였다. 또한, 일률적 지구지정으로 발생하는 주민들의 재산권 침해를 방지하기 위해 도시재생학교 및 지역별 맞춤형 강좌를 운영하고, 주민 대책위·경실련·전문가들로 협력 틀을 구성하여 대응하여 4개 단지의 재개발사업을 저지하였다. 현재도 유성 오일장의 보전 운동을 전개하고 있다.

6. 공공성 강화 운동

대전천변고속화도로는 민간기업에 의해 건설되고 운영되면서 운영적자와 건설비까지도 대전시가 책임지는 기형적 민간투자 사업이었다. 대전경실련은 시설의 회수 및 공공의 운영을 촉구하였고 시는 운영적자의 미보전으로 협약을 변경하였다. 또한 고도정수처리를 명분으로 민영화를 추진하던 대전 상수도 사업을 재정사업으로 전환시켰으며, 고속철도 운영기관 통합 및 철도 상하통합, 하수종말처리장 민간투자사업 반대 등 공공성 강화 운동을 하고 있다.

7. 도심 환경 보전 운동

대전경실련은 도심 공원의 일몰제와 관련된 민간개발사업에 대한 지속적인 대응 활동으로 월평공원 갈마지구와 매봉공원의 민간특례사업을 부결시켰으며 구봉산 자락의 신세계 복합쇼핑몰 사업을 막아냈다. 그리고 갑천 친수구역 개발사업 반대 운동의 결과로 개발 방향을 주민과 시민단체가 참여하여 결정하도록 이끌었고, 갑천 천변고속화도로의 월평공원 통과를 백지화시켰다.

V. 향후 운동과제

대전경실련은 지역경실련 중 최초로 창립하여 활동하고 있으나 투명성과 안정성에 기반을 둔 재정자립 구조가 취약한 상태로 이에 대한 대안 마련이 시급한 과제이며 지역 내 시민단체 간 기능과 역할을 배분한 운동의 전문영역 확보 또한 매우 중요한 과제일 것이다. 이를 위해 생활밀착형 시민운동의 전개를 위한 시스템의 구축을 통해 회원 및 시민과 소통하며 사람 중심의 도시개혁 운동 비전을 수립하여야 한다. 또한, 사회적경제 운동에 대한 지속적인 프로그램을 개발하여 시행할 것이고 지속 가능한 실무역량 구축 또한 향후 중

요한 과제로 추진하여야 한다.

11) 목포경제정의실천시민연합

Ⅰ. 창립 배경 및 취지

목포시는 전남도 남서단 영산강 하구에 위치하고, 조선 말기까지는 무안현에 딸린 작은 포구였으나 1897년 개항 이래 식민지 거점도시로 이용되면서 급성장하였다. 인근 지방 물산의 집산지이자 연안 어획기지로 성장해온 목포는 수륙교통의 요지이며, 1980년대 말 대불공업단지가 조성되면서 광주·광양·목포를 잇는 서해안개발의 항만·거점 도시가 되었다. 목포경실련은 시민의 힘으로 지역의 경제정의와 사회정의 실현 그리고 목포, 무안, 서남권, 전남의 미래와 성숙한 시민사회를 만들기 위하여 2000년 6월에 창립하였다. 목포경실련은 실사구시의 정신으로 합리적인 대안을 제시하며, 활동 과정에 이념과 이해관계에 얽매이지 않는 정론으로 현장에서 풀뿌리시민운동을 위해 노력한다. 또한 군단위의 지역조직으로서 농촌지역의 발전과 지역사회의 개혁과 협력 활동을 하는 무안군민회와 함께 지역경제, 사회복지, 인권, 교육, 도시재생, 역사문화 등 다양한 영역에서 시민을 위한 활동을 전개한다.

○ 창립일 : 2000년 6월 29일(발기인 대회 2000년 3월 17일)

Ⅱ. 조직 및 기구

1. 회원

목포경실련의 회원은 자영업, 교사, 회사원, 전문직, 농업, 주부, 협회 및 단체 등 다양한 분야의 시민들이 활동하고 있다.

2. 주요 임원

1) 공동대표 : 박승옥, 김신규, 조순형
○ 전 공동대표 : 이생연, 박종두, 박승옥, 노경윤, 박정희, 강성도, 이인수, 이성로, 홍근표, 김신규, 김명진, 민찬홍, 조순형, 송영종
2) 고문·지도·자문위원

○ 전 위원 : 김형모, 윤규옥, 허형만, 이생연, 박종두
3) 감사 : 전종국, 박성진
○ 전 감사 : 김준성, 박성진, 김명진, 최치영, 정승임, 정명오
4) 집행위원장 : 송영종
○ 전 위원장 : 박종두, 김호성, 이인수, 김명진, 윤치술, 김광배, 송영종
5) 정책위원회 : 하상복
○ 전 위원장 : 이성로
6) 조직위원회 : 김명진
○ 전 위원장 : 이인수, 조순형, 김성철, 김두영, 정승임, 김문재
7) 무안군민회 : 조기석
○ 전 회장 : 정평팔, 조순형, 조성익, 홍순길, 김충식, 모청용
8) 사회복지위원장 : 김경순
○ 전 위원장 : 김호성, 송영종, 모지환
9) 도시환경위원장
○ 전 위원장 : 박정희, 조준범
10) 인권위원장 : 홍건숙
○ 전 위원장 : 김신규, 박승옥, 안영하
11) 창립 이후 활동한 위원회는 역사문화분과위원회(이헌종, 조용호 위원장), 교육위원회(박홍정, 나용철 위원장) 등이 있다.
12) 사무처 :
○ 전 활동가 : 김종익, 장미, 김창모, 마대현, 박미영, 전원신

3. 정책 및 사업 위원회

1) 집행위원회
집행위원회는 목포경실련의 회원총회에서 권한을 위임받은 상시적 집행기구로서 조직 운영과 사업 등의 기획 및 집행을 총괄한다.

2)정책위원회
정책위원회는 지역 현안을 분석하고 대안을 만드는 기구로서 산하에 사회복지, 도시환경, 교육, 역사문화 등 상설위원회를 두고 있다.

3) 무안군민회

사진으로 보는
경실련 30년

Ⅰ. 경실련의
창립과 활동

Ⅱ. 경실련 30년
활동의 성과

Ⅲ.
지역경실련의
활동과 성과

Ⅳ. 경실련과
시민사회의 미래

무안군은 목포시에 인접한 자치단체이지만 독립조직으로 활동할 여건이 성숙되지 않아 목포경실련 내무안군민회로 2001년 6월 7일 창립하였다. 무안군민회는 무안군의 시정 및 의회 그리고 군민 사회경제적 현안에 대해 대응한다.

4) 인권위원회

인권위원회는 창립 당시부터 특별히 중요한 과제로 설정하여 많은 활동을 하였다. 사회 구성원으로서 존중받고 기본적인 자유와 권리를 보호하며 사회·경제적으로 차별 없는 목포를 지향하고 있다. 경실련에서 인권위원회는 목포경실련이 유일하다.

4. 출판

　　○ 출판물 : 목포에서 인권을 생각하다(2007)
　　○ 보고서 : 장묘문화개선 순회교육, 어린이 경제교실(2009), 목포시 보행환경실태와 개선방안(2006), 목포지역 취약계층 인권실태와 인권네트워크 구축 방안(2007), 목포시 원도심 활성화 정책과 주민의 역할 제고방안(2009), 목포시 장애인편의시설 사전점검제도의 진단과 발전방안(2009), 사회복지분야 부패방지에 관한 조사.연구 보고서(2009), 사회적기업 활성화를 위한 전남네트워크 필요성과 역할(2011), 이탈리아 협동조합 지도자 초청 사회적경제 육성 전략(2013), 목포지역 사회적경제(사회적기업·협동조합 등)육성전략(2013) 등
　　○ 간행물 : 회원소식지

Ⅲ. 주요 운동 사례

1. 목포시 장애인편의시설 사전점검 조례 제정운동

　　2004년 1월 6일 목포시내에 신축되는 병원, 공공시설 등 대형 건물의 장애인 편의시설에 대한 사전점검을 의무화하는 '목포시 건축물의 허가 등에 있어 장애인편의시설 설치사항의 사전점검에 관한 조례(편의시설사전점검조례, 2213호)'가 목포시 조례로 공포되었다. 이 조례는 전국에서 처음이고 '주민 발의로 이루어진 지방자치단체 최초의 장애인관련 조례'이다. 목포경실련은 2000년 3월 창립 준비위원회를 발족한 직후부터 장애인 전용주차구역 실태조사 및 시민의식 조사, 공공시설(주요 공공시설, 동사무소 등)의 장애인 편의시설 실태조사를 한 후 목포시에 시정건의서를 제출하였다. 2001년 목포 시민사회 및 장애인 단체들과 '장애인편의시설(촉진)시민연대'를 발족하였다. 목포시와 공동으로 실태조사, 무안군 장애인편의시설 실태조사, 매년 장애체험 한마당 캠페인, 자원봉사자 장애체험교육, 복지시설 방문, 목포·무안지역공공기관 및 종합병원 장애인 전용주차구역 이용 실태조사, 목포시 및 지방의원 장애체험, '복지공동체 목포'를 향한 20대 정책과제 발표 등 실태조사 결과를 시민들과 공유하면서 조례 제정 운동을 전개하였다. 조례 발의를 위해서는 목포시 총 유권자 17여만 명 중 4,600여명의 주민의 서명이 필요했는데 시민사회, 종교, 장애인단체, 시민 등 7,800여 명의 서명을 받아 조례 제정 청구를 발의하였다. 이 조례는 다른 조례와는 달리, 서명운동 과정에서 편의시설 사전점검조례의 필요성과 공감대를 확산시켜 주민 참여를 이끌어 냈으며, 이용자 입장에서 이용자를 중심으로 편의시설의 설치 및 이용의 효율성을 높이고자 했고, 편의시설의 증진 결과가 장애인 등에게만 부여되는 특혜가 아니라 일반 시민들도 모두 이용할 수 있는 '무장애 공간'으로서의 건축물을 상정하였으며, 편의시설의 설치에 관한 교육과 홍보를 위한 연간계획의 수립과 모니터요원 양성을 위한 교육 그리고 사전점검 결과 보고서의 조속한 반영, 사전점검 요원의 구성에 민간참여와 독자적인 활동 보장 등에서 차이가 있었다. 이 운동은 전라남도가 '전라남도 장애인 차별금지 및 인권증진에 관한 조례'를 전국 최초로 제정하는데 초석이 되었고, 지역주민의 권리로서의 장애인 복지를 생활인의 요구에 기초하여 주민 스

스로가 직접 참여해 실현한 조례 제정으로 지역의 장애인 및 시민운동 단체들이 연대해 장애인의 복지적 권리를 조례의 제정을 통해 구체화했던 지역복지운동의 새로운 출발이었다. 목포경실련은 사회적 약자의 사회참여와 복지 증진에 기여한 공로로 2010년 제4회 '다산대상'을 수상하였고, 2010년 국가인권위원회의 '대한민국 인권상'을 수상하였다.

2. 인권과 문화 역사의 도시 목포 만들기 운동

목포경실련은 창립 이후 사회복지 외에도 인권과 도시재생, 역사문화에 많은 활동을 하였다. 인권 활동은 목포시민의 법의식 및 경찰·검찰·법원에 대한 시민의식 조사, 신 노예생활로 드러나 정신지체장애인의 인권침해실태 대응, 인권취약계층 실태조사, 수화통역 활성화 캠페인, 시민인권강좌, 사법 주권을 국민에게 되돌려주는 대배심제도 제안 등을 하였다. 역사문화 활동은 향토 문화답사 및 문화유산 발굴 체험, 역사탐방, 해남고인돌 공원 훼손 실태조사, 무안연꽃축제 모니터, 선사시대 생활체험, 나주·영암 문화유적 보존실태 답사, 카지노·F1대회 대응, 목포시 뤼미나리 사업 감사청구, 선사해양문화체험 양성자 교육 등이 있다. 도시·건설 활동은 시내버스 요금 인상 및 준공영제 대응, 공동주택분쟁조정위 구성 조례 제정 제안, 목포시의 작은 단수조치 대응, 자전거도로 이용 실태조사, 삼학도 복원화 대응, 주민친화형 도시공원 조성 캠페인, 미항 가꾸기 및 원도심 활성화, 경정장·고하도케이블사업 대응, 수산물중도매인협회의 부당한 횡포로부터 영세상인 보호 등의 활동을 하였다.

3. 살기 좋은 무안만들기 운동

무안군민회는 무안군의 시정 및 의회 그리고 군민 사회경제적 현안에 대해 목포경실련과 협력하고 있고, 지역의 대표적인 시민단체로 시민들을 대변하고 있다. 무안군민회는 지역경제와 관련하여 무안농업 살리기 초청강연회(농업·농촌의 여건 변화와 친환경농업 등 새로운 농정 방향), 친환경중심의 무안 쌀 경쟁력확보 토론회, 무안군의 중국 투자유치 성과와 관련하여 공개적인 설명회 개최와 정보공개 촉구, 무안군 장기발전을 위한 민관협력방안 토론회 등을 개최하였다. 시민생활과 관련하여 목포·무안 지역 사회복지시설의 민간위탁 개선방안 토론회, 무안군 장애인종합복지관 편의시설 설치 실태조사, 무안군의회에 정책 제안(군내버스 운행정상화, '한·중 마늘협상 후속대책 마련 등)을 하였다. 개발사업 관련하여 무안군 쓰레기 처리시설인 환경관리종합센터 건설 대응, 무안 승달종합경기장 건립예산의 의회통과 반대와 재검토 운동, 무안 창포호 준설사업에 관하여 감사원에 감사청구, 무안군정 발전 방향에 관한 민·관 합동 토론회를 무안군과 공동주최(농업, 연꽃 백련지 개발과 축제, 습지보호지역 활용방안, 장묘문화 등)하였다. 그리고 각설이 품바의 발상지 무안군의 전통문화 계승을 위한 일로 품바 재조명 및 지역문화 발전방향 모색을 위한 토론회 등을 개최하였다.

V. 향후 운동 과제

목포경실련과 무안군민회는 인권과 복지, 지역경제, 역사문화, 도시재생 등 다양한 분야에서 시민들과 함께 적극적으로 대응하여 문제를 해결하고 적지 않은 성과를 냈지만 지역사회의 요구에 충분히 부응하지 못하였다. 목포경실련은 지역정치권·지방정부·토호세력으로부터 시민의 권익 보호, 현안 대응에서의 전문성 확보 및 정책 역량의 강화, 시민 또는 경제주체들 사이의 이익충돌 예방 및 갈등 조정 역량의 강화, 조직운영 및 활동에서의 개방성과 포용성 확대 그리고 전문 분야의 시민사회단체와의 연대성을 더욱 강화할 계획이다.

12) 부산경제정의실천시민연합

I. 창립 배경 및 취지

부산은 서울에 이어 우리나라 제2의 도시이자 제1의 항구도시로서 다가오는 2,000년 태평양 시대의 산업 관문으로 역할을 해야 한다. 그러나 당시 부동산 투기, 불로소득과 탈세, 극심한 소득 격차, 불공정한 노사관계, 중소기업의 피폐, 검은돈에 의한 범죄와 마약, 사치와 향락 등 사회를 병들게 하는 부정의한 모습이 그 어느 도시보다 횡행하여 부산지역의 모습은 왜곡되었다. 따라서 경제적 불의를 척결하고 경제정의를 실현함은 이 시대 우리 사회 전체가 함께 힘을 모아 가야할 과제임과 동시에, 부산지역의 시민으로서는 더욱 절실한 문제였다. 부산경실련의 창립은 1989년에 중앙경실련이 창립된 이래 각 지역에서 경실련 조직들이 결성되기 시작한 것이 계기가 되었다. 1989년 9월 30일 부산대학교에서

서경석 중앙경실련 사무총장이
'토지공개념과 경제정의'라는 주제로 강연을 하였는데, 강연 후 10여명의 회원이 모여 부산경실련 발기를 위한 간담회를 가진 것이 시초였다. 중앙경실련의 창립과 마찬가지로 부산경실련의 창립에서도 개신교 인사들의 역할이 컸다. 이후 여러 차례의 준비모임을 거쳐 1991년 5월 3일 금요일 저녁 부산일보사 강당에서 부산경실련 창립대회를 가지게 되었다. 창립대회에서는 100여명이 참석, 강철규 교수가 '한국 경제에 대한 경실련운동의 의의와 과제'라는 주제로 강연을 하였고, 공동대표로 전호진(고신대 총장), 정일수(변호사), 우창웅(장로)이 되었다

부산경실련은 정부의 정책에 대한 국민들의 자유로운 선택권이 보장되며, 정부의 적절한 개입으로 분배의 편중, 독과점 등 시장경제의 결함을 해소하고, 지방행정의 자율성이 보장되는 지방자치제가 확립되어 민주복지, 자유, 평등, 정의, 평화의 새로운 공동체를 지향하였다. 모든 계층 국민들의 선한 의지와 힘을 모으고 조직화하여 경제정의 실현을 위한 노력을 적극 지원하였다. 10월과 6월의 민주운동 역사를 일으킨 부산시민으로서 부산경실련은 탐욕을 억제하고 기쁨과 어려움을 함께 하면서 우리의 생존, 생활 그리고 생활환경을 지켜나가며, 경제정의, 나아가 민주 복지사회 건설의 역사를 이루기 위해 사명을 다할 것이다. 나아가 지방자치시대를 맞이하여 부산지역의 경제정의를 회복하는 일에 우선적으로 노력하기 위해 부산경실련을 창립하게 되었다.

　○ 창립일 : 1991년 5월 3일(발기인대회 1990년 2월 9일)

Ⅱ. 조직 및 기구

1. 회원

부산경실련 회원은 다양한 직종과 연령대로 구성되어 있으며, 특정계급이나 계층, 정당의 이해관계를 넘어 부산시의 정책 결정과 집행을 감시하고 개선을 촉구하고(며) 경제정의와 사회개혁 실현을 위해 자발적으로 모인 시민들이 활동하고 있다.

2. 주요 임원

1) 공동대표 : 한성국, 김대래, 김용섭, 혜성
○ 전 공동대표 : 김장환, 이종석, 장차남, 회암, 김정각, 정영문, 허진호, 전호진, 정일수, 우창웅, 김성국, 범산, 문석웅, 이정희, 이병화, 김혜초, 황호선, 신용헌, 원허, 이만수, 조용언, 방성애
2) 고문·운영자문위원 : 김성국, 김장환, 정각, 범산, 신용헌, 원허, 이만수, 이병화, 이종석, 장차남, 제갈삼, 조용한, 조평래, 황호선
* 고문 : 이종석, 황호선, 이병화, 김성국, 문석웅, 김장환, 장차남, 최병인, 조평래, 김대상, 정영문, 제갈삼
*지도위원 : 김동수, 김봉배, 박광선, 박노춘, 범산, 정영문, 지원, 황한식
○ 운영자문위원 : 강경태, 강재호, 강정규, 강해상, 구효송, 권기철, 김대진, 김삼문, 김영호, 김재명, 김창희, 김태경, 김해창, 류은영, 박영강, 박재욱, 배화숙, 성병창, 안성관, 양은진, 오지영, 우주호, 유영명, 윤기혁, 윤영태, 이갑준, 이동일, 이동환, 이성렬, 이순정, 이영갑, 이재정, 장기열, 장문숙, 전중근, 정진교, 정쾌영, 조광수, 조민주, 조삼현, 차진구, 초의수, 최철원, 최희원, 홍봉선, 황주환
2) 고문·운영자문위원 : 김성국, 김장환, 정각, 범산, 신용헌, 원허, 이만수, 이병화, 이종석, 장차남, 제갈삼, 조용한, 조평래, 황호선, 문석웅, 최병인, 김대상, 정영문, 김동수, 김봉배, 박광선, 박노춘, 지원, 황한식, 강경태, 강재호, 강정규, 강해상, 구효송, 권기철, 김대진, 김삼문, 김영호, 김재명, 김창희, 김태경, 김

해창, 류은영, 박영강, 박재욱, 배화숙, 성병창, 안성관, 양은진, 오지영, 우주호, 유영명, 윤기혁, 윤영태, 이갑준, 이동일, 이동환, 이성렬, 이순정, 이영갑, 이재정, 장기열, 장문숙, 전중근, 정진교, 정쾌영, 조광수, 조민주, 조삼현, 차진구, 초의수, 최철원, 최희원, 홍봉선, 황주환

3) 감사 : 정치금

○ 전 감사 : 김성식, 성낙운, 김기정, 임정덕, 허성관, 조광수, 김병열, 한성안, 이광열, 남경태, 조용한, 조용언, 박성동, 박태주, 남경태, 이광열, 이학봉, 장운영, 임태영

4) 집행위원장 : 조용언

○ 전 위원장 : 허성관, 김성국, 김대래, 김태경, 윤재철, 김홍술, 조광수, 안원하, 김병열, 김기정

5) 정책위원장 : 박승제

○ 전 위원장 : 문석웅, 박형준, 김대래, 한성안, 김창원, 강재호, 박재운, 조용언

6) 조직위원장 : 김봉규

○ 전 위원장 : 김길수, 이남중, 김홍술, 이만수, 이정주, 성낙운, 김홍술, 변재우

7) 창립 이후 활동한 위원회는 환경위원회(오건환 위원장), 시민참여위원회(박동일 위원장), 교육홍보위원회(우명자 위원장), 정책자문위원회(황호선 위원장), 시민입법위원회(신봉기 위원장), 시민교육위원회(차성수 위원장), 부정부패추방위원회(민영란 위원장), 의정감시위원회(조용한 위원장), 기획위원회(김형준, 조광수 위원장), 재정위원회(손태화 위원장), 지방자치위원회(정일수 위원장), 시민의신문(이종석 지사장), 지역경제위원회(임정덕, 김대래, 김태경, 권기철 위원장), 시민회(이남중 회장), 납세자운동본부(허성관, 김은태 본부장), 아파트주거센터(김대진 센터장), 주거문화센터(장운영 센터장) 등이 있다.

7) 사무처 : 도한영(사무처장), 안일규, 한가희, 김세윤

○ 전 활동가 : 우주호, 이동환, 차진구, 이훈전, 서병철, 권기돈, 김미진, 손치훈, 김승정, 조재범, 윤지환, 유지숙, 김가람, 하재필, 정미정, 김순엽, 김미옥, 오태석, 이주희, 윤정선, 송상훈, 이상윤, 강미라, 이문숙, 한은주, 배성훈, 김태우, 정애니

3. 정책 및 사업위원회

1) 정책위원회

중장기 사업방향 수립 및 중점 사업과제의 기획을 담당하고 정책위원회 내부 각 분야별 소위원회를 구성한다.

2) 조직위원회

회원참여와 조직 활동의 촉진 및 각종 회원활동모임과 지역자치모임을 구성한다.

3) 부설기구 (사)시민대안정책연구소

시민대안정책연구소는 우리 지역사회의 건전한 발전과 경제정의의 실현을 위해 시민의 관점에서 대안정책을 생산하기 위한 조사·연구 및 홍보를 목적으로 한다. 주요 사업은 정책연구를 통한 합리적 대안정책 개발 및 조사 연구, 부산시·부산시의회 및 기타 관련 기관에 대한 의견의 개진 또는 건의, 교육·조사·연구물 간행·출판 및 홍보사업, 각종 토론회의 개최 및 유관 연구단체와의 교류사업 등이다.

4) 회원조직

회원 활동으로 부산광역시 8개의 자치구(기장, 해운대, 남·수영, 중·동·영도, 서·사하, 북·사상·강서, 연제·진, 동래·금정) 모임이 있고, 산행모임인 '산벗들'이 있다.

4. 출판

○ 출판물 : 우리 부산 이렇게 만들자, 시민주체의 지속가능한 부산만들기(부산경실련 15주년 기념집), 시민이 행복한 도시 부산, 이렇게 만들자(부산경실련 20주년 기념집)

○ 간행물 : 회원소식지인 '부산경제정의'(연간 4회 발간)

III. 주요 운동 사례

1. 부산시의회 의정 평가

부산경실련은 지난 2004년 부산시의원 의정활동 평가를 실시한 이후 이를 지속적으로 진행해왔다. 상시적인 의정 평가를 실시하기 위하여 '부산경실련 부산시의회 의정평가단'을 구성하여 운영하였다. 지방자치 시대 주민참여를 통한 일상적인 시민주권 실현, 자치능력 제고를 통한 책임의식, 공동체의식과 문화의 배양, 주민들의 초보적인 지방정치 참여, 자신의 지역에 대한 주민들

의 관심 제고와 현안에 대한 능동적, 공공적 참여, 시행정과 시의정에 대한 주민차원의 일상적인 관찰과 그에 따른 비판, 견제, 대안제시 역할을 한다.

2. 아파트 공동체 사업

가계 경제 정의 실현을 위해 아파트 관리비 절약 시스템 구축(관리비 절감 사례 백서 발간, 각 단지별 관리비 및 용역비 표준화 마련), 아파트 관리비 예산의 집행과 감독의 제도 미비 문제 해결(알기 쉬운 아파트 회계책자 발간, 동대표 교육 강화), 아파트 관리업체 선정 및 보일러 세관공사 용역 등의 업체 선정과정에서 발생하는 부조리 척결 사업, 아파트 공동체 의식개혁운동으로 아파트 자치 부녀회 및 소모임 활성화 프로그램 마련 및 진행, 청소년 공동체 교육 프로그램 운영, 아파트주거센터 발족, 새로운 아파트 주거문화를 창달하고 아파트 주민의 주거생활과 관련된 모든 의문사항에 대한 상담 진행, 회계감시(회계 투명성 확보), 하자·보수 문제의 적극적 대응, 외부공사 입찰 비리 척결(부정부패 척결), 입주민 주민의식 강화 운동 사업 등을 전개하였다.

3. 납세자 권리 운동

시민권익을 대변하는 시민운동이 정부 재정운용에 대한 직접적인 감시를 통해 소득 재분배와 양질의 공공서비스 제공을 유도하기 위한 사업이다. 납세자 주권을 회복하여 재정민주주의를 구현하고 시민이 낸 혈세가 낭비되지 않도록 일상적인 예산낭비에 대한 감시, 납세자권리 강화 운동을 진행하였다. 예산감시 고발 창구 활성화, 기획감시 활동 강화(기획감시는 공공공사설계 변경, 판공비, 관변단체지원, 부산시 우선투자사업 예산 등 아이템을 설정하여 예산의 낭비를 공론화하고 이 예산이 다음해에 삭감되도록 하는 한편 예산을 절감할 수 있는 정책대안을 제시하는 것임), 관급공사 감시 강화(교통방송 내 교통모니터), 예산 파수꾼 요원 교육 강화, 납세자 소송 제도 이슈화(지방세민원 상담 강화) 사업 등을 추진하였다.

4. 유료도로 요금인하 운동

구덕터널 요금 징수기간 연장에 관한 시민조사단 발족(협약서 행정정보공개청구, 징수기간 연장관련 조례개정 과정 조사, 터널 앞 1인 시위전개), 유료도로 운영 및 정책에 대한 부산시민 여론조사, 요금인하를 위한 부산시민 릴레이 메일 보내기 운동, 민자사업 추진 자체를 위한 정책 워크숍, 유료도로 민자사업 적정성에 대한 정책 토론회 개최, 유료도로 관련 법 및 조례 개정 활동을 진행하였다.

5. 대형유통업체 및 백화점 등의 지역공헌, 현지 법인화 촉구 운동

대형유통업체 및 백화점 등의 지역공헌, 롯데현지법인화 촉구 운동이다. 롯데백화점 현지법인화 촉구 '시민희망엽서 운동' 선언 기자회견 및 캠페인 전개(주2~3회 캠페인 지속 전개), 롯데백화점 현지법인 촉구를 위한 부산지역 지식인선언, 대형유통업체 및 백화점의 지역사회 공헌 활동, 대형 유통점 마트 및 SSM 입점 저지 및 협력의 대안 제시 운동, 대규모 점포 개설 규제 조례 제정 현황 분석 및 개선 운동, 대형 유통점의 마트 및 SSM 상생협력의 한계와 발전방향 토론회 등을 진행하였다.

V. 향후 운동과제

부산경실련은 경제정의와 사회정의가 실현되는 부산을 위해 시정 및 예산감시, 지방의회 활동 평가, 대형개발사업 감시, 청렴 등 사회적 비리와 부정부패 활동을 중점적으로 전개한다. 시민의 도시를 위해 주거·교육·소비자·교통 등의 장기 비전을 제시하며, 복지·인권 등 시민의 기본권 보장과 삶의 질 향상을 위한 활동을 한다. 아울러 따뜻한 공동체를 만들기 위해 빈부격차 해소 및 차별금지 제도화, 사회적 경제, 대안에너지 활동을 주력할 계획이다.

13) 속초경제정의실천시민연합

Ⅰ. 창립 배경 및 취지

속초시는 강원도 동해안의 북부에 위치하고 고성군, 인제군, 양양군에 접하고 있다. 우리나라에서 유일하게 전 지역이 38선 이북에 위치해 있는 최북단 시이다. 동명항, 대포항 중심의 항구도시에서 어류자원 고갈로 수산업이 쇠퇴한 반면 설악산 국립공원 등 산, 바다, 호수를 자원으로 한 관광산업이 발달하였다. 관광산업이 지역의 경제를 이끌어가는 원동력이지만 유흥, 소비, 향락도 확산되고 있다. 이에 관광도시는 유흥도시라는 굳어진 사고를 벗어나 관광과 문화가 균형 있게 발전하는 건강한 휴양도시를 꿈꾸며 1997년 속초경실련을 창립하였다. 속초경실련은 지역의 소중한 자원인 자연환경을 지키고, 지나친 유흥 등 잘못된 관광풍토를 개선하며, 풀뿌리민주주의를 바탕으로 시민들이 주권을 행사하는 지방자치의 발전, 지역의 현안들이 소수의 유력인사들이 아니라 시민들의 공의로 결정되는 속초를 지향한다.

○ 창립일 : 1997년 2월 1일(발기인 대회 1995년 11월 10일)

Ⅱ. 조직 및 기구

1. 회원

속초경실련의 회원은 전문가 자원봉사자, 지역의 사회운동가, 수산업 및 관광업 등 자영업, 주부 등 다양한 직업에 종사하는 시민들이 활동하고 있다.

2. 주요 임원

1) 공동대표 : 김태영, 안종원
○ 전 공동대표 : 문양기, 송지홍, 최진철, 배종호, 김태영, 안종원
2) 고문·지도·자문위원 : 최진철, 정념스님
○ 전 위원 : 김종록, 박창서, 이기섭
3) 감사 : 신현식, 윤규식
○ 전 위원 : 최양일, 탁정수
4) 집행위원장 : 박종학
○ 전 위원장 : 박영철, 박창근, 전형배
5) 2019년 부문위원회는 조직위원회(전형배 위원

장), 정책위원회(장재환 위원장), 지방자치위원회(홍인숙 위원장), 지역경제위원장(이철 위원장), 도시개혁위원장(이재선 위원장), 사회복지위원회(심연흠 위원장), 반부패위원회(이종식 위원장)가 있다.
6) 사무처 : 김경석(사무국장), 김미정(부장)
○ 전 활동가 : 최동훈, 장재환, 김준섭, 소향원, 김미정, 김연미

3. 정책 및 사업 위원회

1) 예산낭비신고센터
속초시의 예산집행 및 시민의 세금이 엄격하게 부과·징수되고 적절하게 사용되는 지를 감시하고 평가한다. 2000년에 개설되어 예산전담팀 가동, 예산낭비신고센터 전화(039-2636-9898), 예산낭비사례 소식지 게시, 매년 속초시 예산낭비 사례 및 예산집행 평가보고서를 발간한다.

2) 속초의정지기단
속초시의회 방청과 감시 활동으로 의회기능 활성화와 올바른 의원 상 정립, 의정활동의 적극적인 공개로 시민의 참여를 유도하기 위해 2002년에 조직하였다. 의정지기단은 임시회·정례회 등 방청, 년도별 의정활동 평가보고서 발표(방청일지 및 의회의사록 검토분석), 년도별 행정사무감사 의견서 제출 및 평가보고서 발표, 년도별 당초예산안 및 추경예산안 분석보고서 발표, 조례 제정 및 개정에 대한 의견서 제출, 시장 및 시의원 정책제안 및 공약이행 점검 등의 활동을 한다.

3) 납북어부피해자지원센터
한국전쟁 이후 동·서 바다에서 조업 중 납북된 어부가 3,700여명이고 귀환자가 3,300여 명인데 귀환자 중 약 500여 명이 반공법과 국가보안법으로 교도소에 갔다. 이에 동해안(속초·고성·양양) 납북피해어민 피해보상 및 재심청구 등 법률지원을 위해 2008년 납북피해자지원센터를 개소하였다. 센터는 납북피해자지원특별법에 따라 2008년 3월부터 속초고성양양지역 피해자 발굴 및 지원활동(2007), 동해안 납북피해자 심포지엄 개최(2008), 동해안 납북어부 귀환자 간첩조작 사례발표회(2009), 동해안 납북어

부 실태 과거사위원회 제출(2016), 납북귀한어부 간첩조작사건 피해자 구제를 위한 토론회(2019) 등의 활동을 하였다.

4. 출판

○ 간행물 : 속초시 편의시설 실태조사(1997), 금강산 개방에 따른 경제토론회(1998), 물의 날 심포지엄(2001), 지방자치 토론회(2001), 지방자치대학 강의 자료집(2001), 2002년 6·13지방선거 정책과제(2002), 민선3기, 주민참여활성화를 위한 토론회(2002), 주민참여 전국 모범사례(2002), 주민자치센터 활성화방안 모색을 위한 시민워크숍(2003), 주민참여예산제 운영방안 모색을 위한 토론회(2004), 참여와 자치를 위한 시민학교(2004), 속초지역 주민의 TV홈쇼핑 이용실태와 지역경제에 미치는 영향(2005), 2006년 5·31지방선거 속초지역유권자운동본부 정책과제(2006), 주민참여예산제 실시에 따른 주민참여방안 워크숍(2007), 올바른 축제문화를 위한 속초시민토론회(2009), 2010년 6·2지방선거 속초지역 유권자운동본부 출범(2010), 친환경우상급식을 위한 설악권 시민토론회(2010), 속초경실련 민족화해아카데미(2011), 남북관계 현황과 강원지역 세미나(2011), 동우대 온천개발 바람직한가?(2012), 미시령터널 무료화 및 공익처분에 관한 토론회(2014), 2014년 6·4지방선거 참여 속초시민연대 정책발표회(2014), 2016년 4·13총선 지역구 정책과제(2016), 속초시의회 업무추진비 분석(2016), 19대 대선 후보자 정책제안 6대 지역과제(2017), 속초시난개발방지 속초시민토론회(2017), 속초고성양양 헌법특강(시민의 눈으로 헌법을 읽다)(2017), 속초시도시계획조례 개정 시민워크숍 1차/2차(2018), 2018 6·13지방선거참여속초시민연대 정책질의서(2018)

○ 보고서 : 속초지역 주민자치센터 현황조사(2003), 대형할인점과 시내상가 이용에 관한 지역주민설문(2004), 대형할인점 등장과 속초지역 상권변화 실태조사(2004), 속초지역 임대아파트 분양전환 결과(2006), 대한민국음악대향연 주민설문조사(2009), 2009 대한민국음악대향연 모니터링 평가보고서(2009), 속초고성양양친환경 농산물 실태조사(2010), 동우대 이전 및 온천개발 관련자료 분석(2011), 속초교도소 유치 관련자료 분석(2011), 대포항 아웃렛 입점에 대한 법률검토(2013), 경동대 재단비리 현황파악 및 문제점(2013), 속초시 공유재산 관리 실태(2013), 속초시 문화예술관련 주요업무보고 분석(2014), ㈜미시령관통도로 회계분석 및 검토보고서(2014), 속초연안 국책사업 검토보고서(2015), 속초시 시내버스 재정지원금 분석보고서(2016), 속초시 난개발 현황 및 주민피해 보고서(2017), 속초시 재정진단 보고서(2017), 중앙동 주택재개발사업 변경(안) 검토보고서(2018), 속초시 공유재산 매각에 대한 검토보고서(2018), 속초시 장기미집행 도시계획시설 현황파악 보고서(2018), 입법예고 된 속초시도시계획조례 개정안 사안별 검토보고서(2018), 속초시 물 대책 검토보고서(2018)

○ 출판물 : 회원 소식지 "시민의 소리"(매월 1회) 및 속초경실련 어린이 경제교실(년 1회)

Ⅲ. 주요 운동 사례

1. 난개발방지시민대책위 활동

속초시 대형건축물 난립 방지를 위해 속초경실련 등 단체와 시민들이 '속초시 난개발방지시민대책위원회'를 결성(2017.12.14.)하였다. 대책위는 난개발 방지 제도화를 목표로 난개발방지 속초시민토론회, 도시계획조례 개정 시민워크숍(2회) 등 공론화를 거쳐 주민청구 도시계획조례 개정(제2종일반주거지역 15층이하, 준주거지역 용적률 400%이하, 일반상업지역 용적률 800%이하 공동주택비율 80%미만, 시가지경관지구 7층이 하로 규제)을 추진하였다. 이 도시계획조례 개정안은 자유한국당 의원이 다수인 속초시의회에서 부결(2018.12.22.)되었지만 난개발 문제는 6·13지방선거 핵심현안으로 부상하였다. 새롭게 출범한 민선7기 집행부는 "일반상업지역 용적률 700%" 등 더 강화된 조례 개정안을 속초시의회에 제출

(2019.1.25.)하였고, 속초시의회 주최 '속초시도시계획 조례 개정안 시민토론회'를 거쳐 속초시의회 의원표결로 가결되었다.(2019.3.29.)

2. 동우대 이전 및 온천개발 저지

2004년부터 동우대학은 일부학과를 원주 문막캠퍼스로 이전하고 학교부지(교육용기본재산) 1/3을 온천개발과 실버타운으로 추진하고 있었다. 속초경실련은 사립학교법상 교육용기본재산을 수익사업으로 전용하는 것은 불법이며 인·허가 시 온천개발에 따른 지가상승 등 동우대학에 엄청난 특혜를 주는 위법한 사업으로 판단하여 2004년 12월 "동우대 문막 이전 반대 및 특혜성 온천개발사업 즉각 중단"을 요청하는 성명을 발표하고, 온천원보호지구지정승인 반대 및 학교부지제척을 결정한 속초시도시계획위원회를 규탄하는 1인 시위를 하였다. 19개의 시민·사회단체들이 '동우대 문막 이전 및 학교부지 용도변경 반대 범시민대책위'를 결성(12.29)하고, 2005년 1월 13일 동우대학의 온천개발관련 심포지엄(동우대학 온천개발 타당한가?)을 개최하는 한편 속초시내 가두캠페인과 관련정보 비공개에 대한 행정소송을 진행하였다. 2005년 2월에는 강원도지사와 행정자치부 장관에게 동우대학 온천개발의 불법성을 호소하는 건의서를 전달하였다. 결국 범시민대책위 활동으로 2005년 3월 12일 행정자치부는 동우대학 온천개발사업 신청서를 반려하였고, 3월 16일에는 범시민대책위와 동우대학 간 '동우대 존치 협약식'을 체결하는 등 동우대 이전 및 온천개발을 저지하였다.

3. 주민발의 급식조례 및 보육조례 제정 활동

속초경실련 주도로 15개 단체가 구성한 속초시급식조례제정운동본부(2005.6)와 8개 단체로 출범한 속초시보육조례제정운동본부(2005.9)의 활동이 조례가 제정되면서 마무리되었다. "속초시 학교급식지원에 관한 조례"는 제135회 속초시의회(임시회) 제8차 본회의(2004.12)에 제출되었으나 보류되었다가 수정협의를 거쳐 제148회 속초시의회(임시회) 제2차 본회의(2006.4)에서 수정안이 가결되었다. "속초시보육조례"도 제147회 속초시의회(임시회) 제1차 본회의(2006.3)에 제출되어 보류되었다가 수정협의를 거쳐 제148회 속초시의회(임시회) 제2차 본회의(2006.4)에서 수정안이 가결되었다. 이 두 조례는 속초시 최초로 시도했던 주민발의 조례로서 주민에게 꼭 필요한 정책을 주민 스스로가 제도화할

수 있는 모범이 되었다.

4. 청초호 41층 레지던스 호텔 건립 반대 활동

2016년 4월 속초시는 대표적인 휴식공간인 청초호 호수공원에서 도시관리계획(청초호유원지계획) 상의 층고도제한을 무시하고 민간사업자를 위해 12층에서 41층으로 변경해주는 특혜성 초고층 호텔사업을 추진하였다. 2016년 5월 "청초호변 특혜성 호텔사업 당장 중지"라는 입장을 발표하고 지역의 환경단체, 숙박협회와 함께 '청초호 41층 호텔반대 시민대책위'를 결성하였다. 이어 속초시 경관위원회 심의와 강원도 건축위원회 심의를 모니터링, 시민모금으로 2016년 8월 강릉지방법원에 행정소송(도시관리계획 변경(결정) 취소의 소)을 제기하여 1심(2017.1)과 춘천지방법원 항소심(2017.7)에서 승소하였다. 그럼에도 속초시는 재추진하였으나 강원도 도시계획위원회에서 청초호 41층 호텔은 유원지 본래 기능에 적합하지 않는 건축물이고 대규모 층고 상향은 주변건축물 규제와 형평성이 결여되었다며 최종 부결하였다.

5. 낭비성 축제 폐지

2008년도 재정진단결과 속초시는 전국에서 최하위였고, 재정지표 중 행사축제경비 비율이 미흡으로 판정(을) 받았다. 속초경실련은 지역축제 전반을 재검토하기 위해 '올바른 축제문화를 위한 연석회의'를 구성(2009.4)하였다. 이어 대표적 낭비성 축제인 대한민국음악대향연에 대한 주민설문조사 결과를 발표(6.30)하였다. 또한 올바른 축제문화를 위한 속초시민토론회(7.7), 대한민국 음악대향연 평가보고서를 발표(9.10)하였으며, 속초불축제 추진중단 촉구 성명서를 발표(11.9)하였다. 결국 대한민국음악대향연과 속초불축제는 폐지되어 낭비성 예산이 줄었다. 2009년도 전체예산대비 축제성 경비 비율이 정상으로 판정받아 속초시 재정 건전화에 기여하였다.

6. 동명항 특산품판매점 대응 활동

2012년 4월 설악신문에 '동명항 가건물 특산품판매장 젓갈 및 건어물 판매'가 보도되자 동명항 건어물상가들이 속초경실련에 사실관계 확인 및 지원요청을 하였다. 확인결과 속초시는 1억4천만 원(시비 1억2천만원, 수협 2천만원)을 투자하여 동명항 활어회센터 입구 주차

사진으로 보는
경실련 30년

Ⅰ. 경실련의
창립과 활동

Ⅱ. 경실련 30년
활동의 성과

Ⅲ.
지역경실련의
활동과 성과

Ⅳ. 경실련과
시민사회의 미래

장 인근에 4동 20칸 규모의 특산품판매부스를 설치하여 7월부터 영업할 예정이었다. 속초경실련과 동명항 건어물상인들은 시청을 항의 방문하였고, 시장과 면담을 통해 동명항 특산품판매점에 건어물과 젓갈이 취급되지 않는다는 약속을 받았다. 4월 24일 속초경실련이 참관하는 가운데 속초시·속초시수협·동명항어촌계·건어물상가 대표들이 모여 건어물과 젓갈을 취급하지 않을 것에 대한 확약을 하였다. 4월 25일 속초시의회 의장도 건어물과 젓갈류를 취급하지 못하도록 시 행정을 감시할 것을 약속하였다. 결국 협의사항과 같이 동명항 특산품판매점은 건어물과 젓갈류를 취급하지 않았다.

7. 지역현안 대응 활동

속초경실련은 시민의 대변자로서 수많은 현안에 의견을 내면서 해결하였다. 2006년 속초지역 대규모 임대아파트 분양전환 시 주민의 권리 구제 활동, 속초시시설관리공단의 경영적자로 시민에게 부담으로 작용하고 있음에도 속초시청 고위공직자 친·인척이 특별 채용되자 책임자 문책 등 속초시시설관리공단 투명성 확보 운동, 2009년 속초시 친환경무상급식운동, 동우대 살리기 캠페인, 혈세 먹는 하마 미시령터널 사업재구조화운동, 대포항 관광레저 시설투자사업 부실·위법행정 고발, 속초의료원 정상화운동, 소상공인시장진흥공단의 속초분소 폐쇄 반대 운동, 속초시 수협 정상화 운동 등을 활발히 하였다. 그리고 1998년 6·4 지방선거의 공명선거 활동, 2006년 5·31 지방선거를 맞아 바른 일꾼 뽑기 속초지역 유권자운동, 2018년 6·13 지방선거 참여 속초시민연대, 박근혜퇴진 시민행동 등의 활동을 하였다. 한편, 어린이 경제교실(초등학생 4~6학년을 대상으로 합리적인 경제의식과 금융·소비생활을 유도하는 학교), 속초경실련 문화교실(지역의 시민들에게 다양한 악기연주 기회를 제공함으로써 문화적인 삶을 누리도록 하는 행사), 회원 자녀들을 대상으로 어린이날을 맞아 요트체험의 기회를 제공하는 행사 등을 하였다.

Ⅴ. 향후 운동과제

1997년 창립한 속초경실련은 지역사회의 변화를 앞장서 이끌었으며 많은 성과를 내었지만 현장 중심의 활동은 정책대안 제시 약화를 가져왔다. 향후 속초경실련은 시민들과 함께 속초시 미래발전을 위한 지속가능한 사업 및 지방자치단체와 의회 감시를 지속하면서 속초시 대안 경제를 연구하는 사업을 추진할 계획이다.

14) 수원경제정의실천시민연합

Ⅰ. 창립 배경 및 취지

수원시는 인구 120만의 경기도 도청소재지로서 경기도의 정치, 행정, 경제의 중심지이며 용인시, 안산시, 화성시, 의왕시와 인접한다. 수원시는 서울의 남쪽 관문이자 경기 남부지역 교통 요지이다. 1970년대 들어 수도권의 주요 공업중심지로 부상하여 인접한 용인시와 함께 한국 전자산업의 핵심지역이다. 수원경실련은 수원 지역사회에서 경제정의와 사회정의를 실현하기 위한 목적으로 1993년 10월 창립되었다. 경실련의 창립 취지에 공감하는 지역의 시민과 전문가들이 참여하여 지역사회의 각종 개발 현안과 지방자치, 환경, 주거 및 도시 분야에서 시민의 의사를 대변하며 지역공동체 만들기 시민운동을 전개한다.

○ 창립일 : 1993년 10월 30일(발기인 대회 1993년 1월 30일)

Ⅱ. 조직 및 기구

1. 회원

수원경실련 회원들은 개인의 탐욕과 이기주의를 버리고 이웃과 함께 살아가려는 시민과 전문가들이 경실련의 창립 정신을 실현하려 노력한다.

2. 주요 임원

1) 공동대표 : 강민철, 이종령, 한풍교
○ 전 공동대표 : 김종오, 김욱용, 이승억, 권영욱, 김진춘, 김영래, 전영을, 홍창진, 강헌구, 이일영, 이윤규, 최인수, 고재정, 서정근, 장성근, 김재기, 이원재
2) 고문·지도·자문위원
○ 전 위원 : 윤기석, 이건우, 이화수, 김정서, 김종철, 박종화, 박경조, 전영을, 안광수, 권영욱, 김영래, 김욱용, 김진춘, 홍창진, 강병도, 권상욱, 고재정, 고창배, 김성규, 유선규, 이근형, 이운창
3) 감사 : 김효근
○ 전 감사 : 이형호, 정태영, 윤기석, 이화수, 위철환, 현윤길, 정병성, 현윤길, 정병성, 현윤길, 권안석, 최영옥, 서정근, 이원재, 이태영, 배금,란 염규용, 김영일, 서경희, 김미정
4) 집행위원장 : 조은석
○ 전 집행위원장 : 강헌구, 전영을, 고재정, 한풍교, 서정근, 김재기, 최종후, 박영양, 이종령, 이원재, 강민철
5) 정책위원장 : 박제헌
○ 전 정책위원장 : 신경환, 정광섭, 강헌구, 이윤규, 김재기, 이재준, 김성영, 김상연, 오동석
6) 조직위원장 : 손혜정
○ 전 정책위원장 : 김재기, 이원재, 강민철, 이찬용, 박흥덕
7) 사무처 : 유병욱(사무국장), 문은정(부장)
○ 전 활동가 : 강영식, 김충관, 조옥진, 박완기, 노민호, 이은경, 김희수, 김필조, 김옥경, 노건형, 김미정, 정재욱

3. 정책 및 사업 위원회

1) 정책위원회
정책위원회는 수원경실련이 수행하는 다양한 정책들의 기조를 설정하고 활동을 조정한다. 정책위원회에

서 수원시의 미래를 위한 정책청사진 '우리 수원 이렇게 바꾸자'는 책을 출판하였으며 선거시기에는 수원시를 개혁할 개혁과제를 발표한다.

2) 시민환경감시단
시민환경감시단(한풍교, 김재기 단장)은 회원들의 모임으로 교육과 현장 활동으로 환경의식을 고취하고 환경 친화적인 수원시를 만들기 위해 노력한다. 초기 감시단원들은 수원시 명예환경통신원으로 활동하였으며, 시화 담수호 수질조사, 수원시 하천오염지도 제작, 수원 시민환경 한마당 개최, 지방의제 21 등의 활동을 하였다.

3) 시민상담실
시민상담실(김원일 실장)은 시민들의 고충을 함께 고민하고 해결하려는 목적으로 세무·부실공사·주택임대차·교통사고 분야의 상담을 하였으며, 최근에는 광교신도시 개발, 재개발·재건축 등 주택관련 상담을 많이 하고 있다.

4) 의정지기단
의정지기단은 지방자치의 정착과 역할 정립을 위해 시정과 의정을 모니터링하고 평가한다. 학교급식조례 제정운동, 행정사무감사 방청, 의정활동 평가, 시장후보자 초청토론회 등의 활동을 한다.

5) 사)경기지역사회연구소
사)경기지역사회연구소(김욱용 이사장, 소장 강헌구)는 지속가능한 도시를 위해 경기지역의 현안 및 미래 전략을 심층 분석하고 대안을 제시하며 1997년 4월 14일 창립하였다.

6) 주민참여예산위원회
시민들의 참여로 재정운영의 투명성과 공정성을 높이고 예산에 대한 시민 통제를 통해 책임성을 고취시키기 위해 주민참여예산제가 2011년 지방재정법 개정으로 의무화되었다. 시민단체의 예산감시운동이 직접적인 참여운동으로 전환되었다. 수원경실련의 주민참여예산위원회(이원재 위원장)는 시민 생활에 필요한 예산을 직접 설계하는 운동을 시민들과 하고 있다.

사진으로 보는
경실련 30년

I. 경실련의
창립과 활동

II. 경실련 30년
활동의 성과

III. 지역경실련의
활동과 성과

IV. 경실련과
시민사회의 미래

4. 출판

○ 출판물 : 우리 수원 이렇게 바꾸자 발간(1996)
○ 간행물 : 회원소식지 월 1회 발행

III. 주요 운동 사례

1. 수원경전철 백지화 운동

2009년 수원시는 고가형태의 경전철을 추진하였다. 수원경실련은 세계문화유산인 화성으로 둘러싸인 수원의 도시구조상 고가형태의 경전철은 바람직하지 않으며, 경전철에 앞서 버스체계의 전면개편 등 대중교통활성화 방안이 제시될 필요가 있고, 교통 수요·사업타당성의 철저한 검증, 그리고 재원마련 대책이 제대로 마련되지 않을 경우 경전철은 추진되어서는 안 된다는 점을 명확히 하면서 범시민운동으로 전개하였으며, 수원시는 철회하였다.

2. 기업형슈퍼 반대 및 골목상권 활성화 운동(2009년)

수원경실련은 식자재 유통업체인 (주)대상베스트코가 우만동에 식자재 매장을 몰래 개설하는 것과 관련해 권선동 농수산물도매시장 상인들과 함께 입점반대 운동을 진행하였다. 이 운동은 경실련과 상인들의 기자회견, 항의집회, 상인들의 1년여에 걸친 장기간 천막농성 등으로 진행되었다. 상인들과 ㈜대상은 150평 이상 대형매장에 한해 대상베스트코가 납품하고 경기남부 6개 시군에 추가로 출점하지 않는 것으로 합의하였다.

3. 개발 특혜 근절운동

수원경실련은 창립 직후 동수원 시외버스터미널 이전의 조속한 시행 및 기존 터미널 운영자에 대한 특혜 근절, 개발이익의 공익화를 촉구하였다. 이는 감사원 감사결과에서 터미널 이전 과정의 편법과 특혜가 있음이 밝혀졌고, 수원시의 투명한 행정과 각종 지역개발 사업에 대한 특혜를 예방하는 선례가 되었다. 또한 2018년 수원시가 'KBS수원센터 부지' 일부를 '복합한류관광몰'로 조성하기 위한 비용마련을 위해 용도변경을 추진하자 'KBS 수원센터 부지 용도변경' 특혜 철회운동을 하였다. KBS의 부지는 시민들의 수신료로 조성되었기에 투기목적으로 이용되어서는 안 되었고, 인근의 교통 혼잡과 인구 과밀 등 도시문제들이 제기된 상황이었다. 수원경실련은 특혜의 근거, 투기로 발생할 수천억 원의 불로소득을 발표하며 맞섰고, 결국 수원시는 도시기본계획 변경을 철회했다. 그리고 2017년부터 수원시가 수원YMCA의 채무(를) 청산을 돕기 위해 도시계획의 일환으로 추진한 용도완화 반대운동을 하였다. 수원시는 농지와 그린벨트의 규제 완화를 요구하는 민원이 급증하는 현실에서 명분없는 수원YMCA사옥의 용도완화는 향후 각종 규제완화의 물고가 될 문제였다. 수원경실련과 수원시민협은 강력하게 문제제기를 하였으며, 수원YMCA는 결국 용도완화를 철회하였다.

4. 공명선거와 지방의회 활성화 운동

수원경실련은 1992년 처음 결성된 '수원공선협'에 참여하여 대통령 선거, 국회의원 선거, 지방선거 등 선거 때마다 활동했다. 공선협은 선거부정 고발전화 운영, 선거참여캠페인 전개, 후보자 초청 토론회, 혈연·지연·학연 타파와 정책선거를 위한 캠페인을 하였다. 수원공선협에는 수원경실련 등 15개 단체가 참여했고, 수원경실련은 95년 4대 지방선거부터 97년 대통령선거까지 사무국을 맡았다. 한편 수원경실련은 창립 직후부터 수원시의회의 활성화 노력을 전개했고 의정활동 모니터, 방청, 평가보고서 발표 등을 전개하였다.

5. 쓰레기봉투값 인하 운동

2000년 수원시의 잘못된 원가계산에 따른 일방적이고 갑작스런 봉투값 인상에 수원경실련과 시민들의 1년여에 걸친 끈질긴 시민행동으로 수원시의회가 쓰레기 봉투값 인하를 전격 결정함으로써 쓰레기 봉투가격은 결국 재조정되었다.

6. 수원천 되살리기 및 자연형 하천화 운동

수원경실련은 '수원천 되살리기 시민운동본부'에 참여하여 '시민환경감시단'을 맡아 수원천 복개 문제에 대응하였다. 이 문제는 지역에서 극심한 찬반논란 끝에 1996년 5월 심재덕 수원시장의 복개 철회 발표를 통해 자연형 하천으로 복원되었다. 이 성과로 1996년 환경과 공해연구회의 '96 환경인상'과 녹색교통운동의 '올해의 녹색교통인상'을 수상하였다.

7. 광교신도시 아파트값 인하와 이의신도시 개발 반대운동

2009년 수원경실련은 경기도시공사의 아파트 원가를 분석·발표하면서 광교신도시 고분양가 문제를 제기하였다. 특히 공기업(용인도시공사, 경기도시공사, LH)의 분양아파트와 중소형 아파트의 분양원가를 분석·발표하면서 대폭적인 분양가 인하를 촉구했다. 결국 경기도시공사는 민간아파트 보다 중소형 아파트의 분양가를 평당 100만원 가량 인하했다. 이후 수원경실련은 광교신도시의 계획·택지공급·분양·특별계획구역 등 전 과정을 모니터하고 지속적으로 대응하였다. 또한 수원경실련은 2002년 '이의행정타운 및 이의신도시 개발반대' 운동을 전개했다. 이의신도시 개발은 수도권 과밀 초래, 도심 내 신도시 조성으로 부작용 양산, 수도권 남단녹지축 훼손이 문제였다. 신도시 현장답사, '이의신도시 개발반대 경기도 대책위원회' 및 '이의지구 개발계획 저지 범시민대책위원회'가 중심이 되어 기자회견, 시장 면담, 경기도청 기자회견, 중앙도시계획심의위원회에 개발 반대 의견 제출 등의 활동을 전개했다.

Ⅴ. 향후 운동 과제

수원경실련은 창립 이후 수원시 행정 및 지방의회 평가와 감시, 지역의 각종 개발사업 분석 및 대안제시, 시민과 함께하는 환경활동에 주력하였다. 향후 10년은 지속가능한 수원을 만들기 위한 도시계획 대응 활동, 시민들의 삶이 바뀌는 더 좋은 지방자치와 분권운동, 수원시 주택정책 대응 및 무주택 서민들의 주거문제 해결에 집중할 계획이다.

15) 순천경제정의실천시민연합

Ⅰ. 창립 배경 및 취지

순천시는 전라남도 동남부에 위치하며 전체 면적의 약 70%가 산지이다. 순천시는 지역의 농산물 집산지로서 발전해 왔고, 갈대와 습지로 유명한 순천만과 우리나라 삼보 사찰 중 승보 사찰인 송광사와 조계산, 태고종의 본산인 선암사가 있고 민속마을로 유명한 낙안읍성 등 많은 유적들이 있고 환경이 좋은 도시이다. 1992년 순천경실련이 창립을 준비하던 시기는 우리나라의 절차적 민주주의가 정착되어 가는 시기였으며, 지방자치제 부활의 일환으로 1991년 3월 구·시·군 기초의회의원 선거와 6월 시도 광역의회의원 선거가 실시되면서 중앙 집중적 관점과 행정에서 벗어나 지방화의 과제가 등장하였다. 이러한 시대적 흐름은 지역사회의 환경, 교통, 문화, 복지 등 주민들이 수동적 자세에서 벗어나 자신의 삶과 지역사회 변화의 주체로 등장하는 계기로 작동하였고 이는 사회운동의 새로운 동력이 되었다. 그러나 1995년 순천시와 승주군이 통합하여 도농복합형의 순천시가 될 당시 순천시의 인구는 17만의 중소도시로 이념적으로 보수적 성향이 짙었고 특히 여순사건 등의 경험을 통해 사회운동에 참여하면 어떤 형태로든 곤란을 겪는다는 피해 의식이 강한 지역이었다. 순천경실련은 이러한 시대적 흐름과 지역적 특성에 기초하여 시민운동이 정착할 수 있을 것인지에 대한 우려들을 경제·사회정의를 중심으로 한 많은 논의를 통해 그리고 시민생활과 밀접한 지방자치, 환경 등 지역 현안들에 대해 해결 방안을 제시하면서 시민들의 지지를 모았고, 이를 기반으로 1993년 4월에 창립하였다.

○ 창립일 : 1993년 4월 9일(발기인 대회 1993년 2월 4일)

Ⅱ. 조직 및 기구

1. 회원

순천경실련의 회원은 각계각층에 종사하는 시민들이 활동하며, 다양한 분야의 학자들과 법조인이 지

역의제를 발굴하고 대안을 제시하면서 이념적 우려를 불식하고 합리성을 인정받았으며, 전문직 종사자, 종교인, 자영업, 기업인들이 참여하면서 다양한 분야를 조직이 되었다.

2. 주요 임원

1) 공동대표 : 신현일, 임종채, 장민기, 강문식

○ 전 공동대표 : 신준식, 허상만, 오무, 현고, 조택순, 황금영, 주충실, 황의병, 방성룡, 김용전, 임상호, 성동제

2) 고문·지도·자문위원 : 황의병, 주충실, 허상만, 오무, 현고, 방성용, 황금영

○ 전 위원 : 신준식, 황의빈, 김정현, 박흥수, 이동인, 나순관, 장민기, 조택순, 김종욱, 성동제, 이동인, 이용호, 이영우, 임상호, 조휴석, 최흥운, 강성채, 한선옥, 강문석

3) 감사 : 김혜선, 조택용

○ 전 감사 : 박광태, 라린, 주찬용, 임종채, 송경식, 양재원, 주충실, 배동문, 이태수

4) 집행위원장 : 박철우

○ 전 위원장 : 조택순, 박흥수, 주세일, 임승규, 장문석, 송경식, 신현일, 김준선, 송상기

5) 정책위원장 : 박병희

○ 전 위원장 : 신현일, 김준선, 송상기, 장문석, 박철우

6) 조직위원장 : 임승규

○ 전 위원장 : 장민기, 서희원, 김태호

7) 재정위원장 : 안운봉

○ 전 위원장 : 나갑주, 장민기, 강성민, 김태호, 이흥우, 주충실, 배동문

8) 사회복지위원장 : 강현주

○ 전 위원장 : 형근혜, 김철주, 김종선

9) 지방자치위원장 : 김현덕

○ 전 위원장 : 서정열, 장동식, 송상기

10) 여성위원장 : 김성숙

○ 전 위원장 : 노금희, 김응란

11) 2018년에 청년위원회(김지훈 회장), 2019년에 자원선순환특별위원회(장현철 위원장)를 구성하였으며, 창립 이후 활동했던 위원회는 섬진강권 물연구소, 순천경실련 경제정책연구소, 사)경실련환경개발센터 순천지부, 목요시민회(공태주 회장), 시민법률상담소(서희원, 서종식, 신현일 소장), 대외협력위원회(주세일 위원장), 예산감시위원회(박철우, 송경식, 박병희, 장문석, 김준선 위원장), 환경위원회(김준선 위원장), 녹색교통위원회(조승현, 정동화 위원장), 장묘문화개선위원회(한선옥 위원장), 헌수공원추진위원회(강철호 회장), 예산감시위원회(김준선 위원장) 등이 있다.

12) 사무처 : 고선휘(사무국장)

○ 전 활동가 : 김용환, 김순희, 김보현, 김준영, 김경남, 이복남, 이종철, 조영석, 이상휘, 장홍영

3. 정책 및 사업 위원회

1) 집행위원회
집행위원회는 순천경실련의 모든 활동 단위들의 사업을 조정하고 총괄하는 역할을 한다.

2) 정책위원회

정책위원회는 경제정의와 사회정의를 순천시에서 실현하려는 기조로 산하에 다양한 연구위원회를 구성하여 지역 현안을 분석하고 대안을 제시한다.

3) 조직위원회
조직위원회는 회원 및 경실련 내 각종 활동을 지원하며, 경실련의 대외적인 캠페인 및 행사 등에 관한 대외 협력 등을 맡고 있다.

4) 재정위원회
재정위원회는 순천경실련의 조직운영과 활동에 필요한 재정을 기획하며 모금한다.

4. 출판

○ 보고서 : 순천시 고령친화 복지서비스 현황조사, 지역문화기반시설 확충 및 활용방안, 광양만권 도시통합에 관한 연구, 광양만권 3市 통합의 타당성과 접근방법, 환경시설 민간투자사업 분석, 순천만소형경전철 사업 분석 등.

Ⅲ. 주요 운동 사례

1. 봉화산 살리기 범 시민운동 전개

순천시의 중심부에 위치한 자연공원인 봉화산이 1993년 봄에 발생한 산불로 50ha가 피해를 입어 시민들이 안타까워하였다. 순천시만 피해 대책과 식수계획이 있을 뿐 시민의 자발적인 참여는 미온적인 상태였다. 순천시의 식수계획은 도시의 자연공원으로서의 역할을 고려하지 않은 채 산림수종을 선택하여 식수할 계획이었다. 이에 순천경실련은 전 시민들이 참여하여 도시의 자연공원에 맞는 수종을 선택하여 식수하는 봉화산 살리기 운동을 전개하였다. 순천경실련이 제안한 봉화산 살리기 운동은 지역주민의 큰 관심을 불러 일으켰으며 헌수와 식수운동에 참가하였다.

2. 화상경마도박장 설치반대 활동

순천화상경마장은 농림수산식품부가 두 번에 걸쳐 사업을 승인하였고, 거액을 투자한 민간사업자들의 끈질긴 개장 시도를 한국마사회가 불법적 수단과 방법까지 동원하여 지원하였다. 순천경실련은 전남 동부권 시민들의 최대 현안이었던 화상경마장에 즉각 반대 성명을 발표하고 시민단체들과 '순천화상경마도박장 설치반대 범시민대책위원회'를 결성하고 농림부와 한국마사회의 수차례 항의 방문, 지역구 국회의원의 국정감사 질의, 서명운동 등을 전개하였다. 여수 MBC 여론조사도 시민들 81%가 화상경마장에 반대하는 등 전 시민적인 반대운동으로 전개되었다. 결국 시민들의 지속적인 반대운동으로 3년여 만에 전면 백지화되었다.

3. 폐기물에너지화 시설, 자원순환센터 건설반대 운동

이명박 정부의 '저탄소 녹색성장'을 위해 환경부는 기존의 폐기물 수단인 소각장을 단계적으로 폐쇄하고 폐기물에너지화 추진을 발표하였다. 이는 전국 14개 거점에 '환경에너지타운' 조성 및 2013년까지 에너지화 시설 총 48개(총 1만4천 톤/일)를 설치하는 계획이었다. 전남도는 나주·목포·순천에서 고형연료(RDF)를 생산하여 나주혁신도시에 연료로 공급할 계획이었다. 순천경실련은 순천시·환경부가 추진하는 폐자원 에너지화시설(자원순환센터)이 민간투자사업 추진의 여론수렴 부재, 형식적인 폐기물 성상조사(함수율), 과도한 사업비 특혜와 값비싼 폐기물처리 수수료 우려, 쓰레기를 가스로 건조시켜 압축하여 생산공법의 반환경(적)성, 폐기물자원화 시범사업(수도권매립지, 부천 등) 중 평가없이 추진 등 사업 추진의 잘못을 지적하면서 반대하였다. 순천경실련은 기자회견, 국회 및 순천 등 공개토론회, 정부 정책 담당자와 면담, 타 지자체 시설견학, 감사원 감사청구 등 가능한 방법으로 반대운동을 하였으나 막지는 못하였다. 이 사업의 결과, 순천시 폐기물 처리비용은 이전보다 10배 이상 비싸게 지불, 톤당 4만 원짜리 연료생산을 위해 20만원을 투입하는 비경제성, 민간투자사업자의 자본잠식으로 시설가동 중단 등 완전히 실패하였다. 순천시의회는 이를 계기로 순천시의 독단적 사업 방식을 견제하고 투명한 행정을 위하여 민간투자사업에 관한 조례를 제정하게 되었다.

4. 순천만소형경전철(PRT/순천만 스카이큐브) 감시

순천시와 포스코는 순천시내와 순천만을 PRT(스카이큐브)와 도보, 자전거로 이동하고 순천만의 주차장을 폐쇄하는 계획을 발표하였다. 그러나 포스코의 기술은 검증되지 않은 시험적 기술이었고, 민간유치로 추진

사진으로 보는
경실련 30년

Ⅰ. 경실련의
창립과 활동

Ⅱ. 경실련 30년
활동과 성과

Ⅲ.
지역경실련의
활동과 성과

Ⅳ. 경실련과
시민사회의 미래

되어 큰 논란이 되었다. 순천경실련은 PRT 기술을 분석 발표하면서 기술적 미완성과 안정성 우려, 민간사업자에게 특혜와 독점권 부여 등을 근거로 사업중단을 촉구하였다. 또한 감사원 감사청구로 포스코에게 탈법적 독점권과 특혜를 밝혀냈다. 결국 시설은 완공되었으나 포스코는 운행 5년 만에 200억 원의 적자누적, 30년 운영 후 기부채납 이행 협약의 해지, 1,367억 원의 보상요구 등 순천시와 지속적으로 갈등을 빚고 있다. 순천만의 주차장도 운영되는 등 준비없는 과시적 사업으로 지역사회에 경각심을 주었다.

5. 지방자치제도의 정착과 활성화 운동

순천경실련은 민주시민육성을 위한 지방자치 세미나, 지방자치 정책대학 개설, 행정사무감사 모니터링 및 지방의회 활동 평가 등을 지속적으로 추진하고 있다. 또한 지역 경제의 활성화와 일자리창출을 가져올 수 있는 사회적 경제 조직인 '협동조합 아카데미'를 개최하여 시민들의 자치의식 향상에 노력하고 있다.

Ⅴ. 향후 운동 과제

순천경실련은 천혜의 환경 자산을 보존하고 각종 개발 사업들을 감시하는 데 많은 노력을 하였다. 향후에는 가시적이고 물리적인 사업들의 견제 수준을 넘어 환경과 생태를 최우선적인 가치로 설정하고 지역의 경제와 사회운영 시스템을 재구조화 하는 운동을 추진할 예정이다. 또한 순천시 및 인근 지역의 시민운동의 약화된 정책역량을 보완하고 의제 대응력을 강화하기 위하여 광역단위체계의 시민운동을 전개할 예정이다.

16) 안산경제정의실천시민연합

Ⅰ. 창립 배경 및 취지

공단 배후도시인 안산지역에서 노동운동을 하던 노동자들이 '보통사람들, 다양한 시민들'이 사회개혁운동의 주체가 되어 함께 대안사회를 만들어가자는 뜻으로 시민운동을 모색하였다. 1992년 대통령선거 시기에 오랜 독재정부를 경험한 시민들에게 공정하고 투명한 선거는 큰 사회개혁과제로 인식되었고 종교계 인사들과 함께 공명선거운동을 시작하면서 유권자로서의 시민운동이 시작되었다. 이후 공명선거운동을 함께 했던 종교계, 한양대 교수, 의사 등 전문직, 안산지역 노동운동가들이 1993년 7월 안산경실련을 창립하였다. 안산경실련은 1986년 안산이 시로 승격된 이후 종교 및 향우회와 다른 공익을 위한 시민운동이 활발하지 않았던 때에 지역문제 해결을 위한 자발적 조직으로의 희망을 갖고 지방자치단체와 의회에 대한 감시, 지방자치를 위한 인재 발굴, 시화호와 공단 악취 등 환경문제 대응, 시민과 지역 노동운동의 연대를 목적으로 출발하였다.

○ 창립일 : 1993년 7월 19일(발기인 대회 1993년 3월 3일)

Ⅱ. 조직 및 기구

1. 회원

안산경실련 회원들은 종교, 학계, 노동자, 전문직, 자영업 등 다양한 직종 및 연령대로 구성되어 있으며, 창립 당시부터 참여한 노동자 회원들을 주축으로 행복한 책읽기모임, 지방자치(주민참여), 갈등조정, 윤리적소비 등 많은 시민들이 다양한 활동을 하고 있다.

2. 주요 임원

1) 공동대표 : 김춘호, 이경석, 최복수
○ 전 공동대표 : 오광석, 양창삼, 민병우, 박종배, 양창삼, 송현진, 임덕호, 마원종, 정철옥, 김성봉, 이경석, 김철수
2) 고문·지도·자문위원 : 이필상, 임덕호, 정철옥
○ 전 위원 : 이건우, 이영산, 장천호, 고훈, 김인중, 오광석, 민병우, 김장훈, 신일영, 박성규, 황호명, 민진기, 유천형, 이경석, 양창삼, 김영부, 오창록, 박성규, 김인중, 신일영, 송현진, 정운천, 김장훈, 김송식, 박덕재, 홍동기, 강승규, 민병우, 이종남, 김봉식, 김강일, 강순근, 이병욱, 박공진, 이대근, 이평훈, 김안두, 제종길, 박종배, 김인중, 채규성, 김강일, 이병욱, 임종인, 남상우, 권태근, 김봉식, 김철민, 정승현, 주만수, 김현삼, 원미정
3) 감사 : 문강섭
○ 전 감사 : 임경, 장완익, 이승현, 강승규, 김춘호, 형천호, 유영숙
4) 집행위원장 : 조안호
○ 전 집행위원장 : 이경석, 김성봉, 서정열, 김현호, 박태순, 김춘호, 최복수
5) 정책위원장 : 정용기
○ 전 정책위원장 : 채규성, 한홍렬,
6) 조직위원장
○ 전 정책위원장 : 채규성, 김현호, 이승현,
7) 창립 이후 활동했던 위원회는 재정위원회(강승규, 이평훈, 김안두 위원장), 안산경실련 노동자회(김현삼 위원장, 김종관, 김호중, 김현동, 김희수 활동가), (사)안산사회발전연구소(김성봉 이사장, 사공진 소장), (사)환경정의시민연대(양참삼 이사장, 김철수 운영위원장), 도시개혁센타 준비위원회(남상우 준비위원장), 풀뿌리참여단(민병우 단장), 문화역사기행단(배운기 단장) 등이 있다.
8) 사무처 : 고선영(사무국장), 허경미
○ 전 활동가 : 권태근, 김제동, 김현삼, 박홍래, 김경민, 고문상, 양현석, 김옥경, 최윤정

3. 정책 및 사업 위원회

1) 주민참여예산 강사 및 퍼실리테이터 모임
시민들의 예산과정 참여를 활성화하기 위한 교육활동과 촉진활동을 목적으로 구성되었다. 청소년 및 시민 대상의 주민참여예산 교육과 주민참여예산 지역회의, 청소년예산제안대회, 시민예산제안대회 등 지역에서 열리는 주민 토론회 및 공론화 토론회 등에 퍼실리테이터로 참여하고 있다.

2) 식생활교육을 위한 강사모임
시민의 먹거리 문제는 개인의 문제가 아닌 사회적 문제로 인식하고 식생활교육을 통해 안전하고 건강한 먹거리 및 환경 변화에 따른 먹거리시스템 등에 관한 식생활교육을 위한 모임이다. 이 모임은 어린이집 유치원, 학교이외 지역시민들을 대상으로 안전하고 건강한 먹거리 전반에 대한 식생활교육을 진행하고 있다.

3) 윤리적 소비를 위한 강사모임
시민들이 평화, 인권, 사회정의, 환경 등 인류의 보편적 가치를 소중히 여기고 일상생활에서 실천할 수 있는 소비교육을 위한 모임이다. 청소년과 시민을 대상으로 공정무역, 사회적 경제, 녹색소비 등 지속가능한 사회가치가 높아지는 윤리적 소비에 대한 이해와 실천 활동을 진행하고 있다.

4) 안산경실련을 후원하는 계모임
안산경실련의 재정을 후원하고 회원들 간 소통과 친목을 위해 2007년에 24명으로 구성(3구좌는 안산경실련)되어 2년간 1기씩 현재 7기 후원계가 운영되고 있다. 2개월에 1회 진행되는 모임은 가까운 근교 나들이 및 영화관람 등 문화 행사를 진행한다.

4. 출판

○ 출판물 : 안산시민의 신문을 창간하였으나 폐간되었다.
○ 간행물 : 회원소식지 '상록수'가 있다

Ⅲ. 주요 운동 사례

1. 안산 유권자 운동

1992년 안산경실련 창립을 준비하던 시민들이 제14대 대통령선거를 맞아 안산공명선거캠페인을 진행하

면서 유권자운동이 시작되었다. 공명선거실천시민운동협의회를 구성하여 제15대 국회의원 선거(1996), 제15대 대통령 선거(1997), 안산총선시민연대(2000) 등 선거대응 활동을 하였다. 2002년 지방선거에는 안산유권자연대를 구성하여 정책공약 제안운동을 추진하였고, 기초의원의 정당공천제와 지방의원 유급제가 처음으로 적용된 2006년 지방선거에서는 출마자들에게 청렴도시·민관협력·지역경제·도시교통·환경생태·시민복지·양성평등·교육문화·통일 등 9개 분야의 정책을 제안하고, 공명선거와 매니페스토 선거 서약, 시장후보들의 매니페스토에 대해 시민 47명이 직접 평가하는 등 정책선거를 이끌었다. 2010년 지방선거에서는 시장후보자별로 정책협약을 체결하고 사후 평가를 진행하였다. 안산경실련의 유권자 운동은 시정을 바꾸는 주권자로서의 시민의 지위를 확립하는 데 큰 진전을 이끌었다.

2. 시정 및 의정 감시운동

1995년 초대 민선시장이 출범하면서부터 시정 만족도 조사, 평가 토론회를 통해 지역의 관심을 끌었고, 역대 시장의 주요정책이 비리와 연루되거나 공익에 반하는 사업일 경우 토론회, 기자회견, 진상조사를 통해 견제하였고, 부패의 척결과 행정의 투명성을 위한 대안들을 제시하였다. 1994년부터 시의회 의정활동 평가를 통해 의회가 벼슬이 아니라 주민들에게 봉사하는 의정활동이 되도록 유도하였고, 아카데미를 통해 주민의 참여를 이끌었다. 1995년부터는 지역 단체들과 의정참여단을 구성하여 의정모니터링, 의정 소식지 발간 등으로 시의회 활동을 감시하였다. 2008년 시·도의원 4명이 총선에 출마하기 위해 사퇴하자 유권자들과의 약속을 저버린 의원들을 비판하면서 선거비용을 포함한 유권자에 대한 정신적 피해보상, 사회적 비용에 대한 청구 소송을 진행하였다. 이 소송은 지역의 큰 이슈가 되었고 4인의 후보자들은 경선과정에서 패했다. 안산경실련의 시정 및 의정 감시활동은 지방자치제도가 정착하도록 하였으며, 유권자들과의 약속을 저버리고 권력만 쫓는 지방정치인들을 시민들과 협력을 통해 심판하여 경종을 울리게 하였다.

3. 주민참여 예산 운동

시민이 세금을 내는 주인이므로 안산시의 예산은 시민의 요구에 의해 편성되고 집행되어야 한다는 관점에서 예산감시운동을 시작하였다. 1996년 안산시의회가 주민에게 필요한 사회복지, 문화 예산을 삭감한 것을 계기로 예산삭감 내용 분석 및 토론회 개최 그리고 예산낭비신고전화를 개설하면서 본격화하였다. 2000년에는 '안산예산감시네트워크'를 구성하여 예산학교를 진행하였다. 2002년 예산감시운동을 참여예산운동으로 전환하면서 회원, 시민들로 모니터링단을 구성하고 시민 요구안을 수렴 및 제안하는 활동을 전개하였다. 2005년 '안산시 주민참여기본조례' 제정으로 예산참여 주민위원들의 역량 강화 및 참여예산제도의 개선점을 공론화 하고, 환경녹지, 도시교통, 복지 등 분야별 예산교육과 그룹별 예산제안 활동을 하였다. 2012년 주민참여기본 조례의 개정과 참여예산조례 제정으로 안산경실련과 안산지방자치개혁시민연대는 모니터링, 토론회, 교육을 통해 주민참여 활성화를 이끌었다. 2015년부터 주민참여예산제를 안산경실련이 진행하면서 퍼실리테이터 양성을 진행하고, 2016년부터는 주민참여의 확대를 위해 청소년예산학교, 청소년예산제안대회, 시민예산제안대회를 진행하고 있다.

4. 경제살리기 및 환경 활동

1993년 UR재협상 운동, 1997년 외환위기 당시 실업정책 모니터링 및 실직가정돕기, 2000년대 기업의 사회적 책임 차원의 우리지역 좋은 기업 만들기, 2010년 대형유통업체들의 중소상권 침해에 대한 골목상권 지키기를 추진하였다. 공단도시의 특성을 반영하여 안산경실련 노동자회의 노동자 임금교실과 노동대학, 이주노동자 인권운동, 노동자 산업안전 캠페인, 사회적경제네트워크 활동과 연계하여 2016년부터 아동, 청소년, 성인을 대상으로 평화, 인권, 사회정의, 환경 등 인류의 보편적인 가치를 담는 윤리적 소비교육을 하고 있다. 환경 활동은 시화호의 오염으로 인한 '희망을 주는 시화호만들기 시흥·안산·화성 시민연대회의' 활동 및 시화호의 갯벌체험, 철새탐조, 시화호탐방, 시화호대회 등의 활동을 하였다. 또한 자연친화적 도

시환경 조성과 도시민의 농업활동체험의 도시농부학교, 텃밭정원학교, '호미아줌마와 괭이아저씨' 동아리를 운영하였다. 개발 감시 활동은 안산시의 공공용지(89, 90, 97블럭) 대규모 개발과 돔구장 건립에 대한 토론회, 감사원 감사청구, 안산시 공무원과 시장의 구속 등 비리의혹에 대한 공직사회 부패방지시스템 강화 및 민주적 참여 행정체계 구축 등의 활동을 하였다. 그리고 1993년 '안산시 공영주차장 운영 토론회'를 비롯하여 도농통합지역의 발전 방향, 시 대중교통 및 교통환경 개선 정책 대안 제시, 자전거도시 만들기 등 교통운동을 하였다.

V. 향후 운동 과제

안산경실련은 1993년 공단과 노동자의 도시에서 노동자와 전문직 시민들이 합심하여 경제정의와 사회정의를 지향하는 경실련을 결성하여 지방권력을 감시·견제하고 한편으로는 시민들의 주권자 의식을 향상시켜 왔다. 또한 시화호 오염문제를 겪으며 환경정의를 위한 활동과 수많은 지역의 현안들을 해결하는 과정에 시민의 공론을 모으고 참여를 이끌어 가면서 지속가능한 지역공동체 만들기에 주력하였다. 안산경실련은 안산시 행정의 투명성 강화 및 공직 사회의 반부패 운동, 시의회의 역량강화와 인재 발굴, 그리고 시민참여와 시민자치의 힘으로 지역의 문제들을 해결하도록 지원하고자 한다.

17) 양평경제정의실천시민연합

I. 창립 배경 및 취지

양평군은 산지가 전체 면적의 75%를 차지하고 경지면적은 15.7%에 불과하지만 농업인구는 전체 인구의 28%에 달한다. 최근 서울에서 이주해 온 인구가 늘어나면서 농업 중심지역에서 조금씩 벗어나고 있다. 양평군은 지속적인 인구 증가와 주민들의 참여와 변화에 대한 요구 증대, 생산인구의 상대적 감소와 경제·사회적 약자 층의 증가, 개발에 대한 압력과 갈등, 지방자치에의 주민참여 저조 등 성숙한 시민사회로 나아가기 위해 풀어야 할 과제들이 있었다. 양평경실련은 실천하는 소통으로 군민들의 삶의 문제와 현안들을 주민들이 주체로 나서서 해결하고, 시민들과 함께 군정과 의정을 평가하고 대안을 제시하여 지방자치제도를 정착시키고, 경제·사회적 약자들을

지원하고 공정한 자원의 분배를 통해 더불어 잘사는 지역공동체를 만들어 가려는 시민들이 2015년에 창립하였다.

○ 창립일 : 2015년 7월 16일(발기인 대회 2014년 2월 15일)

II. 조직 및 기구

1. 회원

양평경실련 회원은 지역의 농업, 자영업, 도시의 직장인 및 전문가 등 다양한 시민들이 참여하고 있다.

2. 주요 임원

1) 공동대표 : 유영표, 윤형로, 권오병
○ 전 공동대표 : 임승기, 김형중
2) 고문·지도위원 : 이창복, 도재영, 임승기, 송영배, 신동수, 김성동, 장영달, 김덕현, 서상섭, 이명춘, 박석두, 조춘선, 정혜경
○ 전 위원 : 고승일, 윤형로, 권오병
3) 감사 : 안경모, 김광윤
○ 전 감사 : 성종규
4) 집행위원장 : 정주영
5) 정책위원장 : 박민기
6) 조직위원장 : 서진숙
○ 전 위원장 : 김주남
7) 노동위원장 : 김연호
○ 전 위원장 : 김경수
8) 소비자위원장 : 조현주
9) 의정모니터위원회 : 최갑주
10) 도서선정위원회 : 임승기
11) 양평시민학교 : 임승기
12) 노동상담소 : 정주영
13) 사무처 : 여현정(사무국장), 정혜진(간사)
○ 전 활동가 : 김은미(간사)

3. 정책 및 사업 위원회

1) 정책위원회
양평경실련 지역의 핵심정책 선정 및 공론을 모으

사진으로 보는
경실련 30년

Ⅰ. 경실련의
정립과 활동

Ⅱ. 경실련 30년
활동의 성과

Ⅲ.
지역경실련의
활동과 성과

Ⅳ. 경실련과
시민사회의 미래

고 대안을 제시하는 토론회, 사업평가 및 사업계획 수립을 위한 회원 조사 등을 담당하며, 2016년 총선, 2017년 대선, 2018년 전국동시지방선거 등에서 정책선거 및 공정선거 활동, 후보자 공약평가 및 시민 정책제안 등의 활동을 하였다.

2) 조직위원회

다양한 회원 활동 및 조직 강화를 위한 사업을 주관한다. 북녘어린이 돕기 목도리 뜨기, 양평군종합사회 복지관 배식봉사, 매월 2회 종합사회복지관 경로식당 배식봉사 및 저소득층과 독거노인에게 배달될 반찬 만들기, 면 순회간담회, 권역별 회원모임과 전체 회원대회, 산행동아리 '가치오름' 운영, 후원의 밤 등을 하였다.

3) 교육위원회

교육위원회는 지역의 교육관련 활동을 하며, '교육교실-엄마공부' 진행(양평, 용문, 서종 등 5개의 '교육 교실-엄마공부' 운영), 교육관련 영상을 함께 보고 나누기 및 관련 독서 토론, 지역의 교육현안 및 이슈 대응, 교육관련 단체와 연대를 하였다.

4) 노동위원회

지역사회의 노동관련 활동과 상담소를 운영한다. 지역의 세미원, 지방공사, 공무원노조, 사회복지 노조 등 노동조합 지원활동과 노동 상담소 개설(임금체불, 부당해고, 산업재해, 부당노동행위, 노조설립 등 상담) 그리고 '아시나요' 캠페인("아시나요 최저임금 6470원?", "노동3권을 아시나요?" 등), 노동 강연 및 토론회(양평군 기간제노동자실태와 현황, 노동정세 강연, 최저임금법 강연 등), 양평군 비정규직의 정규직 전환 등 비정규직 문제 대응, 길거리상담, 찾아가는 상담 등에서 지역주민에 무료노동 상담을 하고 있다.

5) 소비자위원회

소비자위원회는 농업지역의 특색을 살린 GMO강연(GMO 이해와 문제 및 식별법 등), 학교급식실태 및 친환경 학교급식 재료 사용 캠페인, NON GMO학교급식 캠페인, 옥시제품 퇴출 운동 등을 하였다.

6) 의정모니터위원회

의정모니터위원회는 군 의회 정례회 및 임시회 참여, 의정감시활동과 창조적인 지방선거준비 및 자질 있는 후보선정 등 선거대응을 하였다.

7) 도서선정특별위원회

회원들이 정기적으로 모여 릴레이 책읽기를 하는 모임이다. 1회는 '82년생 김지영', 2회는 '이럴 거면 왜 나랑 결혼했어?' 3회는 '언어의 온도' 등을 진행하였다.

8) 양평시민학교

양평경실련 부설 양평시민학교는 대중강연과 역사교실을 운영한다. 대중강좌로서 1회 강좌는 한 홍구 교수의 '암살을 통해 본 한국현대사'(2015.11.28), 2회 강좌는 김삼웅 선생의 '왜 3·1혁명인 가?'(2016.3.5), 3회 강좌는 서중석 교수의 '다시 6월, 민주주의의 함성으로'(2016.5.28), 4회 강좌는 김성동 작가의 '김백선 장군, 여운형 선생 그 서럽도록 아름다워서 슬픈 이야기'(2016.8.27) 등을 진행 하였다. 역사교실은 지역별 성인교실 6개와 청소년교실 3개를 운영한다.

9) 노동 상담소

양평경실련 부설 노동 상담소는 2017년 5월 26일 개소하였다. 지역사회의 다양한 노동문제를 분석하고 법률 안내를 하며 상담을 하고 있다. 주요 활동은 양평지역 노동실태파악, 최저임금 및 비정규직 문제에 대응, 노동자들을 위한 무료 상담(임금체불, 산업제해, 부당해고, 노동조합 설립 등), 중소상인들을 대상으로 근로기준법 및 최저임금법 등 상담, 노동조합과 상인회 등의 회원대상 노동 상담을 진행하고 있다.

4. 출판

○ 간행물 : 지역신문 '양평시민의 소리'에 사회적 이슈나 지역현안에 경실련의 입장과 활동을 정기적으로 기고하여 회원 및 군민들과 공유하고 있다.

Ⅲ. 주요 운동 사례

1. 양평경실련 주도의 군 의회 의정 보고회

양평지역의 지방자치 정착을 위해 양평경실련은 창립 당시부터 주요 활동과제를 선정하여 시민들의 참여를 유도하였다. 양평경실련 회원들은 행정감사와 예결산 및 조례 심의를 위한 정례회의에 공동대표들과 회원들이 참여하였으며 의정모니터 활동을 근거로 의정보고회 또는 의정토론회를 개최하여 시민의 의견을 전달하였다. 양평경실련 주도로 양평군민포럼, 양평풀뿌리협동조합, 바람개비들이 꿈꾸는 세상이 공동으로 '양평군의원 의정보고회'를 주최하였다. 군 의회 송요찬, 박현일 의원과 시민단체회원 25명이 참석하였으며, 행사는 의정보고회 추진과정 보고와 군 의원 및 참여단체 소개, 참여의원 자유발언, 시민단체 질의·응답 등으로 진행되었다. 시민단체 질의응답에서는 공무원업무보고에 그치고 있는 행정사무감사를 취지에 걸맞게 진행할 수 있는 개선안의 요구와 세미원의 방만한 운영에 대한 감시방안, 사회적기업과 협동조합 지원방안 등을 질의하였다. 양평경실련은 군 의회 차원에서 공식적으로 참여하지 않은 점은 유감이나 양평지역에서 처음 열린 의정보고회로 주민들의 지방정치 참여를 위한 작은 시작이라는 평가가 있었다. 또한 의정모니터 활동 등에 더욱 집중하고 신뢰할만한 의정활동 자료를 바탕으로 일회성이 아닌 지속적인 의정보고회 또는 토론회를 지역 단체들과 연대하여 개최하기로 하였다. 양평지역은 자치단체와 의회에 적극적으로 평가하고 감시하는 시민단체가 없는 현실에서 양

평경실련의 활동들은 군민들 스스로가 합심하여 지역을 변화시키는 출발점이 되고 있으며 이 의정보고회는 의정감시와 지역정책 방향 및 주민의 의사에 따른 의제들을 실현하는 의미가 있다.

2. 화상경마장 유치 철회운동

양평 승마공원(가칭)'은 2017년 8월 용문역에서 개최된 KTX 용문역 정차 비상대책협의회 발대식 및 주민 총 궐기대회 중 "승마공원으로 알려졌지만 실상은 도박장이 용문역 1㎞이내에 들어서려고 하는 것"이라며 일부 군민이 양평군을 성토하면서 알려졌다. '양평 승마공원'은 2017년 5월 한 민간사업자가 군에 제안한 사업으로 용문면 일원 약 5만평 부지에 관람장, 실내외 마장·마사, 클럽하우스, 레스토랑, 주차장, 캠핑장, 공원시설과 마권 장외발매소 등을 갖추는 사업이다. 양평군은 세수확보와 일자리 창출 등의 명분으로 추진하였으며, 6월 양평군의회 사전 설명을 거쳐 7월에 용문면 주민대표 70명을 대상으로 1차 설명회를 개최했다. 주민(500명 응답) 여론조사에서 찬성(48.2%)이 반대(29.8%)보다 많았다. 그러나 양평군은 주민설명회나 여론조사에서 마권장외발매소(화상경마장)의 부정적 이미지는 제대로 설명하지 않았다. 양평경실련은 양평지역에서 처음으로 '양평 승마공원' 조성사업 반대 성명을 발표하고 서명운동에 돌입했다. 양평경실련은 "생태환경, 창의교육으로 설명되는 차별화된 혁신교육으로 살아나고 있는 용문에 승마공원이라는 허울의 도박장을 유치하는 것이 과연 어느 주민에게 도움이 되는 것인지 묻고 싶다. 주민안전 위협, 도박중독 우려, 상권 침체, 집값 하락 등 이루 말할 수 없는 피해에도 도박장을 지역발전이라며 추진하려는 담당 부처, 군 의회, 양평군은 대체 무슨 생각을 하고 있는 것인지 알 수 없다"고 주장하였다. 그리고 일부 도의원과 주민들 200여명이 대책위에 참여하고 군민들의 반대 서명이 1,100명에 육박하였다. 이에 양평군은 사업 유치를 공식적으로 철회하였다. 양평경실련은 처음으로 '양평승마공원' 반대 성명을 발표, 군민 서명에 나서는 등 초기부터 화상경마장의 문제를 알리고 주민들과 함께 반대운동을 주도하여 성과를 만들었다.

3. 역사·문화·봉사의 양평 만들기 운동

양평지역은 전통적인 농업지역이지만 인접한 서울에서 인구가 급속히 유입되면서 새로운 양평의 미래상을

시민으로 보는
경실련 30년

I. 경실련의
활동과 활동

II. 경실련 30년
활동의 성과

III.
지역경실련의
활동과 성과

IV. 경실련과
시민사회의 미래

만들어야 한다는 군민들의 요구가 많았다. 양평경실련은 지역의 유명인재 및 인문학(이) 숨 쉬는 군을 만들기 위해 대중강좌(한홍구·김삼웅·서중석 교수 초청 역사강좌, 김성동 작가 초청강좌, 김진향 교수 초청 통일강좌)를 개최하였다. 그리고 서승의 옥중 19년, 만다라 작가 김성동의 국수로 돌아오다 등의 북 콘서트와 영화 '1987'과 다큐 '내일' 등의 공동체영화를 상영하였다. 또한 지속가능한 지역공동체성을 확립하고 지역 주민들의 어려움을 지원하는 봉사 활동을 추진하였다. 매월 셋째주 양평군 종합사회복지관 경로식당에서 배식봉사, 회원들의 재능기부로 법률·노무·세무·컴퓨터 분야의 길거리 무료법률상담, 저소득층 지원을 위한 재봉틀 동아리 '봉트리'의 티셔츠, 앞치마, 에코백, 액세서리 만들기, 저소득가구 청소년 생리대 지원 사업, 용문청년회와 공동으로 12개 읍면 자율방범대 차량을 지원 받아 용문면 어르신 120여명과 함께 가섭봉 탐방 지원, 의병장 김백선 장군 묘제를 주관, 노인들을 위한 실버경제교육 등을 통해 새로운 양평의 문화 기반을 다졌다.

4. 군민의 주권자 권리 찾기 운동

양평지역은 농업지역들이 갖는 군민들의 순박하고 순응적인 특성으로 인해 자신들의 권리 찾기와 지역 만들기에 소극적이었다. 양평경실련은 지역 현안 및 사회 이슈를 주민들의 생활문제와 연계하여 적극적으로 전개하고 주권자로서 권리를 찾도록 지원하였다. 양평경실련이 전개한 사업들은 양평종합훈련장(신애리 사격장) 폐쇄 촉구, 화상경마장 유치 반대 운동, 롯데마트 입점 반대 운동, NON GMO 학교급식 추진 활동, 옥시제품 불매 퇴출 운동, 일진아스콘공장 폐쇄 촉구, 중앙선 무궁화호 객실감축철회 운동, 한국사 교과서 국정화 반대 운동, 가축사육제한조례 제정 운동, 민관협치 활성화를 위한 민간협의체 구성, 지역화폐 활성화를 위한 민간협의체 구성, 세월호 진상규명 및 추모활동, 석면비상대책위 활동 지원, 농민기본소득 도입 촉구 등 군민들의 일상과 밀접한 활동을 전개하였다.

V. 향후 운동 과제

창립 5년을 맞이한 양평경실련은 그동안 매우 활동적으로 지방자치의 발전과 시민의식 향상에 노력하였다. 양평경실련은 중장기적으로 회원 운동 기반에 주력하면서 지방자치분야에서는 자치단체와 군의 위원회의 제역할 찾기 및 주민들의 지역현안에 대한 청원운동, 지역조직(주민자치위원회, 의용소방대, 학교운영위원회 등)에 적극 참여하여 지역 변화에 노력한다. 그리고 군민이 만드는 미래 정책을 청원하는 운동, 마을 회관을 중심으로 하는 공동체 회복 운동, 앞으로도 '후원과 봉사'를 지속적으로 진행하여 도움이 필요한 이웃을 외면하지 않는 따뜻한 시민단체로 성장하며, 지역의 시민단체와 민주진보세력의 연대를 강화하여 양평의 변화를 이끄는 동력을 마련할 예정이다.

18) 여수경제정의실천시민연합

I. 창립 배경 및 취지

여수시는 남해안의 중앙에 위치하며, 수산업과 관광산업이 발달하였고 여수국가산업단지는 세계 최대의 석유화학단지이다. 여수시는 1997년 9월 주민 투표로 여수시·여천시·여천군의 3개 행정구역이 통합된 지역이다. 여수경실련은 여수시의 3개 도시 통합 과정에서 행정의 혼란과 갈등이 발생하고, 석유화학 중심 산업에 따라 환경 및 안전 문제가 심각하게 제기되었던 1999년에 창립되었다. 여수경실련 창립 당시 여수 지역의 시민운동은 환경, 노동, 문화분야가 중심이었고 행정·의정, 기업 감시와 대안 제시는 미흡하였다. 여수경실련은 지역의 뜻있는 시민, 여수대학교 중심의 학계와 전문가, 종교계가 중심이 되어 시민의 힘으로 경

제정의와 사회정의 실현을 목표로 여수관련 정책개발, 예산 참여, 기업 감시활동을 하고 있다.

○ 창립일 : 1999년 3월 4일(발기인 대회 1999년 2월 22일)

II. 조직 및 기구

1. 회원

여수경실련 회원은 다양한 직종 및 연령대의 시민들이 활동하고 있다. 교수 등 전문가그룹의 정책위원회와 회사원, 자영업, 주부 등이 참여하는 다양한 회원 조직이 있다. 지역 내 시민운동단체 중에서는 유일하게 별도의 청년그룹을 운영하고 있다.

2. 주요 임원

1) 공동대표 : 김성춘, 이철
○ 전 공동대표 : 김행길, 최정자, 강규호, 김창주, 김봉수, 김행길, 박상선, 이삼노, 이식, 이재찬, 종삼, 한병세
2) 고문·지도·자문위원 : 김창주, 한병세, 이식, 강규호
○ 전 위원 : 배윤규, 심재수, 김행길, 최정자, 김봉수, 김행길, 박상선, 이삼노, 이재찬, 종삼
3) 감사 : 심재수
○ 전 감사 : 김봉수, 김영신, 김형곤, 박윤석, 배윤규, 복문수, 전학수, 정빈근, 정태호, 조장영
4) 집행위원장 : 장준배
○ 전 위원장 : 강규호, 김성춘, 김 신, 김홍용, 문봉호, 조장영
5) 정책위원장 : 박효준
○ 전 위원장 : 문봉호, 복문수, 이식, 이철, 정민, 한병세
6) 조직위원장 : 박숙희
○ 전 위원장 : 고용국, 권동채, 김신, 신옥경, 신장호, 임호상, 장준배, 정민
7) 홍보위원장 : 임호상
○ 전 위원장 : 강규호, 김정선, 문상엽, 박숙희, 박현욱, 서호영, 신장호, 유경아, 장준배, 장현권, 정대영
8) 대외협력위원장 : 김신
○ 전 위원장 : 고용국, 김성춘, 심재수, 임호상
9) 시민사업위원장 : 정민
○ 전 위원장 : 고용국, 김성춘, 김정선, 문봉호, 신장

호, 윤현희, 장준배
10) 사무처 : 최진숙(사무차장)
○ 전 활동가 : 이대영, 박효준, 이준, 변영욱, 서승찬(대학생회)

3. 정책 및 사업 위원회

1) 정책위원회
지역 현안관련 분석 및 정책개발, 토론회, 정치인 공약이행평가, 기업의 지역사회기여 평가지표 개발, NGO학교, 지역이슈 대응 등의 활동을 한다.

2) 조직위원회
회원 조직의 구성 및 활동 지원, 회원 확대, 노사민정 협력사업 등을 담당한다.

3) 사회복지위원회
여수지역의 사회복지관련 정책 감시 및 실태조사, 장애인편의시설 설치 캠페인, 섬복지네트워크 활동, 회원의 자원봉사활동 등을 담당한다.

4) 홍보위원회
여수경실련의 소식지 발행, 홈페이지 운영, SNS 운영, 회원확대 캠페인 등을 담당한다.

5) 예산감시위원회
여수시 예산낭비 감시, 주민참여예산학교, 결산감사 모니터링, 예산정책평가 등을 수행한다.

6) 시민사업위원회
여수지역의 시민사회 성숙과 활동력 강화를 위한 사업을 담당하며 축제모니터링, 지방의회 모니터 활동, 갈등해소전문가 양성 교육, 사회적 경제아카데미 등의 사업을 진행한다.

7) 대외협력위원회
대외협력위원회는 지역단체와 연대, 어린이공원 가꾸기, 기업 사회공헌활동 평가를 담당한다.

8) 회원모임
'등산모임'은 회원등산 및 쓰레기 가져오기 캠페인, 등산로 표시 등을, '교통광장'은 시내버스운영 실태

사진으로 보는
경실련 30년

I. 경실련의
창립과 활동

II. 경실련 30년
활동의 성과

III.
지역경실련의
활동과 성과

IV. 경실련과
시민사회의 미래

조사, 교통 불편시설 모니터링을, '살기좋은아파트만들기모임'은 아파트주민교육·입주자대표회의 결성·임대아파트 입주자대표회의 구성 지원·아파트 하자보수 모니터링을, '푸른여수만들기'는 은퇴자를 중심으로 지역 내 공원 및 장군도 가꾸기, 나무심기를, '여수사랑문화예술단'은 청년문화예술인들 중심으로 토요문화예술 공연, 지역 문화예술인 포럼 등을, '안전감시단'은 전문가들이 지역 내 다중이용시설 안전 위해요소 모니터를, '청년회'는 청년의 사회참여 및 친목을, '대학생회'는 지역 현안 캠페인, 시민여론조사 등을 한다.

4. 출판

○ 출판물 : 지역기여우수기업 평가지표 등 30종
○ 보고서 : 여수지역 장애인 편의시설 실태조사 보고서 등
○ 간행물 : 주1회 발행하는 회원소식지 (현재는 여수경실련 지역읽기로 대체 운영)

III. 주요 운동 사례

1. 지역기여 우수기업상 발표

석유화학산업단지, 대기업 중심의 지역산업구조로 인한 기업과 지역의 대립 및 갈등의 심화를 예방하고 사회공헌을 확대하기 위한 목적으로 여수경실련 정책위원회에서 기업의 지역기여 지표를 개발하였다. 이 자료를 토대로 매년 지역사회 내 기업들을 평가하여 '지역기여우수기업상'을 시상한다. 이 활동으로 여수산업단지 내 입주기업들의 사회공헌활동을 확대하는 계기를 마련하였으며, 기업 활동내역을 여수시민들에게 정기적으로 공표하고 있다.

2. 장애인편의시설 조기 설치 캠페인

여수 지역 내 장애인 등 편의시설 관련 법률 제정 이후에도 장애인편의시설을 설치하지 않은 공공기관 및 다중이용 업소들이 많았다. 여수경실련은 일일장애체험 캠페인, 공공기관 편의시설 실태조사, 도로 편의 시설 실태조사 등을 통하여 장애인 편의시설 설치에 대한 지역 공감대 확산 및 자발적 시설 설치를 유도하였다. 이 활동으로 여수시 공공기관들이 장애인 편의시설을 조기에 설치하였고, 전남 장애인 편의시설촉진단 구성의 매개 역할을 하였다.

3. 장군도 가꾸기

여수시 무인도인 장군도는 주위가 600m 정도로 1497년에 수군절도사 이량 장군이 왜구의 침입을 막기 위하여 쌓은 '방왜축제'인 수중성이자 우리나라에 하나밖에 없는 해저석성이다. 그러나 여수시의 관리 소홀로 일부가 허물어지는 등 체계적인 관리의 필요성이 제기되었다. 여수경실련은 장군도를 시민들이 가꾸자는 취지로 회원 중 은퇴자를 중심으로 '푸른여수만들기 봉사단'을 조직하여 매주 장군도에서 넝쿨식물제거, 나무심기, 잔디밭조성 등의 자연보호활동과 야생다람쥐 방생, 해안가 쓰레기 청소를 정기적으로 진행하였고, 묘지조성을 이유로 장군도를 훼손하려는 시도를 캠페인을 통해 저지하고 원상복구 시키는 활동을 하였다.

4. 여수밤바다 낭만버스킹 등 여수문화 가꾸기 운동

지역 문화예술 활성화를 위해 '여수사랑문화예술단'을 지역의 청년 문화예술인들로 조직하고 매월 다중이용공간에서 문화공연을 하였다. 이 활동은 지역의 젊은 문화예술인들의 네트워크를 만드는 데 기여하였고, 이들이 중심이 되어 '여수밤바다 낭만버스킹'을 조직하게 되었다. 한편 여수경실련은 여수시의 지역축제

(향일암 일출제, 거북선축제, 국제청소년축제 등)들을 평가하고 개선방안을 발표하였다. 여수경실련 평가보고서는 차기년도 예산에 반영되었으며, 이후 매년 개최되는 축제들을 공공기관이 의무적으로 평가하도록 규정하는 계기가 되었다. 그리고 기업의 참여를 통해 어린이공원을 안전하고 깨끗하게 만들자는 취지로 어린이공원 3개소를 대상으로 놀이기구설치, 모래소독 및 교체, 인라인스케이트장 조성, 벽화그리기 등 행사를 개최하였다. 특히, 어린이공원 가꾸기 행사에 해당지역 주민들이 직접 참여하여 어린이 공원을 가꾸고 관리하는 데 주체로 인식하도록 하였다

5. 지방자치제 정착 활동

예산낭비 감시활동으로 시립박물관 건립, 오동도 새우란 조성, 여수시안내간판 설치 등 사례를 발굴하여 낭비된 예산을 환수하거나 사업을 중단시켰다. 주민참여예산제도의 시행을 위해 주민교육 및 예산참여 모니터링으로 시의회 결산검사의 실질화를 이끌었다. 여수시 위원회의 구성과 활동을 조사 발표하여 여수시가 매년 위원회 정비계획을 수립하고 1인이 3개 이상 위원회를 활동하지 못하도록 규정하였다. 그리고 여수지역 최초로 지방의회 모니터 모델을 개발하여 여수 시민사회단체들이 공동으로 시의회 모니터링 사업을 진행하였다. 또한 지방의회 개선 10대 과제(의회 방청권 확대, 불필요한 자료요구 축소, 일재잔재 용어사용 등)를 선정하여 시의회에 전달하였다. 여수시 행정정보공개 및 행정정보공표 실태를 조사하여 폐쇄적인 행정정보공개를 규정에 따라 하도록 정착시켰다. 지역의 국회의원, 시장, 도의원, 시의원에 대한 공약평가 및 공약이행 평가를 실시하고 지역시민들에게 보고하였다.

6. 시민사회 역량강화 활동

지역 시민사회의 활성화를 위해 주부, 대학생, 시민단체 실무자들을 대상으로 NGO학교, 신자유주의 시장경제의 대안으로 활성화되기 시작한 사회적기업 아카데미, 사회적 기업 및 마을기업 창업지원 컨설팅 및 자원연계 사업을 진행하였다.

V. 향후 운동 과제

여수경실련은 그동안 지역경제 살리기, 지방자치 정착 및 환경보호, 시민사회 역량강화에 집중하였다. 향후

에는 지역의 중장기적 발전 전략을 시민들과 함께 만들고 시민들이 주인이 되어 실현하도록 운동의 방향을 설정하고 있으며, 이를 위해 지역의제 발굴 시스템과 다양한 시민조직을 준비하고 있다.

19) 이천·여주경제정의실천시민연합

I. 창립 배경 및 취지

이천·여주는 경기 동남부, 한국의 중앙부에 있는 도농복합도시이다. 지리적으로 수도권이라는 특성과는 달리 실제적으로는 원주민 위주로 지역사회가 형성되어 있다. 1996년 이천이 군에서 시로 승격하고, 2001년 (구)현대전자가 하이닉스로 바뀌면서 외부 인구의 유입이 증가하기 시작하였다. 외부로부터의 인구 유입은 기존의 문화와 다른 다양한 주민의 의견이 많아졌고 이질적 문화와 갈등을 해소할 새로운 지역공동체를 시민들은 갈망하였다. 이천과 여주 지역의 뜻있는 시민들이 정치, 경제, 문화, 교육, 환경 등 지역사회 각 분야의 비전 제시, 지역 공공기관의 권력 남용과 토착 비리의 근절, 시민의 요구가 행정에 반영되어 시민의 권익이 보호되는 지방자치 실현, 땀흘려 일하는 농민, 노동자, 중소상인, 자영업자들이 억울하게 법과 행정의 사각지대에서 고통받지 않도록 지원하며, 장애인, 노인, 여성, 어린이 등 사회 약자들이 불편 없이 함께 사는 세상, 지역공동체를 만들기 위해 2002년에 이천·여주경실련을 창립하였다.

○ 창립일 : 2002년 8월 24일(발기인대회)

II. 조직 및 기구

1. 회원

이천·여주경실련의 일반회원은 자영업자가 주축이며 교수, 법조인, 종교인 등의 시민들이 활동하고 있다. 창립 초기부터 참여한 회원들이 거의 이탈하지 않고 꾸준히 활동하고 있다.

2. 주요 임원

1) 공동대표 : 김상실

○ 전 공동대표 : 지혜봉, 최동규, 윤승만, 허충구, 양정분, 임성열, 이길윤, 김기열
2) 고문·지도·자문위원 : 김기열, 양정분, 윤태범, 은종원, 천재영, 최종
○ 전 위원 : 김우재, 남상구, 송영득, 신종옥, 이현호, 임항택, 장영안, 최종성, 한영순
3) 감사 : 신종옥, 최운용
○ 전 감사 : 김순업, 목현실, 박태문, 정병관, 채양석, 최성운, 허준환
4) 집행위원장 : 김대록
○ 전 위원장 : 이계찬, 신종옥, 김우재, 김상실
5) 정책위원장 : 이경호
○ 전 위원장 : 박병건
6) 사무처 : 주상운(사무국장), 변정해(간사)
○ 전 활동가 : 김영욱(부장)

3. 정책 및 사업 위원회

1) 지방자치·인권보호위원회
자치단체의 예산과 예산낭비 및 의회의 의정활동 감시, 부정부패 추방 그리고 인권의 사각지대에서 고통 받는 중국 동포 및 외국인 근로자와 장애인, 노약자, 여성 등의 인권과 권리를 보장하는 활동을 한다.

2) 사회복지·환경보호위원회
각계각층의 복지 개선을 위하여 각종 단체와 협력하여 사업을 진행하고 산하에 푸드 뱅크, 불우이웃돕기, 주민고충처리 등의 분과를 운영한다.

3) 대외협력·홍보위원회
이천·여주경실련의 대·내외의 연대와 협력, 교섭 및 홍보를 한다.

4) 교육위원회
이천과 여주 지역 내 교육계의 현안에 선제적으로 대응하며 교육의 발전을 위한 대안을 제시한다.

5) 고충 처리 및 분쟁조정위원회
시청에 있는 시민의 소리함과 이천·여주경실련의 홈페이지 등을 통해 접수된 시민들의 고충과 민원을 해당 관청 및 단체에 알려서 해결하도록 통보한다. 아울러 지역 내 각종 분쟁이 발생할 때 합리적으로 갈등이 해결되도록 노력한다.

6) 작은 사랑 나누기
이천·여주경실련이 체계적이며 폭넓은 불우이웃돕기 활동 전개를 위해 구성한 특별기구이며 복지 사각지대에 있는 이들을 돕기 위해 별도의 회원 회비로 운영하는 독립기구이다. 그동안 20가구를 수혜가정으로 정하여 생필품 전달, 다문화가정·새터민·외국인노동자들의 법률상담 및 지원과 기초생활 보조, 저소득층에게 김장 지원·반찬 배달·장학금 전달 등의 활동을 하였다.

7) 청소년 유해환경 감시단
이천·여주경실련이 청소년 선도 보호와 각종 청소년 유해환경 정화를 위한 감시 및 고발하는 활동을 한다. 그동안 거리 캠페인, 유해환경 업소 방문 계도활동을 하였다.

III. 주요 운동 사례

1. 우수·깨진 도자기상

지역의 특산품인 도자기를 활용하여 사회의 부조리나 불공정 그리고 부패가 만연한 부분을 찾아내 깨진 도자기를 전달하여 시민들의 관심을 집중케 하였다. 대표적으로는 토양개량제를 농가에 저렴하게 전달하는 과정에서 국가 예산을 낭비한 농림부, 폰팅이나 스포츠 신문에 음란물 광고를 방치한 정보통신부에게 깨진 도자기상을 전달하였다. 그러나 이와 반대로 보이지 않는 곳에서 묵묵히 자기 일에 열심히 살아가며 약자를 보호하고 지역을 더욱 밝게 만드는 일에 최선을 다하는 이들에게는 우수도자기를 전달하여 격려하였다. 이천·여주경실련의 우수도자기상과 깨진도자기상은 지역사회의 부패에 경종을 울렸다. 2018년부터는 시상의 취지를 명확히 하고 의미를 잘 전달하기 위해 '경제정의 실천상'으로 명칭을 변경하여 시상하고 있다.

2. 인터넷 음란사이트 차단 프로그램 전달 및 음란폰팅 광고물 철거

2000년대 초반 길거리나 스포츠 신문을 도배하듯이 넘쳐나던 음란 폰팅광고물을 지속적으로 철거하였으며, 정보통신부에 음란폰팅 광고가 청소년들에게 유해한 환경을 만들고 있음을 지적하면서 단속을 요청하였다. 그리고 정보통신부로부터 전화정보 서비스를 이용한 폰팅의 유해성 모니터링을 의뢰받아 활동하기도 하였다.

3. 의정활동 보고서 발간 및 우수의원 시상

이천·여주경실련은 제3대 이천시의회부터 지방선거 후보자 정책토론회와 후보자들의 공약을 분석하여 발표하였다. 의회가 구성된 이후에는 의원들의 의정활동을 모니터하여 보고서를 발간, 우수의원을 선정 발표하여 시상을 하고 있다.

4. 클린 이천을 위한 설봉산 청소 활동

2005년부터 클린 이천을 표방하며 주민들의 휴식처인 설봉산 등산로를 주말마다 회원들이 함께 모여 청소하였다. 이를 통해 시민들에게 단체를 알리는 계기가 되었고, 봉사를 통해 회원들의 친목을 도모하는 사랑방 역할까지 하게 되었다.

5. 비리 의혹 의원 규탄 시민대회 및 옥시 불매 운동

시의원들이 각종 비리에 연루된 의혹들로 수사대상이 되거나 주민들의 원망 대상이 되는 상황에서 천막 농성과 규탄 시민대회를 개최하며 각성과 사퇴를 촉구하였다. 또한 옥시살균제 사태로 인해 온 나라가 혼란에 빠져있을 때 지역에서 주도적으로 불매운동을 펼치고 시민들의 참여를 촉구하는 퍼포먼스와 시가행진을 벌였다. 이 운동으로 지역의 판매처에서 옥시제품을 자발적으로 철수시키는 효과를 가져왔다.

V. 향후 운동 과제

이천·여주경실련은 지방자치, 노동자들의 권리보호, 반부패 등의 활동을 지속적으로 하였다. 향후 10년은 지역의 시민·경제단체들과 연대하여 지역경제 발전을 위한 대안을 제시하는 사업, 도농복합지역에서 급속히 도시화(아파트 밀집)가 진전되는 과정에서 초래되는 사회문제를 방지하기 위한 활동, 사회적 약자(다문화가정, 새터민, 외국인노동자) 지원을 위한 제도와 및 체계적인 지원을 위한 연대활동을 추진할 예정이다.

20) 인천경제정의실천시민연합

I. 창립 배경 및 취지

경제정의와 사회정의를 향한 200만 인천 시민의 실천 의지를 한데 모아 경제정의실천시민연합 인천 지부를 창립했다. 극심한 빈부 격차, 부정과 부패의 만연, 투기와 불로소득, 재벌 중심의 불공정한 경제, 퇴폐와 향락에 빠져가는 사회문화, 누구도 책임지지 않는 환경오염 등의 문제들은 소중한 우리의 공동체인 이 사회를 극도의 위기로 몰아갔다. 더욱이 대규모 공단들을 안고 있는 항도 인천은 어느새 노동문제, 교통문제, 공해문제, 재개발문제 등 전국 어느 도시보다도 열악한 문제도시로서, 개항 이후 최대의 변혁기를 눈앞에 두고도 자신 있게 그 변화를 맞이할 수 없는 허약한 체질이 되어버렸다. 문제를 해결하고 현실을 변화시키고자 하는 시민들의 주체적인 의지와 힘이 필요하다고 느꼈기에 경제정의실천시민연합의 기본 정신을 바탕으로 정의롭고 인간애가 넘치는 새로운 사회를 만들고자 하는 신념과 사명의식을 지닌 인천 시민들이 모였다. 경제적, 사회적 불의에

대항하는 순수한 시민운동 단체로서
공동선을 추구하는 다른 시민단체와도 협력하고, 인천 사회의 제반 문제에 대하여 적절한 대안을 제시하며,
비폭력적이고 평화적인 시민운동을 전개하고 있다.
  ○ 창립일 : 1992년 10월 10일(발기인 대회 1990년 6월 23일)

II. 조직 및 기구

1. 회원

인천경실련은 현안 대응과정에서 결합한 다수 현장의 시민을 중심으로 구성되어 다양한 분야에서 참여
하고 있다. 전문성이 요구되는 분야에서는 교수와 연구원 등 전문가 조직으로, 생활밀착형 활동분야에
서는 관련 시민과 주민 조직으로 인천지역 현안 해결을 중점으로 한 운동을 전개하고 있다.

2. 위원회

1) 정책위원회
정책 자문기구 구성 및 정책 피드백 시스템 구축을 하고 있고, 인천정책네트워크를 운영하며 인천형 분
권과제 발굴 및 공론화를 하고 있으며 선거정책네트워크도 운영하고 있다.

2) 조직위원회
위원회 산하 프로그램 운영조직 및 신설 등을 통해 조직 확대를 하고 있다. 임원Work shop, 단합대회
등 교류 프로그램을 운영하고 'Local인천人' 등 현장체험을 운영하며 회원교육도 하고 있다.

3) 경제교육위원회
차세대를 위한 경제개념 및 지역경제 따라잡기 교육 활동을 전개한다.

4) 사회복지위원회
인천복지재단과 민간사회복지기관과의 기능 중복 감시 활동을 전개한다.

5) 역사문화위원회
인천시사편찬위의 기능 및 위상 강화(인천시사편찬원 설립 등) 활동을 전개한다. 또 인천문화재단, 인천
시립박물관 제자리 찾기 등 인천정체성 강화 운동을 전개하며, 인천 문화유산 중장기 종합발전계획 재
검토 등 역사행정 바로잡기 운동을 하고 있다.

6) 체육발전위원회
인천AG 마케팅법인세 등 조기반환 및 유산(기념)사업 활성화 활동을 하며 (가칭)인천체육발전협의회
발족 준비 활동을 전개한다.

3. 출판

  ○ 출판물 : 인천경실련 20년사 발간(2012)
  ○ 간행물 : 총회자료집 (년 1회 발행)

III. 주요 운동 사례

1. 인천 주권 찾기 운동 - "해경 부활! 인천 환원!" 시민운동

중국과 EEZ(배타적 경제수역) 경계 확정을 두고 해양영토 경쟁을 벌이고 있는 한국의 인천 앞바다는 중국어선 불법조업으로 몸살을 앓고 있다. 게다가 남북 간 NLL(북방한계선) 경계를 두고 군사적 충돌이 잦은 곳이어서 이를 완충할 해양경찰의 역할은 항상 엄존했다. 하지만 2014년 5월, 세월호 참사의 정치적 책임을 떠안고 해체된 해양경찰이 해양경비안전본부로 위상이 격하된 것도 모자라 이듬해 세종시 이전이 확정되면서 인천 앞바다를 비롯한 우리 해양은 불법조업 중국 어선들로 뒤덮였다. 급기야 불법조업 중국어선에 의한 우리해경 고속단정 침몰사건이 발생한다. 이에 인천경실련은 우선 '해양경비안전본부, 인천 존치를 위한 시민대책위원회' 결성을 주도하고, 나아가 "해경 부활! 인천 환원!"을 위한 시민운동을 이끈다. 정부 눈치를 봐야했던 인천시장의 동참을 촉구하는 한편 여야 정치권의 공동참여도 끌어냈다. 인천의 도시 특성상 여야 정치권은 물론이고 민정(民政)도 지역현안에 공동의 목소리를 낸 적이 없었다. 결국 "해경 부활! 인천 환원!" 운동은 인천이 유사 이래 처음으로 여야민정이 모여 이룬 성과로 기록될 것이다. 국민 안전과 국가 안위, 해양영토 수호를 위해 나선 위대한 인천시민은, 스스로 자신의 주권도 되찾았다.

2. 인천정체성 바로세우기 운동 - '2019년판 인천역사달력' 오류 고증 촉구

인천시의 출연기관인 인천문화재단 산하 인천역사문화센터가 제작한 '2019년판 인천역사달력'(이하 역사달력)이 역사 오류 및 왜곡 논란에 휩싸였다. 최초 한 지역 언론에 의해 제기된 문제점을 고증하기는커녕 무시하고 가볍게 넘기려 했던 것이다. 더욱이 역사달력 제작 배경이 "3·1운동 및 대한민국 임시정부 수립 100주년을 맞이하여 인천지역의 독립운동과 개항기 인천의 역사를 쉽게 이해하도록" 만들어, 관내 초·중·고등학생에게 배포할 목적이었다. 전국 각지 사람들이 모여 사는 인천은 정체성 없는 도시처럼 오명을 받아온 터라 묵과할 수 없는 문제였다. 이에 인천경실련은 시 문화재과에 역사달력 고증을 정식으로 요청하는 등 절차적 대응을 시도했다. 인천시가 고증을 거부하고, 역사문화센터도 안이하게 대처하자 인천경실련은 국민신문고에 고증요청 민원접수, 학계·민간연구소에 오류 검토의뢰, 학계·전문가 검토결과 발표 및

몰역사적 행정 규탄 기자회견 개최, 인천시 문화관광체육국 면담 시 역사달력 전량 회수·폐기, 시장 사과 및 담당자 징계 요구, 인천시 감사관실에 역사달력 고증 방기 및 혈세 낭비 감사청구 등을 전개했다. 결국 인천시는 역사달력을 전량 회수·폐기하는 한편 제대로 된 고증시스템을 도입키로 했다. 또한 정기 감사 때 책임을 묻기로 하는 등 인천정체성 바로세우기에 적극 나서겠다고 확약했다.

3. 인천시민의 알권리 보장 요구운동 - 시장공약 이행도 조사사업

1995년 6월 27일 치러진 전국동시지방선거는 나머지 반쪽짜리 지방자치를 찾은 선거다. 한편 전국 경실련은 '우리지역 이렇게 바꾸자' 사업을 공동으로 추진하면서 지역 내 대안적 시민운동 단체로서의 기틀을 잡아가고 있었다. 인천경실련도 해당사업을 추진하다가 지방선거와 접목을 꾀한다. 전문가 및 현장의 의견을 수렴해서 수립한 지역의 분야별 정책과제를 시장 후보들에게 공약으로 채택하도록 제안하는 '인천시민 50대 공약 발표회 및 요구서 전달식'을 마련한 것이다. 당시 우리 공약을 다수 채택한 시장 당선자는 자신의 공약 이행도를 점검하는 기구 구성을 약속했다. 이에 인천경실련은 시민의 알권리 보장 차원에서 시 공약 점검 부서에 시장공약 이행상황에 대한 정보공개를 정식 요청한다. 자체평가가 시민사회의 평가와 비교해 제대로 이뤄졌는지를 대비하기 위해서다. 하지만 정보공개를 두고 갈등을 빚는 등 난항을 겪다가 1997년부터 본격적으로 '인천시장 공약 이행도 조사사업'을 벌인다. 예상대로 시의 자체평가와 시민단체의 평가는 큰 시각 차이를 보였고, 성명전이 오갔다. 시장이 바뀔 때마다 정보공개와 이행도 평가결과로 다툼을 벌인 것이다. 그런데 어느 시점부터 지역 언론마저 매해 7월 1일이면 어김없이, 인천경실련의 시장공약 이행도 조사결과 발표를 기다린다. 지역사회의 신뢰를 구축한 것이다.

4. 제도개선 운동 - 복지마피아 및 관(官)피아의 '사회복지 시설장 재취업' 제한

어느새 사회복지 시설장의 자리가 퇴직공무원과 선거후 낙하산 인사의 잔치마당이 됐다. 정작 현장에서 수십 년을 땀 흘린 종사자의 승진 기회를 박탈함은 물론이고 전문성도 없는 관(官)피아·정(政)피아 인사가 시 보조

금 배분을 왜곡시켜왔다. 시설 설립자는 이들 인사가 전관예우, 정치력을 발휘해 시설 운영예산을 더 많이 따올 것이란 판단에서 채용했기 때문이다. 이처럼 서로의 이해관계가 맞을 수 있었던 건 공직자윤리법과 사회복지사업법의 취업 제한 규정에 맹점이 있어서다. 종사자들은 이런 맹점을 알고 있었지만 '을'의 위치에 있다 보니 고발할 엄두를 내지 못했다. 이에 인천경실련은 2016년 현재, 인천 관내 '사회복지 시설 신고를 받은 곳'에서 '시설장'으로 근무하는 '퇴직공무원 명단'의 정보공개 청구를 시작으로 사회복지 종사자들의 권익보호를 위한 제도개선 운동에 나섰다. 인천경실련이 전개한 활동은 10개 군·구 소재 시설의 장에 재취업한 퇴직공무원 명단확보, 정무경제부시장 면담 및 건의문 전달, 인천시 감사실에 해당자에 대한 공직자윤리법·사회복지사업법·공무원연금법 적격성 여부 심사청구 및 감사요구 등이다. 결국 복지마피아 재취업 문제를 여론화하자 그들의 취업 제한을 강화한 '사회복지사업법 일부개정 법률안'이 통과됐다.

Ⅴ. 향후 운동과제

차세대를 겨냥한 생활밀착형 시민운동을 발굴할 예정이다. 민주화 이후세대 시민운동의 방향 및 주체 설정에 대한 사회적 공론화를 통해 시민운동의 지속가능성을 위한 생활밀착형 의제 및 운동방식을 발굴하고 실천할 것이다. 시대변화에 맞춘 경실련운동의 통일성 재정립 및 현장 활동교육을 강화할 예정이다. 또한, 시민체감형 지방분권과제 개발 및 현실화를 할 예정이다. 권력독점의 폐해를 개혁하라는 촛불민심의 엄중한 요구에도 현 정부를 위시한 기성 정치권은 여전히 중앙집권적이고 지역 패권적인 정치행태로 일관하다 보니 지방분권의 가시적 성과는 전무하기에 사회적 고발이 절실하다. 분야별 현장에서 시민체감형 지방분권 과제 발굴 및 개발하고 시민체감형 지방분권과제 실현을 위한 지역정치권 의식개혁운동을 전개할 예정이다.

21) 전주경제정의실천시민연합

Ⅰ. 창립 배경 및 취지

전주시는 전라북도 중앙부에 위치하고 도청소재지로 주변은 완주군으로 둘러싸여 있고 일부가 김제시와 접하고 있다. 호남지방의 넓은 평야와 교통의 요충지로 지방 행정·교육·문화의 중심지이며, 전통문화가 잘 보존된 도시이다. 일제강점기 때 김제평야·만경평야 등을 중심으로 농업의 중심지로 발달하였고 한지·화선지·태극선·합죽선 등의 전통수공업이 발달하였다. 전주향교·황강서원·반곡서원·청하서원 등 전통적으로 교육이 강조되며, 조선을 건국한 전주이씨의 발상지로서 조선시대의 유물·유적이 많다. 전주경실련은 1991년 11월 전북경실련으로 출범하여 도 단위 활동을 하였으나 주변 도시에서 경실련 조직이 출범하면서 1994년 2월 19일 전주경실련으로 재창립하였다. 전주경실련은 전주지역의 공정한 시장경제질서 확립, 경제정의 실현, 사회적·경제적 부정부패 척결, 건전한 시민의식의 고양, 빈부격차 해소, 건전한 생산 활동의 활성화를 목적으로 창립하였으며, 사회적으로 생산된 경제적 부가 민주적 절차를 거쳐 공정하게 분배되도록 하는 데 역점을 두고 있다.

○ 창립일 : 1994년 2월 19일(발기인대회 1993년 12월 14)

Ⅱ. 조직 및 기구

1. 회원

회원은 학자, 자영업, 변호사 및 의사 등 전문가와 직장인 등이 활동하고 있다.

2. 주요 임원

1) 공동대표 : 이영식, 천상덕
○ 전 공동대표 : 고상순 김용복 차재덕 최덕식 홍기자 최덕식 허장엽 강재수 김종준, 서거석, 이종현, 유명숙, 차종선, 곽약훈, 김종국, 노상용, 황인택, 양형식, 원용찬, 안자섭, 최종문, 김영, 홍요섭, 박상규, 송광인 최이천 김민중, 정상권, 강현구, 신봉기 최낙관 홍춘의 김판용 김수태
2) 고문·지도·자문위원
○ 전 위원 : 이종현, 허장협, 차종선, 김종국, 강현구
3) 감사 : 박상민
○ 전 감사 : 엄상섭, 배철, 안태관, 김학윤
4) 집행위원회 : 최정일
○ 전 위원장 : 이국행, 윤여식, 김학윤, 원용찬, 양형식, 민규식, 정상권, 강현구, 방경식, 최낙관
5) 정책위원회
○ 전 위원장 : 최규호, 서거석, 권혁남, 원용찬, 김득수
6) 조직위원회
○ 전 위원장 : 강희봉, 최만열, 이영한, 안자섭, 김상원
7) 재정위원회
○ 전 위원장 : 신기현, 최영수
8) 창립 이후 활동한 위원회는 주민자치위원회(손현옥 최종문 위원장), 기획위원회(민규식 위원장), 예산감시위원회(문찬경 위원장), 고충처리상담소(김광삼 소장), 여성위원회(손현옥 최형순, 박복희 위원장), 대외협력위원회(이민영, 한병규 위원장), 지방자치위원회(김동근, 하덕철, 이영식 위원장), 사회복지위원회(정상중 위원장), 홍보위원장(박호석 위원장), 아파트공동체위원장(강현구 위원장), 청소년위원회(문창룡 위원장), 국제협력위원장(송승권, 조영기 위원장), 법률지원위원회(김득수 위원장), 언론특별위원회(손우기 위원장), 스포츠레져특별위원회(송현상, 박준재 위원장), 농림수산식품특별위원회(정기, 최욱 위원장), 방송연예미디어위원회(이만세 위원장), 교통위원회(한상우 위원장), 보건복지위원회(신봉기, 김남수 위원장), 완주사랑특별위원회(박종진 위원장), 건설교통위원회(최정일 김장기 위원장), 경제정책위원회(김미경 위원장) 등이 있다.

9) 사무처 : 최수진(사무국장)
○ 전 활동가 : 이국행, 김성인, 김영옥, 심준섭, 최미자, 장세광, 한병규, 박서희

3. 정책 및 사업 위원회

1) 집행위원회
전주경실련은 2번의 재창립 과정을 겪으면서 조직과 활동력이 약화되어 현재는 조직 및 회원 등을 재정비하는 과정에 있다. 전주경실련의 활동은 집행위원회에서 종합적으로 논의하여 진행한다. 전주경실련은 각 위원회 등 조직을 재정비 중이다.

4. 출판

○ 출판물 : 전북 전주 이렇게 바꾸자(1994), 새천년 전북·전주 발전방향(2000)

Ⅲ. 주요 운동 사례

1. 공공기관 법인카드 실명서명 확인

공공기관은 '공기업·준정부기관 예산집행지침'에 따라 업무추진비는 '클린카드'로 집행해야 하며 사적 사용을 금지하고 있다. 법인카드는 법인을 상대로 발급되는 신용카드이고, 클린카드는 법인카드로 유흥·위생·레저·사행·골프 등의 업종에선 사용이 제한된다. 그리고 법인카드는 어떠한 경우에도 발급 목적에 위배하여 사용하거나 타인에게 대여 또는 양도하여서는 아니되며, 법인카드로 사용대금을 결제하고자 하는 경우 반드시 사용자가 카드전표에 실명으로 서명하여야 한다. 이 사업은 공공기관이 법령, 지침 등에 따라 실제로 이행하는 지를 확인하는 사업이다. 전주경실련은 공공기관의 법인카드의 실명서명을 통한 투명한 업무추진비의 집행을 확인하기 위해 사용실태 및 실명서명에 대한 조사를 실시하였다. 법인카드를 사용하는 교육청과 지자체를 대상으로 법인카드 실명서명 내역에 대한 정보공개를 청구하여 분석하였다. 그 결과 교육청은 90% 이상 실명서명하는 등 높은 이행율을 보였으며, 지자체들의 경우 교육청보다 다소 낮은 80% 수준이었다.

2. 지방자치제도 정착 활동

전주경실련은 지방자치제도가 도입되던 시기에 창

사진으로 보는
경실련 30년

Ⅰ. 경실련의
창립과 활동

Ⅱ. 경실련 30년
활동의 성과

Ⅲ.
지역경실련의
활동과 성과

Ⅳ. 경실련과
시민사회의 미래

립하여 지방자치제도가 올바로 정착되어 지역사회가 변화되길 기대하였다. 그동안 전주 경실련은 지방자치 정책대학 개설, 지방선거 후보자 공천기준 발표, 후보자들에게 정책질의서 발송 및 발표, 지역사회 개혁과제 50대 정책발표, 지방선거 부정선거고발센터
개설, PC통신 온라인정책토론회
개최 등을 하였다. 그리고 지방의회를 대상으로 행정사무감사 방청, 전북도의회 의정평가 모니터링 및 평가 보고서 발표, 지방의회 개선 10대 제안 등을 발표하였다. 전주시에 대해서는 전주시 예산심의회 회의록 분석 및 발표, 전주시 선심성 예산분석 발표 등을 하였다. 이를 통해 지방자치제도 도입 초기의 혼란스러움을 조기에 극복하고 제 역할을 찾도록 하였으며, 주민들의 주인의식을 일깨우는 데 기여하였다.

3. 지역 현안대응으로 시민의식 일깨우기

　　전주경실련은 시민생활과 밀접한 지역 현안을 발굴하여 개선해왔다. 대표적으로 전주시 경륜장 유치 반대운동, 김제 모악산 정상 송신소 이전운동, 진안 용담댐 맑은 물 담기 운동, 전주 화상경마장 설치 반대운동, 자동차보험료 지역별차등화 철회운동, 시민안전지킴이 운동(음주운전, 치안활동 단속강화), 교통사고 허위환자 근절운동을 전개하였다. 그리고 전주경실련은 시민들을 대상으로 무료법률상담소 운영, 아파트 주민자치학교 개설, 남원의료원 민영화 반대 및 정상화 운동, 전주지역 심야약국 및 당번 약국 실태조사, 어린이 경제교실 등을 운영하였다.

Ⅴ. 향후 운동 과제

　　전주경실련은 초기 지방자치, 환경 보호, 개발 및 사행산업 반대 등의 활동으로 전주지역의 시민운동 정착에 기여 하였다. 조직과 활동력 약화로 2번의 재창립을 하였으나 아직 조직운영과 재정, 회원활동의 조직 전반의 혁신을 준비하고 있다. 초기 창립정신을 잃지 않고 사회적·경제적 부정부패 척결, 빈부격차 해소, 시민참여 주도의 지방 행정을 활동기조로 노력할 예정이다.

22) 정읍경제정의실천시민연합

Ⅰ. 창립 배경 및 취지

　　정읍시는 전라북도 남서부에 위치하고 임실군, 완주군, 부안군, 고창군, 순창군, 김제시 그리고 전라남도 장성군과 접하고 있다. 정읍시는 동진강과 고부천을 중심으로 평야지대가 넓게 발달해 우리나라의 주요 곡창지대이며, 내장산·두승산·입암산 등 산지의 명승지와 동학유적지·사찰·문화재 등의 역사탐방관광지로서의 관광자원을 보유하고 있다. 1995년 1월 도농통합에 따라 정주시와 정읍군이 통합되어 정읍시가 되었다. 정읍경실련은 창립선언문에서 "우리 정읍은 동학농민혁명의 발상지입니다. 그때나 지금이나 상황이 별로 다르지 않은 것 같습니다. 동학혁명의 개혁정신인 불의를 용납하지 않는 행동은 앞으로 정읍경실련이 이어받아 완성해야 할 것입니다. 이를 위하여 이제 정읍사회개혁과 동시에 우리 자신의 개혁이 필요한 때입니다. 우리들은 개인의 이익을 떠나 공동의 이익을 위해 행동할 때 새로운 사회가 만들어진다는 믿음으로 진실성과 정직성 그리고 상대에 대한 사랑의 마음을 가지고 선으로 악을 이기는 운동을 전개해야 합니다. 어떤 사람은 정읍시 재정이 빈약한 현 실정에서 무슨 대안을 제시할 수 있겠느냐? 반대를 위한 반대를 하는 것이 아니냐? 라고 말하고 있습니다. 실제로 우리는 인원도 적고 능력도 보잘 것 없습니다. 그러나 우리가 뿌리는 경실련 씨앗이 자라서 정읍지역에 뿌리를 내리고 많은 열매를 맺을 것이라고 확신합니다. 건전한 비판, 합리적인 대안을 통하여 우리의 순수한 뜻이 알려지면 많은 정읍시민들이 참여할 것입니다. 이제 우리 다함께 내

일의 정읍을 위하여 출발합시다."라고 그 지향을 밝히며 1995년 12월 출범하였다. 창립 이후 정읍경실련은 경제정의, 반부패, 지방자치, 환경분야에 집중하여 활동하고 있다.

○ 창립일 : 1995년 12월 15일(발기인 대회 1995년 8월 21일)

Ⅱ. 조직 및 기구

1. 회원

정읍시의 전체 인구는 지속적으로 감소하는 추세로 2019년 현재 약 11만 명 수준으로 노인인구와 농업인구가 많은 전형적인 농촌도시로서 시민운동을 활발하게 활동하기에 어려운 여건이지만 창립 당시부터 동학농민혁명의 정신을 실현하고 사회개혁 의지가 높은 농업인, 종교인, 변호사, 교육인 등 시민들이 활동하고 있다. 지방 소도시 지역의 특성상 여러 자생적 시민단체들과 중복하여 활동하는 회원이 많다.

2. 주요 임원

1) 공동대표 : 최성렬, 김영진
○ 전 공동대표 : 김택술, 김천영, 황혜헌, 김현, 서성환, 심요섭, 박철희, 이창희, 박종식, 유성근, 안효군, 고세창, 박래수, 최성렬, 김영진
2) 고문·지도위원
○ 전 위원 : 김현, 심요섭, 고세창
3) 감사 : 문성대, 이상길
○ 전 감사 : 김창술, 이윤철, 문성대
4) 집행위원장 : 고세창
○ 전 위원장 : 김현, 서성환, 심요섭, 이창희, 고세창, 김형보, 김을수, 김은정, 김중렬, 김일중
5) 정책위원장
○ 전 위원장 : 황혜헌, 송영호
6) 지방자치위원회
○ 전 위원장 : 이광수, 황규표, 고세창, 이창희
7) 교육문화위원회
○ 전 위원장 : 이영상, 김형보, 차운호, 이원직
8) 환경복지위원회
○ 전 위원장 : 황철하, 이창희, 문성대
9) 창립 이후 활동한 위원회는 운영위원회(김중렬, 김

일중 위원장), 홍보위원회 (옥치용 위원장), 농축산위원회 (김창술 위원장), 청년회(차운호 회장) 등이 있다.
10) 사무처
○ 현 활동가 : 김은정(사무장)
○ 전 활동가 : 이재산, 김영현, 김성인, 김신영, 김형보, 조현숙

3. 정책 및 사업 위원회

1) 집행위원회
집행위원회는 상시적 의결기구로서 정읍경실련의 매월 단위 사업과 회원을 총괄한다. 특히 지역 현안 및 조직운영의 중요한 문제가 발생했을 경우 특별위원회를 구성하여 대응한다.

2) 운영위원회
운영위원회는 정읍경실련의 창립 정신과 활동에 동의한 지역 내외에 거주하는 시민들이 정읍경실련의 재정적 후원과 활동 지원을 목적으로 운영된다.

3) 지방자치위원회
지방자치위원회는 창립 당시부터 지역사회 개혁의 핵심 대상으로 설정하여 행정의 투명성과 개방성 그리고 지방의회가 제 기능을 하도록 지속적으로 모니터링하고 평가한다.

4) 환경복지위원회
환경복지위원회는 넓은 평야와 산지, 역사적 유적지, 문화재 등 정읍지역의 특성에 맞는 환경보존과 무분별한 개발 방지, 지속가능한 정주 여건을 만들기 위해 노력한다.

5) 청년위원회
청년회는 농업인구가 축소되면서 고령화되는 정읍시 여건에서 동학의 정신을 유지·계승하고 지역발전과 시민화합에 봉사하고 행동하는 모임이다.

4. 출판

○ 간행물 : 회원소식지 매월 발행

사진으로 보는
경실련 30년

Ⅰ. 경실련의
창립과 활동

Ⅱ. 경실련 30년
활동의 성과

Ⅲ.
지역 경실련의

활동과 성과

Ⅳ. 경실련과
시민사회의 미래

Ⅲ. 주요 운동 사례

1. 내장호 상수원 보호구역 보존투쟁

정읍시는 정읍지역의 상수원이자 정읍의 중심지역을 흐르는 정읍천의 수원이었던 내장호를 상수원 보호구역에서 해제하여 4계절 관광 위락시설로 개발하려 하였다. 이에 정읍경실련은 안정적 상수원 확보와 1급수를 유지하는 정읍천을 지키고자 시민들과 함께 투쟁하여 내장호 상수원보호구역 해제를 저지하였다.

2. 뇌물비리 정읍시장 퇴진 투쟁

정읍시장의 부인이 공무원의 승진과 관련하여 뇌물을 받았고 뇌물을 준 공무원들은 승진하였으며 시장도 이를 알고 있었음에도 검찰은 부인만을 구속하여 종결하였다. 이에 정읍경실련은 시장의 사퇴를 촉구하는 성명을 발표하면서 농민회 등 지역시민사회단체들과 함께 '인사청탁 뇌물비리 국승록 시장 사퇴촉구 비상대책위원회'를 결성하고 서명운동, 수차례의 시가행진 그리고 정읍시장의 민주당 제명요구 및 주민소환제 도입을 촉구하는 국회 앞 단식 농성 등을 하였다. 정읍경실련은 중앙경실련과 함께 한길리서치에 정읍시민의 여론조사를 하였는데, 시민의 85.5%가 부인의 금품수수사실에 대해 시장은 알고 있었을 것이라고 했으며, 공무원들은 100%가 알고 있었을 것이라고 응답했다. 또한 부인의 인사청탁 금품수수 사건과 관련하여 81.3%가 시장이 사퇴해야 한다고 응답하였다. 그리고 정읍경실련은 시장에 대해 주민소환운동을 대책위원회에 제안하였고, 대책위원회에서는 검토하였으나 실행하지는 못했다. 정읍시장은 자신은 아무것도 몰랐다, 한 푼도 받지 않았다, 철저히 경실련과 농민회를 용서하지 않겠다고 하면서 모르쇠로 일관했다. 경실련 등 시민단체들의 퇴진운동에도 불구하고 시장은 임기를 채웠으나 다음 선거에서 낙선하였다.

3. 정읍지역 쓰레기 줄이기 운동

정읍 시내의 특정지역을 구획별로 구분하여 배출되는 쓰레기를 표본 수거하여 내용물을 분류하고 쓰레기 성상을 조사하여 그 현황을 백서로 발간하고 시민들에게 알리고 있다. 이를 통해 시민들이 쓰레기 배출량 줄이기 캠페인에 참여하도록 유도하고 있다.

4. 부당 징수 도시계획세 반환청구 소송 등 지역생활 개선운동

정읍경실련은 정읍시가 부당하게 징수한 도시계획세에 대해 소송을 제기하여 승소하였으며, 정읍시는 부당 징수한 세금을 시민에게 반환하게 하였다. 그리고 주민을 대상으로 지속적인 무료생활법률 및 세무 상담을 실시하였다. 정읍시를 통과하는 KTX선로 공사의 공사기간에 대체도로 개설을 제안하여 공사 완료 후이면 도로로 확보하는 성과를 이뤘다. 이밖에 환경캠프, 소도박장 반대운동, 정읍장학숙 운영 감시, 지방예산학교, 공설화장시설 설치촉구, 사회단체보조금 정산 조사, 대형 SSM입점 반대, 정읍천 물놀이장 수질조사 등의 활동을 하였다.

5. 지방자치 정착 활동

정읍경실련은 민선 3기부터 정읍지역 모든 시민사회단체와 연대하여 공명선거실천시민위원회를 조직하였다. 정읍지역 최초로 후보자 초청 토론회를 개최하였고 이후 모든 선거에서 후보자 초청 토론회를 개최하여 유권자들이 올바른 후보를 선택하도록 하고 있다. 또한 시의회 모든 회의를 참관하여 시의원들의 발언 내용을 모니터링하고 그 결과를 시민에게 정기적으로 공개하고 있다.

Ⅴ. 향후 운동 과제

정읍시는 지속적으로 인구가 감소하고 고령화되어 시민운동을 안정적으로 전개하기에는 많은 어려움에

직면해 있다. 특히 지역 문제를 분석하고 합리적인 대안을 제시할 전문가들의 부족과 활동 의제를 개발하지 못해 심각하게 활동이 위축되어 있다. 이에 일부 활동가나 지역의 명망가에 의존하는 운동을 지양하고 시민들의 생활 속에서 실천할 수 있는 의제들을 적극 개발하고, 거대 담론보다는 지역의 청소년, 여성, 노인 등 지역특성에 맞는 특화된 의제들을 중심으로 활동하려고 한다.

23) 제주경제정의실천시민연합

I. 창립 배경 및 취지

제주도는 우리나라 최남단에 위치한 최대의 화산섬이다. 한반도의 육지와는 다른 자연환경과 사회·경제적 조건으로 관광산업이 발달하였고, 제주지역 경제를 이끌었던 1차 산업은 비중이 점차 감소하고 있다. 1970년대부터 본격적으로 개발되기 시작한 제주도는 재벌들과 외지인들의 부동산투기로 제주도 전체 임야(국유지 제외)의 63%를 보유하고, 환경 악화는 물론 지하수를 고갈시키며 바다를 매립하여 부당하게 개발이익을 독점하는 등 개발을 둘러싼 갈등과 경제 부정의 현상이 심화되어 왔다. 제주경실련은 제주도의 무분별한 개발과 환경 파괴, 대기업과 외지인의 부동산 투기, 주민의 소외 등 부정적인 경제 환경이 만연해져가는 시기에 시민의 힘으로 지속 가능한 제주를 만들고자 1991년 출범하였다.

○ 창립일 : 1991년 2월 8일(발기인 대회 1990년 12월 23일)

II. 조직 및 기구

1. 회원

제주경실련의 회원은 다양한 연령대의 교수·변호사 등 전문가, 회사원, 자영업, 주부 등 시민들이 활동하고 있다.

2. 주요 임원

1) 공동대표 : 고태식, 조문수
○ 전 공동대표 : 서경림, 정영택, 고경휴, 고충석, 허인옥, 고병련, 강경선, 한림화, 고석만, 김현철, 김동욱, 고창완, 양시경, 장은식, 황용철, 배후주, 한영조, 고성봉, 김정수
2) 고문·지도·자문위원
○ 전 위원 : 서경림, 정영택, 김순택, 문정열, 고경휴, 강승진, 고병기, 김종철, 김학모, 박시환, 임근형
3) 감사 : 송승호, 박승훈
○ 전 감사 : 문대탄, 문정열, 고영수, 배후주, 고영식, 고영수, 김재현, 김봉현, 김대호, 김정수, 양김진웅, 박중규, 조시중,
4) 집행위원회 : 조시중
○ 전 위원장 : 김태보, 고동희, 김부찬, 고병련, 김성준, 장은식, 강민수, 고창완, 김상훈, 고성봉, 이태운
5) 조직위원회 : 송승호
○ 전 위원장 : 홍창국, 장은식, 성경용, 고태식
6) 정책위원회 : 강시영
○ 전 위원장 : 이태운, 고내수
7) 제주경실련 평생교육원
○ 전 원장 : 이유근, 한림화, 배후주, 박호래, 양김진웅
8) 창립 이후 활동한 위원회는 공익지원센터(양시경 센터장), 제주환경개발센터(이유근 센터장), 청년회(이강식 회장), 대학생회(이미숙 회장), 예산감시위원회(한일 위원장), 경제정의위원회(한일 위원장), 지방자치위원회(김성준 위원장), 지역경제위원회(진관훈 위원장), 사회복지위원회(강세현 위원장), 도시개혁위원회(양창식, 장은식 위원장), 교육복지위원회(진관훈 위원장), 갈등관리위원회(김정수, 김미혜, 위원장), 교육복지위원회(배후주 위원장), 기획정책위원회(김대호, 고영수 위원장), 생활경제위원회(양진, 김웅 위원장), 재정관리위원회(고태식 위원장) 등이 있다.
9) 사무처 : 김은숙(사무국장)
○ 전 활동가 : 양시경, 김용범, 이영운, 장성철, 강원철, 김명범, 이옥, 강미정, 강순석, 박연정, 오상준, 이명희, 고창완, 한영조, 황경수, 좌광일, 김신숙

3. 정책 및 사업 위원회

1) 집행위원회
집행위원회는 제주경실련의 창립 목적을 이루기 위해 활동하는 무분별한 개발 반대와 환경보호, 부동산 투기 억제, 반부패, 메니페스토 운동, 지방자치제의 정착과 주민자치 실현, 성숙한 시민사회 및 지역공동체 만들기, 인권보호와 갈등조정 등 제주지역의 정

치, 경제, 사회, 문화에서의 활동을 기획하고 집행하는 역할을 한다.

2) 활동위원회
제주경실련은 조직운영과 지역 현안 대응에 필요한 위원회를 운영한다. 현재 활동을 하는 위원회는 정책을 조율하는 정책위원회, 회원 및 조직을 관리 지원하는 조직위원회가 있고, 활동을 중단한 위원회는 사업을 기획하는 기획정책위원회, 재정을 담당하는 재정관리위원회 등이 있다. 제주경실련 창립 이후 활동했던 조직은 환경 분야의 제주환경개발센터, 청년 분야의 청년회·대학생회, 지방자치 분야의 지방자치위원회·예산감시위원회·선거부정고발센터, 지역경제 분야의 지역경제위원회·경제정의위원회·생활경제위원회가 있고, 복지인권 분야의 공익지원센터·사회복지위원회·교육복지위원회·갈등관리위원회 그리고 개발 분야의 도시개혁위원회가 있었다.

4. 출판물

○ 출판물 : 새천년 새문명 새마음(2001)
○ 보고서 : 20세기를 돌아보고 21세기를 바라본다(2000), 민선3기, 제주발전 비전을 말한다(2002), 참공약 평가 제주 메니페스토(2007), 갈등과 소통 글고 대통합(2009), 시민 강좌 아카데미(2009), 미래를 여는 금융경제 아카데미(2009), 제2기 갈등협상 전문가 아카데미(2010), 일자리 미스매치와 고용창출(2010), 제3기 갈등협상 아카데미(2011)

Ⅲ. 주요 운동 사례

1. 지방자치 정착 활동
제주경실련은 기초자치단체와 광역자치단체의 의회가 구성되는 1991년에 출범하였다. 육지와 단절된 제주도의 지방자치는 지역사회의 큰 관심을 일으켰고 제주경실련은 창립을 준비하던 때부터 지방자치제의 정착을 위한 많은 준비를 하였다. 도내에서 처음으로 지방자치시민강좌를 개설하여 지방자치제도의 중요성을 알리고, '지방자치와 언론'을 주제로 토론회를 하면서 지방자치 시대의 언론의 역할을 재조명하고, 지방자치 시대의 변화해야 할 '제주사회 20대 정책과제'를 발표하면서 지역사회의 변화를 촉구하였다. 선거 시기에는 부정선거 고발센터 운영과 공명선거캠페인을 전개하여 풀뿌리 민주주의가 뿌리 내리도록 하였다. 주민이 주인이 되는 지방자치를 구현하고자 주민감사청구조례 제정 캠페인을 통해 공직사회의 부정부패를 차단하는 제도적 장치를 구축하였다. 그리고 도지사 후보자들의 정책에 대한 도민 설문조사, 공약 평가, 공약이행 평가 등을 정기적으로 실시하였다. 시민들과 회원을 중심으로 '시민예산낭비감시단'을 조직하여 선심성·낭비성 예산을 감시하였고, 주민감사청구제 조례 제정운동, 제주시의 무분별한 중국 자본 유치 반대운동을 하였다. 참여자치아카데미'를 개설하고 '평생교육아카데미'를 운영하여 건강한 시민사회를 형성하는 데 기여하였다.

2. 제주 환경보호 활동
제주도가 가진 천혜의 환경은 지역경제의 기반이다. 제주경실련은 환경문제를 가장 역점적인 과제로 하여 무분별한 난개발을 막고 환경 보존에 노력하였다. 제주경실련은 1991년 12월 제주도민의 복지 향상과 관광여건 조성을 목적으로 처음 제정되는 제주도종합개발계획이 담긴 제주개발특별법이 추진되면서 개발 위주의 정책으로 부동산 투기와 난개발, 경제의 불평등 심화, 천혜의 자연자원을 훼손하는 심각한 위협에 직면하여 주민이 주도하는 개발로 전환될 수 있도록 도민 공개 정책토론회, 국회의원 초청 공개토론회, 도지사 면담 및 기자회견, 신문광고 게재, 건설부에 의견서 제출 등을 하였다. 그리고 제주 지하수 보호를 위하여 천

연 자원인 제주생수의 국내시판 규탄, 제주지하수 특수성과 공수개념으로서 사유화 반대 및 도민 자산화 운동, 지하수 취수량 증산 반대 및 한국공항 지하수 증산 백지화 운동, 농심 삼다수 도외 판매권 관련 종속계약 비판, 지하수지킴이 네트워크 조직 등 수많은 도민 여론조사, 공개토론회, 기자회견 등을 통해 제주 지하수 보호 활동을 하였다. 또한 환경조례의 개정 청원, 외도천 오염조사 및 지도 작성, 묘봉산 관광지구 개발 반대 및 자연생태계 현장조사, 습지보전 법안 설명회 및 습지보전을 위한 곶자왈 자연문화 생태계 조사, 자전거 이용 활성화를 위한 조례 제정 운동, 봉개동 쓰레기 매립장 실태조사, 시민 대기오염 측정 운동 그리고 대학생 환경감시단을 운영하는 등 제주의 환경 보호에 많은 노력을 기울였다.

3. 난개발 방지 활동

제주도종합개발계획의 수립 이후 제주도는 급속하고 다발적으로 개발사업이 진행되었다. 가장 먼저 제주경실련은 제주지역 개발에서 독점재벌의 부당한 특혜를 막기 위해 골프장 문제와 대안을 찾는 토론회, 골프장 개발 확대 반대를 위한 토론회 및 도민 여론조사 그리고 관광지구 내외의 외지인 및 토지소유 실태조사 등을 실시하였다. 그리고 서귀포 강정유원지 재벌 특혜 조정사업 실태조사 및 의견서 제출, 화순항 해양전략기지 건설 반대를 위한 도민 여론조사와 토론회 및 도민 대책위 활동, 롯데 관광단지 백지화 운동, 한라산 케이블카 반대운동, 송악산 관광개발 반대운동, 오라 관광지구개발 반대 운동, 공유수면 매립 및 국공유지 매각 반대 운동, 탑동불법매립 진상규명 운동, 제주관광공사 호텔신축사업 중단 운동, JDC 땅 값 부풀리기 의혹 감사청구, 제주 신항개발의 도민 합의 운동, 제2공항 주민 피해 대책 촉구 등 무분별한 개발 방지를 위해 노력을 하였다. 그리고 오픈카지노 반대운동, 라곤다 카지노 허가 반대 운동을 전개하여 저지하였다.

4. 서민생활지원과 성숙한 시민사회 형성 활동

중소 상인을 보호하기 위해 대형할인점 이마트 제주 진출관련 제주지역경제 진단 토론회, 도소매업 및 주요인사 63인 설문조사, 기자회견 등 재래시장 활성화 운동을 하였다. 일본산 감귤 수입문제 대응, 도내 골목매점과 소규모 음식점 운영 실태를 조사하여 개선방안을 발표하였다. 재벌의 횡포를 막기 위해 대한항공 항공요금 인상철회를 위한 궐기대회를 개최하였고, 제주지역에서 경제정

의가 건전하게 확산될 수 있도록 지역사회에 기여한 건전한 기업을 발굴하여 제주경제정의기업상을 시상하여 격려하였다. 제주경실련은 성숙한 시민사회 형성을 위해 다양한 교육행사를 개최하였는데 안정적인 교육을 위해 제주경실련 내에 평생교육원을 설치하였다. 그동안 제주경실련이 실시한 강좌는 지방자치 시민강좌, 제주시민 포럼, 시민경제 및 시민참여 아카데미, 참여자치 아카데미, 갈등협상 아카데미 및 노사민정 갈등협상 전문가 아카데미, 제주사회 대통합 시민 아카데미, 금융경제 아카데미, 미래를 여는 경제패러다임 아카데미, 범도민 친절 매너 아카데미, 클린 시티시민단 양성 아카데미, 제주예산학교, 소비자 권리 찾기 정책포럼 등 다양한 강좌와 정기적인 포럼을 개설하였다.

V. 향후 운동 과제

제주경실련은 지난 1990년 활동을 시작한 이후 제주사회의 주요 현안에 대해 실사구시 원칙으로 시민 공동의 이익을 대변하는 활동을 지속적으로 해왔다. 제주경실련의 향후 30년은 지방자치단체의 정책에 대한 투명성을 확보하기 위하여 메니페스토 운동의 정착, 지방자치단체의 방만한 예산 운영과 부정부패에 대한 반부패 활동, 난개발과 환경 훼손 방지, 도민생활과 밀접한 현장의제 발굴과 대응, 그리고 복지 인권분야의 활동에 더욱 집중할 계획이다. 내부적으로는 명망가 중심보다는 시민들의 참여와 힘으로 정책을 개발하고 분석하며 해결해 나가는 조직구조로 변화할 예정이다.

24) 천안아산경제정의실천시민연합

I. 창립 배경 및 취지

천안시는 충청남도 북동부에 위한 충남의 거점 도시로 충남의 도시 중 인구가 가장 많다. 1995년 천안군과 통합시를 이루었고 서울과 전라도·경상도를 잇는 교통의 요지로서 서울과 대전 등 대도시와 1시간 생활권을 이루고 있다. 수도권과 인접해 있는 천안시와 아산시에는 대기업들과 이 산업을 지원하는 부품산업들이 발달해 있다. 수도권과 인접하여 산업기지로 개발이 급속하게 진행되면서 인구가 급증하고 있다. 천안아산

경실련은 경실련의 창립 정신인
경제정의와 사회정의를 천안시와 아산시에 실현하며, 급속한 지역사회 변동에 따른 갈등해소와 사회통합, 정의롭고 인간애가 넘치는 새로운 공동체 사회, 시민의 시민에 의한 시민을 위한 시민운동을 목적으로 2008년에 창립하였다.
   ○ 창립일 : 2008년 12월 3일

Ⅱ. 조직 및 기구

1. 회원

회원들은 천안지역, 아산지역의 시민들이 활동하고 있다. 회원의 연령대는 주로 50~60대로 구성되어 있어 청년층의 회원 활동이 절실하다.

2. 주요 임원

   1) 공동대표 : 노순식, 이상호
   ○ 전 공동대표 : 최장호, 윤일규, 김학민, 고범석, 정병웅, 윤권종
   2) 고문·지도·자문위원 : 최장호, 윤일규, 정병웅
   ○ 전 위원 : 문형남, 이재희
   3) 감사 : 윤주만, 장재식
   ○ 전 감사 : 정길웅, 김요한, 장현순, 성상훈, 노순식, 이철호
   4) 집행위원회 : 오수균
   ○ 전 위원장 : 김재환
   5) 정책위원회 : 김효실
   ○ 전 위원장 : 김의영, 윤권종, 전오진
   6) 조직위원회 : 신동현
   ○ 전 위원장 : 신동욱, 정기태, 여병규, 김민수,
   7) 도시개혁위원회 : 김행조
   ○ 전 위원장 : 이철호
   8) 법률자문위원회 : 최석림, 유유희, 소삼영, 김보성, 김바올
   ○ 전 위원장 : 강인영, 김보람
   9) 창립 이후 활동한 위원회는 교육위원회(이상호 위원장), 공공개혁위원회(이영애, 전오진 위원장), 지역경제위원회(김행조, 류임상, 전혁구 위원장), 복지위원회(송후빈, 박현식 위원장), 문화위원회(정병웅 위원장), 국제위원회(류선윤 위원장), 청소년위원회(오수균 위원장), 법률위원회(송동수 위원장), 행복추구위원회(박현식 위원장), 미래희망위원회(이상호 위원장) 등이 있다.
   10) 사무처 : 김지희(간사)
   ○ 전 활동가 : 정병인, 정덕순, 이수희

3. 정책 및 사업 위원회

   1) 집행위원회
   경실련의 활동을 기획하고 집행하며 총괄한다. 경실련 내 주요 활동단위의 책임자들로 구성되어 있다.

2) 정책위원회

정책위원회는 정책의 개발, 천안 및 아산시의 행정업무 감시 활동, 선출직 공무원의 업무 및 부패방지 운동(을) 한다. 2018년 6·13지방선거에서는 천안시장에 대한 민주당의 공천부당성을 주장하는 공명선거운동을 하였으며, 천안시 공무원 비리 및 징계 사례집(2013.11)을 발간하였다.

3) 도시재생위원회

도시재생 활성화와 원주민 권익보호를 위한 정책을 개발하고 갈등을 조정하며, 천안시 도시정비사업 개선방안 토론회, 천안 대흥4지구 등 도시재생에 따른 원주민 및 이해관계자의 교육 및 토론회, 시민의 열린 공간인 공개공지 개선을 위한 토론회 등을 통해 도시재생사업이 자본 증식이 아니라 시민의 주거안정을 위한 사업으로 실현되도록 노력하고 있다.

4) 조직위원회

회원 참여 및 조직의 활성화를 위해 회원관리 운동과 함께 신입회원 확대에 역점을 두고 있다. 회원들의 친목 도모를 위해 년 2회 회원이면 가족, 지인 등이 참여하는 산행 및 테마여행을 하고 있다.

4. 출판

○ 출판물 : 천안시 공무원 비리 및 징계 사례집 (2013)

Ⅲ. 주요 운동 사례

1. 메니페스토 운동

2010년 6월 지방선거를 시민 주도의 정책선거로 이끌기 위해 지역주민 스스로 지역의 공공 아젠다를 발굴하여 제안하는 '2010 시민매니페스토만들기' 사업을 시작으로 하여 2012년 국회의원 선거, 2014년 지방선거, 2016년 국회의원선거, 2018년 지방선거에서 매니페스토 운동을 전개하였다. 메니페스토운동은 전문가들을 대상으로 지역의 공공의제 발굴 후 도민들이 10대 의제를 선정하도록 한다. 선정된 의제는 정당에 전달하여 공약화 요구 및 인식조사, 시민평가단의 후보자 평가 결과를 시민들에게 공개하였다. 특히, 후보자들에게 임기 중 사퇴하지 않고 본인의 원인 제공으로 재보궐선거를 실시하게 되면 선거보전비용 환수 등 재보궐선거 비용을 책임지겠다는 서약을 받았다.

2. 선출직 공직자의 중도 사퇴 방지운동

천안아산경실련은 선거 시기 메니페스토 운동을 추진하면서 후보자들에게 "그 어떤 경우에도 중도사퇴하지 않으며, 본인의 원인 제공으로 재보궐선거를 실시하게 되면 선거보전비용 환수 등 재보궐선거 비용을 책임지겠다"는 서약을 받았다. 당시 후보자 서약에 동참한 양승조 국회의원(도지사 출마를 위해 국회의원직을 사퇴)과 박찬우 국회의원(선거법 위반 국회의원직 상실)에게 재보궐선거 비용 및 선거보전비용 환수를 위한 약속 이행을 요구하였다. 재보궐선거 비용은 약 11억으로 추정되었다. 이 운동은 법적인 강제력이 없어 집행되지는 않았으나 선출직 공직자의 책임성을 환기시켰고 시민들의 많은 지지를 받았다.

3. 시민 권익 보호 운동

현행법에 열악한 근로조건에서 근무하는 운전기사의 처우개선 및 복지향상을 목적으로 택시회사의 부가세를 90% 경감해 주고 경감액 전액을 근로자들에게 현금으로 돌려주도록 되어있으나 불법 및 편법적으로 사용하고 있어 택시 회사 부가세 경감세액 부당사용 실태 조사를 하였다. 이 조사 결과를 토대로 관련 당사자 간담회 및 기자회견을 실시하였다. 특히 법인 택시회사의 부가세 경감액의 부당사용은 천안시의 관리감독의 소홀로 빚어졌음을 지적하면서 노조위원장의 개인택시면허발급 추천에 관한 형평성 문제, 택시 부가세 부당사용 개선 촉구를 위하여 국토해양부를 방문하여 감사를 의뢰하였다. 천안아산경실련은 대형마트(기업형 SSM)의 지역경제에 미치는 영향과 균형발전방안에 대한 정책 토론회를 개최하고 대규모점포 및 기업형슈퍼마켓 규제를 위한 「유통산업발전법」개정촉구 건의안을 천안시의회에 전달하였다. 또한 재래시장 및 중소상인의 몰락과 지역경제 공동화 현상이 초래되고 있어 대형마트와 기업형 슈퍼마켓(SSM)에 대한 합리적 규제를 통해 지역의 중소상권과 대형 상권이 상생할 수 있도록 관련 법률의 국회 심의와 통과를 촉구하며 청와대, 국회의장, 각 정당 대표, 지식경제부 장관에게 건의서를 보냈다.

4. 천안시 공무원 비리 및 징계 사례집 발간

사진으로 보는
경실련 30년

I. 경실련의
정립과 활동

II. 경실련 30년
활동의 성과

III.
지역경실련의
활동과 성과

IV. 경실련과
시민사회의 미래

천안시 공무원들이 아파트 및 채석장 등의 각종 인허가 과정에서의 부패로 매년 구속되고 도덕성이 최하위 수준으로 나타났다. 이에 천안경실련은 공직비리의 구조적문제를 파악하여 투명하고 공정한 행정을 위하여 그동안 감사원, 정부합동감사, 충남도 감사 등을 통해 적발되어 징계 등의 처벌된 사례를 발굴하여 "천안시 공무원 비리 및 징계 사례집"을 발간하였다. 이를 통해 공직사회의 경각심은 물론 시민의 반부패 의식을 높였다.

5. 맑고 살기 좋은 천안 만들기

천안아산경실련은 급속한 도시화로 인구가 급증하고 다양한 사회인프라를 설치하는 과정에서 간과되기 쉬운 천안 시민들의 지역공동체성 확립을 위해 지역 현안에 대해 시민의 목소리를 대변하고 있다. 그동안 추진된 활동들은, 천안시가 세계보건기구의 안전도시 인증을 통해 '안전한 도시 천안' 사업을 추진했으나 행정 중심으로 진행되어 장애인 등 보행약자의 보행환경이 고려되지 않았다. 이에 천안역 동부광장이 교통약자들의 이동권 침해에 대해 국가인권위원회에 진정한 결과 장애인 이동권 침해 판결을 받았다. 현재는 보행자 신호등이 설치되어 교통약자는 물론 보행자들의 보행권이 확보되었다. 그리고 천안시와 아산시 소재 고등학교 학생들을 대상으로 청소년정치아카데미 개최, 천안복지재단 설립 반대 운동, 인문학 무료시민강좌 개설, 천안시 시내버스 공공성 회복을 위한 민관합동 워크숍 및 정책 제안, 시의회의 상임위원회 등 모든 의정활동 인터넷 동영상 공개 운동, 천안시 인사부정 관련자 검찰 고발, 농협중앙회가 지역농업발전 선도인상 시상의 명목으로 수여한 각 자치단체장의 상금 등에 대한 부정청탁금지법 제8조에 위반여부를 국민권익위원회에 조사 의뢰, 공개공지 실태조사 및 공론화, 천안시장의 체육회 특혜비리채용 의혹 보도에 대한 천안시의 취재협조거부 등 언론탄압 행위에 대한 중지 촉구 및 검찰 고발, 공무원노동조합의 노조전임자에 대한 지방자치단체장의 미 휴직처리 및 급여지급에 대하여 공무원법 위반으로 검찰 고발 등의 활동을 하였다.

V. 향후 운동 과제

천안아산경실련은 지난 10여 년간 지역의 정치인, 공무원 그리고 지역 현안에 대해 실사구시 원칙하에 좌고우면하지 않고 시민들을 대변하여 활동을 하였다. 향후에는 지방자치단체장 및 기초의원의 정당공천제도의 폐지운동, 천안 및 아산시 행정 감시운동, 어린이 방과 후 돌봄 서비스 확대 운동 등을 지속적으로 전개할 예정이다.

25) 청주경제정의실천시민연합

I. 창립 배경 및 취지

청주시는 충청북도 인구 163만명 중 85만명이 거주하는 행정·경제·문화·교통 중심도시이다. 1946년 청주부와 청원군이 분리된 이후 4차례 청주청원통합운동을 전개한 끝에 2014년 7월 1일 '통합 청주시'로 출범했다. 청주경실련은 '대안을 제시할 수 있는 시민단체'의 필요성에 공감하는 지역 시민사회와 종교계 인사들의 헌신으로 출범했으며, 1994년 4월 창립대회에서 회원들은 "투기와 불로소득이 가능한 부정의한 현실을 바로잡아 건강한 기업이 신명나게 생산활동에 전념할 수 있는 사회, 열심히 일하는 대다수의 선한 사람들이 골고루 잘사는 사회"를 만들어갈 것을 천명했다. 청주경실련은 충북 지역에서 시민운동다운 색깔을 보여준 최초의 시민단체라 할 수 있다. 기존 시민단체들이 비정치적이고 문화적인 이슈들로 대응할 때 청주경실련은 창립 원년부터 지방자치선거 토론회와 지자체 예산 평가, 지역 시민운동의 방향과제 토론회 등을 개최하며 시민운동의 새로운 방향을 제시하였다. 또한 2014년 창립 20주년을 기점으로 지역사회와 함께 걸

어온 청주경실련의 발자취를 돌아보며 '20년사 - 다시, 시민 곁으로'를 발간하고, 시민 공유공간 '충북·청주경실련시민센터'를 마련하여 새로운 시민운동의 길을 개척해 나가고 있다. 청주경실련은 충북도에서 유일한 경실련이기에 한시적으로 충북·청주경실련으로 표기하고 있다.

○ 창립일 : 1994년 4월 16일(발기인 대회 1994년 2월 22일)

II. 조직 및 기구

1. 회원

경제정의·사회정의를 열망하는 다양한 분야의 시민들이 활동하고 있다. 오랜 기간 후원하는 회원들(10년 이상 회원 180여 명) 덕분에 지역사회에서 흔들림 없이 제 목소리를 내는 시민단체로 성장하였다. 다만 회원 평균연령의 고령화와 청년 및 여성 회원 비중이 낮은 점은 과제이다.

2. 주요 임원

1) 공동대표 : 현진, 김준태, 신철영
○ 전 공동대표 : 장이두, 최병곤, 최병준, 박만순, 조수종, 주서택, 우정순, 설곡, 황신모
2) 고문 및 자문위원 : 김정웅, 박만순, 우정순, 장병순, 조수종, 주서택, 최병곤, 김연식
○ 전 위원 : 류시형, 박석순
3) 감사 : 선종열, 손세원
○ 전 감사 : 신현각, 김창섭, 정영수, 서건석, 우정순, 김영태, 주서택, 최윤철, 정승규, 김홍구, 양기원, 양기정, 김한근, 신승주, 변상호
4) 집행위원장 : 이재덕
○ 전 위원장 : 우정순, 이장희, 김준태, 이주형, 강호승, 손세원, 신승주, 이만형, 최윤철, 손세원, 김연식
5) 정책위원장 :
○ 전 위원장 : 조수종, 김관수, 김광렬, 이장희, 최영출, 이만형
6) 조직위원장 : 류덕환
○ 전 위원장 : 양희택, 김준태, 신승주, 강호승, 이재덕, 김성수
7) 홍보위원장 : 최은실
○ 전 위원장 : 변상호, 류덕환

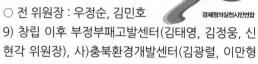

8) 장기발전위원장 :
○ 전 위원장 : 우정순, 김민호
9) 창립 이후 부정부패고발센터(김태영, 김정웅, 신현각 위원장), 사)충북환경개발센터(김광렬, 이만형 위원장)가 활동하였다.
10) 사무처 : 최윤정(사무처장), 이병관(국장), 김미진, 현슬기, 최민영
○ 전 활동가 : 강옥순, 강한규, 공진희, 구명예, 김남경, 김대순, 김두호, 김미영, 김송래, 김유미, 김정환, 김제선, 김주만, 김주연, 김춘희, 김태희, 김현수, 라순미, 문성오, 민지연, 박진우, 변지숙, 송재옥, 신동선, 신명수, 신명자, 신옥희, 신원식, 양유정, 오연경, 위혜정, 유영아, 윤혜경, 이경순, 이광민, 이두영, 이미영, 이민영, 이상용, 이순남, 이영준, 이은호, 이종호, 이주형, 이혜란, 임순옥, 임은정, 임차남, 임희영, 전주일, 정은숙, 조상현, 조옥주, 최난규, 최영선, 천영태, 한도희, 한상운, 한정현, 허 영, 홍성학, 황정수(6개월 이상 활동, 부설기구 포함)

3. 출판

○ 출판물 : 우리 청주 이렇게 바꾸자(1995.4.19.), 충북의 오늘과 내일(1996.10.8.), 20년사-다시, 시민 곁으로(2014.12.11.) 등
○ 간행물 : 회원소식지 '당간마당'(계간, 239호_2019년 8월 현재)

III. 주요 운동 사례

1. 지방선거 대응

청주경실련은 창립하자마자 1995년 6월 제1회 전국동시 지방선거에 대비해 분야별 정책토론회 결과를 '우리 청주 이렇게 바꾸자'로 출판하여 지방선거에 출마한 후보들이 정책 개발 지침서로 활용할 수 있도록 하였고, 시민단체 최초로 청주시장 후보자들을 경실련으로 초청해 공약의 정당성과 실현가능성 등을 점검하기도 했다. 2000년 4·13총선 당시 충북총선시민연대의 공동사무국과 자료조사팀 역할을 수행하였다. 충북총선시민연대는 국회의원 의정활동 평가, 정책자문교수단 및 100인 유권자 위원회, 유권자권리찾기 시민실천단 등을 운영하여 시민들의 지지를 얻었고, 그 결과 낙선대상자 4명 중 3명을 낙선시키는 성과를 거둔다.

사진으로 보는
경실련 30년

I. 경실련의
정신과 활동

II. 경실련의
활동의 성과

III. 경실련 30년
활동의 성과

IV. 경실련과
시민사회의 미래

2. 자치단체 예산 및 공약이행 감시

청주경실련은 창립 초기부터 충북도와 청주시의 예산안을 분석·평가하여 지방재정의 건전성을 평가하였고, 그 과정에서 실·국별로 분할되어 숨겨진 단체장 업무추진비와 선심성 지출 예산 등에 대해 재검토 의견을 발표하였다. 2000년부터는 전국 예산감시네트워크에 참여해 지자체가 지방재정을 투명하게 공개하고 있는지 모니터링을 하였는데 청주경실련이 찾아낸 충북 청원군의 초정스파텔 사업이 제1회 '밑빠진 독상'을 받게 되었다. 그리고 2000년 민선 2기부터 지방자치단체장 공약이행평가를 진행했다. 처음 사업을 시작할 당시 공약을 관리할 생각이 없던 단체장들은 청주경실련의 자료제출 요구에 혼비백산했다고 한다. 그러나 한정된 인원으로 진행된 중간평가 - 현지실사 - 최종평가 과정은 쉽지 않았고 이행률 중심으로 평가되면서 일부 단체장은 쉽게 이행할 수 있는 공약이나 비예산 사업에 집중하는 경향을 보였다. 현재는 단체장의 공약사업에 대해 예산 분석을 하고, 불요불급한 SOC 사업 비중을 낮추고 시민들의 삶의 질을 높이는 사업에 예산을 투입할 것을 요구하고 있다.

3. 중소상인살리기 및 대형마트 규제 운동

청주경실련은 1999년 대형마트 셔틀버스 운행 저지운동을 시작으로 지역 중소상인들과 2002년 까르푸 청주점 개점 반대운동, 2009년 홈플러스 청주점 24시간 영업 반대운동 및 기업형 슈퍼마켓(SSM) 입점 반대운동, 2012년 대형마트·SSM 불매운동을 전개했다. 특히 2009년 재벌유통기업의 골목 상권 진출에 반대하는 대규모 집회와 철시투쟁은 최초로 대형마트 규제가 담긴 유통법과 상생법 개정안 통과(2010)에 기여하였고, 2012년부터 대형마트에 대한 의무휴업 및 영업시간 제한이 실시되는 성과를 거두는 등 중소상인 살리기 및 대형마트 규제의 견인차 역할을 하였다. 재벌 유통기업 진출이 본격화되면서 청주경실련은 중소상인살리기운동에 역량을 집중하여 2009년 충북민생경제살리기운동, 2013년 충북지역경제살리기네트워크, 2017년 유통재벌입점저지충북도민대책위원회 등 상설연대 활동을 하였다. 그러나 여전히 법적 규제는 미흡하고, 재벌 유통기업은 막강한 자본력과 편법으로 지역경제의 지배력을 확장하고 있어 향후 사회적경제 활성화와 지역 선순환 경제를 구축으로 맞설 계획이다. 한편 청주경실련은 도내 기업이 휘청일 때마다 지원하였는데 충북은행이 퇴출 위기에 몰릴 때 시민들과 함께 충북은행살리기운동, 도민은행주식갖기통장 개설 운동을 전개(1998)했고, LG반도체의 빅딜이 확정될 당시(1999)엔 현대전자의 LG반도체를 흡수·합병이 지역경제 및 국가경제에 미치는 영향을 면밀히 검토할 것을 촉구했다. 2001년엔 유동성 위기를 맞은 하이닉스가 해외매각을 추진하자 굴욕적인 해외매각을 중단하고 독자생존 방안을 모색할 것을 촉구하며 하이닉스반도체살리기운동을 하는 등 지역의 기업 살리기 운동을 하였다.

4. 지방분권·균형발전 운동

청주경실련은 지방분권과 균형발전운동 그리고 신행정수도 이전에 특별히 노력을 하였다. 청주경실련은 참여정부의 신행정수도 이전이 2004년 헌재의 '신행정수도 건설특별법' 위헌 판결로 전면 중단되자 도내 120여개 시민사회단체가 참여하는 '신행정수도 지속추진 범충북도민연대'를 발족하고 '행정중심복합도시 특별법'에 대한 합헌 결정(2005.11)이 내려질 때까지 이순신장군 동전 150만개 모으기 운동, 충북지역지식 인선언 등을 주도하였다. 행정중심복합도시 사업은 2010년 12월 '세종시설치법'이 국회에서 통과되어 세종 청사 시대를 열게 되었다. 한편 2001년 전국 500여개 시민단체, 언론, 학계가 청주 예술의 전당에서 "지방자치제 정착을 위해 중앙·지방정부 및 시민사회가 공동으로 노력"할 것을 촉구하는 '지방자치헌장'을 선포하고 '지방분권실현을 위한 전국지식인선언' 운동을 전개하였다. 이는 '지방분권국민운동' 창립(2002)으로 이어졌고, 청주경실련은 '지방분권국민운동 충북본부'의 사무국을 담당하며 선도적으로 지방분권운동을 전개하였다. 아울러 수도권과 지방은 IMF 외환위기 이후 수도권 규제완화로 첨예한 갈등을 겪게 되었는데 청주경실련은 2000년 정부의 수도권공장총량제 완화 움직임에 적극 대응했지만 역부족이었다. 이 운동은 지역 균형발전 및 지방살리기운동으로 이어졌고, 2003년 지방살리기 3대 특별법(지방분권·국가균형발전·신행

정수도건설) 제정 운동으로 이어졌다.

5. 서민주거 안정을 위한 아파트값 거품빼기 운동

참여정부의 '신행정수도' 이전으로 국내 대형 건설사들이 충청권에 진출하면서 청주지역 아파트 분양가도 급등하였다. 2006년 3월 청주권 최초의 초고층아파트인 두산위브 주상복합아파트 분양을 계기로 청주경실련은 '추정 분양원가'를 공개하면서 청주시의 형식적인 분양가 검증이 고분양가를 묵인하였다고 비판하였다. 이후 중앙경실련과 함께 '근본적인 부동산 대책 수립을 위한 워크숍'을 청주에서 개최하고 '아파트값 거품빼기 운동'에 나섰다. 청주경실련은 지역에서 분양되는 아파트의 제한적인 자료를 토대로 추정 분양가를 발표하면서 분양가 책정이 건설 원가와 건설사들이 자의적으로 분양가 부풀리기를 통해 이뤄지며 이는 부동산 경기 활성화의 기대감으로 폭등하고 있음을 폭로했다. 아울러 충청북도가 주택법에 근거, 주택수급계획을 수립해야 함에도 책무를 다하지 않는 데 대해 감사를 청구하고 시정명령을 받아내기도 했다. 서민주거안정을 위한 아파트값 거품빼기 운동은 청주경실련의 인지도를 높였을 뿐 아니라 정체성에 부합하는 운동이라는 평가를 얻었다.

6. 도시재생과 공공건축

이명박 정부에서 '경제기반형 도시재생 선도사업'으로 선정된 옛 연초제조창의 활성화계획의 본질은 도시재생이 아니라 2,500억대의 민간자본을 유치해 복합문화 레저시설과 호텔을 짓는 도시개발이었다. 청주경실련은 즉각 재검토를 촉구하며 전문가와 주민이 참여하는 대토론회를 개최(2015.4)하였다. 시민들의 지속적인 문제제기에도 불구하고 강행된 사업은 민자유치에 실패하면서 '경제기반형'사업을 동력을 잃었고 마중물 사업비는 도로와 주차장으로 남아있으며 '문화를 매개로 한 도심재생'은 여전히 표류 중이다. 그리고 청주경실련은 통합 청주시의 상징인 시청사 건립은 각계각층의 시민의견 수렴이 우선되어야 한다는 취지에서 토론회를 개최(2017.6)하며 시청사 건설의 공론화를 시작하였다. 민선 7기 청주시는 청주경실련의 요구인 민간 거버넌스 '통합시청사 건립 특별위원회'를 구성하여 첫 의제인 시청사 본관동 존치 여부를 논의하여 최종적으로 존치하기로 결정한다. 청주경실련은 '공공건축물의 패러다임을 바꿔라' 캠페인을 모든 공공청사까지 확대하여 지속적으로 추진할 계획이다.

7. 시민의 안전권 보장운동

2015년 8월초, 관로공사 사고로 4일간 11개동 1.7만 가구의 수돗물 공급 중단사태가 발생했지만 청주시는 제대로 된 공사수칙이나 재난 매뉴얼도 없었고, 피해 가구수조차 집계하지 못하였다. 청주경실련은 피해 주민들과 전문가들로 대책회의를 열고, 진상규명을 위한 '단수사태 해결을 위한 시민대책위원회'를 구성하였다. 결국 청주시장은 피해 시민들에게 사과하고 배상을 약속하였고, 대한상사중재원은 2017년 1월, 단수사태의 과실 책임 비율의 86%는 청주시에 있다고 최종 판정하였다. 또한 2017년 7월 청주시에 총 290㎜의 '물폭탄'이 쏟아졌는데 이는 대통령이 '국가 위기 관리체계와 재해 재난 관리체계' 검토를 위한 태스크포스 팀 구성을 지시할 만큼 기록적이었다. 청주경실련은 청주시에 시민안전을 위한 재난안전로드맵 마련을 촉구하고, 토론회를 개최하였다. 전문가들은 청주권 집중호우가 기후변화 문제이기도 하지만 열섬 현상에 의한 전형적인 '도시형 재해'라고 분석하고, 시민의 안전권을 고려한 방재 대책을 도시계획 단계부터 엄밀히 수립할 것을 제안하였다.

8. 기타 사업

청주경실련은 IMF 사태로 실직자 문제가 급증하자 1998년 10월 '청주지역 실업극복시민사회단체협의회' 출범을 주도하고 사무국을 맡는다. 그리고 1999년 2월부터는 '청주시인력관리센터'를 청주시로부터 위탁받아 운영하였다. 하지만 전국 경실련이 정부와 지자체의 민간위탁 및 보조금 사업에 참여하지 않기로 결의함에 따라 2010년 12월 31일자로 청주시인력관리센터에 대한 위탁사업의 인적·물적 자원은 (사)충북경제사회연구원으로 포괄 승계되었다. 청주경실련은 2001년 정도를 걷는 사람들을 위한 '시민이 주는 정도대상'을 제정하였다. 시상은 일반적인 '시상식'이 아니라 수상자를 직접 찾아가서 드리는 '봉정식'으로 운영하였다. 각 분야에서 묵묵히 헌신하는 공무원, 시민, 기업 등을 2001~2005년까지 시민이 직접 발굴하여 50여 명의 수상자를 배출하였다. 2002년 12월 대선기간에 충북시민사회단체연대회의는 각 참가단체의 의견을 모아 대선 후보자들에게 지역의제를 제안하기로 하였는데 청주경실련은 청남대 개방과 댐이익금의 주민 환수, 친환경농업 육성 등을 제안하였다. 이후 노무현 대통령은 2003년 3월 청와대 수석·보좌관 회의에서 대통령의 휴양소인 청남대를 '시민

들에게 되돌려 주겠다'고 전격 발표한다.

V. 향후 운동 과제

청주경실련은 현재 800여 명의 회원이 함께 하고 있지만 고령화와 청년·여성층의 참여가 낮아 조직의 지속가능성에 대해 고민해 왔다. 이에 청주경실련 건물을 단순 사무실이 아닌 시민과 함께하는 시민센터로 설계하여 청주 시민운동의 플랫폼과 공유·커뮤니티 공간으로 전환하였다. 앞으로 청주경실련은 시민과 회원들의 소통하는 리더십으로 지역문제를 스스로 해결해 가는 구조를 만들어 나갈 계획이다.

26) 춘천경제정의실천시민연합

I. 창립 배경 및 취지

1991년 지방자치시대의 시작에 즈음하여 춘천지역의 시민과 지역사회 문제를 탐구해 온 전문가 집단은 '지역주민의 의사를 어떻게 반영하여 성공적인 지방자치를 이룰 것인가?'를 고민하였다. 지방자치의 활성화를 위해 지역사회의 공론을 모으고 이를 의제화하여 지역사회의 변화로 이끌 활동력 있는 시민주체의 단체 조직의 필요성이 제기되었다. 춘천경실련은 강원도 내에서 자생적인 시민운동이 전무했던 시대에 '진정한 지방자치 실현, 사회적 공공선 추구, 지역사회 문제의 대안제시와 합리적 해결, 시민의 복리 증진'을 주요 활동 방향으로 설정하고 궁극적으로 춘천지역의 경제정의와 사회정의 실현을 목적으로 창립하였다.
   ○ 창립일 : 1993년 10월 28일(발기인 대회 1993년 9월 20일)

II. 조직 및 기구

1. 회원

춘천경실련의 회원은 지역사회문제를 연구해 온 교수 등 전문가, 지역의 소상공인, 직장인, 자영업에 종사하는 시민들이 활동하고 있다.

2. 주요 임원

   1) 공동대표 : 김한택, 윤재선
   ○ 전 공동대표 : 문선재, 임신영, 권오서, 양완모, 박승한, 임신영, 김종식, 이영련, 유영호, 안동규, 박형일, 진장철, 이택수
   2) 고문 및 자문위원 : 박승한, 유영호, 안동규, 진장철, 이택수
   ○ 전 고문 : 임택창, 청우, 김창수, 박영호, 이영호, 정을섭, 주왕기, 편백운, 차관식, 최인엽, 최화자, 김월도, 하서현, 박형일
   3) 감사 : 김대영
   ○ 전 감사 : 정재연
   4) 집행위원장 : 김진상
   ○ 전 집행위원장 : 이영련, 진장철, 안동규, 전운성, 김한택, 변용환, 이석원,
   5) 정책위원장 : 윤재경

○ 전 정책위원장 : 안동규, 김범철, 유성선, 변용환, 최충익
6) 조직위원장
○ 전 정책위원장 : 유영호, 이승준
7) 시민상담소장 : 허종영
○ 전 소장 : 최윤, 노재환, 윤재경, 임미선, 김진상
8) 소양강맑은물지키기운동본부 : 진장철
9) 투명행정감시단 : 한동환
10) 사무처 : 권용범(사무처장), 오연옥(간사)
○ 전 활동가 : 최윤, 변지량, 한동환, 이은숙, 박관희, 서준호, 이복희, 하상준, 전규호, 이경욱

3. 정책 및 회원 위원회

1) 정책위원회
정책위원회는 춘천경실련의 집중 운동인 환경, 지방자치, 시민고충 해결 등의 종합적인 정책을 개발한다. 강원도지사 및 춘천시장 공약 평가, 지방의회의원 등 공약이행 및 활동(정책)평가, 지역의 사회경제적 이슈의 분석과 대안 제시를 담당한다.
2) 조직위원회
회원 확대와 관리 지역경실련 협력, 지역 시민사회단체네트워크와의 연대 활동을 담당한다.
3) 시민상담소
창립 직후 1994년 3월에 시민상담소를 개소하여 법률, 행정, 세무, 환경, 교육 분야의 시민상담과 서비스를 시작하여 현재까지 운영하고 있다. 잘못된 공공행정으로 인한 시민 피해사례 상담 및 피해 구제 활동을 지원한다.
4) 소양강맑은물지키기 운동본부
춘천경실련의 가장 중점적인 활동으로 지역 수자원의 가치를 높이고 보전하는 정책 제안 및 시민캠페인을 추진한다. 소양강 댐의 가두리양식장 철폐 성과를 이루었으며 이를 통해 수질개선 및 수리권 운동을 전개하였고, 춘천국제물포럼 창립의 모태가 되었다.
5) 투명행정감시단
투명행정감시단은 강원도와 춘천시의 예산낭비 감시, 예산 및 정책평가, 행정의 불공정 사례 감시 등을 한다.
6) 춘천경실련의 다양한 활동을 위한 과정에서 지방자치발전위원회(박용수 위원장), 시민참여단(장노순 단장), 경제정의연구소(이영련 소장), 아파트공동체

연구소(안동규 소장) 등의 활동이 있었다.

4. 출판

○ 출판물 : 맑은 물과 농민, 가족애가 IMF를 이긴다, 살맛나는 아파트 만들기, 21C지방화시대를 준비하는 지방자치와 선거, 소양호의 자연과 인간, 춘천국제물포럼 논문집(매년)
○ 보고서 : 상수원 수질개선 위한 비점오염원 관리방안, 춘천국제물포럼 종합보고서(매년)
○ 간행물 : 회원소식지

3. 지역경실련의 미래와 과제

채원호 경실련 상임집행위원장
고선영 경실련지역협의회 운영위원장

경실련이 창립 30주년을 맞이하지만, 사정은 녹록치 않다. 지역경실련은 더욱 그러하다. 90년대 40곳에 달했던 지역경실련은 2000년대 이후 하락세가 이어져 현재 26개 지역에서 활동 중이다. 활동 중단의 이유는 인적·물적 기반의 취약이 주된 요인이지만, 조직의 내분이나 부적절한 조직 운영으로 인한 경우도 있다. 이하에서는 지역경실련이 안고 있는 문제에 대해 논의하면서 지역경실련의 지속가능한 발전을 위한 과제를 모색하고자 한다. 논의과정에서 지역경실련의 의견을 수렴했음을 밝혀둔다.

1. 운동 의제의 지역성과 전국성

경실련은 이전에 비해 지역운동의 활동과 전망을 공유하는 것이 많이 부족하다. 지역경실련에 훌륭한 활동가들이 많았음에도 불구하고 결과적으로 봤을 때 지역운동의 미래를 함께 그리지 못했다. 경실련 자체의 조직문화가 많이 바뀌어야 한다. 여전히 30년 전에 설정했던 경실련의 운동원칙에 얽매여 있어 진취적인 기풍을 만들기 위한 새로운 시도가 없다.

경실련 창립초기 소위 오피니언 리더인 여론 주도층이 주축이었다. 지역도 경제적·사회적 지위가 있는 교수, 변호사, 의사 등이 주축을 이뤘다. 대부분 지역 사회 내에서 영향력이 있다 보니 시민들의 신뢰도 컸다. 지역경실련은 이러한 상황을 잘 활용해서 활동을 이어갔다. 그러나 2000년을 전후하여 지역 집행위원들 중에는 정치지망생들이 많아졌다. 당시는 경실련이 '군보다 세다'고 할 정도였고, 정치사회적 영향력이 컸던 시기다. 경제정의·사회정의 보다는 경실련의 타이틀을 이용해 개인의 목표를 이루려는 사람이 많았다. 청년들은 거의 없고, 40대 이상의 정치지망생이나 명망가들이 들어온 이후 지금까지 이어지고 있다.

정치적 중립성과 관련된 경실련 윤리강령이 생겨난 배경이다. 당시만 해도 이들이 중앙정부를 바꾸고, 재벌을 바꾸고, 지방정부를 견제하는 거대담론만 갖고도 지역에서 영향력을 가질 수 있었다. 하지만 지금은 다르다. 지역 이슈들은 조그마한 지역 인터넷 언론 등이 다 장악하고 있다. 거대 담론만 갖고 얘기하다보면 지역에서의 영향력도 확대할 수 없고, 회원도 후원도 늘지 않는다. 거대담론에만 치우치면 지역 이슈는 외면을 받고 지역경실련의 존재감은 희미해진다.

2010년을 전후해 지역에서는 '중소상인살리기운동'을 전개한 적이 있다. 대전경실련에서 이슈를 발굴해 전국경실련으로 확장했고, 중앙 이슈를 넘어 참여연대 등 중소상인살리기전국네트워크를 만들게 됐다. 나중에 청주경실련 등 몇 군데를 제외하고 지역경실련이 빠져나가고, 결국 참여연대가 이슈를 가져가게 됐다. 더불어민주당 을지로위원회의 주요 이슈로 이어지고, 상인단체로 이슈가 확장됐다. 중소상인살리기운동이 중간단계에서 경실련 스스로 이슈 확장을 거부했던 결과다. 정책적 방향과 맞지 않다거나, 이런 운동은 안 된다거나, 정당과 관련돼서는 안 된다거나 등이 주요 이유였다. 지역경실련이 이슈를 초기에 이끌어낸 것은 맞지만 확장하는 과정에서 여러 제약이 있었기 때문이다. 이러한 구태의연함으로는 경실련에 사람을 모을 수 없고 호응을 이끌어낼 수 없다. 중앙경실련은 지금과 같이 정치권과의 일정한 거리를 유지하는 것이 맞지만, 지역은 유연하게 접근할 수 있도록 해야 한다. 이러한 문제는 '운동의제나 경실련 규정의 규제완화'와 관련된 문제다. 향후 지역과 중앙이 머리를 맞대고 고민할 문제다.

2. 중앙-지역 경실련 간 소통과 연대

경실련 시민운동의 확산으로 지역경실련이 전국적으로 창립되면서 지역경실련의 설립에 관한 절차와 운영을 위한 표준안이 마련됐다. 1993년 상임집행위원회에서 처음으로 '지역경실련 창립절차에 관한 내규'가 제정된 이후 수차례 개정 과정이 있었다. 2000년에는 지역경실련 상호간의 협력과 단결로 경실련 운동의 발전을 도모하고자 지역경실련들의 상설기구로 '지역경실련협의회'를 발족한 바 있다. 2008년에는 '경실련 운동의 통합성과 건전성 확보에 관한 규칙'을 제정했다. 이 규칙은 "경실련이 비전과 정체성을 공유하는 전국적 시민운동체로서 정책적 일관성, 동일한 도덕적 가치와 조직적 규범, 통합성을 견지하기 위한 제반사항을 규정"하는 것으로 표준규약의 준수, 지부 간 이견의 조정과 중재, 상근활동가의 직제와 보상체계 및 교육훈련 등을 담고 있다.

이와 같은 규정들은 지역경실련도 경실련의 비전과 정체성을 공유하도록 하는 취지에서 만들어졌으나, 지역의 특수성을 반영하지 못하는 문제점도 노정하고 있다. 향후 중앙-지방 간 소통을 통해 지역 특성을 좀 더 적극적으로 반영할 필요가 있다.

현재 중앙과 지역의 공통된 고민은 경제적인 문제에 대한 해결방법, 경실련활동가에 대한 복지지원, 직업인으로 상근활동가의 미래전망, 지역경실련 어려운 운영에 대한 해결방안, 청년활동가에게 요구되는 사항, 경실련활동에 대한 만족도, 경실련 윤리강령의 만들게 된 계기와 목적, 유지에 대한 필요성, 경실련운동의 과거 현재 미래에 대한 생각 등이다.

이제 중앙과 지역이 함께 발전할 수 있는 기틀을 마련해야 한다. 중앙-지역 경실련간, 경실련-회원간의 소통을 강화하는 제도적 보완책 수립이 필요하다. 중앙-지역 경실련 간 활발한 소통과 규정의 유연한 개정 및 적용도 고려해야 한다.

3. 세대 간 단층과 청년 운동가 충원

경실련 회원은 50대가 주축을 이루고 있고, 60대와 40대가 뒤섞여있다. 지역의 운동 이슈가 장년층에서 관심을 갖는 부동산, 금융 등에 치우친 경향이 있다. 눈여겨볼 것은 일부 20대 회원들의 경우 자발적으로 경실련에 가입한 경우가 거의 없다는 것이다. 상근활동가나 임원들의 지인들이 회원으로 들어오는 경우가 다반사다. 매우 심각한 상황이다. 여성들의 비율이 다소 높아졌다고는 하지만 70% 이상을 여전히 남성들이 차지하고 있다. 밖에서 경실련을 바라볼 때, 나이든 조직, 남성조직이라는 선입견이 강하다. 세대 간 단층(斷層) 있는 셈이다. 조직의 지속가능한 발전에는 위협 요인이다.

창립 초기 경실련은 청년회 모임, 대학생회 등을 적극 이끌었고 다양한 활동을 전개했다. 활동력 있는 사람들이 주축이 돼서 회원들의 요구를 수용하고 활동에 반영하면서 조직을 끌고 갔다. 그러나 최근에는 청년 운동가의 충원이 어렵다 보니, 참신한 운동 의제 발굴이 어렵고 구태의연하다. 사정이 이렇다 보니 새로운 환경변화에 유연하게 대응하는 전략적 사고나 열정도 부족하다.

결국 어떻게 청년들한테 접근할 것인가의 문제는 청년활동가들의 충원 문제로 귀결된다. 그리고 그들의 지역 사정에 맞는 운동 의제를 발굴하고 핵심 의제로 발전시켜나가는 수밖에 없다. 예전에 대학생들 반값등록금 의제를 참여연대가 치고 나왔듯, 지역에서 잘 안하고 있는 청년수당, 기본소득과 같은 문제들을 먼저 치고 나가는 것도 필요하다.

청년활동가는 조직 활동 속에서 비전을 찾는 것도 중요하지만, 개인의 목표도 설정해야 지속적인 활동이 가능하다. 이전 학생운동권 출신 활동가들은 시대적 소명의식과 열정, 자기희생이 있었다. 지금은 다르다. 활동비가 최저 임금도 안 되거나 겨우 맞추는 지역이 많다. 박봉에 시달리는 구조는 크게 달라지지 않았다. 지역 경실련의 회원 수와 상근활동가 수는 비례한다. 그런데 2008년 이후 상근활동가들이 줄어들면서 회원 수가 점차 감소하였고 이는 다시 회비의 감소로 이어지고 있다. 악순환의 고리를 끊기 위해서는 회원확대가 선결되어야 하지만 사회의 다원화가 진행되면서 시민운동단체에 대한 일반 시민의 관심은 줄어들고 있는 것이 현실이다. 급여가 적다보니 역량 있는 상근활동가 충원이 쉽지 않다. 이와 같은 악순환의 고리를 끊으려면 지역 시민들이 공감할 수 있는 아젠다 발굴 등 지역밀착형 운동으로 패러다임이 바뀌어야 한다.

사진으로 보는
경실련 30년

Ⅰ. 경실련의
창립과 활동

Ⅱ. 경실련 30년
활동의 성과

Ⅲ.
지역경실련의
활동과 성과

Ⅳ. 경실련과
시민사회의 미래

4. 지역경실련 위상 찾기

지역경실련 활동의 패러다임이 변해야 한다. 전술했듯이 상근 활동가들의 고령화로 청년 활동가들과의 사이에 괴리가 크다. 지역사회에서 시민들의 호응을 이끌어낼 수 있는 참신한 운동의제 발굴과 조직운영 혁신 등 새로운 시민운동이 모델이 필요하다.

1987년 체제 성립 이후 권위주의 정부 하에서 억눌렸던 민주주의에 대한 열망은 경실련의 활동에 대한 호응으로 나타났다. 초기 시민운동에 대한 사회적 호응은 이내 지역경실련의 창립으로 이어졌으며, 시민운동의 외연이 확대되는 계기가 됐다. 소외되었던 사회적 약자가 자신들의 목소리를 내기 시작하면서 초기 토지, 주택 문제에 집중됐던 운동의제는 환경, 통일 및 정치개혁 등 모든 영역으로 확장됐다.

경실련 활동 분야의 외연 확대는 1991년 민선 지방자치 부활과 함께 지역적 외연 확대의 계기를 맞이하게 됐다. 시민운동도 지방자치시대에 걸맞은 방식이 필요하게 됐기 때문이다. 초기에 지역경실련이 지역사회 내 뿌리를 내리는 데에는 공명선거캠페인의 성공적인 수행이 큰 역할을 담당했다. 91년 지방의회의원선거와 92년의 총선 및 대선과정에서 추진된 공명선거캠페인과 정책캠페인의 성공적인 수행은 우리사회 선거문화를 획기적으로 바꿔놓는 큰 성과를 거두었을 뿐 아니라 많은 사람들에게 시민운동을 다시 평가하게 만드는 기회를 제공했고, 각 지역에서 이를 주도적으로 수행한 지역경실련들이 활성화되고 지역적 기반을 튼튼히 하는 데 결정적으로 기여했다.

그러나 중앙 경실련의 운동의제를 전국적으로 확산하는 방식으로는 지역경실련이 지역 시민운동단체로 발전하는 데에는 한계가 있을 수밖에 없었다. 지역 주민들의 관심과 참여를 이끌어내기 위해서는 지역특성을 반영한 의제 발굴이 필요했기 때문이다. 이에 지역경실련은 환경, 주택, 교통, 지역경제 활성화 등 지역사회의 현안을 발굴하고, 문제해결을 위한 대안을 모색하기 시작했다. 이를 통해 지역경실련 활동은 지역주민의 관심과 참여에 기반한 지역시민운동으로 뿌리를 내렸다.

우리 사회에서 시민운동이 지역사회에 뿌리를 내리는 데 적지 않은 공헌을 한 지역경실련은 새로운 환경변화에 직면하여 새로운 운동모델에 대한 모색이 필요한 시점이다. 고령 상근 활동가의 운동방식이나 경실련의 이슈가 너무 진부하다는 지적이 있다. 진부한 것이 무조건 나쁜 것은 아니지만, 진부함을 조금 덜고, 진부함이 채우지 못하는 부분들을 새로운 패러다임으로 채워야 한다. 청년활동가들은 그 속에서 비전을 찾아야 한다. 청년활동가가 미래의 운동을 담보하는 세대이기 때문이다.

새로운 사회경제적 환경에 적응하는 노력이 필요하다. 이제는 시민중심 조직으로 조직체계를 바꿔야 한다. 새로운 인물들이 들어오는 흐름을 만들어야 한다. 시민들이 요구하는 많은 부분들도 수용해야 한다. 경실련이 제일 잘하는 주거안정, 부동산정책들은 시민들이 좋아하는 이슈고 같이 할 수 있는 프로그램이다. 이를 위해 선결돼야 할 부분이 있다. 중앙정부나 지방정부 지원 사업에 대해서도 재고(再考)가 필요하다. 상근 활동가의 고령화와 회원 확대가 힘든 상황에서 지방정부 예산으로 할 수 있는 일들을 모색할 필요가 있다. 사회적기업 등 지방정부와의 협치 구조를 통해 획득 가능한 예산에 대해서는 긍정적인 검토가 필요하다. 열악한 환경을 열정만으로 극복할 수는 없기 때문이다.

5. 중앙-지역의 공통의제 발굴

이제는 이념에 매몰되기보다 '생활정치' 의제를 발굴하는 등의 노력을 통해 지역경실련의 위상을 재정립하려는 적극적인 노력이 필요한 시점이다.

중앙과 지역의 공통사업으로 경실련 유튜브채널 운영, 학교 교육 프로그램, 예산감시(공공사업 감시), 일자리관련 활동, 국회 또는 지방의회 특권조사 등에 대한 요구가 많다.

경실련 유큐브채널 운영은 경실련뉴스로 할 수 있는 컨텐츠를 개발하고 경실련채널을 확보해 하부재생

목록으로 지역경실련을 이용하는 방법을 활용하겠다는 것이다. 유튜브를 활용할 수 있도록 영상편집 등 교육을 지원하고, 경실련 내부 인적자원을 활용해 기획·편집·촬영 등에 나서고, 자원봉사자와 영상소모임을 구성해 영상전문가를 확보하는 등의 방법도 모색해야 한다.

학교 교육 프로그램은 전국경실련이 경제를 주제로 학교 아카데미를 진행하는 것이다. 대상은 초중고생이며 회원을 강사로 양성하고, 교육 커리큘럼을 개발해 전국경실련 아카데미로 운영하는 방식이 필요하다. 금융과 노동, 재정예산, 민주주의 교육, 통일교육, 민주시민교육 등을 추가로 운영할 수도 있다. 단 경실련만의 차별성을 갖고 운영돼야 할 것이다.

예산감시(공공사업감시운동)은 예산에 대한 기초부터 모니터링, 방법론까지 교육하고 활동가와 봉사자들도 네트워크할 수 있도록 한다. 행정정보공유시스템을 구축(클라우드)해 중앙과 지역경실련 담당자의 소통을 강화하고, 언론과도 연대해 예산낭비 또는 절약사례 등을 시상하는 방식을 고민해 볼 필요가 있다.

일자리 점검사업은 일자리 지원자금에 대한 정보공개 청구롤 통해 산업부, 환경부, 중기부 등 분산된 지원금의 중복지원여부를 점검하여 재원낭비를 막고 창구 일원화를 요구하는 사업이다. 또한 일자리 자금을 지원받는 청년을 대상으로 설문조사를 통해 좋은 일자리(정규직) 만들기, 노인과 장애인 고용증가 등을 점검한다. 또한 일자리 사업 지원금제도에 대해 알아보고 기본소득에 대한 논의를 시작할 수 있도록 하는 것이다.

국회와 지방의회 특권조사는 특권 리스트 업과 실태조사를 통해 전국을 비교분석하고 공동으로 발표하는 것이다. 이후 감시단 조직과 항의방문, 협약을 통해 국회와 지방의원이 소요하는 모든 비용의 내역을 공개토록 요구하는 등의 활동을 진행하는 것이다. 지역경실련의 시정감시, 의정감시, 지방자치 등의 분야에서 강점을 가지고 있다. 중앙경실련과 소통, 연대하여 운동 의제의 전국적 확산에도 힘을 보탤 수 있다.

많은 사람들이 경실련운동을 정의로운 운동으로 생각하고 있다. '시민단체에 시민이 없다'는 비판을 넘어 시민과 함께 정의롭고 가치 있는 운동에 다시 나서야 한다.

시민과 함께 한
경제정의실천시민연합 30년사

경제정의실천시민연합
CCEJ 30주년

IV. 경실련과 시민사회의 미래

사진으로 보는
경실련 30년

Ⅰ. 경실련의
창립과 활동

Ⅱ. 경실련 30년
활동의 성과

Ⅲ. 지역경실련의
활동과 성과

Ⅳ.
사회의 미래

경실련과 시민

1. 시민사회의 과거, 현재와 미래

채원호 경실련 상임집행위원장

근대 이후 세계 역사에서 보듯이 시민사회는 한 국가의 정치에서 중요한 축을 담당하고 있다. 유럽에서는 절대왕정의 붕괴, 산업 자본주의 확대, 부르주아 세력의 부상 등으로 국가와 사회가 분화하는 과정을 겪었다. 이 과정에서 시민사회는 국가의 공적인 권위에 대항하여 자율성을 가지는 영역으로 인식되기 시작했다.

프랑스의 정치사회학자 Pierre Birnbaum은 그의 저서 「국가사회학」에서 국가를 서구사회의 특이한 역사 발전과정의 소산으로 파악한다(B. Badie & P. Birnbaum, 1979). 그는 프랑스, 독일, 영국, 미국 그리고 스위스 등 서구 여러 나라를 예로 들면서 「국가」, 「정치중심」, 「시민사회」의 상호관련 속에서 유형 분류를 시도한 바 있다. 이러한 시각에 의하면 중앙집권적 행정관료 조직의 「제도화」와 이 관료제의 시민사회로부터의 「분화」 내지 「자율화」라는 기준에서 가장 현저한 발전을 이룩한 나라가 프랑스다. 국가 모형의 전형인 프랑스와 대조적인 모형으로는 「시민사회에 의한 자기통치형」으로 영국이나 미국을 들 수 있다. 다시 말해 서구 선진 자본주의 국가는 시민계층이 사회적 우위를 확보하면서 주체가 된 영국의 경우와 전근대적인 요소의 완고함으로 인하여 시민계층의 독자적인 역량만으로는 국가형성이 어려웠기 때문에 일정한 강제나 타협에 의존했던 프랑스나 독일의 경우로 구분할 수 있다. 그러나 서구의 시민사회가 본질적으로는 국가와 사회를 중심축으로 하는 사회구성체의 내재적 변동에 의해 형태나 기능이 결정되었다는 측면에서는 공통적이다.

한국에서 시민사회는 권위주의적인 정권과 독점 자본에 대한 대항 세력으로 나타나게 되었고, 민주화 과정에 중요한 역할을 담당했다. 시민사회단체의 수가 중앙에 집중함으로써 지방이 상대적으로 취약한 한계점도 있었으나, 시민단체를 중심으로 한 사회운동은 한국 사회의 민주화와 경제 발전에 지속적으로 영향을 미치는 중요한 요인으로 작용하였다.

한국의 경우 일제 강점기에 YMCA, 신간회 등의 시민사회 조직운동을 통해 사회단체가 독립운동에 앞장섰고, 엄혹했던 군부독재 시절에도 민주화운동을 주도하는 등 주요한 역사적 순간마다 역사의 변혁을 이끌었다. 1987년 이전의 시민 사회는 억압적 군사 정권 하에 활발한 발전을 이루어내지 못했지만, 전두환 정권 말기 유화 국면을 분기점으로 변화를 꾀하게 되었다.

1987년 민주화 이후에는 정치, 경제, 환경, 등 다양한 분야에서 시민사회단체들이 결성되어 활발하게 활동을 전개했다. 경실련은 그런 흐름 속에서 1989년 탄생했다. 경실련의 창립을 주도했던 멤버들은 87년 체제 이후 불완전하기는 하지만 우리 사회가 민주화과정에 들어섰다고 판단했다. 경실련은 비합법투쟁이 아닌 합법적인 방식으로 경제정의의 기치 하에, 경제정의, 사회정의, 정치·정부개혁, 부동산·주거안정 분야에서 꾸준하게 정책대안을 제시하며 시민운동을 전개해 왔다. 그 결과 지난 30년간 금융실명제, 부동산실명제, 재벌개혁, 부패방지법, 공직자윤리법 등 굵직한 사회이슈에서 큰 성과를 거두기도 했다.[1]

시민운동의 주 내용은 환경, 평화, 소비자 주권, 인권, 불평등, 국가 분쟁, 건강, 보건 등과 같은 삶의 질에 관한 것이다. 이전의 운동이 노동자와 자본이라는 계급적 구도에서 이루어졌다면 시민 사회의 운동은 초국

---

[1] 행정안전부 자료에 따르면 2019년 3월 31일 현재 한국의 비영리민간간체 등록 현황은 다음의 표와 같다. 경실련은 1989년 11월 창립했지만, 중앙행정기관에 비영리민간단체로 등록한 것은 2002년 3월 18일로 기획재정부에 등록한 단체로 활동하고 있다.

비영리민간단체 등록 현황(2019. 3. 31.)

(단위 : 개)

계	중앙행정기관	시·도
14,404	1,675	12,729
증 129 (2018. 12. 31. 대비)	증 11 (2018. 12. 31. 대비)	증 48 (2018. 12. 31. 대비)

가적, 범인류적 가치를 포함하고 있다는 점에서 차이가 있다. 일종의 신사회 운동인 셈이다.

물론 이전의 민주화 운동, 노동 운동이 시민운동에 기초적 토양이 되었다는 점은 분명한 사실이다. 새로운 시민운동은 자발성과 전문성에 기초하여 동원의 대상이 아닌 주체적인 동력을 갖추게 된 것이다. 그런데 최근 정부, 시장, 시민사회의 3자 섹터 간에 변화의 흐름이 감지되고 있다.

　과거의 시민사회가 정부, 기업과 분리되어 최소한의 상호작용 속에 섹터 내에서 활동을 했다면 최근에는 사회문제 해결을 위해 정부, 시장, 시민사회가 접촉면을 늘려가며 협력활동을 증대시키고 있다(〈표1〉 참조). 즉, 섹터 간 교섭(교집합) 영역이 늘어나면서 전통적인 역할은 희미해지고 새로운 하이브리드 조직이 나타나고 있다. 섹터 간 상호작용의 결과 협업, 파트너십, 혁신의 새로운 모델이 탄생하기도 한다. 그런 사례로 '사회적 가치를 구현하는 사업모델'이나 '시장행위자로서의 시민사회' 모델 등이 등장하고 있다.

〈표1〉 정부, 시장, 시민사회의 역할 변화와 새로운 패러다임

Figure 1: Changing paradigms for sector roles
Source: World Economic Forum/ KPMG

Business　Government　Civil Society

Old Paradigm
■ Government, Civil Society and Business each acting primarily within their own spheres
■ Some degree of interaction, but limited—each sector acting independently to influence the other
■ Independently-defined roles of each sector

New Paradigm
■ Greater degree of activity to address societal challenges within each sector and more integration across a shared space
■ New frameworks for collaboration, partnership and innovation resulting from increased intersections
■ Increased blurring of traditional roles
■ Evidence of hybrid organizations emerging (e.g. business with social purpose and civil society as market actors)

　향후의 시민단체의 운동 모델은 정부, 시장, 시민사회 영역의 교섭(교집합)이 증가하면서 정부혁신, 기업혁신, 사회혁신이 호응하고 선순환하는 과정에서 새로운 역할 모형을 찾아야 할 것이다. 특히 향후 우리 사회는 저출산·고령 사회의 영향으로 경제활동인구가 급격하게 감소하여 총부양률이 급격하게 높아질 것이다. 총부양률의 급격한 증가와 저성장으로 인한 재정절벽 현상 심화는 시민사회에도 영향을 줄 것이다. 그렇게 되면 지역에서는 보충성 원리의 적용과 사회혁신 생태계 조성을 통해 주민들이 서로 돕는 상생협력과 공동체 문화 복원이 필요하게 된다. 시민사회의 패러다임도 시민에서 공민(共民)[2]으로 전환이 필요하다.

2. 경실련의 현재: 인적 구성 및 30년 활동에 대한 인식

1) 경실련 활동가의 인적 구성: 연령, 직업, 전공

　경실련 30주년을 맞이하여 경실련에서는 상근활동가와 볼런티어(전문가)를 대상으로 설문조사를 실시했다. 이하에서는 설문 조사에 근거해 경실련의 현 상황을 진단하고 미래를 전망하고자 한다. 전수를 대상으로 한 설문이었지만 시간 제약 상 일부 상근자와 전문가는 설문에 응하지 못했지만 활동가들의 전반적인 인식을 살펴 볼 수 있는 기회였다.

---

2) 송호근은 독일어 Mitbuerger는 공민(共民)으로 번역한다. '더불어 사는 시민', '공동체의식을 내면화한 시민'이란 뜻이다(출처: 김우창외, 2017. 「한국사회, 어디로?」, 아시아.).

전체 설문응답자(216명) 가운데 상근활동가는 47명(중앙 21명, 지방 26명)이었고 전문가는 169명(중앙 73명 지역 96명)이었다.

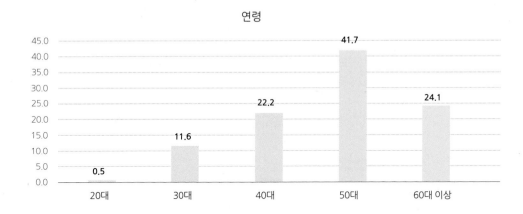

연령

상근활동가나 전문가들의 연령 분포를 보면 40대 이하가 74명으로34.3%였으며 50대 이상이 142명으로 65.7%였다. 특히 전문가 그룹은 전체 169명 가운데 124명이 50대 이상으로 73.3%를 차지하여 고령화 경향을 보였다. 전체적으로 40이하 젊은 세대의 참여가 저조한 점은 경실련 운동의 지속가능성을 고려했을 때 우려할 만한 수준이다. 청년 활동가의 충원이나 젊은 전문가 그룹의 지속적 참여가 경실련의 미래를 담보하는 중요 요인을 확인할 수 있다.

　　전문가 그룹의 직업 분포를 보면 보면 전체 응답자 150명 가운데 교수가 63명으로 42.3% 변호사가 13명으로 8.7%를 차지해 교수와 변호사가 전문가 그룹의 주축임을 알 수 있다.

교수	변호사	공인회계사·세무사	의사	자영업자	회사원	기타	합계
63	13	1	1	24	30	17	149
42.3%	8.7%	0.7%	0.7%	16.1%	20.1%	11.4%	100%

　　이들의 전공은 다음에서 보듯이 사회과학 전반에 비교적 고루 분포하고 있으며, 공학이나 기타 전공도 20%정도임을 알 수 있다.

경제학	경영학	법학	정치학	행정학	사회복지	공학	도시계획	기타	합계
17	34	20	9	14	23	8	4	21	150
11.3%	22.7%	13.3%	6.0%	9.3%	15.3%	5.3%	2.7%	14.0%	100%

2) 경실련의 중립성(비당파성)과 이념 성향

시민운동단체로서 정치적 중립성(비당파성)을 지향하고 있는 경실련에 대해 평가는 응답자의 다수(78.2)가 중립적이라고 평가했다. 여기서 비당파적이라고 함은 특정 정파의 이해를 대변하지 않은 것으로 보아야 할 것이다.

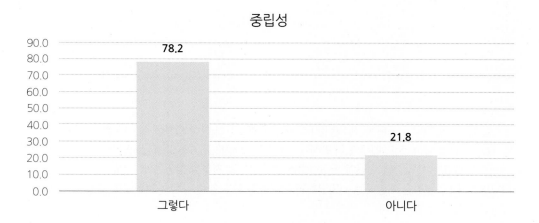

다음은 경실련의 이념에 대해 설문한 결과이다. 피설문자의 13.0%가 중도우파라고 답했으며, 35.2%가 중도, 51.9%가 중도좌파로 보았다. 40대 이하 피설문자의 경우 34.3%가 중도좌파라고 보았으며, 50대 이상 피설문자는 65.7%가 중도좌파라고 응답해 운동 세대 간 편차가 있었다.

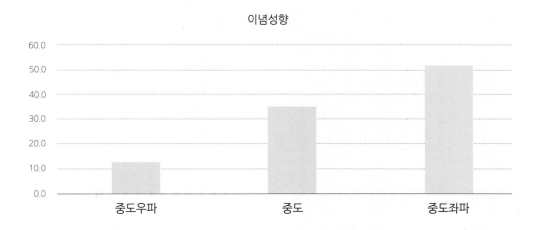

3) 경실련 활동가들의 정치참여에 대한 인식

경실련 전문가 그룹 가운데 교수의 현실 정치참여를 묻는 설문에는 31.9%가 폴리페서로 56.9는 앙가주망으로 응답했다. 시민단체 활동을 하는 교수들 가운데는 일반 국민들의 상식적 정서에 반하는 형태로 정치권을 기웃거려 비판을 받는 경우가 적지 않다. 그러나 시민단체의 윤리강령을 위배하지 않는 범위 내에서 시민단체 지식인이 사회참여나 정치참여를 하는 것을 원천적으로 봉쇄할 수는 없을 것이다.

사진으로 보는
경실련 30년

I. 경실련의
창립과 활동

II. 경실련 30년
활동의 성과

III. 지역경실련의
활동과 성과

현실정치참여

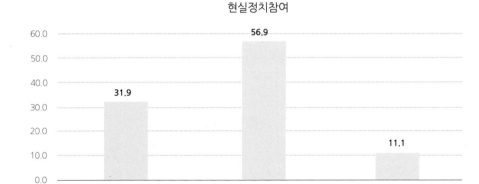

실제로 경실련의 상근활동가나 전문가그룹에게 현실정치 참여 의향을 설문한 결과 다음의 표에 보는 바와 같은 결과를 나타냈다. '매우 있다'와 '다소 있다'를 합치면 30.6%의 응답자가 참여 의향을 나타냈다. 현재에도 경실에는 윤리강령이 있어 부적절하게 정치권으로 진출한 활동가에 대해서는 징계를 한 사례도 있다. 비당파적 중립성을 지향하는 시민단체인 경실련은 향후 관련 규정을 보완하여 운동의 비당파성을 견지해 나가도록 해야 할 것이다.

현실정치 참여 의향

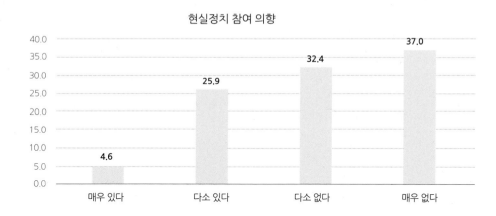

4) 경실련 30년 활동에 대한 평가

경실련 창립 30년 활동을 평가해 달라는 설문에는 다음과 같은 응답 결과를 보였다. 10점 만점에 전체 응답자는 6.98점이었다. 상근자 보다는 전문가 그룹이 좀 더 후한 평가를 한 것으로 나타났다. 이는 현재 전문가 그룹의 평균 연령이 상근자 그룹에 비해 좀 더 고령인 점이 작용한 것으로 생각된다. 전문가 그룹은 50대·60대 이상이 73.3%로 상근자에 비해 비중이 높았는데, 이것이 평가에 영향을 준 것으로 판단할 수 있다. 1989년 창립 이후 경실련이 시민운동을 주도하면서 사회적으로 존재감이 크고 성과를 냈던 시기에 활동 했던 전문가 그룹이 경실련 30년 활동에 대해 좀 더 긍정적으로 평가한 것으로 보인다.

경제정의실천시민연합

경실련 활동 점수(근무유형)

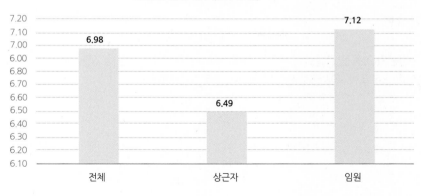

다음으로 경실련 30년 활동 가운데 구체적인 운동 의제를 20개를 대상으로 가장 성과가 컸던 의제를 5가지 고르도록 한 설문 결과를 중심으로 30년 활동의 성과를 평가해 보았다. 30년 활동 평가이기 때문에 현재 진행형인 운동 의제도 있지만, 과거에 굵직한 성과를 냈던 의제도 포함되어 있다. 평가 결과를 보면 금융실명제, 부동산실명제, 토지공개념, 공약이행평가, 재벌개혁 등이 성과가 컸던 운동 의제로 평가됐다.

성과의제

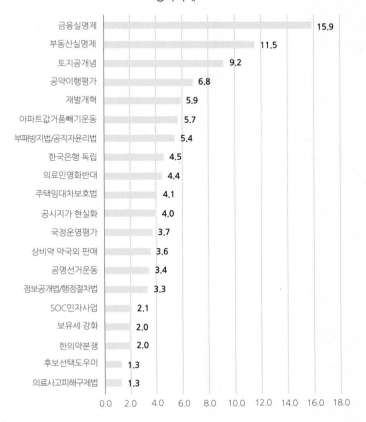

3. 경실련의 미래: 전망과 과제

1) 경실련의 위기 요인

상근활동가와 전문가 그룹은 경실련의 위기로 다음에서 보듯이 '회비, 후원 등 재원 마련의 어려움'과 '시민단체로서 정체성이나 운동방식에 문제' 등을 위기 요인으로 보고 있다.

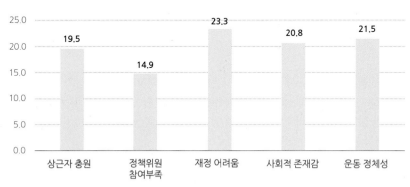

경실련 위기

앞서 보듯이 경실련이 직면하고 있는 위기 요인이 있음에도 상근활동가나 전문가 그룹은 경실련 활동에 대해 보람을 느끼고 있는 것으로 나타났다. 다음 설문에서 보듯이 경실련의 미래가 밝지 않음에도 상근활동가나 전문가 다수가 경실련 활동에 보람을 느끼고 있는 점은 향후 운동의 지속가능성에 긍정적 영향을 미치는 요인으로 작용할 것으로 보인다

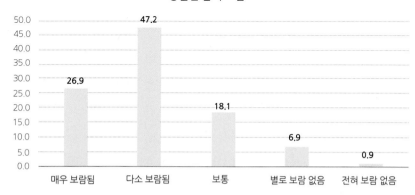

경실련 참여 보람

2) 경실련의 미래 전망

경실련의 미래를 전망하는 설문에는 다음과 같은 응답 결과를 보였다. 비관적 의견이 48.1%로 현상유지(24.5%), 낙관적 의견(27.3%)보다 많았다. 시민사회의 변화 흐름에 대한 적응력 약화, 재정적 어려움,

사회적 존재감 저하와 이로 인한 청년활동가 충원이나 전문가의 결합 저조 등 현재의 위기 상황이 반영된 결과로 보인다.

경실련 미래

3) 경실련의 과제

앞서 언급한 경실련의 미래 전망에서 알 수 있듯이 경실련의 미래에 대해서는 비관적 전망이 우세하다. 이하에서는 경실련이 처한 위기와 과제에 대해 논의하고자 한다.

① 경실련의 정체성과 정치적 중립성(비당파성)

경실련이 정체성과 정치적 중립성에 대해서는 조직 내부에 다양한 의견이 존재한다. 좌편향에서 벗어나서 사안의 옳고 그름 판단하는 상식이 필요하다는 의견부터 '경제정의' 실천 자체가 이념지향성을 가지기 때문에 기계적 중립은 무의미하다는 의견까지 다양하다. 정치적 중립성(비당파성)은 견지해 나가야 하겠지만, 경실련의 이념적 정체성에 대해서는 창립 당시부터 발기문 등에서 뚜렷이 밝히고 있기 때문에 이를 공유하면서 계승 발전시켜야 할 것이다. 다시 말해 경실련의 존재 목적에 부합하는 사회문제에 집중할 필요가 있다.

② 운동 의제와 방식

경실련에는 주지하듯이 중앙경실련과 지역에서 운동하는 지역경실련이 있다. 중앙과 지역 경실련은 운동 의제 면에서 공통된 의제를 가지고 활동을 전개하기도 하지만, 지역에는 지역 고유의 운동 의제가 있다. 중앙경실련의 경우 4개 대분류 21개 중분류 영역에서 100개 넘는 운동 의제에 대응해 온 것이 지난 30년의 활동 역사다. '선택과 집중'이 필요하다는 의견과 '백화점식 운동의제형 활동'을 견지하자는 의견이 병존하고 있다. 2019년에는 재벌과 부동산에 '선택과 집중'을 하면서도 다른 분야도 함께 활동하는 '절충형' 운동 모형을 실험하고 있다. 향후 치열한 내부 논의를 거쳐 최적화된 운동 모형을 안출해야 할 것이다.

지역경실련은 1995년과 2000년 40개 지역에서 활동했었으나 이후 감소세를 보이며 최근에는 26개 지역에서 활동을 지속하고 있다. 초기의 지역경실련들은 91년 지방의회의원선거와 92년의 총선 및 대선과정의 공명선거캠페인과 정책캠페인은 우리사회 선거문화를 바꿔놓았다. 정책캠페인의 성과는 지방의회감시단 운영, 지자체 시민대학 개설, 지방의정 논단 개최, 지방의회의원 공약이행평가 등 의정감시활동으로 이어졌고, 지역경실련 중요하고도 보편적인 활동으로 정착했다. 지역은 지역 고유의 사회 이슈가 있고 사정이 다르기 때문에 중앙과 연대해야 할 부분도 있지만, 지역경실련의 운동 모델을 스스로 만들어서 적응력을 높여나갈 필요가 있다. 그 과정에서 중앙이나 다른 지역의 활동 노하우를 공유하거나 상호 학습이 필요하다. 다음의 표는 26개 지역경실련의 운동 의제를 조사한 것이다. 중앙경실련 의

제와 중복되는 운동 의제는 다음의 표와 같다. 자치분권(22), 환경(22), 국토도시(19), 시민사회(19), 소비자(17), 보건복지(16) 등의 순서로 중복 의제가 많음을 알 수 있다. 지역경실련의 경우 지역 특성에 부합하는 '생활정치' 의제를 발굴하는 등의 노력을 통해 지역경실련의 위상을 재정립하려는 적극적인 노력이 필요하다.

26개 지역경실련 운동 의제

분야＼지역	강릉	속초	춘천	인천	광명	김포	수원	안산	양평	이천·여주	군포	대구	부산	거제	구미	광주	군산	전주	정읍	목포	순천	여수	제주	대전	천안·아산	청주
재벌													✓													
금융		✓		✓									✓					✓		✓		✓				
재정세제		✓	✓	✓				✓			✓	✓	✓			✓	✓	✓		✓						✓
중소기업		✓	✓					✓			✓	✓	✓	✓		✓	✓			✓			✓	✓		✓
소비자	✓		✓					✓					✓	✓	✓	✓	✓	✓	✓	✓	✓	✓	✓	✓	✓	✓
농업	✓					✓	✓	✓								✓	✓									
통상						✓		✓																		
보건복지	✓	✓		✓				✓	✓			✓			✓	✓		✓	✓	✓	✓		✓	✓		✓
환경	✓	✓	✓	✓	✓	✓		✓				✓	✓		✓	✓	✓	✓	✓	✓	✓		✓	✓	✓	✓
시민사회	✓	✓	✓	✓				✓				✓	✓		✓	✓	✓	✓	✓	✓	✓	✓	✓	✓	✓	✓
언론	✓														✓				✓					✓		✓
노동	✓	✓		✓				✓				✓				✓	✓	✓	✓				✓	✓		✓
교육	✓	✓	✓	✓				✓					✓			✓		✓	✓	✓	✓	✓	✓	✓	✓	✓
정치개혁			✓	✓										✓	✓									✓	✓	✓
정부개혁				✓									✓	✓										✓	✓	
사법개혁																										
자치분권	✓	✓	✓	✓	✓	✓	✓	✓	✓			✓	✓		✓	✓	✓	✓	✓	✓	✓		✓	✓	✓	✓
반부패	✓	✓	✓	✓	✓	✓		✓				✓	✓	✓		✓	✓	✓	✓				✓	✓		✓
통일국제			✓				✓	✓	✓																	
부동산	✓						✓		✓			✓				✓							✓	✓	✓	✓
건설	✓												✓			✓					✓				✓	
국토도시		✓	✓	✓				✓				✓	✓		✓	✓	✓	✓		✓	✓		✓	✓	✓	✓

주1): 2019년 10월 현재 조사한 내용임.
주2): 중앙경실련 의제와 중복되는 의제 순서는 다음과 같다.
자치분권(22), 환경(22), 국토도시(19), 시민사회(19), 소비자(17), 보건복지(16), 교육(16), 반부패(16), 부동산(13), 중소기업(13), 노동(13), 재정세제(12), 농업(8), 정치개혁(8), 정부개혁(6)금융(6), 건설(5), 언론(5), 통일국제(4), 통상(2), 재벌(1), 사법개혁(0)

운동 의제 발굴과 관련해서는 상근활동가, 볼런티어 중심에서 회원과 함께 하는 운동을 적극 발굴할 필요가 있다는 건의도 존재한다. 재정적 어려움을 타개하기 위해서는 회원의 의향을 적극 수용하는 등 회원관리에도 적극적인 변화가 있어야 할 것이다.

운동 방식과 관련해서는 최근의 미디어 환경 변화를 고려해 유투브 등 뉴미디어를 적극 활용해야 한다는 의견이 많다. 중앙경실련의 경우 30주년 사업의 일환으로 아카이브 구축과 스튜디오 설치를 진행하고 있어 조만간 운동 방식에는 긍정적인 변화가 있을 것으로 예측된다.

③ 상근자 역량 강화 및 전문가 인력풀 확충

경실련의 위기 요인으로 제기된 것 가운데 상근자의 역량 강화와 볼런티어 인력풀 확충 문제가 있다. 상근자의 역량 강화와 관련해서는 열악한 급여 인상이 급선무라는 것을 다음의 조사 결과에서도 확인할 수 있다. 상근자 역량 강화와 관련해서는 내외부 교육 외에도, 안식년, 안식월 등 재충전 기회 부여나 근무성적평정 및 상벌제도 강화 등 인사관리 제도 개선도 방안이 될 수 있을 것이다. 그밖에 의견으로는 선임 활동가의 멘토 역할 강화나 교육아카데미 활성화를 통한 상근 활동가 전문성 강화 등의 의견이 존재했다. 상근자의 역량 강화와 관련해서는 역량 있는 청년 활동가 충원이 시급한데, 중앙이나 지역 할 것 없이 청년 활동가 충원이 쉽지 않은 상황이다. 다음에 논의할 물적 토대 확충을 통해 역량 있는 인재 충원이 이루어져야 할 것이다.

청년활동가야말로 미래의 운동을 담보하는 세대이기 때문이다.

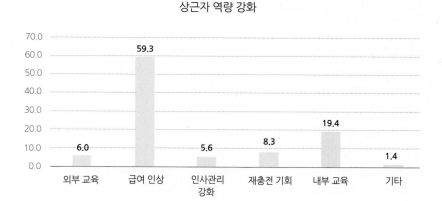

상근자 역량 강화

상근자 역량 강화 못지않게 중요한 것이 볼런티어 인재풀 확충 문제다. 경실련의 사회적 존재감 저하와 맞물려 역량 있는 볼런티어 활동가 참여가 저조한 편이다. 경실련 볼런티어 그룹 중에는 교수, 변호사, 회계사 등 다양한 인재풀이 있는데, 특히 젊은 교수들의 참여가 저조한 편이다. 대학에서 논문 업적 등 기준이 강화되고 있는 점도 젊은 교수들의 참여를 어렵게 하고 있다고 생각된다. 분야별로 전문가 그룹이 고령화되고 있는 점도 경실련이 향후 해결해야 할 중요한 과제다.

④ 물적 토대 확충

경실련의 위기 요인 가운데는 재정적 어려움을 타개하기 위해서는 물적 토대 확충이 절대적인 선결조건이다. 그러기 위해서는 회원이나 후원이 꾸준히 증가해야 하는데 사정은 녹록치 않다. 지역경실련에서는 재정적 어려움을 극복하기 위해서는 지방정부 지원사업에 대한 규제에 대해 재고(再考)가 필요하다는 목소리가 많다. 상근 활동가의 고령화와 회원 확대가 힘든 상황에서 지방정부 예산으로 할 수 있는 일들을 모색할 필요가 있다. 사회적기업 등 지방정부와의 협치 구조를 통해 획득 가능한 예산에 대해서는 긍정적인 검토가 필요하다. 열악한 환경을 열정만으로 극복할 수는 없기 때문이다. 다음의 표에서 보듯이 보조금 사업에 대한 규제에 대해서는 전면 허용이나 사안별 검토 후 승인 의견이 다수를 차지했다.

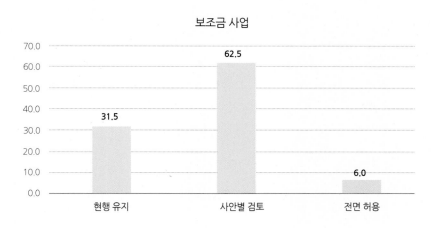

보조금 사업

회원 확대나 후원행사와 관련해서는 시민운동의 흐름 및 후원트렌드 파악을 파악하여, 이를 후원자 확대와 유대 강화로 연결시켜야 할 것이다.

⑤ 거버넌스 개혁

경실련의 지배구조 개선과 관련해서는 '중앙경실련과 지역경실련의 소통 강화와 네트워킹 활용' '내부 운영의 민주화와 조직혁신', '회원과의 유대 강화' 등이 필요하다. 경실련 활동의 한 축을 이루는 지역의 경우 중앙보다 상황이 열악한 지역이 많다. 운동 경험을 공유하고 성과가 많은 지역을 벤치마킹하는 등의 노력을 통해 지역경실련의 역량을 제고하고 위상을 재정립해야 할 것이다.

설문 조사 결과를 보면 내부 운영의 민주화나 조직혁신에 대한 의견도 존재했다. 상근활동가의 열악한 처우는 청년활동가 충원의 애로요인이 될 수 있기 때문에 상근 활동가의 역량강화와 급여 현실화는 시급한 과제다. 아울러 조직 내에서 다면평가 제도 등 근무성적에 대한 객관적인 평가를 통해 유인을 제공하는 등의 노력을 통해 사무국의 생산성을 제고할 필요가 있다. 이를 위해서는 30주년 기념사업의 일환으로 설치되어 있는 지속가능발전위원회 내에 조직혁신 소위원회를 두어 가동할 필요가 있을 것이다. 마지막으로 '시민 없는 시민운동'으로 비판을 받기도 했던 것이 그간의 시민운동 방식이었던 점을 상기하면 향후에는 좀 더 적극적으로 회원과의 유대를 강화하고, 이들과 소통하는 것이 필요할 것으로 보인다.

경제정의실천시민연합 30년사 편찬위원회

위원장 : 채원호 상임집행위원장(가톨릭대 행정학과 교수)

위　　원 : 권영준 공동대표(한국뉴욕주립대 교수)

　　　　　정미화 공동대표(법무법인 남산 대표변호사)

　　　　　이의영 중앙위원회 의장(군산대 경제학과 교수)

　　　　　박상인 정책위원장(서울대 행정대학원 교수)

　　　　　김호균 경제정의연구소 이사장(명지대 경영정보학과 교수)

　　　　　서순탁 전 정책위원장(서울시립대 총장)

　　　　　임효창 전 경제정의연구소 소장(서울여대 경영학과 교수)

　　　　　박　훈 재정세제위원장(서울시립대 세무학과 교수)

　　　　　방효창 정보통신위원장(두원공과대 스마트IT과 교수)

　　　　　박성수(박병옥) 전 사무총장

　　　　　이대영 전 사무총장

　　　　　고계현 전 사무총장

　　　　　윤순철 사무총장

자문 및 집필위원

김 호 단국대 환경자원경제학과 교수
김진수 연세대 사회복지학과 교수
김진현 서울대 간호대 교수
김철환 새안산상록의원 원장
김태룡 상지대 행정학과 교수
김헌동 부동산건설재벌개혁본부장
김호균 명지대 경영정보학과 교수
류중석 중앙대 도시공학과 교수
박경준 변호사, 법무법인 인의
박선아 한양대 법학전문대학원 교수
박성수(박병옥) 전 사무총장
박성용 한양여대 경영학과 교수
백인길 대진대 도시공학과 교수
소순창 건국대 행정학과 교수
신영철 건설경제연구소 소장
신현호 변호사, 법무법인 해울
오길영 신경대 경찰행정학과 교수
우지영 나라살림연구소 책임연구원
윤순철 사무총장
이광택 국민대 명예교수
이근식 서울시립대 명예교수
이우영 북한대학원대학교 교수
이인영 홍익대 법학과 교수
이종수 한성대 명예교수
임효창 서울여대 경영학과 교수
정미화 변호사, 법무법인 남산
정승준 한양대 의대 교수
채원호 가톨릭대 행정학과 교수
최봉문 목원대 도시공학과 교수
홍승권 가톨릭대 의대 교수

고선영 안산경실련 사무국장
고선휘 순천경실련 사무국장
고영삼 前광주경실련 사무처장
권오인 재벌개혁본부 국장
권용범 춘천경실련 사무국장
김건희 재벌개혁본부 간사
김경석 속초경실련 사무국장
김미정 속초경실련 부장
김미진 청주경실련 간사

김삼수 30주년사업국 국장
김성달 부동산재벌개혁본부 국장
김성아 인천경실련 사무국장
김송원 인천경실련 사무처장
김은숙 제주경실련 팀장
김은정 정읍경실련 사무국장
김지희 천안아산경실련 간사
남은경 도시개혁센터 국장
도한영 부산경실련 사무처장
박향미 광주경실련 간사
배동주 거제경실련 사무국장
서재숙 군산경실련 간사
서해림 대전경실련 사무국장
서휘원 정책실 간사
심헌섭 강릉경실련 사무처장
양혁승 연세대경영학과 교수
여현정 양평경실련 사무국장
오세형 재벌개혁본부 팀장
유병욱 수원경실련 사무국장
윤철한 정책실장 => 가나다 순
이광진 대전경실련 기획위원장
이병관 청주경실련 정책국장
이종준 김포경실련 사무국장
장성현 부동산건설개혁본부 간사
전원신 前목포경실련 간사
정호철 재벌개혁본부 간사
조광현 대구경실련 사무처장
조근래 구미경실련 사무국장
조성훈 정책실 간사
주상운 이천여주경실련 사무국장
최미영 광명경실련 부장
최수진 전주경실련 사무국장
최승섭 前부동산건설개혁본부 부장
최예지 정책실 팀장
최윤정 청주경실련 사무처장
최은영 대구경실련 사무국장
최진숙 여수경실련 간사
허정호 광명경실련 사무국장
황은아 군포경실련 사무국장

30th Anniversary 1989~2019
경제정의실천시민연합 30년사

경실련 30년 다시 경제정의다 1권

초판 1쇄 인쇄 2019년 10월 28일
초판 1쇄 발행 2019년 11월 04일

지 은 이_경제정의실천시민연합 30년사 편찬위원회
펴 낸 이_소재두
인쇄_DESIGN단비

등록번호_제2003-000019호
등록일자_2003년 3월 5일
주소_서울시 영등포구 양산로 19길 15 원일빌딩 204호
전화_02-887-3561
팩스_02-887-6690
ISBN 978-89-6357-812-5(set)
        978-89-6357-813-2(1권)
        978-89-6357-814-9(2권)
값 70,000 원

이 도서의 국립중앙도서관 출판예정도서목록(CIP)은 서지정보유통지원시스템 홈페이
지(http://seoji.nl.go.kr)와 국가자료종합목록시스템(http://kolis-net.nl.go.kr)에서 이
용하실 수 있습니다. (CIP제어번호 : CIP2019042776)